扬州市广陵区志

扬州市广陵区地方志年鉴编纂委员会 编

GUANGLING · YANGZHOU · CHINA

中國·楊州·廣陵

1989～2011

下 册

方志出版社

目　　录

第二十篇　中共地方组织

第二十一篇 人民代表大会

第二十二篇 人民政府

第二十三篇 人民政协

第二十四篇 民主党派 工商联 群团

第二十五篇　法治　武装

第二十六篇　精神文明建设

第二十七篇 科 技

第二十八篇 教 育

第二十九篇 文 化

第三十篇 文博 非遗

第三十一篇 卫 生

第三十二篇　体　育

第三十三篇　人力资源和社会保障

第三十四篇 民 政

第三十五篇 社会生活

第三十六篇 街道 乡镇

第三十七篇 名镇湾头

第三十八篇 人 物

附　录

第二十篇 中共地方组织

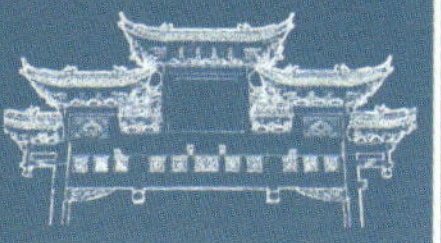

要　目

1989～2011年，在中共扬州市委领导下，中共广陵区委认真学习贯彻党的路线、方针、政策，贯彻实施省、市委的重要决定和会议精神，动员和带领全区各级党组织和广大干部群众，以邓小平理论、“三个代表”重要思想、科学发展观为指导，围绕经济建设中心，解放思想，改革创新，同心拼搏，奋力实干，不断开创经济社会发展新局面。全区经济和社会各项事业快速发展，综合实力不断壮大，城乡面貌和人民生活显著变化。

1989年，针对城区经济特点，区委形成工业、商贸业和房产业“三业并举”的经济发展思路。1993年，进一步解放思想，加快改革开放，提出“三业并举，外向带动，突出三产，四轮齐转”的发展思路。1995年，调整充实原有发展思路，提出“强化工业，突出三产，外向带动，科教兴区”的发展战略，进一步明晰全区经济发展方向和重点，赢得加快发展的主动权。2002年区划调整后，提出贯彻“三个代表”，实现“两个率先”，努力争创先导区的工作目标和实施意见。2004年，印发《关于推进全民创业，进一步加快民营经济发展的意见》，出台鼓励全民创业的政策措施80条，放手发展民营经济。2005年，制定《广陵区工业“三重”工作实施方案》和《广陵区服务业“三重”工作实施方案》，推进全区经济和社会事业提速发展。2007年，实施打造“两城三区”发展战略，提出广陵区经济发展三年倍增计划实施意见。2009年，印发《关于“推进科学发展，实现率先跨越”的实施纲要》。2010年，提出并实施“楼宇经济”“会馆经济”“月光经济”三大经济战略。同时，区委突出民生和社会事业发展，制定《关于深化社会治安“创三安”工作的意见》《关于加快建设教育强区，基本实现教育现代化的意见》《关于开展法治城市创建活动的实施意见》《关于加快推进和谐社区建设工作的实施意见》等决策意见，引领广陵区走全面、均衡、持续发展道路。2011年年底，区划再次调整，区委及时谋划新的发展战略，提出打造枢纽、创新、精致、智慧、低碳、幸福“六大城区”，让新广陵领跑扬州“第二个率先”。

23年间，区委认真贯彻实施中共十四大、十五大、十六大和十七大精神，从广陵实际出发，加强党的思想、组织、作风、制度建设和廉政建设。1989年，开展民主评议党员工作。1991年和1996年，区委制定和实践精神文明建设“八五”“九五”规划。2000年，开展以“讲学习、讲政治、讲正气”为主要内容的“三讲”教育活动。2005年，开展保持共产党员先进性教育和干部能力作风建设活动；开展创建先进党支部、争当优秀共产党员活动，实现社区党建网格化管理，形成街道党工委、社区党组织、网格党支部和党小组构成的社区党建网络。2009年，开展深入学习实践科学发展观活动。2011年，进一步加强干部队伍能力作风建设，继续突出为民办实事，努力实现惠泽民生民利与转变干部作风的互动共赢。继续落实党风廉政建设责任制，构建具有广陵特色的惩治和预防腐败体系。

坚持围绕工作大局，区委广泛开展爱国主义、集体主义、社会主义教育和社会公德、职业道德、家庭美德和个人品德宣传教育，开展世界观、人生观和社会主义核心价值观的主题教育，开展学雷锋、学焦裕禄、学刘应启、学孔繁森、学高仁林等先进人物活动，唱响主旋律，精神文明建设进一步加强，为改革开放和经济社会发展提供有力的理论指导和精神支撑。努力加强和改善对区人大、区政府、区政协和各群团组织的领导，推进多党合作和政治协商制度，支持民主党派和工商联发挥参政议政、民主监督作用。重视开展对台工作和海外统战工作，推动经济社会积极发展。

第一章 党员代表大会

1989～2011年，先后召开中共广陵区第三、第四、第五、第六、第七次代表大会，选举产生中共广陵区第三届到至第七届委员会，选举产生中共广陵区第三届至第七届纪律检查委员会。

第一节 第三次代表大会

中共广陵区第三次代表大会于1991年5月23～25日在区政府大会议室召开。出席代表200人，列席代表55人，特邀代表5人。

大会听取并审议区委书记崔如松代表中共广陵区第二届委员会所作的《加强党的建设，发扬务实作风，为进一步振兴广陵而团结奋斗》的工作报告。大会要求，全区各级党组织要继续坚定不移地贯彻执行党的基本路线，以经济建设为中心，充分发挥城区优势，认真实施区、街、居、个体四个层次的经济共同发展，工业、商贸业、房产开发业“三业并举”的经济发展战略，促进全区经济持续、稳定、协调发展。进一步巩固发展创建卫生城市活动成果，不断提高管理水平。大力加强社会主义精神文明建设，进一步完善社会主义民主法制，推动各项社会事业协调发展。坚持从严治党的方针，抓好党的思想、组织和作风建设，充分发挥党组织的战斗堡垒作用和共产党员的先锋模范作用。

大会通过《中国共产党扬州市广陵区第三次代表大会关于第二届委员会工作报告的决议》和《中国共产党扬州市广陵区第三次代表大会关于区纪律检查委员会工作报告的决议》。

大会选举产生中共扬州市广陵区第三届委员会，委员25人，候补委员4人；选举产生区纪律检查委员会，委员11人。

中共广陵区第三届委员会委员名单

（共25人，按姓氏笔画排列）

王乃祥	王大庆	王中义	王长福	王宾支	朱正海
朱立淦	朱福元	庄火男	许铭庚	苏 勤（女）	李永芬（女）
李济中	李惠生	肖庆春	肖庆寅	陈 侠	杭春明
周丛赞	周学恒	胡宏飞	崔如松	蒋锡生	谢登英（女）
樊履根					

中共广陵区第三届委员会候补委员名单

（共4人，按得票多少排列）

顾德美	谢孝兰	陈 有	唐 俊

因人事调整，区委委员出缺3人。1993年12月31日，区委三届四次全体会议经表决同意，从区委候补委员中依次替补顾德美、谢孝兰、陈有为区委委员。

中共广陵区第三届纪律检查委员会委员名单

（共 11 人，按姓氏笔画排列）

丁家公	吉　林	刘　兰（女）	李一华（女）	李开良	李家官
肖庆春	张玉生	姚家驹	顾本安	黄文进	

第二节　第四次代表大会

中共广陵区第四次代表大会于 1996 年 5 月 22 ～ 24 日在区政府大会议室召开。出席代表 200 人，列席代表 42 人，特邀 5 人。

大会听取并审议区委书记洪军代表中共广陵区第三届委员会所作的《团结拼搏，开拓创新，为实现我区经济社会发展新跨越而努力奋斗》的工作报告。大会提出，为把广陵建设成为经济繁荣、科教发达、环境优美、社会文明、人民生活富裕的社会主义新城区，全区各级党组织要按照加快两个根本性转变的要求，认真贯彻“强化工业、突出三产、外向带动、科教兴区”的发展思路，实施结构优化、科教兴区、外向带动、协调发展“四大战略”，加快改革开放和经济建设步伐。突出各业重点，优化经济结构，加快经济发展的多元化进程；深化企业改革，增强竞争能力，加快经济发展的市场化进程；扩大对外开放，加强挂靠联合，加快经济发展的外向化进程；壮大骨干企业，搞活经营机制，加快经济发展的公司化进程；依靠科技进步，加大科技投入，加快经济发展的科技化进程；加强企业管理，提高企业素质，加快经济发展的效益化进程。更加自觉地坚持“两手抓、两手都要硬”的方针，加强思想道德教育，开展社会主义精神文明建设活动，发展社会事业，搞好城市管理和服务，强化社会治安综合治理，加强社会主义民主法制建设，大力推进社会全面进步。

大会通过《中国共产党扬州市广陵区第四次代表大会关于第三届委员会工作报告的决议》和《中国共产党扬州市广陵区第四次代表大会关于区纪律检查委员会工作报告的决议》。

大会选举产生中共扬州市广陵区第四届委员会，委员 24 人，候补委员 4 人；选举产生区纪律检查委员会，委员 13 人。

中共广陵区第四届委员会委员名单

（共 24 人，按姓氏笔画排列）

丁建民（女）	王中义	王若芬（女）	卢穗明	朱元豪	刘新伟
许铭庚	阮定魁	肖庆春	肖庆寅	汪仪仁	宋建国
陈　有	杭春明	胡宏飞	赵宝庆	洪　军	姚家驹
高仁林	唐　俊	曹有信	蒋锡生	虞国泰（女）	樊履根

中共广陵区第四届委员会候补委员名单

（共 4 人，按得票多少排列）

王一恩	张若松	赵敬忠	郭云祥

中共广陵区第四届纪律检查委员会委员名单

（共 13 人，按姓氏笔画排列）

刘正武	刘厚仁	孙汉昌	纪　建	肖庆春	张冬林
张　华	林发广	顾本安	黄文进	黄　河	蔡雨萍（女）
管　桦					

第三节　第五次代表大会

中共广陵区第五次代表大会于2001年3月23～25日在区政府大会议室召开。出席代表200人，列席代表46人。

大会听取并审议区委书记钱小平代表中共广陵区第四届委员会所作的《抓住机遇，加快发展，为建设现代化新城区而努力奋斗》的工作报告。大会要求，全区各级党组织要坚持以邓小平理论和“三个代表”重要思想为指导，以改革开放和科技进步为动力，以富民强区为目标，全面实施呼应城市化、服务业主导、外向型与私营个体经济、科教兴区战略，围绕发展主题，突出调整主线，继续深化改革，加快信息化进程，大力推进科技进步，推动区域经济加快发展。坚持“两手抓、两手都要硬”的方针，加强社会主义精神文明建设，积极发展社会事业，切实履行城区职能，进一步加强社区建设，强化社会治安综合治理，加强社会主义民主法治建设，促进社会全面进步，为“把扬州建设成为古代文化与现代文明交相辉映的名城”作出积极贡献。

大会通过《中国共产党扬州市广陵区第五次代表大会关于第四届委员会工作报告的决议》和《中国共产党扬州市广陵区第五次代表大会关于区纪律检查委员会工作报告的决议》。

大会选举产生中共扬州市广陵区第五届委员会，委员23人，候补委员4人；选举产生区纪律检查委员会，委员13人。

中共广陵区第五届委员会委员名单

（共23人，按姓氏笔画排列）

王一愚	王中义	王若芬（女）	朱元豪	仲　生	刘新伟
汤天波	许亚军	阮定魁	孙志南	吴广远	汪仪仁
张贵联	张　跃	陈　有	陈博文	杭建强	杭春明
赵宝庆	夏祥生	钱小平（女）	徐益民	韩　劬	

中共广陵区第五届委员会候补委员名单

（共4人，按得票多少排列）

唐　俊	施益香（女）	王继文	徐庆龙

中共广陵区第五届纪律检查委员会委员名单

（共13人，按姓氏笔画排列）

马新阳	刘正武	刘厚仁	孙汉昌	肖　骅	张冬林
张　华	陈博文	顾本安	董逸民	靳杏文（女）	管　桦
薛　平					

第四节　第六次代表大会

中共广陵区第六次代表大会于2006年5月26～28日在区政府大会议室召开。出席代表237人，列席代表51人。

大会听取并审议区委书记王玉新代表中共广陵区第五届委员会所作的《坚持科学发展，共创宏图大业，为五年再造一个新广陵而努力奋斗》的工作报告。大会指出，要紧紧围绕建设古风今韵相辉映的现代化新城区的目标定位，大力实施“三产立区、二产强区、科教兴区、环境优区、新城崛区”五大战略，奋斗五年，再造一个新广陵。要创优发展模式，集聚产业优势，壮大区域经济，打造“活力广陵”；彰显生态文化，做靓区域形象，塑造“魅力广陵”；推进科教创新，汇聚人力资源，创造“活力广陵”；统筹各项事业，完善公共服务，构造“和谐广陵”；发展民主政治，弘扬先进文化，锻造“人文广陵”。

大会通过《中国共产党扬州市广陵区第六次代表大会关于第五届委员会工作报告的决议》和《中国共产党扬州市广陵区第六次代表大会关于区纪律检查委员会工作报告的决议》。

大会选举产生中共扬州市广陵区第六届委员会，委员 25 人，候补委员 5 人；选举产生区纪律检查委员会，委员 13 人；选举产生广陵区出席中共扬州市第五次代表大会代表 30 人。

图 20-1-1 中共扬州市广陵区第六次代表大会

中共广陵区第六届委员会委员名单

（共 25 人，按姓氏笔画排列）

卜树领	马恒宝	王玉新	孔令俊	叶 浩	刘忠华
刘新伟	汤天波	孙志南	杨 齐	吴广远	张 勤（女）
张广武	张贵联	张祥生	张震宇	陆裕彪	陈 静（女）
陈 曦	陈博文	周鸿钧	夏祥生	郭长明	董德利
薛高辉					

中共广陵区第六届委员会候补委员名单

（共 5 人，按得票多少排列）

王一愚	王有培	王继文	李 华（女）	樊秉强

中共广陵区第六届纪律检查委员会委员名单

（共 13 人，按姓氏笔画排列）

朱晓东	刘 娟（女）	李晓钟	肖 骅	邹金龙	沙霖云
周家富	段燕平（女）	俞 洪	夏祥生	钱太东	殷国栋
董逸民					

第五节 第七次代表大会

中共广陵区第七次代表大会于 2011 年 6 月 10 ～ 12 日在区政府大会议室召开。出席代表 280 人，列席代表 55 人。

大会听取并审议区委书记陈锴竑代表中共广陵区第六届委员会所作的《率先基本实现现代化，建设美好新广陵》的工作报告。大会提出今后五年全区工作的指导思想：高举中国特色社会主义伟大旗帜，以邓小平理论和“三个代表”重要思想为指导，深入贯彻落实科学发展观，以转型发展、跨越发展为主调，以率先基本实现现代化为目标，坚持新城带动与三城联动、双轮驱动与多极互动、全民行动与文明推动，全面提升党的建设科学化水平，着力打造创新广陵新高地，形成精致广陵新格局，谱写幸福广陵新篇章，建设古代文化与现代文明交相辉映的新广陵。大会要求：做好转型文章，构建现代产业体系创新发展三大经济，推进园区二次创业，让发展更科学；做精城市文章，打造人文之城、秀美之城、智慧之城，让生活更美好；做足人才文章，集聚

图 20-1-2 中共扬州市广陵区第七次代表大会

高端人才，打造载体平台，强化智力投入，让知识才智更活跃；做实民生文章，实现社会保障全覆盖，创业就业全员化，社会发展全方位，让百姓更幸福；做优和谐文章，发展民主政治，创新社会管理，弘扬良好风尚，让社会更文明。

大会通过《中国共产党扬州市广陵区第七次代表大会关于第六届委员会工作报告的决议》和《中国共产党扬州市广陵区第七次代表大会关于区纪律检查委员会工作报告的决议》。

大会选举产生中共扬州市广陵区第七届委员会，委员 25 人，候补委员 5 人；选举产生区纪律检查委员会，委员 13 人；选举产生广陵区出席中共扬州市第六次代表大会代表 29 人。

中共广陵区第七届委员会委员名单

（共 25 人，按姓氏笔画排列）

王洪俊	叶　浩	刘卫国	刘忠华	李晓钟	张广武
张贵联	张震宇	陈　曦	陈庆翔	陈荣华	陈锴竑
周鸿钧	居益芬（女）	孟亚东	赵长松	秦文俊	倪　凌
徐　超	郭长明	陶伯龙	戚　磊	喻智荣	阚永明
魏德余					

中共广陵区第七届委员会候补委员名单

（共 5 人，按得票多少排列）

纪有安	戴维宝	耿　辉（女）	郑　翔（女）	袁　颖（女）

中共广陵区第七届纪律检查委员会委员名单

（共 13 人，按姓氏笔画排列）

王有培	王早东	王俊松	刘　娟（女）	李兴中	吴龙林
邹金龙	周秀兰（女）	周家富	胡付祥	高志坚	陶伯龙
梁　钧					

附：

广陵区出席中共扬州市第二次代表大会代表名单

（1989 年 9 月 16 日 中国共产党扬州市广陵区代表会议）

（共 17 人，按姓氏笔画排列）

王大庆	王子安	王宾支	朱立淦	庄火男	苏伯根
沈宝祥	肖庆春	陈　侠	陈一兵（女）	法　群（女）	胡宏飞
段华杰	施国兴	唐宏开	崔如松	魏玉华	

广陵区出席中共扬州市第三次代表大会代表名单

（1994 年 8 月 18 日 中国共产党扬州市广陵区代表会议）
（共 18 人，按姓氏笔画排列）

王大庆	王子安	王宾支	卢穗明	朱立淦	朱福元
刘宝林	阮定魁	肖庆春	陈　蔚（女）	陈燕生	周学恒
胡宏飞	施国兴	洪　军	夏春怡	谢登英（女）	管学志

广陵区出席中共扬州市第四次代表大会代表名单

（2001 年 8 月 3 日 中国共产党扬州市广陵区代表会议）
（共 27 人，按姓氏笔画排列）

王　军	卢穗明	仲　生	孙志南	吴广远	张　跃
张贵联	汪仪仁	肖庆春	陈　有	陈博文	施国兴
祝庭龄	唐　俊	夏祥生	徐益民	钱小平（女）	符宗乾
韩　劬	张社生（女）	李根平	居建平	郭思东	葛敏云（女）
李　华（女）	管学志	蔡　彬（女）			

广陵区出席中共扬州市第五次代表大会代表名单

（2006 年 5 月 28 日中国共产党扬州市广陵区第六次代表大会）
（共 30 人，按姓氏笔画排列）

卜树领	马恒宝	王　玲（女）	王正祥	王玉新	孔令俊
卢穗明	成国平	过璟玮（女）	汤天波	李长明	李根平
李晓钟	李菊梅（女）	吴　晔（女）	张　勤（女）	张震宇	陈　明
陈先岩	陈博文	周鸿钧	郑　翔（女）	施国兴	夏祥生
高志刚	桑光裕（女）	戚　磊	董德利	喻智荣	薛德仁

广陵区出席中共扬州市第六次代表大会代表名单

（2011 年 6 月 12 日中国共产党扬州市广陵区第七次代表大会）
（共 29 人，按姓氏笔画排列）

丁红梅（女）	马恒宝	王　璘（女）	王一愚	王玉新	王庆生
王继文	王燕文（女）	叶　浩	朱晓东	杨　齐	李　华（女）
李晓钟	吴　晔（女）	吴广远	张震宇	陈　曦	陈庆翔
陈荣华	陈锴竑	周鸿钧	居益芬（女）	赵长松	施国兴
高志刚	陶伯龙	桑光裕（女）	董德利	喻智荣	

第二章 组织机构

1989年,中共广陵区委员会设工作部门10个。1991年,新设政策研究室。1993年,成立台湾工作办公室。2002年区划调整后,区委设工作部门5个,挂牌部门4个,合署办公部门3个,部门管理机构2个,事业机构1个,实际工作部门15个。2005年,增设农村工作办公室。2010年,增挂人才工作办公室。2011年区划调整后,区辖面积增加3.87倍,下辖乡镇级单位增加5家,区委设工作部门5个,挂牌部门9个,合署办公部门4个,部门管理单位2家,事业机构1个,实际工作部门21个。

第一节 区委组成人员

1988年5月～2016年7月,中共广陵区委先后召开7次党员代表大会,选举产生中共广陵区第二届至第八届委员会。

1988年5月24～25日,中共广陵区第二次代表大会召开,选举委员23人、候补委员4人,组成中共广陵区第二届委员会。二届一次全体会议选举产生常务委员会委员7人,刘志高为区委书记,朱立淦、宣荣为区委副书记。

1991年5月23～25日,中共广陵区第三次代表大会召开,选举委员25人、候补委员4人,组成中共广陵区第三届委员会。三届一次全体会议选举产生常务委员会委员9人,崔如松为区委书记,朱立淦、周学恒、李永芬为区委副书记。

1996年5月22～24日,中共广陵区第四次代表大会召开,选举委员24人、候补委员4人,组成中共广陵区第四届委员会。四届一次全体会议选举产生常务委员会委员7人,洪军为区委书记,卢穗明、丁建民、汪仪仁为区委副书记。

2001年3月23～25日,中共广陵区第五次代表大会召开,选举委员23人、候补委员4人,组成中共广陵区第五届委员会。五届一次全体会议选举产生常务委员会委员9人,钱小平为区委书记,汪仪仁、徐益民为区委副书记。

2006年5月26～28日,中共广陵区第六次代表大会召开,选举委员25人、候补委员5人,组成中共广陵区第六届委员会。六届一次全体会议选举产生常务委员会委员9 人,王玉新为区委书记,孔令俊、张勤为区委副书记。

2011年6月10～12日,中共广陵区第七次代表大会召开,选举委员25人、候补委员5人,组成中共广陵区第七届委员会。七届一次全体会议选举产生常务委员会委员9人,陈锴竑为区委书记,陈曦、赵长松为区委副书记。

2016年7月,选举产生中共广陵区第八届委员会。八届一次会议选举产生常务委员会委员10人,张长金为区委书记,徐长金、刁顺勤为区委副书记。

中共广陵区第二届至第八届委员会书记、副书记、常委一览表

（截至2016年7月）

表20-2-1

届次	职务	姓 名	任职时间
第二届委员会（1988年5月～1991年5月）	书记	刘志高	1988年5月～1989年8月
		崔如松	1989年8月～1991年5月
	副书记	朱立淦	1988年5月～1991年5月
		宣　荣	1988年5月～1991年1月
		李永芬（女）	1989年12月～1991年5月
		周学恒	1991年2月～1991年5月
	常委	陈考来	1988年5月～1991年5月
		陈　侠	1988年5月～1991年5月
		王大庆	1988年5月～1991年5月
		胡宏飞	1988年5月～1991年5月
		肖庆春	1990年5月～1991年5月
第三届委员会（1991年5月～1996年5月）	书记	崔如松	1991年5月～1993年5月
		洪　军	1993年5月～1996年5月
	副书记	朱立淦	1991年5月～1993年10月
		周学恒	1991年5月～1996年1月
		李永芬（女）	1991年5月～1992年12月
		朱正海	1992年11月～1993年10月
		卢穗明	1993年10月～1996年5月
	常委	胡宏飞	1991年5月～1996年5月
		王宾支	1991年5月～1996年5月
		肖庆春	1991年5月～1996年5月
		于振林	1991年5月～1996年5月
		庄火男	1991年5月～1996年5月
		樊履根	1991年5月～1996年5月
		丁建民（女）	1995年5月～1996年5月
		汪仪仁	1996年3月～1996年5月
		陈　有	1996年4月～1996年5月

续表 20-2-1

届次	职务	姓名	任职时间
第四届委员会（1996年5月～2001年3月）	书记	洪　军	1996年5月～1998年1月
		钱小平（女）	1998年1月～2001年3月
	副书记	卢穗明	1996年5月～2001年1月
		丁建民（女）	1996年5月～2000年8月
		汪仪仁	1996年5月～2001年3月
		徐益民	2001年1月～2001年3月
	常委	胡宏飞	1996年5月～2001年1月
		肖庆春	1996年5月～1997年12月
		陈　有	1996年5月～2001年3月
		张　跃	1996年11月～2001年3月
		夏祥生	2000年8月～2001年3月
		仲　生	2000年11月～2001年3月
		陈博文	2001年1月～2001年3月
		韩　劬	2001年1月～2001年3月
第五届委员会（2001年3月～2006年5月）	书记	钱小平（女）	2001年3月～2003年5月
		王玉新	2003年5月～2006年5月
	副书记	汪仪仁	2001年3月～2001年9月
		徐益民	2001年3月～2002年12月
		王玉新	2001年9月～2003年5月
		马恒宝	2002年2月～2004年2月
		阚肖虹	2003年2月～2006年4月
		孔令俊	2003年5月～2006年5月
		朱元豪	2003年5月～2004年3月
		张　勤（女）	2004年2月～2006年5月
	常委	陈　有	2001年3月～2003年12月
		张　跃	2001年3月～2001年11月
		夏祥生	2001年3月～2006年5月
		仲　生	2001年3月～2002年2月
		韩　劬	2001年3月～2002年10月
		陈博文	2001年3月～2006年5月
		姜秀志	2001年11月～2003年5月
		朱元豪	2002年2月～2003年5月
		董德利	2003年5月～2006年5月
		黄　波	2003年5月～2006年5月
		汤天波	2004年10月～2006年5月
		张震宇	2006年4月～2006年5月
	正县级调研员	胡宏飞	2001年1月～2006年5月

续表 20-2-1

届次	职务	姓 名	任职时间
第六届委员会（2006年5月～2011年6月）	书记	王玉新	2006年5月～2006年11月
		孔令俊	2006年11月～2010年10月
		陈锴竑	2010年10月～2011年6月
	副书记	孔令俊	2006年5月～2006年11月
		张　勤（女）	2006年5月～2006年9月
		陈锴竑	2006年11月～2010年10月
		董德利	2006年11月～2008年2月
		夏祥生	2008年6月～2010年12月
		曾学文	2008年8月～2009年2月（挂职）
		曾国平	2008年9月～2009年1月（挂职）
		陈　曦	2010年10月～2011年6月
		赵长松	2010年12月～2011年6月
	常委	夏祥生	2006年5月～2008年6月
		陈博文	2006年5月～2009年5月
		董德利	2006年5月～2006年11月
		汤天波	2006年5月～2008年12月
		张震宇	2006年5月～2007年7月
		陆裕彪	2006年5月～2007年7月
		杨　蓉（女）	2006年11月～2008年8月
		朱兆权	2007年7月～2008年6月
		薛高辉	2007年12月～2010年12月
		陶伯龙	2008年6月～2011年6月
		史美章	2008年6月～2010年8月
		刘新伟	2009年5月～2010年12月
		陈　曦	2009年5月～2010年10月
		居益芬（女）	2009年5月～2011年6月
		魏德余	2010年8月～2011年6月
		陈荣华	2010年12月～2011年6月
		周鸿钧	2010年12月～2011年6月
	正县级调研员	胡宏飞	2006年5月～2006年8月

续表 20-2-1

届次	职务	姓 名	任职时间
第七届委员会（2011 年 6 月～2016 年 7 月）	书记	陈锴竑	2011 年 6 月～2016 年 2 月
		张长金（女）	2016 年 2 月～2016 年 7 月
	副书记	陈　曦	2011 年 6 月～2016 年 6 月
		赵长松	2011 年 6 月～2016 年 1 月
		刁顺勤	2016 年 1 月～2016 年 7 月
		徐长金	2016 年 7 月～2016 年 7 月
	常委	张震宇	2011 年 6 月～2011 年 11 月
		陶伯龙	2011 年 6 月～2013 年 12 月
		居益芬（女）	2011 年 6 月～2016 年 1 月
		魏德余	2011 年 6 月～2012 年 5 月
		陈荣华	2011 年 6 月～2014 年 12 月
		周鸿钧	2011 年 6 月～2016 年 7 月
		孟祥武	2011 年 8 月～2012 年 2 月（挂职）
		徐德林	2011 年 11 月～2015 年 7 月
		尤在晶	2011 年 11 月～2012 年 8 月
		顾克荣	2011 年 11 月～2016 年 1 月
		张建军	2012 年 5 月～2014 年 4 月
		张贵联	2012 年 9 月～2014 年 12 月
		刘春晓	2013 年 2 月～2016 年 1 月
		张佑根	2014 年 4 月～2015 年 4 月
		李斌桃	2014 年 4 月～2016 年 7 月
		何剑锋	2014 年 4 月～2015 年 4 月（挂职）
		徐长金	2014 年 12 月～2016 年 7 月
		郭长明	2015 年 11 月～2016 年 7 月
		王　涛（女）	2016 年 5 月～2016 年 7 月
		李刘杰	2016 年 5 月～2016 年 7 月
		王　峰	2016 年 7 月～2016 年 7 月
		喻智荣	2016 年 7 月～2016 年 7 月
第八届委员会（2016 年 7 月～）	书记	张长金（女）	2016 年 7 月～
	副书记	徐长金	2016 年 7 月～
		刁顺勤	2016 年 7 月～
	常委	周鸿钧	2016 年 7 月～
		李斌桃	2016 年 7 月～
		郭长明	2016 年 7 月～
		王　涛（女）	2016 年 7 月～
		李刘杰	2016 年 7 月～
		王　峰	2016 年 7 月～
		喻智荣	2016 年 7 月～

第二节　工作机构

一、纪律检查委员会

1983年，成立中共扬州市广陵区纪律检查委员会。1988年3月成立区监察局，1993年3月区监察局与区纪委合署办公。

1988～2016年中共广陵区纪委历届书记任职时间表

表20-2-2

姓名	任职时间	姓名	任职时间
王大庆	1988年5月～1990年5月	张　勤(女)	2004年3月～2006年5月
肖庆春	1990年5月～1998年1月	夏祥生	2006年5月～2008年6月
胡宏飞	1998年1月～2001年1月	陶伯龙	2008年6月～2012年8月
陈博文	2001年1月～2002年10月	刘春晓	2013年2月～2016年1月
马恒宝	2002年10月～2004年3月	李刘杰	2016年1月～

二、工作部门

1988年12月，区委设工作部门10个：办公室、组织部、宣传部、统战部、政法委员会、老干部局、党校、党史办公室、机关党委会、信访办公室。

1990年2月，扬州市广陵区信访办公室改名为扬州市广陵区信访局（二级局），由区委办、区政府办共管。1990年3月，区委保密办公室对外称广陵区保密局。1991年6月，设立政策研究室。1993年6月，成立区台湾工作办公室，挂"中共扬州市广陵区委台湾工作办公室"和"扬州市广陵区人民政府台湾事务办公室"两块牌子。区委党史资料征集研究委员会办公室更名为中共扬州市广陵区委党史办公室。

2002年机构改革，明确区编制委员会办公室列区委工作机构序列，与区人事局合署办公。区委党史办公室和区地方志办公室在档案馆挂牌，合署办公。区机关党委变更为区级机关工委。

2002年中共广陵区委工作机构设置表

表20-2-3

工作部门	办公室、组织部、宣传部、统战部、政法委员会
挂牌部门	研究室、机要保密局(挂牌于区委办公室)，区精神文明建设指导委员会办公室(挂牌于区委宣传部)，区委台湾工作办公室(挂牌于区委统战部)
合署部门	区级机关工作委员会(与区委组织部合署)，区社会治安综合治理委员会办公室(与区委政法委员会合署)，区机构编制委员会办公室(与区人事局合署，不计机构数)
部门管理机构	区委老干部局(由区委组织部管理)，区信访局(由区委办公室、区政府办公室管理)
事业机构	区档案馆(挂"区档案局""区委党史办公室""区地方志办公室"牌子，为区委、区政府直属正局级事业机构)

2003年6月，社会主义学校挂牌。2005年4月，增设农村工作办公室。2010年2月，组织部增挂人才工作办公室牌子。

至2011年12月，区委有工作部门5个、挂牌部门9个、合署办公部门4个、部门管理单位2家、事业机构1个。

2011年中共广陵区委工作机构设置表

表20-2-4

工作部门	办公室、组织部、宣传部、统战部、政法委员会
挂牌部门	研究室、机要保密局（挂牌于区委办公室），党的建设领导小组办公室、人才工作办公室（挂牌于区委组织部），精神文明建设指导委员会办公室（挂牌于区委宣传部），民族宗教事务局、台湾工作办公室（挂牌于区委统战部），依法治区领导小组办公室（挂牌于区委政法委），区委农村工作办公室（挂牌于区农业委员会）
合署部门	监察局（与区纪委机关合署），区级机关工作委员会（与区委组织部合署），社会治安综合治理委员会办公室（与区委政法委合署）机构编制委员会办公室（与区人力资源和社会保障局合署办公）
部门管理单位	信访局（由区委办、区政府办共管），老干部局（由区委组织部管理）
事业机构	区档案馆（挂 “区档案局”“区委党史办公室”“区地方志办公室”牌子，为区委、区政府直属正局级事业机构）

三、党组和党工委

（一）党组

1988年，区属党组共18个，即区人大常委会党组、区政府党组、区政协党组、区法院党组、区检察院党组、区民政局党组、区财政局党组、区文教局党组、区卫生局党组、区公安分局党组、区司法局党组、区工业局党组、区计经委党组、区建委党组、区商业局党组、区工商局党组、区计生委党组、区劳动局党组。

1988年后，随着多次机构改革有关部门的设立、合并、更名或职能调整，党组也作相应增撤或更名。至2011年，有党组27个，即区人大党组、区政府党组、区政协党组、区法院党组、区检察院党组、区信访局党组、区级机关事务管理局党组、区经信委党组、区物价局党组、区安监局党组、区科技局党组、区司法局党组、区财政局党组、区人力资源和社保局党组、区住房保障和房产局党组、区交通运输局党组、区农委党组、区水利局党组、区商务局党组、区文新局党组、区体育局党组、区食品药品监督局党组、区人口和计生委党组、区统计局党组、区审计局党组、区环保局党组、区档案局党组。

（二）街道党工委

1997年，城南、东关、汶河、广陵4个街道办事处党委全部改为党工委。2002年区划调整后，城区改设曲江、文峰、东关、汶河4个街道，均新设街道党工委，至2011年未变。

（三）园区党工委

2002年起，广陵产业园（今广陵经济开发区）等经济园区陆续建立，相应的党工委也随之成立。至2011年，全区园区党工委有6个，即广陵产业园党工委、扬州市食品工业园党工委、商贸物流园党工委、广陵新城党工委、北洲功能区党工委和杭集工业园党工委。

第三章　重要会议

1989～2011年，中共广陵区委共召开全体会议46次，其中事关全区政治、经济、文化、社会和有关人事安排的41次。其间，召开代表会议和专题会议20多次。

第一节　区委全体会议

一、第二届委员会

二届区委任期 3 年，共召开区委全体会议 8 次。

1988 年 5 月，区委召开二届二次全体会议，选举产生中共广陵区第二届纪律检查委员会，委员 11 人；第二届区纪委第一次会议，选举产生常委 4 人，正副书记各 1 人。

1989 年 9 月 9 日，区委召开二届五次全体会议，出席会议的委员 21 人，候补委员 4 人。会议选举通过广陵区出席中共扬州市第二次代表大会的代表名单，通过《关于召开中国共产党扬州市广陵区代表会议的决定》。

1990 年 1 月 8 ～ 10 日，区委召开二届六次全体（扩大）会议。会议传达省第八次党代表大会、市第二次党代表大会精神。会议听取并同意区委书记崔如松所作的《坚持党的基本路线，发扬艰苦创业精神，把我区的改革开放和两个文明建设继续推向前进》的报告，讨论并通过区委《关于进一步加强党的建设和思想政治工作的意见》和区委、区政府《贯彻〈中共中央关于进一步治理整顿和深化改革的决定〉的意见》及《1990 年城市管理的目标和任务》。

1990 年 5 月，区委召开二届七次会议，选举产生区纪委常委、正副书记。1991 年 1 月 11 日，区委召开二届八次全体会议。会议学习中共十三届七中全会公报，总结 1990 年工作，讨论 1991 年工作任务。会议听取并同意区委书记崔如松代表区委常委会所作的《紧密团结，埋头苦干，为振兴广陵迈出新的步伐》的报告，同意《扬州市广陵区“八五”期间经济和社会发展计划（草案）》，通过《中共扬州市广陵区第二届委员会第八次全体会议决议》。

二、第三届委员会

三届区委任期 5 年，共召开区委全体会议 9 次。

1991 年 5 月 25 日，区委召开三届一次全体会议。会议选举中共扬州市广陵区第三届委员会常务委员会委员和书记、副书记，讨论通过中共扬州市广陵区第三届纪律检查委员会第一次会议关于常委和书记、副书记的选举结果。

1991 年 12 月 25 ～ 26 日，区委召开三届二次全体（扩大）会议。会议传达贯彻中共十三届八中全会和省委八届四次全体（扩大）会议精神，回顾总结 1991 年全区主要工作情况，研究部署 1992 年工作任务。会议听取并同意区委书记崔如松代表区委常委会所作的《振奋革命精神，加快发展步伐，推动全区各项事业跃上新台阶》的报告。会议要求，以“奋战八五，振兴广陵，建功立业”活动为主线，发扬“一要拼搏、二要开拓、三要实干”的精神，坚持“三业并举”，深化改革，加强管理，调整结构，外向开拓，努力提高综合效益，集中精力把经济搞上去，推动全区各项事业跃上新台阶。

1992 年 12 月 27 ～ 28 日，三届三次全体会议提出九十年代发展目标：围绕建立社会主义市场经济体制，坚持发展与调整并重、建设与开拓并举、开发与经营并抓，实现工业上规模、商贸业再突破、房地产业大发展。到“八五”期末，全区人均国民生产总值 6000 元，到 2000 年再翻一番多，人均国民生产总值达到 1.5 万元。

1993 年 12 月 30 ～ 31 日，区委召开三届四次全体会议，出席会议的委员 22 人，候补委员 4 人。会议听取并同意区委书记洪军代表区委常委会所作的《解放思想，振奋精神，抢抓机遇，加快我区改革和发展的步伐》的报告，通过《中共扬州市广陵区三届四次全委会会议决议》。会议要求，认真学习邓小平南方谈话精神，坚持“三业并举，外向带动，突出三产，四轮齐转”的发展思路，把抢抓机遇、深化改革、扩大开放、加快发展作为新一年工作的主旋律。

1994 年 12 月 19 日，区委召开三届五次全体会议，出席会议的委员 25 人，候补委员 1 人。会议听取并同意区委书记洪军代表区委常委会所作的《振奋精神，开拓进取，真抓实干，努力实现我区经济持续快速健康发展和社会全面进步》的报告，通过《中共扬州市广陵区三届五次全委会会议决议》。

1994 年 12 月 29 ～ 30 日，区委召开三届六次全体（扩大）会议。会议听取并同意区委书记洪军代表区委常委会所作的《振奋精神，开拓进取，真抓实干，努力实现我区经济持续快速健康发展和社会全面进步》的报告，要求继续坚持“三业并举，外向带动，突出三产，四轮并转”的发展思路，加快发展，深化改革，扩大招商引资，强化企业管理，加强精神文明建设、民主法制建设和党的思想、组织、作风建设。会上，区各相关部门和单位签订《1995 年经济目标责任书》。

三、第四届委员会

四届区委共召开全体会议 6 次。

1996 年 5 月 24 日，区委召开四届一次全体会议，出席会议的委员 24 人，候补委员 4 人。会议选举中共扬州市广陵区第四届委员会常务委员会委员和书记、副书记，讨论通过中共扬州市广陵区第四届纪律检查委员会第一次全体会议关于常委、书记、副书记的选举结果。会议学习中共中央《中国共产党地方委员会工作条例（试行）》，通过《关于加强区委全委会思想政治建设的意见》。

1996 年 12 月 25 ～ 27 日，区委召开四届二次全体（扩大）会议，出席会议的委员 23 人，候补委员 4 人。会议听取并讨论区委书记洪军代表区委常委会所作的《解放思想，开拓创新，夺取我区两个文明建设的新胜利》的工作报告，通过《扬州市广陵区社会主义精神文明建设“九五”规划纲要》，通过《中共扬州市广陵区第四届委员会第二次全体会议决议》。会议明确“强化工业、突出三产、外向带动、科教兴区”的发展思路，要求稳中求进，进一步加快发展工业经济，搞活商贸流通，搞活房地产开发，实现经济持续、快速、健康发展。认真实施精神文明建设“九五”规划纲要，广泛开展群众性精神文明建设活动，狠抓社会治安综合治理和城市管理，加强党风廉政建设和民主政治工作，促进两个文明建设协调发展。

1997 年 12 月 11 ～ 12 日，区委召开四届三次全体（扩大）会议。会议听取并同意区委书记洪军代表区委常委会所作的《认真贯彻落实党的十五大精神，开创我区改革开放和现代化建设新局面》的工作报告，通过《中共扬州市广陵区第四届委员会第三次全体会议决议》。会议明确 1998 年的主要经济指标和各项工作任务，要求继续坚持“强化工业、突出三产、外向带动、科教兴区”的发展思路，进一步深化企业改革，调整经济结构，发展外向型经济，强化企业管理。认真实施精神文明建设“九五”规划纲要，坚持经济、政治、文化相互配合，开创两个文明建设协调发展的新局面。

1998 年 12 月 30 ～ 31 日，区委召开四届四次全体（扩大）会议。会议听取并讨论区委书记钱小平代表区委常委会所作的《振奋精神，知难而进，夺取我区改革开放和现代化建设的新胜利》的工作报告，通过《中共扬州市广陵区第四届委员会第四次全体会议决议》。会议提出 1999 年工作的主要目标和任务，强调狠抓“调整、引进、发展”，进一步调整经济结构，把第三产业放在更加突出的位置，扶优扶强，壮大工业，提高经济发展外向度，促进经济持续、快速、健康发展。以争创星级文明小区活动为载体，全面落实社区管理的各项要求，完善城区服务功能，提高城市文明程度。

1999 年 8 月 12 日，区委召开四届五次全体（扩大）会议，出席会议的委员 20 人，候补委员 3 人。会议贯彻落实省、市委扩大会议精神，重点总结和部署经济工作。会议听取并讨论区委书记钱小平代表区委常委会所作的《坚定信心，克难求进，努力完成全年各项目标任务》的工作报告，通过《中共扬州市广陵区第四届委员会第五次全体会议决议》。会议要求，进一步理清思路，明确发展重点，继续深化产权制度改革，推进企业战略性重组，放手发展个体私营经济，实施再就业工程。强化社会治安综合治理，妥善处理人民内部矛盾，维护社会政治稳定。

2000 年 12 月 8 日，区委召开四届六次全体（扩大）会议，出席会议的委员 22 人，候补委员 2 人。会议听取并讨论区委书记钱小平代表区委常委会所作的《抢抓机遇，加快发展，以优异成绩开创二十一世纪新局面》的工作报告，通过《中共扬州市广陵区第四届委员会第六次全体会议决议》。会议确定 2001 年工作的目标和任务，要求坚持以经济建设为中心，以结构调整为主线，以“两个创新”为动力，以提高人民生活水平为根本出发点，围绕“城市化”“税源”“区域资源”和“科技创新”四个方面，实施外引内联，推进科教兴区，强化招商引资，加快经济结构调整，提高经济整体素质和综合竞争力，切实履行城管职能，加强精神文明建设和民主法治建设，实现经济与社会、物质文明与精神文明协调发展和可持续发展。

四、第五届委员会

五届区委共召开全体会议14次。

2001年3月25日，区委召开五届一次全体会议。会议选举中共扬州市广陵区第五届委员会常务委员会委员和书记、副书记，讨论通过中共扬州市广陵区第五届纪律检查委员会第一次全体会议关于常委和书记、副书记的选举结果。

2001年7月16日，区委召开五届二次全体（扩大）会议，出席会议的委员21人，候补委员4人。会议研究、部署全区进一步开展招商引资和加快私营个体经济发展工作。会议听取并讨论区委书记钱小平《举全区之力，实现招商引资和发展私营个体经济的新突破》的工作报告，区委副书记、区长汪仪仁代表区委常委会所作的《解放思想，抢抓机遇，加快推进我区招商引资和私营个体经济发展》的工作报告，区委副书记徐益民所作的《加强机关作风建设，努力营造加快发展的良好投资环境》的讲话，通过《中共扬州市广陵区第五届委员会第二次全体会议决议》。会议要求进一步提高对招商引资和发展私营个体经济工作的认识，强化招商引资，加快发展步伐，把载体建设作为招商引资的切入点和着力点来抓，千方百计创造良好的投资环境，切实改进招商方法，完善招商措施，提高招商效率，努力提高招商引资的实效性。

2002年12月5日，区委五届五次全体（扩大）会议召开。2003年7月29日，区委召开五届六次全体会议。12月25日，区委五届七次全体会议召开，出台《关于贯彻“三个代表”，实现“两个率先”，努力争创先导区的工作目标和实施意见》。

2004年6月10日，区委召开五届八次全体会议。会议听取并同意区委书记王玉新代表区委常委会所作的《以科学发展观统揽全局，努力实现广陵经济社会更快更好地发展》的工作报告，要求认真贯彻落实总书记胡锦涛视察江苏、扬州时的重要讲话和省委十届七次、市委四届七次全会精神，按照“三个代表”重要思想和总书记的最新要求，动员全区上下进一步统一思想，振奋精神，以更加务实的作风做好各项工作，推进“富民强区”，推进“两个率先”，努力建设以人为本、全面协调、可持续发展的新广陵。区委副书记、区长孔令俊作《全面树立和落实科学发展观，全力推动全区经济持续快速协调发展》的报告。

2004年10月27日，区委召开五届九次全体会议。全会听取乡（局）级领导干部和后备干部公推公选的情况报告，并对正乡（局）级领导干部公推公选人员进行投票表决。

2004年12月17日，区委召开五届十次全体会议。会议深入学习贯彻中共十六届四中全会、中央经济工作会议和省委十届八次全会、市委四届八次全会精神，总结2004年各项工作，研究部署2005年工作任务。会议听取并同意区委书记王玉新代表区委常委会所作的《提高执政能力，谋划科学发展，全力加快“两个率先”先导区进程》的工作报告，要求进一步解放思想，认清形势，抢抓机遇，奋发进取，提升执政能力，动员全区广大干部群众，把落实市委“再干三五年，实现新跨越”的战略部署列为工作的重中之重，全力加快争创“两个率先”先导区进程。

2005年7月29日，区委召开五届十一次全体会议。全会听取并同意区委书记王玉新代表区委常委会所作的《解放思想，团结奋进，建设更加富裕文明秀美的新广陵》的工作报告，要求认真贯彻落实市委常委（扩大）会议精神，全面总结上半年工作，研究部署下半年工作任务，解放思想，坚定信心，加快发展，进一步动员全区广大党员、干部和群众，以更加创新奋进的思路，更加昂扬向上的斗志，更加务求实效的作风，牢牢把握“第一要务”，全面加速“两个率先”，确保完成和超额完成全年各项目标任务。区委副书记、区长孔令俊作《狠抓当前，强化落实，推进全区经济又快又好发展》的报告。

2005年12月12日，区委召开五届十二次全体会议。会议听取并同意区委书记王玉新代表区委常委会所作的《坚持科学发展，奋力同心拼搏，建设古风今韵相辉映的现代化新广陵》的工作报告，要求认真学习贯彻中共十六届五中全会、中央经济工作会议和省委十届九次全会、市委四届九次全会精神，进一步动员全区广大干部群众，解放思想，开拓创新，实现跨越发展、科学发展、和谐发展，为建设古风今韵相辉映的现代化新广陵而努力奋斗。区委副书记、区长孔令俊作《中共广陵区委关于制定国民经济和社会发展第十一个五年规划的建议》的报告。

2006年3月2日,区委召开五届十三次全体会议。会议研究决定区、乡两级党委换届工作相关事宜。

2006年5月22日,区委召开五届十四次全体会议。会议讨论通过《关于召开中国共产党广陵区第六次代表大会的决议》和《中国共产党扬州市广陵区第六届委员会、纪律检查委员会组成原则》;讨论审议区委常委会和纪律检查委员会的工作报告及区第六次党代会相关方案。

五、第六届委员会

六届区委共召开全体会议13次。

2006年5月28日,区委召开六届一次全体会议。会议选举中共扬州市广陵区第六届委员会常务委员会委员和书记、副书记,讨论通过中共扬州市广陵区第六届纪律检查委员会第一次全体会议关于常委和书记、副书记的选举结果。

2006年12月22日,区委召开六届二次全体会议。会议认真学习贯彻中共十六届六中全会,中央经济工作会议和省、市党代会精神,全面总结2006年工作,科学谋划2007年思路,提出"率先达小康,三年倍增、五年再造一个新广陵"的奋斗目标,动员全区党员和干部群众,坚持跨越发展的豪气、率先发展的锐气、科学发展的大气、创新发展的勇气,立志干事,争创一流,全力推进区域经济"八个倍增""两个提速",精心打造"两城三区",奋力推进经济社会跨越发展、率先发展、创新发展、和谐发展。

2006年12月24日,区委召开六届三次全体会议,主要研究出席中共十七大代表候选人初步人选。

2007年7月16日,区委召开六届四次全体会议。会议认真学习胡锦涛在中央党校的重要讲话精神,贯彻落实市委五届三次全会精神,总结上半年工作,研究部署下半年任务,动员全区上下进一步解放思想,鼓劲实干,重点突破,推进落实,强化服务,奋力共进,确保完成全年各项目标任务,以优异成绩迎接中共十七大召开。

2007年12月12日,区委召开六届五次全体会议。会议听取并讨论区委书记孔令俊代表区委常委会所作的《优化发展方式,提升执政能力,昂首阔步迈向率先小康新征程》的工作报告,通过《中共扬州市广陵区第六届委员会第五次全体会议决议》,要求紧紧抓住当前率先发展的"黄金跨越期"、都市产业的"最佳扩张期"、两城三区的"加速突进期"、率先小康的"战略决胜期",强化"三更"(立足更高的平台审视自我,站在更大的空间谋划发展,着眼更宽的领域寻求突破)意识,继续推进解放思想,优化发展方式,提升执政能力,团结一心,锐意进取,不辱使命,不负重托,举全区之力,奋力开启一个崭新的发展时代,为率先建成全面小康社会而努力奋斗。

2008年7月25日,区委召开六届六次全体会议。区委书记孔令俊代表区委常委会作题为《强化"三更"意识,推进科学发展,又好又快建设更加美好新广陵》的工作报告。会议认真贯彻落实省委工作会议和市委五届五次全会精神,总结上半年工作,研究部署下半年任务,动员全区上下进一步强化"三更"意识,推进科学发展,确保完成和超额完成全年各项目标任务。

2008年12月23日,区委召开六届七次全体会议。区委书记孔令俊代表区委常委会作题为《满怀豪情,率先跨越,向着现代化新广陵的目标奋勇前进》的工作报告。会议认真学习中共十七大、十七届三中全会和中央经济工作会议,以及省委十一届五次全会、市委五届六次全会精神,全面回顾总结全年工作,研究部署来年工作,动员广大党员和干部群众,抢抓机遇,乘势而上,率先跨越,全力推动经济社会更好更快发展。

2009年7月11日,区委召开六届八次全体会议。区委书记孔令俊代表区委常委会作题为《全力突破,全速突围,全面突进,在科学发展的道路上率先实现新跨越》的工作报告,区委副书记、区长陈锴竑对下半年经济工作作专题部署。会议认真贯彻落实市委五届七次全会精神,回顾总结上半年工作,研究部署下半年任务,动员全区上下进一步解放思想,创新实干,确保完成和超额完成全年各项目标任务,在科学发展的道路上奋勇前进。

2009年12月22日,区委召开六届九次全体会议。区委书记孔令俊代表区委常委会作《为发展打拼,为荣誉而战,全面开启广陵科学发展新征程》的工作报告,区委副书记、区长陈锴竑就经济指标冲刺和做好当前工作作专题部署。会议深入贯彻中共十七届四中全会、中央经济工作会议、省委十一届七次和市委五届八次全会精神，动员全区广大党员和干部群众，争先进位，实干创新，为发展打拼，为荣誉而战，开启广陵科学发展新征程。

2010年7月28日，区委召开六届十次全体会议。会议围绕贯彻落实省委十一届八次全会和市委五届九次全会精神，进一步学习实践科学发展观，加快推动经济转型升级，创新发展，创争一流，确保完成和超额完成全年各项目标任务。区委书记孔令俊代表区委常委会作《创新发展，创争一流，创造奇迹，为建设更加幸福美好新广陵而合力奋斗》的工作报告，区委副书记、区长陈锴竑作关于当前经济工作的具体部署。

2010年12月21日，区委召开六届十一次全体会议。区委书记陈锴竑代表区委常委会作《高远追求，加速转型，奋力实干，全面开启率先基本实现现代化新征程》的工作报告，区委副书记、代区长陈曦作关于五年规划建议（审议稿）的说明。会议审议《关于制定扬州市广陵区国民经济和社会发展第十二个五年规划的建议》，进一步动员全区上下，高远追求，加速转型，奋力实干，全面开启广陵率先基本实现现代化新征程。

2011年2月24日，区委召开六届十二次全体会议，确定第七次党代会会议议程、会议日程、代表名额、新一届"两委"委员候选人预备人选等。

2011年6月2日，区委召开六届十三次全体会议。会议审议通过区第七次党代会相关事项、《中共扬州市广陵区第六届委员会工作报告》和《中共扬州市广陵区纪律检查委员会工作报告》。区委书记陈锴竑主持会议并通报党代会的有关筹备工作。

六、第七届委员会

2011年6月12日，区委召开七届一次全体会议。会议选举中共扬州市广陵区第七届委员会常务委员会委员和书记、副书记，讨论通过中共扬州市广陵区第七届纪律检查委员会第一次全体会议关于常委和书记、副书记的选举结果。

2011年12月30日，区委召开七届二次全体会议。会议围绕贯彻落实中共十七届六中全会、中央和省经济工作会议以及市委六届二次全会精神，总结2011年工作，部署2012年任务，进一步动员全区上下，牢牢把握重要历史机遇，务实拼搏，让新广陵领跑扬州"第二个率先"。区委书记陈锴竑代表区委常委会作题为《把握重要历史机遇，让新广陵领跑扬州"第二个率先"》的工作报告，区委副书记、区长陈曦就2011年全区经济社会发展情况和2012年工作安排作专题部署。

第二节 代表会议和专题工作会议

1989年8月28日，召开区经济工作会议，传达贯彻市经济工作会议精神，对如何抓好至年底几个月的全区经济工作提出具体意见。

1989年9月16日，召开中共广陵区代表会议，163名代表出席会议。区委书记崔如松就党的建设和当前主要工作讲话。会议选举产生广陵区出席中共扬州市第二次代表大会的代表17人。

1990年10月13日，召开全区统战工作会议。会议传达全国和全省统战工作会议精神，学习总书记江泽民在全国统战工作会议上的讲话，提高认识，统一思想，总结经验，明确当前和今后一个时期全区统战工作的任务和要求。区委书记崔如松讲话。

1991年1月16～17日，区委召开工作会议，讨论"八五"计划（草案）。区委书记崔如松代表区委作工作报告。

1999年12月17日，区委召开工作会议，总结1999年工作，提出2000年工作的目标、任务和要求，强调紧紧抓住中央关于推动改革和发展一系列政策措施的机遇，以制度创新和技术创新为动力，突出抓好产品开发、项目建设和阵地建设，促进企业改革和发展，以两个文明建设的优异成绩迎接新世纪。

2002年3月25日和12月27日，区委、区政府两次召开全区经济工作会议，讨论当前全区经济工作。

2003年2月9日，区委召开全区2002年度总结表彰暨2003年"开门红"动员大会。

2004年1月30日，区委召开全区2003年总结表彰暨2004年“开门红”动员大会。2月21日，区委书记王玉新主持召开区委常委议军会。3月21日，区委书记王玉新主持召开区委常委扩大会议，就学习江泽民给东关小学吴霜同学回信精神研究贯彻意见，决定每年3月18日为广陵区青少年道德教育宣传日。4月6日，区委召开全区信访工作会议。5月26日，区委、区政府召开全区作风建设动员大会，区委书记王玉新作动员讲话。7月3日，区委书记王玉新主持召开区委常委会议，学习贯彻全省法院、检察院工作会议精神。9月2日，区委召开全区预防职务犯罪工作会议。

2007年2月25日，区委召开2006年度全区三个文明建设总结表彰暨2007年“开门红”再动员大会。区委书记孔令俊讲话，区委副书记董德利宣读相关决定，对先进单位和先进个人进行表彰，区政府与各单位签订2007年经济工作目标责任书。此后，区委每年都在年初召开年度三个文明建设总结表彰“开门红”动员大会。

2008年3月31日，召开全区党建工作会议暨能力作风建设推进会。区委书记孔令俊作题为《突出能力提升，锤炼过硬作风，在和谐奋进中开创党建工作新局面》的讲话。会议进一步动员各级党组织和广大党员干部，解放思想，创新思路，提升领导发展力、执行落实力、创新突破力，锤炼学习研究之风、低调务实之风、率先垂范之风，部署全年党建工作，奋力实现建设更高水平小康社会的宏伟目标。

2009年12月7日，召开全区2009年度重点调研成果汇报交流会。区委书记孔令俊主持会议，区四套班子领导分别就各自挂包的重点项目和牵头的调研课题进行交流发言。各乡镇、街道、园区党政主要负责人参加会议。此后，每年年底区委都召开年度全区重点调研成果汇报交流会。

图20-3-1　2010年2月，广陵区召开创建全国文明城市动员大会

图20-3-2　2011年7月，广陵区召开全区经济工作会议

2010年2月26日，召开全区创建全国文明城市动员大会。会议要求全面贯彻落实市创建全国文明城市动员大会精神，全面动员，全民发动，明确任务，咬定目标，采取切实有效措施，全力推进全国文明城市创建工作，确保创建目标的实现。区委书记孔令俊出席会议，并为创建全国文明城市志愿者服务队授旗。

2011年3月4日，召开全区干部队伍能力作风建设推进大会暨党建工作会议。区委书记陈锴竑号召“倡导富有责任心的价值观和事业观”，提升能力素质，锤炼过硬作风，全力推进党的建设。会议印发《中共广陵区委关于加强干部能力作风建设的意见》《2011年全区组织工作要点》《2011年全区党风廉政建设和反腐败工作意见》《2011年全区宣传思想文化工作意见》。

2011年7月20日，召开全区经济工作会议。会议全面总结上半年全区经济工作，表彰先进，部署推进下半年工作。区长陈曦总结上半年经济工作情况，部署下半年工作任务。区委书记陈锴竑要求全区上下加压加劲，求好求快，高远追求，奋力实干，确保全面超额完成全年目标任务。区四套班子领导出席会议并颁奖。

第四章 主要工作

区委的主要工作是组织全区干部群众，开展各种政治活动，确保各级党组织在思想上与党中央保持一致，解放思想，勇于实践，敢于拼搏，为全区社会经济发展提供思想和组织保障。做好调查研究工作，结合广陵实际，制定全区物质文明、精神文明、政治文明建设的意见和政策。

第一节 组织活动

一、组织学习邓小平理论

1987年，区委举办4期读书班，159名副局长以上干部参加，学习《建设有中国特色的社会主义》等。1992年，中央下发关于邓小平视察南方重要谈话的文件，区委分系统迅速传达中央文件精神。召开学习贯彻动员大会，举办骨干培训班4期。1993年，《邓小平文选》第三卷出版发行。区委中心组通读原著。各单位通过看录像、听报告、举办演讲会等多种形式，组织广大党员干部学习。1994年，举办副局长以上干部和基层厂长、书记学习邓选第三卷培训班，每期7天，领导干部200多人、基层干部150多人参加学习。为推动面上学习培训骨干，举办机关干部、基层单位负责人学习《邓小平文选》第三卷专题讲座。分6个专题，集中辅导，参加学习共1500多人次。1995年，组织党员干部学习《邓小平同志建设有中国特色社会主义理论学习纲要》。1996年，举办副局级以上干部轮训班4期、基层企事业单位负责人轮训班4期、组纪宣科股级干部培训班1期，共有300多名干部参加学习。1998年，围绕纪念邓小平逝世1周年和纪念真理标准问题讨论20周年，开展集会悼念、理论研讨、座谈会等活动。2004年，宣传部会同区委党校组织理论文章2篇，参加市委宣传部组织的纪念邓小平诞辰100周年理论研讨会。

二、"奋战'八五'，振兴广陵，建功立业"活动

1990年年底，区委决定在全区开展为期5年的"奋战'八五'，振兴广陵，建功立业"活动，将其作为贯穿"八五"期间全区思想政治工作和群众性精神文明建设的一条主线活动来抓。

1991年，区委先后组织"广陵前景答辩会""广陵人应有的精神风貌讨论会""我为振兴广陵献计献策"等活动，开展区情教育，制定并完善目标管理责任制、经营承包责任制、竞赛考核评比标准和奖励办法，开展流动红旗竞赛。广大干部群众为振兴广陵献计献策，共提出建设性意见近2万条。1992～1993年，开展"广陵人谈广陵"大讨论，增强干部群众的主人翁责任感，创造催人奋进的舆论环境，涌现出一批先进集体和个人。1994年，广泛开展"我为经济架金桥""优质服务竞赛月""学陶（行知）师陶，奉献在课堂"等活动。1995年，继续开展"我为经济架金桥""振兴广陵巡回演讲""创建汶河南路文明一条街"等精神文明系列活动，激发全区广大干部群众发展经济、振兴广陵的积极性。

三、"讲学习、讲政治、讲正气"集中教育活动

根据市委《关于在县处级领导班子、领导干部中开展"三讲"集中教育的实施意见》，广陵区于2000年3月下旬至5月下旬，在区级领导班子、领导干部和区纪委、法院、检察院、组织部、宣传部5个单位开展以"讲学习、讲政治、讲正气"为主要内容的党性党风教育活动。教育经过思想发动，学习提高；自我剖析，听取意见；交流思想，开展批评；认真整改，巩固成果四个阶段，历时50多天。

全区先后召开各类座谈会39个，发出337套3791份征求意见表，梳理出各类意见351条。对区委提出批评意见470多条，其中对区委常委提出批评意见107条。区委常委坚持边整边改、整改结合，提出5方面23条措施并细化分解，使各项整改工作真正到位，确保取得实效。

四、保持共产党员先进性教育活动

2005 年 1 月教育活动开始，分两批开展，历时一年。参学范围包括区四套班子、区直部门、乡镇、街道、企事业单位、村、社区等，涉及基层党组织 396 个，党员 1.02 万人。

区成立先进性教育活动领导小组及其办公室和 4 个督导组。

第一批先进性教育活动中，全区集中学习时间平均 55 个学时，共举办专题讲座、看录像、讨论交流 200 多次。第二批先进性教育活动对象为社区和农村党员，由党校老师组成理论宣讲团，为 4000 多名党员上党课 127 场次，各基层党组织负责人为党员上党课 156 次，全区共发放征求意见表 4 万多份，设置意见箱 100 多个，收集意见和建议近 2 万条。

全区建立 131 支以宣传教育、治安巡逻、绿化保洁、医疗保健、文体活动为主要内容的党员义工队。党员义工走访孤寡老人家庭、重病患者家庭等各类困难家庭 6800 多户，与 600 多户困难家庭结成帮扶对子，并帮助 370 多名下岗职工重新就业。区级机关 54 个部门的 71 个基层党组织与 45 个社区和 21 个村挂钩，机关各部门党员、公务员在部门所联系的村、社区挂包 1 ～ 2 户联系户，共结对子 400 多户，及时协调解决群众反映强烈的热点难点问题，并协助解决挂包联系户的具体困难。

五、解放思想学习讨论活动

2008 年 5 月，区委发出《关于开展以“强化‘三更’意识，推进科学发展”为主题的解放思想学习讨论活动的通知》，决定集中三个月时间，在全区广大党员干部中开展以“强化‘三更’意识，推进科学发展”为主题的解放思想学习讨论活动。

区领导“一班人”带头学习，带头解放思想，带头开展工作调研，共撰写调研文章 17 篇。是月，区党政代表团赴浙江、苏南学习考察，先进地区的发展势头、开发速度和开放水平，让大家受到强烈的视觉冲击和思想震动。机关各部门结合自身工作，开展解放思想大讨论、大座谈活动。产业园和乡镇、街道在抓好学习讨论的基础上，组织纵向和横向学习考察、演讲比赛等活动，引导学习讨论深入开展。

2009 年 12 月，区委开展以“争先进位看广陵”为主题的新一轮解放思想学习讨论活动。

2011 年，区委组织开展“推动科学发展，给力三河三城”为主题的思想解放大讨论。

六、学习实践科学发展观活动

按照中央和省、市委统一部署，2009 年 3 月至 2010 年 2 月，区委组织开展第二批和第三批深入学习实践科学发展观活动。

2009 年 3 月，区委召开深入学习实践科学发展观活动动员大会暨党建工作会议，全区 131 家单位、182 个基层党组织、4593 名党员，开展学习实践活动。各参学单位坚持规定动作求特色，自选动作求创新，扎实推进学习调研、分析检查、整改落实等阶段的各项工作。

图 20-4-1 2010 年 3 月，广陵区召开全区深入学习实践科学发展观活动总结大会暨党建工作会议

通过党员干部进万家、万人评机关等活动，发放调查问卷 1 万份，征集意见 4000 多条。学习实践活动满意度测评满意和基本满意率 98%。

2009 年 9 月，区委召开深入学习实践科学发展观活动第二批总结暨第三批动员大会，全区村、社区和园区、乡镇所属企业等 132 家单位，参加党员 8278 人。参学单位围绕影响和制约自身科学发展的突出问题、群众关注的热点问题和党员党性党风党纪方面的突出问题，召开专题民主生活会或组织生活会，深入分析检查。产业园开展“三走访三倾听”活动，湾头镇要求党员干部做到“六必访”，汤汪乡突出

“三对照三排查”，曲江街道组织“三评”和“四对照四查找”活动，文峰街道发挥党员议事会参与、监督、评议作用，东关街道着重在“四看四评”上下功夫，汶河街道实行“一员双联”抓好分析检查。各单位边学边查边改，共为群众办理实事200多件。中央电视台、新华社、中央学习实践活动官网、省委学习实践活动简报均从不同角度报道广陵区学习实践活动和基层党组织建设的经验做法。

2010年3月，区委召开深入学习实践科学发展观活动总结大会暨党建工作会议。动员全区各级党组织和广大党员干部进一步巩固深入学习实践科学发展观活动成果，解放思想，创新实干，以改革创新的精神推进党的建设新的伟大工程，为建设“创新广陵、魅力广陵、幸福广陵”提供强有力的思想、组织和作风保证。

2011年，区委始终坚持以科学发展观为统领，团结带领全区干部群众，高远追求，奋力实干，加压加劲，求好求快，以更优更实的工作成效创造出一系列振奋人心的崭新业绩。

第二节 制定政策

一、党的建设和思想政治工作

1990年1月，区委二届六次全体（扩大）会议讨论并通过《关于进一步加强党的建设和思想政治工作的意见》。7月，区委印发《关于认真学习和贯彻〈中共中央关于加强党同人民群众联系的决定〉的实施意见》。

1990年年底，区委决定在全区开展为期五年的“奋战‘八五’，振兴广陵，建功立业”活动，加强社会主义思想教育，强化思想政治工作，推动改革和两个文明建设的发展。

1991年3月20日，区委印发《关于制定广陵区精神文明建设‘八五’规划的意见》。

1995年，区委根据形势发展要求，及时赋予“振兴”活动以新的内容和形式。结合开展“我为经济架金桥”“爱广陵、争奉献”“学雷锋、树新风”等活动，有针对性地做好思想政治工作，使之与党的中心工作结合，与开展“满意在扬州”活动结合，与做好个人本职工作和实现单位奋斗目标结合，将思想政治工作渗透到日常的学习、生产和工作中。

1996年1月，区委提出《关于开展“奋战九五、振兴广陵”立功竞赛活动的意见》，继续开展“振兴广陵建功立业”活动。12月，区委四届二次全体扩大会议审议通过《扬州市广陵区社会主义精神文明建设“九五”规划纲要》。纲要由3大块、12部分、38条组成，既符合《扬州市社会主义精神文明建设“九五”规划纲要》的总体要求，又体现广陵区特色。

1998年3月，区委印发《关于在全区开展向高仁林同志学习活动的意见》。6月16日，区委印发《关于在全区干部中开展“学理论、提高觉悟，学业务、提高本领”读书活动的意见》。

2003年5月，区委印发《关于在全区开展“学习三个代表，力争两个率先”主题教育活动的意见》。

2005年1月，区委印发《关于开展以实践“三个代表”重要思想为主要内容的保持共产党员先进性教育活动的实施意见》。3月，印发《关于建立“走门串户，联系群众”制度的实施意见》。

2006年6月，区委制定《中共扬州市广陵区委常委会关于进一步加强自身建设的意见》和《中共扬州市广陵区委常委会议事决策规则》（以下简称《规则》）。要求进一步坚定信念，做勤政为民的表率；进一步加强学习，做依法执政的表率；进一步改进作风，做求真务实的表率；进一步解放思想，做突破创新的表率；进一步严守党纪，做廉洁自律的表率。《规则》对常委会议事决策遵循的原则和范围、常委会会议的会议制度、决策的执行和监督及文件审批制度作出明确规定。

2007年3月，区委作出《关于加强干部队伍建设，确保“三年倍增、五年再造一个新广陵”目标顺利实现的决定》，明确坚持科学用人导向，引导和激励全区干部自觉提升能力，改进作风，弘扬干事成事、奋发争先的昂扬斗志，放宽眼界，创新思维，在实践中锻炼提升。区委先后调整配备37人次到“两城三区”、经济一线、信访一线、基层一线工作，10名机关干部到基层挂职锻炼，为实现“三年倍增、五年再造一个新广陵”的宏伟目标提供坚强的组织保证。

2008年4月，区委印发《关于加强干部队伍能力作风建设的实施意见》。意见提出，以改革创新精神全面推进党的建设，顺应广陵“两城三区”建设需要，重点突出提升领导发展力、执行落实力、创新突破力，大力倡导学习研究之风、低调务实之风、率先垂范之风，为建设更高水平小康广陵提供坚强有力的政治保障。意见要求制定干部队伍能力作风建设三年规划，并进行责任分解。5月，区委印发《关于开展以“强化‘三更’意识，推进科学发展”为主题的解放思想集中学习讨论活动的通知》，集中安排三个月的时间，以“强化‘三更’意识，推进科学发展”为主题，紧紧围绕“三年倍增、五年再造一个新广陵”的奋斗目标，组织全区广大党员干部进行一次解放思想集中学习讨论活动，深入推进思想解放，进一步更新观念，振奋精神，开拓创新，为广陵全面建设更高水平的小康社会作贡献。

2009年12月，为进一步落实市委“发展创新型经济，建设创新型城市”的战略部署，区委印发《关于开展以“争先进位看广陵”为主题的新一轮思想解放学习讨论活动的通知》，出台《贯彻落实〈中共中央关于加强和改进新形势下党的建设若干重大问题的决定〉的实施意见》。

2010年4月28日，区委印发《关于加强学习型党组织建设的实施意见》。要求各级党组织认真学习贯彻中共十七届四中全会精神，解放思想，实事求是，与时俱进，以学习型党组织建设带动学习型城区建设，为建设现代化新广陵提供坚强有力的思想和组织保证。

2011年3月，区委印发《关于深化落实党风廉政建设责任制的意见》。要求进一步完善和改进领导班子和领导干部部署党风廉政建设工作的方式，进一步完善和改进领导班子和领导干部履行党风廉政建设责任的途径，进一步完善和改进领导班子和领导干部落实党风廉政建设责任的检查考核方法，进一步完善和改进领导班子和领导干部落实党风廉政建设问责追究模式。明确领导班子和领导干部党风廉政建设责任制情况检查考核细则。

二、经济建设和科学发展

1989年6月，区委印发《关于依靠科技进步、振兴广陵经济的决定》，要求加强科研机构建设和科技信息工作，大力推广、应用科技成果，千方百计引进科技人才，发挥科技人员的作用，组织开展技术攻关，使科技工作成为广陵区经济发展的重要因素。11月，区委印发《关于广陵区引进优秀人才实施办法》，从具体制度和方法措施上对引进优秀人才工作提出具体要求。

1991年1月，区委二届八次全体会议通过《扬州市广陵区“八五”期间经济和社会发展计划（草案）》，要求认真坚持党在社会主义初级阶段的基本路线，进一步治理整顿，深化改革，以经济建设为中心，城市管理和服务为重点，努力把广陵区建设成为多功能、开放式、现代化的文明城区。经济工作要抓好工业、商业流通和房屋开发三大方面。工业要调整结构、外向开拓，依靠技术进步，发展规模经济和横向经济联合。商业流通要狠抓市场建设、项目经营，提高服务水平。房屋开发要扩大开发规模，狠抓开发质量，提高综合效益，使之成为全区经济的重要支柱之一。5月，广陵区第三次党代会在大会报告决议提出，以经济建设为中心，充分发挥城区优势，认真实施区、街、居、个体四个层次经济共同发展，工业、商贸业、房地产开发业“三业并举”的经济发展思路，促进全区经济持续、稳定、协调发展。

1992～1994年，区委进一步解放思想，加大改革力度，加快建设步伐，坚持“三业并举，外向带动，突出三产，四轮齐转”的发展战略，把抢抓发展机遇，发挥城区优势，坚持走广陵区经济特色发展之路，作为工作的主战略。坚持以提高经济效益为中心，加大改革力度，加速开放步伐，依靠科技进步，强化企业管理，突出规模企业建设，提高经济运行质量，全区经济建设和改革开放取得新的成绩。

1994年，区委连续制定5个加快发展、推进改革的政策性意见：《加快发展个体私营经济的意见》《建设规模企业的目标意见》《在小型工商企业中试行“国有民营”“公有私营”的意见》《加强市场建设工作的意见》《企业领导人才培养、选拔和引进工作的意见》。

1995～1998年，区委在总结“八五”、规划“九五”时，提出“强化工业、突出三产、外向带动、科教兴区”的发展思路，使全区经济发展的方向和重点更加清晰，赢得加快发展的主动权，稳中求进，促进经济持续、快速、健康发展。

2001年8月，区委印发《关于建立和完善重点私营企业联系挂钩制度的意见》。

2002年区划调整，为广陵区走出街巷、跳出老城、跨越发展，提供厚实基础和发展空间。区委抓住机遇，提出争创扬州“两个率先”先导区的发展目标。是年11月，区委印发《关于进一步加快广陵区第三产业建设与发展的意见》。

2003年6月，区委印发《关于克服“非典”影响，保持经济持续快速健康发展的实施意见》。要求立足广陵实际，加强领导，真抓实干，负重拼搏，努力克服“非典”带来的不利影响，保持经济建设和社会事业各项工作持续快速健康发展。8月，区委印发《关于贯彻“三个代表”、实现“两个率先”、努力争创先导区的工作目标和实施意见》，要求到2008年，全区GDP达48亿元，人均GDP达7000美元，率先实现小康社会。到2016年，全区主要经济指标比2008年翻一番，人均生产总值1.5万美元左右，城镇居民可支配收入4000美元，农民人均纯收入2000美元，率先基本实现现代化。

2004年5月，区委、区政府印发《关于推进全民创业，进一步加快民营经济发展的意见》。意见要求：充分认识推进全民创业，加快民营经济发展的重要意义；拓展民营经济发展空间，降低创业门槛；鼓励全民创业，增强民营经济发展动力；加大扶持政策，优化创业环境和民营经济发展环境；搭建服务平台，全方位支持民营经济发展；推进全民致富，提高城乡居民生活质量，增强全民创业能力；加强组织领导，营造良好氛围，强化推进全民创业和民营经济健康有序发展。11月，区委、区政府提出《加快推进全区工业企业实现技术创新、二次创业的政策意见》。意见明确加快工业经济发展的总体思路和主要目标、鼓励工业企业加快发展的奖励项目和标准及奖励考核实施办法。

2005年9月，区委、区政府印发《广陵区工业“三重”工作实施方案》。方案围绕市委“再干三五年，实现新跨越”的战略部署，争取到2010年，汽车及零部件行业年产值55亿元、冶金及机械40亿元，电子信息45亿元，食品加工业20亿元。10月，提出《广陵区服务业“三重”工作实施方案》，要求到2010年，全区服务业增加值38亿元，社会消费品零售总额92亿元，商贸营业额124亿元，市场集贸成交额260亿元。12月，区委五届十二次全体会议通过《中共广陵区委关于制定国民经济和社会发展第十一个五年规划的建议》。

2006年6月，区委、区政府印发《关于推进社会主义新农村建设的实施意见》。意见明确，按照“生产发展、生活宽裕、乡风文明、村容整洁、管理民主”的要求，加快农村向城市转变、农民向市民转变的步伐。

2007年1月，区委印发《广陵区经济发展三年倍增计划实施意见》。意见围绕打造“两城三区”的发展战略和实现“三年倍增、五年再造一个新广陵”的奋斗目标，以确保实现以2006年为基数，经过三年努力，到2009年实现主要经济指标翻一番的目标。

图20-4-2　杭集镇农民别墅区

2008年2月，区委、区政府印发《广陵区招商引资奖惩办法》，对招商引资的奖励范围、奖励对象、奖励标准、考核实施和奖惩兑现、处罚措施作出规定。印发《广陵区工业奖励扶持政策实施意见》，以加速扶持一批重点企业做优做强，快速推进一批重大工业项目投产达效。

2009年7月，区委、区政府制定《关于“推进科学发展，实现率先跨越”的实施纲要》。要求在全面决胜三年倍增的基础上，确立“两年新跨越、四年大倍增、六年再翻番、八年现代化”的目标定位，实现率先跨越。8月，区委印发《广陵区发展科技创新型经济实施意见》。明确到2012年，全社会研发投入占GDP的比重2%以上、高新技术产业产值占规模以上工业总产值的比重45%以上，科技进步贡献率50%以上的目标。

2010年，区委提出并实施“楼宇经济”“会馆经济”“月光经济”三大经济战略。

2010年12月，区委六届十一次全体会议通过《关于制定扬州市广陵区国民经济和社会发展第十二个五年规划的建议》。建议从三个方面规划“十二五”时期经济社会发展的主要任务：双轮驱动，多极互动，打造创新广陵新高地；依托三河，打造三城，形成精致广陵新格局；全民行动，文明推动，谱写幸福广陵新篇章。

三、民主政治建设和社会发展

1990年，区委印发《关于学习贯彻〈中共中央关于坚持和完善中国共产党领导的多党合作和政治协商会议制度的意见〉的意见》《关于贯彻落实〈中共中央关于加强和改善党对工会、共青团、妇联工作领导的通知〉的意见》。

1996年3月，区委印发《关于在城区开展社会治安“安全系统”“安全场所”“安全街道”“安全居委会”“安全小区”创建活动的意见》。10月，印发《关于在全区进一步实施“两公开、一监督”制度的意见》。

1999年2月，区委印发《关于深化社会治安“创三安”工作的意见》。

2002年8月，区委印发《关于完善农村义务教育管理体制的意见》。

2003年9月，区委印发《关于加强党政部门、群团与政协专委会对口联系的意见》。

2004年3月，中共中央总书记江泽民给广陵区东关小学吴霜同学的复信公开发表。区委、区政府在东关小学召开“落实‘回信’，加强未成年人思想道德建设”会议，提出《关于学习贯彻江泽民同志回信精神，进一步加强学习德育工作的意见》。意见要求全区各级党组织和群众团体要认真学习回信精神，积极行动，扎实工作，迅速掀起关心、支持、做好学校德育工作的新高潮，并将每年3月18日确定为广陵区青少年道德教育宣传日。8月，区委、区政府印发《关于深化政务公开工作的意见》。意见要求大力推进政务公开形式创新，完善政府门户网站、建设电子政务、设立和完善行政办事服务大厅（窗口），力争经过两三年的努力，使政务公开工作全面覆盖，逐步规范化、制度化，成为全区各级政府机关的一项基本工作制度和施政方式。

2005年3月，区委、区政府印发《关于进一步加强和改进未成年人思想道德建设的实施意见》。意见要求进一步加强和改进中小学思想道德教育，进一步重视和发展社会教育，进一步重视和发展家庭教育，进一步开展未成年人道德实践活动，进一步加强和改善思想道德环境建设，进一步加强对未成年人思想道德建设的组织领导。

2006年4月，区委、区政府印发《关于加快建设教育强区，基本实现教育现代化的意见》。意见提出建设教育强区的奋斗目标：到2008年，全区进一步强化和发挥广陵基础教育品牌，高水平、高质量普及义务教育，建立并完善现代国民教育体系、优质教育体系和终身教育体系，教育发展主要指标达到或接近当时中等发达国家水平，建成教育强区，基本实现教育现代化。7月，区委印发《关于做好新形势下人民政协工作的意见》。意见要求进一步提高对做好新时期人民政协工作重要性的认识；进一步加强和改善党对政协工作的领导；进一步推进人民政协履行职能的制度化、规范化、程序化建设；进一步做好政协意见、提案的办理工作；积极为政协创造良好的工作条件；政协要发挥优势，努力开创工作新局面。

2010年1月，区委印发《关于开展法治城市创建活动的实施意见》，提出到2012年，基本达到依法执政能力更加适应法治城市的要求，依法行政水平更加适应法治政府的要求，公正司法水平更加适应社会公平正义的要求，法治文化水平更加适应法治精神的要求，社会管理手段更加适应依法治理的要求；有法必依、执法必严、违法必究的原则进一步落实；教育、预防、监督、奖惩并重的执法工作机制进一步完善，人民群众对法治建设的满意度进一步提高。2月，区委印发《关于加快推进和谐社区建设工作的实施意见》，要求统筹城乡，多措并举，努力使和谐社区建设在体制机制上有新拓展，在整体水平上有新提升，在群众满意度上有新提高，力争用三年时间，把全区所有社区建成管理有序、服务完善、文明祥和的社区生活共同体，保持广陵和谐社区建设水平在全市领先。

2011年6月，召开中共广陵区第七次代表大会，明确未来五年的奋斗目标，要求以转型发展、跨越发展为主调，以争做“三个扬州”（创新扬州、精致扬州、幸福扬州）建设先行区为使命，以率先基本实现现代化为目标，坚持新城带动与三城联动、双轮驱动与多极互动、全民行动与文明推动，全面提升党的建设科学化水平，建设古代文化与现代文明交相辉映的新广陵。

第三节 考察调研

考察调研是区委领导全区改革开放、经济建设、社会发展和党的建设等各项工作，实行民主科学决策的重要前提和基础，始终列入区委日常重要工作的位置，有计划地组织和开展。

1995～1996年，区委书记洪军，区委副书记、区长周学恒，区委副书记汪仪仁，分别先后率队赴上海、天津、大连等地考察学习创建文明小区、文明社区和城市改造先进经验。

2004年11月，区委副书记张勤率区党政代表团赴贵阳市白云区、上海市黄浦区等地学习考察社区建设管理、城市建设等工作。区领导汤天波、阮定魁、姜志坚等参加考察。12月，区委书记王玉新，区委副书记、区长孔令俊率广陵区党政代表团赴泰州、南通、江阴考察，重点学习开放型经济、民营经济、沿江开发、园区建设和城市化建设等方面的成功经验和做法。

2005年2月，区委书记王玉新到区卫生局调研，详细了解卫生系统2005年工作安排、农村大病统筹、新型合作医疗、卫生事业改革等情况，并先后去乡镇、街道、产业园和有关单位，检查了解全年工作目标分解和措施落实情况、经济工作开门红和在手项目实施及储备落实情况。5月，区委书记王玉新、副书记张勤率相关人员赴宁波、义乌进行项目洽谈和考察学习，先后拜访一批重要客商，实地考察相关企业和项目，参观学习当地城市建设和社会化服务的经验做法。6月，区委书记王玉新，区委副书记、区长孔令俊率广陵区党政代表团赴镇江润州区学习考察，重点学习招商引资和城市管理工作的经验做法，了解市、区财政体制运行情况，并参观有关重点项目。区委副书记张勤、常务副区长张跃率各乡镇、街道和有关部门负责人赴北京市东城区学习城市管理工作。区委书记王玉新、副区长薛高辉带领有关部门负责人分别拜访上海雷辣婆食品有限公司、上海瑞麒集团、英国TESCO公司中国代表处、泰国正大中国公司的主要负责人，分别就公司到广陵投资进行磋商。7月，区委书记王玉新、区长孔令俊随市党政代表团赴山东青岛、烟台、威海和辽宁大连四市学习考察，先后考察经济开发区、高新技术开发区和城市建设，听取经济社会发展情况介绍，并进行座谈交流。

2006年12月，区委书记孔令俊，区委副书记、代区长陈锴竑随市党政代表团赴江、浙、粤学习考察全国百强县前十强县域经济发展的先进经验。

2007年5月，区委书记孔令俊随市党政代表团赴山西平遥和浙江杭州、乌镇等地考察古城保护情况。同月，区委书记孔令俊随市党政代表团赴海南、广西桂林、云南丽江等地考察古城保护和旅游经济发展情况。6月，区委书记孔令俊随市党政代表团赴南京学习考察。7月，区委书记孔令俊随市党政代表团赴常州学习考察。11月，区委书记孔令俊率有关人员赴连云港、淮安学习考察。

2008年5月，区委书记孔令俊、区长陈锴竑率广陵区党政代表团赴南京江宁区、杭州西湖区、绍兴越城区、嘉兴南湖区、无锡新区和泰州靖江市参观学习，实地考察一批科技园区、特色街区、高新技术区、现代服务企业和城市建设工程。10月，区委书记孔令俊，副区长、产业园管委会主任陈曦率区党政代表团赴深圳、广州、苏州、无锡等地，考察科技创新、产业集聚和园区建设工作。10～11月，2008广陵科技创新、产业合作推介会先后在西安、北京和上海三地举行，区委书记孔令俊出席并致辞，区长陈锴竑作科技创新、产业合作推介，现场签约项目48个。

2009年3月，副市长王玉新，区委常委、宣传部部长薛高辉，副区长张贵联，应邀做客沙特驻华大使馆，拜会沙特驻华大使，洽谈合作项目。3月，区委书记孔令俊率区有关部门、单位负责人，赴香港开展招商推介活动。在香港九龙香格里拉大酒店举行2009中国扬州·广陵投资环境与商机说明会，100多名嘉宾、客商出席推介会。11月，2009扬州市广陵区科技创新、产业合作（上海）推介会在上海华亭宾馆举行。区委书记孔令俊致欢迎词，区长陈曦作主题推介。来自台湾、香港和上海的100多名嘉宾参加推介会。同月，中国扬州·广陵新城江苏信息服务产业基地（北京）推介说明会在北京万达索菲特大酒店举行。区委书记孔令俊致欢迎词，副区长陈曦作专题推介。200多名中外嘉宾和新华社、央视国际频道等近20家媒体应邀出席。

2010年6月，区委书记孔令俊赴广陵产业园进行专题调研，对下一步工作提出要求。副区长陈曦、产业园管委会主任戚磊及产业园其他领导成员参加调研。11 月，区委书记陈锴竑率区四套班子领导及相关部门负责人到曲江街道、东关街道、汶河街道和文峰街道进行调研。

2011 年 10 月，以区委书记陈锴竑为团长，区四套班子全体领导和各乡镇、街道、园区、有关部门主要负责人计 70 多人，组成广陵区“金秋思路”考察团，赴苏州、乌镇、杭州、无锡等地就现代服务业发展进行学习考察，先后学习考察 24 个现代服务业特色点的发展状况，举办 3 场讲座、2 场研讨和 1 场总结会，重点突破阻碍广陵现代服务业发展的问题，探索广陵现代服务业发展的新路。

第五章 纪律检查

1983年4月，中共扬州市广陵区委纪律检查委员会成立。10月，改称中共扬州市广陵区纪律检查委员会，实行区委和市纪委双重领导。1988 ～ 2011 年，中共扬州市广陵区第二、三、四、五、六、七次代表大会先后召开，分别选举产生中共扬州市广陵区第二、三、四、五、六、七届纪律检查委员会。1988 年 3 月，区监察局成立。1993 年 3 月，区纪委、区监察局合署办公。

1989 ～ 2011 年，广陵区纪检监察机关全面履行党章赋予的职责，坚持围绕中心、服务大局，坚持从严治党和标本兼治、综合治理、惩防并举、注重预防的方针，协助区委推进全区党风廉政建设和反腐败工作。坚持与时俱进、开拓创新，积极构建具有广陵特色的惩治和预防腐败体系。认真落实党风廉政建设责任制，加强反腐倡廉教育和领导干部廉洁自律工作。加强信访举报和案件查处工作，严肃查处违纪违法案件。深入开展专项治理工作，坚决纠正各种不正之风，切实维护群众利益。履行纪检与监察两项职能，充分发挥行政监察职能作用。加强纪检监察组织和干部队伍自身建设，努力做好各项工作，为推动全区经济社会又好又快发展提供有力保障。

第一节 基层机构设置

1989 年前，有区级部门纪委 1 个，即区级机关纪委。4 个街道党委内设组织纪检科，承担相关工作职能。

1991 年年初，为适应新时期纪检工作需要，区纪委向区委提出在系统局（街办）建立纪委的建议。4 月，在基层党委换届时，全区 7 个系统局（街道）党委建立纪委，即城南、汶河、东关、广陵 4 个街道纪委和商业局、工业局、文教局 3 个系统局纪委，形成区纪委、系统局（街道）纪委、基层支部纪检委员的三级纪检网络。

1994 年 5 月，区建委成立纪委。1997 年 8 月，城南、汶河、东关、广陵 4 个街道纪委改为纪工委。1999 年 3 月，区卫生局成立纪委。1998 年，区人民检察院、区人民法院分别设立纪检组、监察室。

2002 年 1 月，扬州市区划调整，原郊区湾头镇、汤汪乡划入广陵区，均有其纪委和监察室随同划入。原郊区城东乡并入汤汪乡后划入广陵区，新建曲江街道，原乡纪委改称街道纪工委，原乡监察室改称街道监察室。同期，原城南街道改称文峰街道，城南街道纪工委改称文峰街道纪工委，原广陵街道撤销。

2002 年 7 月，区委、区政府批转区纪委、区委组织部、区机构编制委员会办公室、区监察局联合发出的《关于区级党政机关纪检监察机构设置、人员编制和干部管理的意见》，决定在区政府 5 个部门派驻纪检监察机构：由区纪委派驻纪检组、区监察局派驻监察室（与派驻纪检组合署办公）的部门为区财政局、劳动和社会保障局、城市管理行政执法局广陵分局。内设纪委，由区监察局派驻监察室（与内设纪委合署办公）的部门为区教育局、建设局。由区纪委派驻纪检组的单位为区人民法院、区人民检察院。由区纪委派出的 5 个纪工委为区级机关纪工委、曲江街道纪工委、文峰街道纪工委、东关街道纪工委、汶河街道纪工委。

2005 年 1 月，向广陵产业园派出纪工委。2011 年 1 月，向广陵新城、扬州市商贸物流园、扬州市食品工业园派出纪工委，发经委成立纪委，建设局纪委改为住建局纪委，向人社局派驻纪检组，派驻商贸局纪检组改为派驻服务业发展局纪检组。

2011 年 11 月，扬州市区划调整，原邗江区头桥、李典、沙头、杭集、泰安 5 镇划入广陵区，镇纪委和监察室随同划入。同时，原邗江区纪委、监察局北洲纪检监察工作室划入广陵区。

2011 年 12 月，区发经委纪委改为发改委纪委，区住建局纪委改为建设局纪委，区派驻服务业发展局纪检组改为纪委，向房管局派驻纪检组。

至 2011 年 12 月，全区共有 27 个基层纪（工）委、派驻纪检组和 1 个农村纪检监察工作室，分别是 7 个乡镇纪委（头桥镇纪委、李典镇纪委、沙头镇纪委、杭集镇纪委、泰安镇纪委、湾头镇纪委、汤汪乡纪委），6 个内设纪委（发改委纪委、建设局纪委、教育局纪委、卫生局纪委、服务业发展局纪委、城管分局纪委），9 个派出纪工委（广陵新城纪工委、广陵产业园纪工委、扬州市食品工业园纪工委、扬州市商贸物流园纪工委、曲江街道纪工委、文峰街道纪工委、东关街道纪工委、汶河街道纪工委、区级机关纪工委），5 个派驻纪检组（区人民法院纪检组、区人民检察院纪检组、财政局纪检组、人社局纪检组、房管局纪检组），1 个农村纪检监察工作室（北洲纪检监察工作室）。区级党政部门和各乡镇、街道、园区共有专职或兼职纪检监察干部 53 人。

第二节　党风廉政建设

一、党风廉政宣传教育

1989 年，开展严格遵守党的政治纪律和保持廉洁主题教育。1990 年，开展党的纪律条规教育和党的群众路线教育，编发《增强条规意识，自觉以党的纪律约束自己》的党课教材。1991 年，与中共广陵区委宣传部联合印发《关于在全区共产党员中开展普及党的纪律基础知识教育的意见》，集中开展以普及党纪工作知识为主要内容的党风党纪教育。1992 年起，集中学习邓小平视察南方重要谈话，围绕“建设有中国特色的社会主义理论，增强党性观念，做清正廉洁模范”主题，组织基层党员观看《让警钟敲得更响些》等 14 部警政教育录像片。在 24 家规模企业中，开展党风廉政建设、经济建设“双带头”教育。1995 年，在党员干部中开展以“学习理论、遵守纪律、顾全大局、促进发展”为主题的民主集中制教育活动，12 个党委、242 个支部均按要求召开一次专题民主生活会。1996 年，开展世界观、人生观和社会主义核心价值观的主题教育，把学习孔繁森同宣传高仁林等优秀党员勤政廉政的先进事迹结合起来，组织演讲会 6 场，听众近 3000 人。同年，组织党纪政纪条规教育，发放 500 册《党纪政纪条规手册》，组织 900 名党员参加中纪委举办的全国党纪政纪条规知识竞赛，1 名党员获中纪委奖励，12 名党员获省纪委奖励。1997 年，开展以“树形象、做表率、创新风”为主题的精神文明教育活动。剖析区境内 5 个典型案例并巡回宣讲，受教育人数 1.5 万人次。扬州灯泡厂厂长高仁林被评为“勤政廉政好干部”。1998 ～ 1999 年，全区副科级及以上党员干部分别开展“讲学习、讲政治、讲正气”“高举旗帜，增强党性，艰苦创业”等主题教育活动。

2000 ～ 2003 年，全区先后开展“廉洁奉公、勤政为民”“牢固树立正确的权力观”“牢记两个‘务必’（务必保持谦虚、谨慎、不骄不躁的作风，务必保持艰苦奋斗的作风），增强拒腐防变能力”等主题教育活动。2004 年，开展“增强纪律观念，自觉接受监督”主题教育活动。按照“领导干部精通、党员干部熟悉、全社会了解”的要求，对全区各级党组织和党员干部学习《中国共产党纪律处分条例》《中国共产党党内监督条例（试行）》工作作出具体部署。2005 年，结合开展保持共产党员先进性教育活动，在全区党员干部中开展理想信念教育、党风党纪教育和廉洁从政教育，将拒腐防变的要求贯穿于先进性教育活动始终。2006 ～ 2008 年，开展“遵守党章、执政为民”“正人品官德、扬新风正气”“做党的忠诚卫士、当群众的贴心人”等主题教育活动，深化对党员干部的理想信念、宗旨意识和廉洁自律教育。2009 ～ 2011 年，开展“加强党性修养、坚持廉洁从政”“贯彻《中国共产党党员领导干部廉洁从政若干准则》（以下简称《廉政准则》）、坚决反腐倡廉”等主题教育活动，组织党员干部参观省级反腐倡廉教育基地——高仁林同志事迹陈列馆，开展“5·10”党风廉政教育日、“12·9”党风廉政教育周活动，教育引导党员干部牢固树立以人为本、执政为民理念。

1989～2011年，共编发《广陵纪监信息》221期。

二、廉政文化建设

廉政文化建设是廉政教育主要方面，2005年，区委将廉政文化建设作为反腐倡廉的一项重要工作来抓，成立区廉政文化建设领导小组。印发《“廉政文化在广陵”系列活动实施意见》《廉政文化进社区指导意见》，组织廉政文化主题演讲会、廉政文艺演出进社区、廉政书画作品展览等活动。

图20-5-1　2007年9月，广陵区举办“古韵今曲·清风广陵”廉政文化活动

2006年，坚持“高起点、全覆盖、创特色”的廉政文化建设思路，营造“以廉为荣、以贪为耻”的社会风尚，推进廉政文化“六进”（进机关、进学校、进农村、进社区、进企业、进家庭）活动。个园社区和汶河小学分别被省、市纪委评为首批廉政文化建设示范点。《中国纪检监察报》、中央人民广播电台、《党的生活》杂志等媒体先后报道广陵区开展廉政文化建设活动的成果。2007年“三八”妇女节前夕，区纪委、妇联联合召开家庭助廉推进会，与区四套班子领导家属签订“廉政协约”，引导领导干部和家属共同知廉守廉。中秋、国庆节前夕，区委、区政府、区纪委主办的“古韵今曲·清风广陵”大型廉政文化广场活动在曲江公园举行，参加活动的干部群众近2000人。同年，在新一轮省、市廉政文化建设示范点评选中，区妇联、树人苑社区被省纪委评为省级廉政文化建设示范点，连运社区被市纪委评为市级廉政文化建设示范点。

2008年，加大资源共享、力量整合和载体优化力度，依托区域范围内的行政圈、人文圈、商贸圈、园区圈等，创建广陵城市廉政文化圈。在市纪委组织的廉政书画、歌曲、征文等系列活动中，获奖21个。全年创成市级廉政文化建设示范点7个。“广陵城市廉政文化圈”新品牌被评为省级廉政文化建设示范点，扬州灯泡集团高仁林事迹陈列馆成为全省反腐倡廉示范教育基地。2009年，汶河街道举办由40多家商贸企业代表参加的文昌商圈“诚信经营、廉洁兴业”论坛；文峰街道在渡江桥商圈举办第二届“爱廉护廉你我同行”廉洁商圈共建活动；东关街道挖掘整理“双东”街区历史文化资源中的廉政文化元素，编发《“双东”历史街区廉文廉景集萃》读本。同年，成功承办全市“城市廉政文化圈”建设现场推进会。11月，广陵区城市廉政文化圈被省纪委、省委宣传部、省级机关党工委等9部门评定为省级廉政文化建设示范点。2010年，组织开展“廉政文化进‘双东’”文艺演出等活动，琼花观社区、东花园小学创成全市廉政文化建设示范点。2011年，承办“清风扬帆”全省廉政文化宣传周苏中片区活动开幕式的才艺表演活动，受到与会省、市领导好评。至2011年，全区创成省级廉政文化建设示范点5个、市级廉政文化建设示范点19个、廉政文化建设星级示范点3个。

图20-5-2　2010年12月，广陵区召开“恪守廉政准则，弘扬清风正气”警示教育大会

三、党风廉政建设责任制

1998年，区纪委会同区委组织部、区监察局、区审计局印发《关于对领导干部实行离任审计的意见》，从企业到机关、事业单位，对领导干部实行离任审计。

1999年，区委、区政府为落实中共中央、国务院《关于实行党风廉政建设责任制的规定》，制定《广陵区党风廉政建设责任制实施办法（试行）》，并列入各单位年度工作目标和党建目标任务中。2000年，区委、区政府出台《广陵区党风廉政建设责任制相关配套制度》。2001年，区纪委对全区29个局（科）级单位领导班子以及成员贯彻落实责任制情况进行考核，对其中4个街办和计经委等11家单位采取“一听、二看、三座谈、四测评”的方法，进行综合考评，对总工会等18家单位进行民主测评，共考核“一把手”31人、班子其他成员99人。对经核查确实存在较严重违反责任制问题的两个单位主要负责人进行诫勉谈话。2003年，成立以区委主要领导为组长的落实党风廉政建设责任制领导小组。印发年度党风廉政建设责任分解意见。由区委常委带队对全区52个局（科）级领导班子及其成员进行考核。在部分单位和部门召开党员领导干部公开述廉汇报会，并进行民主测评。

2004～2005年，印发《区委、区政府领导班子党风廉政建设责任分工意见》和《全区党风廉政建设工作区各有关单位责任分解意见》，制定《广陵区党风廉政建设责任制考核实施细则》，细化考核要求，量化考核标准，规范考评程序和标准。组织对新任领导干部进行任前廉政谈话、提醒谈话50多人次。2006年，按照“一岗双责”（既对业务工作负责，又对党风廉政建设负责）要求，对党风廉政建设和反腐败工作的目标任务进行细化和分解。2007年，建立和完善“一岗双责”制度、领导干部廉政档案制度、重大事项报告制度、离任审计制度、述职述廉制度等，促进制度配套化、规范化、体系化。出台《广陵区村务公开和民主管理工作规程》，获全市反腐倡廉制度创新奖。制定《广陵区关于对反腐倡廉制度执行情况实行问责的实施方案》，不断增强制度的刚性。2008年，建立全区260多名乡科级领导干部的纸质和电子廉政档案，实行电子化管理。印发《2008年基层纪检监察工作考核细则》，进一步细化和量化各项工作，强化目标考核，鼓励争先创优。2009～2010年，完善区惩治和预防腐败体系建设工作机制，对重点部门进行检查考核。完善全区30多名县处级领导干部和260多名乡科级领导干部的廉政档案。采取述职述廉、民主测评、重点抽查等形式，对各级领导班子及其成员进行检查考核。2011年3月，区委印发《关于深化落实党风廉政建设责任制的意见》，确保党风廉政建设责任落到实处。

四、领导干部廉洁自律

1993年，落实中共中央关于党员领导干部廉洁自律若干规定，组织全区各党委、党组、党总支和党支部召开党员领导干部民主生活会，按照中央“五项规定”和省委“三条要求”进行对照检查。1994年，转发中纪委《关于党政机关县（处）级以上干部违反廉洁自律“五项规定”行为的党纪处理办法》，制定《区副局级以上干部廉洁自律的若干规定》，把廉洁自律的对象延伸到区副局（科）级以上领导干部。1995年1月和7月，区域各级党组织先后召开以廉洁自律为主要内容的民主生活会，检查纠正自身在廉洁自律方面存在的问题。6名区、局（科）级领导干部主动拒收、上交礼金礼品1万多元。1996～2000年，区各级党组织每年召开民主生活会，将廉洁自律情况列为民主生活会的重要内容。区纪委按区委要求突出“四抓”，即深化教育抓认识，发动群众抓重点，注重引导抓会风，强化督查抓整改，着力解决民主生活会中批评难的问题，提高民主生活会的质量。

图20-5-3 沙头镇预防腐败警示教育基地

1997年，区各级党组织贯彻执行《廉政准则》《中共中央、国务院关于党政机关厉行节约、制止奢侈浪费行为的若干规定》，全区缓建办公楼1幢，停止装修办公楼7幢，取消庆典活动9个，停止购买小汽车3辆，取消、压缩会议21个。1998年，全区清理公费住宅电话284部，全部折价过户到人；清理公费手机104部，经审批保留65部，作出处理39部（退还企业27部，拍卖5部，折价给个人7部）。同时制定《广陵区加强通信费用管理的规定》。

2000～2001年，区党政机关公款购买配置给个人使用的住宅电话、手机、寻呼机全部折价到人。对手机话费报支实行统一扎口，强化管理。

2004 年，认真贯彻执行市委关于领导干部不得参加除亲戚之外婚庆宴请的规定，坚决制止向领导干部送钱、跑官要官、党员干部参与赌博和借婚丧嫁娶之机敛财等不正之风，对 7 名参与赌博的党员干部给予严肃查处。对全区 52 个单位的乡科级干部德、能、勤、绩、廉情况进行考核，开展述职述廉，对廉洁自律情况进行民主测评。2005 年，贯彻执行“四大纪律、八项要求”，规范领导干部的从政行为。加强对外出学习参观和组团出国（境）考察的审批和管理，规范报批程序，严肃财经纪律。年初，会同区商贸局组织区属大型零售企业率先在全市倡议禁止使用代币券。中秋、国庆等节日前夕，向乡科级领导干部发送廉政短信，进行廉政提醒。2006 ～ 2007 年，组织“过年倡廉”活动，确保廉洁文明过节。开展“知荣辱、树正气、做表率”学习实践活动，引导领导干部自觉践行社会主义荣辱观。2008 ～ 2009 年，组织部分单位党政主要负责人汇报廉洁从政情况，开展廉政质询。贯彻领导干部勤廉公示制度，聘请 100 名干部群众为党风廉政监督员。2010 年，探索开展岗位廉政教育，组织开展“手中权力知多少”问卷调查，强化节日期间党风廉政建设。2011 年，加强对党员领导干部的监督。印发《关于开展 2011 年度乡（局）级领导干部述职述廉工作的通知》，成立 4 个检查组，会同区委组织部组织全区 50 多个机关、部门党政领导班子和 290 多名乡局（科）级领导干部开展述职述廉活动。印发《2011 年党政主要负责人向区委汇报廉洁从政情况实施方案》，组织湾头镇、东关街道、汶河街道、科技局等 8 家单位主要负责人通过“一般程序”和“简易程序”两种形式向区委全委会汇报廉洁从政情况，切实加强对“一把手”的教育、管理和监督。认真落实勤廉公示制度，将全区 50 多名乡科级党政主要负责人年度述职述廉报告在广陵党建网和广陵纪检网上公示，切实保障党员干部履行党内监督职责，发挥党内监督作用。

第三节　案件查处

1989 ～ 2011 年，全区共收到信访总数 3050 件，立案查处 387 件，其中经济案件 206 件；处分人数 321 人，其中乡科级干部 44 人；党记处分 240 人，政纪处分 102 人，开除党籍 73 人，开除公职 14 人，双重处分 18 人，免于处分 29 人；移送司法机关 45 人。

1989 ～ 1992 年，区监察局共收到群众来信来访及举报电话 355 件（次），涉及区副局（科）级以上干部 79 人、基层负责人 77 人；查处各种违纪案件 39 起。

区第二次党代会至第三次党代会的三年间，区纪委切实加强信访工作，建立“书记、常委信访接待日制度”“信访人员守则”“来访须知”等制度。受理来信来访 132 件（次）。立案查处党内各类违纪案件 31 起，处分违纪党员 21 人。

1991 年 5 月至 1996 年 5 月区第三、四次党代会的五年间，区纪委印发《关于人民来信来访处理程序意见》，制定“信访室职责”“关于对来信来访具体处理办法的规定”“信访工作三年目标管理规划”等规定。在来信来访处理上，执行“七簿、六单、三表、一卡”的登记办理制度。区纪委和 7 个基层纪委全部达到市纪委信访工作标准要求。区纪检监察机关受理群众来信来访电话举报 746 件（次）。立案查处违纪案件 47 起，在 47 起违纪案件中，经济案件 32 起，占立案总数的 68%，其中涉及金额万元以上的 11 件。

1996 年 5 月至 2001 年 3 月区第四、五次党代会的五年间，区纪委坚持“主要领导负总责，分管领导负实责，其他领导齐抓共管，全委办信访”的工作格局，积极避免和降低越级信访、重复信访和集体上访。受理群众来信来访电话举报 685 件（次），有 48 名被举报人经查实有严重违纪问题转立案处理；查办信访件 270 多件，有多名党员干部因违纪情节较轻等原因受到批评教育、责令退款等处理。立案 78 起，较上一个五年增长 66%。处分违纪党员、干部 90 人，挽回直接经济损失 294.5 万元。认真做好自办案件的审理工作，2000 年市纪委组织案件质量检查，广陵区列全市第一名。重视对处分执行情况的跟踪督查工作，建立入档材料送达回证制度，对受处分人员的回访教育工作受到上级纪委肯定。在省、市纪委组织的 1997 ～ 1999 年三年信访工作目标管理验收中，广陵区被评为省达标单位、市达标先进单位。

2001年3月至2006年5月区第五、六次党代会的五年间，受理群众来信来访、电话举报663件（次），按期办结率100%，在企业改制、征地拆迁、村务公开等方面，群众反映的多数热点难点问题都得到妥善解决。2002年区划调整后，进一步建立健全三级信访工作网络，成立信访工作领导小组16个、责任小组150个，聘请信访信息员179人。加大全委办信访力度，坚持信访例会和领导接待日制度，通过专题答复会、信访听证会等形式，引导群众依法信访。开通信访举报网站，对署名举报有功人员进行奖励。2004年，出台《广陵区党内信访监督实施办法（试行）》，规范党内信访监督工作。全年立案90起，受到党纪政纪处理71人，挽回直接经济损失426万元。2004年，强化对“两规”案件的自办力度，对某乡供销社原负责人陈某某的经济问题进行严肃查处，用较短的时间查清其挪用单位公款15.5万元、职务侵占2.6万元、利用职权违规购买住房谋取不正当利益14万元的违纪违法问题，及时将此案件移送司法机关审理。发挥反腐败协调小组作用，协调公安广陵分局、区检察院、区法院等部门，重点查办发生在群众身边的腐败案件。

2006年5月至2011年6月区第六、七次党代会的五年间，受理群众信访举报468件（次），按期办结率100%。开展纪检监察干部下访。保持“12388”全国纪检监察统一举报电话的畅通，发挥举报信箱、信访举报网站作用，拓宽信访举报渠道。立案94起，结案率100%，挽回直接经济损失近600万元。广陵区的案件审理工作受到中纪委领导好评。

1989～2011年广陵区党员干部违纪案件查处及信访举报情况一览表

表20-5-1

年份	信访总数（件）	立案件数（件）		处分人数（人）								移送司法机关（人）
			经济案件		乡科干部	党纪处分	开除党籍	政纪处分	开除公职	双重处分	免予处分	
1989	259	13	10	9	1	7	4	2	0	0	0	3
1990	101	19	13	10	0	7	3	3	0	0	0	4
1991	124	20	9	14	3	8	4	9	1	3	0	2
1992	186	9	8	6	0	3	1	3	0	0	0	0
1993	126	15	6	12	0	6	2	6	1	0	0	0
1994	146	11	7	9	0	7	2	4	0	2	0	2
1995	136	13	10	10	5	6	1	7	5	3	2	4
1996	156	16	11	16	1	10	2	6	0	0	1	5
1997	141	18	10	14	2	13	3	3	2	2	1	4
1998	184	18	9	15	3	8	1	8	0	1	2	2
1999	119	18	13	15	1	8	4	7	0	0	2	5
2000	115	12	5	12	2	4	0	8	0	0	0	0
2001	113	12	9	9	3	5	4	4	0	0	3	2
2002	156	18	10	12	0	5	1	7	1	0	2	1
2003	158	20	8	21	3	18	9	3	0	0	2	2
2004	148	20	5	20	4	18	6	3	0	0	1	3
2005	119	20	5	16	1	16	5	1	1	1	3	1
2006	108	18	6	11	0	11	4	0	0	0	8	1
2007	106	18	8	15	2	14	2	2	0	1	2	1
2008	76	18	10	18	2	18	0	0	0	0	0	0

续表 20-5-1

年份	信访总数（件）	立案件数（件）		处分人数（人）								移送司法机关（人）
			经济案件		乡科干部	党纪处分	开除党籍	政纪处分	开除公职	双重处分	免予处分	
2009	116	20	12	19	3	13	4	8	1	2	0	2
2010	62	20	10	20	2	18	6	2	0	0	0	1
2011	95	21	12	18	6	15	5	6	2	3	0	0

说明：本表数据源自于自然年度统计报表

第四节　纠风和专项治理

一、纠正不正之风

（一）调查清理“四乱”

1990 年 4 ～ 5 月，区纪委和区监察局牵头组成 4 个调查组，对全区“乱收费、乱摊派、乱罚款、乱着装”的“四乱”情况进行调查，分别对执法、经济监督、行政管理、公用事业、公安派出所、居委会以及基层企业等 70 多个单位的收费、摊派情况，13 个部门和单位的罚款情况，9 个部门和单位的着装情况进行调查，召开各类座谈会 25 次，基本查清“四乱”问题在本区的表现，并提出治理对策。1992 年 3 ～ 5 月，区纪委、区监察局会同区财政局、审计局清理纠正乱着装问题，共清理着装 11 种类，受清理人员 706 人，收缴着装标志 263 件，被停止着装 163 人，收回应由个人承担的服装费用 1.71 万元。

（二）清理纠正“自费公报”

1990 年 9 ～ 12 月，区纪委贯彻市监察局和市纪委《关于坚决纠正和清理党员干部为子女或亲友自费上学用公款报销问题的通知》，开展清理纠正工作，查出全区自费公报 51 人，按有关规定予以纠正。

（三）清理宕欠公款

1991 年，会同区财政局等部门，对机关和企事业单位干部、职工宕欠公款问题进行清理。有 910 人宕欠公款 124.7 万元，收回 112.51 万元，回收率 90.22%。同时，督促各单位制定完善财务规章制度。1994 年，有 91 人宕欠公款 20.51 万元，经过清理，77 人还款 16.85 万元，14 人经单位领导批准分期还款。2004 年，对个人拖欠公款和用公款购买商业保险进行专项清理，清理出个人拖欠公款 45.38 万元，当年还款 11.79 万元，核销 13.77 万元，其余部分制定还款计划分期归还。对用公款为职工购买商业保险的违规行为也纠正到位。

（四）清理纠正发放和使用代币购物券

1997 年元旦、春节期间，区纪委对发放代币购物券问题进行重点清理，发现 7 个单位发放代币购物券，均予以严肃处理，收缴违纪金额 6.3 万元，处分 4 人。1998 ～ 1999 年，配合市纪委、市廉政办对市区发放代币购物券问题进行专项检查，针对个别单位发放代币购物券反弹现象，收缴 1.17 万元代币购物券，责成主要负责人作书面检查。2002 年，组织对万家福商城、金鹰国际购物中心等大型零售商贸企业进行明查暗访，预防代币券（卡）发放使用问题。

二、专项治理

（一）住房有关问题专项清理

1991 ～ 1992 年，全区开展清理纠正干部违反规定用公款超标准装修住房和违反规定为干部购买商品房的工作。突出部委办局、街办正职领导清房促廉重点，纠正公款装修费 5.5 万元，收回新分房配套装修费 5 万多元。1998 年，认真贯彻国务院办公厅《关于制止违反规定突击分房和低价出售公有住房问题的紧急通知》和省“两办”下发的《党政机关干部职工住宅建设、分配、修缮和使用管理暂行规定》，对 1996 年后全区副局（科）级以上干部在建房、分房、装修住房以及购房方面的情况进行检查，发现少数人有购房面积标准控制不严等问题。为此，区明确规定车库、阁楼自费，超出面积部分自己出资，分房、购房严格审批制度等。

2000年，区成立清房领导小组，建立清房工作责任制。进行住房登记2869人，其中副处级以上干部38人、科级干部233人，并全部张榜公布，接受群众监督。开展军队转业干部军地两处住房清退工作，5名在地方已分配住房的军转干部全部退出军队所分住房。对32名干部职工夫妻双方同时参加房改的情况进行纠正和处理，39人在住房问题上退交人民币52万元。2002～2003年，抓好清房工作整改。有54个系统、部门，4145人对照标准，填报清房表格。89名涉及的夫妇双方同时参加房改、面积超标准、不按规定缴房租、公款购买车库阁楼附属设施等问题得到纠正，区清房办被评为市清房工作先进单位。

（二）党政机关兴办经济实体专项清理

1994年，清理全区党政机关兴办的各类经济实体34家，其中属于"三不准"（不准组建任何类型的经济实体，不准以部门名义作经济实体投资、入股，不准接受各类经济实体挂靠）范围的部门办经济实体23家，全部停办或划转；属于"四脱钩"（在职能、财务、人员、名称四方面与机关彻底脱钩）范围的部门办经济实体11家，均办理停办或脱钩手续。1998年，对党政机关兴办的120家经济实体进行调查和清理，其中注销62家，吊销24家，划转7家，改制4家，保留23家。

（三）中小学乱收费专项清理

1995年，根据国家教委《关于坚决纠正中小学乱收费的通知》精神，会同区财政局、审计局、物价局、教育局组成工作组，对全区24所小学及6所幼儿园进行检查，对育才小学、汶河小学、泰州路小学进行重点抽查，对存在的乱收费问题进行清理；取消教育系统各种乱收费项目，并全部清退违规收取的钱款。1997年，着重加强系统内部管理、强化制度建设，严格规范各学校的收费行为。累计取消不合理收费项目5个，减轻学生费用负担35万多元，规范收费项目12个，查处违规收费金额5.5万元。1998年，发现某小学对毕业班学生以双休日补课费名义收取费用，当即对该校负责人进行严肃批评，并责成该校将收取的1.8万元全部退还给学生家长。是年，广陵区在全市首家被省廉政办、教育厅批准为规范中小学收费行为工作达标县（市、区）。1999年，继续开展小学收费检查，向社会公开收费标准，严肃查处苗头性问题。对某小学违规收费行为及时纠正，将收取的1万余元全部退还学生家长，并对该校负责人进行通报批评。

（四）计划外生育费专项治理

1998年，会同区计生委、审计局对城区1995年以来计划外超生及计划外生育费开展专项治理。共清理出超计划生育37人，应征收计划外生育费52.78万元，入账金额38.55万元。制定收支两条线、上缴下拨等六项制度，基本做到计划外生育费征收底数、使用情况、存在问题三清。

（五）医疗、药品购销问题专项治理

1999年，区纪委多次深入区卫生系统调研，对规范药品采购秩序提出指导意见。区卫生局制定《关于进一步规范药械采购工作的意见》，重申在药械采购中的纪律和管理制度，明确对各家医院药械进、销、存定期核查的办法。2000年，会同区卫生局加强对卫生系统临床用药安全有效和药品、器械采购的监管工作，发现某医院折扣率超过合理百分比的问题，责成认真整改，予以纠正。区卫生局制定完善药品采购、药品验收等7项制度，药品采购人员每两年轮岗一次。2002年，扩大药品集中招标采购范围。引导医务人员廉洁自律。有26名医务人员拒收"红包"计8700元。2004年，对某医院开单提成问题进行纠正处理，确保"一个人不漏、一分钱不少"，在限定时间内涉及的26名医务人员16万余元开单提成费全部清退到位。在此基础上，指导区卫生系统开展以纠正医药购销和医疗服务中的不正之风为主题的"双纠"活动，明确管业务必须要管行风，教育医务人员加强医德医风建设，纠建并举。2006年，开展商业贿赂专项治理工作，区纪委查处的某医院原院长顾某受贿案产生较强烈反响，成为省内13个典型案件之一。

（六）工程建设有关问题专项治理

1996年，广陵区成立工程建设专项治理领导小组，对全区85个项目进行调查。重点抽查17家单位26个项目，同时查处案件4起。全区工程建设报建率和招投标率均100%。1997年，区纪委、监察局、物价局和建委一起开展建设工程项目收费检查，纠正不规范收费行为，减轻企业负担。1999年，工程建设专项治理继续深化，强化工程项目招投标工作，全区报建项目19个，报建率、招投标率均100%。通过工程建设专项治理，发现并立案查处1起违纪违法案件。

2005年，成立全区招投标监督管理领导小组，加强工程招投标管理，完善投资监管制度。2009年，根据上级关于治理工程建设领域突出问题工作的部署，成立区专项治理工作领导小组，设立办公室和9个专项工作组。制定全区专项治理工作方案，明确排查任务。对2006～2008年期间使用国有、集体资金建设的252项合同预算价在10万元以上（含）的各类工程建设项目（涉及金额11.7亿元）进行专项检查清理，对存在问题进行分类梳理，形成专项检查分析报告。全力构建工程建设监管制度体系，区政府制定《关于加强广陵区国有、集体资金建设工程规范管理的实施意见》，从工程立项至竣工验收以及后续管理提出原则性要求，区建设、财政等相关部门衍生制定7项具体的监管制度。挂牌成立全区建设工程交易中心，对10万元以上50万元以下利用国有、集体资金建设的工程进行扎口管理，统一组织招投标。组建区建设工程招投标评委专家库。2010年，印发《广陵区加强建设工程领域监管工作制度汇编》。加强对区建设工程交易中心运转的指导，确保50万元以下建设工程的发包行为公开透明。2011年，对2009年11月份后的工程进行滚动排查，排查出500万元以上的建设工程20项，建立"一项目一卷宗"。组织各专项工作组在立项审批、环节评价、土地使用权审批、规划审批、招投标办理、工程质量管理和资金安排使用7个环节进行检查，不断提高专项治理动态监管水平。按照省、市要求，及时分解对国土资源、交通、水利3个重点领域的检查任务，将国土资源项目47个、交通项目1个、水利项目6个列入重点监管范围。

（七）其他事项专项治理

1994～1995年，清理党政机关及其工作人员利用职权无偿占用企业钱物，退还企业2.87万元、BP机10部。清理违反规定搞户口"农转非"，按规定予以清退。清理公费出国出境旅游，收缴费用3万多元。清理公费购买摩托车，退还有关企业购车款45万多元。清理超范围使用军警汽车号牌，不应使用的全部收回。清理预算外资金、"小金库"和办培训班乱收费，收缴的违纪金额全部上缴区财政。2008～2010年，开展清理规范党群系统评比达标表彰和党政机关举办庆典、研讨会、论坛活动。对小灵通等通信工具捆绑办公电话进行专项清理，共清理违规捆绑小灵通97部。联合有关部门开展行业协会、市场中介组织收费专项治理。

三、纠风工作长效机制建设

（一）"两公开一便民"工作

2005～2006年，以乡镇街道行政便民服务中心为平台，推行党务、政务公开和行政便民服务，取得良好成效。印发《关于完善乡镇街道行政便民服务中心的工作意见》，根据"能进则进"原则，凡是与经济发展和人民群众密切相关的审批和服务事项，均进入中心办理；乡镇街道有关科室人员全部进中心集中办公，实施通透式服务。各中心从群众需求出发，分别设立6～8个服务窗口、59～76个服务项目。制定《关于全面推进政务公开制度的意见》《村务公开和民主管理实施意见》等文件，推动"两公开一便民"（党务、政务公开和便民服务）从乡镇街道突破，向区级机关和村（社区）延伸。这一做法受到国务院政务公开领导小组、中纪委和省、市有关领导的肯定和好评，市纪委在广陵区专门召开现场会，并授予工作创新奖。

（二）"阳光工程"

2007～2008年，梳理全区36个公共服务单位和部门的服务事项，简化优化运行程序，逐项绘制办事流程图。26个机关部门整理汇总公共服务办事权166项、收费项目72个，及时通过政府文件、门户网站等渠道公开。清理各部门非税收入项目，全区114个单位共清理出非税收入项目85个，建立收费标准数据库和项目管理信息系统。设立开票网点53个，统一配备电脑和打印机等办公设备，全部取消各单位手工票，实行由"人控"变"机控"的征管机制。2010～2011年，印发《关于进一步推进党务公开工作的实施意见》《街道进一步推进党务公开的实施意见》《关于村务（党务）公开工作的意见》等文件，加快党务、政务、村务公开步伐。

（三）群众满意基层站所创建

2008～2011年，将学校、医疗单位、涉农站所、城区站所等纳入创建范围，全区基层站所参创率100%，5个基层站所被市委、市政府授予"群众满意最佳基层站所"称号，8个基层站所被市有关部门评为群众满意先进基层站所。对区属学校、医院和市、区43个部门、行业及其下属210个服务窗口、基层站所进行政风行风民主评议。

（四）教育医疗行业“双创”“双满意”活动

2009～2011年，组织相关单位参与“规范收费学校”和“规范收费医院”创建活动，创建完成率100%。2010年，启动创建“群众满意学校”和“群众满意医院”活动，健全完善群众评议、摘牌警示和长效管理三项机制。会同相关部门制定《广陵区义务教育阶段学校服务性收费项目管理规程》。

（五）维护群众权益“四民”机制

2010～2011年，在全市首创民情采集点、民意代言人、民生恳谈会和民间评议团四个载体，构建集群众诉求收集、凝练、表达和落实为一体的维护群众权益“四民”机制，拓宽群众诉求表达渠道，提升部门行业服务水平。此项工作受到国务院纠风办的充分肯定，获全市纪检监察工作“创新奖”，省、市政府纠风办的《政风行风热线》栏目专门在广陵区举办现场直播活动进行宣传推广。

第六章　组织建设

区委组织部主要负责研究、指导全区党组织建设及领导班子的思想、作风建设；主管全区党员发展、管理和教育工作；提出区委管理的领导班子调整、配套的意见和建议，负责其考察、任免及工资、待遇、退休审批；全区公开选拔干部工作的组织和指导，参照管理部门科级干部的审批和宏观管理，承办参照管理干部的调配交流和安置等。1989年，组织部内设办公室、组织科和调研科。2011年，组织部内设办公室（干部监督科）、乡镇干部科、机关干部科（干部教育培训科）、综合干部科、人才科和组织科（党员教育管理科）。

第一节　党　员

一、党员发展

1989年，根据“坚持标准，保证质量，改善结构，慎重发展”的方针，制定《广陵区一九八九年发展党员工作的计划和今后三年的设想》《发展党员预审办法》。是年，发展党员38人，全区党员总数2869人。1990年，继续实行预审制度，全区发展党员50人，其中一线人员占72%，先进模范人物占68%，高中及以上文化的占60%，35岁以下的占22%。

1995年，下发《推荐百名优秀团员作为党的发展对象的通知》，发展党员向青年一线倾斜。是年，发展党员113人，其中35岁以下的64人，一线党员78人，妇女党员45人，大专及以上文化的44人。1996年，制定下发《扬州市广陵区1996～2000年发展党员工作五年规划》，坚持发展党员预审制度，注意发展妇女党员。是年，共发展党员121人，其中女党员53人，35岁以下的51人，大专及以上文化的44人，一线党员75人。2000年，发展党员85人，其中35岁以下的占63%，高中以上文化的95%，女党员占38%，一线党员占47%，全区党员总数3777人。

2003年，修订完善《广陵区发展党员工作程序》，制定《关于发展党员工作中实行预审制、公示制、无记名票决制和责任追究制的通知》，进一步严肃发展程序和纪律。2003～2004年，两年共发展党员197人，其中女性党员77人，高中及以上文化的161人，占81.7%，35岁以下的103人，占52.3%。

2005年，全区党员分两批参加保持共产党员先进性教育活动。是年，全区党员人数1.02万人。

2006～2008年，3年共发展党员402人，其中女性党员207人，高中及以上文化的271人，271人中大专以上158人，35岁以下的216人。2010～2011年，全区共发展党员493人，其中女性党员216人，少数民族2人，高中及以上文化的314人，35岁以下的332人。至2011年，全区党员总数1.38万人。

二、党员教育

1989年，区委组织部会同纪委、宣传部在区委党校举办两期新党员轮训班，对136名新党员进行党的基本路线、党风、党纪和党的基本知识教育。1990年，举办基层党支部书记培训班，培训92名基层党支部书记。举办为期一周的新党员培训班。指导各部委党组织举办10期积极分子"党的基础知识培训班"，参加党员230人。1991年，对全区48名基层党组织书记进行党的十三届七中全会精神和社会主义理论培训。组织一次预备党员学习党的基本知识考试。1992年，组织全区各系统局、街道分管党务的副书记和组织科长，以及部分试点单位的党支部书记共计34名赴泰兴县参观学习党建工作与经济工作有机结合，发挥共产党员在经济建设主战场的作用和经验。开展6场次基层授课，受训410人。1993年，下发《关于组织全区党员收看电教片的通知》，每个党员全年收看电教片4～8部。1994年，播放党员电教片66场，观看共4033人次。举办6期入党积极分子培训班，340多名积极分子参加。1995年，全区播放党员电教片400多场次，参加收看1万多人次。

1996年，全区各基层党校、中小学校共举办培训30多期，播放组织观看电教片8部、208场次。1997～1998年，共举办8期居民区党支部书记培训班。1999年，举办2期入党积极分子培训班，培训入党积极分子156人。2000年，举办2期居民区党支部书记培训班和2期入党积极分子培训班，培训入党积极分子160人。2001年，在全区党员中组织开展"新世纪的共产党员怎样体现先进性"的大讨论。2003年，全区43个社区、21个行政村党员电教室都达到"两机一柜"的要求。2004年3月，开办村支部书记培训班，学习"城中村"改造和村级集体资产股份制改造的成功经验。加强对非公企业主和非公企业党务工作者的培训，选送10名党员分别到中央、省、市委党校参加集中培训。2005年，全区先后开展两批保持共产党员先进性教育活动，区四套班子、54个区直部门、14个基层党（工）委、300多个基层党组织共1.02万名党员参加教育活动。

2006～2007年，深入开展党风廉政教育、警示教育，在全区营造不能腐、不敢腐的氛围，筑牢拒腐防变的思想长城。2008年，以"推进农村社区文化建设"为主题，举办村支书培训班。扎实推进农村党员干部现代远程教育工程，建成15个远程教育站点，覆盖全区所有农村园区、乡镇和街道，并顺利通过省远程教育检查组的检查评估。2010年，开办"正予讲坛"，推广"郑翔社区工作法"，建立东关街道社区工作者实践培训基地，充分发挥基层党组织和党员的战斗堡垒和标杆作用。

2011年加强换届后村党组织班子建设，举办"农村社区化建设"新一届村党组织书记培训班。

三、先进表彰

1989年，制定《关于进一步开展创建先进党支部、争当优秀共产党员活动的意见》。区委对全区"创争"活动中成绩显著的15个先进党支部、28名优秀党务工作者和43名优秀共产党员予以表彰和奖励。1991年，区委召开"七一"表彰会，表彰20个先进党支部和55名优秀共产党员，各基层党（工）委表彰150人。1993年，表彰21个党支部、30名优秀党务工作者、50名优秀共产党员，另有2个党组织和4名党员受到市委表彰。1995年，表彰21个先进基层党组织、50名优秀共产党员和29名优秀党务工作者。

图20-6-1　2011年度总结表彰大会

1997年"七一"前夕，表彰20个先进基层党组织、50名优秀共产党员、30名优秀党务工作者。1998年"七一"期间，召开全区居民区党建工作表彰大会，表彰9个先进居委会党支部和12名优秀居委会党支部书记。1999年，召开"七一"表彰大会，对25个先进基层党组织、40名优秀党员、25名优秀党务工作者进行表彰。

2005年，对18个"红旗社区党组织"和"党建工作示范社区"进行表彰。2006年，召开建党85周年总结表彰大会，表彰30个先进党组织、40名优秀共产党员和29名优秀党务工作者。2011年，开展纪念建党90周年活动，命名表彰30个先进基层党组织、30名优秀共产党员、10名勤政廉政优秀党员干部、20名优秀党务工作者、10个群众满意党员示范窗口、10名社区好社工、10名社区好医生和10名社区好民警。

四、民主评议

1989年，全区开展民主评议党员工作，有17个党支部开展民主评议党员工作，266名党员参加评议，为日后全面推开民主评议党员工作积累经验。1990年，全区216个基层党支部的2902名党员参加民主评议，评选出优秀党员237人、合格党员2483人。1991年，召开全区民主评议党员工作总结大会，制定《关于实现党员目标管理、完善民主评议党员制度的意见》，确定9个党支部作为党员目标管理与民主评议党员相结合的试点单位，形成党员教育、管理和监督为一体的新机制。1992年，制定下发《关于民主评议党员制度化的意见》和《关于开展一九九二年民主评议党员工作的通知》，全区230个党支部中95%以上的党员参加民主评议。1995年，制定民主评议工作计划，全区242个基层党支部2841名党员参加评议，其中优秀党员275人、不合格党员6人、未定格的党员4人，先进党支部29个。1997年，全区360个基层党支部3207名党员参加民主评议，评出优秀党员311人、合格党员2896人。2000年，制定《关于处理不合格党员的意见》，对3名党员进行处分，其中开除和劝退各1人。2001～2011年，每年进行民主评议党员工作，主要结合“三讲”教育、保持共产党员先进性教育活动以及学习实践科学发展观等活动进行。

第二节 基层党建

一、基层党组织建设

1989年，制定并下发《关于做好党总支、支部任期届满按时改选工作的通知》，按期进行改选党组织37个，新建党支部3个。1990年，全区改选党总支2个，改选和新建党支部11个，基本完成预定的改选计划。1991年，新建基层党委3个，8个基层党委、2个党总支及51个党支部按期改选。1992年，47个党支部按期改选。1993年，新建党委2个，改选党委1个。1994年，下发《关于我区党的基层组织任期的意见的通知》，1个基层党委、1个党总支、47个基层党支部进行换届选举，新建新经济组织党支部2个。1995年，完成76个基层党支部换届工作，新建基层党组织52个。

1996年，城南、广陵、东关街道所属居委会全部实现“一居一支”，汶河街道70%以上居民区单独建立党支部。1997年，结合机构改革，将4个街道党委全部改成党工委。1999年，开展全区居民区党组织换届选举工作，78%的居民区实现党政“一肩挑”。2001年，进一步健全组织建设，成立新经济党支部2个。2003年，在村党组织换届选举工作中全面推行“双推直选”，把在实际工作中带头致富和带领民富的能人通过合法程序选入党组织班子中。2004年，选择四望亭和琼花观社区进行试点，成立社区党委，将辖区内的区直企业和无主管企业的党组织和党建工作划归社区党委管理。2005年，按照“强基工程”要求，在全区实施社区党建网格化管理，扩大党组织在城市基层的覆盖面，将社区内4216名党员置于125个网格支部中，形成街道党工委、社区党组织、网格党支部和党小组4级组织构成的社区党建网络。

2008年，进一步完善社区党组织架构，新成立社区党委3家，全区社区党委总数达到9家，社区党委覆盖面接近20%。下发《关于做好社区党组织换届选举工作的意见》，按照配齐配强社区党组织班子和创新基层选举方式的要求，符合条件的社区都实行书记、主任一肩挑，所有社区均配备1名以上的专职党务工作者，有30个社区进行公推直选，直选覆盖率63.8%，城市基层党的组织基础进一步夯实。2009年，逐步形成以社区党委为主体、社区党总支为补充的城市社区基层党组织设置模式。2010年，加强对79个非公有制经济组织党组织、12个街区党组织、4个行业党组织的管理力度，动态保持商圈内规模以上非公企业党、工、团组织组建率100%。2011年，坚持“以制度规范实践，以实践夯实制度”，建立“1+X”制度体系，“1”即制定下发开展“基层党建工作提升年”活动实施意见；“X”即规范完善基层党建工作责任制度等制度文本，重点整理汇编《非公企业党建规范化手册》等一系列操作性细则，为加强基层党组织建设提供制度保证和工作范本。

二、基层党组织主要工作

图 20-6-2 2006 年，广陵区举办村党组织书记培训班

1992 年，对基层党组织提出制度化要求，12 个系统党委、党组均制定党建工作目标及计划，分别落实联系点和联系人。1993 年，为进一步加强外商投资企业党建工作，召开全区外商投资企业党建工作座谈会。1995 年，总结城南街道党委领导经济建设的经验，形成《从街道工作的实际出发，切实履行好领导经济建设的职责》书面材料，参加全省街道党建工作座谈会。下发《关于加强街道党委党建工作责任制的意见》和《关于加强居民区党组织建设工作的意见》。

1998 年，制定《企业党建工作百分考核细则》；开展以“献爱心、暖人心、聚民心”为主题的“三心”活动，全区 100 多个党支部和党小组与下岗工人结成帮扶对子，捐款 10 多万元，解决 100 多名下岗职工子女入学困难，帮助 1200 多名下岗职工重新就业。1999 年，各街道党工委均成立社区党建工作联席会和社区精神文明建设联席会。20 个机关党支部与 20 个小区结对挂包，共创星级小区。2000 年，4 个街道均成立社区党建组织网络。召开创建“五好”居民区党支部工作现场会。下发《关于加强新经济组织党建工作的意见》，对全区新经济组织党建工作提出明确要求。

2001 年，在荷花池等 11 个社区进行社区管理体制改革，成立社区党支部、社区成员代表大会、社区居民委员会、社区议事协商委员会，推进社区党建载体的建设。2003 年，成立社区党建联席会，初步形成以社区党组织为核心、社区全体党员为主体、社区单位党组织共同参与的社区党建新格局。基本实现非公企业党建工作 100% 覆盖的目标。2005 年，推广文峰街道成立党员服务中心的做法，逐步实现流动党员服务网络的全覆盖。2006 年 5 月，会同区农业水利局，举办一期全区村级党组织书记培训班。

图 20-6-3 宝塔社区党员议事会

2007 年，举办以“共建共享”为主题的首届长三角城市社区党建论坛。成立文昌商圈党建工作联席会，组建 5 家特色行业党组织，培植 5 个党建工作示范点及一批星级党员商户、党员示范窗口、党员示范岗。下发《关于建立社区党建经费保障机制的若干意见》，给予每个社区党组织每年 5000 元的经费保障。2008 年 6 月，召开全区社区党组织规范化建设会议，推出《社区党组织规范化建设实施细则》。建立以“干部问事、群众说事、集中议事、公开办事和两票评事”为核心内容的“五事”工作制，让干部与群众通过共同管理村级事务真正“互动”起来。全面推行党员中心户工作模式，把“党支部 + 党员中心户 + 党员（群众）”的工作机制覆盖全区。全区共建立 214 户党员中心户，联系 3000 多名党员和 7000 多名群众，成为党组织服务党员、联系群众的连心桥。以文峰街道为试点，在社区组建党员议事会，为社区党组织决策提供参考。进一步深化“三名”工程，在首批成立 10 家以名街、名巷、名景点命名的社区基层党支部的基础上，重点培植 5 个“三名工程”示范点，建成 5 个党员教育基地，依托名景点建立 10 支党员义工队伍、20 个党员示范岗、30 户党员中心户。园区、各乡镇、街道建立 7 个党员服务中心、48 个社区党员服务站、12 个党员服务点，基本形成覆盖全区的党员服务网络体系。2009 年，以干群互动工作法全面推广为契机，完善“五事”工作制，该成果获得“全市组织工作创新创优奖”。2010 年，建立融党员服务、就业培训、维权帮办等功能于一

体的文昌商圈先锋驿站，实施“一组织一目标、一街区一特色、一行业一平台、一党员一计划”行动。

2011年，深入推动服务型党组织创建。建立“1+X”制度体系，以“非公企业党组织集中组建活动”为抓手，探索把党组织建在楼宇会馆、项目建设、社会组织、新兴产业上，全区非公企业党组织组建率96%。

第三节　干部队伍管理

一、选拔任用

区内干部选拔任用，总体按“年轻化、知识化，注重培养妇女干部和党外干部，适度有序交流”原则进行。

1989年，从部门班子结构、整体效果和工作需要出发，调整部委办干部43人，新任党组成员14人，新提拔科级干部37人。明确区法院、区检察院正科级检察员10人、正科级审判员11人。严格按照规定程序选拔任用干部，重点考察22个科级领导班子，计114人次。1990年，根据干部“四化”（革命化、年轻化、知识化、专业化）方针和以革命化为前提的德才兼备原则，调整、交流干部47人，提拔44人，明确职级6人，新建党组2个，增补党组成员16人。在提拔的44人中，妇女干部9人，党外干部2人，具有大专以上文化程度的26人，高中（中专）文化程度的12人，平均年龄43.4岁。1991年，为进一步调整领导班子群体结构，选配好党政主要负责人，共交流干部44人，提拔43人，新建党组2个，增补党组成员23人。1992年，注意充实经济部门领导力量，分别对50个部委办局及企事业单位的领导班子和170多名领导班子成员进行考察，共提拔调整干部117人。科级后备干部队伍扩大到80人，27名经过考察培养被提拔使用。1993年，拟出新一轮区级后备干部建议名单，重新调整充实一批四十岁以下的后备干部。1994年，对40个部门领导班子的运转情况进行考察，提拔使用28人，交流22人。1995年，规范干部考核工作，对18个科级班子进行考察，共调整充实16个领导班子，提拔使用42人，交流35人。在提拔使用的干部中，35岁以下的4人，女干部10人，非党员干部3人。为增强年轻干部的实践经历，抽调23名机关干部下基层任职、挂职。调整充实一批35岁以下的优秀年轻干部进入科级后备干部队伍，建立180人的科级后备干部队伍和150人的企事业单位后备干部队伍。

1996年提拔调整科级干部68人，选调11名基层干部到区级机关挂职，38名机关干部下挂到企业，选送6名熟悉经济工作、有发展潜力的年轻干部到苏南挂职。面向社会公开招聘团区委副书记和社区主任。1997年，进一步推进干部队伍年轻化、知识化进程，提拔调整科级干部127人。在提拔的48人中，35岁以下的14人，占29.2%；大专以上文化程度的32人，占66.7%。有14个科级班子配备党外干部，35个科级班子配备38名女干部。1998年，提拔调整科级领导干部68人。在提拔的28人中，35岁以下的10人，占36%；大专以上文化程度的21人，占75%。全区有21个科级班子配备35岁以下的年轻干部。1999年，提拔12名科级干部。全区35岁以下科级干部所占比例比1998年上升1.2%，50岁以上的科级干部所占比例比1998年下降5.3%，全区27%的科级班子配备35岁以下的年轻干部，50%的科级班子配备女干部，16%的科级班子中配备党外干部。全区共有45名科级干部进行交流。2000年，制定《广陵区党政领导干部交流工作暂行规定》，提拔调整72名区管干部，其中4个街道24名党政领导干部中有16名进行交流。制定《关于大力推进党政领导班子年轻化的决定》，全年新提拔年轻干部3人，平均年龄31岁，大学本科文化，其中含1名29岁的正科级领导干部。

2004年抽调9名懂经济、会管理的优秀年轻干部到产业园和招商局，直接从事招商引资。对乡镇街道领导班子和领导干部试行实绩考核，根据考核结果提拔使用8人。加强党政领导干部职务任期制的试点工作，对男满57周岁、女满53周岁的11名科级干部转任为非领导职务。2005年，调优配强园区领导班子，充实4名副科级干部，探索广陵产业园一体化管理模式。

2006年从区和乡镇选派30名优秀干部充实到农村经济建设一线，选派8名优秀机关干部到村进行挂职锻炼。2007年，紧紧围绕“两城三区”配干部，抽调9名40岁以下的乡科级干部到广陵新城建设一线，10名优秀机关干部挂职村党组织副书记和村委会主任助理，为食品工业园区、商贸物流园区各充实3名优秀年轻干部。2008年，开展区级机关中层干部跨部门交流工作，20名中层干部走上新的工作岗位，其中9名学经济、懂经济的优秀年轻干部充实到两城三区、经济建设一线。全年共提拔、交流56名科级干部，其中21名干部前往经济一线、乡镇街道、两城三区主战场。2009年，制定并实施《关于加强我区年轻干部培养选拔工作的建议方案》，从机关选派6名优秀年轻干部到园区、乡镇街道任职，同时面向全区选拔15名年轻干部到园区一线、信访一线实践锻炼。首次面向全省公开选拔副科级领导干部，为园区一线、重点部门优化配备8名紧缺型专业性人才。2010年，建立组织人事信息系统，努力提高干部基础信息查询、分析的准确性。选派6名机关优秀年轻干部，到园区、乡镇街道任职。启动"年轻干部赴一线"活动，选拔18名年轻干部赴文明城市创建、信访维稳、招商引资一线实践锻炼。

2011年，加大区级机关、园区、乡镇、街道之间干部资源的有序流动，交流29名乡科级干部，其中7名干部到一线实践锻炼，4名年轻干部到公安、法检系统基层信访一线挂职。

二、教育培训

1989年5月，区委组织部会同宣传部和党校举办"廉政"轮训班2期，132名副科级以上干部参加学习。8月，210名副科级以上干部参加十三届四中全会文件轮训班学习。1990年，会同区委党校举办哲学学习班1期，35名科级领导干部参加学习。局级干部培训班3期，150名干部参加。举办社会主义理论轮训班2期，75名科级干部参加学习。1991年举办中青年干部培训班1期和工业经济管理干部培训班2期，参加学习122人。1992年，举办科级干部培训班4期、中青年干部培训班1期、经济管理干部专题研讨班1期和党支部组纪委员业务培训班1期，341名各类干部参加培训。1994年，举办副科级以上干部学习班5期，参加学习232人。同期，分别参加党支部书记培训班和厂长（经理）学习班学习的有111人。1995年，举办科级干部轮训班4期、企事业负责人学习班2期，参加学习289人次。举办中青年干部培训班1期，并组织学员到企业进行两个月的挂职锻炼。

1996年举办科级干部培训班5期、企事业负责人培训班2期、中青年干部学习班1期和组织宣传科长学习班1期。1998年，举办科级干部学习中共十五大精神培训班4期，对全区科级干部进行轮训。组织500多名年轻干部参加"举旗、走路、做人、接班"大讨论活动。2000年，进一步加强年轻干部的培训教育和实践锻炼力度，组织12名科级干部在省、市委党校进行培训，选派11名年轻干部参加企业改革、改制以及社区建设管理工作。

2003年重点组织科级干部任职资格学习培训，计划用两年时间，对新一轮后备干部中具备大专以上学历的84名人员进行学习培训，考试合格方能获得科级干部任职资格。围绕"解放思想，又好又快发展"主题，努力开拓干部眼界，开启工作思路，提升思维层次，8月，举办首期"双月论坛"。当年共举办3期，参训人员800多人次。2004年，12名干部参加省、市委党校培训，86名中青年干部参加MPA核心课程班的学习。区计生、司法、农水等部门专门办班进行相关法律法规培训，参训人数910人次。举办"双月论坛"4期，参训人员1000多人次。利用中央党校远程教育网和中央教育台"学术报告厅"等高层次教育资源，组织干部收看，并在扬州永通数码电脑公司建立干部培训教育基地，开设网络讲座。2005年，以"三个代表"重要思想和中共十六大、十六届四中全会精神为主要内容，举办副科级干部轮训班2期，参加学习共73人次。配合市委组织部选送4名干部到复旦大学、同济大学进行专业知识学习。举办"双月论坛"6期。 实施"百名干部下基层"活动，组织100名机关干部到乡镇、街道、产业园等基层、经济一线跟班学习和帮扶锻炼。

2006年开办"双月论坛"5期，参训人员1500多人次。围绕区委"拆迁安置、招商引资、城市创建、维护稳定"等中心工作，深化"百名干部下基层"活动，抽调40多名机关干部到乡镇、街道、产业园等基层、经济一线跟班学习和帮扶锻炼。2007年，首次与省外高校合作，在上海金融外贸学院对经济干部进行为期5天的培训；继续选派15名和谐示范社区的党务干部赴新加坡学习考察；举办"双月论坛"5期。2008年，制定《2008～2012年广陵区干部教育培训五年规划》和《广陵区乡局级干部教育培训学分制管理办法（试行）》，不断推动学习型党组织、学习型社会建设。举办"双月论坛"5期， 共培训1500多人次。举办组工干部培训班，全区61名组工干部参加培训。深化与上海外贸学院金融学院的合作，委托该院对经济部门、窗口部门的36名干部进行培训。举办村支书培训班，组织24名村支书，赴山东胶南学习农村社区化建设。2009年，举办“双月论坛”5期，培训干部2000多人次，论坛品牌效应持续放大。2009年11月，邀请著名公共关系与礼仪专家、中国人民大学国际关系学院外交学系主任金正昆，作题为《高级公务礼仪——全员职业素养的提升》的讲座。2010年，落实“高品位选题、高水平师资、高质量运作”的“三高”要求，举办“双月论坛”5期。与中国浦东干部学院合作开办在线学习平台，量身定制5门必修基础课和36门选修专业课，满足个性化、全天候培训需求，形成“双月论坛高端讲座＋中浦院研修班＋精品主体班次”三位一体的培训体系。

图20-6-4　2010年9月，区委举行党政干部能力提升在线学习专题研修班开班仪式暨“双月论坛”

2011年举办“双月论坛”5期，参加学习共2200多人次。在复旦大学举办楼宇经济发展专题研修班。赴新加坡举办为期一周的“园区规划建设培训班”。继续与中国浦东干部学院合作，举办第二期党政干部能力提升在线学习研修班。在线学习平台覆盖面向选调生、大学生村干部、一般干部延伸，实现干部培训全覆盖。

三、监督考核

1989年，区委组织部抓好初信初访，并做好复信复访工作，全年接待16人次，给2名老党员核实参加革命工作时间和入党时间。1990年，全年接待来信来访19人次，审理确定2名党员参加革命工作时间，办理1名党员退休改离职休养的手续。1991年办理7批次出国（境）人员的政审。1992年，重点对区教育系统教师参加革命工作时间进行调查统计；为60年代下放职工办理子女户口农转非手续。1993年，抓好领导班子一年两次的民主生活会，解决一些影响班子团结和谐的问题。1994年，继续抓好基层党委（党组）一年两次的民主生活会，着重提高民主生活会质量。对18个局级班子进行考察。下发《广陵区局级领导班子廉洁自律民主生活会的意见》，对区管干部廉洁自律情况进行专题调查。1995年，在全区各级党组织中开展民主集中制主题教育活动。以领导干部廉洁自律为主题，努力提高基层党委（党组）民主生活会质量。

1996年，区委下发《关于对不胜任现职领导干部的处理办法》，提出对不胜任现职领导干部进行警告、降职、免职等处理办法。1998年，严格执行领导干部诫勉谈话制度，制定领导干部离任经济责任审计制度。1999年，印发《广陵区干部监督管理五项制度》《干部选拔任用工作程序规定》《组织人事部门与纪委、监察等机关加强工作联系的制度》《干部考察责任制》《干部人事工作调动纪律》《党员领导干部民主生活会制度》等，使干部监督管理工作走上制度化、规范化轨道。全年共有5名局级干部被免职、降职、降级。2000年，认真执行诫勉谈话等制度，推行领导干部回复制度和离任审计制度，对转任非领导职务和交流任职的13名干部、2名退休干部实施离任审计。制定《关于调整不胜任现职领导干部的暂行办法》，在干部能上能下方面不断有新进展。

2001年继续实行领导干部回复制度，继续推行领导干部离任审计制度，对12名局级干部进行离任经济审计。拟定《区委常委会任免干部票决制试行办法》，区委常委会在讨论干部任免时，采用无记名投票方式进行表决。拟定《领导干部个人推荐干部责任制》，增强领导干部推荐人选的责任意识。2003年，完善干部不称职评定措施。在乡镇、街道系统党（工）委推行干部任免票决制度。加强干部选拔任用事前考察、事中监督，聘请“干部工作监督员”，开展民主评议；利用党建网站的监督栏目，加强对干部选拔任用工作的监督。2004年，对上年民主测评或年度考核中不称职票达1/3以上、基本称职和不称职票达1/2以上或接近1/2的3名干部进行诫勉谈话。对基层党（工）委贯彻落实《干部选拔任用工作条例》以及执行干部选拔任用全过程纪实制度的情况进行专项检查。2005年，坚持任前公示制，对提拔任用的20名领导干部进行公示，对离任领导干部全部进行经济责任审计。

图 20-6-5 2011 年 10 月，区委举办党政干部能力提升在线学习专题研修班

2006 年对提拔任用的 47 名领导干部按要求进行公示，对 4 名离任领导干部全部进行经济责任审计。将 32 个部门一把手的述职述廉报告在广陵党建网上进行公示。2008 年，将区级机关部门、乡镇街道一把手的述职述廉报告在广陵党建网上进行公示，以“晒实绩”的形式推进干部工作公开透明。2009 年，对 8 名领导干部开展经济责任审计。由组织部长与全区 100 多名副局级领导干部谈心谈话。2010 年，广泛组织学习干部监督四项制度（《党政领导干部选拔任用工作责任追究办法（试行）》《党政领导干部选拔任用工作有关事项报告办法（试行）》《地方党委常委会向全委会报告干部选拔任用工作并接受民主评议办法（试行）》《市县党委书记履行干部选拔任用工作职责离任检查办法（试行）》），增强有用人权单位的干部选任规范意识、责任意识。对 2 名“一把手”进行“三责联审”（即组织部门、编制部门、审计部门联合对党政领导干部开展“用人责任审查、编制责任审核、经济责任审计”）。2011 年，区委把严肃换届贯穿区、乡党委换届始终，向全区所有在职党员发放“掌中宝”5000 册，开通网络、电话、信访等监督渠道，确保换届风清气正。

四、思想作风建设

1989 年 5 月，区委组织部对 “领导班子思想作风建设”进行专题调研，走访调查近 20 家单位 51 人，形成《我区领导班子思想作风建设现状分析和整改措施意见》书面材料。

1991 年，区委将思想作风建设的要求列入领导班子及其成员考核的内容，重点对 30 个部委办局的班子运转情况及其成员的德才表现进行全方位民主考评。1994 年，区委下发《关于加强我区各级领导班子思想作风建设的意见》，全区各级领导班子认真学习建设有中国特色社会主义理论，努力实践党的宗旨。1995 年，组织各级干部特别是领导干部开展学习新时期领导干部楷模孔繁森的活动。

1996 年，全区开展党性修养教育活动，加强对党员宗旨、信念的教育。1997 年，以“迎十一，庆回归”“向党的十五大献礼”为主题，广泛开展“重温入党志愿书”、“双学”知识竞赛以及演讲会、报告会等多种活动。1998 年，深入开展以“学理论、提高觉悟，学业务、提高本领”为主题的“双学双提高”读书活动;500 多名年轻干部开展“举旗、走路、做人、接班”大讨论活动。1999 年，认真学习邓小平理论，大力宣传吴登云、高仁林的先进事迹，形成争先创优的良好风气。2000 年，深入开展以“讲学习、讲政治、讲正气”为主要内容的“三讲”教育，加强领导班子和干部队伍思想作风建设。用 15 天时间，在全区 44 个部门和 153 名局级领导干部中，召开专题民主生活会，认真开展批评和自我批评，加强思想作风建设。

2001 年，制定《关于建立部领导及科室组织工作联系点制度的意见》，在全区机关、企事业单位、居委会确定挂钩联系点 10 个。2003 年，开展“党员示范工程”活动，完善部门内部规章制度。2004 年，把审计与干部的正常考察结合起来，成立由人大代表、政协委员、离退休干部和村、社区群众组成的干部监督信息员队伍，健全干部监督工作信息网络。2005 年，开展“双挂”（部门挂社区、党员挂群众）活动，将区级机关 45 个支部挂包到各个社区党组织，每个党员挂包 1 ～ 2 名群众。

2006 年，区委提出《关于在全区开展“结对帮扶、脱贫致富、共建和谐”工程的实施意见》。帮扶时间为三年，分三个步骤启动：发动区级机关党员干部率先结对帮扶 500 户左右；发动企事业单位党员和社会各界人士结对帮扶 1000 户左右；确保所有的困难群众有饭吃、有衣穿、有房住。2008 年，成立区干部队伍能力作风建设领导小组，制定下发实施意见，召开能力作风建设动员大会、能力作风建设督导推进会、三服务动员大会等会议。2009 年，开展“党员干部进万家”活动，进行“确立四先之志，引领科学发展”思想解放大讨论（立志率先，用科学发展观武装头脑；拼搏争先，用科学发展观抢抓机遇；奋勇当先，用科学发展观推动发展；实干为先，用科学发展观改善民生）。2010 年，强化作风建设，开展“老党员进部讲党课”“我为组织工作争先进位献一策”金点子征集等活动。

2011 年，区四套班子领导围绕解决文明创建中的热点难点问题，领办村、社区申报的 89 件“硬骨头”项目，办结率 100%。部门一把手先后 3 次进村、社区、企业，开展驻点交友活动，听民声、察民情、解民困，共收集意见建议 118 条，办结率超过 95%。全区 50 个区级机关部门逐一明确挂包社区，申报的近 400 个实事项目，办结率超过 98%。建立大监督机制，通过电话了解、短信提醒、简报通报、实地观摩等方式，做到重点项目重点督查，难点项目跟踪督查，确保办实事落到实处。

第四节　机关党建

一、组织建设

1983 年 8 月，成立中共扬州市广陵区机关临时委员会。2002 年，区级机关党委更名为区级机关党工委。1989 ～ 2011 年，机关党工委（党委）贯彻实施党的路线、方针、政策，坚持党要管党、从严治党方针，围绕中心，与时俱进，服务大局，树好形象，全面推进机关党的组织建设、思想建设和作风建设，不断增强机关党组织的凝聚力、创造力和战斗力。抓好区属机关到期基层党支部改选工作，检查、指导基层党组织搞好“三会一课”、民主评议等党建工作，做好党员发展工作。

1989 年，对机关 32 个直属党支部的组织活动情况进行一次全面分析，采取措施健全组织活动。全年发展党员 6 人。1995 ～ 2002 年，各机关共发展新党员 141 人。至 2011 年，机关党工委下设党总支 3 个、党支部 45 个，有党员 1107 人。

二、思想建设

23 年间，区机关党工委（党委）始终加强对机关党员干部的政治理论学习和党性党风教育，配合区组织、纪检等部门，运用多种形式，开展各项系列理论学习和教育实践活动；分期、分批组织机关干部到党校培训和学习，努力使全区机关党员干部不断解放思想，转变作风，牢固树立正确的世界观、人生观和社会主义核心价值观，促进综合素质和执政能力的提高。

2010 ～ 2011 年，加强学习型机关和学习型党组织建设，探索“一线党课”“微型党课”“开放党课”“案例党课”等党课形式，形成“领导上党课、专家授理论、党员讲心得”的联动机制；落实“党员学习日”制度，广泛开展“读书、送书、荐文、荐书”活动。

三、作风建设

为进一步规范行为，提升形象，增强机关服务意识，提高服务效率，1989 ～ 2011 年，机关党工委（党委）牢记党的宗旨，建立健全各项制度，开展多种形式的群众路线教育、廉政教育，推进机关作风建设。

1991 年，制定《机关党支部工作规则》和《机关党支部工作考核细则》。1995 年，制定《广陵区机关工作人员行为规范》。1996 ～ 1998 年，以“坚持服务基层，反对效率低下的衙门习气”“坚持勤政廉政，反对吃、拿、卡、要、迟到早退的不良风气”为重点，集中对机关作风纪律进行整顿。建立党风党纪、“两公开一监督”监督员网络。2001 年，开展“8 小时以外行为规范”讨论活动和党纪条规知识竞赛。落实中央“八个坚持、八个反对”（坚持热爱祖国、服务人民、崇尚科学、辛勤劳动、团结互助、诚实守信、遵纪守法、艰苦奋斗，反对危害祖国、背叛人民、愚昧无知、好逸恶劳、损人利己、见利忘义、违法乱纪、骄奢淫逸）的整风措施，开展自查自纠。2002 年，配合区纪委开展“牢固树立正确的权力观”主题教育活动。

2003 年，开展“两个务必”教育，进一步强化机关干部艰苦奋斗、执政为民意识。区委办、区政府办等六部门组成机关作风建设明查暗访工作小组，对 49 个部门遵纪守法、机关作风等方面的情况进行为期一周的明察暗访活动，并形成情况通报由两办转发。2004 年，开展以“规范行为，规范运行机制，提升形象”为内容的创建服务型机关活动。制定《2004 年机关作风建设考评实施办法》，探索建立作风建设的长效机制。2006

图 20-6-6　广陵区机关干部走访湾头镇企业

年，修改完善《区级机关作风建设考评实施办法》，召开机关作风推进会，公开机关作风办投诉信箱、投诉电话，督促相关部门认真整改基层群众反映的问题。2008 年，开展"能力·作风建设年"活动，将能力、作风建设与服务经济发展、服务机关党员干部、服务群众有机结合。

2010 年，开展以"三优三满意"（优美环境，优良秩序，优质服务；让群众满意，让基层满意，让领导满意）为主要内容的文明机关创建活动，全面推进服务型机关建设。突出"开门抓作风""开门抓服务"，多措并举，推进机关作风建设。开展"千人评机关"活动，有效融合明察暗访、随机测评、基层座谈、社会评议等方式，让群众客观公正评价机关作风建设成效。

2011 年，以"进万户、办实事"活动为主要载体，深入汤汪乡九龙湾等社区，宣传文明创建工作，帮助、扶持社区和困难家庭。积极参与扬州市全国文明城市创建活动和招商引资活动，招商引资 800 万元。

四、创先争优

创先争优是机关党工委（党委）的一项重要任务，1994 年，对 1993 年度在机关两个文明建设中成绩显著的 96 名先进个人进行表彰。1995 年，召开"我为经济架金桥"活动总结表彰大会，对机关 5 个先进集体、20 名先进个人和 7 个组织工作先进集体进行表彰。"架金桥"活动全年累计引资 3017 万元、66 万美元。

2001 年，评选推荐 23 个"优质服务部门"，由区委、区政府表彰。2002 年，开展"创先进党支部，争当优秀共产党员"活动，对党支部提出班子作风好、思想作风好、整体素质好、工作机制好、廉洁自律好、完成任务好 6 个方面的量化标准。在机关党员干部中开展"六不让"活动（即不让该办的事在我手中延误，不让该处理的文件在我手中积压，不让推诿扯皮的现象在我身上发生，不让来办事的群众在我面前受到冷落，不让腐败现象在我身上出现，不让政府机关形象因我而受到损害）。

2003 年，围绕服务于经济建设中心，发动机关党员干部为招商引资"献一策、牵一线、办实事"。工委印发《关于组织机关党员干部积极投身我区招商引资"百日会战"活动的通知》，建立招商引资人员信息网络，推动全区招商引资工作。机关各部门共引进民资 3.95 亿元。

2004 年，加强机关文明单位建设，创建省级文明单位 1 家，市级文明单位 8 家，区级文明单位 6 家。召开区级机关 2001 ～ 2003 年度"七一"表彰大会，机关 9 个先进党支部、57 名优秀共产党员和 6 名优秀党务工作者受到表彰。

2006 年，把机关党组织建设与机关效能建设、精神文明建设结合起来，形成推进"创建先进党支部、争当优秀共产党员"活动的合力。"七一"前夕，对 10 个先进党支部、46 名优秀共产党员和 8 名优秀党务工作者进行表彰。2010 年，开展"岗位建功做表率、实干创新党旗红"主题活动，进一步强化机关党员的身份意识、责任意识、宗旨意识和大局意识。召开机关创先争优现场交流会，掀起机关创先争优新高潮。区级机关进一步加大参与"全国文明城市"创建工作的力度，成立机关党员先锋志愿者服务队，积极开展各项志愿服务活动。3 名机关干部被评为区劳动模范，1 个基层团组织申报市级"青年文明号"。

2011 年，开展"机关牵手基层、党员联系群众"活动。"七一"前夕，召开庆祝建党 90 周年表彰大会，10 个先进基层组织、15 名优秀党务工作者、25 名优秀共产党员得到表彰。

第五节　老干部工作

一、落实老干部待遇

1984年起，区委、区政府建立区情通报制度，每年至少向老干部通报全区区情2次。为离休干部订阅“两报一刊”(《中国老年报》《老年周报》《银潮》)，经常开展不同形式的保健知识讲座、时事政治和国际形势报告、法治讲座等。每年组织老干部就近参观工农业生产，了解城市发展情况。建立离退休干部党支部，每月过一次组织生活，加强老干部思想政治工作。2009年上半年，组织老干部学习“三个代表”重要思想、“两个率先”、科学发展观等方面的论述；下半年，传达省、市关于学习中共十七届四中全会精神的文件。区委书记向全区150多名老干部通报全区经济社会发展情况。2011年，区委书记向老干部通报当年广陵区经济社会发展情况和区划调整后新广陵的发展前景。

1983年起，按照省、市老干部有关政策规定，从医疗、住房、服务、生活补贴等方面为老干部落实生活待遇，保证各项费用按时、足额发放。全区离休干部医药费均在制度范围内实报实销。每年2次发放离休干部特需费、护理费，及时发放无工作的离休干部配偶生活补贴。重大节日以及高温季节，走访慰问老干部。对生病或长期卧床的老干部，安排工作人员和老干部支部领导到医院或上门看望。2002年后，及时调整离休干部特需费、交通费标准，每两年组织一次老干部健康体检。2005年，对住房面积未达标的机关离休干部发放住房补贴。2007年年底，全区老干部住房补贴发放工作全部完成。2008年，做好特困老干部的帮扶工作，对长期患病、病残、生活不能自理、配偶无工作、子女下岗等原因造成困难的老干部及其遗属，尽力帮助解决实际困难。2009年，落实离休干部和退休干部的生活补贴标准，分别从原来的60%和50%增加到90%和70%。每年印制400多册《老干部健康之友》赠送给每位老干部。

二、组织老干部活动

1994年，区老干部活动中心建成，面积1200平方米。1995年起，区政府拨款购买电脑、空调、投影仪等设备，建设阅览室、练舞房、书画室、多功能厅等活动室。2011年，按照上级有关指示精神，由区委组织部牵头成立社区离退休老干部服务工作指导组，确定一批利用社区资源服务老干部工作试点社区，形成较为规范的基础台账，创成省级示范点1个、市区级示范点1个，为全面推进利用社区资源服务老干部工作积累经验。

根据老同志的健康状况和特长，充分利用各种活动阵地，开展各类活动。老干部党支部分别建立组织生活、学习制度，“双争”评比和民主评议党员制度，外出党员管理制度等，并将党员权利义务、书记职责、党费收缴、会议考勤、集体荣誉“五上墙”。每年组队参加老干部系统组织的象棋交流赛。老干部门球队经常走出去、请进来，邀请门球爱好者进行交流。每逢重大节日和活动，老干部书画协会的老干部都挥毫泼墨，创作许多优秀作品。活动中心不定期组织开展书画创作、歌舞表演进社区、知识竞赛、棋牌比赛、趣味运动会等活动。2004年，组织老干部参观国际会展中心、扬州火车站、广陵产业园等，拓宽老干部的视野，感受家乡的巨变。2005年，在纪念抗日战争胜利60周年之际，召开抗战老战士座谈会，为抗战老战士颁发中共中央、国务院、中央军委统一印制的纪念章和慰问信、慰问金。2006年，结合“4•18”扬州国际经贸旅游节，组织老干部参观城市建设新项目；结合纪念建党85周年、红军长征胜利70周年等，举办政治理论讲座。2009年，组织300多名老干部参观广陵新城、京杭之心等重点建设项目。组织庆祝国庆60周年老干部书画展，100多幅作品参展。2010年3月，成立广陵区老干部读书会，充分发挥老干部政治理论学习的积极性、主动性。同年，与区文明办联合举办创建全国文明城市老干部培训班，全区的相关老干部党支部书记、老干部代表及基层的“五老”志愿者参加培训。2011年，围绕庆祝建党90周年、辛亥革命100周年等活动，举办文艺会演1场、书画展1次、座谈会2次、党史讲座1次，报送市老干部书画作品15件、征文8篇。

三、发挥老干部作用

本着自愿量力、就地就近原则，积极牵线搭桥，构筑平台，引导广大老干部在关心教育下一代、社区文明创建、构建和谐社会等公益活动中发挥作用。先后建立“老干部报告团”“老干部志愿服务总队”和5个分队，每年走进社区、村、学校进行法律咨询、保健咨询等志愿服务活动，禹成友、张万林获全国老干部先进个人。2009年，经常参加社区活动和关心下一代工作的老干部有36人，年龄最大的超过90岁。原区人大常委会副主任程平获“江苏省老干部先进个人”称号。2010年，继续开展老干部与大学生村干部结对交友活动，全区有109名老干部与121名大学生村干部结对交友。2011年，继续参加创建文明城市活动，120多位“五老”监督员经常到全区61家网吧对运营情况进行检查。在老干部与大学生村干部结对交友的基础上，组织3名工作经验丰富的老干部，到九龙湾社区帮助大学生村干部解决工作难题。

四、老年大学

参见第三十五篇社会生活第二章第五节。

第六节 大学生村干部选拔与培养

图20-6-7 2010年1月，广陵区大学生村官法治宣传队进行汇报演出

2005年，广陵区汤汪乡率先将大学生村干部招聘列入农村基层干部队伍建设的长远规划，通过人才市场招聘、公开考录等形式，选聘大学生到基层任职，正式拉开区大学生村干部工作的序幕。2008年接收派遣的第一批5名省聘大学生村干部，标志着区“一村一社区两名大学生村官工程”的全面启动。

2009年7月，44名大学生到江阴市党校接受培训。8月，区委组织部、区人事局联合印发《广陵区到村（社区）任职高校毕业生考核实施细则（试行）》，全面规范大学生村干部考核管理工作。区委组织部举办全区首届大学生村干部论坛。9月，全区大学生村干部工作推进会在汤汪乡召开。团区委、汤汪乡党委、区大学生村干部联谊会联合举办“青春放飞新广陵”广陵区大学生村干部庆祝新中国成立60周年文艺晚会。

2010年1月，区委组织部印发《关于2009年市选聘大学生村官相关待遇的通知》，规范统一2009年市聘大学生村干部工资待遇。3月，区委组织部在大学生村干部中启动“激发‘二为’志气、强化四种意识”（为发展打拼、为荣誉而战，责任意识、学习意识、实干意识、感恩意识）主题教育活动，并专门向大学生村干部印发《激发“‘二为’志气、强化四种意识”主题教育读本》和《大学生村官成长手册》。大学生村干部“牵手名师”成果汇报会在东关小学文昌分校举行。9月，举办2010年度大学生村干部培训班，40多名大学生村干部接受培训。国庆节前，在汤汪乡举行第二届大学生村干部论坛暨“一村官一实事”活动启动仪式，并向新到任的2010年市聘大学生村干部捐赠电动车。8～12月，区委、区政府联合市委组织部、共青团扬州市委、扬州大学团委，共同举办“中国声谷杯”扬州市大学生村干部创新创业大赛。200多名大学生村干部共申报84个参赛项目，涉及现代农业、信息服务业、电子机械等多个领域，一批适应经济社会转型需要、具有推广价值的项目获奖。

2011年4月，区委下发《关于区领导结对联系大学生村官的通知》，安排一批已担任村、社区“两委”正职的大学生村干部和有发展潜力的大学生村干部与区四套班子领导结对，进一步加大对大学生村干部工作的培养力度。5月，区委组织部开展村、社区“两委”主官公开招聘活动，67名大学生村干部参加角逐，6名大学生村干部脱颖而出。6月，省委教育工委原常务副书记黄治中看望慰问广陵区曲江街道新星社区党委书记、居委会主任张晶晶。10月，区委组织部以“社会管理创新”为主题，联合区委党校、农工办、区民政局，在省委党校举办大学生村干部培训班，62名大学生村干部参加培训。12月，联合扬州市图书馆联手打造高标准的大学生村干部成长驿站暨全省首个面向大学生村干部的图书馆，并在汤汪乡举办揭牌仪式。联合市文广新局举办大学生村官工作方法与职业生涯规划专题讲座，100多名大学生村干部聆听讲座。至年底，通过省市下派、自主选聘等形式，全区共有大学生村干部283人，其中省市聘大学生村干部63人、“985”高校大学生村干部11人。

第七章　宣传教育

区委宣传部围绕工作大局，全力抓好宣传思想工作和精神文明建设，以马克思列宁主义、毛泽东思想、邓小平理论、“三个代表”重要思想、科学发展观为指导，武装党员干部、教育人民群众；广泛开展爱国主义、集体主义、社会主义教育和社会公德、职业道德、家庭美德和个人品德的“四德”宣传教育，开展学雷锋、焦裕禄、刘应启、孔繁森、高仁林等先进人物活动，唱响主旋律，打好主动仗。坚持贴近实际、贴近生活、贴近群众，根据形势的发展，不断创新工作思路，全面推进，突出重点，各项工作保持正确导向和积极健康的良好态势，为全区经济建设和社会发展提供强有力的思想动力和政治保证。

第一节　社会宣传

1989～1990年，进行坚持四项基本原则、反对资产阶级自由化的政治形势宣传教育。区委宣传部深入基层作形势报告20多场，受教育群众3500多人。1991年，举办题为《抓住非常时机》的国际形势报告会，开展以反对“和平演变”为主题的形势教育，共宣讲80多场，接受教育2万多人次。围绕建党70周年，开展牢记党的章程、牢记入党誓词、牢记党的宗旨的“三牢记”活动，组织“当初入党为什么，现在为党做什么，一生给党留什么”的“三个什么”讨论。1992年，开展邓小平视察南方重要谈话和中共十四大精神的宣传教育。在党员中继续开展“三基本”（基本理论、基本路线、基本知识）教育，在企业职工中进行以“深化改革、扩大开放、搞好企业”为主题的政治轮训。邀请专家、教授宣讲关贸总协定、股份制、江苏经济产业发展战略及国际国内经济形势等。

1993～1994年，组织全区党员、干部、群众学习十四大文件、十四届三中全会决定、中央6号文件和《邓小平文选》第三卷。全区共组织宣讲和报告会200多场次。召开纪念毛泽东诞辰100周年纪念大会，会后举行大型文艺表演。1997年，坚持以经济工作宣传为工作重心，引导广大干部群众牢固树立全党以经济建设为中心的观念，围绕香港回归和中共十五大的召开大力开展宣传工作。1998年，学习、宣传、贯彻中共十五大精神，以科学的理论武装人，以正确的舆论引导人，以高尚的精神塑造人，以优秀的作品鼓舞人，继续大力弘扬“团结拼搏，勇于争先，真抓实干，艰苦创业”的广陵精神。

1999年，围绕1月25日扬州解放50周年、10月1日国庆50周年和12月20日澳门回归三大庆典，广泛开展“知我扬州、爱我扬州、兴我扬州、我为扬州作贡献”活动，把广陵建区后各行各业所取得的成就汇编成册，分发到各基层单位。充分利用橱窗、墙报、宣传栏等阵地，对新成就进行宣传介绍。组建广陵区老干部报告团，在城区中、小学和工厂企业巡回报告，共举办报告会15场，听取报告近6000人次。区委、区政府召开老干部座谈会，畅谈扬州解放50年的巨大变化，为未来的发展献计献策。在区体育馆举办以“中国的春天”为主题的庆祝建国50周年大型文艺演出活动。区文化局、老干部局举办“庆国庆50周年”书画展。区机关、各学校和主要企业都举行升国旗仪式。澳门回归前夕，举行澳门回归报告会、知识竞赛等一系列庆祝活动。组织全区干部职工收听收看国庆阅兵盛典，学习总书记江泽民在新中国成立50周年大会上的重要讲话。

2000年，按照市《关于开展现代市民教育工程的意见》要求，成立领导小组，确定在城南、汶河、广陵、东关4个街道以流动人口、纯居民、离退休干部、驻地单位职工教育为重点，开展基本理论、基本知识、基本道德、基本技能、基本市情教育。4个街道先后举行现代市民教育工程启动仪式。2001年，贯彻中共中央《公民道德建设实施纲要》，下发《关于宣传贯彻〈公民道德建设实施纲要〉的意见》。2003年，组织党员干部重点开展“三个代表”重要思想、中共十六大精神、《干部群众关心的25个理论问题》、“两个务必”、《三个代表重要思想学习纲要》、总书记胡锦涛七一重要讲话、中共十六届三中全会等方面的宣传、学习、教育。组织开展纪念高仁林、学习高仁林和学习孔繁森、郑培民的系列活动。2004年，配合做好“两会”、普法、经济普查、人口、征兵等方面的宣传工作。同年，在广大群众中广泛进行“八荣八耻”(以热爱祖国为荣、以危害祖国为耻，以服务人民为荣、以背离人民为耻，以崇尚科学为荣、以愚昧无知为耻，以辛勤劳动为荣、以好逸恶劳为耻，以团结互助为荣、以损人利己为耻，以诚实守信为荣、以见利忘义为耻，以遵纪守法为荣、以违法乱纪为耻，以艰苦奋斗为荣、以骄奢淫逸为耻）宣传教育活动。

2006年，开展对颜礼高等一批为广陵发展做出突出贡献的先进人物的先进事迹进行重点宣传，以点带面，引领广大市民投身广陵的“三个文明”建设。

2007年，围绕实现“三年倍增、五年再造一个新广陵”的奋斗目标，抓住“和谐创建”“氛围营造”两个重点，扎实推进宣传工作。创成全国文明示范点1个，省级文明及标兵社区3个，省级文明单位、行业、村6个，市级文明单位、社区84个。“连续三年举办邻里节、促进和谐新广陵建设”案例获2007年度全市宣传思想工作创新奖。在扬州广电总台《扬州新闻》栏目中率先开设《广陵在线》专栏，与《扬州日报》合作开办广陵时政专版。与区民政局、扬州广电总台《今日生活》栏目联合开展“周周进社区暨和谐在广陵”宣传展示活动，深入30多个社区，播出节目50多档。

2008年，以纪念改革开放30周年暨建区25周年活动为主题，开展社区文艺汇演和社区文艺节、邻里节等系列活动。以落实“四民”（民提、民议、民决、民评）要求为主要内容的新三年全区“和谐社区”创建工作，获全市宣传系统创新奖。举办千人以上参加的群众性精神文明活动10多场，千人以下活动近100场，参加人数15万人次，为建设文明城区注入强大的生机和活力。

2009年，紧扣“两城三区”发展主战略，紧紧围绕重大项目、产业导向、招商引资、民生工程等加强社会宣传。全方位宣传报道广陵区学习实践科学发展观活动的特色做法、主要成效和典型经验，创新开展广陵特色成果集中展示。举办庆祝新中国成立60周年11项系列活动、“祖国颂·广陵潮”3000人歌咏大会等主题宣传活动。

2011年，围绕中心，服务大局，在重大节庆、项目建设等方面，积极进行社会宣传。重点宣传2011扬州·广陵服务业暨楼宇经济商机说明会和文昌商圈转型发展研讨会。绿杨诗社由广陵区主办。扬州市广陵区绿杨诗社挂牌仪式暨纪念诗社成立30周年活动在汶河小学北柳巷校区举行。

图20-7-1　2009年“祖国颂·广陵潮”歌咏大会

第二节　理论教育

1989年，紧密结合形势与任务进行党的基本路线教育。围绕中共十三届三中全会关于治理整顿和深化改革问题，召开全区机关干部形势教育讨论会，机关300多名干部参加。会后将发言材料整理打印450份，供街道居民和个体工商户学习。举办厂长经理基本路线系列讲座6期，每期50人。举办宣传干部中共十三届四中全会精神学习班，参加学习30人，会后印发学习纪要160份，并在《宣传情况》上登载。1990年，重点组织学习《马克思主义哲学纲要》。区委中心组坚持周三下午学习。区委组织部、宣传部、党校举办副局长以上干部轮训班1期，时间7天，36人参加；理论骨干培训班1期，时间10天，95人参加；党支部宣传委员培训班1期，时间10天，105人参加。是年9月开始，根据中央部署，用一年时间组织县级以上干部学习《关于社会主义若干问题学习纲要（试用本）》，同时，在一般干部中组织学习《社会主义理论与实践讲座》。

1991～1993年，继续在全区党员及要求入党的积极分子中，进行系统的马克思主义基本理论教育。其间，对全区各类干部普遍进行学习《社会主义理论与实践》的培训，共办培训班14期，参加学习1276人。举办厂长、经理学习新经济知识讲习班，邀请省、市有关部门和高等院校的专家、教授讲授市场经济、股份制、国际贸易和ISO 9000系列国家标准等新经济知识，城区300多名厂长、经理和有关业务人员参加听讲。

1994年，会同区委组织部、党校办好副局长以上干部和基层厂长、书记学习《邓小平文选》第三卷培训班。全年共办5期，每期时间7天，共有副局级以上领导200多人、基层干部150多人参加学习。举办厂长、经理、经济综合部门负责人学习班，讲授五大改革知识，接受教育近千人次。1996年，会同区委组织部、党校办好干部学理论、学党章培训班。共举办副局级以上干部培训班4期、基层企事业单位干部培训班2期、组纪宣科（股）级干部培训班1期，参加培训300多人。1997年，围绕纪念邓小平逝世1周年和真理标准问题讨论20周年，区委举办由区委书记、区委宣传部部长主讲的全区副局级以上干部十五大报告辅导讲座，对300多名干部进行培训。下发中共十五大报告学习辅导材料1000多份。1998年，结合学习邓小平理论有关的重要内容，重点学习江泽民的政治报告。学习中宣部编写的《建设有中国特色社会主义的若干理论问题》。1999年，举办由扬州市人大常委会副主任张阶平主讲的宪法报告会、由美国博士苏珊主讲的美国企业管理报告会、由教授郑先叶主讲的走向二十一世纪的市场营销报告会、由研究员陈放主讲的企业策划报告会和由教授夏中华主讲的通货紧缩条件下企业如何发展报告会。

2000年，对全区22个局级党委中心组的学习制度建设情况以及学习情况进行调研、检查和通报。先后邀请省委党校副校长陈兆德、市委党校副校长吴建华等到区作“三讲”（讲学习、讲政治、讲正气）、“三个代表”重要思想的专题报告。2003年，《理论与实际——广陵区领导干部理论学习文集》出版，共收录68篇各级领导中心组成员近年撰写的理论、调研文章。在全区800多名机关干部中组织开展一次“三个代表”重要思想测试活动。征集37篇区级领导干部调研报告和理论文章编印成《学习与研究》一书，用以指导全区工作。组织乡镇、街道党委副书记、宣传委员参加市委举办的“三个代表”学习班。2004年，坚持开展调查研究和理论探索，出版《思想道德建设理论和实践》《广陵区领导干部理论学习文集》《广陵区领导干部调研集（2003～2004年）》等系列理论文集。在区级领导干部中开展“树立和落实科学发展观”学习调研活动，报送10篇优秀调研论文参加省、市评比。首次在《人民日报》理论版介绍广陵区科学发展的经验。组织纪念邓小平诞生100周年理论研讨会。

2005年，加强对基层党委中心组学习的组织、指导和督促，从下半年开始，会同区委组织部每月对3～4个单位的基层党委中心组学习进行旁听。2006年，以中共十六届五中、六中全会和省、市、区党代会精神为重点，加强党员理论学习和汇集35篇区级领导干部优秀调研报告和理论文章，编印2006年度《学习与研究》调研集。对6个村的党员干部的理论学习教育情况进行专题调研。2007年，组织全区党员干部学习胡锦涛“6•25”重要讲话精神。制定《关于开展创建特色党校活动的实施意见》《关于对社区党校开展巡视观摩活动的通知》，切实推进社区党校、党员理论教育。汇集31篇区级领导干部优秀调研报告和理论文章，编印2007年度《学习与研究》调研集。旁听10家基层党委中心组理论学习。2008年，始终把坚持解放思想、推进科学发展作为第一要务，区委中心组全年集中学习12次。收集38篇优秀调研文章，编印2008年度《学习与研究》调研文集。2009年，深入学习实践科学发展观，大力开展领导干部理论宣讲、专题调研活动。收集调研文章39篇，编印2009年度《学习与研究》调研文集。2010年，围绕“科学发展创先进、进位提升争优势”，深入开展创先争优活动，对照“一支部一行动，一党员一承诺，一干部一实事”具体要求，充分发挥党组织战斗堡垒作用和党员的标杆作用。继续开展理论学习研究，结合广陵实际，中心组集中学习15次，收集39篇优秀调研文章，编印《学习与研究》文集第八集。其中《科学发展抓机遇，率先实现新跨越》等8篇文章，分别获得全市优秀调研报告一、二、三等奖。

2011年，广泛开展“推动科学发展，给力三河三城”主题思想解放大讨论，形成调研文章80多篇，获全市一等奖4个。全年开展区委中心组集中学习15次，在《扬州宣传》推广区教育局、法院党委中心组学习的先进做法。区委书记陈锴竑为“文昌大讲台”揭牌。“文昌大讲台”先后举办人际沟通与交流、倡导健康的生活方式等10多场专题讲座，同时在各乡镇街道设立分学堂，在四望亭等5个社区开设社区讲坛试点，形成立体化的学习载体。大力开展荐文荐书活动，全年共收集127篇优秀书目，有42个单位和160多名机关干部参与，各类读书交流活动有效开展。

第三节 通讯报道

1989年，通讯报道工作继续实现“大报季季有，市报期期见，电台经常播”，共有通讯员108人，其中《扬州日报》在册通讯员28人，年用稿量3篇以上的有8人。举办为期3天的基层通讯员业务培训班1期，参加培训51人。1990年，区委宣传部充分发挥指导协调作用，调动兼职通讯员的积极性，全年共被市以上29家新闻单位录用稿件698篇，其中头版头条和二版头条稿件32篇，在省以上新闻评比中获奖稿件3篇。全年工业、商业、公安、街道等系统组织通讯报道培训班5期，培训通讯员210人，涌现出年写稿30篇以上的通讯员6人，培养年写稿5篇以上的新秀5人，有1个先进集体和41名优秀通讯员受到表彰。1991年，全区50名通讯员配合中心工作撰写的稿件，被各类新闻单位录用超过700篇，其中获省级一等奖1篇，获市级奖10篇，被市委宣传部录用“月度新事”10篇，并获“月度新事”组织奖。1992年，共被新闻单位用稿300多篇。通讯报道站克服人手少、经费缺乏等困难，采写投送大量稿件，被各种报纸、电台、电视台录用162篇，其中《人民日报》1篇、《新华日报》8篇、《扬州日报》54篇。1993年，召开区宣传和通讯报道工作表彰会，对区属3个先进集体和24名先进个人进行表彰。成立广陵区通讯报道协会；制定全区通讯报道工作奖励条例。全年在市、省、中央报刊用稿126篇，其中《新华日报》用稿28篇。1994年，被报社、电台、电视台录用稿件413篇，其中被省级报刊录用35篇，国家级报刊录用19篇。1997年，全区被报刊采用稿件300多篇，其中《人民日报》3篇、《瞭望》杂志1篇，省级以上报刊采用稿件72篇，基本实现“广播经常播、电视常常有、报刊周周见”的目标。1999年，共被报纸、杂志用稿近250篇，其中关于扬州灯泡厂的报道《奇迹，是这样创造出来的》在国务院《经贸导刊》及《扬州日报》头版头条刊出；报道广陵区先进人物的文章《小官办大事》在全国中等城市报道竞赛中获得三等奖；对广陵区征兵工作的报道共被新闻单位采用10篇，在扬州各县、市、区中名列第一。

2000年，在各部门、系统、街办共发展近40名《扬州日报》通讯员，形成覆盖面较广的宣传报道网络。全年共被中央和省、市新闻报刊采用稿件220多篇，其中省级以上杂志用稿18篇。2003年，全年报纸用稿103篇，杂志用稿15篇，广播电视用稿150篇。编发《精神文明简报》20期。

2004年，突出宣传广陵区工业强区、三产立业、科教兴区方面的新成就。《人民日报·理论版》介绍广陵区科学发展的经验，《广陵：筑起生态巢，引来群凤飞》在《新华日报》发表。《社区新风惹人醉》《广陵上下同唱“干”字歌》《上下一心创建文明广陵》等文章以大篇幅通讯稿在《扬州日报》作宣传，其中《广陵：在理性把握中起跳》上该报的头版头条。全年在《扬州日报》用稿8万字以上近10个版面，1000字以上的通讯稿30多篇。2005年，通讯报道站在各种媒体用稿113篇。各乡镇、街道和系统积极参与报道工作，全区用稿逾1000篇。对全区81名通讯员进行培训。2006年，围绕中心工作开展宣传报道。通讯报道站在各种媒体用稿60篇以上，全区用稿超过1000篇。做好以广陵区为主战场的扬州市“烟花三月”国际经贸旅游节造势宣传，组织对外招商引资和推介活动的宣传报道。2007年，继续加强通讯员队伍建设，积极向新闻媒体投稿。被中央和省、市新闻报刊采用稿件180多篇，扬州电视台《扬州新闻》栏目播报100多档。

2008年，紧扣中心工作开展一系列具有针对性和实效性的主题宣传活动。共刊出《广陵时政》50期，拍摄《广陵在线》40档。围绕“烟花三月”国际经贸旅游节和运河名城博览会的宣传，打造“两城三区”、建成全面小康的宣传，以及抗震救灾、奥运圣火传递的宣传，组织40多篇稿件在《新华日报》《扬州日报》头版上刊登和在扬州电视台《扬州新闻》上播出。2009年，在全市首家与扬州网合作开通《中国广陵》频道，构筑全方位、立体化宣传阵地。全年共发《广陵时政》47期、稿件535篇。在《扬州日报》《新华日报》《扬州晚报》等报刊共发稿件179篇，在扬州电视台《扬州新闻》报道231档。2010年，通讯报道工作做到“四个突出”（突出广陵新城建设，突出重大项目建设，突出科技创新，突出民生保障）。在《扬州日报·广陵时政》开辟《文明创建》《争先进位》专栏，各出“文明创建和新城建设”1期宣传专版。全年在《扬州日报》发稿A1版71篇，其他版面210篇，深度报道30篇。在扬州电视台《扬州新闻》报道110档，《广陵时政》49期，稿件422篇。

2011年，围绕现代化发展看广陵、加快转型发展、彰显区域特色等加大宣传报道力度，在《扬州日报》A1版发表文章100多篇，头版头条12篇，《扬州日报》其他版面400多篇，深度报道30多篇。在扬州电视台《扬州新闻》头条报道和今日焦点36条，全年130多档。采编《广陵时政》48期，稿件468篇，每期1～2篇重大策划报道。

第四节　对外宣传

1993年，做好建区10周年的宣传工作。编印《广陵画册》3200本，寄送全国各地。借助市“一报两台”(扬州日报、扬州电视台、扬州广播电台)，大力宣传建区10年来在工业、商贸业、房地产、城管、社区服务、社会治安、精神文明、党建、思想政治工作等方面所取得的成绩。在《扬州日报》发表6篇文章，以半个版面的篇幅介绍广陵各行各业10年来所取得的成果。1997年，广陵区大办三产的稿件被香港《大公报》录用。是年秋季，出版区委宣传部和省社科院哲学与文化科研所合作编写的《思想道德建设理论与实践》一书。为迎接党的十五大召开，展示广陵区人民艰苦创业、奋力开拓的精神和全区近5年各项事业取得的成就，制作反映广陵两个文明建设成果的展板7块，参加市“展示新成就，迎接十五大”图片展，并获得组织奖。同时，策划拍摄《辉煌的五年》电视片，进一步动态地展示广陵区5年中在各项事业中取得的成就。2000年，中宣部《宣传工作》内刊两次刊载广陵区的工作情况，对社区思想政治工作的经验和做法作专门介绍，在全国引起较大反响。由中宣部和全国关心下一代工作委员会举办的《党建》与《火炬》杂志，分别介绍广陵精神文明建设和关心下一代工作；《上海精神文明》《上海东方经济》和《江苏宣传》分别介绍广陵区“创星”和科技创新经验；江苏省委《群众》杂志采用4篇稿件。由经贸部主办的《当代经济》杂志举办企业改革与发展有奖征文活动，广陵报道扬州灯泡厂的稿件获优秀奖。

2005年，宣传广陵三个文明协调发展、构建和谐社会情况的报道文章《古风今韵相辉映，文化经济共繁荣》在《求是》杂志第3期发表，宣传广陵社区建设经验的文章《让社区居民沐浴在阳光里》在《人民日报》发表，《广陵以特色文化打造和谐社区》一文在《新华日报》发表。2006年，《广陵：力挺“工业强区”战略》《广陵产业园后来居上》《广陵服务大步领跑》等一批有分量的稿件在《扬州日报》《新华日报》头版刊登，新华社记者撰写的《扬州广陵建慈善超市救助困难居民》一文分别在新华社主办的《内参选编》和《高管信息》上刊登。2007年，在“烟花三月”国际经贸旅游节期间，第一次邀请人民网、新浪网、中新网等多家国内知名网络媒体，共同组织好广陵对外招商引资和推介活动的宣传报道。2009年，在港、澳、台招商期间，新闻报道全面跟进，加大广陵对外宣传力度。连续3天在《扬州日报》头版开设“创新转型看广陵”系列专题报道，提高广陵的影响力。2010年，对产业园、广陵新城、中国声谷、“双东”历史街区、商圈党建等方面进行大量凝聚焦点、有深度广度的宣传报道。多次参与园区、各部门中心工作和主题活动的策划和宣传，与扬州电视台《扬州新闻》合作，首次现场直播广陵产业园举办首届非公企业文化艺术节。2011年，在《扬州宣传》推广区教育局、法院党委中心组学习的先进做法。创新特色栏目，独家开辟《学习“三好”典型》《党建创新在基层》《文明创建新亮点》《大学生村官风采》等特色专栏，充分展示基层先进典型、基层党建创新、文明创建等方面的亮点和成绩。

第八章 统一战线

1989 ～ 2011 年，区委统战部门贯彻党的“长期共存、互相监督，肝胆相照、荣辱与共”的方针，履行“协助党委同各民主党派保持密切联系，了解情况，协调关系，贯彻党中央的方针政策，帮助民主党派解决工作中的实际问题”的职责，支持民主党派和工商联加强自身建设，发挥参政议政、政治协商、民主监督作用，重视做好民主人士工作，在区政协第三至第七届委员和常委中，非中共委员和常委占 60％以上，民主人士占 30％左右。重视开展对台工作和海外统战工作，为推动广陵区经济社会发展发挥积极作用。

第一节 民主党派建设和基层统战工作

一、民主党派工作

1990 年，区委制定《关于学习贯彻〈中共中央关于坚持和完善中国共产党领导的多党合作和政治协商会议制度的意见〉的意见》，拓宽民主党派参政议政渠道，充分发挥民主党派参政议政、政治协商、民主监督的作用。多名民主党派支部负责人和成员先后担任历届市、区人大代表和政协委员。其中民进广陵区育才小学支部第二届负责人陶定新任扬州市第二届人大常委会委员（1988 ～ 1993 年）。协助民主党派举办形势报告会、学习班等，开展主题教育活动，强化思想和组织建设，增强民主党派成员自觉接受中国共产党领导、坚定走中国特色社会主义道路的信念，提高思想认识水平和参政议政能力。支持民主党派成员结合自身特点和工作优势，深入社区和基层，调查研究，开展活动，积极服务社会，彰显社会责任。至 2011 年，区各民主党派支部开展调查研究 30 次，形成专题调研报告 45 篇，提出建议提案 128 件。指导民主党派做好组织发展和成员的教育管理工作，建立和完善工作制度。2011 年，全区共有民主党派成员 100 多人。

二、基层统战工作

为进一步支持、强化民主党派建设，经 2003 年试点，2004 年，全面开展以社区共建为主体的社区统战工作，成立以区委分管书记为组长的区委社区统战工作领导小组，转发统战部《关于加强社区统战工作的意见》，形成纵向到底、横向到边的社区统战工作网络。对 80 多名乡镇、街道分管书记、统战干部、社区书记（主任）进行社区统战专题培训。2006 年，在文昌花园社区对 60 多名社区主任、村支部书记进行统战业务培训。2007 年，社区统战工作实现五个方面拓展：向典型社区拓展，全区统战典型社区达 10 个；统战对象向新的社会阶层、党外知识分子、民主党派人士拓展；统战工作队伍由单纯依靠街道、乡镇、社区干部向聘请、选拔统战对象中的积极分子拓展；组织形式由抓街道、社区组织向民主党派、社会团体和社区共驻、共建、共享拓展；社区活动内容由一般性活动向社区共建活动拓展。2009 年，建立健全工作资料台账、工作制度和工作网络，完善社区统战工作对象名册。组织两次社区统战工作业务培训，90 名社区、村统战干部参加学习。会同解放桥社区在文津中学组织“爱我中华”千人武术会操表演，市委统战部部长杨明荣参加活动，扬州新闻媒体进行报道。2010 年，举办一期基层统战干部培训班，近 50 名乡镇、街道、社区（村）统战干部参加培训。先后与社区联手开展端午节联谊会、“十分钟就业圈”启动仪式等活动，进一步提升社区统战工作水平。

第二节 党外人士工作

一、选拔培养党外领导干部

1996 年，区委统战部、组织部联合制定《广陵区 1996 ～ 1999 年培养选拔党外领导干部工作规划》。当年全区党外局（科）级以上领导干部 22 人，其中局级干部 17 人。局级干部中，政府部门 12 人，政法部门 2 人，人民团体 3 人。主管部门和企事业单位有一批党外技术骨干和经济界别民主党派委员走上科（股）级、副厂级岗位。2005 年，统战部按照《广陵区 2001 ～ 2005 年培养选拔党外领导干部工作规划》要求，组织专人对全区党外干部的培养选拔工作情况进行调查，对要求首先配备党外干部的政府 10 个部门和“两院”提出具体指导意见。建立《全区局级党外干部名册》《全区党外局级后备干部名册》和《全区党外副处级干部名册》。2006 年，4 名党外干部走上体育、卫生部门领导岗位，党外副局级以上领导干部 14 人。2007 年，区委出台《关于调整区委常委与党外人士结对交友的通知》，9 名常委分别与 18 名民主党派、无党派人士结对交友，密切联系。2009 年，加大党外后备干部队伍建设，选送党外后备干部 2 次 4 人外出培训，1 名党外人士走上领导岗位。2010 年，加强对党外领导干部的跟踪培养，约谈 3 名副局级以上党外干部，并走访党外干部所在单位领导，为党外领导干部的成长营造和谐的工作氛围。对 10 名党外后备干部进行谈心，有重点地选择党外优秀人才，充实到党外后备干部人才库。2011 年，在上级规定必配的部门中配备党外干部 9 名。

二、政协党外人士构成

全力做好历届政协换届、全会的组织工作，是区委统战部主要工作之一。

1990 年，区第三届政协委员 120 人，其中非中共党员 74 人，占委员数的 61.67%；非中共常委 16 人，占常委数的 66.67%。正、副主席 5 人，非中共党员 3 人。1993 年，区第四届政协委员 120 人，其中非中共党员 74 人，占委员数的 61.67%；非中共常委 16 人，占常委数的 66.67%；民主党派成员 27 人，占委员数的 22.5%，其中区属单位民主党派成员 8 人，市属单位民主党派成员 19 人。市七个民主党派和工商联均有成员参加，其中非中共女委员 13 人。1998 年，区第五届政协委员 120 人，其中非中共委员 74 人，占委员数的 61.67%；非中共常委 16 人，占常委数的 66.67%。安排七个民主党派和工商联成员 32 人，占委员数的 27%。2003 年，区第六届政协委员 120 人，其中非中共委员 72 人，占委员数的 60%；非中共常委 16 人，占常委数的 66.67%；委员中，民主党派成员 21 人，工商联会员 17 人，合计占委员数的 31.67%。有市属、驻扬单位委员 27 人。2007 年，区第七届政协委员 160 人，其中非中共委员 96 人，占总数的 60%；非中共常委 21 人，占总数的 67.74%。

三、党外知识分子工作

1997 年，根据市委统战部统一部署，建立广陵区党外知识分子工作的五项制度，即人物基础资料制度、工作联系点制度、联络员制度、宣传报道制度、培训调研制度，党外知识分子工作开始正常化和制度化。通过组织党外知识分子代表人士参加座谈会、通报会、协商会，让党外知识分子充分了解全区社会发展的具体情况，发挥其在多党合作和政治协商中的作用。2002 年，把自由职业分子纳入统战范围。2008 年 9 月，区成立无党派知识分子联谊会（以下简称知联会），会员 45 人，选举副区长李成志为会长。知联会先后组织会员参观七二三所海科公司，考察工作机制；考察全区法制系统工作，研讨新时期法治工作的普及及运用；参观扬州众诚堂医药连锁公司，为医疗制度改革献计献策。同时，邀请知联会中的人大代表、政协委员积极建言献策，提交各种建议和提案 20 件。副会长许茂荣先后提交《药品流通领域的执法要体现公平原则》《电视台播出医疗用品广告要强化社会责任》《加快扬州市精神卫生防治中心规划建设的建议》《建议将部分医保定点药店纳入基本药物供应体系，更加高效的配置医药资源，满足群众自我药疗需求》《建议尽快使用同城电子病历，实现医疗资源共享》《发挥“二线”干部作用，助推行业商会发展》《扩大生育保障范围，确保女工权益》等 10 份内容详实、措施扎实的提案；副会长张展方先后提交《增设相关公交班次，缓解南通西路交通拥堵状况》《关于将广陵路 248 号地块腾让给广陵小学搬迁安置的建议》等多份提案。这些提案在考察调研基础上形成，针对性强，解决问题措施可靠，使党外知识分子能真正发挥民主监督、参政议政的作用。

第九章 信 访

1989～2011年，区信访局共受理人民群众来信来访2.97万件（次），主动和协助处理大量信访难题。全区信访工作呈现五个特点，即矛盾数量逐年增多，平均每年以20%的速度递增；群众来访在信访中占的比例增大，集体上访呈上升趋势；历史遗留问题下降，对经济利益和政治利益诉求增多，解决问题的难度加大；矛盾的主体范围逐步扩大，通过信访渠道反映问题的群众向社会多层次发展，有工人、农民、城镇居民、教师、医生、在职干部、离退休干部、个体私营者、社会无业人员等；反映和要求处理矛盾的组织性、择机性加大，一般集体上访都有组织策划，选择重大节日、重要会议和重要活动作为反映问题的时机。

区委、区政府切实加强对信访工作的领导和制度建设，按照"分级负责，归口处理"要求，实行信访工作目标管理考核，建立健全多项工作制度，从制度上确保信访渠道畅通，规范处理信访问题。1993年起，建立区委、区政府党政领导信访接待日。1993～2011年，区级领导接待群众1123批4882人次。至2011年，信访部门立案自办信访案件1112件，转办信访案件6500多件。

第一节 制度建设

1988年9月，区委、区政府印发《关于进一步落实信访工作"分级负责，归口处理"责任的通知》，要求各街道各部门把信访工作作为衡量单位全面工作的一个重要内容，作为"双文明单位"评选的一个条件。同时制定《区级机关各部门归口处理信访问题的意见》和《全区信访工作考核办法》。

1993～1999年，针对计划经济逐步向市场经济过渡以及企业改制中出现的各种矛盾逐年增多情况，从1993年开始，区委、区政府建立领导接待日制度，区属有关部门、街道相应制定和执行每个工作日领导接待信访的制度。区属信访部门以社会稳定为首要目标，充分利用基层党组织的力量，加大群众个人和群体信访问题的处理力度。

2000年4月，区委决定建立区集中处理信访突出问题及群体性事件联席会议制度，在街道成立社会矛盾纠纷调处服务中心。同时充实力量，健全网络，强化工作职责，制定并逐步完善矛盾纠纷排查制度、重要信访信息报告制度、领导接待日制度、情况通报制度、包案处理制度、督查督办制度、信访工作和矛盾调处工作考核制度。全区初步形成党委政府统一领导，信访主管部门统一管理，纪检监察机关督促检查，相关部门各司其职，全社会齐抓共管的"大信访"工作格局。

2001年10月，区政府制定《关于建立"市长与市民信息渠道"的实施方案》。11月，率先在全市开通市长与市民对话的"绿色通道"，在区政府门口和4个街办共设立5个"市长信箱"。信访局承担"绿色通道"办公室的工作，开箱、取信、整理、登记、转送信件，督查、督办市长批信、复信等。

2003年，区委办公室、区政府办公室（以下简称两办）印发《转发市委办公室、市政府办公室〈关于实行信访工作领导责任制和责任追究制的若干规定〉的通知》。

2004年3月，区委印发《关于建立全区社会矛盾纠纷大调处工作机制的实施方案》。两办印发《关于加强党政领导信访接待日制度的意见》，明确区委、区政府领导实行预约接待群众制度，每周三上午为区党政领导信访接待日，各乡镇、街道实行日接待制。7月，针对上半年越级集访量居高不下的情况，区两办下发《关于信访工作综合考核的意见》，对信访工作的具体指标进行量化，明确奖惩措施。

2005年，进一步加强信访制度建设，制定《办理群众来信工作规则》《接待群众来访工作规则》《督查督办工作规则》等工作制度。切实加强基层基础建设，配备专职信访干部6人，各乡镇、街道、各部门都建起信访工作网络。乡镇信访工作实现“五个有”：乡镇一级配备有专兼职信访干部，有办公室，有工作经费，有工作制度，有从乡镇到村、组的三级信访信息工作网络。

2006 年，修订完善《关于信访工作综合考核的意见》，对信访工作的具体指标进行量化，明确奖惩措施。同时，抓好《江苏省信访条例》的学习和宣传，举办专题培训班，区机关各部门、各乡镇（街道）、村（社区）的分管负责人和信访工作人员及基层派出所分管所长 140 多人参加。区委、区政府印发《关于在全区开展党政干部下访工作的意见》，要求各级党政干部采取走访、约访、专访、回访等多种形式，做到重心下移，工作前置，进村入户，与群众面对面交流，心贴心沟通，主动为群众排忧解难办实事，做到处理群众信访问题程序依法公开，处理结果客观公正。

2007 年，将信访工作纳入全区经济社会发展目标考核体系。对重要信访问题亲自过问和督办。区委常委会和政府常务会议每月研究一次信访工作，重点时期专题研究信访工作，重要集访和疑难信访问题一律实行区领导包案处理。同时，将信访部门作为锻炼和培养干部的重要基地，选用新提拔干部到区信访局锻炼，提高化解社会矛盾和开展群众工作的能力。在全区各乡镇、街道建立信访“两员”制度（信访事项代理员和信访信息联络员），各村、社区信访事项代理员 74 人，使信访工作向基层进一步延伸。

2010 ～ 2011 年，制定《广陵区信访工作考核办法》，加强对各乡镇、街道的考核。利用短信平台，即时报告重点时期的信访信息。全面实施重大事项社会风险评估制度，努力从宏观和政策层面减少信访矛盾的发生。

第二节 分类受理

一、80 年代末至 90 年代初，群众信访反映的主要问题

60 年代下放居民户粮问题。下放居民不同意就地“农转非”，要求将户粮关系迁回下放前所在地。1961 年 1 月 1 日前或 1965 年 6 月 9 日后下放的居民，不属解决对象。但他们强烈要求一视同仁，解决他们的户粮问题。

知青“半家户”家属户粮问题。有两种情况：男知青与农村女青年结婚，本人回城后，家属户口仍在农村；女知青与农村男青年结婚，本人回城后，子女随迁，男方留在乡下。这些“半家户”实际困难多，家庭矛盾尖锐，省内有的市已解决类似问题，当时扬州市还没有明确的处理意见。

工资福利、物价补贴方面问题。少数企业经济效益差，退休职工工资或在职职工的物价补贴发不出，甚至连在职职工工资也发不全，商业和服务系统的亏损企业发生多起集体上访。少数乡镇企业职工要求增加工资和补贴。60 年代停办的大、中专院校毕业生补发文凭后，少数人被安排在小集体企业工作，享受大集体待遇，因企业效益差，要求调到大集体单位。

1991 年的洪涝灾害给群众生产和生活带来的困难。由此而引发的信访问题，从 1991 年 10 月到 12 月逐月增多。

企业中离退休干部与行政事业单位差距。要求解决落实有关文件精神，增补工龄工资、误餐费补助和目标管理奖。

二、进入二十一世纪，群众信访反映的主要问题

2000 ～ 2011 年，群众来信来访数在高位上继续攀升，呈现增幅较快、集访规模较大和来访群众情绪激烈等特点，产生较大影响。如 2001 年 3 月底至 4 月初，扬州商场职工连续 3 批 273 人次聚集省政府大门口集访，扬州鞋厂职工围堵区政府及企业大门等。反映的突出问题主要集中在企业改制及劳动保障、城镇拆迁安置、土地征用、涉农等热点问题上。

企业改制、工人下岗及劳动保障问题。企业改制工作力度大，一些企业职工，对劳动关系的转换缺乏心理准备；部分区属企业长期未给职工缴纳养老保险金、医疗保险金等，职工退休后无生活和就医保障；非公有企业的劳资纠纷，主要是企业拖欠工资，延长工作时间而无报酬，随意辞退职工，职工工伤事故不能按照国家

政策规定享受有关待遇等;特殊群体,如新中国成立前参加工作的老工人、原机关干部到企业工作的离退休人员及企业离退休干部要求落实养老保险和医疗保险及增发地方岗位津贴等。

城镇拆迁安置问题。主要反映在城镇建设和招商引资项目建设及商品房开发中,拆迁单位和少数工作人员不严格依法办事,程序不规范,不公开透明,不一视同仁;补偿价格低,新老政策不一致,少数群众的利益受到一定的影响,群众难以接受;安置不合理,不能及时安置;非正规营业房,大多数已经营多年及违章建筑要求按实补偿等。

土地征用、流转问题。有些村组以行政手段随意调整承包田、责任田;不按规定征用土地,未征先用、少征多用、征后不用现象比较突出;征地补偿费低、不能按时足额到位,分配使用不合理;新老征地补偿标准差距较大,要求近年来的土地征用均按新标准执行等。

涉农问题。主要反映农民负担过重,农村财务管理混乱,村组财务不公开;基层干部经济和工作作风的问题;村组选举不规范,侵犯群众的民主权利;失地后的农民要求给予生活保障等。另外,还有环境污染、涉法涉诉信访、教育乱收费、干部不正之风、违章建筑、企业军转干部经济待遇、特困群体帮扶等问题。

1989 ~ 2011 年广陵区人民群众来信来访情况统计表

表 20-9-1

年份	办理来信(件)	接待来访(人)	领导接待(人)	领导批件(件)	年份	办理来信(件)	接待来访(人)	领导接待(人)	领导批件(件)
1989	47	509	—	—	2001	98	1161	212	31
1990	52	489	—	—	2002	112	1369	286	30
1991	58	689	—	—	2003	136	1262	240	34
1992	67	725	—	—	2004	152	1310	282	36
1993	53	823	245	11	2005	141	1409	240	38
1994	79	631	250	23	2006	183	1525	298	35
1995	85	802	289	21	2007	245	1858	226	39
1996	91	928	263	28	2008	260	1724	221	45
1997	98	813	251	30	2009	327	1976	289	48
1998	121	994	321	29	2010	153	1664	254	34
1999	114	1024	323	24	2011	156	2052	236	42
2000	90	1089	156	26					

第三节 接访查办

一、自办会办

80 年代末,集体上访、信访老户问题比较突出。区信访部门从自(会)办信访案件入手,加大规范处理信访问题力度,群众中一些遗留和实际问题逐步得到解决。对自(会)办信访案件,大多采取三种措施:依据政策成批解决问题,协调处理复杂的个性问题,积极解决一些缠手的信访老户。在处理方法上因人而异,因事而异,有的引导其自我创业,有的在政策允许又无可比性的情况下从宽照顾,有的采取法治手段与经济补偿相结合妥善处理。

1987 ~ 1989 年,批准 60 年代初下放纯居民 56 户 300 多人陆续回城,因下放时间长达 20 多年,家庭成员年龄较大,无专业生产技能,生活困难,其子女大多数也无职业,每逢春节,区信访、民政部门虽给予一些救济,但是杯水车薪,不能维持生计,他们多次上访,要求解决生活困难、子女户口回城、第三代入学等问题。

1995年，区信访局向市、区领导详细反映他们的实际困难。市政府召开会办会，形成《专题会议纪要》，妥善解决这部分人生活无着落的问题。

扬州市基础公司职工张某是60年代下放户，也是信访老户。1999年8月，张某因脑溢血住院抢救，其家属因无力支付医疗费到区信访局求助。区信访局立刻向分管书记、分管区长报告情况，并与民政部门联系。经协调，区民政部门从社会救济金中解决2000元送到医院，以解燃眉之急。张某抢救无效病故后，家庭生活更加困难，子女上学无力交费，区信访局负责人多次到学校请求照顾，最终学校不仅减免张某女儿该学期的学费，还减免拖欠的6000元学费。

2000年5月，汶河街道华欣有色铸造有限公司30人上访市、区政府，反映原法人代表陈某某承包期间侵占、挪用公司资金，并将生产必须用的模具强行运出，造成有生产任务而无法生产问题。职工要求加快查处力度。区信访局组织人员深入基层调查了解，及时向区委、区政府书面报告情况，提出建议。区政府要求汶河街道立即调查处理，责令原企业负责人交出企业的模具，退还挪用的公司资金，使企业恢复正常生产。

2002年，原扬州商场职工蔡某与企业解除合同十几天后，被医院诊断患上白血病，家人用尽积蓄为其治疗，但杯水车薪，无奈之下，其母亲到区政府上访。区信访部门不厌其烦地与市慈善总会、民政部门、劳动部门和原企业联系，帮助其向社会和有关方面寻求捐助。2004年7月，桑园新村一困难家庭因老人去世、两个无工作的残疾儿子无钱为老人送葬，区信访局接待后，立即核实情况，积极与民政部门、曲江街道等部门联系，为其寻求社会救济。同时，信访局全体工作人员也捐款300元帮助解决困难。

2003年8月，按照国家信访局和省委、省政府统一部署，区政府集中时间组织开展群众重复上访问题专项治理工作。区成立开展群众重复上访问题专项治理工作领导小组，对2001年后赴京去省上访以及重复到市上访、重复联名信以及仍未停访息诉的信访积案，逐一进行排查梳理。

2005年，区委、区政府把解决好集体上访问题作为信访工作的重点，按照市委、市政府专题会议对处置集体上访工作提出的明确意见和要求，研究化解群众集体上访，开展信访问题排查办理突击月活动。围绕“依法信访”主题，努力解决热点、难点问题，实现终止一批信访老户、化解一批信访矛盾的目标。当年，没有一起到京赴省集体上访。

2008年，按照中央和省、市关于进一步加强北京举办奥运会期间信访及稳定工作的要求，区委召开常委扩大会议，专题研究部署“书记大接访”活动，形成主要领导亲自抓，分管领导具体抓，一级抓一级，层层抓落实的格局，保证大接访活动落实到位。同时，全区开展3次信访治理活动。对信访老户进行公开听证、终结处理制度，按照“定性清楚、程序规范、资料完备、结论准确”的要求，办结信访老户2户，使多年上访老户得到终结处理。区建立联席会议制度，设办公室和农村土地征用、城镇房屋拆迁、国有企业改制、涉法涉诉、企业军转干部、军队退役士兵问题6个专项工作小组，分别由对口分管的区委或区政府领导牵头，相关职能部门主要负责人担任组长，负责处理信访突出问题及群体性事件。

2010年，百日攻坚化解信访结案。全年化解3年以上的陈年结案11件，一批老信访户案结事了。市交办的4件信访结案全部办结。2010年、2011年，信访部门被评为年度全省信访系统先进集体。

2011年，构建大信访格局。落实好三项制度，即全区信访工作月例会制度，每月5号左右召开全区信访工作例会；全区信访工作日、旬、月通报制度；全年信访目标考核制度。是年，全区先后4次对越级上访人员进行排查梳理，排查出信访问题107件。到年底结案102件，结案率95%。区信访局全年立案自办信访案件38件，办结36件，结案率95%。

二、转办交办

1989～2011年，区信访局向乡镇街道和有关部门转、交办信访事件案件6500多起。按照“属地管理、分级负责”“谁主管、谁负责”的原则，进行转、交办，并要求做到“事事有结果，件件有答复”。随着信访问题的逐渐增多，信访部门不但做好自（会）办案件，同时加大转、交办案件力度。2009年是信访部门受理群众信访数最多的一年，也是区信访部门交办信访案件最多的一年，共161起。其中上级信访部门交办18件，区领导阅批来信、接待来访交办48件，区信访部门交办95件。

三、领导接访

1993年6月，区委、区政府决定建立党政领导接待群众信访日制度，区委常委、区政府副区长每周三上午半天轮流到区信访局信访接待室接待群众来访，协调处理疑难信访问题。领导信访接待日，实行预约接待方式。参与接待的领导根据接待的对象和内容，安排相关职能部门共同参与信访接待。当面听取上访人员的批评、意见和诉求；现场宣传政策法规，解难释疑，加强理解和支持；及时发现问题，钝化矛盾，加快信访问题的办结速度，提高办结质量。同时，各乡镇、街道和园区实行每日领导信访接待日制度，每个工作日都安排党政领导轮流参加信访接待，随时接待来访群众，及时处理信访问题。

2004年，区两办印发《关于加强党政领导信访接待日制度的意见》，明确区委、区政府领导每周三上午预约接待群众，各乡镇、街道和部门实行日接待制度，每天上午安排一名党政领导轮流接待信访群众。当年，区领导共安排信访接待日43个，接待群众96批次282人。1993～2011年，区党政领导共安排接待日857个，接待群众1123批4882人次。

2009年，认真贯彻中共中央办公厅《关于领导干部定期接待群众来访的意见》要求，广陵区党政主要领导干部每月接待来访群众不少于一天，为此，区信访局建立区领导接待签到簿，并对接待问题进行交办和督办。

第十章 党史工作

1983年建区后，区委党史办公室成立。1988年8月，区委党史办主任兼任区地方志办公室副主任。1997年，成立区史志办公室，实行“史志合一”体制：一套班子，两块牌子，区委党史办公室和区方志办公室对外仍独立存在。2002年机构改革中，区档案馆挂区档案局、区委党史办、区地方志办公室牌子，独立对外开展工作。

1989～2011年，党史办按照中央对党史工作提出的“存史、资政、育人”功能的要求，做好本地区民主革命时期（1840～1949年）和社会主义时期（1949年后）党史资料的征集、研究、编纂工作，努力配合领导及有关部门开展爱国主义、革命传统等宣传教育活动，为革命烈士、革命干部落实政策提供历史资料等。共征集党史资料578万字，其中征集新中国成立前资料253万字、新中国成立后资料325万字，编纂成书共88.1万字。

第一节 资料征集与编写

一、编写中共广陵区组织史资料

1986年9月～1990年5月，由区委组织部牵头，与区委党史办、区档案局联合编纂《中共广陵区组织史资料（第一卷）》。该卷记载1925～1987年广陵区域内中国共产党的历史。经过组建班子、业务培训、征集资料、核实史实、编纂整理、印刷出版6个阶段，共征集资料253万字，其中续征新中国成立前资料53.2万字，征集新中国成立后资料200万字，1990年10月编纂出版，计25.2万字。分19章77节，记述广陵区域内中共党组织从1925年5月～1987年12月领导扬州城区人民进行革命斗争和建设的概况，以及组织机构和人事的演变过程。

1995年8月～1997年8月，编写《中共扬州市广陵区组织史资料（第二卷）》，共征集资料120万字，1997年10月印刷出版，计15.37万字，分6章20节，记载1987年10月～1994年12月，中共广陵区委领导全区人民进行改革开放的情况，以及党的组织机构、人事任免和组织活动情况。

2009年4月～9月，市党史办组织编写《抗战时期党在扬州城区的地下工作》。根据调研、座谈和走访，形成书稿2万多字，被市党史办收入《党史专辑》。

二、编写《扬州城区人民革命斗争史》

1989年6月，，采访当年在扬州城区参加革命斗争活动的沪、宁、扬等地老干部10人。后又采访外地和在扬州工作的老干部30多人，发函20多封，到省档案馆、扬州档案馆、江都档案馆等地查阅档案资料，收到革命斗争回忆录20多篇，先后征集资料100多万字。1997年年底，形成《扬州城区人民革命斗争简史》（新中国成立前部分）初稿，共10万字，并报送区委和市委党史办公室。

三、编写《江苏人民革命斗争群英谱（扬州分卷）》

1996年8月～1998年年初，由区委宣传部牵头，党史办搜集各街道、部门稿件465篇60多万字。审核整理后，上报市《群英谱》办公室320多篇30多万字。经省、市领导审核，共录用127篇9.6万字，与郊区（2011年并入邗江区）合编成《江苏人民革命斗争群英谱（扬州分卷）》，共18.9万字，2001年5月正式印刷出版。

四、撰写纪念扬州人民抗日救亡运动60周年和《江淮永志民族魂》专题文章

1991年9月，党史办将1931年"九一八"和1932年"一·二八"事变爆发后，扬州城区人民开展的抗日救亡运动资料进行整理，编写成《纪念"九一八""一·二八"扬州人民抗日救亡运动》专辑，作为60周年纪念活动的宣传学习内容。专辑分"扬州人民抗日怒潮的掀起""各界人民纷纷组织抗日救亡运动群团组织""全民抵制日货、组织抗日宣传和募捐""群情激愤誓作抗日后盾"四部分，共1万多字。

2005年6月，为纪念抗日战争胜利60周年，配合市委党史办出版《江淮永志民族魂》一书编写的《扬州人民抗日救亡运动》《唤起民众抗日的"江文团"》《抗战期间扬州城区党的活动》《天宁寺惨案》4篇文章入书。

五、征集曹起溍故居历史资料

曹起溍是中共扬州党组织的创始人和领导人。东关街338号（金桂元巷）是曹起溍烈士的故居，扬州市级文物保护单位。2006年是曹起溍诞生100周年，市委、市政府研究决定对曹起溍故居进行修缮并布展，将其列为扬州党史的重要纪念地和爱国主义教育基地及红色旅游点。党史办为此征集提供一大批反映曹起溍短暂而光辉一生的物品，有曹起溍当年为组织起义，藏在一本《圣经》中由上海带至扬州的一把手枪的仿制品，在狱中穿的衣服，用过的大床、座椅等家具，还有留下的作品、书籍、手迹等数十件遗物，参与布展。

六、征集江上青故居历史资料

东圈门16号是烈士江上青的故居。江上青在抗日战争时期，创办《新世纪周刊》《写作与阅读》等革命书刊，是江都县文化界救亡协会流动宣传团的组织者和领导人，是皖东北抗日根据地的创始人之一。1939年8月29日，在行军途中遭受地方反动地主武装伏击，英勇牺牲。党史办于80年代起征集江上青烈士的传记、革命斗争经历、照片、创办的刊物、作品、战友回忆录以及江上青亲属的资料，共5万多字。2004年省、市委修缮"江上青故居"时，全部交市委党史办，转江上青故居布展。

七、撰写革命斗争史专题文章

2004年7月，省委"丛编办"为纪念抗日战争胜利60周年编写《英雄少年》一书，党史办组织党史工作者和离退休老干部，撰写录用《夜袭高坟头》《报警救伤员》《〈艺文〉点燃的烈火》等4篇文章入书。2005年6月，为编写《江苏人民打击日寇英雄事迹——扬州卷》一书，组织撰写录用《夜袭日军飞机场》《战斗在敌巢》《滴血的标语》《盘肠杀日寇》《怒沉弹药箱》《斧砍汉奸》等25篇文章入书。2006年8月，为省《群英谱》办公室编印《巾帼英雄》一书，撰写的《扬州妇女运动领袖郭坚忍》《一心为公而牺牲的女劳模李震明》两篇文章入书。

八、编写革命烈士传和人物传记

在1983～1988年已编写完成曹起溍、江上青、陈素、徐赓、骆何民、方练白、顾克宽、赵颖平、赵寿先、傅家琪、马义宏11名烈士传的基础上，1989～2011年，又编写吕辉、杭春馀、孙宅璞、李震明、邱世毅、许晴、唐德勤、金为民、王苏建9名烈士传。同时又撰写人物传记朱自清、王柏龄、郭坚忍、杨祖彤、朱天森、宋元放6篇。

九、编写社会主义时期党史

1996～2000年，党史办按照省党史工办制定的社会主义时期党史工作要求先后征集撰写《城市接管与

社会改造》《扬州解放初期经济恢复时期概况》《扬州解放初期工商界救灾纪实》《扬州市区镇压反革命运动》《解放初期扬州市区的户政工作》5篇社会主义时期党史文章，上报市委党史办。

十、征集调研抗战时期日军在扬州罪行史料

2006年3月，为做好抗战时期人口伤亡和财产损失情况调查，党史办从收集档案文献入手，先后前往省、市和临近县、区档案、党史、政协等部门，以及市图书馆、扬大图书馆，查阅各类文献资料200多万字，搜集整理有关抗战时期广陵区范围内的人口伤亡和财产损失、万福桥惨案等文史资料112份。同时，进行广泛的社会调查采访，寻找知情人、当事人，进一步征集、调查、核实史实，累计采访86人，记录珍贵口述形成40份20万字的文字资料。同年，组织撰写《万福桥惨案》专题调研报告。2007年，编排整理成《抗战时期广陵区人口伤亡和财产损失》的资料目录，供查找、核对和利用。

抗日战争时期，广陵区范围内遭受日军屠杀伤亡987人，其中被日军直接杀害937人，被日军抓后失踪26人，被日军恐吓逼死、逼疯（自杀）24人。在被害的987人中，男955人，女32人。日军侵占广陵区的8年中，造成社会财产和居民财产损失1.48亿元、美元2100元。其中社会财产损失2413.9万元，居民财产损失1.24亿元。

第二节 革命史迹保护利用

1994年，区委宣传部会同区文化局、关工委、党史办等部门，对扬州城区留存的革命史迹进行一次挖掘排查，查明扬州城区留存革命史迹8处，并就这些革命史迹的保护和利用工作提出建议。2010年，根据省委办公厅文件精神，对全区革命遗址进行普查，从先期梳理出的10处比较有影响的遗址中，最终确定革命遗址8处。按保护级别分，有国家级文物保护单位1家，省级文物保护单位2家，市级文物保护单位2家，待定3家；按利用级别分，有省级爱国主义教育基地3个、市级爱国主义教育基地1个、待定4个；按形成年代分，建于民国前的3处、民国时期至解放前的3处、解放后的2处。普查中，拍摄照片100多张，编研文字资料1万多字，并对遗址保护和利用情况进行认真分析，提出深入挖掘革命遗址资源、加强对红色资源的研究策划、完善和落实相关优惠政策、加大资金投入等建议。2011年，邗江区的5个镇划入广陵区，其中李典、杭集两镇各有1处革命遗址，加上原由市委党史办普查的1处革命遗址（三野八兵团渡江战役指挥所旧址），至2011年年底，广陵区共有革命遗址和爱国主义教育基地11处，均已立“爱国主义教育基地”标记。

中共扬州特支旧址 位于广陵区小秦淮河边，原板桥7号、29号。2007年1月，市委研究决定在原址，现在珍园内，建“中共扬州特支旧址”碑，以志纪念。

绿杨旅社 位于广陵区新胜街23号。1925年5月，中共早期领导人恽代英到扬州市区省第五师范、省八中演讲，传播革命火种，下榻于绿杨旅社，当即在此发展中国国民党（左派）党员十几人，尔后转为中国共产党党员。2002年，绿杨旅社被定为江苏省文物保护单位。

曹起溍故居 位于广陵区东关街338号（金桂元巷）。曹起溍是中共扬州党组织创始人、扬州县委第一任书记、扬州城区区委第一任书记。

江都县文化界救亡协会旧址 位于广陵区东关街谢家巷13号。抗日救亡时期，扬州中共地下党员和进步青年活动场所。

江上青烈士史料陈列馆 位于广陵区旌忠巷33号，原平民中学所在地。江上青是“江都县文化界救亡协会流动宣传团”领导人之一，也是皖东北抗日根据地奠基人之一，2009年被选为全国100名为新中国成立作出突出贡献的英雄模范人物之一。

江苏省扬州中学树人堂 位于广陵区淮海路18号，江苏省扬州中学内。大革命和土地革命战争期间，是扬州国民党和中共地下组织主要活动点。1927年，中共扬中支部在此成立，是扬州最早的支部之一。

侵华日军万福桥大屠杀遇难同胞纪念碑 位于广陵区万福路旁。1937年12月17日，日军在万福桥上架起机枪，扫射屠杀400多名青壮年，制造惨绝人寰的扬州万福桥惨案。1995年抗战胜利50周年之际，市委、市政府决定在万福桥原址西南角30米处立纪念碑一座。1997年，被省委宣传部定为江苏省爱国主义教育基地。

侵华日军杭集大屠杀遇难同胞纪念碑　位于广陵区杭集镇双隆村。1938年9月24日（农历八月初一）凌晨，日军在杭集抓捕过路民众，关押在双隆村，后用机枪扫射，屠杀无辜百姓近百人，酿成惨绝人寰的“八月初一惨案”。1996年4月，杭集镇人民政府在双隆村立侵华日军杭集大屠杀遇难同胞纪念碑。

朱自清故居　位于广陵区安乐巷27号。朱自清是中国现代著名散文家、诗人、文学家、学者和民主战士。朱自清一身重病，宁可饿死，不领美国的“救济粮”。

朱秀清烈士墓园　位于广陵区李典镇李典村。朱秀清1942年加入中国共产党，历任新坝乡党支部书记，南洲、新洲和北洲区委书记，江镇武工队指导员、武工队长。1948年春，因叛徒告密，遭敌人伏击，朱秀清在突围中身负重伤，壮烈牺牲。

三野八兵团渡江战役指挥所旧址　位于广陵区盐阜东路10号个园内。1949年4月5～20日，中国人民解放军第三野战军第八兵团为渡江战役做准备工作，指挥所设在扬州个园，陈士榘、袁仲贤、江渭清等兵团领导均在此办公。4月21日，三野八兵团渡过长江，解放常州、镇江一线。4月23日，解放南京。

第三节　党史研究

1991年，在纪念建党70周年时，撰写《恽代英来扬演讲与中共扬州党组织的创建》一文，被省委党史办评为优秀论文奖。1994年，又获省政协文史委和中国现代史学会颁发的中国现代史优秀成果奖证书。1993年，在纪念毛泽东诞辰100周年时，党史办撰写的《中国革命的伟大胜利与毛泽东同志实事求是的作风》论文，参加市委宣传部主办的纪念毛泽东诞辰100周年理论研讨会，获优秀奖。1995年，为纪念抗日战争胜利50周年，党史办撰写的纪念“江都县文化界救亡协会流动宣传团”的纪实文章——《一支唤起百万民众抗日救亡的宣传队》，被市党史系统评为优秀成果奖。1998年，为纪念中共十一届三中全会20周年，党史办撰写的《学习邓小平党史研究思想，拓展地方党史工作新局面》的论文，参加市委宣传部等5个部门联合召开的研讨会，获优秀成果奖。当年又撰写《锦绣扬州绽新芽》一文，受到好评。1999年，在纪念扬州解放50周年活动时，1月25日在《扬州日报》刊登《那些人、那些事、那些日子——扬州城区解放50周年纪念文存》的长篇纪念文章，收到良好的社会效果。是年9月，为庆祝建国50周年，区党史办完成市委下达的《扬州辉煌50年》广陵篇的资料征编任务，获优秀奖，该书由市委宣传部编辑、出版。

2001年，为学习总书记江泽民给扬州市东关小学学生吴霜的一封信，党史办组织专人先后调查走访10位江泽民的老师、同学和朋友，了解其30年代在东关小学学习、生活时的情况，及时撰写《江主席的母校情结》一文，并在全国优秀期刊《世纪风采》上登载。2008年，党史办完成抗战课题、改革开放30周年暨建区25周年等调研任务。完成《改革成就伟业，发展铸造辉煌——广陵建区25年的回顾与思考》有关写作任务。参与编纂《党徽在新农村闪光》《腾飞之路》等党史文集，征集编写7名在“三农”一线发挥党员先锋模范作用的先进人物材料。2011年，组织参加市诗词协会广陵诗词小组纪念建党90周年创作活动，报送作品20多篇。同年，撰写论文《给力三个扬州，提升党史工作科学化水平》，参加市委宣传部主办的纪念建党90周年理论研讨会。

第十一章　党校工作

广陵区委党校前身为1954年9月建立的原扬州市委党训班、“文化大革命”期间的“五七”干校。1978年改建为中共扬州市委党校。1983年5月，整建制改为中共扬州市广陵区委党校，驻长春路10号。1991年12月，江苏省委组织部、宣传部、党校联合批复广陵区委党校为中专体制。1992年7月，为发展经济需要，党校搬迁至新仓巷38号。2002年9月，校本部重新迁回长春路10号办公，形成一校二址格局。2003年6月20日，党校举行回迁暨区行政学校、社会主义学校、国防教育学校挂牌仪式。2007年2月，党校按照区委、区政府决定，从长春路10号原校址搬迁至北河下23号-1原江都路小学。

区委党校培训轮训副局级以上党员领导干部以及中青年干部，入党积极分子，大学生村干部，企事业单位、村、社区等基层党员干部。1985年9月起，创办全日制文化班，开始学历教育。1989年9月起，创办江苏省委党校函授大专班，并举办市教委批准的成人函授中专班。2002年9月起，创办江苏省委党校函授本科班。2009年9月起，创办经江苏省教育考试院批准的江苏省青年管理干部学院成人高等教育大专班。

第一节　党员干部培训

一、副局级以上干部培训

（一）党代会主要精神轮训班

从中共十三大到十六大，共举办31期，每期3～6天，培训总人数1690人。主要学习中共十三届七中全会，十四大及十四届三中、四中、五中、六中全会，十五大，十六大主要精神，邓小平南方谈话精神，《邓小平文选》第三卷，江泽民《领导干部一定要讲政治》等重要讲话，WTO专题知识。

（二）局级干部“双月论坛”

为创新干部培训模式，走开放式办学之路，会同区委组织部、区人事局，从2003年10月起，每两个月左右，聘请省、市著名专家学者就经济社会生活中的热点、难点问题举办专题讲座，先后聘请上海市委党校王志平、马西恒，江苏省委党校谈镇、梁作民、黄菡、章凝，东南大学施卫东，南京农业大学李岳云，扬州大学周建超等教授到广陵区作专题讲座。

（三）副局级干部轮训

按照区委组织部制定的《在全区副局级干部中开展培训的通知》要求，从2004年下半年起，举办第一轮副局级干部培训班。该轮培训围绕加强党的执政能力建设，引入情景模拟、无领导小组讨论、案例教学等新培训模式，增强学习成效，至2007年8月，共举办5期，每期7天，参训180多人。2009年4月，举办第二轮第一期副局级干部培训班。该班强化干部领导素质，突出学习科学发展观，新到广陵区任职和新提拔的36名副局级干部参训，区委书记出席开班典礼并讲话。2011年，为适应“大规模”和“大幅度”培训干部要求，形成主体培训班。

二、中青年干部培训

区委党校根据青年干部成长规律，把理论教育、实践锻炼与严格管理融为一体，以期夯实理论基础，拓宽视野，改进作风，提高能力。1991～2006年，党校连续举办中青年干部培训班10期，训期最短1个月，最长2年，530人参训。2003年6月，区委党校、区委组织部、扬州大学社会发展学院共同举办为期2年的广陵区中青年干部公共管理方向（MPA）研究生课程班。该班开设MPA核心课程12门、专题讲座10个，学员学习合格，获得扬州大学颁发的研究生课程结业证书及广陵区局级后备干部任职资格，该班为提升青年干部学习力起到良好的示范效应。2009 年，举办大学生村干部、区级机关党支部书记、计生工作人员、妇女干部及工会干部等培训班 30 期。2011 年，举办各类中青年干部培训班 22 期。

三、机关企事业单位干部培训

根据按需施教原则，针对培训的不同对象、目的、要求，开设不同内容的各类培训班，先后举办 38 期，参训 3916 人。主要班次有:1989 ～ 1990 年，广陵区思想政治工作人员评聘专业职务大专、中专层次培训班，开设 4 门课，为期 4 个月，参训 339 人。1990 ～ 1996 年，举办 9 期每期 5 天的企事业单位党支部书记培训班，参训 611 人。1997 年，举办国家公务员过渡培训班 6 期，开设 4 门课，参训 426 人，通过市人事部门考试，合格率 100%。2000 年，与人事局联合举办知识经济和 WTO 知识公务员培训班 8 期，参训 560 人。2003 年，与区委组织部共同举办机关干部学习英语 300 句培训班，为期 3 个月，参训 480 人。通过市委组织部考核，合格率 100%。2009 年 3 ～ 4 月，区委党校与组织部联合举办机关干部深入学习科学发展观专题培训班 3 期，开设 5 个专题讲座，参训 480 人;7 月，区委党校与区委组织部、区发改委、区工商联联合举办广陵区企业负责人及中层管理人员培训班，该班落实区委提出的“服务企业、服务基层、服务群众”要求，围绕提高企业经营管理水平，开设 4 个专题讲座，区委书记出席开班仪式并讲话，参训 480 人。

四、基层干部培训

2002 年 4 月起，区委党校围绕“三农”问题、新农村建设等专题，集中辅导与外出学习考察相结合，举办村党支部书记、村委会主任培训班 7 期，参训 204 人。2002 年 11 月起，区委党校与区民政局联合举办 7 期社区干部培训班，参训 750 人。2006 年 4 月～ 2008 年 7 月，分 3 期对 450 多名社区工作者进行社区建设理论和实务专题培训，每期开设社会学、社会工作法律基础、社区工作概论、公共关系、公共管理学、社区管理心理学 6 门核心课程，10 个专题讲座，颁发学习合格证书。此轮培训率先在扬州市推行社区工作者资格认证。

2009 ～ 2011 年，为使大学生村干部更好更快地服务基层，区委党校与区委组织部每年都举办大学生村干部培训班，参训 194 人。围绕新农村建设、社会工作理论与实践、社会管理创新等专题，组织大学生村干部分别赴江阴市委党校、青岛智联伟业培训集团、江苏省委党校学习考察，举办 3 次大学生村干部论坛，展示他们外出学习与调研的成效。

1989 ～ 2011 年，围绕党的基本知识、党代会精神、市情区情等，区委党校每年举办 3 ～ 5 期入党积极分子培训班。

第二节　理论研究

1989 ～ 2011 年，区委党校抓住社会重点、热点、难点问题，着力开展应用对策性研究，在省、市级以上报刊发表论文 52 篇。其中 2001 年《东南大学学报》论文 1 篇、《扬州大学学报》论文 2 篇、《江苏党校报》论文 2 篇。2002 年，在《东南大学学报》《科社参考》分别发表论文 1 篇，1 篇论文入选香港现代教育研究会主办的《中华学术论坛》，并获优秀论文奖;2 篇论文分别获扬州市党校系统第三次科研评奖二、三等奖，1 名教师获优秀组织管理奖。2003 年，入选《苏州大学学报》论文 1 篇。2004 年，入选《东南大学学报》论文 1 篇，1 篇论文获扬州市第四次哲学社会科学优秀成果三等奖。2005 年，2 篇论文分别入选《江苏省党校系统构建社会主义和谐社会调研课题报告汇编——扬州分册》、江苏省委党校“保持共产党员先进性教育活动与党的先进性建设”研讨会征文，1 篇论文获扬州市党校系统第五届科研成果优秀奖，1 篇论文获扬州市“十五”时期人口发展研究课题二等奖。2006 年，1 篇论文入选中央党校理论前沿杂志社“走进新世纪”丛书编委会编的《中国世纪情》，并被评为“扬电杯”党的先进性建设理论研讨征文三等奖，1 篇论文入选省委党校“构建和谐社会”研讨会，1 名教师获“十五”时期江苏省党校人口理论教育先进工作者。2007 年，1 篇论文入选《构建和谐江苏研究》(中国社会科学出版社出版)一书。2008 年，2 篇论文分别在《中国青年科技》《现代学术研究杂志》发表。2009 年，1 篇论文获首届扬州市哲学社会科学学术年会优秀论文三等奖。2010 年，1 篇论文获“精致扬州，魅力文昌”征文活动二等奖。2011 年，1 篇论文入选市委宣传部、市委党校“三个扬州”理论建设研讨会及扬州第三届哲学社会科学研讨会。

第三节　函授学历教育

党校函授教育是提升在职党员干部学历层次的一种有效形式。1989年7月，党校87级（首届为85级）中专学历班毕业33人，同时首次举办市教委批准的成人学历教育函授中专班。该班分经济管理、行政管理2个专业，学制2年，至2000年，共有9届418名学员毕业。其间的1994年、1995年有两届学制为1年的成人中专专修转全科，150名经济管理、行政管理专业学员毕业。

1989年9月～1992年6月，党校举办第一届江苏省委党校经济管理、行政管理专业函授大专班，学制3年。1996年9月恢复办班，2011年6月结束。2002年起，实行春、秋两季招生，并首次招收经济管理专业函授本科学员，学制2年半。1989～2011年，共举办江苏省委党校经济管理专业、行政管理专业大专班15届，本科班3届，共有1713名学员毕业。

根据江苏省委党校通知，函授学历教育2009年起停止招生。区委党校积极与江苏省青年管理干部学院合作，设立成人高等教育经济管理专业大专学历班，学制2年半。2010年1月，招录学员11人。2011年1月，招录学员22人。

第二十一篇 人民代表大会

要　目

广陵区人民代表大会成立于1984年6月。根据《中华人民共和国地方各级人民代表大会和地方各级人民政府组织法》(以下简称《地方组织法》)关于人民代表大会任期规定和各级人民代表大会会议每年至少举行一次的规定,1989～2011年,广陵区人民代表大会共进行5次换届选举;举行代表大会会议23次,听取和审议区政府、区人大常委会、区法院、区检察院工作报告142项,并通过相关工作报告的决议;选举区人大常委会组成人员130人;选举区"一府两院"领导人50人;选举出席扬州市第三、四、五、六届人大代表247人,选举出席江苏省第七、八、九、十、十一届人大代表16人,选举出席全国第十、十一届人大代表4人。

1989～2011年,区人大常委会先后召开常委会会议169次,召开常委会主任会议163次,听取和审议"一府两院"各项工作报告346项;作出决议、决定177项;依法对"一府两院"实行工作监督和法律监督,组织执法检查90多次;依法任免国家机关工作人员867人次;听取92名政府组成人员和"两院"负责人的述职报告并进行评议;组织人大代表开展活动,督办代表建议、议案,评议"一府两院"工作等,有效地行使人大及其常委会的各项职权,促进广陵区政治、经济和社会事业的发展。

第一章　人大代表

根据《地方组织法》规定,县、乡两级人民代表大会1992年前每届任期3年,1993年起,县(区)人大每届任期改为5年。2004年起,乡镇人大任期由3年改为5年。2007年,广陵区区、乡人大同步换届选举。人大代表的任期与人民代表大会任期相同。县、乡两级人大代表由选区选民直接选举产生。1989～2011年,广陵区共进行5次代表换届选举,历经三、四、五、六、七届,共选出区人大代表1078人。其中中共党员827人,占76.72%,非中共党员251人,占23.28%;妇女代表306人,占28.39%;大专以上文化程度628人,占58.26%;少数民族18人,占1.70%。经过不断探索和改进,代表素质不断提高,代表队伍构成不断优化。

第一节　换届选举和代表

一、换届选举

根据《中华人民共和国选举法》规定,代表换届选举工作经过宣传发动,选民登记,提名、协商、确定代表候选人,投票选举等阶段。选举实行差额选举、无计名投票,选区过半数选民参选,候选人获得过半数赞成票方可当选。1989～2011年,广陵区历经第三至第七届共5次换届选举。

1989～2011年广陵区人大代表换届选举基本情况表

表21-1-1

届次	时间(年、月)	总人口(人)	登记选民(人)	划分选区(个)	代表名额(人)	初提候选人(人)	其中政党提名(人)	确定正式候选人(人)	选举日期(月、日)	参选选民(人)	参选率(%)	当选代表(人)	代表构成									
													中共党员(人)	非中共(人)	妇女代表(人)	妇女代表占(%)	干部(人)	工人农民居民(人)	军人(人)	知识分子(人)	大专以上文化(人)	少数民族(人)
三	1989年12月～1990年3月	306184	235082	159	232	4120	32	388	3.20	221279	94.1	232	182	50	60	25.9	66	79	4	83	91	5
四	1992年9月～12月	336500	244267	159	235	3957	33	391	12.15	219624	89.9	235	187	48	57	24.3	78	130	4	23	98	6

续表 21-1-1

届次	时间（年、月）	总人口（人）	登记选民（人）	划分选区（个）	代表名额（人）	初提候选人（人）	其中政党提名（人）	确定正式候选人（人）	选举日期（月、日）	参选选民（人）	参选率（%）	当选代表（人）	代表构成									
													中共党员（人）	非中共（人）	妇女代表（人）	妇女代表占（%）	干部（人）	工人农民居民（人）	军人（人）	知识分子（人）	大专以上文化（人）	少数民族（人）
五	1997年9月～12月	434819	276290	145	213	3902	32	354	12.5	257625	93.2	213	160	53	64	30.0	83	77	5	48	126	4
六	2002年9月～12月	393100	208771	108	199	2169	30	307	12.11	199404	95.5	199	151	48	57	28.6	52	75	4	68	146	3
七	2007年10月～12月	305787	233141	92	199	1450	33	286	12.1	228487	98	199	147	52	68	34.2	65	76	5	53	167	—

二、各届代表

广陵区第三届～第七届人民代表大会，共有人大代表 1078 人。

广陵区第三届人大代表名单（232 人，按姓氏笔画排列，下同）

丁亚珍（女）	丁洪庚	刁秋平	于加俊	于励民（女）	于振林
于海峰	卫文孚	马　杰	马永泉	马志凤（女）	马克定
马凌霞（女）	王　勇	王大庆（1940 年生）	王大庆（1951 年生）	王义华（女）	王中仁
王功亮	王宝杏（女）	王金燕	王其荣	王建新	王继文
王恩鸣	韦　勇	尤根发	方学恒	方锦海	方蕴藻
邓人凡	邓志安	尹正明	左小道	叶达泉	叶振荣
田　春	田永寿	田宏祥	冯大安	朱大志	朱立淦
朱礼珍（女）	朱志华	朱其仁	朱国锋	朱晓荣	任万恭
华干林	华雨村	刘　迅	刘云鹏	刘天鹏	刘长权
朱同宽	刘昌琦（女）	刘宝富	刘炳坤	刘冠珍（女）	刘真官（女）
刘晓琼（女）	刘福兴	刘鑫怀	江厚昌	江继文（女）	许碧红（女）
孙　骏	孙　毅（女）	孙文秀（女）	孙功立	孙宅新（女）	孙庭功
孙映江	孙俊珠（女）	杨子山	杨杏芝	李　华（女）	李广珍（女）
李永芬（女）	李凤芸（女）	李庆庚（女）	李兴虎	李学纯	李利华
李登銮	李惠凤（女）	李惠生	李德隆	肖庆春	吴正山
吴乐椿	吴克志	吴佩珍（女）	吴佩琳（女）	吴国清	吴昌辉
吴菊华（女）	吴景兰（女）	何邦瑞	何继忠	邱珠林	佘奇峰
汪玉璋	汪复昌	沙君辉	沈良芝（女）	沈树德	宋建国
张　寅	张乃慧（女）	张天立	张正安	张正德	张立志
张泽民	张绍祖	张洪熙	张清月（女）	陆丕文	陆加宇
陆翊勋	陆德生	陈　有	陈长晋	陈世红（女）	陈世新
陈兆录	陈修志	陈秀英（女）	陈建民	陈厚琇（女）	陈家祥
陈桂生	陈根强	陈祥灿	陈振宏	陈耀民	邵　樾
邵文熙	邵荣中（女）	郃志春	林正平	林桂春（女）	郁学诗
尚延成	季长福	金友芳	金玉凤（女）	金同合	金祖武
周　萍（女 1925 年生）	周　萍（女 1931 年生）	周开甫	周丛赟	周纪生	周劲光

周信英（女）	周桂兰（女）	练庆荣	胡　生	胡凤天	胡德琳（女）
赵兴根	赵胜鹤	钟秀文（女）	段书旺	段华杰	段剑青
禹成友	禹素珍（女）	施仕周	祝子华	宣　荣	速世昌
莫惠栋	顾素珍（女）	夏　锋	夏伯钧	钱国彦	倪红梅（女）
徐存洪	徐延炤	徐时敏（女）	徐步云	徐国来	徐家芬（女）
徐哲之	徐淮清	殷　还	郭苏霞（女）	郭宝友	高仁林
高定安	高祥谊（女）	高殿国	唐　俊	唐宏开	凌阿宝
谈恒茂	陶国平（女）	陶建秋	桑元琪	黄大昕	黄丽群（女）
曹丽萍（女）	龚秀珍（女）	崔如松	崔金云	崔素云（女）	章隆基
康淑琴（女）	阎三羊	葛阳生	葛德生	董美兰（女）	董丽君（女）
蒋一平	蒋春宁	童元志	谢正华	谢学珠（女）	解治成
蔡雨萍（女）	管锡同	翟德泉	静　缘	潘松林	潘继凌
戴文明	戴道娴（女）	魏灿如	瞿　进		

广陵区第四届人大代表名单（235 人）

丁开德	丁玉林	丁亚珍（女）	丁怀林	马永泉	马兰娣（女）
王　元	王　武	王乃祥	王大庆	王大庆	王中仁
王玉宝	王石岩	王汉章	王长福	王克明	王自强
王其荣	王俊生	王恺平	王素清（女）	王振宗	王继文
王恩鸣	王桂珍（女）	王瑞东	王景兰（女）	王鼎仁	韦国华
尤雪良	仇庆芳	仇安炎	毛素珍（女）	方学恒	孔凡祥
尹正明	石以经	左小道	叶达泉	叶振荣	田宏祥
冯大安	冯国彪	冯桂芳（女）	兰子华	吉　林	毕佳讯
朱　勤（女）	朱玉宝	朱正海	朱永胜	朱立淦	朱国锋
朱朝丰	朱福元	任光耀	华　莲（女）	华雨村	华继骞
刘　峰（女）	刘广仁	刘大庆（女）	刘同宽	刘厚仁	庄火男
庄春和	江厚昌	许铁根	许碧红（女）	阮定魁	孙　骏
孙　毅（女）	孙文秀（女）	孙映江	孙庭功	孙俊珠（女）	杜大顺
杨元林	杨文庆	杨立久	杨全圣	杨志丹（女）	杨幸春
杨家栋	杨晓培	杨锦荣	李　晔	李　萍（女）	李广珍（女）
李云飞（女）	李永芬（女）	李如源	李秀英（女）	李顺和	李惠凤（女）
李惠生	严鲁心（女）	肖咸宁	吴正山	吴克志	吴佩琳（女）
吴昌辉	吴洪南	吴菊华（女）	吴景兰（女）	吴福康	佘奇峰
汪庆玲	汪瑶同（女）	沙　斌	沙君辉	沈良芝（女）	宋建国
宋桂兰（女）	张正安	张正德	张立志	张兴宝	张际生
张受勇	张绍祖	张恒远	张炳庆	张洪熙	张荣祥
张德云	陆全发	陆永斌（女）	陆松林	陈　有	陈长晋
陈世红（女）	陈月华（女）	陈咸根	陈根强	陈家华	陈效燕（女）
陈浩文	陈晓明	陈振宏	陈善恒	陈瑞田	邵文熙
邵荣中（女）	林正通	林桂春（女）	范伟华	郁学诗	罗　飞
季长福	金友芳	金玉凤（女）	金同合	周　萍（女）	周　萍（女）
周开甫	周文英（女）	周玉福	周丛赟	周劲光	周学恒

周其钧	周信英（女）	周桂兰（女）	单永清	宗文九	练庆荣
胡　生	胡小元	胡德琳（女）	赵　明	赵月祥（女）	赵立昌
保　勇	段书旺	禹素珍（女）	俞寿芬（女）	俞学瀛	施仕周
洪华俊	祝子华	祝祖全	顾德美	夏伯钧	夏林宝
倪红梅（女）	徐　敏（女）	徐步云	徐国来	徐家芬（女）	徐哲之
徐惠斌	殷　还	殷长江	郭宝友	高仁林	高必干
高祥谊（女）	栾曙光	谈振华	能　修	桑元琪	黄谷芝（女）
黄庆华	黄家骏	黄锦贤	曹丽萍（女）	曹鸿娣（女）	龚秀珍（女）
盛启祥	盛金荣	崔如松	崔治中	崔金云	梁小妹（女）
董　平	蒋一平	程自功	程凤笙（女）	童元志	童恒和
谢学珠（女）	谢锡龄	蔡　军	管锡同	樊履根	滕成安
颜齐良	颜步山	薛永林	穆绍林	戴宗奎	魏秀珍（女）
瞿　进					

广陵区第五届人大代表名单（213人）

丁建民（女）	丁春香（女）	马兰娣（女）	马必善	马红生（女）	马有炀
马家祺	马恩甲	马德祥	王　云（女）	王　艺（女）	王　锋
王大庆	王大庆	王小丽（女）	王月兰（女）	王石岩	王志道
王志霞（女）	王建霞（女）	王金燕	王俊生	王宾支	王登万
王素清（女）	韦长华	方开明	尹建平	叶　俊（女）	叶达泉
卢穗明	冯大安	兰子华	朱　平（女）	朱　玲（女）	朱玉宝
朱正海	朱永胜	朱国锋	朱积玉（女）	朱熙然	朱福元
任光耀	华　莲（女）	华　萍（女）	华继骞	刘　开	刘　音（女）
刘　超	刘广仁	刘同宽	刘秀英（女）	刘新伟	庄火男
庄龙喜	江继立	池家珠（女）	许世洋	许钱骏	孙文秀（女）
孙祖煌（女）	纪连珠（女）	杜大顺	杨　琳（女）	杨千朴	杨立久
杨志丹（女）	杨幸春	杨俊美	花　蓓（女）	花佩红（女）	苏建平（女）
李　华（女）	李　锋	李万春	李永贵	李发玉	李雪梅（女）
严鹏英（女）	肖庆春	肖咸宁	时建龙	吴小同	吴志银
吴丽华（女）	吴福康	何明华（女）	余其安	冷盛年	汪元才
汪文元	汪仪仁	宋　玲（女）	宋惠荣（女）	张　旭	张　彦（女）
张正安	张兰生	张世芃	张兴宝	张志安	张若松
张怀荣	张泉生	张恒庆	张海东	张培纯	张锦宽
陈　欣（女）	陈　敏（女）	陈　燕（女）	陈加宏	陈兴长	陈秀兰（女）
陈丽芳（女）	陈秋云（女）	陈洪发	陈晓明	陈善恒	陈鼎玉（女）
邵文熙	林美娟（女）	林桂春（女）	范如珍（女）	郁　明	郁新平（女）
罗雨兰（女）	罗晓佳	金福生	金德海	周　锋	周丛瓒
周永平	胡小元	胡广芝	胡宏飞	胡富桃	郝　梅（女）
赵　翔	赵文康	赵正友	赵明强	保　勇	段书旺
洪　军	姜桂林	祝有松	祝宏泉	姚文放	姚家驹
秦凤英（女）	袁之远	贾　铸	夏邦平	夏春怡	钱利平
徐　建	徐　军	徐永兰（女）	徐步云	徐钟恒	徐哲之

徐桂英（女）	殷　明	郭万奎	郭立群	郭巨永	高万安
高仁林	高圣华	唐　飞	唐　俊	唐咸宜（女）	凌阿宝
能　修	黄小林	曹　春	曹蓓蓓（女）	曹德荣	常海山
崔治中	崔金云	盛超文	盛静峰	葛成凤（女）	葛佩英（女）
葛建权	董　平	蒋一平	蒋成安	蒋明扣	蒋国英（女）
程自功	程宝珊	程晓琴（女）	曾金兰（女）	曾美兰（女）	虞传元
虞国泰（女）	解正道	詹美宝	窦泽时	蔡　军	蔡惠宜（女）
阚跃进	熊坤明	樊履根	颜　军	薛庚松	鞠祖荣
戴玉华（女）	戴世宁（女）	戴宗奎			

广陵区第六届人大代表名单（199人）

丁富华	卜建明	卜桂凤（女）	刁秋平	于圣青（女）	万有朝
马宝惠	马恒宝	马继祥	王　平	王　岗	王元华（女）
王玉新	王正祥	王志娟（女）	王学明	王美秋（女）	王怡和
王金燕	王孝渠	王录全	王贵生	王继荣	王静成
韦　政（女）	韦国华	尤传学	毛小春（女）	方永成	方顺利
叶　俊（女）	卢慧勇	卢穗明	田永寿	田步曾	田桂珍（女）
冯小秋（女）	朱　坚	朱元豪	朱方郁	朱正海	朱礼平
朱安平	伏正予（女）	伏菊梅（女）	华　华	华　建	华玉龙
成自琴（女）	刘　玲（女）	刘　忠	刘广仁	刘伟元	刘萍丽（女）
刘桂林	刘惠坚（女）	汤桂桃	许　东	许　明	许世洋
许钱骏	阮定魁	孙　卉（女）	孙云兰（女）	孙志南	孙沛毅（女）
孙皋鸣	孙福泰	杜大顺	杨　露（女）	杨家兰（女）	杨鼎荣
李　华（女）	李万春	李幼杰	李长明	李昌明	李宝书
李明健	李建芳（女）	李军荣	李培红	严孝甫	严锦松
肖　怡（女）	肖庆春	肖保宏	时德红（女）	吴广远	吴小伟
何　平（女）	何　惠（女）	邱正保	余瑞林	沈志敏（女）	沈金塘
张　伟（女）	张　健	张　凯	张止梅	张巨生	张世新
张泉生	张显华（女）	张祥生	张惠生	陆正云	陈　俊
陈士俊	陈多珍（女）	陈安定	陈克祥	陈秋云（女）	陈善明
邵伟琼（女）	邵科明	林广明	林桂春（女）	杭建强	罗有明
季正定	季国强	金长山	金德海	周　平	周　峰
周心霞（女）	周家富	周晓华（女）	周萍华（女）	周慧萍（女）	法　融
郑　翔（女）	房爱娟（女）	胡玉平	赵　勇	赵文康	赵庆泉
赵家林	赵继东	保　勇	施益松	姜友梅（女）	秦发祥
袁开海	贾钧良	顾　勤	夏　忠	夏　蓓（女）	夏梅红（女）
夏维平	钱　岗	钱小平（女）	钱利平	钱柏仪	徐顺海
徐益民	殷文奇	郭乃洋	郭巨永	高正雄	高志刚
高竞芳（女）	唐　心（女）	唐　俊	唐乐涛	陶令璋	桑殿华
黄　河	黄　波	黄长洪	曹　玲（女）	曹元武	曹宽平
曹银根	曹蓓蓓（女）	曹德荣	常　洁（女）	章壮云（女）	谌　镕（女）
韩寿高	彭爱萍（女）	董青文	蒋　华（女）	蒋　萍（女）	辜伟节

喻志荣	曾金兰（女）	谢椿生	睢德良	雍爱青	蔡十月（女）
蔡雨萍（女）	谭正祥	熊坤明	滕泽宏	滕梅森	薛有来
魏德余					

广陵区第七届人大代表名单（199 人）

丁小琴（女）	丁天鹏	丁传发	丁祥娟（女）	丁富华	卜文卫
马恒宝	王　芸（女）	王　香（女）	王　骏	王一愚	王文杰
王正祥	韦　政（女）	韦国华	仇志祥	方顺利	孔令俊
叶　浩	卢　荣	卢爱生	卢慧勇	田醒民	白　江
冯小秋（女）	冯晓红（女）	戎高宁（女）	吉宝华	过璟玮（女）	吕中元
朱　杰	朱方郁	朱兆权	朱明富	朱愈明	伏正予（女）
任浩鹏	向宁国	刘伟文	刘伟军	刘志林	刘春平
刘桂林	汤天波	汤怀信	许晓勇	许钱骏	阮浴亚（女）
孙小平	孙沛毅（女）	孙福泰	杨　蓉（女）	杨家兰（女）	李　华（女）
李　萍（女）	李长明	李昌明	李宝民	李建芳（女）	李慧芳（女）
肖　怡（女）	肖怀娣（女）	肖昌平	吴　杰	吴　俊（女）	吴广远
吴龙林	吴庆华（女）	吴晓寅	邱玉春（女）	汪元才	沈钧平
宋　翔	张　华	张　曹	张　跃	张　瑶（女）	张广武
张长安	张丽萍（女）	张建平	张显华（女）	张顺惠（女）	张祥生
张展方	张惠生	陆效梅（女）	陈　兰（女）	陈　俊	陈　悦（女）
陈　娟（女）	陈士俊	陈巧凤（女）	陈正欣	陈安定	陈红彬
陈秀芹（女）	陈明珍（女）	陈金兰（女）	陈建军	陈荣进	陈晓庆
陈博文	陈善明	陈善恒	陈福祥	陈鹏鹏（女）	陈错竑
武兴森	林　群（女）	林忠清（女）	范立新	范银彬	帖荣萍（女）
季正定	金德海	周　平	周心霞（女）	周冠钧	周萍华（女）
周鸿钧	法　融	郑　翔（女）	郑成红（女）	房爱娟（女）	居俊卿
孟亚东	胡玉平	胡庆国	胡春英（女）	侯玉翰	侯建国
费如康	姚　林	姚大国	姚命明	秦文俊	秦正珠（女）
耿　辉（女）	袁德松	贾占仿（女）	顾　勤	夏祥生	钱永羊
倪福明	徐　同	徐　华	徐　萍（女）	徐　斌	徐玉兰（女）
徐欣五	徐顺海	徐郁薇（女）	殷玉娟（女）	殷继玲（女）	郭　琳（女）
郭　新	郭长明	高正雄	高尔兵	高志刚	唐　俊
唐　洪	唐乐涛	唐慧林（女）	谈　浩	谈志娟（女）	桑　平
黄　敏（女）	黄小林	黄爱明（女）	曹　玲（女）	曹德荣	常文俊
崔九慧（女）	梁　斌	谌　镕（女）	彭　勃（女）	董宝妹（女）	董逸民
董德利	蒋　华（女）	蒋　凯	蒋文宝	喻智荣	睢德良
蔡丽娅（女）	蔡雨萍（女）	蔡皓月（女）	阚永明	翟玉娟（女）	樊秉强
滕梅森	薛有来	薛高辉	薛清华	戴维宝	魏向阳
魏德余					

第二节　代表变动

人大代表变动由辞职、调离本区、罢免、病故等多种原因造成。区人大常委会根据代表减少情况和工作需要，作出补选代表决定。补选代表在原选区进行。广陵区第三至第七届人大期间，共补选代表 21 人。

1990 ~ 2010 年广陵区人大代表变动情况表

表 21-1-2

届次	代表数	年份	减少代表		补选代表
			姓 名	原 因	
三	232	1990	宣荣、于海峰	调离本区	—
		1991	尤根发	调离本区	—
			张寅	病故	
四	235	1993	李永芬（女）、殷还	调离本区	洪军、卢穗明、陈加宏
			金玉凤（女）	病故	
		1995	李晔	调离本区	—
			桑元琪	病故	
			祝子华、沙君辉	罢免	
		1996	王中仁	病故	王宾支、丁建民（女）、窦泽时
五	213	1998	洪军、高万安	辞职	钱小平（女）、王录全
		1999	张恒庆	调离本区	—
		2000	崔治中、朱永胜	调离本区	蔡雨萍（女）、黄文进
			王大庆、詹美宝、蒋国英（女）	辞职	
		2001	丁建民（女）、庄龙喜、曹春	辞职	—
		2002	庄火男、王支宾	辞职	—
六	199	2003	夏蓓（女）	调离本区	孔令俊
		2004	钱岗	罢免	—
		2005	朱坚	调离本区	阚肖虹、张勤（女）、夏祥生
			钱小平（女）、朱元豪、钱利平	辞职	
			于圣青（女）	两次不出席大会，终止代表资格。	
		2006	王玉新	辞职	—
			保勇	病故	
		2007	卢穗明	辞职	—
七	199	2008	杨蓉（女）	调离本区	—
		2009	陈博文、汤天波、朱兆权	辞职	陶伯龙、史美章、刘新伟、陈曦、居益芬（女）
			周心霞（女）	病故	
		2010	史美章、李长明	辞职	张震宇、邵学武

第二章 人民代表大会会议

根据《地方组织法》规定，人民代表大会会议每年至少举行一次，依法行使大会各项职权。人民代表大会会议由本级人大常委会召集，会议期间由大会主席团主持会议。

1989～2011年，广陵区人民代表大会会议共举行23次，听取并审议区政府、区人大常委会、区法院、区检察院各项工作报告，并通过相应决议；代表向大会提出议案、建议；选举国家机关工作人员和国家、省、市级人大代表等。

第一节 第二届人民代表大会

第二届人民代表大会共召开4次会议。

1989年3月22～25日，在区人大会议室召开二届人大四次会议，出席会议代表206人。会议主要内容为听取并审议通过区政府、区人大常委会、区法院、区检察院工作报告，区1988年国民经济社会发展计划执行情况和1989年国民经济社会发展计划（草案）的报告（以下简称区国民经济和社会发展计划报告），区1988年财政决算和1989年财政预算草案的报告（以下简称区财政预算报告）。补选冯大安、夏伯钧为区人大常委会副主任。

第二节 第三届人民代表大会

第三届人民代表大会共召开3次会议。

1990年4月18～22日，在市政府礼堂召开三届人大一次会议，出席会议代表232人。会议主要内容为听取并审议通过区政府、区人大常委会、区法院、区检察院工作报告，区国民经济和社会发展计划报告，区财政预算报告。选举宣荣为区第三届人大常委会主任，王大庆、冯大安、邵荣中（女）、夏伯钧为副主任（按姓氏笔画排列，下同），王功亮等常委会委员14人；选举朱立淦为区长，王乃祥、朱正海、任杰、庄火男、苏勤（女）为副区长（按姓氏笔画排列，下同）；选举李惠生为区法院院长、张天立为区检察院检察长。

1991年3月13～16日，在市政府礼堂召开三届人大二次会议，出席会议230人。会议主要内容为听取并审议通过区政府、区人大常委会、区法院、区检察院工作报告，区"八五"期间经济和社会发展计划（草案）报告，区国民经济和社会发展计划报告、区财政预算报告。补选崔如松为区人大常委会主任。区政府、区法院对三届一次大会交办的5件"重要建议"的办理情况，向代表书面报告。

1992年3月4～7日，在市政府礼堂召开三届人大三次会议，出席会议代表228人。会议主要内容为听取并审议通过区政府、区人大常委会、区法院、区检察院工作报告，区国民经济和社会发展计划报告、区财政预算报告。

第三节 第四届人民代表大会

第四届人民代表大会共召开5次会议。

1993年2月8～13日，在市政府礼堂召开四届人大一次会议，出席会议代表234人。会议主要内容为听取并审议通过区政府、区人大常委会、区法院、区检察院工作报告，区国民经济和社会发展计划报告，区财政预算报告。选举周学恒为区第四届人大常委会主任，王大庆、冯大安、邵荣中（女）、周丛攒为副主任，方学恒等常委会委员 14 人。选举朱立淦为区长，任杰、庄火男、许铭庚、苏勤（女）、宋建国为副区长；选举李惠生为区法院院长、任光耀为区检察院检察长；选举于正玉等 66 名扬州市第三届人大代表。

1994 年 2 月 23 ～ 27 日，在市政府礼堂召开四届人大二次会议，出席会议代表 235 人。会议主要内容为听取并审议通过区政府、区人大常委会、区法院、区检察院工作报告，区国民经济和社会发展计划报告，区财政预算报告。补选王大庆为区人大常委会主任，林桂春为副主任，许铁根为常委会委员；选举周学恒为区政府区长。

1995 年 2 月 10 ～ 13 日，在市政府礼堂召开四届人大三次会议，出席会议代表 232 人。会议主要内容为听取并审议通过区政府、区人大常委会、区法院、区检察院工作报告，区国民经济和社会发展计划报告，区财政预算报告。

1996 年 2 月 5 ～ 8 日，在市政府礼堂召开四届人大四次会议，出席会议代表 232 人。会议主要内容为听取并审议通过区政府、区人大常委会、区法院、区检察院工作报告，区国民经济和社会发展“九五”计划和 2010 年远景目标纲要草案报告，国民经济和社会发展计划报告，区财政预算报告。会议要求坚持“强化工业、突出三产、外向带动、科技兴区”的发展战略。补选王宾支、庄火男为区人大常委会副主任，选举卢穗明为区政府区长。

1997 年 2 月 18 ～ 21 日，在市政协礼堂召开四届人大五次会议，出席会议代表 233 人。会议主要内容为听取并审议通过区政府、区人大常委会、区法院、区检察院工作报告，区国民经济和社会发展计划报告，区财政预算报告。会议讨论通过《关于开展依法治区工作的决议》。

第四节　第五届人民代表大会

第五届人民代表大会共召开 5 次会议。

1998 年 1 月 3 ～ 8 日，在市政协礼堂召开五届人大一次会议，出席会议代表 213 人。会议主要内容为听取并审议通过区政府、区人大常委会、区法院、区检察院工作报告，区国民经济和社会发展计划报告，区财政预算报告。选举王大庆为区第五届人大常委会主任，王宾支、庄火男、林桂春（女）、周丛攒、姚文放为副主任，丁春香等常委会委员 15 人；选举卢穗明为区长，朱元豪、任杰、许铭庚、阮定魁、汪仪仁、蒋锡生为副区长；选举徐军为区法院院长、姚家驹为区检察院检察长；选举刁秋平等 79 名扬州市第四届人大代表。

1999 年 1 月 18 ～ 21 日，在市政协礼堂召开五届人大二次会议，出席会议代表 213 人。会议主要内容为听取并审议通过区政府、区人大常委会、区法院、区检察院工作报告，区国民经济和社会发展计划报告，区财政预算报告。

2000 年 2 月 29 日～ 3 月 3 日，在市友好会馆召开五届人大三次会议，出席会议代表 211 人。会议主要内容为听取并审议通过区政府、区人大常委会、区法院、区检察院工作报告，区国民经济和社会发展计划报告，区财政预算报告。会议接受王大庆辞去区人大常委会主任职务的请求，补选钱小平为区五届人大常委会主任。

2001 年 2 月 6 ～ 9 日，在市友好会馆召开五届人大四次会议，出席会议代表 210 人。会议主要内容为听取并审议通过区政府、区人大常委会、区法院、区检察院工作报告，区国民经济和社会发展计划报告，区财政预算报告。会议讨论区“十五”期间国民经济和社会发展计划基本思路（征求意见稿）。会议接受卢穗明辞去区长职务的请求。补选卢穗明为区五届人大常委会主任，蔡雨萍为副主任；选举汪仪仁为区政府区长，赵宝庆为副区长。

2002 年 1 月 11 ～ 14 日，在石塔宾馆召开五届人大五次会议，出席会议代表 207 人。会议主要内容为听取并审议通过区政府、区人大常委会、区法院、区检察院工作报告，区国民经济和社会发展计划报告，区财政预算报告。补选王玉新为区政府区长，唐俊为区人大常委会副主任。会议接受庄火男、王宾支辞去区人大常委会副主任职务的请求。

第五节 第六届人民代表大会

第六届人民代表大会共召开5次会议。

2003年1月6～10日，在区大会议室召开六届人大一次会议，出席会议代表199人。会议主要内容为听取并审议通过区政府、区人大常委会、区法院、区检察院工作报告，区国民经济和社会发展计划报告，区财政预算报告。选举卢穗明为区第六届人大常委会主任，王静成、阮定魁、唐俊、蔡雨萍（女）为副主任，马宝惠等常委会委员18人；选举王玉新为区政府区长，朱元豪、汤天波、张跃、董德利、薛清华为副区长；选举王继荣为区法院院长，陈俊为区检察院检察长；选举丁建民等55名扬州市第五届人大代表。

2004年1月7～10日，在区大会议室召开六届人大二次会议，出席会议代表198人。会议主要内容为听取并审议通过区政府、区人大常委会、区法院、区检察院工作报告，区国民经济和社会发展计划报告，区财政预算报告。补选孔令俊为区政府区长。

2005年1月11～13日，在区大会议室召开六届人大三次会议，出席会议代表197人。会议主要内容为听取并审议通过区政府、区人大常委会、区法院、区检察院工作报告，区国民经济和社会发展计划报告，区财政预算报告。

图21-2-1 广陵区六届人大四次会议

2006年1月5～7日，在市工人文化宫召开六届人大四次会议，出席会议代表184人。会议主要内容为听取并审议通过区政府、区人大常委会、区法院、区检察院工作报告。区国民经济和社会发展"十一五"规划纲要报告、区国民经济和社会发展计划报告、区财政预算报告以书面形式印发全体代表审议通过。

2007年1月16～19日，在市友好会馆召开六届人大五次会议，出席会议代表188人。会议主要内容为听取并审议通过区政府、区人大常委会、区法院、区检察院工作报告。区国民经济和社会发展计划报告、区财政预算报告以书面形式印发代表审议通过。会议接受卢穗明辞去人大常委会主任、阮定魁辞去副主任职务的请求。补选孔令俊为六届人大常委会主任，张祥生为副主任；选举陈锴竑为区政府区长。

第六节 第七届人民代表大会

根据省、市委有关工作安排意见和省、市人大常委会决定，因区划调整原因，提前进行换届选举。区七届人民代表大会共召开4次会议。

2007年12月26～29日，在市工人文化宫召开七届人大一次会议，出席会议代表198人。会议主要内容为听取并审议通过区政府、区人大常委会、区法院、区检察院工作报告。区国民经济和社会发展计划报告、区财政预算报告以书面形式印发代表审议通过。会议期间代表视察"两城三区"建设情况。选举马恒宝为区七届人大常委会主任，张华、张祥生、蔡雨萍（女）、薛清华为副主任，王正祥等常委会委员22人；选举陈锴竑为区政府区长，刘忠华、刘新伟、杨蓉（女）、李成志、张贵联、陈曦为副区长；选举朱愈明为区法院院长、陈俊为区检察院检察长；选举王继文等47名扬州市第六届人大代表。

2009年1月5～7日，在北京新东方扬州外国语学校召开七届人大二次会议，出席会议代表198人。会议主要内容为听取并审议通过区政府、区人大常委会、区法院、区检察院工作报告。区国民经济和社会发展计划报告、区财政预算报告以书面形式印发代表审议通过。

2010年1月12～15日，在北京新东方扬州外国语学校召开七届人大三次会议，出席会议代表197人。会议主要内容为听取并审议通过区政府、区人大常委会、区法院、区检察院工作报告。区国民经济和社会发展计划报告、区财政预算报告以书面形式印发代表审议通过。

图21-2-2　广陵区七届人大三次会议

2011年1月5～8日，在北京新东方扬州外国语学校召开七届人大四次会议，出席会议代表196人。会议主要内容为听取并审议通过区政府、区人大常委会、区法院、区检察院工作报告。区国民经济和社会发展计划报告、区财政预算报告、区国民经济和社会发展“十二五”规划纲要（草案）以书面形式印发代表审议通过。补选陈曦为区政府区长，夏祥生、薛高辉为区七届人大常委会副主任。董逸民等10名代表提出《关于着力解决突出问题，为创建文明城市提供强有力保障的议案》经大会通过并作出决议。

附录：

1989～2011年广陵区出席市级以上人大代表名单

一、扬州市人大代表

1993年2月13日，广陵区第四届人民代表大会第一次会议选举出席扬州市第三届人民代表大会代表66人。（按姓氏笔画排列，下同）

于正玉（女）	于励民（女）	于庚康	王大庆	王棣华	王勤金
卞石安	石光辉	申家泉	朱　盈（女）	朱立鸿	朱永胜
朱忠宝	任运桂	庄火男	汤国飞	许铭庚	许新德
如　皓	李淦年	李耀谦	杨幸春	肖　非	吴撷云（女）
邱正荣	沙君辉	沈玉星	沈宝祥	张　端	张文德
张邦藩	张泽仁	陈　侠	陈中其	陈中英	陈丽华（女）
林正通	周学恒	周林海	赵庆升	俞汉平	施国兴
蒋龙祥	祝宏顺	祝祖全	姚绍林	耿晓霞（女）	倪　寅（女）
徐丽玲（女）	徐欣五	徐洪喜	高定安	唐　俊	凌　晨（女）
曹有信	常余康	崔如松	符宗乾	葛长益	董　平
董祥图	蒋锡生	潘继凌	穆鸿禧	戴金怀	戴建纲

1998年1月8日，广陵区五届一次会议选举出席扬州市第四届人民代表大会代表79人。

刁秋平	马家鼎	王　令	王　骏	王一愚	王大庆
王中义	王玉新	王志顺	王继文	王跃亮	王勤金
韦长华	毛羽扬	尹家朋	吕秀泉	乔永贯	朱　盈（女）
朱立淦	朱克昌	任运桂	庄火男	庄春和	如　皓
杜选震	李　齐（女）	李小幼（女）	李成志	李忠庆	李建法
李福康	杨文家	杨晓培	吴宝鼐	吴献中	吴福康
邱正荣	邱扬淑（女）	汪仪仁	沈宝祥	张　明	张文德

张桂英（女）	张根寿	陈厚琇（女）	郁学诗	罗方妮（女）	金　玉（女）
周晓晴（女）	郑　雄	郑志洁（女）	孟德业	胡宏飞	胡恩锡
赵　红	赵敬忠	俞育良	施国兴	洪　军	姜龙祥
祝庭龄	顾永骏	夏春怡	徐永珍（女）	徐丽玲（女）	徐欣五
高圣华	高明久	郭云祥	郭祝山	陶　诚	曹有信
常余康	符宗乾	梁志宏	韩友平	葛长益	傅　源（女）
虞国泰（女）					

2003年1月10日，广陵区六届一次会议选举出席扬州市第五届人民代表大会代表55人。

丁建民（女）	卜树领	于圣青（女）	马宝祥	马家鼎	王志道
王继文	卢穗明	冯晓红（女）	朱元豪	朱安平	朱克昌
伏正予（女）	刘新伟	杨立久	李　峰	李　翠（女）	李士清
李济泰	吴汉胜	吴宝鼐	余慧珍（女）	沈怡文	张广武
张贵联	陆　琴（女）	陆苏华	陈志明（女）	陈荣华	邵克中
季　强	庞中辉	赵　红	赵　勋	保　勇	施国兴
洪　军	顾本安	夏照明	夏新平	钱小平（女）	倪福明
徐欣五	徐洪喜	徐哲之	殷　明	高逸民	桑光裕（女）
黄正瑶	葛晓群（女）	蒋　凯	睢德良	鞠国纲	魏　洁
魏福根					

2007年12月29日，广陵区七届一次会议选举出席扬州市第六届人民代表大会代表47人。

卜树领	马恒宝	王　旭	王　骏	王　璘（女）	王玉新
王东来	王志道	王炳松	王继文	王新勇	方顺利
孔令俊	伏正予（女）	刘世奇	刘重庆	汤卫华	汤天波
孙玉培	杨　齐	杨　蓉（女）	杨正福	李　锋	李士清
李长明	李春国	李济泰	李晓钟	吴宝鼐	何月林
张一年	张振刚	陆苏华	陆效梅（女）	陈多珍（女）	邰晓霞（女）
周　峰	顾志刚	钱小平（女）	徐桂华（女）	徐益民	徐祥华
桑光裕（女）	董长生	蒋爱祥	喻智荣	魏福根	

二、江苏省人大代表

第七届（1988年）：马恩甲　朱立淦

第八届（1993年）：马恩甲　孙毅（女）朱立淦　高仁林

第九届（1998年）：卢穗明　孙书（女）徐桂英（女）高仁林

第十届（2003年）：王玉新　高志刚

第十一届（2008年）：陈错竑　高志刚　王修文　郑翔（女）

三、全国人大代表

第十届（2003年）：陆　琴（女）　陈先岩

第十一届（2008年）：陆　琴（女）　陈先岩

第三章　常委会

根据《地方组织法》规定，“县级以上的地方各级人民代表大会常务委员会是本级人民代表大会的常设机关，对本级人民代表大会负责并报告工作”。区人大常委会组成人员由区人民代表大会在代表中选举产生，由主任、副主任以及委员若干人组成。区第二、三、四、五、六、七、八、九届选举常委会组成人员 187 人。区人大常委会闭会期间，主任会议处理常委会的重要日常工作。区人大常委会的工作机构在常委会和主任会议领导下处理具体工作。1989 ～ 2011 年，区人大常委会共召开常委会会议 169 次、主任会议 163 次。

第一节　组成人员

区人大常委会组成人员名额根据《地方组织法》规定，由省人大常委会确定（二届 17 人、三届 19 人、四届 19 人、五届 21 人、六届 23 人、七届 27 人、八届 27 人、九届 34 人）。常委会任期与人民代表大会任期相同。

广陵区第二至第九届人大常委会组成人员一览表

表 21-3-1

届次	时 间	主 任	副主任	委　员
第二届	1987 年 4 月 ～ 1990 年 4 月	段华杰 （1987 年 4 月～ 1990 年 4 月）	张士由（1987 年 4 月～ 1990 年 4 月） 程　平（1987 年 4 月～ 1990 年 4 月） 冯大安（兼 1989 年 3 月～ 1990 年 4 月） 夏伯钧（1989 年 3 月～ 1990 年 4 月）	冯大安、孙天佐、余永全 陆翊勋、林孟初、林桂春（女） 金同合、金照堂、周淑琪 赵淑钗（女）、姜大福、桑元琪 谢以祥、戴道娴（女）
第三届	1990 年 4 月 ～ 1993 年 2 月	宣　荣 （1990 年 4 月～ 1991 年 1 月） 王大庆（代） （1991 年 1 月～ 1991 年 3 月） 崔如松 （1991 年 3 月～ 1993 年 2 月）	王大庆（1990 年 4 月～ 1993 年 2 月） 冯大安（兼 1990 年 4 月～ 1993 年 2 月） 邵荣中（女 1990 年 4 月～ 1993 年 2 月） 夏伯钧（1990 年 4 月～ 1993 年 2 月）	王功亮（1991 年辞）、王继文 方学恒、刘晓琼（女）、孙　骏 杨杏芝、张　寅　、陈长晋、 郁学诗、金同合、周从瓒、 祝子华、高仁林　、瞿　进
第四届	1993 年 2 月 ～ 1998 年 1 月	周学恒 （1993 年 2 月～ 1993 年 10 月） 王大庆（代） （1993 年 10 月～ 1994 年 2 月） 王大庆 （1994 年 2 月～ 1998 年 1 月）	王大庆（1993 年 2 月～ 1994 年 2 月） 冯大安（兼 1993 年 2 月～ 1998 年 1 月） 邵荣中（女 1993 年 2 月～ 1996 年 1 月） 周从瓒（1993 年 2 月～ 1998 年 1 月） 林桂春（女 1994 年 2 月～ 1998 年 1 月） 王宾支（1996 年 2 月～ 1998 年 1 月） 庄火男（1996 年 2 月～ 1998 年 1 月）	方学恒、吉　林、刘厚仁 孙　骏、吴洪南、张炳庆 陈　有、陈长晋（1994 年辞） 陈瑞田、林桂春（女）、郁学诗 祝子华（1995 年免）、高仁林、瞿进 补选：许铁根（1994 年）、陈加宏（1995 年）

续表 21-3-1

届次	时 间	主 任	副主任	委 员
第五届	1998 年 1 月～2003 年 1 月	王大庆（1998 年 1 月～2000 年 3 月） 钱小平（女）（2000 年 3 月～2001 年 2 月） 卢穗明（2001 年 2 月～2003 年 1 月）	王宾支（1998 年 1 月～2002 年 1 月） 庄火男（1998 年 1 月～2002 年 1 月） 林桂春（女 1998 年 1 月～2003 年 1） 周丛赞（1998 年 1 月～2001 年 2 月） 姚文放（兼 1998 年 1 月～2003 年 1 月） 蔡雨萍（女 2001 年 2 月～2003 年 1 月） 唐　俊（2002 年 1 月～2003 年 1 月）	丁春香（女）、王登万、刘新伟 杨琳（女 2001 年辞） 杨立久、吴小同（2001 年辞）、汪元才、张彦（女）、张培纯（2002 年辞）、陈加宏（2002 年辞）、金德海、周　峰、袁之远 殷　明、熊坤明 补　选：黄文进（2001 年）、许钱骏（2001 年）
第六届	2003 年 1 月～2007 年 12 月	卢穗明（2003 年 1 月～2007 年 1 月） 孔令俊（2007 年 1 月～2007 年 12 月）	王静成（兼 2003 年 1 月～2007 年 12 月） 阮定魁（2003 年 1 月～2007 年 1 月） 唐　俊（2003 年 1 月～2007 年 12 月） 蔡雨萍（女 2003 年 1 月～2007 年 12 月） 张祥生（2007 年 1 月～2007 年 12 月）	马宝惠、王正祥、韦　政（女） 华　华、刘伟文、许钱骏 杨家兰（女）、张祥生 陈士俊、陈多珍（女） 金德海、周　平、周　峰 钱柏仪、高正雄、黄　波 彭爱萍（女）、熊坤明
第七届	2007 年 12 月～2012 年 3 月	马恒宝（2007 年 12 月～2012 年 3 月）	张　华（2007 年 12 月～2012 年 3 月） 张祥生（2007 年 12 月～2012 年 3 月） 蔡雨萍（女 2007 月 12 月～2012 年 2 月） 薛清华（2007 月 12 月～2012 年 3 月） 夏祥生（2011 月 1 月～2012 年 3 月） 薛高辉（2011 月 1 月～2012 年 3 月）	王正祥、韦政（女）、仇志祥 冯晓红（女）、过璟玮（女） 刘伟文、许钱骏、李萍（女） 肖怀娣（女）、肖昌平、张展方 陈士俊、陈安定、帖荣萍（女） 金德海、周　平、周冠钧（2010 年辞）、郑翔（女 2010 年辞） 高正雄（2009 年辞）、谈　浩 董逸民、阚永明 补选：李宝民（2010 年）、邵学武（2011 年）
第八届	2012 年 3 月～2017 年 1 月	陈锴竑（2012 年 3 月～2016 年 1 月） 赵长松（2016 年 1 月～2017 年 1 月）	夏祥生（2012 年 3 月～2016 年 1 月） 薛高辉（2012 年 3 月～2017 年 1 月） 张祥生（2012 年 3 月～2016 年 1 月） 张　华（2012 年 3 月～2017 年 1 月） 李成志（2012 年 3 月～2017 年 1 月）	王正祥、朱建平（2015 年辞） 朱晓东、刘广胜 刘学明（2015 年辞） 许林烽、李萍（女） 李宝民、肖怀娣（女） 肖昌平、张伟 张玲莉（女，2015 年辞） 邵学武、帖荣萍（女） 金德海、秦文俊（2012 年辞） 高砚、谈文才 董逸民（2013 年辞） 管玉宝、戴维宝 补选：刘苏明（2014 年）
第九届	2017 年 1 月～	赵长松（2017 年 1 月～）	张　华（2017 年 1 月～） 李成志（2017 年 1 月～） 周家富（2017 年 1 月～）	卜正玲（女）、王寿梅（女） 尤志友、叶善祥、申林、付宝鼎 朱祥、朱晓东、刘广胜、刘月朗 刘苏明、孙永忠、杨仕权 李宝民、李菊梅（女）、肖昌平 何小军、邱龙建、宋凌晨、张伟 邵学武、范燕茹（女）、袁亮 高军、谈浩、蒋凯、程华缨（女） 储晓庆、管玉宝、缪卫昌

第二节　工作机构

区三届人大常委会工作机构设一室五委：办公室、内务工作委员会、法制工作委员会、财经工作委员会、教科文卫工作委员会、城建工作委员会。

区四届人大常委会设一室五委：办公室、人事代表工作委员会（由内务工作委员会更名）、法制工作委员会、财经工作委员会、教科文卫工作委员会、城建工作委员会。

区五届人大常委会设一室四委：办公室、财政经济委员会、内务司法委员会、社会事业委员会（由教科文卫工委和城建工委合并）、人事代表联络委员会（由人事代表工作委员会更名）。

区六届人大常委会设一室五委：办公室、内务司法委员会、财政经济委员会、人事代表联络委员会、城乡建设环境保护委员会、教育科学文化卫生委员会。

区七届人大常委会工作机构设置同六届人大常委会。

根据法律规定，区人大常委会设代表资格审查委员会，由常委会副主任1名、常委会委员若干名组成。

2003年12月起，在曲江、文峰、东关、汶河4个街道办事处设立街道人大工作委员会，为常委会派出机构。

第三节　重要会议

一、常委会会议

根据法律规定，区人大常委会每两个月至少举行一次。常委会会议由主任或主任委托副主任主持，常委会组成人员过半数参加会议方能举行。常委会会议实行民主集中制，作出的决议、决定，须全体组成人员过半数方能通过。“一府两院”负责人和人大机关不是组成人员的委、办负责人列席会议，同时也邀请部分人大代表列席会议。议题情况由“一府两院”负责人或有关政府部门负责人汇报。

会议内容主要根据《地方组织法》的规定，结合广陵区实际，讨论决定广陵行政区内的政治、经济、教育、科学、文化、卫生、民政等工作的重大事项；根据区政府建议，决定国民经济和社会发展计划、预算的部分变更；决定人事任免；听取和审议区政府、区法院、区检察院的工作报告；审核区政府作出的决定和命令；决定授予地方荣誉称号等。区人大常委会每年年初即制定全年的议题计划和工作要点，印发给每一位组成人员，并报请中共扬州市广陵区委转发“一府两院”及有关部门。常委会坚持调查研究制度，每次审议的议题，都在会前安排与议题内容相关的学习、视察、座谈、走访，听取有关方面、人大代表、基层群众的意见，形成调查报告，供常委会组成人员和其他与会人员审议时参考。

从1995年5月四届人大常委会第十五次会议始，会议改进审议方式：先集中听汇报，然后与会人员分两组进行审议，小组审议结束后再联组审议，由各组召集人集中归纳本组审议意见在全体会议上作审议发言。改进审议方式后，与会人员能更充分地发表意见。常委会每位委员轮流担任小组召集人，以增强责任感，提高审议质量。会议表决形式有举手（免职、辞职）、无记名投票、电子表决器等。常委会的审议意见，会后以书面文件形式印发给“一府两院”，并做好跟踪落实，督促限期反馈。常委会审议意见的落实情况，一般要在下一次常委会上进行反馈，如果常委会对反馈的情况不满意，还要在下一次会议继续反馈整改意见，以切实加大监督力度和实效。后改为在每年年底最后一次常委会会议上作集中反馈汇报，再由常委会组成人员审议。

1989～2011 年广陵区人大常委会主要议题一览表

表 21-3-2

年份	主要议题
1989	审议档案法、统计法、食品卫生法、药政管理法、省人大加强文化市场管理决议实施情况，税收、物价、工商管理、科技工作、计划生育、爱国卫生工作、清理整顿公司、城市规划和民用建筑管理、廉政建设、惩治贪污受贿，经济、民事案件执行情况、社会治安综合治理工作。作出加强预算外资金管理决议
1990	审议行政诉讼法、传染病防治法、江苏省审计条例、价格管理条例实施情况，城市管理、创建卫生城、“严打”斗争、民事调解民事审判、区地方志编纂、人事管理、扬州大酒店布局调整及经营情况。制定常委会议事规则，作出依法治区决议。换届选举工作
1991	审议城市居民委员会组织法、义务教育法实施情况，区属医院建设、纠风治乱、廉政建设、商业工作、房屋开发、市场建设、“质量、品种、效益年”活动、“从重从快”严打斗争情况。作出贯彻义务教育法，依法治教的决议和“二五”普法决议
1992	审议民事诉讼法、食品卫生法、省计划生育条例实施情况，发展外向型经济、深化企业改革、“科技进步年”活动、创建双拥模范城、检察院自侦和自行决定案件、实施法律监督情况。换届选举工作
1993	审议环境保护法实施情况，新产品开发、重点项目建设、股份制改革试点、文化市场管理、标准化办学和教师队伍建设、经济案件审理、社会治安综合治理情况。评议公检法工作
1994	审议区直工业扭亏增盈、发展居办经济、合资企业建设、区属医院管理、住宅小区管理、法纪检察工作、审理经济犯罪案件情况。评议工商局工作
1995	审议省劳动保护条例、居委会组织、科技进步法和省科技进步条例实施情况，廉政建设、优化工业产品结构、学校德育教育、商业工作、房地产开发情况。评议市土地局工作。环境保护法执法检查
1996	审议审计法实施情况，商业优质服务、转变工业经济增长方式，企业改革、集贸市场建设、民事案件审判方式改革情况。作出“三五”普法决议。省信访条例、消费者权益保护法、教育法、人民警察法、食品卫生法执法检查。评议环保局工作
1997	审议体育法、法官法、检察官法实施情况，依法治区实施方案，工业营销、机构改革、流动人口计划生育管理、提高商业经济效益情况。行政处罚法执法检查。评议文化局工作。换届选举
1998	审议环境噪声污染防治法、食品卫生法、会计法、产品质量法、刑事诉讼法实施情况，优化产品结构、企业改革、发展个体私营经济情况。评议教育局工作
1999	审议全民健身计划纲要实施情况，开展群众文化工作、招商引资、住宅小区管理、加强“两院”队伍建设、工业重点项目实施情况。评议市规划局工作。律师法、统计法执法检查
2000	审议省计划生育条例实施情况，房地产开发、市场建设、依法治区方案实施、未成年人犯罪审理情况。评议民政局工作。环境保护法、行政复议法执法检查
2001	审议科技进步法实施情况，商贸业结构调整、发展个体私营经济政策落实、法院执行工作、检察院反贪污贿赂工作情况。作出“四五”普法决议、出台个案监督办法。招投标法执法检查。评议卫生局工作
2002	审议机构改革工作、招商项目策划、“名学校、名校长、名教师”争创工作、加强公安队伍建设、“一府两院”依法治区实施方案。台湾同胞投资保护法执法检查。换届选举
2003	审议未成年人保护法、预防未成年人犯罪法实施情况，广陵产业园建设及招商工作、水资源保护及治理、“城中村”改造整治、汤汪集镇改造规划、流动人口计划生育管理、“严打”整治情况。土地管理法、省土地管理条例、行政诉讼法执法检查。作出争创“先导区”决议
2004	审议争创“先导区”决议实施情况、促进民营经济发展、“城中村”改造、推进信息化建设、检察院法律监督工作。防洪法、消防法执法检查
2005	审议产业园环境保护、计划生育服务体系建设、争创“先导区”决议实施、“十一五”规划制定、广陵新城规划与启动、依法治区工作、平安广陵创建工作情况。劳动法、工会法执法检查
2006	审议合作开发食品加工区、广陵新城建设启动工作、群众体育工作、争创“先导区”情况。作出“五五”普法决议和建设“法治广陵”决议。水污染防治法执法检查
2007	审议实施新农村 5 件实事工程、推进社区卫生服务工作、反商业贿赂、广陵新城建设进展情况。行政许可法、治安管理处罚法执法检查。换届选举

续表 21-3-2

年份	主要议题
2008	审议广陵产业园项目、产业和形象提升、全面建设更高水平小康社会、创建法治江苏合格区、广陵古城综合整治和长效管理情况。环境保护法、食品卫生法执法检查
2009	审议食品工业园建设与投产达效、商贸物流园项目建设、科技创新工作、老小区改造整治、政府服务企业和优化发展环境工作、民事审判情况。水污染防治法、农产品安全质量法执法检查
2010	审议广陵产业园集聚转型发展、广陵新城建设项目推进、引才引智、节能减排、创建省“十一五”人口计划生育先进区工作、搬迁安置小区建设情况。“三官法”（法官法、检察官法、人民警察法简称）执法检查和三级代表议公正活动
2011	审议区机构改革方案、平安广陵建设、“城中村”改造建设、招商引资和重大项目推进工作、广陵新城基础设施建设、楼宇经济、教育工作情况。作出“六五”普法决议。老年人权益保障法执法检查。换届选举

说明：每年上半年经济运行情况、财政预算执行情况和上年度财政决算情况，下半年代表建议、意见办理情况，是每年常规议题，未列入表中。

第三至第七届广陵区人大常委会部分备案报告一览表

表 21-3-3

时间	常委会会议	备案报告内容	人代会会议
1991 年 1 月	三届人大常委会第五次会议	宣荣辞去区人大常委会主任职务	三届二次会议
	三届人大常委会第六次会议	王大庆副主任代理区人大常委会主任	
1993 年 10 月	四届人大常委会第五次会议	周学恒辞去区人大常委会主任职务、王大庆副主任代理主任。朱立淦辞去区长职务、副区长周学恒代理区长	四届二次会议
1996 年 1 月	四届人大常委会第二十次会议	周学恒辞去区长职务、邵荣中辞去区人大常委会副主任职务，副区长卢穗明代理区长	四届四次会议
2000 年 5 月	五届人大常委会第十五次会议	许铭庚辞去副区长职务	五届四次会议
2001 年 2 月	五届人大常委会第二十次会议	钱小平辞去区人大常委会主任、周丛赟辞去区人大常委会副主任职务	
2001 年 9 月	五届人大常委会第二十四次会议	汪仪仁辞去区长职务、副区长王玉新代理区长	五届五次会议
2002 年 2 月	五届人大常委会第二十八次会议	仲生、赵宝庆辞去副区长职务、徐军辞去区法院院长职务	六届一次会议
2002 年 11 月	五届人大常委会第三十三次会议	姚家驹辞去区检察院检察长职务	
2003 年 5 月	六届人大常委会第四次会议	王玉新辞去区长职务、副区长孔令俊代理区长	六届二次会议
2006 年 12 月	六届人大常委会第二十九次会议	孔令俊辞去区长职务、董德利辞去副区长职务，副区长陈锴竑代理区长	六届五次会议
2007 年 10 月	六届人大常委会第三十六次会议	王继荣辞去区法院院长职务	七届一次会议
2008 年 9 月	七届人大常委会第五次会议	杨蓉辞去副区长职务	七届二次会议
2010 年 10 月	七届人大常委会第二十一次会议	陈锴竑辞去区长职务、副区长陈曦代理区长	七届四次会议

二、常委会主任会议

区人大常委会主任会议由主任、副主任组成，常委会办公室和各工作委员会主任列席会议，根据会议内容和需要，再确定其他有关部门负责人列席会议。主任会议由主任或主任委托副主任主持，一般两个月召开一次。有时将主任会议和主任办公会议合并召开，必要时可随时召开。主任会议的内容是处理常委会的重要日常工作；决定常委会的会期、议程；拟定提请常委会会议审议的事项；研究区政府、区人大常委会组成人员 3 名以上联名提出的议案，决定是否提请常委会审议；听取并检查“一府两院”有关工作情况、执法检查报告；汇报交流常委会机关主要工作情况，研究工作计划；检查常委会的决议、决定贯彻落实情况等。主任会议有时还与中共广陵区人大常委会党组会议联席召开，对市委、区委和“一府两院”依法报请区人大及其常委会予以选举和任命或决定任命的人选进行预审，以及党组需向区委提出的请示、报告事项进行讨论等。每年年初拟定常委会议题计划时，也同时拟定主任会议的议题计划。

1989～2011年共召开主任会议163次（不含单独召开的主任办公会），听取“一府两院”有关工作汇报和研究重要工作。

1993年9月中央召开反腐倡廉会议后，10月，主任会议及时增加议题，听取区政府关于廉政建设情况的汇报，要求区政府认真执行中央关于加强廉政建设的各项规定，认清反腐败斗争与经济建设的关系，建立健全各项规章制度，认真清理政府部门收费问题，把廉政建设作为一项重要工作纳入议事日程。

1997年创建卫生城现场管理时，城管人员遭违章人员殴打致轻伤，受害人多次要求依法追究肇事者刑事责任，但迟迟得不到处理。主任会议抓住这个典型，要求区检察院履行法律监督职责，区检察院依法进行立案监督后，受伤害一事得以立案处理。

2003年，面对突如其来的“非典”疫情，主任会议及时增加议题，5月召开主任会议，听取区政府“非典”防治工作情况汇报，要求区政府高度重视、严密防范、突出重点、落实措施，努力实现零病例、无继发、不扩散的防控目标。同时坚持两手抓，一手抓好“非典”防治，一手抓经济建设不放松，确保防非目标和全年各项任务完成。

2011年6月，在常委会审议基础上，主任会议检查“城中村”改造民生工程建设情况，提出把握“四个关系”的建议，即把握好老百姓日益增长的物质文化需求与政府不断提供需求的关系，把握好民生工程建设速度与质量的关系，把握好民生工程建设政府主导投入与积极向上争取的关系，把握好民生工程建设与长效管理的关系。建议得到区政府重视。常委会主任会议还专题检查创建文明城市具体实施情况。

1989～2011年广陵区人大常委会主任会议部分议题一览表

表21-3-4

年份	主要议题
1989	教育系统五项督导工作、小学招生、区法院廉政建设情况
1990	江苏省计划生育条例实施情况，老年工作、小学招生情况
1991	环境保护法、残疾人保障法实施情况，科技兴区、侨务工作、国防教育、女职工劳动保护和就业情况
1992	档案法、义务教育法实施，学前教育、街巷小区管理、房产开发、商业开发和重点项目实施、“二五”普法教育、物资工作情况
1993	人事工作、劳动仲裁、体育工作、廉政建设、卫生监督执法、住宅开发和拆迁安置工作
1994	食品卫生管理、工业技术改造、校办工业、计划生育收费管理、商业重点工程建设情况
1995	预算法实施情况，企业改革、拆迁安置、民事、行政案件执行、检察院反贪污贿赂工作情况
1996	开发区建设、西门街开发改造、侨务工作、区属学校收费、文化市场管理情况，查处司法、行政执法人员违法犯罪情况
1997	劳动法实施情况，物价管理、建筑业管理、科技园建设情况
1998	评议区教育局整改方案、群众文化工作、下岗职工再就业、个案监督、依法治区工作情况
1999	律师法、科技成果转化法、建筑法、统计法、红十字会法执法检查情况
2000	医德医风建设、区民政局财务审计、利用外资扩大外贸、预防职务犯罪工作情况。评议民政局整改情况
2001	“打黑除恶”专项斗争、安全生产、企业改制、金鹰集团兼并扬州商场、“一府两院”依法治区方案完成情况
2002	保来得公司、东方小商品市场等企业改制、整顿音像市场秩序、评议卫生局整改落实情况
2003	依法治区方案实施、“非典”防治、农村改水改厕工作、检察院公诉制度改革情况
2004	农村义务教育、农村新型合作医疗、重点项目实施进展、爱国卫生、征兵工作、法院执行工作情况

续表 21-3-4

2005	基层文化建设、培植工业规模企业和高新技术企业、未成年人思想道德建设、民办学校发展、“碧水工程”实施情况
2006	医疗体制改革、农村计划生育家庭奖励制度落实、安全生产、残疾人保障、社区矫正、重大动物疫病防控工作、打击经济犯罪工作情况
2007	审计法、大气污染防治法实施情况，招商引资、扬州清曲保护、法院执行工作情况
2008	社保基金管理使用、体育工作、广陵新城建设、义务教育均衡发展、检察院落实宽严相济政策情况，台湾同胞投资保护法实施情况
2009	社区卫生服务工作、法律援助工作、小学招生工作、促进就业工作、广陵新城项目推进工作
2010	街巷小区保洁工作、社区工作站建设、基层群众文化建设、安全生产、民生城建、“十二五”规划编制情况
2011	信息服务产业基地建设、为创建全国文明城市提供强有力保障议案的决议实施、推进企业自主创新工作、信息化推进公共卫生服务均等化工作、民生工程建设情况

第四章　依法履职

区人大常委会依照《地方组织法》规定，认真执行民主集中制原则，依法对“一府两院”行使工作监督和法律监督权；坚持党管干部和依法任免国家机关工作人员，行使人事任免权；对于事关全区政治、经济和社会长期稳定发展的重大事项，行使审议和决定权。同时认真做好街道、乡镇人大的相关工作，为广陵区的政治、经济和社会事业的发展发挥积极作用。1989～2011 年，召开常委会 169 次，听取和审议“一府两院”各项工作报告 346 项，形成决议决定 177 项，执法检查 90 次，人事任免 867 人。

1989～2011 年广陵区人大常委会主要工作统计表

表 21-4-1

届别	常委会（次）	主任会（次）	“一府两院”工作报告（项）	决议决定（项）	执法检查（次）	人事任免（人）	述职评议（人）
二届	9	8	17	3	4	31	—
三届	22	18	49	32	16	125	9
四届	33	24	88	51	27	159	36
五届	34	21	78	35	16	193	28
六届	37	34	71	30	17	197	19
七届	34	58	43	26	10	162	—
合计	169	163	346	177	90	867	92

第一节　重大事项审议和决定

一、关于加强预算外资金管理的决议

1989 年 8 月，区人大常委会为加强预算外资金管理，组成专题调查组，对区政府有预算外资金的 14 个部门和 4 个街道办事处预算外资金进行调查研究，并将调查情况向区二届人大常委会第十八次会议汇报。常委会经过认真讨论，作出关于加强预算外资金管理的决议，要求区政府从经济发展的全局出发，采取切实措

施，将预算外资金管好用活，引导其更好地为建设发展服务。区政府根据决议要求，制定预算外资金管理办法，实行收支两条线，预算外资金管理工作得到重视和加强。1990年9月，区三届人大常委会第三次会议再次听取区政府关于预算外资金管理情况汇报。

二、关于普法教育的决议

1991年5月，区三届人大常委会第十次会议作出《关于开展第二个五年法制宣传教育的决议》(以下简称"二五"普法，下同)，要求区政府高度重视"二五"普法工作，在思想、组织、规划、工作上做到四落实，创造良好法制环境，保证全区政治、经济和社会长期稳定发展。是年，区政府调整充实法制教育领导小组和办公室，制订实施计划，组织"宪法宣传周"活动和《土地管理法》《江苏省计划生育条例》普及教育工作。其后几年，常委会不断跟踪监督区政府实施人大决议情况，推进全区普法教育工作。1995年9月，区四届人大常委会第十七次会议听取区政府关于"二五"普法规划完成情况汇报，要求区政府进一步加强领导，重视领导干部法制教育，提高依法行政水平，认真抓好"二五"普法验收工作。

根据全国普法教育工作规划部署，区人大常委会于1996年9月、2001年7月、2006年8月和2011年9月，连续作出关于"三五"普法、"四五"普法、"五五"普法和"六五"普法教育规划的决议，持续加强对区政府贯彻实施决议工作的监督，有效推进全区普法教育工作。

三、关于全面实施《义务教育法》，将基础教育纳入依法治教轨道的决议

1991年5月，区三届人大常委会第十次会议作出《关于全面实施〈义务教育法〉，将广陵区基础教育纳入依法治教轨道的决议》，要求区政府进一步宣传贯彻《义务教育法》，端正办学思想，合理调整学校布局，注重学校领导班子和教师队伍建设，努力改善办学条件，提高素质教育水平。会后，常委会跟踪检查决议落实工作，组织人大代表视察全区小学，听取区政府执行决议的专题汇报。区政府认真贯彻决议精神，明确以素质教育为核心的办学指导思想，加强学校设施建设，努力改善办学条件，建成东花园小学和星桥西小学教学楼；当年安排16万元为各校配备图书和仪器等教学设备，有14所学校办学条件达到标准化要求。其后，常委会还多次检查全区义务教育工作。2009年，创成省义务教育现代化先进区。

四、关于实现"两个率先"，努力争创先导区的决议

2003年11月，区六届人大常委会第七次会议作出《关于贯彻"三个代表"、实现"两个率先"、努力争创先导区的决议》。争创"两个率先"先导区是广陵区新时期全面建设小康社会的重要目标，常委会将决议贯彻实施情况列为重点审议监督内容，连续三年进行跟踪监督，确保年度"两个率先"先导区目标任务的落实。

2004年11月，区六届人大常委会第十五次会议专题听取区政府实施决议的情况汇报，要求区政府继续坚持以经济建设为中心，精心打造扬州东部城市副中心，积极参与老城区改造建设，为争创"两个率先"先导区不断拓展发展空间，努力实现经济社会全面协调和可持续发展。2005年12月，区六届人大常委会第二十三次会议再次听取区政府实施"两个率先"决议情况汇报，要求区政府继续加大招商引资力度，提高项目质态和规划，加快全民创业、富民强区进程。2006年，常委会继续跟踪督查争创"两个率先"先导区工作，六届人大常委会第二十七次会议提出，要在产品结构上继续高度重视创新工作，在第三产业发展上全面打造和提升文昌商圈，以广陵新城建设为契机，对三产项目早筹划、早布局，开发和培育一批有特色的商贸街区和旅游产业等意见，得到区政府高度重视。2008年11月，区七届人大常委会第六次会议听取并审议区政府全面建设更高水平小康社会情况汇报。会议肯定区小康建设已达到省定目标，要求区政府瞄准新目标，继续坚定不移地加快经济发展，加大"两城三区"建设力度，坚定不移地抓民生改善，让广大人民群众进一步提升幸福感和满意度。

第二节　工作监督与法律监督

一、工作监督

（一）财政经济方面

促进企业改革工作　1996年11月，区四届人大常委会第二十五次会议听取并审议区政府关于全区企业改革工作情况汇报。会议针对企业改革工作力度不够、进度不快、典型不多、成效不大的状况，要求区政府进一步增强改革意识，加快试点企业改革步伐，加强改革工作研究，充分发挥政府宏观调控作用，为企业改革创造宽松外部环境，逐步建立起“产权清晰、权责明确、政企分开、管理科学”的现代企业制度。会后，常委会持续进行跟踪督查，促使企业改革工作不断推进。1998年11月，区五届人大常委会第五次会议再次对区政府企业改革工作进行审议，要求区政府继续深化宣传教育，加大协调服务力度，切实转换企业生产经营机制，充分调动职工积极性，提高劳动效率，促进改革效果转化为生产力。

优化工业产品结构　1995年5月，区四届人大常委会第十五次会议审议区政府优化工业产品结构工作，针对产出效益不理想、新品和项目开发不平衡、政府综合部门职能作用发挥待加强等问题，要求区政府进一步增强主管部门和企业负责人优化产品结构的紧迫感，强化领导，提高组织程度，抓好重点技改项目，注重产品开发、市场开发和人才开发，促进企业健康发展。1998年5月，区五届人大常委会第二次会议审议区政府关于加快优化产品结构情况汇报，要求区政府制订产品结构调整滚动计划，加强信息、资金、技术和人才服务，围绕市场进行产品开发和技术改造，促进经济效益不断提高。

助推个体私营经济发展　1998年9月，区五届人大常委会第四次会议听取和审议区政府发展个体私营经济情况汇报，要求区政府进一步加强发展个体私营经济工作，落实政策，严格执法，强化服务，加强管理，促进个体私营经济发展。区政府制定《关于进一步加快发展个体私营经济的意见》。2001年3月和2004年3月，常委会又分别听取并审议区政府关于发展私营个体经济政策落实情况和促进民营经济发展情况汇报，推动区政府加快完善和贯彻落实创业政策，调动全民创业热情，走特色民营经济发展之路。

关注商贸业发展　1996年5月，区四届人大常委会第二十二次会议听取并审议区政府关于商业企业开展优质服务活动情况汇报，要求区政府从“两个根本转变”入手，将深化改革与开展优质服务活动紧密结合，调动企业和职工积极性，提高服务水平与服务技能，推动商贸业发展。会后，区政府狠抓落实措施，将开展优质服务与企业承包人和员工的经济责任制挂钩，与用工制度挂钩，组织全系统营业员业务技能考试和技能竞赛，并邀请人大代表及相关部门人员进行视察检查。2001年11月，区五届人大常委会第二十五次会议听取和审议区政府商贸业结构调整情况汇报，要求区政府继续深化改革，抓好招商引资，搞活区属商贸企业，增强商贸业后劲。

推进招商引资和园区建设　2002年5月，区五届人大常委会第三十次会议听取并审议区政府关于招商项目策划工作情况汇报。会议肯定区政府举全区之力招商引资，超前建设产业园的做法，要求区政府加大协调力度，争取及早将园区建设正式列入市重点发展规划。当年8月，广陵产业园区被市政府批准成立，并列入市“一区四园”总体发展布局。2003年11月、2008年9月和2010年5月，区六届和七届人大常委会先后三次将广陵产业园建设发展情况列入常委会审议议题，关注主题从产业园建设和招商引资，到产业园项目、产业和形象提升，再到产业园产业集聚和加速转型发展，关注重点逐次变化，客观地反映和勾勒出广陵产业园的发展过程和提升轨迹。

督查节能减排和安全生产工作　2010年11月，区七届人大常委会第二十二次会议对全区节能减排工作情况进行专题审议，要求区政府加强节能减排工作的领导，提高组织水平，加大投入力度，全面推进资源节约型、环境友好型社会建设。同年，主任会议听取全区安全生产工作情况汇报，要求区政府及职能部门坚持“预防为主”方针，不断提高安全意识，建立健全应急救援的预案和机制，强化动态监督检查，消除隐患，真正做到防患于未然。

（二）城市规划建设方面

支持市场建设和房地产开发　2000年5月，区五届人大常委会第五次会议审议区政府市场建设工作情况。会前，常委会深入调查，先后走访14个市场，召开多次座谈会，详细了解市场建设情况，形成有的放矢的调查报告。会议要求区政府加强市场建设规划，合理布局定位，大力推进市场建设。按照“控制总量、扩大含量、提高质量”的原则，全区加快发展专业特色市场、适度发展农贸市场，当年开办新大都装饰材料市场、地中城小商品市场、大桥建材市场二期等，集贸成交额16.31亿元，比上年增长10.3%。2000年11月，区五届人大常委会第八次会议听取和审议区政府房地产开发工作情况汇报，要求区政府进一步深化企业改革，激发企业活力，做大做强企业，发展壮大区税源经济。

图21-4-1　2011年，全国人大领导视察广陵新城建设

聚焦广陵新城建设　常委会利用自身优势，推动广陵新城建设。2005年年初，在市五届人大三次会议上通过市人大代表转提议案、组织代表专题审议等形式，为建设广陵新城营造声势。同年8月，区六届人大常委会第二十一次会议，专题听取和审议区政府关于广陵新城规划与启动准备情况汇报，提出建设性意见，推动区政府做好与市有关工作超前对接，促使广陵新城建设及早进入实质性运作阶段。2010年9月，区七届人大常委会第二十次会议审议广陵新城建设和项目推进情况，提出进一步强化机遇意识，完善各项规划，加快基础设施建设，加大招商引资和项目推进力度，理顺新城建设的体制和机制等建设性意见，得到区政府和广陵新城管委会的重视。2011年11月，区七届人大常委会第三十一次会议专题审议广陵新城基础设施建设和项目建设情况，要求坚持规划龙头地位不动摇，进一步深化细化规划方案，完善道路、管网等配套设施，高标准高质量推进项目建设，加大资源整合力度，强化土地、资金、人才等要素资源保障。

（三）教科文卫方面

加强文化建设和市场管理　1993年9月，常委会组织视察文化市场管理情况，发现存在游戏机管理比较混乱等问题，在当月召开的区四届人大常委会第四次会议上就如何搞好文化市场管理提出建议，要求区政府采取切实措施整顿文化市场。会后，取缔游戏机室9家，吊销营业执照6家，责令停业整顿1家，文化市场管理整改取得初步成效。10月中旬，常委会又组织部分人大代表对城区文化市场特别是游戏机室的管理情况进行跟踪视察。2005年3月、2010年8月，主任会议检查全区基层群众文化建设情况，要求要进一步加强基层群众文化建设，加大投入，关注人才队伍培养，既注重精品文化引领，又推进大众文化普及。

实施教育“三名工程”　2002年11月，区五届人大常委会第三十三次会议听取并审议区政府实施名学校、名校长、名教师工程（以下简称“三名工程”）情况汇报。会议要求区政府及教育行政主管部门，进一步完善“三名工程”方案，全面提高教师素质、教育质量和教学水平，鼓励、支持、引导广大教育工作者积极参与“三名工程”各项活动，加强考核管理，引入竞争机制，建立健全评估体系，实行全程跟踪，全方位督查，突出素质教育、均衡发展，努力办好每一所学校。

推动科技创新与引才引智工作　2009年9月，区七届人大常委会第十二次会议审议全区推动科技创新工作情况。会议提出要吸引更多企业参与创新，吸收更多高层次人才融入创新，吸纳更多资金投入创新；进一步加强产学研合作，加快科技创新载体建设，加大人才资源开发与建设力度等意见。2010年9月，区七届人大常委会第二十次会议专题审议区政府关于引才引智工作情况。会议要求区政府进一步强化人才战略意识，制订切合广陵区实际的人才发展规划，完善和优化招引人才环境，重视人才战略储备，为广陵转型发展、跨越发展提供智力保证。

推进体育和卫生事业发展 2006年6月，区六届人大常委会第二十六次会议听取并审议区政府群众体育工作开展情况，要求区政府加大群众体育工作宣传、引导和投入，完善群众体育活动设施，建立健全三级群众体育组织网络，促进群众体育工作健康有序发展。

常委会关注医疗卫生工作，多次将其列入常委会议题。1991年，常委会听取并审议区政府关于区属医院建设情况汇报。2000年，常委会主任会议听取加强医德医风建设情况汇报。2004年常委会主任会议检查区新型农村合作医疗工作情况。2007年10月，区六届人大常委会第三十六次会议审议社区卫生服务工作情况，要求区政府加强社区卫生服务体系建设，增设服务点，扩大覆盖面，完善投入机制，将有关配套政策落实到位，确保社区卫生服务有效开展。

（四）社会民生方面

2003年7月，区六届人大常委会第五次会议审议城中村整治拆迁改造方案，要求高度重视保护农民利益，统筹考虑失地农民转为居民后的就业、生活保障问题，尽快将东部城区建设纳入全市城市建设总体规划。在人大的推动下，城中村安置小区曲江新村建设启动。2004年5月，区六届人大常委会第十二次会议审议区政府城中村改造进展和拆迁安置政策落实情况，要求区政府协调落实工程建设资金，确保工程按序时进度完成，妥善解决村民就业、社会保障等问题，切实把民心工程办实、办好。2010年3月，区七届人大常委会第十七次会议审议搬迁安置小区建设情况。针对安置房建设周期长、资金压力大及拆、建、安总量不匹配等问题，要求区政府切实增强责任感和紧迫感，进一步创新思路，做好新安置小区规划定点和土地指标争取工作，加快搬迁安置小区建设，建立健全长效管理机制，多方筹措建设资金，多渠道拓展融资平台，做好向上争取和对下引导教育工作，切实预防集访、群发性事件发生。2011年5月，区七届人大常委会第二十八次会议再次审议全区城中村改造情况，并进行实地视察，要求区政府及相关部门过细做好群众工作，维护好群众合法利益，向上积极对接，力争搬迁和安置房建设手续办理等工作进入“绿色通道”。

二、法律监督

（一）听取和审议法律法规实施情况报告

《江苏省计划生育条例》实施情况 1992年1月，区三届人大常委会第十四次会议听取并审议区政府关于贯彻实施《江苏省计划生育条例》（以下简称《条例》），加强计划生育工作情况汇报。会议要求进一步加强对《条例》的宣传教育，把计划生育工作纳入依法管理轨道；各相关部门要协同配合，加强对流动人口、个体户、纯居民等重点人口的计划生育管理；计生部门加强政策指导、基础管理和统计工作，提高出生人口测算的准确率；积极创造条件，把计生工作纳入街办辖区管理，逐步向属地管理过渡。2000年5月，区五届人大常委会第十五次会议再次听取和审议区政府贯彻实施《条例》情况汇报。会议提出进一步加大《条例》和国家计生委流动人口计生管理办法的宣传力度，建立齐抓共管责任制，做好改制企业及下岗职工计生管理工作，加强对基层计生干部培训等审议意见。2010年，区计生工作通过省验收，建成江苏省“十一五”人口计生协调发展先进区。

《刑事诉讼法》实施情况 1998年11月，区五届人大常委会第五次会议听取并审议法院、检察院贯彻实施《中华人民共和国刑事诉讼法》的情况汇报。会议要求法院深化庭审方式改革，强化庭审功能，当庭举证、质证、辩论，提高证据判断能力和驾驭庭审能力，增强审判活动的公开性和透明度。要求检察院推进检务公开，强化法律监督职能，加强适用强制措施研究，依法行使不起诉决定权，进一步提高侦查、审查、起诉和出庭公诉水平。

（二）监督区人代会决议贯彻执行

依法治区决议贯彻执行情况 1997年2月，区四届人大五次会议作出《关于开展依法治区工作的决议》，决定在全区开展依法治区工作。要求区政府加强对依法治区工作的领导，努力达到公民法制观念不断增强，各级机关工作人员，特别是领导干部、执法人员依法决策、依法管理、严格执法能力和自觉性显著提高；各项工作有法可依、有章可循，逐步纳入依法管理轨道；有效治理和纠正各种违法行为，保证各项法律、法规、规章及制度在社会生活中的贯彻。常委会加强对“一府两院”依法治区决议实施的监督，及时提出审议意见。每年年初审议“一府两院”年度依法治区方案，年中检查实施进度，年底听取全年目标任务完成情况汇报，推动年度依法治区方案实施和各项措施落实。

图 21-4-2　2007 年 5 月，区人大召开贯彻实施监督法业务对接工作会议

1998 年 8 月，常委会主任会议对依法治区工作进行检查，要求区政府加强行政执法部门制度建设，加大执法力度。在人大的督查下，区政府 17 个部门建立行政执法责任制，完成国家公务员制度入轨运行工作。2002 年 3 月，常委会审议依法治区年度方案，要求“一府两院”深入开展“四五”普法教育，开展以确立政府信用为主题的依法行政年活动，改革行政审批制度，加强社会治安综合治理，进一步落实执法责任制、错案追究制，积极推进依法治区工作。2005 年 10 月，区六届人大常委会第二十二次会议对“一府两院”依法治区第二个五年规划实施情况进行审议，就进一步推进依法治区提出新要求。2007 年 5 月，区人大召开贯彻实施监督法业务对接工作会议。2008 年 3 月，区七届人大常委会第五次会议听取和审议区政府关于“法治江苏合格区”创建情况的汇报，要求区政府继续认真贯彻实施人大决议，强化组织协调和督查指导，建立考核激励机制，确保“法治江苏合格区”创建目标任务顺利实施。区社会治安综合治理工作 2006 ～ 2010 年连续 5 年被省委、省政府评为先进集体。2011 年 3 月，区七届人大常委会第二十七次会议听取并审议区政府关于平安广陵建设情况汇报，要求区政府把平安广陵建设作为推动“三个扬州”建设的重要抓手，夯实基础，融入中心，健全基层平安创建组织，创新创建机制，提升创建质态，推进依法治区进程。

创建文明城市议案决议实施情况　2011 年 1 月，区七届人大四次会议作出《关于着力解决突出问题，为创建文明城市提供强有力保障的议案的决议》，要求区政府严格按照创建文明城市测评体系要求，加强组织领导，出台加强市容环境责任区管理办法，广泛宣传发动，完善管理制度，加大经费投入，科学推进实施，确保创建再得高分，再创佳绩。6 月，常委会主任会议专题检查创建文明城市决议实施情况，针对工作中的薄弱环节和长效管理提出建议和意见。

（三）执法检查

《统计法》执法检查　1989 年和 1999 年，区人大常委会先后两次对《中华人民共和国统计法》（以下简称《统计法》）实施情况进行执法检查。1989 年 5 月，区二届人大常委会第十五次会议针对检查中发现部分单位随意更改统计数字，弄虚作假、虚报、瞒报统计数字等问题，要求区政府加强对统计工作的领导，设立统计局，培训统计人员，建立统计网络，做到依法统计，保证统计法贯彻实施。1999 年 6 月，区人大常委会在《统计法》执法检查中，重点抽查 9 家单位，并听取区政府执法检查汇报，要求区政府继续深入开展《统计法》宣传教育，重点抓好领导干部学法、执法，加强统计基础工作建设和统计管理，提高统计质量，加大查处违法案件力度，坚决遏制“官出数字，数字出官”等不良现象。

《食品卫生法》执法检查　1989 年 7 月，区人大常委会对《中华人民共和国食品卫生法》（以下简称《食品卫生法》）的贯彻实施情况进行视察检查。针对一些长期不能改变面貌的“窗口”地区和个体饮食行业执法情况较差的状况，区二届人大常委会第十六次会议要求区政府采取措施，认真贯彻实施《食品卫生法》，切实保障人民群众身体健康。1992 年 9 月，区人大常委会组成人员和人大代表 20 多人分 3 组检查食品卫生法贯彻情况，在三届人大常委会第十九次会议上听取区政府专题汇报，要求区政府狠抓薄弱环节，加强食品卫生管理，每年办几件实事，解决几个难题，扎实抓好食品卫生工作。1996 年夏季，常委会组成检查组随机抽查20多家国营、集体和个体餐饮经营单位，针对存在问题，提出限期整改要求。对此，区政府结合创建卫生城工作，加强宣传力度，增加卫生执法人员，组织6个检查组对区属个体饮食经营单位挨门逐户对照标准逐一落实整改，并对区属副食业开展全面执法检查，不断改进食品卫生工作。

《环境保护法》和《水污染防治法》执法检查　2000年3～5月，区人大常委会以市、区联动方式，对《中华人民共和国环境保护法》（以下简称《环境保护法》）、《中华人民共和国水污染防治法》（以下简称《水污染防治法》）开展执法检查。检查组20人分2个小组分别对华扬蓄电池厂、保来得公司、灯泡厂、皮革机械厂等单位进行视察检查，重点检查责任制执行情况、工业项目限期治理情况、项目达标排放和设施运转情况。检查对全区重点治理项目按期完成起到积极推动作用，工业污染源治理列入省市长江流域治理的3家企业，设备运转正常，全部验收合格达标排放。2005年4月，区六届人大常委会第十八次会议对广陵产业园环境保护情况进行专题审议，要求区政府及产业园管委会坚持办园宗旨，坚决把有污染项目挡在园外。2006年、2008年和2009年，常委会根据市人大常委会统一部署，上下联动，先后对《水污染防治法》《环境保护法》的贯彻实施情况进行执法检查，对检查中发现的城区管网混乱、生活污水乱排、农村河塘淤塞严重、生活垃圾乱倒、部分农民群众饮水状况较差等问题，提出整改意见，推动相关问题逐步得到解决。

《劳动法》《工会法》执法检查　2005年6月，区人大常委会成立“两法”（《中华人民共和国劳动法》《中华人民共和国工会法》）执法检查组，对湾头镇、汤汪乡及万家福商城等11个区属系统和企事业单位贯彻“两法”情况进行检查。其后，主任会议听取区政府贯彻“两法”情况汇报和常委会执法检查组专题报告，就工作中存在不平衡性、职工权益尚未得到充分落实、工会组织建设和运行有待强化等问题，提出积极建议，得到区政府及有关职能部门重视和整改落实。

《行政许可法》《治安管理处罚法》执法检查　2007年，在《中华人民共和国行政许可法》执法检查中，区人大常委会按照监督法规定，对区公安分局、区劳动局等9个重点部门执法情况进行检查，并形成书面整改意见反馈给区政府，要求采取切实措施，集中进行整改。在《中华人民共和国治安管理处罚法》执法检查时，改进检查方式，采用明查暗访、召开业主座谈会等形式，广泛听取意见，了解真相实情，提出针对性建议。

（四）加强对司法机关监督

区人大常委会每年听取和审议区法院、检察院专项工作报告，加强对司法机关的工作监督和法律监督。

1991年，区三届人大常委会先后听取和审议区法院执行依法“从重从快”方针、严厉打击刑事犯罪活动情况和区检察院自侦和自行决定案件情况汇报，要求“两院”增强执法意识，重视队伍建设，提高业务水平和办案质量，做到互相配合，协同作战，相互制约，深入开展“严打”斗争，为经济建设保驾护航。

1996年，区人大常委会听取区法院改革审判方式专题工作汇报，要求法院进一步加大庭审方式改革力度，重视法庭调解和适用简易程序，严格执行办案期限规定，加强审判队伍建设，提高审判工作透明度。常委会主任会议听取区检察院关于查处司法、行政执法人员违法犯罪情况汇报，要求检察院增强搞好反贪工作责任感使命感，加大查办贪污贿赂犯罪案件力度，并按照检察官法要求，加强反贪队伍建设。

1999年9月，区五届人大常委会第十次会议审议“两院”（区检察院、区法院）加强干警队伍建设情况，要求“两院”把干警队伍建设作为一项长期工作，常抓不懈，从抓教育培养、强化内部管理、完善监督机制等方面提高干警队伍素质。

2000年9月，区五届人大常委会第十七次会议听取并审议未成年人犯罪案件审理情况，要求区法院进一步做好未成年人犯罪案件审理工作，提高审判人员素质和业务水平，努力构建未成年人保护网络。

2003年7月，区六届人大常委会第四次会议听取并审议区法院关于“严打”整治斗争工作情况汇报，要求区法院继续贯彻“严打”整治方针，深化刑事审判方式改革，提高刑事案件当庭宣判率，加大财产刑事案件执行力度，继续做好未成年人犯罪案件审理工作，预防和减少犯罪。

2007年4月，区六届人大常委会第三十二次会议专题听取区政府、区检察院治理商业贿赂工作汇报，要求区政府、区检察院加强宣传教育，营造反商业贿赂良好氛围，抓好大、要案的查处，构建防治商业贿赂长效机制，从源头上加大治理力度。

2009 年 3 月，区七届人大常委会第九次会议专题审议区法院民事审判工作情况，要求区法院加强审判质量管理，突出调解重点，提高审判水平，强化审判队伍建设，优化人员组合，增强宗旨、公正和廉洁意识。区法院认真落实审议意见，积极发挥审判职能，强化审判质量管理，并将落实情况向常委会作出反馈汇报。

（五）个案监督

2000 ～ 2001 年，区人大常委会为加强和规范个案监督，先后制定关于部分刑事案件备案制度的暂行规定和关于对司法机关个案监督的暂行办法，对一些群众反映强烈、久拖不决和上级人大批转督办的案件，加大监督力度，收到明显效果。如镇江丹徒棉麻厂申请执行扬州光明卫生材料厂货款案，因被执行单位已濒临破产难以执行，为此，区人大常委会从稳定大局出发，加强对区法院执行情况的监督，同时做好来访人的思想工作，使该案得到妥善处理。2002 年当事人杜某申请执行还款一案，因被执行人殷某藏匿财产，使案件执行一直未能到位，当事人多次来信、上访。区人大及时督促区法院加大执行力度，将被执行人拘传到庭，对其财产进行查封，经多方努力使该案得到执行，当事人的合法权益得到维护。

（六）财政预算监督

区人大常委会认真实施《中华人民共和国预算法》，把对区财政预算执行情况的监督，作为促进经济健康发展的重点来抓。每年，区人代会代表听取并审议区政府财政预算报告，区人大常委会年中听取并审议区政府上半年经济运行情况和财政预算执行情况汇报，同时听取审计部门对财政决算的审计报告，提出审议意见。

1998 年 7 月，区五届人大常委会第三次会议对区政府上半年财政预算执行情况进行审议。针对上半年国税收入没有达到序时进度、缺口较大状况，要求区政府高度重视发展税源经济，把企业纳税作为重要考核指标来抓，广辟财源，依法加大征收力度，坚决执行收支两条线制度，加强预算外资金管理，在增收节支管理上下功夫，确保实现年初人代会确定的目标。同时，在下半年开展欠税专项检查，将欠税企业、欠税情况、欠税原因及税金补交入库情况向区人大常委会报告。

（七）代表评议

代表评议是地方人大在工作实践中创新的一种监督形式，体现人大监督和公众监督的有机结合，能密切代表与选民的联系，增强监督的开放性、全面性和权威性。

1993 年 10 ～ 12 月，根据市委、市人大统一部署，区人大常委会组织市、区人大代表，以市、区联动方式评议市、区法院、检察院、公安局（以下简称“公检法”）工作，重点突出“公检法”机关执法情况、廉政建设、工作作风，收到较好效果。

评议活动体现“三个度”的特点。即宣传发动有广度。全区参加评议活动代表 257 人，占代表总数的 88.6%。代表深入基层，走访选民 3534 人，召开各种座谈会 459 次，参加座谈的选民 6584 人，联系选民 1.01 万人，占全区选民人数的 4.15%。评议活动共收集各种意见 2439 条。评议发言有力度。评议大会前，常委会组织有关人员对 20 个代表小组形成的 15 篇发言材料逐篇过目，力求做到事实清楚、观点明确、有说服力。各小组代表在评议大会上的发言，客观公正，态度诚恳，实事求是，对三机关触动很大。评议整改有深度。自查自纠阶段，区人大常委会专门召开三机关全体负责人会议进行动员，要求主动自查自纠，主动接受代表评议。整改阶段，三机关分别召开整改动员会，针对共性和个性问题制定具体整改措施。12 月初，主任会议听取三机关整改工作汇报。评议活动结束后，区四届人大常委会第七次会议听取关于组织全区人大代表评议公、检、法工作情况汇报，总结经验，提出下一步工作意见。

1993 ～ 2001 年，根据市人大统一部署，区人大常委会以市、区联动方式，组织代表先后对区工商局、环保局、文化局、教育局、规划局、民政局、卫生局等部门进行工作评议。省、市、区三级人大代表采用多种形式联系选民，参评率80%以上，共召开各种座谈会1386次，座谈、走访联系选民 4.22 万人，搜集各类意见6790条。

2010年7～9月，区人大常委会采取市、区人大联动形式，开展“三官法”(法官法、检察官法、人民警察法)执法检查。对检查中发现的问题，及时向“公检法”机关反馈，推动“三官法”的贯彻落实。同时组织开展“三级代表议公正”活动，先后组织 8 场代表评议会，由“公检法”机关负责人向代表汇报“三官法”贯彻执行情况，近300名市、区、乡人大代表参加评议。发放满意度测评表和意见建议反馈表，请代表给“公检法”机关打分，参评率、反馈率分别为96%、92%。执法检查组及时将收集的意见进行归类整理，形成书面函分别送交区“公检法”机关整改落实。

2011年，安排、确定市人大代表的联系对象，45名市人大代表通过摆摊设点、走门串户、代表工作室和座谈会等多种形式，广泛联系选民，收集选民建议125条。

1993～2001年广陵区人大代表评议工作情况一览表

表21-4-2

年份	被评议部门	参评代表（人）	召开座谈会（次）	联系选民（人）	收集意见（条）	表扬（条）	批评建议（条）
1993	区公安分局	257	459	10118	1732	638	1094
	区检察院				282	161	121
	区法院				425	209	216
1994	区工商局	209	333	13767	1108	515	593
1996	区环保局	230	158	3216	82	16	66
1997	区文化局	183	46	2218	322	135	187
1998	区教育局	184	133	4100	682	208	474
1999	市规划局	198	106	4300	605	203	402
2000	区民政局	183	95	2200	985	628	357
2001	区卫生局	168	56	2300	567	230	337
合　计		1612	1386	42219	6790	2943	3847

第三节　人事任免和述职评议

一、人事任免

1998年3月，区五届人大常委会第一次会议后，召开颁发任命书大会。全区副局级以上干部到会，人大常委会主任王大庆给27名干部颁发任命书，提出增强公仆意识、法律意识、人大意识的要求；区长卢穗明向政府组成人员提出勤政廉政等要求；区委书记钱小平希望大家：一要开拓，二要实干，三要严于律己。干部任职事项通过后，区人大常委会负责人向被任命人员颁发任命书。每次换届后新任命人员较多，则举行颁发任命书大会颁发。1989～2011年，区人大常委会依法任免国家机关工作人员867人次。有2名区政府部门拟任职人选因未获得区人大常委会组成人员过半数赞成票而未能通过。

图21-4-3　2011年5月，区人大七届第二十八次会议，表决通过有关人事任免事项

2002年3月，区人大常委会制定“两院”拟任职人员任前法律知识考试暂行规定。同年12月，对规定内

容进行修改完善，考试对象拓展到所有拟任职人员（包括“一府两院”和人大机关）。同时对拟任职人员实行任前供职发言，听取拟任职人员的供职意见和表态发言。2003年2月至2011年年底，通过任前法律知识考试144人，任前供职发言96人。

二、述职评议

图 21-4-4 2009年11月，广陵区人大代表向选民述职会议

述职评议是地方人大常委会对选举、任命干部实施监督的重要形式之一。1991年5月，区三届人大常委会第十次会议通过《关于区政府组成人员和区法院、区检察院负责人向区人大常委会述职的试行办法》。当年7月，区三届人大常委会第十一次会议开始实施，听取3名政府组成人员和1名法院负责人的述职报告，并进行评议，提出评议意见。2000年7月，区五届人大常委会第十六次会议修订述职办法，实行述职人员先在本单位（部门）述职、征求意见，然后由区人大常委会组成人员到述职人员所在部门和分管部门了解述职人员工作实绩、勤政廉政情况，以掌握第一手材料，增强评议意见的公正性、客观性。2004年，再次修订述职办法，增加区人大常委会对述职人员实行无记名民主测评等内容，进一步加大对人大选举、任命干部的监督力度。述职评议后，区人大常委会以文件形式将评议意见反馈给有关部门和述职人员本人。1991～2011年，常委会共听取“一府两院”的述职报告92人次，并进行评议，有效促进人大选举和任命干部履职意识和履职能力的提高。

第四节 督办代表建议

常委会把督办代表议案和建议工作（以下简称“代表建议”）作为保障代表履行职务，支持代表行使监督职权的一项重要内容，努力提高办理效率。

1989年，区人大常委会制定办理代表建议、批评、意见的实施意见，规范建议办理工作。1989～2011年，历次区人代会上代表共提出议案393件、建议3753件，计4146件。其中属区职权范围的2165件，由区政府及其职能部门办理，占52.22%；超出区职权范围的1981件，商请市政府及职能部门办理，占47.78%。

图 21-4-5 2009年5月，区人大代表议案办理答复见面会

办理过程中，区人大常委会加强监督检查，及时协调解决困难，促进办理质量和问题解决率逐步提高。对重点建议，区人大常委会负责人挂牌督办。每年下半年，区人大常委会会议专题听取和审议区政府关于代表建议办理情况汇报，督促区政府进一步规范办理程序，加大办理力度，提高办理质量和效率。2008年，区人大常委会组织优秀代表建议评选表彰活动，对评选出的10件优秀建议进行表彰，促进提高代表建议质量和办理效果。

1989～2011年历次人代会代表议案、建议统计表

表 21-4-3　　　　单位：件

时间	人代会会议	议案	区办理	市办理	建议	区办理	市办理
1989年3月	二届四次	6	3	3	218	138	80
1990年4月	三届一次	27	11	16	439	204	235
1991年3月	三届二次	18	7	11	270	79	191
1992年3月	三届三次	19	8	11	292	101	191
1993年2月	四届一次	21	5	16	239	49	190
1994年2月	四届二次	14	6	8	160	149	11
1995年2月	四届三次	21	4	17	153	110	43
1996年2月	四届四次	14	3	11	148	120	28
1997年2月	四届五次	15	5	10	143	41	102
1998年1月	五届一次	18	10	8	256	99	157
1999年1月	五届二次	22	11	11	177	60	117
2000年2月	五届三次	7	4	3	116	36	80
2001年2月	五届四次	12	2	10	102	20	82
2002年1月	五届五次	7	4	3	108	61	47
2003年1月	六届一次	25	16	9	149	116	33
2004年1月	六届二次	22	12	10	109	65	44
2005年1月	六届三次	25	11	14	89	56	33
2006年1月	六届四次	19	11	8	84	62	22
2007年1月	六届五次	27	19	8	63	55	8
2007年12月	七届一次	12	9	3	111	95	16
2009年1月	七届二次	16	10	6	128	100	28
2010年1月	七届三次	18	13	5	127	103	24
2011年1月	七届四次	8	4	4	72	58	14
合　计		393	188	205	3753	1977	1776

说明：代表议案、建议4146件，区办理答复代表2165件，商请市办理1981件。2011年代表议案立案1件

第五节　代表活动

一、代表工作

区人大常委会认真贯彻落实“中华人民共和国全国人民代表大会和地方各级人民代表大会代表法”和省实施办法，先后制定“区人大代表履行职责暂行规定”“代表持证视察暂行办法”“代表联系选民试行办法”“代表述职试行办法”等制度，并在实践中修订完善，为代表履职创造良好条件。

每次换届后，区人大常委会都组织新代表进行培训，学习宪法、法律和人大业务知识。每年人代会后，及时制定闭会期间年度代表工作意见，部署全年代表工作。同时，为每位代表订阅《人民与权力》和《扬州人大》等省、市人大机关杂志，定期寄送区人大《会报》。

图 21-4-6　2007 年 11 月，区人大代表联系选民活动

区人大常委会结合人大工作实际，积极创新代表工作。1990 年，区三届人大常委会作出开展争创先进代表小组和争当先进代表活动的决定。1992 年年底，召开总结表彰大会，表彰 7 个先进代表小组和 49 名先进代表。1993 年，区四届人大常委会制定代表工作“四个一”工作制度，即在本届任期内，区人大常委会负责人和相关工委对每一位代表至少走访一次，邀请代表参加常委会组织的座谈会，视察活动至少各一次，安排代表列席本届常委会会议至少一次。此项制度一直延续至今。2001 年，区人大常委会制定加强代表工作的意见，建立区人大常委会主任定期接待代表日制度。2004 年，探索人大代表向选民述职试点工作，在汤汪乡组织 3 名区、乡人大代表向选民述职。围绕“全民创业”主题，举办“人大代表论坛”第一次会议。2009 年，区人大常委会出台关于开展区人大代表述职工作的意见，对代表述职内容、报告书写要求及组织领导作出具体规定。当年有 30% 的区人大代表向选民述职。

2005 年 5 月 8 日，是扬州市人大代表与选民第一个“统一见面日”。区人大常委会组织区选市人大代表在时代广场设点，现场接待选民，共收集群众建议、意见 215 条。同年，区人大常委会出台关于进一步加强人大代表与选民及人民群众联系的意见，规定每年 6 月和 11 月是区人大代表与选民联系集中时间，将参加“统一见面日”深化为“代表联系选民活动周”。2008 ～ 2011 年连续四个活动周期间，区人大常委会通过不同形式，组织市、区、乡三级人大代表与选民集中见面活动，现场接待选民，面对面听取意见、解答问题，并帮助解决连运、九龙湾等社区办公用房困难等问题。

图 21-4-7　区人大代表议公正会议

区人大常委会突出“一个载体、两项制度”建设，全区乡镇、街道均建成“代表之家”。各代表团依托“代表之家”阵地，组织代表开展形式多样、内容丰富的活动。2011 年，区七届人大常委会统计，在该届任期 4 年中，区各代表团组织活动共 150 多次，区选市人大代表小组开展活动 50 多次，邀请代表列席常委会议 300 多人次。

二、交流研讨

区人大常委会与 30 多个县（市、区）人大建立定期《会报》交流制度。每年组织赴外地人大学习，接待多批外地人大代表到广陵区访问。2001 年起，参加 13 城区（后扩为 15 城区）人大工作研讨会。研讨会一年召开 2 次，由成员单位轮流召集。区人大常委会每次派人参加并进行论文交流。

2004 年 5 月，全国 13 城区人大工作研讨会第六次会议在广陵区召开。全国 13 城区人大常委会的 80 多名代表，围绕地方人大及其常委会职权行使和人大工作创新与发展，进行广泛研讨，交流论文具有较强理论指导性和工作实践性。2010 年 5 月，全国 15 城区人大工作研讨会第五次会议在广陵区召开。全国 15 城区人大常委会的代表 90 多人出席会议。参加交流论文 15 篇，围绕地方人大如何创新代表活动载体，密切代表与选民联系、发挥代表主体作用等，从不同角度探讨代表工作的经验和做法，《人民代表报》对会议情况作专题报道。2011 年，区人大常委会共组织考察 17 次，召开座谈会 22 次，撰写调查报告 16 篇。

第六节　街道（乡镇）人大工作

一、街道人大工作

2003 年 11 月，区六届人大常委会第七次会议决定在全区 4 个街道办事处（汶河、文峰、东关、曲江）设立街道人大工作委员会，为区人大常委会派出机构（正科级），向区人大常委会负责并报告工作，同时接受街道党工委的领导。街道人大工委设主任 1 人、副主任 1～2 人、委员 2～3 人。街道人大工委主要工作职责是：按照区人大常委会的工作部署，结合本街道的情况，制订街道人大工作计划并组织实施；负责闭会期间组织代表活动，学习法律法规，组织代表视察座谈了解社情民意，协助政府推进工作，协助代表履行职务。

2003 年 12 月，区六届人大常委会第八次会议任命 4 个街道人大工委主任、副主任，并下发街道人大工作规则。2008 年，汶河街道人大工委在荷花池社区设立代表工作室，其后不少社区也设立代表工作室，成为代表联系选民的固定点。2009 年，东关街道人大工委在琼花社区设立第一个代表联系选民"民情绿色通道"联系点，密切代表和选民联系。是年，全区 4 个街道、2 个乡镇全部建成"代表之家"。

二、乡镇人大工作

2002 年，扬州市行政区划调整，原郊区城东乡、汤汪乡和湾头镇划归广陵区管辖。2007 年 10 月 10 日，区、乡两级人大召开换届选举工作会议，首次进行区、乡两级人大同步换届选举工作。 12 月 1 日，汤汪乡、湾头镇在选举区七届人大代表的同时，一次投票成功选出 110 名乡镇人大代表。当年召开新一届人大代表第一次会议，选举出新一届乡镇人大、政府领导班子。

图 21-4-8　2007 年 10 月，广陵区召开区、乡人大换届选举工作会议

2011 年 11 月，扬州市行政区划再次调整，原邗江区李典镇、沙头镇、头桥镇、杭集镇、泰安镇划入广陵区。至此，广陵区共辖一乡六镇，共有乡镇人大代表 449 人。7 个乡镇人大组织机构和工作制度健全，依法行使各项职权，工作开展有序。

汤汪乡人大工作　2003 年 9 月，举办扬州市乡镇人大主席论坛第一次会议，市人大常委会副主任马家鼎到会讲话。广陵区汤汪乡、邗江区双桥乡、仪征市刘集镇、江都市吴堡镇、宝应县氾水镇、邗江区杭集镇、高邮市马棚镇 7 个乡镇人大主席在会上交流基层人大工作的经验做法。2004 年 10 月，广陵区人大首次组织人大代表向选民述职（试点）大会在汤汪乡横沟村召开。区人大常委会主任卢穗明和各代表团团长、联络员、选民 70 多名参加会议。2006 年 4 月，汤汪乡率先建立代表之家。2009 年 5 月，"代表之家"设施进一步完善，面积 1000 平方米，成为区、乡两级人大代表活动、履职新平台。

2011 年 11 月 2 日，全国人大常委会委员、全国人大内务司法委员会主任委员、全国人大常委会代表资格审查委员会主任委员黄镇东率中直单位全国人大代表一行 20 多人，在市、区人大主要负责人陪同下，视察汤汪乡人大代表之家，对汤汪乡人大推行"一个载体、两项制度"建设表示充分肯定，认为其有基础、有特色、起点高、工作实。同时要求，继续抓好落实，进一步在规范化建设方面创造新的经验，充分发挥好代表主体作用，不断提高人大工作水平。

湾头镇人大工作　2005 年 12 月，组织镇人大代表对湾头古镇保护和传统玉器产业发展情况进行视察调研。2006年2月，在镇人代会上多名代表联名提出加快古镇旅游开发、建设玉器市场的建议。镇政府深入调查、制定方案并经上级部门批准，投资近3000万元，于2009年建成1万平方米的玉器市场一期工程，同年被列为省重点培育小企业基地。

2011年，代表提出整治取缔废旧塑料市场、消除安全隐患的建议。镇政府联合安监、公安、工商、消防、城管等部门，开展废旧塑料市场专项整治取缔工作。共清理取缔废旧塑料回收加工点17处、加工户近200户，清退人员431人，清理废旧塑料2050吨，拆除加工设备86台套，拆除厂棚8850平方米，清理出农田6.7公顷。

李典镇人大工作 2009年，针对拆迁、征地、安置工作时间紧、任务重、压力大的实际情况，镇人大主席团组织人大代表积极协助相关职能部门召开现场会，解决村民拆迁安置、低保等问题。在纵三路工程建设中，镇人大组织代表配合相关部门，大力宣传有关法律法规，尽力解决群众合理诉求，两个月内拆迁70多户，确保工程顺利推进。

镇船舶重工产业园是镇域经济发展重要平台。主席团高度关注园区建设，把船舶重工产业园建设列入重要议题，组织主席团成员和部分人大代表进行视察、调研，听取镇政府关于园区规划和建设情况汇报，要求镇政府科学规划，注意环保，努力把产业园打造成对外开放的窗口、企业集聚的载体、产业升级的高地和集镇扩张的新区。

沙头镇人大工作 2011年，组织6名区、镇人大代表向选民述职，汇报当选代表后履职情况及存在不足和改进意见，受到选民好评，测评满意率100%。8月，镇人大主席团和部分人大代表分别听取镇政府三位副镇长关于工业经济、农业农村工作、集镇建设方面的情况汇报，并进行评议。主席团成员和代表考察创业园项目、京华城精致农业项目和农民集中安置小区建设施工现场等。通过一听、二看、三评，认为工业经济发展势头良好，农业园区农民增收、劳动力转移成效显著，村镇建设通过全国文明镇、生态镇、卫生镇创建的考验。代表们针对存在问题，提出合理化建议，并对3位副镇长的工作作风、工作效果、执政能力进行满意度测评，给予较好评价。

头桥镇人大工作 镇人大主席团把依法行政放在人大监督重要位置，积极开展执法检查，推动法治宣传教育。2009年，镇人大对全镇《食品卫生法》《中华人民共和国农民专业合作社法》贯彻实施情况进行执法检查。同时，对“五五”普法情况进行专项检查。对照“五五”普法规划，要求镇政府结合全镇经济社会发展实际，科学安排法治教育内容，把事关群众切身利益的法律法规作为重点内容。加强普法教育，强化工作措施，努力提高广大干部、群众的法律知识水平和法治观念。针对平安创建工作中的薄弱环节，督促镇政府在年初制定平安创建活动计划和实施方案，明确各创建单位责任人及奖惩措施，健全防范措施，整治突出问题，做好民调工作，不断推进平安创建和依法治镇的开展。该镇2010年顺利通过“五五”普法验收。

镇人大依据监督法精神，加强对政府工作及财政预算执行情况的监督检查，对重点项目、重点工程、民生实事、集镇建设、水利工程、小康村建设等进行跟踪督查，针对存在问题，提出意见和建议，推动工作落实。

杭集镇人大工作 镇人大主席团对镇水利工程、新农村建设、村村通公交、农村环境综合整治、校园安全等群众关心的热点、难点问题，多次开展专项调查，并向镇政府提出建议。

为提高日化产业园区和周围6个村庄的防洪排涝能力，2008年，镇人大建议开挖琼花河，全长1350米，使马坝河与许院河贯通，以增强排涝能力。经过多方论证，建议得到采纳。工程实施一年多，镇人大从河道选址到竣工，实施全程监督。河道线路选址过程中，多次走访代表和征求选民意见，优化线路方案；开挖前对沿线农民土地、财产赔偿情况进行检查是否到位；对招投标及专项资金运用进行监督，增强工程透明度；对工程质量、进度进行全程监督，确保质量好、速度快。镇人大还对琼花河沿线绿化美化多次提出建议，使琼花河既是排涝河，又是景观河。沿河风光带既有草坪、广场，又有长绿花木；既有亲水平台，又有景观亭阁；既可休闲，又能健身，为园区职工和居民提供休闲、晨练场所。

泰安镇人大工作 泰安镇地处“七河八岛”腹地，为使人民群众出行更加便捷，镇人大关注交通建设，将其作为监督工作着力点，持续跟踪监督。经过努力，总投资3000多万元，建成泰安建镇以来最大的东、西两座新桥，于2011年年初竣工通车。同时实施村村通公交工程，完善提升芒稻、自在半岛路网结构，解决群众出行难问题。

随着“七河八岛”生态旅游开发和新农村建设不断推进，镇人大高度关注优化生态环境，从监督污染源头入手，督促镇政府严把项目审批关。多次组织人大代表视察工业园区内污染排放问题，加强跟踪监督。围绕凤凰岛路景观大道美化、绿化、污水厂等重点建设工程，组织代表视察调研。镇人大结合生态镇建设，成立督查小组，深入调查研究，推动有关部门现场办公，督促解决镇垃圾中转站建设、污水处理厂建设、农贸市场管理、集镇环境卫生综合整治等突出问题，提出许多合理化建议。

第二十二篇

人民政府

要　目

1989～2011年，广陵区人民政府在中共扬州市委、市政府和中共广陵区委的领导下，在区人大和区政协的监督支持下，坚持执政为民理念，以经济建设为中心，改革开放，解放思想，锐意创新，积极进取，真抓实干，全力推进全区经济社会全面发展。

广陵区经过先后三次行政区划调整，从单纯的扬州城区发展成有城有乡的行政管理格局，城乡建设规模、发展速度、管理水平和市容环境发生巨大变化。魅力新城加速崛起，古城风貌蜚声中外，“两城三区”建设全面推进，城市个性特色不断彰显。

区政府坚持立足广陵实际，不断深化体制改革，创新发展思路，转变发展方式，调整产业结构，推进园区建设和产业升级，全区综合实力突飞猛进。船舶重工、液压机械、汽车零部件、精密机械、酒店用品、电子信息、医疗器械和食品加工等支柱产业初具规模。以“三把刀”为代表的传统商贸业特色明显，以信息服务为代表的新型服务业迈上新路。高效特色农业稳步发展，现代农业和农产品加工示范效应不断扩大。招商引资持续增长，连续多年领跑全市。科技创新快速推进，高新产业由弱变强，创新载体加快建设，人才高地日益显现。坚持以民为本，城乡社会保障体系不断完善。自主创业形式多样，就业再就业工作稳步发展，城乡低保“应保尽保”，城市“零就业家庭”、农村“零转移家庭”保持动态清零，被征地农民、失地农民转参城镇职工社会养老保险全市领先。教育、文化、卫生、体育事业协调发展，社会和谐稳定，人民生活水平不断提高。政府积极转变职能，推进依法行政，政务工作务实高效。加快推进行政管理体制改革和服务型政府建设，逐步扩大政务公开，加快电子政务建设，在全市率先建成行政权力网上公开透明运行系统。建立健全科学民主依法决策机制，规范使用行政权力，积极开展行政监察，切实改进工作作风，提高管理水平，群众满意度逐年上升。积极开展对外交往，促进两岸交流，落实外事、侨务政策，为广陵经济社会发展、对外开放营造良好的环境和条件。

根据发展是硬道理、发展是第一要务的要求，先后提出“商贸兴区”“科技兴区”“科教兴区”“质量兴区”“人才强区”等发展战略，全区经济稳定全面发展。1989年，全区国民收入0.89亿元，城镇居民可支配收入1604元。2002年，全区国内生产总值20.28亿元，城镇居民可支配收入7833元，农民人均收入5250元。2010年，实现地区生产总值169.83亿元，城镇居民可支配收入21766元，农民人均收入12980元。2011年，实现地区生产总值410.65亿元，城镇居民可支配收入24780元，农民人均收入15250元。

第一章　组织机构

1983年广陵建区时，设政府工作部门18个。1989年，政府工作部门增加到22个，挂牌部门11个，实际工作部门33个。1997年机构改革，设政府工作部门20个。2002年第一次大的区域调整后，区辖面积由1989年24平方千米增加到67平方千米，由原来下辖4个街道增加到4个街道、2个乡镇，区政府新增农业水利局、统计局和民族宗教事务局3家单位。工作部门因增减合并等原因减少为19个，其他部门19个，实际工作部门38个。2005年机构改革，政府实际工作部门37个。2011年第二次大的区域调整后，区辖面积增加到341平方千米，比2002年增加4倍；下辖4个街道、7个乡镇，其中新增5个镇。区政府新增经济和信息化委员会、住房保障和房产管理局、交通运输局、水利局和食品药品监督管理局5家单位，政府工作部门增加到25个，其他部门25个，实际工作部门增加到50个。

第一节　领导机构

1987年4月～2017年1月，广陵区第二届人民代表大会第一次会议及第三届、第四届、第五届、第六届、第七届、第八届、第九届人民代表大会第一次会议，分别选举产生第二至九届广陵区人民政府区长、副区长。区人民代表大会闭会期间，区人大常委会决定副区长的个别任免，并决定代理区长的人选。其中1987年4月、1990年4月，第二届、三届区政府任期3年，自1993年2月第四届区政府起，每届任期5年。

1989～2017广陵区第二至九届人民政府区长、副区长一览表

（截止2017年1月）

表22-1-1

届次	职务	姓名	任职时间
第二届（1987年4月～1990年4月）	区　长	朱立淦	1987年4月～1990年4月
	副区长	王乃祥	1987年4月～1990年4月
		王德源	1987年4月～1988年8月
		朱正海	1987年4月～1990年4月
		邵荣中（女）	1987年4月～1990年4月
		庄火男	1988年8月～1990年4月
第三届（1990年4月～1993年2月）	区　长	朱立淦	1990年4月～1993年2月
	副区长	王乃祥	1990年4月～1992年11月
		朱正海	1990年4月～1993年2月
		任　杰	1990年4月～1993年2月
		庄火男	1990年4月～1993年2月
		苏　勤（女）	1990年4月～1993年2月
第四届（1993年2月～1998年1月）	区　长	朱立淦	1993年2月～1993年10月
		周学恒	1993年10月～1994年2月（代理区长）
			1994年2月～1996年1月
		卢穗明	1996年1月～1996年2月（代理区长）
			1996年2月～1998年1月
	副区长	任　杰	1993年2月～1998年1月
		庄火男	1993年2月～1996年2月
		许铭庚	1993年2月～1998年1月
		苏　勤（女）	1993年2月～1995年5月
		宋建国	1993年2月～1996年7月
		朱元豪	1995年9月～1998年1月
		胡宏飞	1996年3月～1998年1月
		阮定魁	1996年3月～1998年1月
		蒋锡生	1996年7月～1998年1月

续表 22-1-1

届次	职务	姓名	任职时间
第五届（1998年1月～2003年1月）	区　长	卢穗明	1998年1月～2001年2月
		汪仪仁	2001年2月～2001年9月
		王玉新	2001年9月～2002年1月(代理区长)
			2002年1月～2003年1月
	副区长	朱元豪	1998年1月～2003年1月
		任　杰	1998年1月～2002年7月
		许铭庚	1998年1月～2000年5月
		阮定魁	1998年1月～2003年1月
		汪仪仁	1998年1月～2001年2月
		蒋锡生	1998年1月～2001年2月
		汤天波	2000年11月～2003年1月
		赵宝庆	2001年2月～2002年2月
		仲　生	2001年4月～2002年2月
		张　跃	2001年12月～2003年1月
		董德利	2002年2月～2003年1月
	副县级调研员	蒋锡生	2001年1月～2003年1月
	区长助理	安永香	2002年5月～(挂职时间半年)
第六届（2003年1月～2007年12月）	区　长	王玉新	2003年1月～2003年5月
		孔令俊	2003年5月～2004年1月(代理区长)
			2004年1月～2006年12月
		陈锴竑	2006年12月～2007年1月(代理区长)
			2007年1月～2007年12月
	副区长	朱元豪	2003年1月～2004年3月
		汤天波	2003年1月～2004年12月
		张　跃	2003年1月～2005年8月
		董德利	2003年1月～2006年12月
		薛清华	2003年1月～2007年12月
		薛高辉	2004年3月～2007年12月
		勾凤诚	2004年12月～2006年4月
		陈荣华	2005年8月～2007年12月(援疆)
		刘新伟	2005年12月～2007月12月
		陈　曦	2006年4月～2007年12月
		杨　蓉(女)	2006年12月～2007年2月
	副县级调研员	蒋锡生	2003年1月～2004年10月

续表 22-1-1

届次	职务	姓名	任职时间
第七届（2007年12月～2012年3月）	区长	陈错竑	2007年12月～2010年10月
		陈　曦	2010年10月～2011年1月（代理区长）
			2011年1月～2012年3月
	副区长	刘忠华	2007年12月～2012年2月
		刘新伟	2007年12月～2009年7月
		杨　蓉（女）	2007年12月～2008年9月
		李成志	2007年12月～2012年3月
		张贵联	2007年12月～2012年3月
		陈　曦	2007年12月～2010年10月
		郭长明	2008年9月～2012年3月
		陈荣华	2008年1月～2011年1月
		张震宇	2010年10月～2011年11月
		尤在晶	2011年11月～2012年3月
		胡明寿	2011年11月～2012年3月
		王　峰	2011年11月～2012年3月
		王洪俊	2010年1月～2012年3月
		王　涛（女）	2012年2月～2012年3月
		陈　洁	2008年10月～2009年11月（挂职）
	区长助理	郭长明	2007年7月～2008年9月
		马永良	2010年10月～2010年12月（挂职）
第八届（2012年3月～2017年1月）	区长	陈　曦	2012年3月～2016年6月
		徐长金	2016年7月～2017年1月（代理区长）
	副区长	尤在晶	2012年3月～2012年9月
		张贵联	2012年3月～2015年1月
		胡明寿	2012年3月～2017年1月
		王　峰	2012年3月～2017年1月
		郭长明	2012年3月～2015年12月
		王洪俊	2012年3月～2012年9月
		王　涛（女）	2012年3月～2016年6月
		陶伯龙	2012年9月～2013年12月
		孟亚东	2013年12月～2017年1月（援疆）
		徐长金	2015年1月～2016年7月
		王早东	2015年12月～2017年1月
		叶　华	2012年9月～2014年10月（挂职）
		鲜　斌	2014年7月～2015年4月（挂职）
		张　骏	2014年10月～2017年1月（挂职）

续表 22-1-1

届次	职务	姓名	任职时间
第九届（2017 年 1 月～）	区长	徐长金	2017 年 1 月～
	副区长	王　峰	2017 年 1 月～
		孟亚东	2017 年 1 月～
		王早东	2017 年 1 月～
		李建芳（女）	2017 年 1 月～
		游　杰	2017 年 1 月～
		叶　浩	2017 年 1 月～

第二节　工作机构

1984～2011 年，区党政机关多次实施机构改革，区行政区划亦进行多次调整，政府工作部门增减合并，变动较大。

1989 年，区政府设工作部门 22 个，挂牌部门 11 个，实际工作部门 33 个。

1989 年广陵区政府工作部门设置表

表 22-1-2

工作部门	办公室、民政局、人事局、劳动局、市公安局广陵分局、司法局、监察局、审计局、侨务办公室、计划生育委员会、计划经济委员会、科学技术委员会、对外经济贸易委员会、工业局、经济体制改革委员会、建设委员会、财政局、商业局、工商行政管理局、物价局、文教局、卫生局
挂牌部门	体育运动委员会、爱国卫生运动委员会办公室、档案馆、信访办公室、经济协作办公室、职工教育办公室、住宅建设办公室、老龄问题委员会办公室、绿化办公室、环境保护办公室、建筑管理处

1997 年机构改革，设政府工作部门 20 个。

2002 年 3 月，区党政机关和乡镇街道机构改革，设政府工作部门 19 个（其中 2 个不计机构数），挂牌部门 12 个，合署办公部门 3 个，市、区双辖部门 4 个，实际工作部门 38 个。

2002 年广陵区政府工作部门设置表

表 22-1-3

工作部门	办公室、发展计划与经济局、科学技术局、监察局（不计机构数）、民政局、人事局、财政局、司法局、劳动和社会保障局、建设局、农业水利局、对外贸易经济合作局、教育局、卫生局、计划生育局、审计局、环境保护局、统计局、民族宗教事务局（不计机构数）
挂牌部门	研究室、法制办公室、侨务办公室、经济体制改革委员会办公室、机关事务管理局挂牌于区政府办公室，双拥工作领导小组办公室、老龄委办公室挂牌于区民政局，国有资产管理局挂牌于财政局，体育局挂牌于区教育局，爱卫会办公室挂牌于区卫生局，绿化委员会办公室挂牌于区建设局，招商局挂牌于区对外贸易经济合作局
合署部门	安全生产监督管理局、物价局与区发展计划与经济局合署办公、文化局与区教育局合署办公
市、区双辖工作部门	市公安局广陵分局、市城市管理行政执法局广陵分局、市规划局广陵分局、市国土资源局广陵分局

2005年4月出台《扬州市广陵区人民政府机构改革实施意见》，进行新一轮政府机构改革。区发展计划与经济局改组为区发展改革和经济贸易委员会；区经济体制改革委员会办公室整体并入区发展改革和经济贸易委员会；区安全生产监督管理局升格为一级局，属区政府工作部门；区计划生育局更名为区人口和计划生育委员会。改革结束后，政府工作部门从19个调整为20个（其中2个不计机构数），挂牌部门11个，合署办公部门2个，市、区双辖单位4个，实际工作单位37个。

2011年区划调整后，区政府增设交通运输局、住房保障和房产管理局、经济和信息化委员会、水利局、食品药品监督管理局。调整后，设政府工作部门25个（其中1个不计机构数），挂牌部门17个，市、区双辖部门8个，实际工作部门50个。

2011年广陵区政府工作部门设置表

表22-1-4

工作部门	办公室、发展和改革委员会、经济和信息化委员会、教育局、科学技术局、监察局（列政府工作部门，不计机构数）、民政局、司法局、财政局、人力资源和社会保障局、城乡建设局、住房保障和房产管理局、交通运输局、水利局、农业委员会、商务局、服务业发展局、文化新闻出版局、卫生局、人口和计划生育委员会、审计局、统计局、安全生产监督管理局、食品药品监督管理局、环境保护局
挂牌部门	研究室、法制办公室、外事侨务办公室、投资促进局、金融工作办公室、区级机关事务管理局挂牌于区政府办公室，物价局挂牌于区发展和改革委员会，中小企业局挂牌于区经济和信息化委员会，体育局挂牌于区教育局，知识产权局、地震局挂牌于区科学技术局，国有资产监督管理办公室挂牌于区财政局，农业资源开发局、农业机械管理局，口岸管理办公室挂牌于区商务局，旅游局挂牌于区服务业发展局
市、区双辖工作部门	市公安局广陵分局、市国土资源局广陵分局、市城市管理行政执法局广陵分局、数字化城市管理指挥中心、市规划局广陵分局、市工商局广陵分局、市国家税务局广陵分局、市地方税务局广陵分局

第二章 重要会议

区政府重要会议主要有政府常务会议、区长办公会议和专题会议三种。

常务会议是政府履行职能的最主要形式，主要作用是研究决定重大事项，部署落实计划措施。由区长、副区长、区政府办公室主任组成，区人武部部长及政府办有关副主任列席，由区长或区长委托常务副区长召集和主持。会议主要内容为：研究贯彻上级党委、政府的重要方针、政策、指示、决定，研究政府工作中的重大问题；讨论通过向区人大及其常委会作的工作报告和提请区人大常委会审定的议案；讨论决定政府机构的设置和调整、体制改革和人事任免、干部奖惩及协调机关部门之间的有关事项等；落实全区经济建设和社会发展的目标。必要时邀请区委、区人大常委会、区政协相关负责人参加。

区长办公会议作为区政府履行职能、开展工作的重要形式之一，1989～1995年召开次数较多，后逐渐减少。重大事项、重大工作均由常务会议解决。

专题会议是针对区境内事关经济发展大局的专项议题召开的会议，由区长、副区长和政府组成人员单位及有关单位参加，会期根据需要而定，不定期召开。

第一节 政府常务会议

一、第二届区政府常务会议

该届政府共召开常务会议28次，均由区长朱立淦主持。

1989年7月8日，会议要求继续认真贯彻年初区委、区政府提出的治理、整顿和深化改革的工作任务，努力完成区政府确定的全年40项奋斗目标，重点抓好小学和区属幼儿园危房改建等18件实事。

二、第三届区政府常务会议

该届政府共召开31次常务会议，均由区长朱立淦主持。

1993年1月15日，会议讨论区长分工，学习邓小平视察南方重要谈话，传达全省城区体改工作会议精神并进行讨论。

三、第四届政府常务会议

该届政府共召开46次常务会，分别由区长朱立淦、周学恒、卢穗明主持。

1993年10月25日，代理区长周学恒主持政府常务会议（下同），传达全市县（市、区）长会议精神，讨论落实区委决定的重点工程、重点项目等重大事项。明确区人武部部长列席会议。11月11日，传达江浙沪城区探讨会（南通）精神。11月24日，听取企业扭亏情况及8家股份制改革试点企业情况的汇报，讨论1994年经济社会发展指标安排及当前工作。12月22日，研究对外开放、金融改革有关事项及美食街房产销售问题等。

1994年4月12日，区长周学恒主持召开政府常务会议（下同），传达市政法工作会议、国家安全工作会议、开发区工作会议、外事旅游工作会议和法制工作会议精神。5月12日，主要讨论扬州商城投资、招商问题，居委会干部待遇等问题。8月8日，传达市政府第五次全体会议精神，通报区政府40项奋斗目标上半年完成情况，研究当前需要抓紧抓好的主要工作。8月19日，传达全国、省、市对台经济工作会议精神。各街办及有关部门汇报"九五"计划及到2010年长期规划的编制情况，并就《广陵区投资指南》的编辑工作进行讨论。

1995年2月10日，主要研究部署创建卫生城工作和当前经济工作。3月23日，传达市对外开放工作会议、房改工作会议、教育工作会议和政法工作会议精神，通报商城招商及计划生育、双拥工作检查情况，研究企业改革和社会保障体系建设工作。6月15日，学习、贯彻市委工作会议精神，开展学习张家港活动；传达市委、市政府泰州工作会议、老干部工作会议、政治稳定社会安定工作会议、创建卫生城工作会议和市场物价会议精神。

1996年10月26日，区长卢穗明主持召开区政府常务会议（下同），讨论区企事业单位法定代表人离任经济责任审计监督暂行办法，研究区印染二厂关停问题，听取关于预算外资金清理检查工作中有关问题的处理意见。

1997年5月12日，讨论依法治区工作规划。5月26日，讨论区科技发展"九五"计划和2010年远景目标纲要。7月28日，研究加快发展广陵区社区服务业的若干规定。9月30日，讨论区档案馆关于搜集档案、资料范围的实施细则、区企业解困资金筹集使用管理办法和政府工作报告提纲。

四、第五届政府常务会议

该届政府共召开常务会议30次，分别由区长卢穗明、王玉新主持。

1998年2月13日，主要讨论1998年着重抓好的18件实事。3月11日，讨论企业改革转制的若干政策意见，1998年实施再就业工程的工作意见，个体私营经济实施意见，社区服务业实施方案，体育馆、解放桥农贸市场改造方案及外向型经济工作意见等。5月6日，专题研究扬州商场与大酒店结构调整问题。5月28日，讨论事业单位增加工作人员的暂行规定、贯彻《江苏省拥军优属若干规定》的实施细则、科技三项费用管理暂行办法、进一步做好利用外资工作的实施意见。6月17日，讨论开发区广陵民营园用地事宜等有关工作。7月30日，研究调整重点工业企业，讨论再就业服务中心管理暂行办法、非正规就业意见、对残疾人优惠照顾的暂行规定、扶持重点个体私营企业的意见等。9月10日，讨论预算外资金管理实施办法、促进重点企业发展的意见。12月19日，讨论政府工作报告、国民经济计划报告、财政报告和发展税源经济的政策意见等。

1999年1月29日，讨论扬州商场对扬州大酒店托管的实施方案和经济责任书中的有关问题，确定新一年的实事项目。4月21日，讨论1999年区政府依法治区实施方案、餐饮服务企业环境管理办法及有关居委会更名、再就业工作。5月17日，讨论事业单位专业技术职务岗位设置和职称评定管理的暂行办法及区属企业再就业资金筹集使用管理办法。7月9日，研究小学招生问题、地方志工作、人口普查工作等有关工作，讨论失业保险金计发暂行办法和加强企业存量资产处置管理工作的意见。8月11日，讨论居委会设置调整和换届选举、上半年指标考核、医疗改革、评选劳动模范等。

2000 年 2 月 16 日，讨论决定区政府组建国有资产管理委员会。3 月 24 日，讨论再就业资金筹集管理办法和再就业工作的意见。4 月 25 日，讨论科技进步奖励办法和信息化工作三年规划，通报经济分析情况。7 月 19 日，讨论区政府中心组学习制度、会议制度、公文审批制度、行政决策程序及大桥筹资任务测算分配方案等。7 月 31 日，研究当前全区安全生产工作情况、失业保险纳入市级统筹问题、项目建设情况和党风廉洁工作情况。8 月 11 日和 13 日，讨论广陵区“十五”规划的基本思路、发展目标、任务和措施。8 月 30 日，讨论区机关实行住房货币化分配、发放住房补贴的实施办法和组建城市管理监察支队广陵区大队的方案。10 月 16 日，讨论严格因公出国（境）审批和管理的意见。12 月 2 日，讨论政府工作报告、国民经济与社会发展计划报告和财政报告。12 月 29 日，讨论提交区人大常委会审议的开展基本医疗保险工作汇报稿，通报落实企业工资调控目标工作的情况。

2001 年 11 月 19 日，代理区长王玉新主持召开政府常务会议（下同），讨论关于事业单位转制中若干问题的处理意见和政府工作报告提纲，明确法制局、监察局参加区政府常务会议。11 月 27 日，讨论区教育系统职工医疗保险费的暂行规定和扬州蓄电池厂的改制方案。12 月 24 日，讨论 2002 年国民经济计划指标及项目初步安排、西区建材市场建设项目方案，听取 2001 年财政情况和 2002 年财政工作打算，讨论加强社区建设的实施意见、推进政府职能转变的意见、社区建设职责分工及政府工作报告等。

2002 年 4 月 3 日，区长王玉新主持召开政府常务会议（下同），研究区划调整后计划生育工作、区危房办改制方案、“烟花三月”经贸旅游节项目落实情况、2002 年度再就业资金筹集使用管理办法，确认市级劳模推荐人选。6 月 10 日，研究东方商厦、华联商厦改制方案及全区行政审批制度改革工作、2002 年依法行政工作意见等。6 月 28 日，研究区政府工作规划，全区清理行政审批事项工作，在三个街道办事处设立财政所及建立区街、区乡一级财政体制等 12 个议题。

五、第六届区政府常务会议

该届政府共召开常务会议 44 次，分别由区长王玉新、孔令俊、陈锴竑主持。

2003 年 1 月 25 日，研究北京新东方扬州外国语学校股权置换问题和 2002 年经济工作目标考核方案。3 月 13 日，研究工龄清理事宜、部门预算方案、城市建设问题和“城中村”整治改建方案。5 月 17 日，研究“城中村”整治改建工程、2003 年城市建设和环境综合整治项目实施情况、2003 年度环卫实施建设方案、2003 年度再就业资金使用管理办法、2002 年度财政收支审计情况。6 月 25 日，代理区长孔令俊主持召开政府常务会议（下同），传达省农村五件实事工作会议精神，研究区科技三项费用管理办法、2003 年广陵区小学招生工作意见、乡镇机关参加基本医疗保险的意见。7 月 18 日，研究广陵区招商引资优惠政策和奖励办法、工商企业深化改革方案和离休干部医药费统筹管理暂行办法。8 月 28 日，研究全区加快农村实事建设工作方案、产业园与上海鼎迅公司合作事宜。9 月 18 日，研究广陵公安分局集体三等功事宜、区劳动保障和再就业工作情况及新城房屋开发公司产权制度改革方案。11 月 12 日，研究第二服务公司、广陵区油漆化工公司、广陵油漆喷漆工场三家企业的改制方案及区教育信息化建设规划方案。11 月 21 日，研究广陵区行政区划调整后的近期、中期、远期发展规划方案。11 月 29 日，研究乡镇街道财政管理体制、农村大病统筹合作医疗制度实施方案、合资组建公司创办民办学校方案和政府工作报告初稿。12 月 9 日，继续研究合资组建公司创办民办学校方案。12 月 20 日，研究区级机关工作人员调资问题、2001 ～ 2003 年广陵区劳动模范评选，讨论政府工作报告、财政工作报告和国民经济计划报告。12 月 29 日，继续研究第二饮食公司、第二副食品公司、信托贸易服务公司三家企业的改制方案。

2004 年 2 月 23 日，区长孔令俊主持召开政府常务会议（下同），研究高致病性禽流感防治应急方案、体育工作相关事宜。3 月 22 日，研究农业税实行“农民免交、政府补贴”办法及曲江公园建设问题。4 月 6 日，研究区劳模人选确定及劳模表彰大会筹备方案、广陵区残疾人第三次代表大会方案、城管及环卫办公楼建设、广陵区“烟花三月”节筹备方案、“美（食街）管办”处置存量资产问题及推进全民创业、进一步加快民营经济发展意见。4 月 17 日，研究创办育才、汶河民办学校问题。5 月 14 日，研究曲江小商品市场改制方案和区机关工作人员参加创业活动辞职、提前退休暂行办法。6月4日，研究理顺产业园财税体制方案、区第一次全国经济普查工作、区直工业困难企业退休人员医保问题、社区居委会经费标准调整方案。6月29日，研究区文化系统五家事业单位改革问题、2004年再就业资金筹集使用管理办法。8月31日，研究检察院落实“两房”建设等专项经费、法院搬迁经费补贴、2004年区电子政务工程实施意见、区财政局所属华联东一楼资产变现用于解决华联相关问题、广宁医药有限公司国有股权转让、对万家福商城总经理殷明进行奖励、扬州振业房地产开发公司改制方案、天源房地产公司改制方案。11月3日，研究加快推进全区工业企业实现技术创新、二次创业的政策意见、2003年冬季退役士兵安置问题、进一步明确区建设局交通建设管理职能问题、农村新型合作医疗工作事宜。12月22日，讨论政府工作报告、国民经济计划报告、财政工作报告，研究区退役士兵安置及有关经费落实问题。

2005年1月6日，研究扬州灯泡（集团）厂改制方案、物价检查所更名及农村大病医疗统筹实施方案。3月3日，研究2005年区政府工作目标任务分解、政府采购管理实施办法、人口与计划生育管理实施办法、民政工作及区“烟花三月”国际经贸旅游节实施方案。3月26日，研究2005年部门预算、教育系统重点项目及推迟办理殷明退休手续问题。6月14日，研究创建全国社区建设示范区工作、换发第二代居民身份证试点工作、2005年小学招生工作意见及基层文化建设工作等。6月24日，研究深化和完善政务公开工作、推进品牌战略实施意见、被征地农民基本社会保障办法实施细则及创建省二级档案馆工作等。11月16日，研究区经济和社会发展“十一五”规划和区属医疗机构经营管理体制改革方案。

2006年2月9日，代区长陈锴竑主持召开政府常务会议（下同），研究广陵产业园食品加工区启动开发建设方案。3月22日，研究社会主义新农村建设、教育强区意见、2005年度工业“双创”奖励兑现办法及曲江新苑建设项目等。5月15日，研究乡镇、街道、产业园财政体制改革相关问题。5月22日，研究成立职教中心、社区教育学院、成立育才教育集团等问题。7月18日，研究被征地农民养老金补助实施办法、2006年度解困与再就业资金筹集使用管理办法、工程建设招投标工作实施意见、“曲江新苑”有关事项和数字化城市管理有关事项等问题。12月28日，研究区拆迁办改制方案和新星小学扩建等问题。

2007年1月5日，区长陈锴竑主持召开政府常务会议（下同），研究政府工作报告、国民经济计划报告、财政预算报告、2007年政府为民办实事项目、2007年暨首季开门红经济目标分解情况、2007年度解困与再就业资金筹集使用管理办法、全区安全生产工作等议题。7月14日，研究办理市、区人大代表建议和政协委员提案工作，广陵区突发公共事件总体应急预案，创建江苏省社区卫生服务先进区，提高被征地农民基本社会保障标准和与上海开天公司采取BT模式合作、加快物流园区基础设施建设等议题。9月25日，研究区招商局创新招商运作体制方案（草案）、食品工业园地块合作开发相关事宜、扬州恒远房地产开发有限公司国有资产监管回收情况、产品质量和食品安全专项整治行动方案和加快城市化进程、推进社会主义新农村建设实施意见等。11月3日，研究工业用地招拍挂情况、备战市第11届运动会情况、对曲江商品城改制过程中政府奖励股份重新安排、提高失地农民养老补助金标准和增加社区工作经费等议题。

六、第七届政府常务会议

该届政府共召开常务会37次，分别由区长陈锴竑、陈曦主持。

2008年1月21日，研究2008年全区主要经济指标分解、招商引资工作实施意见、“开门红”指标分解及以商引商活动安排、在地统计管理体制方案、乡镇庄台垃圾集中处理实施意见、工业经济奖励扶持政策、农村居民最低生活保障金分担比例调整、安全生产工作意见等。2月25日，研究全区城乡社区建设工作意见、道路保洁市场化运作、2008年“烟花三月”国际经贸旅游节广陵区实施方案等。3月30日，研究市劳模推荐评选、主体功能区规划要求、2007年度全区工业发展暨“双创”表彰奖励事宜、给予社区工作人员到达退休年龄后一次性缴纳医疗保险费用补贴事宜、广陵区无固定收入重度残疾人员生活救助实施细则等。5月28日，研究区规范生产安全事故报告和调查处理工作的指导性意见、区生产安全事故隐患排查治理办法、防汛抗旱、动物防疫工作、区域教育现代化创建和省教育督查考核、全区社区卫生服务、创建全国文明城市和当前卫生工作情况等。7月2日，研究2008年秋季招生工作方案、森林资源二类调查工作、规范公务员津帖、补贴、区高层次人才引进奖励规定、规范劳动用工工作汇报和调整被征地农民基本生活保障标准事宜。7月31日，研究服务业工作目标考核奖励办法、第三届社区居委会换届选举工作意见、退役士兵城乡一体化安置、第二次经济普查、企业上市工作等。8月25日，研究广陵产业园博士后科研工作站启动方案、社区卫生服务收支两条线、药品零差价、人事分配制度改革以及双向转诊等制度和人才强区双行动计划、经纬房地产公司国有资产监管回收事宜等。9月27日，研究节能减排专项资金管理暂行办法、市容和环境卫生管理标准化工作、联谊路东侧等三个地块综合整治和东部分区公用设施规划布点等。10月24日，研究事业单位公开招聘工作人员暂行办法、筹建农村小额贷款组织、农产品质量安全、争创“十一五”省人口协调发展先进区等。12月16日，讨论政府工作报告、国民经济计划报告、财政预算报告等。

2009年1月22日，研究2009年招商引资工作实施意见、奖惩办法、指标体系、2008年双资利用考核结果、2009年区工业经济发展实施意见和扬州开关厂电控分厂改制事宜等。2月22日，研究2009年部门预算、2009年“烟花三月”国际经贸旅游节实施方案、2008年工业奖励扶持资金、2009年全区工业发展大会方案、万家福商城扩建方案和2009年区安全生产工作实施意见等。3月25日，研究2008年服务业工作目标考核奖励事宜、2009年全区服务工作会议方案、广陵产业园担保公司设立和运转情况、大型泵站更新改造情况和质量兴区实施意见等。6月26日，听取规范区工程建设和为民办实事进展情况的汇报，研究区高层次人才引进奖励规定（试行）实施细则、2008年度新引进高层次人才奖励方案、2009年依法行政工作意见、乡村医生养老保障实施办法和2009年秋季招生工作方案等。7月24日，听取防汛排涝和校舍安全工作情况汇报，研究高层次创新创业项目政策扶持意见和发展科技创新型经济实施意见。9月5日，听取市下划属地管理企业基本情况汇报，研究企业国有资产报批备案管理暂行办法、加强行政事业单位国有资产管理工作意见和义务教育学校实施绩效工资事宜等。10月26日，研究全区点供用地及独立选址情况、广陵区防洪排涝工程三年计划实施方案、公共卫生事件应急预案和甲型流感应急预案等。12月26日，讨论政府工作报告、国民经济计划报告、财政预算报告，研究2010年部门预算、区政府投资项目资金管理办法、区政府投资项目审计监督办法、区建设工程招投标管理办法（暂行）、区政府投资项目管理暂行规定等。

2010年1月30日，听取并研究2010年“烟花三月”国际经贸旅游节实施方案、2010年目标管理考核体系及办法、2010年政府工作目标任务分解、2010年招商引资工作实施意见、2010年春节慰问及解困资金安排、春节前后城管工作。3月3日，听取第六次全国人口普查工作情况汇报，研究昌和生物医学科技（扬州）有限公司项目扶持意见，听取4·17广陵商机说明会暨项目集中签约仪式、4·21“数字扬州”展示馆开展仪式暨信息产业推介会、4·25第二届中国留学人员创新创业大赛入围项目视频对接洽谈会等活动方案的汇报，研究2010年全区安全生产工作意见。4月2日，听取全区工业发展大会方案、工业奖励扶持及质量兴区奖励资金安排、节能降耗奖励资金安排的汇报，讨论扶持上市后备企业政策意见，研究实施国家基本药物制度，实施新型农村养老保险事宜，研究区级行政事业单位房屋公开招租暂行办法，讨论2010年推进依法行政工作意见。6月1日，研究民政代管退休人员工资改革、区儿童业余体校享受绩效工资事宜，听取近期金融工作情况、街巷市场化保洁实施方案、行政权力网上公开透明运行工作汇报。6月25日，听取发行集合信托债权基金情况的汇报，讨论2010年度秋季招生工作方案，听取2010年服务业工作会议实施方案汇报、上半年安全生产工作汇报及下半年工作安排、推进残疾人事业发展实施意见的汇报。9月30日，听取并研究当前招商引资、工业项目开工推进、发展楼宇经济工作情况汇报及明年工业重大项目初步安排。11月25日，代区长陈曦主持召开政府常务会议（下同），讨论区国民经济和社会发展“十二五”规划纲要、区科技攻关与成果转化专项资金管理试行办法、区专利资助资金管理办法、区科学技术进步奖励办法，听取万家福国有股份退出或部分退出的汇报。12月25日，听取国民经济计划报告、财政预算报告，讨论政府工作报告、全区2011年度经济指标安排、区工业和创新型经济奖励扶持政策实施意见和2011年度财政预算编制工作。

2011年1月21日，区长陈曦主持召开政府常务会议（下同），听取正大桅灯公司停产歇业情况汇报、关于建立农产品市场准入机制等工作情况汇报，讨论研究年终慰问与解困方案、2011年全区招商引资工作实施意见、2011年区开放型经济考核办法、2011年度农村大病统筹新型合作医疗实施方案、持独生子女父母光荣退休证企业职工执行一次性奖励的实施意见等。2月19日，讨论研究积极推进小区物业管理工作的实施意见、再创全国文明城市、深入推进市容环卫责任区工作的实施意见、2011年中国扬州“烟花三月”国际经贸旅游节广陵区总体方案、广陵区2011年安全生产工作意见、安全监管执法工作计划等。3月16日，讨论召开全区人大代表建议、政协提案交办工作会议事宜。3月26日，讨论研究机动车辆长效管理工作意见、大力发展会馆经济实施意见、饶云江团队项目扶持资金和省、市劳模推荐人选等。4月26日，听取区“十二五”人才发展规划、2009年度高层次人才引进奖励资助方案的汇报，讨论给予丰祥商业有限公司董事长叶瑞光专项奖励、办理环卫在职职工及下划后退休人员医疗保险所需经费等有关事宜。5月25日，听取关于推进区医疗卫生机构五项制度综合改革情况汇报，讨论研究工业创新发展暨人才工作会议方案、工业重大项目和重点产业发展专项资助资金管理办法、社区消防工作意见、成立广发资产管理公司及进一步完善拆迁风险评估机制等事宜。6月27日，听取区被征地农民养老保险工作、上半年安全生产工作及夏季安全生产工作措施、推进道路街巷市场化保洁和关于违法乱纪人员处理情况的汇报，讨论2011年度招生工作意见。8月3日，听取全区校安工程建设、工程建设领域突出问题专项治理和关于购置水马、划拨门牌专项经费的情况汇报，讨论区引进高层次人才与创新创业项目奖励资助办法、区促进楼宇经济发展引导扶持政策、区服务业2011年工作意见和大力发展月光经济实施意见等6项议题。9月29日，讨论研究事业单位岗位设置管理实施意见、2011年工业和创新型经济考核办法、加快社区邻里中心建设实施方案、区“十二五”服务业发展规划纲要、区服务业三年快速发展行动计划等。10月26日，听取信访积案化解工作、“清剿火患”战役工作情况汇报，讨论被征地农民和特困群体社会养老保险补助办法、区星级楼宇评定标准和实施办法等。11月23日，听取翟庄地块城中村改造项目房屋征收补偿方案情况汇报，讨论区高层次创新创业人才项目资助方案。12月24日，讨论万家福商城股权重组事宜、“公共文明累积分”活动实施方案、新划入5个镇2012年民政经费及1～6级残疾军人医疗待遇问题、2012年经济工作主要指标安排、行政服务中心筹建工作方案、2012年全区新型农民合作医疗工作实施方案6项议题。

第二节 区长办公会议

一、第二届政府区长办公会

该届政府共召开区长办公会18次，其中1989年1月～1990年3月6次，均由区长朱立淦主持。

1989年1月16日，讨论年前有关工作，提出蓄电池厂等重点项目的组织实施意见。2月10日，研究节后有关工作，讨论召开物资工作会议、居委会工作会议、街道工作探讨会、签订政府部门承包书和向人代会报告工作等事项。2月27日～3月1日的三个半天，讨论政府工作报告及政府工作。3月27日，就落实“两会”对政府工作提出的建议和要求，进一步改进政府工作进行专题研究，结合全年工作目标，对政府近期工作作具体安排。7月3日，就进一步提高政府办公会议质量，加强和改进政府工作进行专题研究，分别明确政府组成人员全体会议、政府常务会议、区长办公会的议题确定、主要内容、时间安排及议事程序等。

1990年3月21日，专题研究区政府当年的重点工作，确定15项重点工作（经济工作方面9项，城市管理方面3项，社会事业、社区服务方面3项），同时明确分工负责人。

二、第三届政府区长办公会

该届政府共召开区长办公会29次，均由区长朱立淦主持。

1990年5月5日，讨论会议申报审批制度和实行请示报告及时反馈制度。6月4日，讨论汶河医院大楼的使用意见、关于贯彻会议申报审批制度的通知和预算外资金管理办法，讨论“两会”有关建议、提案的处理意见。6月19日，讨论确定部分企业相当于区副局级的意见。6月25日，研究人口普查工作。7月5日，研究贯彻《中华人民共和国行政诉讼法》和《中华人民共和国城市居民委员会组织法》的工作意见。8月13日，交流近期工作情况，要求抓住重要工作、重要指标、重点项目，扎实推进。10月8日，讨论社会保障基金会章程和广陵区社区服务三年规划。11月12日，对区政府年内的各项主要工作进行研究和安排。

1991年1月2日，讨论区“八五”规划和40项工作目标。1月17日，讨论二服厂与制刷厂分开的问题及区住宅办等5个机构的升级问题。1月25日，讨论政府工作报告提纲及居委会干部培训等。2月2日，讨论政府工作报告，细化1991年主要任务。4月1日，传达省监察工作会议精神，讨论1991年主要工作任务、财政预算安排、机关部门业务费安排和加强行政经费管理的办法及其他问题。4月15日，讨论招待所改为老年公寓、改造劳动新村、建安公司改革、区经济主管部门体制调整（将区科委、科协、协作办、开发办4个部门合并，组建成立区科协委）等问题。4月19日，讨论区计经委与外经委分开及办经济开发公司的问题。6月24日，通报区委常委扩大会议关于发展商贸业的讨论情况，讨论先进单位、先进个人标兵名单和当前工作安排。7月1日，讨论对三年内实现规模工业系统、规模企业目标的奖励办法、商贸业三年内实现10亿元目标的奖励办法和区教育基金集资办法等。7月22日，研究近期医疗卫生、经营销售、重点项目、重点措施落实情况。8月8日，研究省级先进单位、先进个人预选名单，讨论搞活区属骨干企业的若干措施、教育基金集资办法等。10月14日，讨论纠风治乱检查、双拥工作会议安排、人大代表建议和政协委员提案办理。10月21～22日，讨论1992年全区经济工作的宏观思路和主要经济目标。11月11日，传达市委工作会议精神，讨论并通过1992年全区经济社会发展的40项目标。12月13日，讨论修改区1992年经济和社会发展40项目标等事项。

1992年9月21日，专题研究区政府四季度的重点工作，确定在开发区建设、科技园创办、建新市场、办新合资、工业技改等方面15件重点实事。

1993年2月1日，讨论“双连环”责任承包、40项重点项目的落实和推进、企业改革试点等。

三、第四届政府区长办公会

该届政府区长办公会共召开50次，分别由区长朱立淦、周学恒、卢穗明主持。

1993年2月19日，朱立淦主持召开区长办公会议（下同），讨论制定收取计划生育事业费的文件，通过1993年“双连环”承包指标，讨论全区经济发展思路，强调突出向外、突出商贸、突出规模、突出新办。3月15日，讨论三个奖励办法（引进资金奖励办法、企业超速发展奖实施办法、经济主管部门及街办超速发展奖实施办法）及两名干部的行政处分决定。3月22日，研究拆借资金问题。4月12日，讨论改革卫生事业补贴经费拨付办法和进一步发展三产项目的有关问题。4月26日，讨论区工商企业超速发展奖励办法、卫生事业费拨付改革办法等事项。6月28日，分析全省各城区有关经济指标，明晰追赶竞争目标。8月2日，研究上半年财政工作情况，讨论“双增双节”工作意见、扬州大酒店体制改革问题等。8月16日，通报扬州大酒店体制改革情况，讨论成立城区物资集团总公司事项等。9月6日，讨论小区管理暂行办法等。10月16日，讨论扬州市城区单位爱国卫生暂行办法。12月13日，代理区长周学恒主持召开区长碰头会（下同），学习全国经济工作会议精神，讨论分工情况、1994年工作目标思路及当前工作等。

1994年1月9日，传达省委〔1993〕18号文件精神，讨论政府工作报告提纲及有关问题。2月2日，讨论玻璃仪器西厂出售问题。2月3日，讨论政府工作报告、财政报告和国民经济计划报告，讨论困难企业的工资福利待遇问题。3月10日，区长周学恒主持召开区长办公会议（下同），学习中纪委转发青岛市纪委的三个文件，讨论1993年“双连环”承包兑现考核和1994年承包意见。5月25日，传达市工资改革会议精神，讨论经费使用问题。7月28日，讨论目标管理考核办法，传达市工业会议、法制宣传会议精神，讨论评选先进集体、劳动模范的工作安排。9月22日，传达全省教育工作会议和省、市房改工作会议精神，听取企业职工工改准备工作和全区1～8月财政收支情况的汇报，讨论通过1994年全区科技进步奖项目及科技进步先进企业、集体和个人的评选结果，讨论加强财务管理工作的若干意见和进一步加强环保工作的意见，研究美食街的管理机构问题及其他事宜。11月5日，通报外出学习考察情况，听取全区“九五”计划和2010年长远规划的编制情况汇报，讨论有关《商贸信息报》的问题。12月3日，讨论政府工作报告提纲。12月16日，讨论政府工作报告初稿起草工作，研究工商局交接、机构房改问题和有关问题。

1995年1月26日，传达市计划与经济工作会议、冬春计划生育现场会、绿化会议精神，讨论有关经费问题。5月12日，传达学习国务院副总理李岚清在扬州视察时的讲话，确定区人大常委会上政府述职人员，讨论进一步加强居委会管理办法、扶持困难企业贷款基金筹集使用管理办法和对全区经济工作目标责任制考核奖励实施办法等文件，研究扬州商城工业展览馆广陵展区管理、机关事业单位职工养老保险、红十字医院建设等。8月3日，传达市房改工作会议、特困企业解困工作会议、市区工作会议精神，研究区"九五"计划及到2010年长期规划的编制工作。8月22日，传达全省经济效益工作会议和市委三届三次会议、市工业上半年过堂会精神，讨论与黑龙江省黑河市爱辉区结为友好城区的意见等。10月10日，学习中共十四届五中全会文件精神，传达市流通工作会议精神并讨论贯彻意见，讨论区"九五"计划和2010年远景规划的制定及当前有关工作。11月16日，讨论区"九五"计划及2010年远景目标，汇报外出考察和日本秋田县山本郡八森町经济访中团在广陵区考察的情况，讨论与吉林省长春市朝阳区结为友好城区的意见，研究建立区房改基金管理中心等问题。12月7日，讨论区国民经济1996年度计划安排、区技术改造重点项目落实等问题。

四、第五届政府区长办公会

该届政府以召开常务会会议为主，区长办公会召开次数不多，分别由区长卢穗明、王玉新主持。

2000年4月20日，区长卢穗明主持召开区长办公会议，讨论有关经费报告。

2001年11月27日，代理区长王玉新主持召开区长办公会议（下同），讨论经费管理及有关问题。12月8日，听取区人事局汇报调资情况和监察局汇报有关行政案件情况，讨论计划生育工作。

2002年7月14日，区长王玉新主持区长办公会议（下同），对东方商厦、华联商厦改革过程中的有关问题，区划调整后推进社区建设的有关问题，曲江小商品批发市场消防隐患整改情况，人民影剧院改制过程中的有关问题和聘请区政府法律顾问团事宜进行研究。

第六、七届区政府未召开区长办公会。

第三节　专题会议

1989～2011年，在"两会"召开以后，以及年中、年终等，每年召开2～4次政府组成人员会议。专题会议不定期召开。

1992年1月5日，区长朱立淦主持召开区商业实施建设专题工作会议，交流各新建、扩建商业基建项目的进展情况和下一步工作打算。8月28日，对如何创办"扬州高新技术开发园"进行专题调研，对创办"科技园"的意义、作用功能、实施办法及当前主要工作提出意见和要求。10月20日，召开扬州美食街筹建工作专题会议，确定采取联合开发的形式，集中财力、物力，依靠各方努力，及早建设扬州美食街。

1994年4月30日，区长周学恒主持召开全区商业经济分析会。6月10日，召开全区工业促销会议，副区长任杰参加。9月30日，副区长宋建国召开专题办公会议，听取区危房办负责人关于美食街工程建设情况的汇报，就工程建设中的有关问题和下一步美食街管理工作进行研究，区委书记洪军讲话。11月11日，召开关于编制全区"九五"规划和到2010年长远规划的专题会议，学习国家产业政策文件精神，听取区计经委等部门和四个街办关于"九五"规划和到2010年长远规划主要内容的汇报。

1995年2月9日，召开全区加快发展商业系统外向型经济专题会议，分析全区商业系统外向型经济的发展现状、条件及存在问题，提出发展商业系统外向型经济的具体要求。3月2日，区长周学恒主持召开1994年度城区绿化工作会议。4月8日，召开全区统计工作会议。5月2日，召开荷花池三期工程建设专题会议，研究荷花池三期工程建设的有关问题。5月19日，召开全区工业企业管理现场会。

1996年3月17日，区长卢穗明主持研究全区科技工作，要求加大科技投入，抓好新产品开发，加强科技干部专业培训，扎实做好科技工作。4月5日，召开企业改革工作会议，研究部署全区重点骨干企业改革工作。5月3日，召集区体改委、财办、财政局、商业局及华联商厦有关负责人会议，专题研究如何做好华联商厦股份制完善工作。6月17日，就新产品开发、技术改造及清理应收货款中所涉及税收政策方面的一些问题进行研究，要求继续执行新产品减免税政策，建立新产品开发项目责任制，鼓励企业多方筹措资金进行技术改造。

1998 年 5 月 6 日，召开专题会议，研究扬州商场与大酒店结构调整问题。

2001 年 8 月 29 日，召开落实规模以上工业企业全年生产指标专题会议，与红旗印刷厂、低压电器厂等 7 家规模以上工业企业逐家商谈，落实全年生产销售指标。9 月 28 日，副区长任杰主持召开全区固定资产投资工作专题会议，就当前固定资产投资工作中存在的问题进行研究。

2002 年 1 月 9 日，区长王玉新主持召开东部新区发展规划会议，就区划调整后广陵区发展规划，特别是东部新区发展规划进行专题研究和探讨。7 月 18 日，召开全区经济形势分析会。12 月 25 日，召开关注民生工作座谈会，听取区劳动、民政、财政、商贸、计经等部门及各乡镇、街道的专题汇报，就进一步解决好困难群众的生产生活问题进行研究，要求把握重点，多方筹资，统筹安排，着力解决突出的民生问题。

2003 年 3 月 28 日，召开广陵区社区工作会议。4 月 21 日，召开会议部署“非典”防治工作。5 月 2 日，召开“非典”防治属地管理工作紧急会议，区长王玉新通报全区前一阶段“非典”防治工作情况，并就需要驻区单位积极配合的具体工作作出详细说明。2004 年 1 月 13 日，区长孔令俊主持召开实施农村大病统筹合作医疗工作会议，并举行医疗保险集中签约仪式。1 月 30 日，召开全区禽流感防治工作会议，对全区禽流感防治工作进行紧急部署。2 月 25 日，召开贯彻实施行政许可法工作会议。2 月 27 日，召开全区劳动和社会保障工作会议。

2005 年 1 月 18 日，区委、区政府在产业园召开广陵新城规划建设务虚会。提出广陵新城的内涵定位、原则思路、建设时序和建设切入口，要求把广陵新城建设成一个古风今韵交相辉映、经济社会环境和谐统一、森林式、环保型、现代型、人性化的滨河文化生态城市副中心。8 月 11 日，召开全区重点纳税企业座谈会，这是市政府实施财政管理体制改革后，广陵区与驻区企业加强联系、密切政企关系的首次聚会。通报广陵区近几年经济社会发展情况和今后发展思路，与会部分企业家就如何进一步做大做强企业，进一步发挥纳税大户对广陵经济发展的支撑作用发言。

2006 年 3 月 2 日，广陵区召开庆“三八”暨“十佳巾帼创业之星”表彰大会。3 月 30 日，先后召开“双创”表彰暨工业发展大会和社会主义新农村建设大会。7 月 5 日，区委、区政府在深圳召开招商引资成果汇报会，听取区有关部门在深圳及其周边地区招商情况汇报。7 月 15 日，召开专题会议，就加快“广陵新城”开发建设等相关问题进行研究。

2009 年 9 月 24 日，区长陈锴竑主持召开经济形势分析暨重大项目推进会，区委、区人大、区政府、区政协负责人出席会议。10 月 25 日，召开招商引资领导小组专题会议。10 月 31 日，召开全区人才奖励资助暨人才工作推进大会。

图 22-2-1　2011 年 3 月，区政府召开全区人大建议、政协提案交办工作会议

2010 年 5 月 21 日召开招商引资领导小组专题会议。6 月 29 日，召开全区服务业工作会议，会议对 2009 年度服务业目标管理先进单位、先进企业和先进个人进行表彰。7 月 12 日，召开防汛防涝及城市排水工作专题会议。

2011 年 2 月 17 日，区长陈曦主持召开创建全国森林城市景观提升工程推进会暨农产品检测动员会。3 月 17 日，召开 2011 年全区人大代表建议、政协提案交办工作会议。

第三章 施政要览

1989年后，广陵区全面深入开展体制改革，制定一系列搞活企业经济的政策法规，普遍开展二轮承包，转换企业经营机制，增强企业活力。2002年后，启动农村经济体制改革，城乡经济体制改革顺利实施，招商引资强力推进，有力地促进全区经济建设全面、快速、稳定发展。2011年，全区实现地区生产总产值410.65亿元。

依据以民为本，为民办好事、办实事的总体目标，老城区的建设、改造在保护古城特色前提下，突出住宅、古街巷的整治，主次干道扩翻建，农贸市场建设、校园建设等多方面，都取得明显效果；广陵新城和广陵产业园、食品工业园、商贸物流园的建设，为实现广陵区可持续发展奠定坚实的基础。

1997年，区政府积极推进依法治区工作。2002年，成立依法治区工作领导小组，进一步完善依法行政机制，依法科学决策机制，规范执法行为，以及完善行政许可、行政复议等制度。至2011年，全区保留行政权力事项1367项。对2010年前发布的规范性文件全面梳理结束，保留32件，废止6件；办理行政复议案件30宗；通过多年努力，基本达到依法治区的目的。2006～2011年，普法宣传员、普法宣传骨干1800人，普法宣传讲师16人，49所中小学、职业技术等学校全部配备法制副校长。

第一节 经济体制改革与发展

一、经济体制改革

1984年，区开始在企业推行以“一包三改”为主要形式的经济体制改革。1989～1991年，制定《关于进一步搞活区属骨干企业的若干政策措施》，健全和完善企业激励机制、约束机制和发展机制，普遍开展第二轮承包。1992年，以转换企业经营机制为重点，深入推行和不断完善企业经营承包责任制，突出技改投入、资产增值、企业积累三个重点，实行“三包一挂（包实现利润目标、包上交所得税目标、包技术改造目标，实现工资总额和上缴利税挂钩）、扭亏增盈责任制等新的承包形式。以扬州商场、华联商厦等为试点，逐步推行“经营、价格、用工、分配”四放开的商业改革。加快政府职能转变，积极进行机构调整，实行机关目标管理责任制。制定《关于鼓励机关干部到企业工作及创办经济实体的暂行规定》，36名干部率先到企业、区级机关兴办经济实体46个。

1994年，工业推行“产权结构多元化、小型企业民营化”改革措施。大中型商业企业深化“人事、用工、分配”制度改革，小型企业实施“公有民营”，因店制宜，实行租、包、联，进一步落实“四自”（自筹资金、自主经营、自主分配、自负盈亏）、“二包”（包上交税、包上交各项费用）、“一抵押”（风险抵押）。清理党政机关经商办企业，23个属于“三不准”部门办的经济实体和11个属于“四脱钩”部门办的经济实体，被停办或脱钩。1995年，制定《广陵区重点骨干企业资产经营责任制试行办法》，把企业资产增值保值、利润指标和厂长（经理）年薪风险抵押制及目标责任制结合起来。全面推行劳动合同制度。1996年，出台《关于小型国有、集体企业先出售后改制试点工作意见》。房改工作继续深入，完成全部公有住房提租换约和住房公积金调整工作。1997年，以推进住房基金管理为房改工作重点，建立区级职工住房公积金台账。

1998年，实施以放开搞活企业为改革目的、公有资产退出为改革目标、把握改革政策为改革原则的企业产权制度改革。2000年后，把产权制度改革作为改革的主要内容。2002年，成立区城管执法分局，组建环卫保洁中心，试行企业化运作。编制《扬州城市·广陵区域发展战略规划》，明确广陵区域的功能定位和产业布局。深化住房制度改革，实行货币化分房。

2003年，对初期改革企业中属于改革不彻底的多家企业进行二轮改革。2005年，制定《扬州市广陵区人民政府机构改革实施意见》，对区经济体制改革机构进行调整。2006年，在汤汪医院和广陵医院实施“两权分离”经营管理体制改革试点。积极推进组建农村农民专业合作、农村土地股份合作社、农村社区股份合作社。2007年，国有企业全部改制到位，集体企业98%改制到位。全区挂牌农村“三大合作”组织32家。

2008年，区被命名为全国首批农村社区建设实验区，组建“三大合作”组织36家。2009年，深化属地管理企业改革，加快企业改制扫尾，推进农村“三大合作”组织建设51家。2010年，组建社区股份合作社16家，全部实行单独建账核算。渡江社区股份合作社进行工商注册登记，实现零的突破。广陵区作为全省医改实施国家基本药物制度的37个试点地区之一，区属8家公立医疗机构全面实施基本药物制度。2011年，新组建“三大合作”组织13家；采取“一企一策”模式，推进企业上市，有上市后备企业9家。

经济体制全面、深入的改革，为全区经济持续、稳定、协调发展，提供强有力的政治和制度保障。

二、招商引资

区委、区政府把招商引资作为振兴广陵经济、实现“两个率先”的系统工程来抓。为认真贯彻省引荐外商投资项目会议精神，2001年，区政府出台《广陵区引进外资、民资考核奖励办法》。2002年，区政府建立广陵区“烟花三月”经贸节暨招商引资组委会，成功举办建区以来首次投资环境推介会，实际利用外资1010万美元，引进民资3.3亿元。2003年，成立区招商引资工作领导小组，组建商务局。每年明确目标任务，各单位、各部门层层分解，年终进行评比，奖励先进，完不成任务的诫勉谈话，同时充分发挥侨胞、台胞作用，做好穿针引线推荐工作，为广陵区发展外向型经济起到重要推动作用。组织“南方行”“投洽会”“投资环境说明会”等系列招商引资活动，扩大信息源、客商源、项目源。

图22-3-1　2011年1月，广陵区召开招商引资工作动员大会

借助市政府“烟花三月”中国扬州国际经贸旅游节平台，广陵区从2002年开始，每年举办区“烟花三月”国际经贸旅游节，主要内容有：举行招商项目签约仪式，举办新项目集中开工典礼，召开“广陵区商机说明会”“广陵区投资环境推介会”等活动，成为推动全区经济建设的主要工作之一。（参见第十二篇第一章第四节）2004年，招商引资取得历史性突破，全年合同利用外资1.14亿美元，实际利用外资4188.91万美元。2008年，组织“烟花三月”节、“百日会战”、深圳汽车零部件及电子信息、现代服务业及房地产、上海液压机械、科技创新与产业合作、北京信息服务产业等系列专题招商活动，双资利用再创新高，注册资本1.43亿欧元的玛切嘉利高精度钢制品项目落户。2011年，合同利用外资7.65亿美元，实际利用外资2.63亿美元，新批外资项目47个，增资转股项目15个。

三、经济发展

1983年建区时，工业企业仅41家，总产值4481万元。经过几年建设发展，1989年，实现工业总产值2.25亿元，利润1100万元。1990年始，区政府开展为期五年的“奋战八五，振兴广陵，建功立业”活动。1991年，进一步突出经济工作的中心地位，实施区、街、居、个体四个层次的经济共同发展，工业、商贸业、房产开发业“三业并举”的经济发展思路，狠抓“质量、品种、效益年”活动。1992年，进一步加大“三业并举”发展经济力度，加快“科技兴区”战略的实施步伐。全区新办合资企业12家，各街道都办起合资企业。广陵“高新科技开发园”开工建设。

1993年，区政府坚持发展是第一要务理念，按照“三业并举、三产为先、商贸兴区、全面发展”的经济发展战略，大力推进外向型经济，合资合作领域从工业扩展到商业和房地产业，成立扬州丰祥商业有限公司，在全市范围内实现商业零售企业利用台资零的突破。1994 年，按照“三业并举、外向带动、突出三产、四轮齐转”的发展思路，实施区委《建设规模企业的目标意见》，进一步培植规模经济，提高运行质量，全区 14 家重点工业企业产值和利税分别占全区总量的 7 成和 9 成。全区工业总产值实现 4.82 亿元，比 1989 年翻一番。1995 年，突出“调整结构，提高效益”两个重点，经济综合实力进一步增强，工业总产值 5.68 亿元，实现国内生产总值 4.71 亿元，财政收入 6523 万元，第三产业增加值 2.54 亿元，分别是 1989 年的 2.52 倍、5.29 倍、3.88 倍和 10.76 倍，“八五”计划确定的主要经济指标圆满完成。1996 年，实施“强化工业、突出三产、外向带动、科教兴区”的经济发展战略，把准全区经济发展的方向和重点，赢得加快发展的主动权。万家福商城开业，区商贸零售业结构升级迈入新阶段。在其后的两年间，坚持贯彻这一发展思路，实施“机构优化”“科教兴区”“外向带动”“协调发展”四大战略，稳中求进，实现经济持续、快速、健康发展。

1999 年，区政府按照“调整、引进、发展”的总体要求，大力发展以培植税源经济为核心的区域经济，经济发展势头良好，财政收入突破亿元大关。高新技术产品产值占全区工业产值的比重 33%，超过全市平均水平。2000 年，进一步确立税源经济的指导思想，全区经济发展呈现健康、快速增长态势，实现国内生产总值 7.95 亿元，财政收入 1.22 亿元。2001 年，实施“三产立区、二产强区”发展战略，全区二、三产业在质与量上取得突破。

图 22-3-2 2006 年 4 月，广陵区举办商机说明会暨项目签约仪式

2002 年行政区划调整，经济总量和发展层次有新提高，实现国内生产总值 20.28 亿元，财政收入 2.52 亿元。启动广陵产业园规划建设。

2003 年，战胜“非典”和洪涝灾害的挑战，全区实现国内生产总值 23.51 亿元，财政收入 3 亿元。2004 年，召开全民创业动员大会，出台 80 条鼓励全民创业的政策意见，放手发展民营经济，实现民资注册资金 8.29 亿元，总投资 18.8 亿元。2005 年，紧紧围绕“两个率先”先导区目标，实现地区生产总值 33.14 亿元，财政总收入 11.06 亿元。调整理顺园区管理体制，启动食品加工区建设，形成“八纵六横”路网 26 千米，累计进园项目 125 个，完成工业总产值 10 亿元，实现税收超过 5000 万元。

2006 年，借助扬州市平台，继续举办区“烟花三月”国际经贸旅游节，召开广陵区商机说明会。

2007 年，围绕“三年倍增、五年再造一个新广陵”的奋斗目标，精心打造“两城三区”（广陵古城、广陵新城，广陵产业园、食品工业园、商贸物流园区）。规模企业数 156 家，累计引办外资项目 225 个，汽车及其零部件、精密机械、电子信息和食品加工四大支柱产业初步形成。第三产业质态提升，传统优势巩固放大。全区财政总收入突破 20 亿元。

图 22-3-3 2007 年广陵区“烟花三月”国际经贸旅游节花船

2008 年，科技创新成效明显，创成全市首家国家级区域性博士后科研工作站，信息服务产业基地获省“软件和信息服务产业园”称号。2009 年，紧扣“保增长、保民生、保稳定”主线，集中精力抓转型，三次产业构成比例为 0.8∶45.9∶53.3。创新型经济成效凸显，建成博士后企业分站 11 家、企业院士工作站 1 家，获批省级知识产权区域试点区。2010 年，坚持以

科学发展观统领全局，加快转变经济发展方式，经济建设取得新进步。实现地区生产总值169.83亿元，财政总收入33.52亿元，地方一般预算收入18.25亿元，比2005年分别增长4.12倍、2.03倍和2.44倍。

2011年，随着行政区划调整，实现地区生产总值410.65亿元，占全市比重由2010年的7.6%提升至15.8%。实现工业总产值1339.17亿元，社会消费零售总额167.45亿元，财政收入55.80亿元，比上年增加22.28亿元，增长66.47%。按照争做“三个扬州”先行区、示范区、体验区的要求，积极创新区域经济发展方式，实施“楼宇经济”“会馆经济”“月光经济”三大经济战略，在发展新型服务业方面走出一条探索之路。

第二节 “两城三区”建设

一、古城保护

老城区的改造、建设牵涉到千家万户，牵涉众多的古迹、遗址和文物，在保护古城特色前提下，整治老城区，既是民生工程，又是着力古城保护举措。

1989年，开展以“创三优”“治理整顿市容环境，迎接国庆四十周年”为主题的城管突击活动，在省苏中片城管工作互查及全市“创三优”互查中名列第一。1990～1991年，突出住宅区、小街巷的综合性整治，建成2.9万平方米的工人新村住宅区，414户居民在春节前搬进新居。对城区9万多户直管公房进行产权户籍汇总、续建工作。1992年，加快市场培育和建设步伐，建成工业品、粮油、瓜果、蔬菜、水产、禽蛋等各类市场18个。大草巷二期、荷花池一期商品房竣工。完成市区400多台锅炉、窑炉和生活炉灶的改造，获省政府颁发的“烟尘控制区”合格证书，噪声达标区通过省环保局验收。

1993年，重点开发建设美食街、西门街二期、玉带河二期等工程，初步形成以家具城、南通路水暖器材、副食品批发为代表的特色市场、特色街。广陵街道以治安防范为主、多功能社会服务为辅的管理办法被省、市有关部门推广。1994年，总投资6500万元、总面积2.5万平方米的“扬州美食一条街”及其附属设施建成。对区属4家重点企业、7所医院的废水排放实施监测管理，通过省城市卫生和城市环境综合整治检查。1996年，老城区规模最大的荷花池商贸城和小商品市场开工建设，市政府重点工程西门街二期工程建筑竣工。全面开展排放污染物申报工作。1997年，成立区经济适用房发展中心，曙光经济适用房小区一期工程170套经济适用房竣工并交付。加快解决人均6平方米以下住房拥挤户、困难户和无房户解困步伐。全面推广垃圾袋装化。

1998年，完成市政府重点工程古运河改造118户居民的拆迁安置工作，腾仓安置受淹居民621户。1999年，实施北门外街、荷花池综合改造工程，朝阳小区、砚池小区工程竣工。建成顾庄农贸市场、大桥建材市场、五台山农贸市场等5个市场。2000年，毓贤街改造、淮海北路综合楼、广陵大厦等全面竣工。将创建延伸至街巷，建成120条文明卫生街巷。烟尘控制区覆盖率100%。2001年，完成古运河综合整治第六期拆迁安置任务，累计拆迁安置居民1251户。老城区基础设施改造取得突破。

图22-3-4 2011年2月，广陵区召开城市建设和环境提升工作会议

2003年成立城市建设投资有限公司。2004年，东区最大的市民公园——曲江公园建成，江都南路建成通车。建成沙河闸、桑家涵等5项淮河入江水道水利工程。2005年，全面落实城市环境综合整治各项措施，完成产业园、洼字街、康山园、便益门大桥等区域拆迁工作。2007年，旧城改造与新城综合开发相结合取得新进展，累计开发面积200多万平方米，翻改建小街巷260多条。城乡生活垃圾实行区域集中处理。

2009年，老城区主次干道全部实现市场化保洁，公厕全部实现旱改水。2011年2月，广陵区召开城市建设和环境提升工作会议，要求全区党员干部，着眼大局，加快建设，提高标准，精品建设，把握政策，科学建设，着力破解难题，不断完善机制，全力完成城市建设和环境提升各项目标任务，努力推动广陵城市建设实现新跨越。

城区道路改造参见第六篇第二章第一节。

二、广陵新城建设

图22-3-5 广陵新城信息产业大厦

位于广陵区东部，处于广陵老城区与江都区的融合地带，是中国城市中最为独特、极为稀有的“水城共生”型生态区域。这里已由原来的近郊农村发展为扬州名城建设的核心区。该区内文化底蕴深厚，生态环境优美，东依生态水景——廖家沟自然风光带，西临运河遗址——京杭大运河十里景观带，北部有天然的茱萸湾湿地风光带和优美的凤凰岛旅游区，是扬州最大的城市氧吧，拥有无可比拟的生态资源。

2005年，广陵新城完成规划设计。2006年，开工建设文昌大桥，以破除向东开发瓶颈。规划面积850公顷，是广陵发展最富活力的优势区域，具有产业集聚、中央商务、生态旅游三大特色功能板块。2007～2011年，全面推进广陵新城建设，已初步打造成包括商业办公、行政服务、健身休憩为一体的核心商业区雏形，占地面积800公顷。在广陵新城西部京杭大运河沿岸设置高档文化休闲设施，开挖京杭水湾，与廖家沟贯通建设“京杭之心”。

江苏信息服务产业基地（扬州）是广陵新城的核心项目之一。中国声谷——江苏信息服务产业基地（扬州）是中国最早专注以呼叫中心为核心产业的专业园区，是全国首个提出“绿色呼叫中心”、首个通过官方微博与业内外人士进行互动的园区，致力于数据处理、电子商务、软件研发等产业集聚。形成2.5万座席规模，3万～5万人的产业规模，大中专以上人才拥有率95%，硕士以上高层次人才集聚200人，其中海归博士50多人，已创成“中国呼叫中心产业能力建设管理规范示范园区”“国家级科技企业孵化器”“软件和信息服务产业园优秀园区”“省级博士后创新实践基地”等国家级、省级品牌17个。

广陵新城水网密布，绿树成荫，北有千年湾头古镇，东有原生态凤凰岛，小南圩有休闲度假会议中心区。至2011年，广陵新城循环路网基本完善，为广陵新城发展旅游业带来很大方便。是年，完成固定资产投资40亿元，合同利用外资1.2亿元，实际利用外资4800万美元，民资注册6.28亿元。（参见第十二篇第二章）

三、“三区”建设

2002～2011年，广陵产业园、食品工业园和商贸物流园秉承“高科技、无污染、生态型、园林化”的建设理念，强化领导班子，优化进园项目，落实用地面积，人性化拆迁安置，全面展开道路、雨污分排地下管网、绿化、河道整修等基础设施建设，取得明显进展。“三区”建设已初具规模，初显成效。

图22-3-6 广陵产业园

广陵产业园 园区位于京杭大运河东，广陵新城南，迎春河北，东与江都区为邻。2002年5月启动建设。同年8月，被扬州市人民政府批准为市级工业园区，规划面积1852公顷，具有独立的县级审批权限。园区下辖六个村、两个社区，分别是万寿村、龙泉村、宦桥村、严安村、大众村、高桥村，运东社区、翠月嘉苑社区。先后成功引进海沃机械、玛切嘉利、巨超重工等液压产业龙头项目，以及ARGO-HYTOS液压阀、Dhollandia液压尾板、Kotec活塞杆、Mevis液压五金件、Lamep油缸滑片等欧洲产业配套项目，建成全市首家国家级区域性博士后科研工作站、省级高新技术创业服务中心、省级液压机械产品质量监督检测中心、液压技术研发中心、表面处理中心以及液压特色产业基地、科技企业加速器等，初步实现从上游材料到中游部件再到下游产品的液压装备完整产业链和以“技术平台+孵化器+产业基地”为模式的一条龙创新发展体系。广陵产业园全力培育千亿级产业规模、百亿级投资项目、十亿级规模企业，建设成为国际资本的密集区、特色产业的集聚区、高新技术的示范区和体制创新的先行区。至2006年，引进入园项目125个，合同利用外资2.1亿美元，实际利用外资8738万美元，成为广陵区经济发展的主要平台。至2011年，园区共引进项目345个，其中外资项目117个，合同利用外资17.43亿美元，实际利用外资8.65亿元。是年，完成工业总产值203亿元，合同利用外资2.86亿美元，实际利用外资2亿美元，民资注册20.58亿元。（参见第十二篇第三章第一节）

扬州食品工业园　园区位于广陵区南部汤汪乡境内，是江苏省目前唯一的集食品加工、制造、流通、研发为一体的现代食品产业集聚区，是全国农产品加工示范基地、海峡两岸（扬州）农业合作试验区。园区毗邻沪陕高速公路，地处长江与京杭大运河的交汇处，距国家一类对外开放口岸——扬州港仅5千米。2007年，启动食品工业园建设。2010年，完成拓展区详规编制。总体规划面积680公顷，其中一期建设300公顷。园区水、电、气、供热、排污、电信等配套设施齐全，高标准达到“十通一平”。园区按照“国家级、生态型、园林化”的设计要求，高标准建设园区绿化带、生态驳岸和亲水平台，并依照行业类生态工业园区的各项指标对园区建设进行管理和验收，着力打造一片绿荫下的食品工业园。新加坡第一家食品、香港锦通食品、青岛啤酒以及扬州亲亲集团、三和四美、扬州大学康源乳业等一批国内外知名食品企业已在园区兴业。至2011年，累计引进内外资企业45家，全年实现规模以上工业产值8.5亿元，利税1亿元。（参见第十二篇第三章第三节）

图22-3-7　食品工业园

扬州商贸物流园　园区位于城区东南，东起京杭大运河，西至江都南路，南起同心河，北至运河西路，距离城市中心文昌商圈仅5分钟车程，拥有优越的交通条件。2007年，启动园区建设。2009年，商贸物流园控制性规划编制完成。规划面积340公顷。2010年完成商贸物流园二期控制性详规编制。第一期开发基本完成，相关项目建设正在积极推进中。商贸物流园货运停车场建成使用。园区首期以生活资料为主、生产资料为辅，集商品批发交易、仓储配送、信息服务为一体，由港口作业、生产资料仓储交易、综合商品交易、公共配套综合服务、仓储配送、农副产品仓储交易六大功能区块构成。2011年，全年新增民资注册资本3.6亿元，合同利用外资1780万美元，实际利用外资435万美元。（参见第十二篇第三章第四节）

第三节　调查研究

一、工作性调研

1989年后，各届区政府领导结合年度工作计划和工作重点，深入部门、企业或乡镇、街道、园区，通过召开座谈会、考察现场、走访群众等方式，了解情况，查找分析问题，总结提炼经验，督促或帮助解决问题。2005年6月13日，区长孔令俊到汶河、东关街道调研招商引资和企业改制情况。2006年3月7日，区长孔令俊、副区长刘新伟实地察看新农北路、汤汪南路等地块，就上市筹备情况进行调研。2007年5月22日，副区长薛清华调研全区社区卫生服务工作，要求区卫生主管部门围绕创建“社区卫生示范区”，做大做强社区卫生服务中心，搞好社区卫生服务站布局，探索开展农村社区卫生服务工作。2010年6月18日，区长陈锴竑在食品工业园召集该园区领导班子成员会议，就食品工业园向常熟商业银行贷款、向协盛房地产公司回购安置房、招商引资项目落实情况，以及与德辉集团下一步合作等事宜进行专题调研。7月12～14日，副区长王洪俊带领信息产业基地、区招商局、区政府办有关人员，赴各乡镇、街道、园区，就信息服务产业发展概况、适合“一园多址”需要、可利用开展信息服务产业招商的闲置载体进行专题调研。9月21日，区长陈锴竑到扬州商贸物流园，召集区财政局、国土分局、规划分局、城管执法分局等部门负责人，就园区项目建设和重点工作进行调研，并对下一步工作及2011年部分工作目标任务进行部署。

二、考察性调研

为推进政府重点工作，解放思想、探索创新、开拓视野，组织相关部门到先进地区、高新技术企业和科研院所进行考察调研。2003年2月13～15日，区长王玉新率队赴浙江宁波商谈国际汽车城项目，并实地考察宁波国际汽车城。2005年6月19～23日，区委副书记张勤、副区长张跃率各乡镇、街道和有关部门负责人赴北京市东城区学习城市管理工作经验。2008年5月13～15日，区委书记孔令俊、区长陈锴竑率区党政代表团赴浙江、苏南、靖江等地学习考察。10月7～10日，区委书记孔令俊，副区长、产业园管委会主任陈曦率区党政代表团赴深圳、广州、苏州、无锡等地，考察科技创新、产业集聚和园区建设工作。2010年6月8～13日，区长陈锴竑、副区长张贵联率区有关乡镇、街道、园区及经济部门招商负责人，赴湖北武汉参加全市“科技创新·产业合作”（武汉）推介会，并参观武汉大学等高校科研院所，走访武汉金融后台服务中心、武汉食品工业加工区。6月17～20日，副区长王洪俊带领信息产业基地负责人，先后赴沭阳软件园、昆山花桥国际商务园、上海龙软信息产业园、海宝呼叫示范园等地，就信息服务产业发展状况进行专题系列调研。

三、重点课题调研

重点课题调研，选题紧贴工作实际，切口小，调研深，实践性、指导性、可操作性强，对把握经济社会的发展方向和推动重点工作有积极作用。区四套班子负责人分别领衔组织调研，并撰写调研报告。2007年起，每年召开全区重点课题调研成果汇报会，各调研组汇报交流调研成果，区领导班子全体成员、各乡镇街道和部门负责人参加。经过成果交流和研讨，众多的调研成果能及时有效地吸收并转化到政府工作中。除此，区领导还根据自身工作特点和时间安排，选择相关课题进行研究思考，撰写调研思考文章。至2011年，区领导共撰写并交流重点课题调研文章46篇，如《打造一流发展软环境，提升区域竞争新优势》（2006年，区委书记王玉新）、《找准切入点，主攻突破口，强势推进广陵工业发展新跨越》（2007年，区委书记孔令俊）、《加快转型，乘势而上，推动区域经济又好又快发展》（2009年，区长陈锴竑）、《彰显古风，延续文脉》（2009年，区政协主席董德利）、《明确目标，创新举措，强势推进广陵经济社会跨越发展》（2010年，区长陈曦）、《建设美好幸福新广陵，率先基本实现现代化》（2011年，区委书记陈锴竑）、《加速转型，促进提升，全力打造三次产业共进的实力广陵》（2011年，区长陈曦）。

第四节　为民办实事

一、科技教育

1989年后，全区教育事业不断发展。1991年，市第一所艺术小学“扬州市艺蕾小学”成立。1992年，召开全区首次教育工作大会。联合国儿童基金会康复项目主任会议在扬州召开。吴耀民、徐宝娣、陆锡增3名教育工作者入选《中国当代教育名人辞典》。1993年，以素质教育为核心的教育改革取得明显成效。聋儿康复实验成果得到联合国儿童基金会肯定。1994年，召开区科技进步大会，制定《扬州市广陵区科学技术进步奖励办法》《广陵区技术政策要点》《关于新产品开发奖励条例》。区财政每年拨出10万元作为科技发展基金，重点扶持一批工业企业科研开发项目，推进实施科教兴区战略。1998年，成为市第一个省教育收费达标区。

2002年，北京新东方扬州外国语学校开工建设并招生。2003年，建成广陵教育“校校通”工程，创办东关小学文昌苑校区，少年宫东部活动中心建成开放。2006年，实施区《关于加快建设教育强区，基本实现教育现代化的意见》，成立育才教育集团，启动“数字化”校园建设，实施农村中学“四配套”工程。2007年，出台《义务教育均衡发展18条》。2010年，开展基础教育课程改革，发展电化教学，开展创建“省区域教育现代化”活动。2011年，创新组团办学模式，推进教育资源优化调整，规划建设东区三校，育才小学东区校开工建设。

二、文化卫生

1991年起，坚持“以专促普、专普结合”办医方向，不断改善医疗设备条件，加强与大医院及医疗科研部门的挂钩协作，增强综合医疗功能。是年，汶河医院住院楼和东花园医院建成开业。2000年，加强特色专科建设，组建扬州市口腔医院。2002年，适应区划调整，加大全区卫生系统改革，实施红十字医院与市妇幼保健院联合重组。全面推进计划生育工作属地管理。积极开展群众文化活动，少儿文艺、群众文化众多作品在全国获奖，如少儿芭蕾舞蹈《黑白键》获全国群众文化最高奖“群星奖创作奖”，音乐情景剧《文化里的新生活》走上联合国舞台。1999年起，实施民族民间文化保护工程。区创成省文化工作先进区、中国民间文化艺术之乡。2011年，信息产业基地、1912街区创成省文化产业示范基地。

三、社会保障

1989年，建成市区首家老年公寓。1991年，区老年大学开学。全市第一家残疾人活动中心开业，全区残疾儿入托、入学率100%。1993年，建立区劳动就业训练中心，区职业介绍所和4个街办分所挂牌。1993～1995年，全区人均居住面积4平方米以下的95户住房困难户全部解困。2002年，建立以大病救助为重点的医疗救助和教育救助、廉租房制度，实行水、电、煤气、有线电视等优惠政策，率先实行区、街两级低保信息微机化管理。进一步完善抚恤定补标准自然增长机制。2003年，城市居民医保实现全覆盖，被征地农民即征即保。针对农民因病返贫、因病致贫问题，建立以重大疾病保险、大病统筹为主要内容，委托商业保险公司经办为主要形式的新型农村合作医疗制度。2008年，全面推进社会保障工程，首创困难群众大病医疗“医前救助”新模式。2011年，全区新农合参合率99.9%。

四、社区服务

1991年制定《广陵区社区服务三年规划（1991～1993）》，建立社区服务体系，开办劳务市场，成立科技、信息服务点。1996年，实施社区基础建设8件实事工程，街道全部建立社区服务中心，建立市区第一家家政服务中心。1999年，建立区、街、居三级社区服务业组织网络。2003年，社区服务志愿者协会被授予“省十大杰出志愿服务工作者”称号。率先在全市启动“零就业家庭就业援助”行动。荷花池社区被评为全国社区服务先进社区，文峰街道被评为全国和谐社区建设示范街道。2008年，创成省示范城市社区卫生服务中心3家。区被民政部授予“全国和谐社区建设自主创新先进城区”称号，文昌花园社区创成全市唯一的全国文明社区。2009年，创新开发全省领先的社区卫生服务信息管理系统，被民政部授予“全国和谐社区建设示范城区”称号，文昌花园被评为全国和谐社区建设示范社区。农村“五保”集中供养标准6000元/年。2010年，创成省城市社区药品“两网”示范区、省社区卫生服务先进区。2011年，文峰街道社区卫生服务中心建成全国首批、苏中唯一的全国城市示范社区卫生服务中心。

五、创建活动

1990～2011年，广陵区围绕市政府创建“国家卫生城市”“中国最佳人居环境奖城市”“全国生态示范市”“国家园林城市”“国家森林城市”“全国文明城市”六大目标，区委、区政府成立创建领导小组或推进委员会，强化领导，落实责任，举全区之力，强势推进，充分发挥广陵区的主阵地、主战场和主力军作用。一方面，突出民生导向，组织实施城区改造，强化硬件设施建设，办实事，纾民困，力求把好事办实、把实事办好，着力营造优美宜居的生活环境。另一方面，大力开展公园、游园和绿化广场等公共绿地建设；同时，以城乡绿化一体化为目标，城乡联动、整体推进，促进全区城乡绿化和林业生产较快发展，森林覆盖率和林木绿化率有较大提高。通过连续不断、目标各异的城市创建工作，城乡居民的生态环境、幸福指数和获得感有较大提升。（参见第十三篇第六章第一节、第二十六篇第四章第三节、第三十一篇第五章第二节）

第五节　法治建设

一、建立依法行政工作机制

图 22-3-8　2006 年 7 月，区政府召开深入推进法治广陵建设暨创建法治江苏合格区动员大会

1991 年 5 月，区政府提出《在全区公民中开展法制宣传教育第二个五年规划的意见》，区三届人大常委会第十次会议作出相应决议，明确把依法行政、依法管理列入区各级行政机关和各级领导的议事日程。1997 年 2 月，区四届人大第五次会议作出《关于开展依法治区工作的决议》，区政府把依法治区工作列入区经济和社会发展总体目标及社会主义精神文明建设规划，每年制定依法治区方案，依法行政工作逐步加强和完善。

1997 年，区政府制定依法治区实施方案，加强领导，明确责任，积极推进依法治区工作。2002 年，成立区依法行政领导小组，政府主要领导任组长，办公室设在区法制局，组织协调和推进依法行政工作。在机关部门、乡镇街道和园区配备依法治区联络员 57 人。2004 年，与区监察局联合开展行政执法大检查，对区卫生、环保、教育、计生、国土等部门行政执法情况进行检查，要求各行政执法部门对依法保留的行政许可项目逐项核实，对应该取消的行政许可项目及收费立即取消。2006 年，对涉及群众切身利益的劳动保障、医疗卫生等行政执法部门进行专项执法监督检查，规范执法证件的管理和监督使用。7 月，召开推进法治广陵建设暨创建法治江苏合格区动员大会。2008 年后，以保障和改善民生为重点，突出社保、教育、节能减排、保障性住房、环保、交通、医疗服务、食品安全、规范用工、物价等方面开展行政执法监督，加强食品、药品、价格等事关群众生命财产安全和社会安全稳定事项的行政执法。推行说理式文书，保证行政处罚自由裁量权的公平、公正、合理行使。全区 22 家机关部门共整理汇总公共服务办事权 166 项、收费项目 72 项，及时通过政府文件、门户网站公开。2011 年，围绕征地拆迁等民生重点领域，加强行政执法监督，对征地拆迁制度规定落实情况开展专项检查，对区 24 个项目实行审查，督促落实《广陵区保障征地拆迁稳定的三项机制》，进一步规范拆迁工作，防止侵害群众合法权益事件的发生。

二、推进审批制度改革

1997 年、2002 年和 2005 年，区政府先后进行三轮政府机构改革，科学合理设置政府机构，核定人员编制，划分机关职能和权限，形成权责一致、分工合理、决策科学、执行顺畅、监督有力的行政管理体制。推进行政审批制度改革，减少审批事项，依法行使的审批事项，通过“两集中、两到位”（审批事项向一个处室集中，审批处室向行政服务中心集中。审批事项到位，审批权限到位）统一办理。

2001 年，认真实施市政府《关于建立财政结算中心，进一步深化预算外资金管理工作的意见》，建立区财政结算中心。2003 年始，实行区级部门预算改革，形成“预算编制、预算使用、预算拨付、预算监督”相互分离、相互监督的约束机制。实行部门预算和国库集中支付制度，严格执行“罚缴分离”和“收支两条线”，行政经费统一由财政纳入预算。

2004 年以贯彻实施《行政许可法》为契机，对区机关公务员进行全面学法培训。举办培训班 26 期，培训 773 人，参考率、合格率 100%。2007 年，对照相关法律法规，各部门对执法依据进行逐项梳理，共清理剔除执法依据 41 条。组织编制执法目录，按照行政许可、非行政许可审批、行政处罚、行政强制、行政征收、行政裁决 6 个大项一一进行整理归类。全区共整理出行政许可 80 项、非行政许可审批 24 项、行政处罚 1518 项、行政强制90项、行政征收52项、行政裁决4项，共计1768项。各部门对每一项行政许可和非行政许可审批事项的工作程序绘制相应的流程图，制定出台规范自由裁量权的实施细则，建立自由裁量阶梯制度。

2009年后，继续完善行政审批制度，通过完善政务公开暨行政权力网上公开透明机制，推进网上审批系统建设，落实联审联办、并联审批等工作制度。

三、规范行政执法行为

1998年，出台《扬州市广陵区行政执法责任制实施意见》，将推行行政执法责任制作为依法行政工作的着力点，区政府17个执法部门建立责任制。1999年，区政府召开行政执法责任制工作会议，确认22个行政执法部门的执法主体资格，制定下发《广陵区行政执法责任制考核标准》，19个行政执法部门相继制定行政执法责任制实施方案，统一建立行政执法公示制度、监督检查制度、过错责任追究办法、错案赔偿制度、学习培训制度。2005年，加强行政执法监督和协调工作，规范执法部门的执法行为。是年始，建立和完善行政许可事项月报制、行政处罚情况季报制和行政执法责任制。2006年，区级机关21个部门建立政务公开网站，应公开的项目、制度全部在网上公开。完善“中国广陵”门户网站的功能和内容，依托政府电子政务平台，实现网上信息发布，网上公示，网上申报、审批，网上受理、办结，网上评议、监督，增加政府活动透明度。各行政执法部门分别通过网站、公开栏、宣传栏、报纸、电视、发放服务手册等不同形式向社会作公开承诺，并公布监督方式，接受人民监督。2007年，出台《政府行政执法责任制实施意见》，完善行政执法评议考核制度、执法过错责任追究制度、行政执法公示制度、听证制度等，建立行政执法争议和矛盾调处机制。开展“公正执法、执法为民”执法先进单位创建评比活动，对全区23家具有行政执法权的执法单位进行检查考核评比。同年，全区行政执法部门开展“阳光工程——规范事权行动”，建立和完善行政执法责任制，严格依法界定行政执法权限，细化分解执法职权、执法标准和执法程序，规范权力运行。2008年，对36个部门和行业单位公共服务办事权进行系统清理，清理公共服务事项166项、收费项目72项，逐项绘制办事流程图，服务及收费事项目录予以公布。加强服务窗口载体建设，推进“两集中，两到位”，实行“一个窗口对外，一条龙服务，一站式办结，一次性收费”，并不断强化效能监察，努力解决和处理好群众反映强烈的问题。2009年，实现政府行政权力事项网上运行和“外网受理、内网办理、外网反馈”的工作机制，建立完善行政监察网上监控系统，全覆盖、全过程监控行政权力。完善行政执法投诉和回访制度，严格落实行政执法主体资格和行政执法人员任职资格制度，实施执法责任追究和行政首长问责。推进执法规范化建设，依法规范行政执法公开、告知、听证、说理、回避等程序，实行行政执法调查、审核、决定相分离，推行重大执法案件集体讨论、“开门”审理制度，全面实施行政处罚自由裁量权基准制度，推广使用说理式文书，完善行政执法案卷评查工作，建立执法争议和矛盾处理机制。同年，制定《广陵区电子监察系统建设方案》，构建覆盖区、乡、村的三级电子监察系统“大平台”，优化办事程序，固化办理流程，保证权力在网上高效、廉洁、透明运行。2010年，建成“一库四平台”（行政权力库，网上信息公开平台、办事运行平台、法制监督平台、电子监察平台），进一步推进权力网上公开透明运行。区行政权力库内24个部门共有行政权力事项1367项，其中行政许可59项、行政处罚1201项、行政征收20项、行政强制37项、行政审批20项、行政确认10项、其他行政权力20项。已完全实现9类权力信息的管理、查询等功能。2011年，利用行政权力网上公开透明运行系统法制监督平台，实现网上报备规范性文件12件，内容涉及科技、公共卫生事业、安置房建设管理。对各部门行政权力网上公开透明运行情况进行专项督查，督促各部门单位严格使用行政权力公开透明运行系统，做到所有行政权力网上运行，不体外循环，不网外运行，不弄虚作假。

四、建立健全依法决策机制

2002年，出台《扬州市广陵区人民政府工作守则》，明确坚持科学决策、民主决策和依法决策，逐步建立健全公众参与、专家论证和重大事项集体决定相结合的行政决策机制。2005年，出台《扬州市广陵区人民政府工作规则》，健全完善重大行政决策专家咨询论证、合法性审查、集体讨论等制度，凡事关全区重大发展、社会涉及面广、与群众利益密切相关的决策事项，都需经调查研究、专家咨询、可行性论证，再由政府组成人员全体会议、常务会议或区长办公会集体决定的程序，并通过多种形式向社会公布。2006年决策“两城三区”

规划建设时，区政府深入调查，广泛听取各方意见，特别是十分注重每年市、区“两会”上的议案、建议和提案。同时，聘请国际规划大师刘太格、国内古城保护专家阮仪三等为顾问，邀请国际策划机构新加坡雅思柏、美国易道等，对“两城三区”规划建设工作提供决策咨询。在充分咨询、听取各方意见后，由区长办公会、政府常务会进行集体研究，形成实施方案，报区人大、政协征询意见，再报区委常委会研究决策。2007年，区政府建立“两城三区”开发建设合作协议预审机制，由常务副区长牵头，相关部门参加，组成“两城三区”开发建设合作协议预审领导小组，负责开发合作协议的审核把关和监督。经领导小组审核后，根据需要提交区政府常务会议和区委常委会研究决定。

2011年，按照国务院《加强法治政府建设的意见》要求，广陵区明确将重大决策出台前公众参与、专家论证、风险评估、合法性审查和集体讨论决定“五个环节”，作为重大决策的必经程序，建立健全行政决策实施情况后评价制度，及时发现并纠正行政决策存在的问题，建立健全行政决策责任追究制度，实现决策权和决策责任相统一。

五、行政处罚及行政复议

1999年，国务院作出《关于全面推行依法行政的决定》。2004年，《国务院关于全面推进依法行政实施纲要》颁布实施，区依法行政工作全面推开，并逐步走向规范化、制度化。2004年后，贯彻落实《中华人民共和国行政处罚法》，建立行政争议、复议等制度。是年，区法制办受理中国联通有限公司扬州分公司、广陵区君悦酒店申请的行政复议，经过认真审查，维持行政执法部门的行政处罚决定。2006年，加强行政复议制度宣传，引导和鼓励群众运用行政复议维护自身合法权益。2008年，围绕群众最关心、最直接、最现实的利益问题，不断完善行政复议制度，提高行政复议能力，扎实推进行政复议工作。通过及时办结行政复议案件、适时调解双方当事人，将行政争议化解在基层，化解在初发阶段，化解在行政系统内部，促进社会和谐稳定。2009年，进一步畅通复议救济渠道，提高行政复议决定公信力，发挥行政复议的品牌效应。办理涉及土地征收安置和环保行政审批的行政复议案件2宗，较好地维护双方当事人的合法权益。2011年，围绕人员配备、场所建设、资金保障、制度保障等环节，制订落实方案，对行政复议规范化建设的要求，明确目标和序时安排，逐项落实，进一步完善区法治中心规范化建设。同时，不断充实政府法制工作力量，提升复议人员专业化水平。至2011年，共办理行政复议案件30起，始终坚持以事实为依据，以法律为准绳，增进当事人与行政机关之间的理解与包容，确保行政复议工作高质量、高效率，既有效保护法人和其他组织的合法权益，也保护行政管理相对人的合法权益，树立政府的公正形象。

2008年，出台《广陵区行政机关首长出庭应诉工作暂行办法》，对行政机关首长出庭应诉进行专门部署，制定对接制度和通报制度。根据法院发出的《建议行政首长出庭应诉通知书》，全年行政首长出庭应诉率100%。2009年，创新行政复议案件审理方式，对事实清楚、争议不大的行政复议案件，实行简易程序解决行政争议；对案情重大、事实争议较大的案件，坚持集体研究复议案件制度，运用调解机制促成当事人达成和解，实现案结事了。2011年，专门部署行政机关首长出庭应诉工作。要求在接受行政应诉案件后，区法院向行政机关送达起诉状副本等诉讼文书时，一并将《建议行政首长出庭应诉通知书》送达法制办，实行工作对接，区政法委跟进督查。是年，区法院共受理行政诉讼案件8起，行政首长出庭应诉率保持100%。

六、规范性文件管理

1998年，根据《扬州市规范性文件制定与备案审查办法》，认真开展规范性文件制定与备案审查工作。2004年，对《广陵区人口与计划生育工作管理暂行办法》《政府采购管理办法》等5件规范性文件进行审查和备案。2005年，对区《贯彻扬州市征地补偿安置和被征地农民基本生活保障实施暂行办法的意见》等规范性文件进行审查。2006年，加强对抽象行政行为的监督审查，开展规范性文件事前法律审查和备案工作，审查《广陵区特困居民重大疾病医疗救助暂行办法》《广陵区自然灾害救助应急预案》等规范性文件。2008年，区政府出台文件144件、区政府办公室出台文件71件，全部经审核把关，并及时报市政府和区人大常委会备案。2009年，开展规范性文件清理工作，重点对2007年前以区政府及政府办名义所制定发布的规范性文件进行梳理，共梳理出规范性文件60件。2010年，认真执行《广陵区规范性文件制定及备案审查办法》，区政府规范性文件均由政府相关职能部门起草，交政府常务会议研究讨论，并经政府法制机构合法性审查通过后行文，其中涉及重大事项的，征询公众意见、组织专家论证。区政府制定的规范性文件全部自发布之日起15日内报市政府和区人大常委会备案。各地各部门制定的规范性文件也自发布之日起30日内报本级政府和上级主管部门备案。是年，报备《扬州市广陵区人口和计划生育公益基金管理暂行办法》《扬州市广陵区区级行政事业单位房屋公开招租暂行办法》《扬州市广陵区区级行政事业单位房屋公开招租操作流程》等规范性文件。2011年，根据市法制办要求，重点对2010年以前发布的规范性文件进行全面梳理，保留使用规范性文件32件，废止6件。

第四章 行政监察

行政监察是行政监察机关对国家行政机关及其工作人员及国家行政机关任命的其他人员所进行的综合行政行为实施监督，是行政机关的一种内部监督，目的是保证依法行政。1988年3月，广陵区监察局成立，专司行政监察职能。1993年3月，区监察局与中共广陵区纪委合署办公，实行一套工作机构、两个机关名称、履行两种职能（党的纪律检查和政府行政监察）的体制。1989～2011年，区监察局围绕全区工作中心，抓住重点工程、重点工作、重点部门三方面对政府行政行为开展行政监察，促进和提高政府部门依法行政水平。

第一节 效能监察

1994年，开展清理党政机关经商办企业专项治理，区机关“三不准”（党政机关不准组建任何类型的经济实体，不准以部门名义向经济实体投资入股，不准接受各类经济实体的挂靠）经济实体23个、“四脱钩”（在职能、财务、人员、名称四个方面与党政机关实现脱钩）经济实体11个，均停办或脱钩。1995年，区委、区政府印发《关于在全区开展效能监察工作的意见》，区纪委举办由基层纪检监察干部参加的效能监察业务知识培训班。召开效能监察工作会议，对全区工业企业营销工作、利用外资工作、基层党委贯彻民主集中制情况等工作进行效能监察。全区组织开展效能监察项目48项，发放监察建议书13份，提出监察建议120多条，修订完善制度16项。同年，制定《关于1995年剖析非正常亏损企业的实施意见》，把剖析非正常亏损企业，使企业减亏、止亏、扭亏为盈作为纪检监察部门为经济建设服务的一项重要工作来抓，同时要求有亏损企业的系统都要成立以纪委书记为组长的剖亏工作领导小组。全区剖析亏损企业8家，立案查处违纪违法案件6起，均移送司法机关处理，追缴违纪违法金额32.5万元，收回拖欠公款49.7万元。

1996年，剖析亏损企业6起，发现经济案件线索6件，查出涉嫌经济犯罪移送司法机关处理3人，追回赃款6.83万元，收回拖欠公款21.5万元。1997年，剖析亏损企业8家，发现经济案件线索4起，查出涉嫌经济犯罪并移送司法机关处理6人，挽回经济损失21.7万元，追回赃款14.45万元。通过剖亏，及时调整企业领导班子，有6家企业实现减亏，1家企业实现止亏，1家企业实现扭亏为盈。1998年，剖析亏损企业7家，减亏或止亏6家，扭亏为盈1家。在对某建筑公司剖亏时，发现该公司时任经理在3年多内，烟酒吃喝等费用120万元，用白纸条支取现金27万余元，造假工资表48万余元，大多用于贿赂有关工程建设单位和建筑管理部门领导。经与检察机关联合调查，查出严重违纪违法人员3人，全部移送司法机关处理。通过整改，调整公司领导班子，帮助整章建制，该公司恢复经营。同年，还围绕“四项重点工作”（重点项目建设、企业改革、发展个体私营经济和社区服务业）开展效能监察。1999年，对某街办企业实施剖亏，纠正该企业在干部住房、销售大承包方面的问题，处理3名严重违纪人员，收缴各种违纪违规款90多万元，并引导该企业改制重组，恢复生产。区纪委、监察局还会同有关部门对解困资金与再就业资金使用情况进行效能监察，维护职工切身利益。

2000年，区监察局在扬州灯泡（集团）厂、扬州保来得工业有限公司等五家外、台商投资企业，设立“为外来投资企业服务监察联系点”并挂牌，随时协调和处理外、台资企业运作中遇到的困难，改善投资环境。2002年，围绕重点工程项目建设开展效能监察，成立区城建重点工程建设纪检监察领导小组，及时化解台资英谛公司扩建、新东方学校征地拆迁等遇到的阻工问题。2003年，对江扬大桥东接线工程、街巷道路改造工作、东关街旅游新线拆迁整治、“城中村”改造工程等一批重点项目开展效能监察，使之顺利实施。2004年，在曲江公园建设、江都南路改造、小街巷翻建、产业园拆迁等重点工程建设中，开展全程效能监察。区曲江公园建设工程项目领导小组增设效能监察组，纪委主要领导任组长，区监察局一名副局长进驻现场。与此同时，抓紧对工程建设的廉政监察。全区先后实施曲江公园建设和道路建设等十多项环境综合整治工程，投入建设资金4亿元，未出现一次廉政方面的投诉举报。2005年，围绕区委、区政府“拆除违法建设整治月”工作开展效能监察，严肃有关纪律，重点查纠党员干部在拆除违法建设过程中的违法乱纪行为和有关职能部门的失职行为。2006年，建立对重点工程项目派驻纪检监察工作人员制度，派员进驻食品工业园建设工程和拆迁现场，帮助食品工业园建立健全廉政制度。落实上级纪委关于规范党员干部拆迁行为的规定，协调解决28户涉及党员干部本人及家庭的房屋拆迁问题。会同相关部门对通达工程、农村五件实事以及京杭大运河“三改二”（航道三级改二级）工程进行跟踪督查。

2007年，按照“有牌子、有场所、有人员、有制度、有服务、有记录”的“六有”要求，在全区所有村和社区居委会推广建立便民服务室。2008年，对4•18扬州“烟花三月”国际经贸旅游节前的环境整治、城市建设与环境提升各项任务和9•26“运河名城博览会”市容环境整治开展效能监察。对“双东”历史街区保护、城乡道路建设、老小区整治等为民办实事工程的进展情况实施动态监督，并巩固督查成果。2009年，对涉及广陵区的4个中央扩大内需新增投资项目进行督查，督促项目实施主体快速抓好项目落实和建设。2010年，开展创建全国文明城市工作效能监察，在省城调队和国家文明委先后到扬进行文明指数测评等关键节点，开展全方位、全天候督查，并印发督查督办单326期，要求责任单位及时整改到位并予以书面回复。2011年，围绕“四城同创”目标和任务要求开展效能监察，印发《关于在创建全国文明城市工作中进一步发挥纪检监察组织作用的通知》，强化对纪检监察干部服务创建的组织领导。印发《全区创建全国文明城市工作问责办法》（以下简称《问责办法》），并将《问责办法》编印成1000册“掌中宝”发至机关每一名工作人员手中。对创建国家森林城市和生态园林城市工作开展督查，促进各项创建任务的落实。

第二节　执法监察

2003年，对物价部门年度行政执法工作进行全程跟踪，促进依法行政。对区劳动、文化、民政、环保等部门进行行政监督检查，了解各部门专项资金（费用）收取、管理和使用情况，加强事前、事中监督。在预防禽流感工作中，区监察局多次深入乡镇、街道、社区、村组，检查预防禽流感措施落实情况，对发现的薄弱环节及时提出整改要求。2006年，对监察联系点设立后的情况进行调研，全面了解各执法部门服务经济、依法行政情况，帮助提高依法行政水平。会同区法制办进行贯彻《行政许可法》专项检查，逐步规范许可事项和许可程序。进一步加大对政府采购工作的监督力度，全程参与公车保险、教育设备等大宗采购的招投标过程。2007年，加强纠正企业违法排污工作的组织和纪律保障，对危害群众健康和影响可持续发展的重点行业以及集中式饮用水源地

图22-4-1　2011年2月，区政府召开区安全生产工作会议

等开展环保专项整治督查，对被市政府确定为挂牌督办环境问题的2家企业，实施限期整改。2008年，规范行政处罚自由裁量权行为，巩固规范执法权行动工作成果。会同有关部门开展政府采购法执行情况专项检查和土地使用权出让情况专项清理。对节能减排、安全生产、抗震救灾资金物资募集使用、农作物秸秆禁烧等工作进行督查，强化责任落实，防范违规行为。2009年，规范机关内部管理权，重点对24个单位和部门在人事任免、奖惩、资金使用、物资采购处置等工作中存在的风险点进行清理和防范。2010年，率先在全市开通招标采购网，所有采购业务均通过网站申报和查询，促进采购监管工作顺利开展。会同环保部门开展环保专项行动，重点对市政府挂牌督办的中沟河整治项目进行督查。配合安监部门对安全生产事故责任追究和行政处罚执行情况进行专项检查，全面落实安全生产责任制。2011年，召开全区安全生产工作会议，进一步落实安全生产事故责任追究制度；对全区转变经济发展方式进行监督检查，成立转变经济发展方式工作监督检查领导小组，印发《全区转变经济发展方式工作监督检查办法》，统筹督查方式，提高督查成效。加强对征地拆迁行为的监督检查，重点检查年初国务院《国有土地上房屋征收与补偿条例》颁布后，全区范围内组织实施的征地拆迁项目是否按照规定依法征收、公平补偿。

第五章 外事、侨务与港澳台事务

1984年，区政府成立侨务办公室，负责区外事、侨务和港澳台事务，1998年，更名为区外事侨务办公室。1993年6月，成立广陵区人民政府台湾事务办公室。1989～2011年，严格把控因公出国（境）团组管理，做好涉外接待和工作；紧紧围绕为广陵经济转型和为侨服务两大重点做好侨务工作；坚持以台湾人民为主体，热情做好接待、旅游、经商台胞等台湾事务工作，为全区的经济建设做好服务。至2011年，全区共组织因公出国（境）团组100批490人次。其中区委、区政府领导组团出访10批次，，接待探亲、旅游、经商台胞2120人次。接待美国、日本、韩国等国家和中国香港、澳门、台湾地区友好客人16批。至2011年年底，全区共有定居海外的华侨727人、侨属3703人，主要分布在美国、英国、法国、巴西、加拿大、德国、澳大利亚等30多个国家。有外商投资企业260家，涉及船舶、机械、电子、电器线缆、医疗器械、日化、食品、服装、餐饮、商贸和房地产等行业。

第一节 外事交往

一、组团出访

1998年，区委书记洪军，副书记、区长卢穗明带领有关企业领导，赴日本、韩国进行对外经济贸易洽谈。

2003年10月12日，代区长孔令俊率团赴日本招商引资，分别在日本大阪和名古屋市举行区投资环境推介会。

2004年9月30日，以区委书记王玉新为团长的扬州市城区考察团赴意大利、奥地利等欧洲七国进行为期半个月的考察。

2006年2月13～26日，以区委书记王玉新为团长，区委副书记、副区长董德利为副团长的扬州市广陵区赴美国考察团一行7人，在美国进行工商教育考察，历访华盛顿、波士顿、匹兹堡、洛杉矶、旧金山等城市，拜访一批工商、教育界朋友。

2007年8月4～7日，区委书记孔令俊率区经济代表团赴美国、加拿大考察并洽谈项目。11月，副区长薛高辉赴美国开展招商推介活动，拜访客商，洽谈项目。12月5～15日，副区长刘新伟随市城市规划建设考察团赴法国、比利时、意大利等欧洲10国学习考察。

2008年1月27日～2月1日，副市长闻道才、区委书记孔令俊率团赴意大利洽谈引进玛切嘉利钢管项目。2月16～19日，区委书记孔令俊，区委常委、宣传部部长薛高辉，参加市长王燕文率领的代表团，赴新加坡招商推介洽谈。

2009年9月27日～10月3日，区长陈锴竑率扬州市信息代表团出访韩国，参加在韩国首尔市举办的“世界城市首席信息官员论坛”和首席信息官员会议，并与韩国济州市政府信息通讯课座谈交流。

1989～2011年，共组织经贸因公团组85批400人次、非经贸因公团组15批90人次。主要前往美国、巴西、日本、韩国、新加坡、澳大利亚、新西兰、意大利、法国、英国、德国、以色列、荷兰、匈牙利等国家，开展招商引资、招才引智、产业合作、城市规划、市政建设、社区建设、医疗卫生、文化教育等方面的活动和交流、培训。

二、接待外宾

1997年，与日本秋田县山本郡八森町建立友好关系。

2003年1月18日，区长王玉新会见美国俄亥俄州商务代表。9月14日，澳大利亚驻上海领事馆商务参赞到广陵区考察。9月21日，美国阳光公司总裁到广陵区考察。

2004年9月18日，以副厅（区）长赵明植为团长的韩国大田市东区政府代表团一行19人到广陵区进行友好访问。区领导孔令俊、阚肖虹、董德利、薛高辉等参加接待，董德利代表区政府与韩国大田市东区政府签订友好区协议，孔令俊向韩国国际交流文化院院长金珍培颁发广陵区荣誉市民证书。9月23日，意大利企业家代表团一行到广陵区考察，双方就汽车零配件合作进行洽谈。

2005年4月15～25日，新西兰普罗鲁阿市派杰夫·马沙到区开展交流活动，区领导王玉新、孔令俊、董德利分别与其会见并参加有关交流活动。6月12日，加拿大经贸考察团到区考察。9月12日，新加坡经贸访问团考察广陵产业园。

2006年4月11日，美国加州房地产企业家代表团一行22人到广陵区考察。7月，美国高其士公司到广陵区考察食品加工行业情况。

2007年3月30日，韩国大田东区区长陆根直一行到广陵区进行经济文化方面交流，区长陈锴竑、副区长薛清华接待韩国客人。

2009年2月17日，沙特驻华使馆商务参赞一行到广陵区考察。3月13日，副市长王玉新，区委常委、宣传部部长薛高辉，副区长张贵联，应邀作客沙特驻华大使馆，拜会沙特驻华大使，洽谈合作项目。

2010年7月22日，区委、区政府接待以会长程万琦为首的世界华人协会、美国哈佛基金会一行，区委书记孔令俊致欢迎辞，区长陈锴竑就广陵区投资环境作推介。

2011年3月28日，印度驻沪总领事到江苏信息服务产业基地参观考察，区委书记陈锴竑、区长陈曦参加会见，副区长王洪俊介绍相关情况。是年，接待印度驻沪总领事、美亚学会及美国国会助手访问团、加拿大内河国际组织主席、渥太华市长代表、运河国际组织代表等及客商200多人次。

第二节 侨务与港澳事务

一、侨务工作

建立侨网 根据侨务工作的需要，1998年，广陵区成立以分管区长为组长的侨务工作领导小组，建立乡镇街道统战侨务工作联席会议制度，形成“上下齐心、协调有力、共同推进”的侨务工作格局。积极依托市侨办、市外办，开拓海外交流领域，加强海外人才工作站和海外同乡会建设。

开展侨引 广陵区坚持把服务招商引资和招才引智作为工作重点，2004年，邀请侨胞、华人到扬州举办学术报告会，帮助企业了解国外先进技术。积极参加海外华人华侨专业协会会长联席会、“海外高层次人才江苏行”、扬州“烟花三月”节、运河名城博览会等活动，吸引海内外客商、高层次人才投资广陵、落户广陵。2008年，通过“行政服务、法律服务、亲情服务”三位一体，“凝侨心聚侨力”工程，把各项活动作为与海外华人、华侨交往的平台，促进区对外开放和交流合作。依托荷花池社区现有平台在全省首家成立归侨侨眷老年快乐服务中心，开展多种形式的服务。琼花观社区成为全国侨务系统“五五”普法“侨法宣传角”。

维护侨益 广陵区持续开展“双百”活动，引导侨资企业与村、社区开展结对帮扶。同时，结合区委的驻点交友活动，积极引导企业、村、社区开展结对帮扶、共建和谐活动，涌现出琼花观、荷花池、文昌花苑等一批侨爱工程典型。

加强对《中华人民共和国归侨侨眷权益保护法》（以下简称《归侨侨眷权益保护法》）及江苏省实施办法的宣传，依法维护广大归侨侨眷的合法权益。加强与侨界人大代表和政协委员的联系与沟通，积极反映侨情民意，切实解决归侨侨眷的医疗、就业、住房、探亲等方面的实际问题，维护侨胞权益。积极开展侨法宣传，向侨眷赠送《侨务法律法规汇编》，提高侨眷侨胞依法维护自身合法权益的意识。认真贯彻落实《归侨侨眷权益保护法》及其实施办法，依法维护华侨华人合法权益。至2004年，慰问三胞及眷属855户，接待海外侨胞、港澳同胞和外籍华人611人次，受理各类信访100多件，处理率100%。2008～2011年，区外侨办累计接待华人华侨、归侨侨眷100多人次，帮助调解或配合有关部门圆满处理有关房屋产权、房屋拆迁方面的上访案件16起，办结率100%。

扩大侨宣 区侨办充分发挥侨外工作的优势，积极拓展海外友好交往渠道。1989～2011年，先后接待海内外重要人士150多人次。同时积极加强与国内外媒体的宣传推荐，提升广陵的知名度和美誉度。1999年7月，金同合作为扬州市唯一侨眷代表，出席第六次全国归侨侨眷代表大会。2002年9月，沈恒美（女）被评为江苏省侨联工作先进个人。2004年1月，省侨办在区旌忠寺社区召开社区侨务工作现场会，荷花池、旌忠寺两个社区被市侨办列为全市社区侨务工作示范点，荷花池社区被评为全省社区侨务工作先进单位。2004年8月，高志刚被国务院侨办和中国侨联授予“全国侨眷先进个人”称号。2008年，区外侨办被评为全市侨政工作先进单位。

二、港澳事务

区外事侨务办公室除负责区外事、侨务工作外，同时负责接待到广陵旅游、探亲及洽谈商事的港澳同胞有关事务工作。2006年7月7～8日，接待香港锦通集团经贸考察团考察食品加工行业投资环境。2008年，通过港澳同胞联系交往平台，推进港澳与内地的交流合作。2009年，组织“3•15”香港推介会和“9•12”深圳招商会，邀请客商30多人次，为招商引资牵线搭桥。2010年3月28日，区委书记孔令俊、副区长张贵联带队赴香港、澳门参加市“名城扬州港澳行”活动，并举行广陵专场签约仪式。4月，接待华润集团董事长一行，考察广陵新城、五丰富春食品、华润苏果和老城区历史文化街区。是年，区外侨办举办香港名城扬州推介会，邀请客商50多人次，拜访香港宏通集团、茂业百货等多家知名企业，促进香港明发集团、香港磁域有限公司等与广陵区成功签约。实施“海外人才为国服务计划”，接待10多名海外高层次人才。承办2010“华侨华人专业人士创业扬州广陵行”活动，组织来自美国、德国、加拿大、韩国、日本等国家和中国香港的华人华侨嘉宾，与市、区及广陵新城、产业园的相关部门和企业交流洽谈，达成一批初步合作意向项目。2011年，接待香港华润集团董事长一行到广陵区考察投资环境。

第三节 台湾事务

一、促进两岸交流

1993年，广陵区成立台湾工作办公室，分别挂“中共扬州市广陵区委台湾工作办公室”和“扬州市广陵区人民政府台湾事务办公室”两块牌子，一直从事台湾事务。2002年8月，全市第一家“涉台教育示范点”在荷花池社区挂牌成立，省、市台办主任石细云、张大经到区祝贺。区台办坚持以做好台湾人民工作为主线，明确重点，提高层次，热情接待探亲、旅游、经商台胞，并组团赴台进行经贸考察和技术研讨，促进两岸交流。2004年5月，台湾海峡两岸文化经贸保障促进会理事长一行5人到广陵区考察。区委书记王玉新率广陵经贸考察团赴台考察交流。2005年，区长孔令俊率广陵经贸考察团一行6人赴台考察交流。至2005年，共接待探亲、旅游、经商台胞1184人次，组织16个团组64人赴台进行经贸考察和技术研讨。2005年11月，台

图 22-5-1　2005 年 11 月，台湾翁文钟夫妇助建三湾大桥及其东接线捐赠仪式

湾翁文钟夫妇为帮助三湾大桥及东接线建设，向区政府捐赠 30 万美元。2006 年，深度挖掘对台招商资源，放大对台招商引资后续效应，接待重点台胞 31 人次，办理 3 批 14 人次赴台进行经贸考察和技术培训。2007 年，接待重点台胞 71 人次，慰问重点台属 16 户，组织 5 批 17 人赴台交流，赴台团组数创历史新高，对台招商引资成果巩固扩大。2010 年，强化作风建设，拓展交流渠道，服务发展大局，推动入岛交流。办理赴台经贸考察 2 批 5 人。悉心接待到扬州重点台胞台商 9 批 51 人次，重视做好台湾中南部地区台胞和去台人员第二、三代人的工作，采用交流、座谈、餐叙等形式，努力增强其对祖国大陆的认同感。2006 ～ 2011 年，接待重要台胞 936 人次。组织赴台交流 34 批 113 人次。

二、服务台资企业

1993 年后，本着推进经济合作，促进两岸关系和平发展精神，广陵区将服务台资企业放上重要工作位置。台办开展走访调研，听取台商意见，帮助协调关系和化解矛盾，支持台资企业健康运营和持续发展，如扬州灯泡集团（厂）、万家福商城等。随着两岸交往增多和经贸发展，区内台资企业数量不断增加，规模逐步扩大，至 2008 年，全区列统的台资企业共 30 家，投资总额 2.85 亿美元，注册资本 1.54 亿元，实现销售 11.2 亿元，形成以汽车材料及配件为主体的高新科技产业群；服务业也由传统单一的商业零售开始向宽领域现代服务业延伸拓展。2010 年，落实吸引并汇聚高层次人才精神，开展台资企业高层次人才状况调查的专项工作。开展台资企业员工生活待遇情况调研，做好维护稳定的促进工作。开展台属联谊会工作情况调研，努力发挥其凝聚台属、服务发展的促进作用，受到上级表彰。2011 年，全区列统台资企业 26 家，总投资 2.58 亿美元，合同利用台资 1.42 亿元，实际利用台资 1.16 亿元。是年，台办建立并完善《学习制度》《培训制度》《走访制度》《调研制度》和《廉政制度》，改进工作作风，提高办事效率。

三、服务台胞台属

1993 年，成立区台属联谊会，主旨是维护台属的合法权益。2001 年，区台办主任王成海被评为全省台办单位先进个人。至 2004 年，帮助台属排忧解难 126 件，慰问台属 300 多户。2007 年，召开全区台属联谊会理事会议，明确涉台工作主要任务，加强台属与岛内亲友特别是他们中第二、三代人的联系交往，积极主动开展涉台宣传，打好亲情牌、乡情牌、文化牌。至 2007 年年底，帮助台胞台属排忧解难 144 件，慰问台属 356 户。受理台商和台属信访 15 件。四川汶川地震发生后，扬捷照明、万家福等台企、台商和台属心系灾区，伸出援手，向灾区捐款 100 多万元。2010 年，及时处理涉台突发事件，妥善解决 1 起因交通纠纷引发的台胞受伤事件。妥善处理台胞因病死亡个案，帮助死者亲属解决在扬购房退款事宜，协调化解有关纷争。

第六章　电子政务与信息工作

区电子政务与信息化工作起步于 2000 年。2001 年，建成政务信息局域网。2005 年 3 月，开通广陵区电子政务内网门户网站。2007 年，启动社区综合管理信息系统建设。2009 年，启动远程、移动电子政务系统建设。2011 年，在市率先建成行政权力网上公开透明运行系统，全区 1367 项行政权力事项实现网上办理、实时监控。

第一节 电子政务建设

图 22-6-1 “中国·广陵”门户网站

2004 年 8 月，区政府制定《关于深化政务公开工作的意见》，提出建设电子政务是推进政务公开的重要途径。各部门按照“统筹规划、资源共享、面向公众、保障安排”的要求，加快电子政务建设步伐，以服务公众为中心，逐步通过电子网络专用平台开展网上审批、年检、办证、缴费等服务，并在政府网站开辟《政务公开》专栏，充分发挥电子政务在政务公开中的作用。当年，区政府电子政务公文交换系统建成。

2005 年，进一步完善区信息化工作机制，拓宽信息化应用新领域，努力提升信息化应用水平。3 月 18 日，区信息中心成立暨“广陵区电子政务内网门户网站”开通仪式举行，各部委办局、乡镇、街道实现公文交换和办公自动化。21 家政府组成部门分别建立有独立域名的政务公开网站。12 月 30 日，区（教育）信息服务中心揭牌仪式在广陵教育综合大楼举行。

2006 年，推进政府公文网上传输，探索网上招投标、网上申报、网上审批等办公方式，进一步提高行政效率。切实加强电子政务培训，机关工作人员基本掌握公文交换和 OA 系统的使用。再次改版“中国·广陵”网站，增加市民参与功能，增设《阳光工程》栏目，将各部门的行政许可、办事程序等向社会公开。加大“中国·广陵”门户网站管理力度，及时更新信息，丰富内容，确保网站正常运行，网站访问量稳步提升。强化政府组成部门网站管理，及时更新部门网站信息。

2009 年启动远程、移动电子政务系统建设。将原电子政务系统利用电信 3G 无线网络技术优势，扩展实现远程、移动办公。通过公文批阅、工作日志、即时通知、政务邮件功能，帮助领导对重要事项、急办事项以及日常办公即时交办、协同处理。18 个部门 1000 多个风险点开发完成 2000 多条内控措施、900 多个内控事项，实现流程固化、流程监控、预警纠错、投诉处理、绩效评估、统计分析、监察日志等功能。

2010 年，推进行政权力网上公开透明运行，按照“外网受理、内网办理、外网反馈”的要求，科学进行“一库四平台”开发与建设，全区 22 个政府部门 1367 项行政权力全部纳入行政权力网上公开透明运行系统建设，并与市级平台顺利实现对接。

2011 年，率先建成行政权力网上公开透明运行系统，全区 22 个部门 11 大类 1367 项行政权力事项实现网上办理、实时监控。

第二节 信息化管理系统

2006 年启动社区信息化工作。当年开发的社区管理信息系统，在高峰论坛观摩会上成功演示，受到省信息产业厅领导及专家好评。2007 年，加快推进社区综合管理信息系统的建设与应用工作，制定“社区综合管理信息系统”建设方案，把网络架构延伸到社区，为电子政务应用创造基础。建成 11 家独立域名的社区网站，搭建社区居民互相沟通、交流的平台。同时举办社区网站管理员、综合信息管理员、服务平台使用等培训班。

2008 年，区政府制定《2008 年广陵区信息化工作意见》《“中国·广陵”政府门户网站内容保障办法（试行）》《“中国·广陵”政府门户网站内容保障工作计分办法》等文件，全面推进信息化工作。完善政府宽带网络建设，升级改造电子政务平台系统，建成 22 家开通独立域名的社区网站。区政法、司法、民政、残联等部门开发业务子系统，形成社区多种业务综合性工作平台。2008 年年底，已采集、录入人口信息 3.25 万条、户籍信息 1.01 万户。居民家庭情况信息库中人口、户籍的信息，已能够进行多种组合的自定义查询，实现台账数据的跨地域共享。同年,在"中国·广陵"门户网站开设《政务信息公开》专栏,听取公众对政务信息公开的意见。开发政务信息上报系统和政府公开信息上报平台,并将两套系统进行整合,实现多业务平台之间的数据共享,完善部门上报信息通道,提升部门工作效率。

2009年,进一步做好网上政府信息公开,及时发布和更新日常政务信息,规范网站信息采集与分布流程。曲江街道被批准为省社区信息化试点街道,东关街道琼花观社区申报"以社区为主体的老年慢性病防治和干预管理"获批省科技支撑计划(社会发展)项目。

2010～2011年,进一步加快"三务"(党务、政务、村务)公开一体化步伐,区级机关各部门网站、各乡镇街道都通过政府部门网站和单位网站,实现党务、政务及时公开,24个村、50个社区建立统一的党务、政务、村务、居务公开栏,形成区、乡、村三级联动、稳步推进的工作格局。

第二十三篇 人民政协

要　目

1984年4月，广陵区成立中国人民政治协商会议扬州市广陵区委员会（以下简称区政协）。区政协第一至第三届（1984～1993年），每届任期3年；1993年第四届始，每届任期5年。

1989～2011年，区政协遵照《中国人民政治协商会议章程》规定，认真履行政治协商、民主监督、参政议政职能，举行全体会议23次、常委会议123次、主席会议58次。组织主席会议成员和委员视察367次、专题调研355次，形成调研报告126篇、建议218条。

区政协不断加强自身建设，制定和修定各项工作制度，创新工作方法，规范工作程序。注重发挥委员的主体作用，调动委员参政议政的积极性，认真督办委员提案，提高提案质量和办理实效。1989～2011年，政协历届全体会议收到提案2518件，立案2413件，立案率95.83%，为推进全区经济建设和社会稳定发展建言献策。同时，努力推进政协履行职能的制度化、规范化、程序化建设，为履行政治协商、民主监督、参政议政等基本职责尽职尽力。

第一章　政协委员

1989～2011年，广陵区共召开6届政治协商会议。委员界别根据经济社会发展需要不断完善和增加。区政协第二至第五届会议，均为10个界别；2002年区划调整后，2003年1月召开的第六届政协会议，新设农业和农村界等3个界别，界别总数增加到13个；第七届政协会议又新增3个界别，界别总数达到16个。委员人数，第二至第六届均为120人，第七届160人，其中各界女性代表16～40人，分别占总代表数的13.33%～25%。

第一节　委员产生

按照《中国人民政治协商会议章程》（以下简称《章程》）规定，广陵区政协每届委员会的参加单位、委员名额和人选及界别设置，经上届区政协委员会主席会议审议同意，由常务委员会（以下简称常委会）协商决定。委员任期与委员会任期相同。

区政协委员由中国共产党、民主党派、无党派人士、人民团体、少数民族和社会各界的代表及特邀人士组成。

每届任期内，有必要增加或变更参加单位、委员名额和决定人选时，经本届委员会主席会议审议同意后，由常务委员会协商决定。

第二节　委员和界别

一、委员

政协广陵区第二至第七届委员会共有委员760人。因工作需要，先后增补委员79人。

政协广陵区第二届委员会委员名单

（按姓氏笔画为序）

中　共（21人）

丁久均　丁耀先　王金波　邓洪圣　包文兆　包文傅
刘晓琼（女）　李布丹　李济中　宋建国　张健五　居德昌
罗福棣　钟元大　胡宏飞　唐宏开　戚务品　黄　瑜
谢孝兰　谭　季　潘恩捷

工　会（8人）

丁菊芬（女）　方植民　吕沈元　仲玉宏　冷德云　张玉琪
周丛赟　秦桂红（女）

共青团（3人）

李　敏　李　璐（女）　陈效燕（女）

妇　联（2人）

刘学芹（女）　严鹏英（女）

工商联（8人）

方开信　吕茂林　陈　刚　陈厚琇（女）　陆全发　顾德美
徐与人　虞家骏

文　化（8人）

许虹生　朱俊儒　朱福炷　沈阿六　翁　文（女）　董庆生
黎　明（女）　戴若云（女）

教　育（18人）

马恩甲　史凤飞　许　明（女）　刘如瑛　张乃达　张　蓉（女）
严红筠（女）　邵承组　杨德美（女）　姜涌明　陶定新　谈挹芳（女）
徐维秋（女）　徐　然（女）　黄霈德　赵淑钗（女）　潘炳甫　臧树华（女）

科　技（16人）

方蕴藻　卞玉康　王心贤　王　冰　尹春江　叶松祥
张克惠　陈兴义　陈钰锟　陈启荣（女）　周以鶒　周梅生
胡爱珠（女）　俞秀英（女）　顾士才　葛强生

医　卫（12人）

许生昶　李耀谦　张景山　陈启亮　郑　辉　郭育培
夏立仁　徐廷栋　谢登英（女）　赵子文　韩建阳（女）　缪亦轩

特　邀（24人）

王道义　刘莲娣（女）　阮秋山　李　华（女）　李新人　张　南
张涵麟　陈　绩　沈春旺　吴宝乃　陆长岭　金同合
金基强　郑安琪（女）　高仁林　徐宝华　徐莹然　续　光
曾明辉　蔡福明　赵庆泉　熊树棠　薛守承　戴　良

增补

郭　荣

政协广陵区第三届委员会委员名单

（按姓氏笔画为序）

中　共（18人）

王金波　包文兆　朱福元　邬瑞明　杨宝芬（女）　李明朝
沈文锦　杭春明　罗福棣　金月兰（女）　金德海　封　雷
胡英建　钟元大　韩承芝　董锡泉　樊履根　潘恩捷

工　会（8人）

方植民　包征海　吕沈元　冷德云　张玉琪　秦桂红（女）
凌德英（女）　窦宝坤

共青团（3人）

张乃明　金　炼　桑元琪

妇　联（2人）

阮大全（女）　刘学芹（女）

工商联（12人）

马松林　王兆年　方开信　陆全发　芦铁成　吴金城
周士祥　赵执中　夏　成　莫良梓　晏炳勋　郭炳山

文　化（9人）

丁卫社　朱　兰（女）　朱福炷　杨明坤　沈阿六　翁　文（女）
郭　荣　蒋永义　戴若云（女）

教　育（19人）

王宏桂　田永曾　印伯华　庄亚栋　汤希龙　孙　珏
李孟星　李鸿德　严登丰　季星光　金学文　赵宝庆
姜涌明　姚玉生　徐　然（女）　陶定新　曹有信　曹建华
潘炳甫

科　技（15人）

马嘉驹　王　冰　卞玉康　孙东海　张克惠　陈兴义
陈钰锟　周以鶲　周梅生　胡凤亭　俞秀英（女）　校正怀
顾士才　徐大伟　高德山

医　卫（13人）

王庭红（女）　从建杭（女）　毛召林　许生昶　李耀谦　陈守康
於锁槐　赵子文　夏立仁　徐　鸣（女）　徐　浪　曹庆源
谢登英（女）

特　邀（21人）

王功猷　王道义　孔繁浙　阮秋山　吴宝乃　陆长岭
沈春旺　陈礼智　陈瑞田　金同合　金基强　郑安琪（女）
赵庆泉　赵淑钗（女）　姚志耘　徐莹然　续　光　蔡福明
熊树棠　薛　鹏　戴　良

增　补

成小泉　刘桂林　肖庆寅　黄文进　虞国泰（女）

政协广陵区第四届委员会委员名单

（按姓氏笔画为序）

中　共（18人）

王金波　朱正友　朱福元　邬瑞明　汤锁先　杨宝芬（女）
肖庆寅　吴荷远（女）　罗时昌　金月兰（女）　周士祥　胡英建
封　雷　赵敬忠　郭金平　高　雁　黄文进　虞国泰（女）

工　会（5人）

吕沈元　李　锋　冷德云　虞少林　窦宝坤

共青团（3人）

王伟明　张　勤（女）　郑海华

妇　联（3人）

王月清（女）　刘学芹（女）　林桂春（女）

文　体（10人）

丁卫社　朱　兰（女）　朱福炷　孙如竹　杨明坤　沈阿六
赵庆泉　翁　文（女）　郭　荣　蒋永义

教　育（16人）

王宏桂　田永曾　印伯华　刘家麒　庄恩多　汤希龙
李良鸿　李孟星　李鸿德　季星光　金学文　金耀堂
姚玉生　陶定新　谢　敏　谢孝兰

科　技（14人）

王瑞良　卞玉康　方　翔　成小泉　江德昌　杜景仁
沈　洁　张克惠　张涵麟　俞秀英（女）　顾士才　徐大伟
高德山　黄崇尧

医　卫（12人）

王志军（女）　王庭红（女）　毛召林　凤以良　李耀谦　吴佩琴（女）
陈守康　禹靖民　夏立仁　徐　鸣（女）　曹庆源　缪天英

经　济（21人）

王　平　王兆年　方开信　刘桂林　阮秋山　杨志炎
李其华　李淑萍（女）　肖　兰（女）　宋继先　张玉琪　陈钰锟
周家瑞（女）　洪美智　姚志耘　夏春怡　徐敬胜　殷　明
曹宏根　蔡福明　潘继凌

特　邀（18人）

马嘉驹　马德祥　王道义　孔繁浙　吴宝乃　吴佩珍（女）
沈春旺　陈礼智　金同合　金基强　赵明强　赵淑钗（女）
高正雄　曹瑞泉　阎家宝　续　光　韩承芝　薛德仁

增　补

徐传骏　王若芬（女）　王国保　刑静玲（女）　乔　闯　戴宏道
丁长征

政协广陵区第五届委员会委员名单

（以姓氏笔画为序）

中　共（19人）

王金波　左立启　仲　生　邬瑞明　朱福元　朱正友
肖庆春　肖庆寅　何　平（女）　张连富　李长明　杭春明
金月兰（女）　封　雷　顾德美　胡英建　黄文进　曹庆源
薛　平

工　会（5人）

王开德　朱　平　刘扬扬　冷德云　窦宝坤

共青团（3人）

刘忠华　杨家荣　钱　静（女）

妇　联（4人）

王月清（女）　王明兰（女）　刘翠英（女）　吴汝华（女）

文　体（10人）

刘及新　杜　海　杨明坤　陈　勃　金录明　赵庆泉
郭剑锋　郭　荣　蒋永义　薛春梅（女）

教　育（12人）

印伯华　孙　骏　李良鸿　李　翠（女）　陆承元　严长春（女）
邱同和　季星光　姚玉生　徐家昌　谢孝兰　谭爱兰（女）

科　技（13人）

丁乐云　方　翔　王瑞良　宋春福　沈　洁　洪书同
徐传骏　钱柏仪　校正怀　景澄儒　游进明　谢　敏
薛清华

医　卫（13人）

于秋香（女）　王庭红（女）　风以良　乔　闯　成自鸣（女）　陈守康
吴佩琴（女）　李耀谦　钱士金　徐云华　徐　鸣（女）　章利玲（女）
臧　宏

经　济（22人）

于珍珍（女）　马正松　王兆年　王克胜　王修农　孙志南
阮秋山　何卫保　吴　忍　肖　兰（女）　张家林　张祥生
陈国华　陈晓锡　周家瑞（女）　宦广山　姚志耘　胡敬左
夏开建　高云澄　高德义　蔡福明

特　邀（19人）

卜树领　丁长征　王成海　孔繁浙　刘炳炎　许亚军
邢静玲（女）　汪　洁　张广武　吴宝乃　金同合　金基强
洪　玲（女）　姜志坚　高正雄　阎家宝　续　光　黄　河
葛正月

增　补

陈　全（女）　周　丽（女）　虞国泰（女）　高仁林　唐喜全　曹瑞泉
杨　琳（女）　凌　云　王中义　任　杰

政协广陵区第六届委员会委员名单

（按姓氏笔画为序）

中 共（20人）

丁向阳 丁草蔚 马恒宝 王中义 王福林 印国庆
刘炳炎 许德奎 孙汉昌 杨 琳（女） 肖庆春 肖庆寅
吴国英（女） 张启锭 周 峰 杭春明 胡英建 赵明强
凌 云 曹庆源

工 会（4人）

周 平 赵 云（女） 胡 朗 窦泽时

共青团（3人）

田醒民 汤建民 周 震

妇 联（4人）

周 丽（女） 郭 健（女） 徐 晴（女） 黄 莉（女）

工商联（10人）

王 敏（女） 许茂荣 吴 忍 肖 楠（女） 何其林 沈建华
陆家宏 夏元其 曹宽平 曹瑞泉

文 体（6人）

刘及新 杜 海 陈 勃 金录明 庞建东 郭 荣

教 育（9人）

严长春（女） 杨 驰（女） 吴 迪 吴志学 陆承元 邱同和
周 俊 贾传泳 谭爱兰（女）

科 技（8人）

王瑞良 卢春华 李 燕（女） 何 晖 陈小强 周灿清
官劲松 符学文

医 卫（9人）

于秋香（女） 李玉林 杨冬梅（女） 陈守康 顾 林（女） 郭 军
徐云华 臧 宏 魏世雄

民主党派和无党派（7人）

方定法 孙国平 姜志坚 徐 晟 阎家宝 葛正月
薛清华

经 济（17人）

王 玲（女） 伏兴中 吴建生 陈晓锡 陆建棋 帖荣萍（女）
胡如先 俞 进 袁建和 袁雪菲（女） 钱忠好 徐桂森
戚 磊 董新民 褚怀明 蔡福民 阚跃进

农业和农村（5人）

王捍东 陈学俭 杭正国 窦少春 解宏顺

特 邀（18人）

丁长征 王成海 朱忠宝 祁文帆 汪继圣 陈 静（女）
陈金娟（女） 金同合 周 立 徐家昌 秦文俊 能 度
唐喜全 黄文毅 程 兵 蔡士顺 阚永明 戴红兵

增 补

王修文 邓晓琳（女） 叶 剑 过璟玮（女） 任西泉 刘乃清

刘学明　阮大荣　杨希玉（女）　李　娟（女）　李晓钟　吴小卫
沈阳生　陆海萍（女）　陈龙官　袁留路　郭剑锋　高长明
濮桂明　王平田　王宝林　王新勇　田　宏　田志明
孙志南　张　伟　李　彬（女）　李宝民　杭　舟　林在珏
郑迎宏（女）　谈　浩　夏仲芳　谈秀文　徐秀萍（女）　董逸民
缪烨奇

政协广陵区第七届委员会委员名单

（按姓氏笔画为序）

中　共（19人）

丁成靖　丁向阳　马宝惠　马恒宝　王根云　牛耕耘
孙志南　杨　琳（女）　杨万文　张　伟　杭春明　周　立
周家富　胡如先　胡英建　董德利　戴红兵　戴向萍（女）
濮桂明

工　会（5人）

孙国平　林芳方（女）　周　平　周桂珍（女）　胡　朗

共青团（4人）

于晓莹（女）　卞春翠（女）　庞晓敏（女）　胡安荣

妇　联（5人）

王　莉（女）　朱国鈺（女）　朱爱萍（女）　陈宇梅（女）　袁　颖（女）

工商联（20人）

刁秋萍　王　敏（女）　王平田　王新勇　刘乃清　刘月朗
许茂荣　李　娟（女）　吴　忍　何其林　沈建华　林周霞
周光荣　房　彬　顾　迎（女）　徐秀萍（女）　曹瑞泉　黄乌石
董国骅　董福林

文　体（8人）

丁卫社　刘及新　杜　海　吴小卫　徐　超　徐　熠
郭　荣　郭剑锋

教　育（8人）

王修文　卞秀英（女）　印国庆　严长春（女）　陈兴玉　陈庆翔
封　敏（女）　谭爱兰（女）

科　技（8人）

卢春华　陈才扣　陈小强　陈国林　周祥兵　姜　楠（女）
符学文　管晓军

医　卫（8人）

卢开信　李玉林　吴向荣　沈爱凤（女）　张广平　居益君（女）
郭　军　殷宏梅（女）

民主党派和无党派（4人）

陈　俊（女）　郑迎红（女）　姜志坚　焦　桐

经　济（24人）

丁永荣　田志明　朱有海　刘筱卫（女）　吴正亚　吴国防
吴健生　何春明　邹雪松　沈　莉（女）　沈元华　张永正

陆建棋 周民舜 冒志刚 信松涛 袁志刚 秦恒兴
徐 强 徐桂森 陶善忠 梁剑芳（女） 鲍春华（女） 蔡 鸿

农业和农村（4人）

王捍东 朱玉龙 汪 玲（女） 李 彬（女）

社会福利和社会保障（9人）

丁长征 马 毅 伏兴中 刘宝珠（女） 李 燕（女） 吴国英（女）
谷立志 康爱平 薛 平

侨 台（7人）

王兰海（女） 王成海 孙 健 邱同和 陈金娟（女） 金同合
蔡福民

少数民族、宗教（8人）

马仕权 马健鹰 朱明华（女） 汪继圣 杨希玉（女） 能 度
阚跃进 薛元文

特 邀（19人）

丁草蔚 王桂季 尤家祥 申 林 叶 健 史美章
许 军 刘学明 孙永忠 李兴中 李克飞 肖 翔
沈小飞 陈发辉 郑爱国 郭源江 钱 民（女） 徐家昌
薛增龙

增 补

王通华 刘正群 朱 俊 吴旭东 张力前 季安钢
周 伟 顾福全 盛大放 刘新伟 王正明 王毓珍
宋晓萍（女） 黄 莉（女） 陈正达 阙庆明 徐有赞 吴金兰（女）
谢凤华

二、界别

区政协第二届委员会（1987年4月～1990年4月）由10个界别120名委员组成，分别是中共界、工会界、共青团界、妇联界、工商联界、文化界、教育界、科技界、医卫界和特邀界。第三届委员会（1990年4月～1993年2月）与第二届委员会同。区政协第四届委员会（1993年2月～1998年1月）根据当时经济社会发展和形势的需要，新设经济界别，将工商联界别并入经济界别，文化界别调整为文体界别，界别数仍为10个，委员名额不变。第五届委员会（1998年1月～2003年1月）没有变化。2003年前，各民主党派在广陵区没有区级组织，故不单设界别，参加政协的各民主党派成员按各自工作性质列入相关界别。第六届委员会（2003年1月～2007年12月）新设民主党派和无党派界、农业和农村界，恢复工商联界，界别数13个，委员名额仍为120人。第七届委员会（2007年12月～2012年3月）新增社会福利和社会保障界、侨台界、少数民族、宗教界，界别数增至16个，委员名额增至160人。

1989～2011年政协广陵区历届委员界别分布一览表

表23-1-1

界别		第二届	第三届	第四届	第五届	第六届	第七届
总人数	男	92	104	100	98	99	120
	女	28	16	20	22	21	40
	合计	120	120	120	120	120	160

续表 23-1-1

界　别	第二届	第三届	第四届	第五届	第六届	第七届
其中:中国共产党	21	18	18	19	20	19
工　会	8	8	5	5	4	5
共青团	3	3	3	3	3	4
妇　联	2	2	3	4	4	5
工商联	8	12	—	—	10	20
文　体	8	9	10	10	6	8
教　育	18	19	16	12	9	8
科　技	16	15	14	13	8	8
医　卫	12	13	12	13	9	8
民主党派和无党派	—	—	—	—	7	4
经　济	—	—	21	22	17	24
农业和农村	—	—	—	—	5	4
社会福利和社会保障	—	—	—	—	—	9
侨　台	—	—	—	—	—	7
少数民族、宗教	—	—	—	—	—	8
特　邀	24	21	18	19	18	19

第二章　全体会议

区政协全体会议是政协广陵区委员会围绕团结和民主两大主题，履行政治协商、民主监督、参政议政的最高形式。

区政协全体会议由常委会召集并主持，每年举行一次，全体委员参加。区政协常委会认为必要时，可临时召开。1989～2011年，区政协历经6届，举行23次全体会议，召开地点均为区政府大会议室。

第一节　第二届委员会全体会议

1989年3月15～17日，二届三次全会于举行，出席委员121人，列席27人。中共广陵区委书记刘志高、扬州市政协主席符宗乾等到会祝贺并致辞。区委领导、区人大和区政府主要领导应邀参加会议。会议听取并审议政协主席唐宏开作的常委会工作报告和提案委员会（以下简称提案委）主任李布丹作的提案工作报告，听取并讨论朱立淦区长作的关于政府工作的通报。大会进行6个专题发言，并通过有关决议。会议期间收到委员提案109件。

第二节　第三届委员会全体会议

三届一次全会于1990年4月17～21日举行，出席委员120人，列席32人。区委书记崔如松、市政协副主席黄扬等到会祝贺并致辞。市民主党派和工商联负责人、区委领导、区人大和区政府主要领导应邀参加会议。会议听取并审议主席唐宏开作的常委会工作报告，提案委主任李布丹作的提案工作报告。会议学习《中共中央关于坚持和完善中国共产党领导的多党合作和政治协商制度的意见》。与会委员列席区三届人大第一次会议，听取和讨论区政府工作报告和其他报告。会议选举区政协第三届委员会主席朱福元，副主席金月兰、徐大伟、李孟星、高德山，秘书长钟元大和 18 名常务委员（以下简称常委）。会议通过有关决议和给离届委员的致敬信。会议收到委员提案 151 件，立案 150 件。

三届二次全会于 1991 年 3 月 12 ～ 14 日举行，出席委员 121 人，列席 47 人。区委书记崔如松到会祝贺并致辞，区委领导和区人大、区政府主要领导应邀参加会议。会议听取并审议主席朱福元作的常委会工作报告和秘书长兼提案委主任钟元大作的提案工作报告，通过有关决议。与会委员列席区三届人大二次会议，听取和讨论区政府工作报告和其他报告。会议补选林桂春为常委，同意桑元琪辞去常委职务。大会收到委员提案 124 件，立案 123 件。

三届三次全会于 1992 年 3 月 3 ～ 5 日举行，出席委员 122 人，列席 55 人。区委书记崔如松到会祝贺并致辞。区委领导和区人大、区政府主要领导应邀参加会议。会议听取并审议主席朱福元作的常委会工作报告和秘书长兼提案委主任钟元大作的提案工作报告，通过有关决议。与会委员列席区三届人大三次会议，听取和讨论区政府工作报告和其他报告。会议同意潘恩捷辞去委员和常委职务，会议选举肖庆寅为区政协副主席。会议收到委员提案 126 件，全部立案。

第三节 第四届委员会全体会议

四届一次全会于 1993 年 2 月 7 ～ 11 日举行，出席委员 120 人，列席 18 人。区委书记崔如松、市政协主席符宗乾到会祝贺并致辞。区委领导和区人大、区政府主要领导应邀参加会议。会议学习总书记江泽民在中共十四大上的讲话，听取并审议主席朱福元作的常委会工作报告和提案委主任钟元大作的提案工作报告。与会委员列席区四届人大一次会议，听取和讨论区政府工作报告和其他报告。会议选举政协扬州市广陵区第四届委员会主席朱福元，副主席金月兰、肖庆寅、徐大伟、李孟星、高德山，秘书长罗时昌和 17 名常委。会议通过有关决议和给三届离届委员的致谢信。会议收到委员提案 115 件，立案 113 件。

四届二次全会于 1994 年 2 月 22 ～ 25 日举行，出席委员 120 人，列席 41 人。市委统战部副部长王昭琦到会祝贺，市政协秘书长黄石盘代表市政协致贺词。区委书记洪军到会祝贺并讲话。区委副书记、代区长周学恒，区委副书记卢穗明，区人大常委会代主任王大庆，区委常委、组织部长胡宏飞应邀参加会议。会议听取并审议主席朱福元作的常委会工作报告和秘书长兼提案委主任罗时昌作的提案工作报告，通过有关决议。会议补选徐传骏为常委。与会委员列席区四届人大第二次会议，听取和讨论区政府工作报告和其他报告。会议收到委员提案 90 件，立案 87 件。

四届三次全会于 1995 年 2 月 10 ～ 12 日举行，出席委员 126 人，列席 34 人。区委书记洪军到会祝贺并讲话。区委副书记、区长周学恒，区委副书记卢穗明，区人大常委会主任王大庆，区委常委、组织部长胡宏飞和区政协历届老领导应邀参加会议。会议听取并审议主席朱福元作的常委会工作报告和秘书长兼提案委主任罗时昌作的提案工作报告，通过有关决议。与会委员列席区四届人大三次会议，听取和讨论区政府工作报告和其他报告。会议补选张勤（女）为常委，会议同意林桂春辞去常委和委员职务。会议收到委员提案 69 件，立案 57 件。

四届四次全会于 1996 年 2 月 5 ～ 7 日举行，出席委员 121 人，列席 40 人。区委书记洪军出席会议并讲话。会议听取并审议主席朱福元作的常委会工作报告和秘书长兼提案委主任罗时昌作的提案工作报告，通过有关决议。与会委员列席区四届人大四次会议，听取和讨论区政府工作报告和其他报告，赞同广陵区“九五”计划和 2010 年远景目标。区委、区政府负责人到会听取发言。会议收到委员提案 69 件，立案 60 件。

四届五次全会于 1997 年 2 月 17 ～ 20 日举行，出席委员 121 人，列席 45 人。区委书记洪军出席会议并讲话。区委领导，区人大、区政府主要领导和区政协历届老领导应邀参加会议。会议听取并审议主席朱福元作的常委会工作报告和副主席金月兰作的提案工作报告，通过有关决议。与会委员列席区四届人大五次会议，听取和讨论区政府工作报告和其他报告。会议通过《关于对四届政协优秀提案表彰的决定》。会议收到委员提案95件，立案88件。

第四节　第五届委员会全体会议

五届一次全会于1998年1月2～7日举行，出席委员101人，列席19人。区委书记洪军、市政协副主席刘志高等到会祝贺并致辞。会议听取并同意主席朱福元作的常委会工作报告和副主席金月兰作的提案工作报告，通过有关决议。与会委员列席区五届人大第一次会议，听取和讨论区政府工作报告和其他报告。会议选举区政协第五届委员会主席肖庆春，副主席肖庆寅、王克胜、薛清华、杭春明、姜志坚，秘书长顾德美和常委17人。会议收到委员提案62件，立案59件。会议通过给四届政协离任委员的致谢信。

五届二次全会于1999年1月17～20日举行，出席委员120人，列席41人。区委书记钱小平到会并讲话。会议听取并同意主席肖庆春作的常委会工作报告和提案委主任左立启作的提案工作报告，通过有关决议。与会委员列席区五届人大二次会议，听取和讨论区政府工作报告和其他报告。会议收到委员提案96件，立案87件。

五届三次全会于2000年2月29～3月2日举行，出席委员120人，列席40人。区委书记钱小平到会并讲话。会议听取并同意主席肖庆春作的常委会工作报告和提案委主任左立启作的提案工作报告，通过有关决议。与会委员列席区五届人大三次会议，听取和讨论区政府工作报告和其他报告。会议收到委员提案78件，立案72件。

五届四次全会于2001年2月5～8日举行，出席委员121人，列席38人。区委书记钱小平到会并讲话。会议听取并同意主席肖庆春作的常委会工作报告和提案委主任左立启作的提案工作报告，通过有关决议。与会委员列席区五届人大四次会议，听取和讨论区政府工作报告和其他报告。会议增选高仁林为区政协副主席，补选虞国泰为秘书长，补选刘炳炎为常委。区委、区人大、区政府负责人应邀到会听取委员们的意见和建议。会议收到委员提案66件，全部立案。

五届五次全会于2002年1月10～13日举行，出席委员125人，列席42人。区委书记钱小平到会并讲话。会议听取并同意主席肖庆春作的常委会工作报告和提案委主任刘炳炎作的提案工作报告，通过有关决议。与会委员列席区五届人大五次会议，听取和讨论区政府工作报告和其他工作报告。会议增选任杰、王中义为区政协副主席，补选杨琳、凌云为常委。会议通过《关于表彰五届政协优秀调研报告的决定》《关于表彰五届政协先进委（组）、先进委员的决定》和《关于表彰五届政协优秀提案的决定》。区委、区政府负责人应邀到会听取委员们的意见和建议。会议收到委员提案60件，立案58件。

第五节　第六届委员会全体会议

六届一次全会于2003年1月5～8日举行，出席委员120人，列席46人。区委书记钱小平到会并讲话。会议听取并同意主席肖庆春作的常委会工作报告和副主席王中义作的提案工作报告，通过有关决议。与会委员列席区六届人大一次会议，听取并讨论区政府工作报告和其他报告。会议选举产生区政协第六届委员会主席马恒宝，副主席王中义、薛清华、杭春明、姜志坚、方定法，秘书长臧宏和17名常委。会议通过给五届政协离任委员的致谢信。会议收到委员提案101件，立案95件。

六届二次全会于2004年1月6～9日举行，出席委员133人，列席52人。区委书记王玉新到会并讲话。会议听取并同意常委会的工作报告和副主席王中义作的提案工作报告，通过有关决议。与会委员列席区六届人大二次会议，听取和讨论区政府工作报告和其他报告。区委、区政府负责人到会听取委员意见和建议。会议期间，全体委员参观宝塔社区、阳光家具广场、广陵产业园、北京新东方扬州外国语学校、江阳大桥东接线、东南汽车销售有限公司6家单位和社区。会议收到委员提案120件，立案115件。

六届三次全会于2005年1月10～13日举行，出席委员143人，列席71人。区委书记王玉新到会并讲话。会议审议并同意常委会的工作报告和副主席王中义作的提案工作报告，通过有关决议。与会委员列席区六届人大三次会议，听取和讨论区政府工作报告和其他报告。会议增选孙志南为区政协副主席，补选王修文、陈龙官为常委。区委、区政府负责人到会听取大会发言。会议期间，全体委员观看《责任与使命——区政协2004年工作巡礼》专题短片，参观曲江小商品市场六期工程、产业园产业中心、宝林家具港、曲江公园和曲江新苑城中村整治改造5家企业、社区。会议共收到委员提案152件，立案144件。

六届四次全会于2006年1月4～6日举行，出席委员142人，列席72人。区委书记王玉新到会并讲话，会议审议并同意常委会的工作报告和副主席王中义作的提案工作报告，通过有关决议。与会委员列席区六届人大四次会议，听取和讨论区政府工作报告和其他报告。会议观看2005年区政协工作专题片，对区政协六届一次会议后的优秀“社情民意”进行表彰。区委、区政府有关负责人到会听取大会发言。会议共收到委员提案163件，立案153件。

六届五次全会于2007年1月15～18日举行，出席委员142人，列席75人。区委书记孔令俊到会并讲话。会议审议并同意常委会的工作报告和副主席王中义作的提案工作报告，通过有关决议。与会人员列席区六届人大五次会议，听取和讨论政府工作报告和其他报告。会议组织与会人员参加《今日广陵摄影展》开展仪式，观看2006年区政协工作专题片。会议对区政协六届优秀委员和区政协六届三次、四次会议优秀提案进行表彰。会议共收到委员提案152件，立案145件，7件改为委员建议。

图23-2-1　政协六届五次会议

第六节　第七届委员会全体会议

七届一次全会于2007年12月25～28日举行，出席委员160人，列席40人。区委书记孔令俊到会并讲话。会议审议并同意常委会的工作报告和副主席杭春明作的提案工作报告，通过有关决议。与会委员列席区七届人大一次会议，听取和讨论区政府工作报告和其他报告。会议选举产生区政协七届委员会主席董德利，副主席杭春明、姜志坚、孙志南、丁卫社，秘书长马宝惠和26名常委。会议通过给六届政协离任委员的致敬信。会议共收到委员提案100件，立案95件，5件改为委员建议。

七届二次全会于2009年1月4～6日举行，出席委员160人，列席49人。区委书记孔令俊到会并讲话。会议审议并同意主席董德利作的常委会工作报告和副主席杭春明作的提案工作报告。与会委员列席区七届人大二次会议，听取和讨论区政府工作报告和其他报告。区委、区政府及有关部门负责人到会听取发言。会议共收到委员提案114件，立案111件。

图23-2-2　政协七届四次会议

七届三次全会于2010年1月11～14日举行，出席委员161人，列席53人。区委书记孔令俊到会并讲话。会议审议并同意主席董德利作的常委会工作报告和副主席孙志南作的提案工作报告，通过有关决议。与会委员列席区七届人大三次会议，听取和讨论区政府工作报告和其他报告。会议组织委员参观全区有关重点项目。会议补选梁剑芳为区政协常委。区委、区政府及有关部门负责人到会听取发言。会议收到委员提案118件，立案117件，1件改为委员建议。

七届四次全会于2011年1月4～7日举行，出席委员169人、列席51人。会议听取并讨论区委书记陈锴竑在开幕式上的讲话。听取并同意主席董德利作的常委会工作报告和副主席孙志南作的提案工作报告，通过有关决议。与会人员列席区七届人大四次会议，听取和讨论区政府工作报告和其他报告。会议增选刘新伟为区政协副主席。会议对区政协七届一次会议以来的优秀提案进行表彰。会议共收到委员提案131件，立案129件。

区政协七届委员会任期应到2012年年底，2011年年底根据上级指示和区人大同步提前一年换届。广陵区政协八届第一次会议于2012年3月20～23日举行，选举产生区政协第八届委员会主席、副主席、秘书长和常务委员。

第三章　常委会

政协《章程》规定："政协各级地方委员会设常务委员会主持会务""主席会议处理常务委员会的重要日常工作""市辖区的地方委员会的工作机构的设置，按照当地实际情况和工作需要，由常务委员会决定"。广陵区政协第二至第九届常务委员会成员分别为24人、25人、23人、25人、24人、31人、41人和39人。补选常委会会员20人。至2011年，区第七届政协设办公室和六个专门委员会；按委员界别，成立16个委员活动小组。

第一节　组成人员

区政协每届委员会第一次会议，依据政协章程和程序，选举区政协主席、副主席、秘书长和常务委员，组成常务委员会主持会务。

广陵区政协第二至第九届常委会组成人员名单一览表

（截止2017年1月）

表23-3-1

届次	主席	副主席	秘书长	常务委员
第二届（1987年4月～1990年4月）	唐宏开	张健五 徐与人 陈启亮	钟元大	丁耀先　史凤飞　叶松祥　刘如瑛　李布丹 李耀先　陈厚琇（女）杨德美（女）　金同合 胡爱珠（女）、郭育培　赵淑钗（女）　陶定新 黄　瑜　戚务品　董庆生　潘炳甫　潘恩捷 黎　明（女）　郭　荣（1988年3月补）
第三届（1990年4月～1993年2月）	朱福元	金月兰（女） 徐大伟 李孟星 高德山 肖庆寅 （1992年3月补）	钟元大	从建杭（女）　孔繁浙　李明朝　李耀谦 严登丰　张玉琪　罗福棣　金同合　金基强 周以鵷　於锁槐　赵淑钗（女）　晏炳勋 陶定新　桑元琪（1991年3月辞）　蒋永义 潘炳甫　潘恩捷（1992年3月辞） 林桂春（女，1991年3月补）
第四届（1993年2月～1998年1月）	朱福元	金月兰（女） 肖庆寅 徐大伟 李孟星 高德山	罗时昌	王宏桂　凤以良　方　翔　孔繁浙　成小泉 朱福煃　汤锁先　李耀谦　沈春旺　张玉琪 林桂春（女，1995年2月辞）　金同合 金基强　周士祥　赵淑钗（女）　陶定新 潘继凌　徐传骏（1994年2月补） 张　勤（女，1995年2月补）

续表 23-3-1

届次	主席	副主席	秘书长	常务委员
第五届（1998年1月～2003年1月）	肖庆春	肖庆寅 王克胜 薛清华 杭春明 姜志坚 高仁林（2001年2月～2002年2月） 王中义（2002年1月补） 任　杰（2002年1月补）	顾德美（1998年1月～2001年2月） 虞国泰（女）（2001年2月补）	丁长征　王修农　孔繁浙　凤以良　左立启 孙　骏　刘忠华　邬瑞明　李耀谦　张连富 陈晓锡　金同合　金基强　宦广山　校正怀 徐传骏　葛正月　刘炳炎（2001年2月补） 杨　琳（女，2002年1月补） 凌　云（2002年1月补）
第六届（2003年1月～2007年12月）	马恒宝	王中义 薛清华 杭春明 姜志坚 方定法 孙志南（2005年1月补）	臧　宏	丁长征　丁向阳　刘炳炎　许茂荣　祁文帆 杨　琳（女）　陈晓锡　金同合　俞　进 徐　晟　徐家昌　郭　军　凌　云　曹宽平 葛正月　窦少春　谭爱兰（女） 王修文（2005年1月补） 陈龙官（2005年1月补）
第七届（2007年12月～2012年3月）	董德利	杭春明（2007年12月～2011年1月） 姜志坚 孙志南 丁卫社 刘新伟（2011年1月补）	马宝惠	丁长征　丁向阳　马　毅　王兰海（女） 王修文　王桂季　王新勇　田志明 伏兴中　许茂荣　杨琳（女）　李　彬（女） 吴国防　吴建生　沈　莉（女）　陈　俊（女） 金同合　周祥兵　房　彬　袁　颖（女） 徐家昌　郭　军　能　度　谭爱兰（女） 薛　平　濮桂明　梁剑芳（女，2010年1月补）
第八届（2012年3月～2017年1月）	张建（2016年1月辞） 刘春晓（2016年1月～2017年1月）	刘新伟（2016年1月辞） 丁卫社 胡明寿 阚永明 陈荣华（2015年1月～2016年2月） 居益芬（女）（2016年1月～2017年1月）	马宝惠（2015年1月辞） 梁剑芳（女）（2015年1月～2017年1月）	丁向阳　丁竺松（女）　王宝勤　王晓晴 王新勇　左　敏（女）　朱　俊　朱劲松 刘苏明（2015年1月辞）　许茂荣 李玉华（女）　沈莉（女，2015年1月辞） 张永泰　陈　俊（女）　陈才扣　陈正富 陈乐人　季安钢　周祥兵　居益君（女） 胡如先（2016年6月去世）　耿龙林 袁　颖（女）　顾福全　高逸仙　能　度 黄红兴　梁剑芳（女，2015年1月辞）　董长生 谭爱兰（女）　熊　伟　薛　平 濮桂明（2015年1月辞） 王正明（2015年1月补） 邵宏生（2015年1月补） 季泉（2015年1月补） 薛增龙（2016年1月补）
第九届（2017年1月～）	刘春晓	丁卫社 居益芬（女） 胡明寿 阚永明	梁剑芳（女）	丁向阳　王　强　王正明　王宝勤　王新湧 申晓禹　朱劲松　华桂平　许茂荣　孙宇河 李玉华（女）　李跃中　肖　义　余　耀 孙永泰　张明霞（女）　陈才扣　陈正富 陈乐人　邵宏生　季　泉　季安钢 袁　颖（女）　顾家昌　顾福全　能　度 盛　强　董长生　蒋　旻　程　锐 焦云根　熊　伟　薛增龙

第二节　工作机构

常委会根据工作需要设若干专门委员会（以下简称专委会）、工作组和秘书处作为工作机构。专委会设正、副主任，工作组设正、副组长，秘书处设正、副秘书长。秘书处下设秘书科和联络科。

1987 年 5 月，区政协第二届常委会设秘书处、2 个专委会和 10 个工作组，即秘书处，提案委员会、学习委员会，经济建设组、科技组、城市管理组、法制组、文化组、教育组、医卫组、文史组、三胞联谊组和妇女组。

1990 年 4 月，区政协第三届常委会专委会增设为 6 个，即提案委员会、学习委员会、经济委员会、法制城建委员会、科教文卫委员会和三胞联谊委员会。1991 年，秘书处增设提案科。1992 年，经济委员会改名为经济科技委员会，科教文卫委员会改名为文教医卫委员会。

2008 年 1 月，区政协第七届常委会撤销秘书处，设立办公室；按委员界别，成立 16 个活动小组。

第三节　重要会议

一、常务委员会会议

区政协常务委员会会议（以下简称常委会议）一般每季度举行一次，必要时可临时举行。会议由主席或主席委托的副主席主持，全体组成人员参加。会议议程草案和日程由主席会议拟定。根据会议内容和需要，邀请区属单位的省、市政协委员和不是常务委员的区政协机关人员、委员列席会议，邀请有关党政部门负责人及其他有代表性的人士参加。1989 ～ 2011 年，共召开常委会议 123 次。

常务委员会会议审议区政协会务和工作中的重大事项；协商讨论区委、区政府重大方针政策及经济社会发展中的重大问题，听取中央和省、市、区有关重要会议精神的传达，听取区委、区政府以及有关部门负责人对有关重要问题的报告或说明并提出建议和意见；审议提交政协全体会议的文件；审议重要的建议案、提案、视察报告、调查报告和其他报告等。会议采取全体会议、实地视察等方式进行。

（一）政协二届常委会

1989 年 1 月～ 1990 年 4 月召开常委会议 7 次，分别就经济工作、廉政工作、提案工作及群众生活重大问题与党政部门开展政治协商，在经济工作中就区属企业“三项资金”（年末占用成品资金、发出商品资金、应收未收款项资金）、科技队伍建设、区属工业改革、市区农贸市场规划、《中华人民共和国食品卫生法》贯彻情况等提出意见和建议。

（二）政协三届常委会

1990 年 4 月～ 1993 年 2 月召开常委会议 16 次。

1992 年 7 月 21 ～ 22 日，区政协召开三届十四次常委会议，听取区计经委负责人关于全区工业产品结构调整和经济效益情况的通报、区科协委负责人关于科技兴区情况的通报、广陵公安分局负责人关于前一阶段反盗窃斗争和反盗车专项斗争的情况通报。政协经济科技委员会就区工业产品结构调整、经济效益和科技兴区的调研情况作专题发言。会议向区政府提出加速经济发展，必须依靠科技进步的合理化建议。会后，区政协向全体政协委员、区政协之友联谊会（以下简称联谊会）会员发出“关于寻求新品开发、技术改造、合资合作项目的函”，并附“项目目录”，共三大项 29 类产品。

（三）政协四届常委会

1993 年 2 月～ 1998 年 1 月共召开常委会议 26 次。

1993 年 3 月 10 日，区政协召开四届一次常委会议，听取区政府关于“美食一条街”建设工作情况的通报。组成人员认为，开发美食街是区政府的正确决策，同时建议及时安排好拆迁户，吸引名店、老字号店在美食街开设分店，使美食街环境效益、社会效益、经济效益齐头并进。

1995 年 4 月 6 日，区政协召开四届十二次常委会议，与会常委提出对企业财务人员加强管理的意见。

1996年7月11日，区政协召开四届十八次常委会议，提出“以加强社区服务为途径，妥善安排失业职工”的建议。年底，区有关部门成立全市第一家“家政服务中心”，为失业工人增加就业渠道。

（四）政协五届常委会

1998年1月～2003年1月召开常委会议28次。

2001年9月25日，区政协召开五届二十一次常委会议，围绕社区管理工作重点，针对广陵区社区改革试点单位调研情况，与区政府就“社区建设与管理”专题进行协商，提出意见和建议。

（五）政协六届常委会

2003年1月～2007年12月召开常委会议26次。

2003年5月，常委会建立主席会议成员督办提案制度。是年9月25日，区政协召开六届三次常委会议，5位教育专家应邀与会，区政府分管区长和有关方面负责人列席会议。会议听取教育局负责人关于农村义务教育发展情况的通报，从加强农村基层学校组织建设、超前规划整合教育资源、创造公平受教育的法制环境、加大经费投入、合理使用资金、创新用人机制等方面，提出提高农村教育水平的建议。11月25日，区政协召开六届四次常委会议，区委书记王玉新、代区长孔令俊、副区长董德利、区政府办公室和有关部门负责人及相关专家列席会议。会议就区重点项目实施和产业园建设进行通报和协商，与会常委和专家纷纷建言献策。常委建议从加强园区特色建设、培植主导产业，建立与国际接轨的配套管理体制和人力资源服务体系，加大宣传力度等方面提高产业园招商和建设水平。3位专家从产业园参与沿江开发、加强规划布局、强化新型工业化意识等理论高度提出具体建议。

2004年7月28日，区政协召开六届八次常委会议，听取区政府关于上半年全区经济工作情况和2003年度政协常委会、主席会议所提建议案和建议采纳情况的通报，听取政协经济科技委调研组的调研报告，就“全民创业和民营经济发展情况”的议题与区政府进行协商。组成人员从转变政府职能、加快城市化进程、整合区域资源、重视经理人员队伍的建设等方面提出建议。

2005年9月2日，区政协召开六届十四次常委会议，就广陵新城建设议题与区政府进行专题协商。会议听取扬州市规划局广陵分局关于广陵新城规划建设情况的通报，法制城建委作关于对规划建设广陵新城的几点建议的总体发言。区政协各调研小组从高起点规划、加快基础设施建设、构建组织领导机构、行政中心东迁、拓宽外延空间、发挥生态资源优势建设富有特色新区6个方面作专题发言。副主席杭春明等5名常委作现场发言。

2006年7月28日，区政协召开六届十八次常委会，听取区政府关于上半年全区经济工作和社会事业发展情况、对区政协2005年建议案和建议采纳情况、关于区政协六届四次会议提案办理情况的三项通报。传达学习区委关于加强全区政协工作会议精神，协商通过关于丁成靖担任区政协提案委员会副主任的提名。常委们对上半年全区经济和社会事业发展所取得的成绩予以充分肯定，同时结合自身工作实际，从企业发展、外地发展的经验、经济宏观发展等不同角度提出建议。

2007年9月19日，区政协召开六届二十五次常委会议，就“全面达小康建设新广陵”议题与区政府进行专题协商。区委常委、副区长杨蓉到会通报全面建设小康社会的进展情况，经济科技委主任代表专题调研组作主题发言。7名常委从不同角度发言并提出建议。

（六）政协七届常委会

2007年12月～2012年3月共召开常委会议17次。

2008年7月15日，区政协召开七届二次常委会议，就“优化产业结构、壮大规模工业”议题与区政府进行协商。会议听取区发经委代表区政府作的关于区规模工业发展情况的通报，区政协课题调研组和各调研小组作专题发言。常委们对广陵工业从优化产业结构、推进科技创新、构筑发展平台、增强综合实力等不同层面和角度发表见解，分析当前广陵区规模工业发展中的不足，并针对这些问题建言献策。主席董德利针对广陵区支柱产业缺乏大型企业的支撑和带动、产业集聚平台不明显等问题，从如何开展以存量引增量、以客商引客商、以企业引企业，发挥以企引企、以商引商功能，引进、培育龙头骨干企业，拉长产业链、壮大“块状经济”，打造产业集聚强势平台等方面提出具体建议。

2009年9月25日，区政协召开七届八次常委会议，就“推进全区在手重点项目投产达效”的议题，与政府进行协商。会议听取并讨论区政府2007年以来全区重大项目建设情况通报，区政协经科委关于推进重大项目建设的调研报告。区政协主席董德利就如何抓好转型发展，抢占下一波经济增长的制高点作题为《强力推进项目建设，认真谋划转型发展》的讲话。会议听取讨论区政府关于区政协七届二次会议提案办理情况的通报，区政协提案委主任对提案办理情况进行总结。会议还协商通过区政协工作两个文件。

2010年9月27日，区政协召开七届十三次常委会议，就“创新投融资体制，规避政府投资风险”的议题，与政府进行专题协商。会议听取区财政局关于全区投融资工作的情况通报，区政协经科委代表议题调研组作综合发言。区政协主席董德利从“市场、政策、服务、监管、规范、提升、责任”七个方面提出具体建议。会议还听取讨论区政府关于区政协七届三次会议提案办理情况的通报，提案委主任对提案办理工作进行评议。

2011年9月29日，区政协召开七届十八次常委会议，听取区政府关于“打造百亿级液压产业基地”和区政协七届四次会议委员提案办理情况的通报。广陵产业园管委会作园区打造液压特色产业基地情况的通报，区政协经科委代表议题调研组作《借力转型升级，强力打造百亿级液压产业基地》的综合发言。常委们积极建言献策，提出中肯的意见和建议。

二、主席会议

主席会议由主席、副主席、秘书长组成，处理常委会的重要日常工作。主席会议由主席或主席委托副主席召集并主持，一般每月举行一次，必要时可临时召开。区政协委员会办公室、各专门委员会负责人列席会议，视议题需要也可请其他有关人员列席。2001年，区政协增加主席会议协商层次。协商讨论重大问题时，邀请有关区领导或部门负责人到会通报或介绍情况、听取意见。2001～2011年，共举行主席会议协商58次。

第五届政协共召开主席会议8次。

2001年五届一次主席会议上，区政协就“下岗职工再就业与养老保险”与政府进行专题协商。会前，政协已做详细调查，在会上提出“加大招商引资和发展个私经济力度，增加就业机会”“加大对个私企业社会保险金的征缴力度，扩大社保覆盖面”“对已建立的企业托管中心进行回头看，解决资金缺口”等多条建议。

第六届政协共召开主席会议29次。

2003年6月26日六届三次主席会议上，区委常委、副区长董德利作关于营造区经济发展良好环境的通报，主席会议提出《关于进一步营造我区经济发展良好外部环境的建议案》。2004年3月19日六届十次主席会议上，向区政府提出关于进一步促进全民创业和民营经济发展的建议案。2005年9月16日六届十七次主席会议上，与区政府专题研究关于“广陵新城规划与建设”的协商议题和专题调研情况。2006年，就推进重大项目建设提高经济竞争力的建议案等议题与区政府进行专题协商。2007年7月18日六届二十七次主席会议上，听取秘书处关于“全面达小康，建设新广陵”议题与区政府专题协商的情况汇报。

政协七届委员会召开21次主席会议。2008年1月～2012年3月，先后就优化产业结构、壮大规模工业，推进全区在手重点项目投产达效，创新投融资体制、规避政府投资风险，盘活会馆资源、延续历史文脉、让会馆经济成为广陵转型发展的重要引擎，借助转型升级、强力打造百亿级液压产业基地等议题，与区政府进行专题协商，提出的意见和建议。

第四章　履行职能

政协的主要职能是政治协商、参政议政、民主监督和建言献策。1989～2011年，区政协积极组织常委和委员开展学习、调研、视察活动，提高提案工作和协商水平，共编印《广陵政协》153期、《社情民意》93期。历届全体会议共收到提案2518件，立案2413件，经承办部门办理，委员满意或基本满意率90%以上。共组织主席会议成员、常委和委员视察367次，专题调研355次，形成调研报告126篇、建议218条、建议案11件，其中向区委、区政府提交调研报告78篇，被评为优秀论文23篇。同时，组织编印《广陵文史》17期、《广陵春秋》7辑。围绕区委、区政府重大工作部署进行各层次政治协商121次，其中涉及重大问题的有58次。

第一节　政治协商

一、全委会会议协商

1989～2011年，全委会协商会议13次。

1989年3月区政协二届三次会议上，6名委员在大会上作专题发言。会议分发展居办经济、文教卫生、群众生活、区属工业改革等6个专题，与区委、区政府领导座谈协商，区委书记刘志高表示要认真研究，要求相关部门落到实处。

1992年7月区政协三届三次会议上，经济科技委员会就区工业产品、结构调整、经济效益和科技兴区情况，加快经济发展必须依靠科技进步等建议作专题发言。

1996年2月区政协四届四次会议上，6名委员就区“九五”规划、精神文明建设、预防青少年犯罪、教育改革、机关事业单位养老保险等在大会上作专题发言，区委书记洪军、区长周学恒认真听取各位代表的发言，对各位代表的献计献策表示感谢，并将6个专题进行认真研究分析，付诸实施。

1999年1月、2000年2月、2001年2月、2002年1月区政协五届二次、三次、四次、五次会议上，先后有27名委员作专题发言，内容涉及依法治区实施方案、居委会设置调整和换届选举、再就业资金筹集管理、“十五”规划基本思路、行政审批制度改革、区划调整后的计划生育工作等。

2004年1月、2005年1月、2006年1月区政协六届二次、三次、四次会议上，先后有16名委员、9个专委会、2个界别代表就广陵产业园、北京新东方扬州外国语学校、邗江大桥车接线、曲江小商品市场、曲江公园建设、城中村改造等专题进行发言，区委书记王玉新到会听取意见。

图23-4-1　政协第七届委员会总结表彰大会

2007年1月召开的区政协六届五次会议上，6名委员和2个专委会分别就招商引资、发展规上企业经济、农村组建“三大合作”（农民专业合作社、农村土地股份合作社、农村社区股份合作社）组织、把无公害蔬菜生产作为优势产业、创建省社区卫生服务先进区等方面作专题发言，区委书记孔令俊参加会议。

2009年1月、2010年1月区政协七届二次、三次会议上，先后有14名委员、5个专委会和5个界别委员就区有关重大项目建设、优化产业结构、区域教育现代化建设、引进高层次人才奖励、公共卫生事件应急预案、“烟花三月”国际经贸旅游节实施方案等，作专题发言，区委书记孔令俊到会听取意见。

2011年1月区政协七届四次会议上，10名委员和5名界别代表分别就打造液压特色产业基地、建立农产品市场进入机制、农村大病统筹、小区物业管理、大力发展月光经济、楼宇经济、会馆经济，加快社区邻里中心建设等专题作大会发言，区委书记陈锴竑到会听取意见。

二、常委会会议协商

1989～2011年，区政协共召开常委会123次，与区委、区政府及有关部门共协商87次。

1989～1990年，区政协常委会分别就经济工作、廉政工作、提案工作、农贸市场规划、食品卫生法贯彻等问题与区政府开展政治协商。

1990～1993年，区政协常委会分别就发展个私经济、工业产品结构调整、科技兴区以及反盗窃专项斗争等方面工作与区政府开展政治协商。

1993～1998年，区政协常委会分别就开发美食街、加强社区服务、建立家政服务中心等方面工作与政府开展政治协商。

1998～2003年，区政协常委会分别就“九五”计划及到2010年长期规划编制、特困企业解困工作、社区建设与管理、区划调整后推进社区改革等方面工作与区政府协商。

2003～2007年，区政协常委会分别就农村义务教育、全民创业和民营经济发展、广陵新城建设、区重点工程项目、产业园建设、强化新型工业意识、加快城市化进程、全面建设小康社会等方面工作与区政府协商。

2007～2011年，区政协常委会分别就“两城三区”建设、“优化产业结构，壮大规模工业”、培育龙头骨干企业、规避政府投资风险、工业转型升级等方面工作与区政府进行协商。

另外，对有关政协工作文件和人事安排方面，必要时也及时与区政府进行协商。

三、主席会议协商

2001～2011年，区政协共举行主席会议58次，与区政府政治协商21次。如2001年五届一次主席会议就“下岗职工再就业与养老保险”等专题，2003年六届三次主席会议就营造经济发展外部环境等专题，2004年六届十次主席会议就全民创业、发展民营经济等专题，2005年六届十七次主席会议就广陵新城规划和建设等专题，2006年六届二十二次主席会议就推进重大项目、提升经济竞争力等专题，2007年六届二十七次主席会议就全面达小康、建设新广陵等专题，2008～2011年区政协七届会议期间，先后就优化产业结构、创新投融资体制、壮大全区规上企业规模等专题与区政府进行协商。

第二节　参政议政

1989～2011年，区政协各专委会和有关界别小组每年都组织专题调查研究，并形成书面调研报告，履行建言献策职能。这些调研报告经过认真调查和分析思考，内容详实，建议靠实，针对性、可操作性较强，其中有部分及时提交给区委、区政府和相关部门，有部分在年初的政协全体会议上作大会发言。大会发言时邀请区委、区政府有关领导和相关部门到会，均得到与会领导和部门负责人的充分肯定。

二届委员会期间，区政协副主席张健五率经济建设组调研广陵街道居办商业网点工作。委员认为，居办网点从无到有、从小到大，不仅为社会闲散人员提供就业机会，方便城市居民生活，而且还创造经济效益，应该在资金、税收、原材料来源、管理等方面给予支持。

三届委员会期间，各专委会面向区属企业，以帮助企业改善经营管理、调整产品结构以及发展外向型经济为主要内容，开展60多次专题调查研究、参观考察及咨询服务活动，提交20多份专题调查报告。1991年9月，法制城建委就青少年违法犯罪情况进行调研，委员们提出做好青少年就学、待业的管理工作，教育转化工作，形成社会齐抓共管的局面。同月，科教文卫委重点调研北河下小学和东关中心小学开展“规范”教育后的成效情况。1992年，经济委考察调研扬州商场改革工作，建议政府给改革试点企业更大的自主权，使企业真正走上“自我约束、自我发展、自我经营、自负盈亏”的道路。常委们还深入扬州灯泡厂，就合资企业经济效益及内部经营机制状况进行专题调查，并写出调查报告。

四届委员会期间，各专门委员会结合自身特点，紧紧抓住工作重点、难点及社会热点，开展多种形式的调查研究，形成调查报告10多篇。《区直工业企业财务管理情况分析》《关于我区房地产开发情况的调查》获得区优秀调研成果奖；《社会主义市场经济条件下企业党建工作》《我区小学德育工作》《关于青少年犯罪调查》等调研报告，受到党政有关部门的重视和好评；共有4篇调研报告被收入《广陵调研集》。1993年4月，文教医卫委就减轻小学生负担、提高教育质量进行专题调研。先后到育才、东关中心、西门街及东花园4所小学，查看学生作业本，与教师座谈，与小学生进行交流，听取校长们的意见，了解各方面情况，写出专题调研报告。5月，经济科技委视察广陵产业园区，就开发区建设及运营情况进行专题调研。委员们对开发区建设情况表示满意，并提出制定土地转让保护价、防止国有资产流失等一些建设性建议。1995年3月，经济科技委视察扬州红旗印刷厂和扬州塑料三厂，对区属工业企业的财务管理、执行制度、财会人员的困难等进行调研。

五届委员会期间，开展专题调研70多次，向区委、区政府提交调研报告40篇，有8篇被评为优秀调研报告。1998年3月，法制城建委调研区再就业工程，深入了解情况，分析问题与原因，提出意见和建议，形成有一定深度和见解的调研报告。委员们认为，再就业工程中需要解决的一些问题，事关老百姓的切身利益和基本需求，有必要发挥政协委员的优势，认真调查，分析原因，寻求对策，提出建议，用不同方式向市、区政府有关部门反映，供决策参考。

图23-4-2　2006年1月，区政协举办“构建和谐广陵”论坛

六届委员会期间，各专委每年确定一个重点议题深入调研，先后就“推动全民创业，发展民营经济”“广陵新城规划建设”“推进大项目建议”“全面达小康”等议题开展专题调研，形成建议案9件、调研报告20多篇。对政协提交的调研报告，区委、区政府高度重视，主要负责人作出批示，要求有关部门认真研究，积极主动地做好对接和落实工作。2003年6月，文教医卫委率教育组委员，并邀请扬州大学的教育专家参加，专题调研区农村义务教育情况。委员们就教学管理、教学科研、仪器设备、师资培训等问题深入调研，形成调研报告。2005年，区政协调研组和区政协三胞联谊委、经济科技委、文教医卫委、学习委联合区妇联、区工商联等，结合相关专题，深入调研思考，形成《城市化进程中要给农民四大支撑》等10篇调研报告，并在区政协六届四次会议上作大会发言。部分委员历时半年，就“广陵新城规划建设专题”进行视察调研，形成《关于规划建设广陵新城的建议案》，提出凸显新城生态亮点、调优调强产业结构等10条建议。2006年，经济科技委、学习委及部分委员在认真调查研究的基础上，形成《做大做强优势产业，促进我区工业经济快速发展》《党政机关干部应做公民道德建设的楷模》《妇联组织在新农村建设中大有可为》等9篇专题调研报告。

七届委员会期间，每年指定相关专委会和各界别的委员，根据广陵区当年工作的总体思路，深入进行调查研究，形成有建设性意见的调研文章共40多篇，得到区委、区政府有关领导的好评。

第三节　民主监督

1989年6月，区政协副主席张健五、秘书长钟元大率经济建设组委员到区属工业系统中建木器厂、城南街办扬州灯泡厂视察，对广陵区企业“三项资金”增加的原因和改善的方法进行探讨，形成《关于区属企业

“三项资金”运用情况的报告》，建议政府强化监督。

1990 年 6 月，区政协主席朱福元、秘书长钟元大率经济委、科教文卫委委员就《食品卫生法（试行）》7 周年实施情况，分组视察农贸市场、夜市点 13 个，形成《关于〈食品卫生法〉贯彻情况的视察报告》，并建议政府职能部门对个体户进行有关知识的培训和考核。

1991 年 9 月，科教文卫委医卫组就《中华人民共和国传染病防治法》实施情况视察汶河医院和市第三人民医院，肯定两家医院在计划免疫和传染病防治上取得的成绩，并提出下一步改进工作的意见。

1995 年 10 月，组织部分委员就《中华人民共和国环境保护法》（以下简称《环境保护法》）贯彻实施情况视察扬州玻璃仪器厂、大扬印铁制罐厂、文强聚酯厂、扬州大酒店 4 家企业。1997 年 3 月，组织部分委员视察城区社区服务和创建双拥工作，实地考察瘦西湖公园、治淮新村、新庄新村等，就有关问题提出意见和建议。

1998 年 3 月，主席肖庆春、秘书长顾德美率经科委成员就区科技人才引进、培养、使用情况视察扬州皮革机械厂、广陵医院和万家福商城，召开企业负责人、科技人员及区人事局、科委等职能部门负责人参加的座谈会。经科委写出《以人为本、建设一支跨世纪的科技人才队伍》的调查报告，向政府提出实施意见的建议。

1999 年 6 月，主席肖庆春、副主席肖庆寅率法制城建委就《环境保护法》贯彻情况视察保来得工业有限公司、扬州灯泡厂、华扬蓄电池厂、苏北印铁制罐厂和朝阳小区等单位，听取 5 家单位的情况通报，察看生产和环保情况，对环保方面存在的问题提出改进意见。

2002 年 6 月，主席肖庆春、副主席肖庆寅视察区划调整新划入广陵区的 3 个乡镇（街道）的中瑞制衣厂等 3 家民营企业，就如何做大做强广陵区个私经济进行调研，向政府提出大力发展个私经济的建议。

2003 年 5 月，副主席王中义、薛清华率提案委相关委员，就列入主席督办的“社区建设”和“城中村融入城市”两项提案落实工作进行视察，实地察看顾庄新村和皇宫社区，并听取区民政局负责人对提案承办情况和存在问题的通报，对提案的落实工作提出意见和要求。

2005 年，组织主席会议成员和常委、委员视察活动 8 次。8 月，视察全区劳动和社会保障工作，视察组听取区劳动和社会保障局负责人关于寓服务于管理之中，发展和培训典型的情况通报，对三里桥社区为下岗职工进行再就业培训的做法给予肯定，并提出紧贴经济发展中心、建设保障平台、规范劳动和社会保障工作以及着力解决有关问题等建议。

2006 年，组织主席会议成员、常委和委员视察活动 8 次。在视察区民政工作时，视察组提出要树立和谐民政新理念。在视察物价工作时，委员们提出注重寓物价管理工作于为民为企业的服务之中。在视察区环保工作时，视察组建议，环保工作要坚持“三个为先”：即以民为本，民生为先；服务经济，可持续发展为先；预防为主，源头控制为先。在视察产业园工作时，委员们建议园区建设坚持高科技、无污染、生态型、园林化的高标准，正确应对、积极破解土地、资金等难题，积极争取、拓展、利用好发展空间，不断拓宽和搞活投融资渠道，进一步分析和细化产业定位布局。

2007 年，组织主席会议成员、常委和委员视察活动 11 次。先后视察公安广陵分局、区安监局、双拥办、审计局、食品工业园、残联、文峰街道、文化局、科技局、卫生局、国土广陵分局等单位。视察组听取情况通报，察看现场，充分肯定各部门工作成绩，提出建设性的意见和建议。

2008年是区政协换届后的第一年，共组织视察活动8次。主席会议成员和部分委员先后视察“双东”“一片十点”建设、困难企业解困、党风廉政建设、《中华人民共和国劳动合同法》贯彻实施、九年制义务教育、人民法院审判工作、社区卫生服务中心建设和区财政工作。视察组在肯定所视察单位工作成绩的同时，针对问题与不足，提出积极的意见和建议。主席董德利对发挥以企引企、以商引商功能，引进、培育龙头骨干企业，拉长产业链，打造产业集聚强势平台等方面提出具体建议。

2009 年，区政协主席会议成员组织视察活动 2 次。如 7 月 29 日，主席会议成员视察区人口计生工作情况，现场察看琼花观社区、新星社区、连运村、汤汪生育文化宣传一条街、人口文化广场，听取区人口计生委主任的工作情况通报，并对人口计生工作提出五点建议。

图 23-4-3 2010 年 1 月，政协委员集中视察明发商业广场

2010 年，区政协主席会议成员组织视察 8 次，先后视察新东方扬州外国语学校，区物价管理工作，平安广陵、法治广陵建设情况，“双东”历史文化街区，食品工业园和区法院工作等。7 月，区政协主席会议成员视察区“双拥”工作情况，听取规划部门、汶河街道通泗社区负责人的情况介绍。董德利在充分肯定成绩的同时，提出要注重解决现役军人家属的实际困难、注重解决驻地部队需要地方配合解决的问题、注重双拥工作中特色平台的创新、注重改被动服务为主动服务的建议。

2011 年 3 月，区政协主席会议成员先后视察区预防职务犯罪工作、妇女工作、食品安全工作、环保工作等，并着重对事关民生的食品安全和环保工作中存在问题，提出一些合理建议。

第四节 提案工作

1989 年，区政协二届三次全体会议收到委员提案 109 件、常委会建议案 1 件，当年全部办结。提案涉及经济、政治、文化、城市管理、市场建设与管理、物价与质量管理、小学生德育教育、小学校舍修建等事项。建议区政府负责人亲自过问新产品开发和技改项目的提案，被区政府采纳。当年 7 月，区政府成立新产品开发办公室。建议成立区体育委员会、区物资局、区卫生防疫站的提案，建议将扬州市和广陵区两个影剧公司合并的提案，关于加强对城区河道整治和管理的提案，关于解决小学教师紧缺的提案和关于加强对桌球市场管理的提案，都受到党委、政府及其职能部门的重视，并采取措施予以解决。为此，区委制定《关于依靠科技，振兴广陵经济的决定》。

三届委员会提案共 427 件，立案 412 件，解决问题或采纳建议的超过 50%，办结见面率 100%，委员满意率或基本满意率 90%以上。提出的强化工业企业科技人员、领导干部的科技意识，提高科技素质，促进生产力发展的提案，受到区政府的重视。区政府及时制定对企业领导干部定期培训和建立科技人员管理站等措施。农工民主党成员委员以集体名义提出要立即着手整顿医疗市场的提案，引起政府的高度重视。18 名委员联名提出打击制作假秤、坑害消费者的不法行为的提案，建立窦庄农贸市场的提案，有关部门都很快着手加以解决。三届八次常委会议提出关于加强市区住宅新村管理的建议案后，区政府从规章制度、管理网络、达标升级、经费等方面加以落实，其中涉及事权属于市级单位的转请市政府组织落实，为改善民生产生良好的社会效果。

四届委员会提案共 455 件，立案 423 件，解决问题或采纳建议的 215 件，占 50.8%，办结见面率 100%，委员满意率、基本满意率 90%以上。1993 年，从完善社会主义市场经济体制的角度，提出对企业领导干部经营管理的培训是当务之急的提案，区委、区政府高度重视，并为此制订培训总体计划。从 1993 年开始，评选优秀提案并进行表彰。该届共表彰 35 件优秀提案，其中四届一次会议提案 7 件、二次会议提案 7 件、三次会议提案 6 件、四次会议提案 5 件、五次会议提案 10 件。1994 年，针对有的企业主要领导干部不懂法，使企业经济利益受损的问题，提出应加强对企业领导干部法律意识培养和提高经济、法律知识水平的提案，区政府在区党校举办 2 期有 150 名厂长、书记参加的经济合同法培训班。1995 年关于要强化廉政建设和反腐败力度的提案，1996 年关于加大宣传、执行市民守则的力度的提案，关于要严格控制和禁止区属医院购进高级营养品或日用品的提案等，均为党政相关部门决策提供重要依据。

五届委员会提案共 376 件，立案 352 件，委员建议 24 件。经办理，解决问题或采纳建议的 179 件，占

51%，办结见面率100%，委员满意率90%以上。提出的要加大人才引进力度、发展知识经济提案，区委、区政府经研究后，出台《广陵区引进优秀人才实施办法》，对引进人才在工资、住房、子女上学等方面明确优惠政策。提出的房地产开发企业要适应土地使用制度改革提案，提出加强老城区防火措施、加大防火力度的提案，均得到区政府的重视。老城区增设消火栓32处，将23个大杂院列为防火重点单位，制定灭火预案，有效减少火灾的发生。切实做好困难企业特困职工最低生活保障工作，进一步贯彻落实国务院《城区居民最低生活保障条例》的提案，区民政局依法将保障对象扩大到所有低于城市居民最低生活保障标准的人员，并将保障政策、保障标准、保障对象张榜公布，防止遗漏或出现不符条件的对象，接受监督。提案委对该届往年答复“待条件成熟再办理的提案”实行回头看，切实提高提案解决率。该届共表彰优秀提案20件。

六届政协会议期间，政协委员和政协各参加单位共提出提案703件，其中集体提案15件，委员联名提案35件，参与提出提案的单位和委员共计813人次，参与率为98.6%。区内办理的568件提案，全部按时办结，办复率为100%，提案中所提问题已经解决或基本解决的320件，占办理总数的56%；委员满意率和基本满意率为100%。届内表彰优秀提案30件，优秀“社情民意”16件。

2003年5月，常委会建立主席会议成员督办提案制度，促进办理质量稳步提高。届内，主席会议成员督办提案21件。主席会议和常委会议先后提出5件建议案，即关于进一步营造区经济发展良好环境的建议案，关于推动全民创业和民营经济发展的建议案，关于规划建设广陵新城的建议案，关于推进大项目建设、提高全区经济竞争力的建议案和关于全面达小康、建设新广陵的建议案。

2003年6月～2007年12月，政协委员提出的关于进一步加强东部市区规划建设、提升区域综合环境、加快文昌大桥建设的提案，树立文昌广场品牌、打造扬州市最佳商圈的提案，重视协护税、增加个体税收的提案，加速观光农业发展的提案，以及发展循环经济、改善投资环境、建设生态园区的提案，关于修缮、加固淮河入江水道堤防、涵闸的提案，关于要从根本上解决区属破产、改制企业退休职工的医保问题提案，失地农民要获得稳定保障和持久权益提案，改革农村大病统筹提案，加快医疗改革提案等，区委、区政府要求相关部门按案精神进行整改。

七届政协期间，常委会始终把提案工作作为政协履行职能的重要抓手，认真贯彻“围绕中心、服务大局、提高质量、讲求实效”的提案工作方针，不断推进提案工作规范化、制度化、程序化建设，努力实现提案工作由数量规模型向质量效益型、由答复型向落实型、由收发型向服务型的转变。编印《提案工作基础知识》《提案选题参考目录》和《优秀提案选编》等资料，帮助委员选好题，提出高质量的提案。届内，共征集提案463件，立案452件，所立提案全部办复完毕，提案所提问题得到解决和基本解决的占57.6%，委员满意率和基本满意率100%。主席会议成员督办提案20件，均得到有效办理。主席会议、常委会提出建议案5件，分别是七届二次常委会议关于优化产业结构、壮大规模工业的建议案，八次常委会议关于推进区重大项目建设的建议案，十三次常委会议关于推进体制创新、规避投融资风险的建议案，十七次常委会议关于盘活会馆经济、延续历史文脉、让会馆经济成为广陵转型发展的重要引擎的建议案，十八次常委会议关于借力转型升级、强力打造百亿级液压产业基地的建议案。

同期，编发《社情民意》39期。表彰优秀提案30件。

1989～2011年广陵区政协提案办理情况一览表

表23-4-1

提案情况	第二届		第三届		第四届		第五届		第六届		第七届	
	件	%	件	%	件	%	件	%	件	%	件	%
提案总数	396	—	427	—	455	—	376	—	703	—	463	—
立案数	389	98.23	412	96.49	423	92.97	352	93.62	665	94.59	452	97.62
改为建议案数	7	1.77	15	3.51	32	7.03	24	6.38	38	5.41	11	2.38

续表 23-4-1

提案情况	第二届		第三届		第四届		第五届		第六届		第七届	
	件	%	件	%	件	%	件	%	件	%	件	%
满意和基本满意	389	100	375	91.02	381	90.07	320	90.91	665	100	452	100
无法解决或采纳	—	—	52	12.18	74	16.26	32	8.51	—	—	—	—

第五节 文史工作

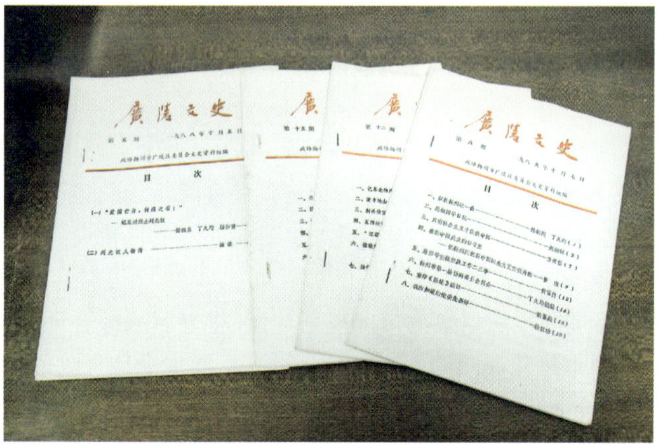

图 23-4-4 《广陵文史》

图 23-4-5 《广陵春秋》

1984 年 4 月，区政协开始编印油印本《广陵文史》，主要内容为扬州政治、经济、人物、历史等。1991 年，开始编印铅印本《广陵春秋》。至 2011 年，共编印《广陵文史》17 期 68 万字，《广陵春秋》7 辑 105 万字。2007 年，组织编著出版《扬州盐商建筑》一书，共 10 万字。七届委员会期间，出版《扬州典故与成语》《富春：天下一品》两本书，共 37.4 万字。

1989 年，为庆祝扬州解放 40 周年，区政协文教医卫委文史组编印《广陵文史》第 7～8 期，共 3.2 万字，登载《扬州城解放简介》《在新中国成立的日子里》等文章。这些文章着重介绍当年进城的解放军官兵现仍在扬州的老战士章燕、严焕民、熊剑秋、廖瑞珠、吕茂林、朱彪 6 人事迹。原江都独立团政治处主任朱彪回忆起当年并肩战斗英勇牺牲的战友时说：“尽管我们进城未放一枪，但在外围战斗中付出血的代价。”在解放施桥的战斗中，华东警备七旅二十一团（原进城部队六团）团长成建军不幸中弹牺牲，时年 32 岁。

《广陵春秋》第 1 辑登载有纪念辛亥革命的文章，介绍中共扬州第一任县委书记曹起溍烈士在扬州、泰州领导革命的史料。第 2 辑介绍出生于扬州城区、牺牲于南京雨花台的革命烈士骆何民的事迹，扬州解放后第一任市长杨祖彤的革命事迹片段，“冶春后社”江石溪以及若干民间艺术家的简介。第 3 辑登载介绍扬州普哈丁墓园馆藏润州回族金氏《古润金氏宗谱》浅析一文。《古润金氏宗谱》始于明洪武年间，至今有 600 多年，记凡 22 世，是一部形式正规、体例完备的族谱，对研究扬州回族人口变迁有重大史料价值。还介绍扬州平山堂、何园、个园、汪氏小苑等名胜。第 4～5 辑登载《扬州走向世界》一文，回顾扬州外事旅游事业的发展及扬州文化、教育、艺术、旅游的历史和现状。第 6 辑登载《江泽民同志给母校小同学回信的故事》，介绍江泽民母校扬州东关小学五年级学生吴霜于 2000 年与中共中央总书记江泽民书信往来的故事，记述江泽民的故乡情谊和国家领导人对下一代的厚望。

《扬州盐商建筑》一书，记叙扬州盐商建筑文化，资料详尽，内涵丰富。扬州盐商建筑不仅具备当时满足盐商居住生活、经营交往的实用功能，而且具有重要的文化、艺术价值，立体、生动地折射出当时扬州盐商的历史文化。建筑谱写历史，历史成就建筑，作为历史文化的载体，扬州盐商建筑承载着社会发展的印记，是祖先留给后人的珍贵物质文化遗产。拂去笼罩在这些历史遗存身上的尘埃，人们既可以领略盐商建筑当年的绰约风韵，又可以体味盐商文化乃至扬州文化的风貌与特色。

扬州作为国务院首批公布的24座历史文化名城之一，渊源最早可追溯到吴王夫差构筑的邗城，后为广陵、江都，至唐高祖武德九年（626）定名为扬州，延续至今。连绵近2500年的历史和深厚丰腴的文化积淀为扬州留下众多的名胜古迹和历史故事，凝聚成脍炙人口的典故与成语有数百条之多。它们言简意赅，精辟神妙，富于哲理，寓于情趣，耐人寻味，成为中国汉语言艺术中的一朵奇葩。2008年，区政协主席董德利主编《扬州典故与成语》一书，收录众多与扬州有关的历史典故和成语精品，为解读扬州这座博大精深的历史文化名城提供很好的参照。

2011年，区政协和市政协文史委合作编辑扬州文史资料图书《富春：天下一品》，由南京出版社出版。该书荟萃全国各地40多位名家的诗文字画和20多位扬州作者的文稿，解读“富春”这一坐落在广陵区的国家级非物质文化遗产、有着127年历史的“中华老字号”的传奇故事。该书以图文并茂、全彩印刷、新颖开本的样式，形象展现“富春”这颗文化明珠的古今风采，深层次探究其之所以成为非遗的厚重底蕴和企业全面发展的轨迹。

第六节　对外联谊

区政协通过接待来访、外出学习、参加工作研讨会、联谊会、书画展等多种形式，开展对外联谊活动。其中每年接待数十批到区交流学习的外地政协客人，定期派员参加或承办全国部分城区政协工作研讨会及专题论坛，相互交流，密切联系，共同探讨如何做好新时期人民政协工作。

1993年5月，宁镇扬毗邻县（市）区政协联谊会第十二次会议在广陵区举行。11个县（市）区的政协领导和有关人员参加会议，相互交流换届后政协工作的情况和经验。该项活动每年围绕1～2个主题进行座谈，对交流思想、联络感情、增进友谊、推动政协工作起到积极作用。

1998年4月，广陵区承办全国10城区政协工作研讨会第三次会议。来自全国沿海沿江地区9个区（市）政协的近40名代表参加会议。与会人员分别从如何发挥政协委员主体作用、切实履行政协职能、加大民主监督力度、为加强社会主义民主法治建设作贡献4个方面发表意见。区政协关于《人民政协服务经济建设必须把握的几个尺度》的发言受到会议好评。

2004年10月，广陵区政协举办韶山、广安、广陵三地政协书画展，纪念邓小平百年诞辰和新中国建立55周年华诞。画展在扬州瘦西湖公园展出，出席开幕式的市、区相关领导及有关部门负责人共150多人。

2005年9月，区政协副主席王中义、杭春明、姜志坚、秘书长臧宏及部分常委等一行15名常务委员赴杭州市萧山区、宁波市江东区、无锡市滨湖区学习考察新城规划建设工作。11月，区政协承办扬州市县（市、区）政协秘书长（办公室主任）联谊会。

2006年5月，广陵区政协承办全国13城区（市）政协工作研讨会第十三次会议，70多名代表出席。会议主题是“人民政协在构建社会主义和谐社会中如何发挥作用”。同年，区政协派员参加在浙江温州瑞安召开的全国14城区政协工作交流会和扬州各县（市、区）政协秘书长（办公室主任）工作交流会。

2007年5月，全国14城区（市）政协工作研讨会第十五次会议在郑州市中原区举行。区政协负责人参加，由副秘书长丁长征作《抓制度、求创新、促进提案工作“可持续发展”》的发言。9月，应九州文化论坛（2007青州）筹备委员会的邀请，副主席孙志南带队以观察员的身份出席论坛活动。10月，全国14城区（市）政协工作研讨会第十六次会议在江苏省丹阳市政协举行，区政协负责人等6名领导出席。

2008年5月，副主席杭春明带队赴贵州省贵阳市云岩区参加全国14城区（市）政协第十七次工作研讨会，就人民政协如何推进生态文明城市建设工作进行研讨，并以《推进生态文明，彰显古风今韵》为题作交流发言。同月，主席董德利带领部分常委，参加由荆州市荆州区政协主办的“九州文化论坛·2008荆州会议”，广陵区代表以《保护与利用、传承与发展》为题作交流发言。会议期间，举办“九州文化论坛书画展”，广陵区有15件书画作品、4件摄影作品参展。9月，孙志南率队赴广西壮族自治区南宁市兴宁区参加全国14城区(市)政协第十八次工作研讨会，就如何关注民生工作进行研讨。10月，“沿运河历史文化名城城区政协主席(扬州)年会”在广陵区举行。会议举办沿运河历史文化名城城区政协纪念改革开放30周年书画展和“运河文化与城市经济和社会发展”专家报告会。邀请江苏省非物质文化遗产专家委员会委员、东南大学教授张燕主讲，对沿运河历史文化名城，尤其是北京、济宁、徐州、扬州、苏州、杭州的历史文化遗存、城市文化形象和保护问题进行点评和论述，对如何利用运河历史文化滋润城市的生命、促进城市的发展、提升城市的品位、打造城市的品牌提出鲜明的观点。

图23-4-6　2009年10月，广陵区政协承办九州文化论坛

2009年5月，副主席杭春明带队赴辽宁省大连市西岗区，参加全国14城区(市)政协第十九次工作研讨会，并作题为《共克时艰保增长，同心协力促发展》的发言。9月，董德利带队赴山东济宁参加沿运河历史文化名城主席年会，出席“纪念建国六十周年、人民政协成立六十周年暨沿运河历史文化名城城区政协主席(济宁)年会摄影展”开幕式并致辞。10月，副主席姜志坚带队赴湖北省武汉市江岸区，参加全国14城区(市)政协第二十次工作研讨会，就政协“发挥委员主体作用，推进政协‘三化’建设方面的思路和方法”同与会者进行研讨。同月，区政协承办“九州文化论坛(2009·扬州)年会”第一次会议。河北冀州市、山东兖州市和青州市、江苏徐州市云龙区、湖北荆州市荆州区、河南汝南县、山西汉中市汉台区和凤翔县等地政协的近60名代表与会。

2010年4月，苏州市平江区政协主席薛春泉一行，到广陵区考察文化博览城建设和生态资源保护与利用工作。客人先后参观扬州八怪纪念馆、扬州博物馆、中国雕版印刷博物馆和凤凰岛生态湿地公园，对扬州打造文化博览城、铸造城市之魂和保护性利用生态资源的做法表示赞同。5月，副主席丁卫社带队参加在湖北荆州市沙市区举行的全国14城区(市)政协工作研讨会第二十一次会议，并作题为《在畅通渠道中强化民主监督职能》的主题演讲。同月，董德利带队出席在徐州云龙区政协举行的第5届“九州文化论坛”，并作《延续城市历史文脉，打造文化旅游高地》的主题演讲。9月，董德利带队参加在通州市举行的沿运河历史文化名城城区政协主席年会，作《坚持保护与利用原则，促进运河与城市的和谐发展》的主题演讲，并接受通州电视台的专访。10月，董德利带队参加在温州市鹿城区召开的全国14城区(市)政协工作研讨会第二十二次会议，围绕如何完善人民政协政治协商，促进民主科学决策，进行研讨交流。

2011年5月，南京下关区政协主席林连宝率人口资源环境委部分委员到扬州考察城市扬尘污染治理工作。主席董德利、副主席姜志坚、秘书长马宝惠陪同客人考察凤凰岛生态湿地公园，参观宋夹城遗址公园、“双东”历史街区等，客人对广陵区治理扬尘污染的做法给予高度评价。同月，姜志坚带队出席由河北省冀州市政协主办的“九州文化论坛”，并作《会馆经济引领扬州古城传承与复兴》的演讲，就会馆经济的追求、路径和未来三方面作阐述，引起近百名与会者的共鸣。10月，孙志南带队参加在安徽省芜湖市镜湖区召开的全国14城区(市)政协工作研讨会第二十四次会议。会议围绕新时期人民政协如何加强自身建设，更好地发挥优势，促进经济社会又快又好发展的经验、思路和方法进行研讨交流。

第二十四篇

民主党派工商联群团

要　目

广陵区统战工作贯彻党的“长期共存、互相监督、肝胆相照、荣辱与共”十六字方针，坚持围绕中心，服务大局，建言献策，发挥优势，为经济发展、社会进步、民生改善作出应有贡献。

中国民主促进会等民主党派相继在广陵区建立基层组织。区各民主党派、区无党派知识分子联谊会围绕区委、区政府中心工作，认真履行政治协商、民主监督、参政议政职能，发挥各自优势，为全区经济建设服务。区工商联发挥“桥梁、纽带、助手”作用，强化服务会员企业机制，求真务实，不断创新工作思路和服务方式，各项工作取得新成绩，多次被市工商联评为先进单位，杭集镇商会、头桥镇商会被评为省级先进基层商会。

区总工会紧紧围绕区委中心工作，积极探索创新工会维权机制，努力协调劳动关系，维护职工合法权益，推动职工民主管理，组织实施劳动竞赛，开展职工文化体育活动，做好困难职工保障、服务。团区委创新思路、履行职能，广泛开展“红领巾与改革开放同行”“我与广陵共奋进”“我与广陵共成长”“普天同庆十七大，祖国强盛我快乐”等主题教育活动，帮助广大青少年坚定理想信念。区妇联推广“双学双比”活动，团结动员广大妇女学习创业，以争创“巾帼文明岗”为抓手，打造文昌商圈巾帼文明一条街；探索岗企结对、岗校结对、岗岗结对形式，充分发挥“巾帼文明岗”的引领示范作用；发放家庭助廉读本，成立家庭助廉团体，建立廉政文化教育基地。区科协积极履行桥梁纽带职能，努力提升公民科学素质，巩固、扩大科普示范创建成果，开展科学普及、学术交流活动。区残联积极做好全区残疾人劳动就业、技能培训、助残扶贫、残疾康复、维权保障等方面工作。区红十字会坚持弘扬“人道、博爱、奉献”的红十字精神，积极开展卫生救护知识宣教、募捐赈灾、扶贫济困等活动。区侨联充分运用海内外“两个平台”，发挥财力、智力“两个资源”优势，凝聚侨心、发挥侨力、汇集侨智、维护侨益，团结和动员广大归侨侨眷和海外侨胞，积极参与广陵经济、政治、社会建设。

第一章　民主党派

80年代后，中国民主促进会等民主党派相继在广陵区建立基层组织。至2011年，正常活动的支部和组织共有5个，分别是民革广陵区支部、民建广陵区支部、民进广陵区育才小学支部、民进广陵区综合支部、农工广陵区支部。1989～2011年，各民主党派积极参政议政，为广陵区经济建设和构建和谐社会作出努力。

第一节　民革广陵区支部

2002年扬州市区行政区划调整后，中国国民党革命委员会（以下简称民革）扬州市委会研究决定，成立民革广陵区支部。11月，民革广陵区支部成立。至2011年，支部历任主委分别为阮大荣、丁卫社、沈莉。是年，支部成员11人。

民革广陵区支部每年对社会关心的热点、难点问题或重点民生问题精心组织调研，认真撰写社情民意和调研报告。

2003～2006年，民革广陵区支部利用体育人才比较集中的优势，到社区帮助培训体育健身人才，赠送体育健身器材，受到社区的欢迎。2007～2010年，支部和曲江街道解放桥社区结成共建对子，先后举办“我与奥运同行”趣味体育比赛、“民族团结一家亲”千人会操表演、“兄弟民族手拉手、同心共创文明城”大型签名活动。2010年，民革广陵区支部协同政协委员深入群众反映强烈的沙北一村走访，摸清危房改造情况，写成社情民意调研报告，得到市、区政府的重视，小区改造步伐加快。支部关于《精心打造广陵新城，加速构筑一体两翼》等调研文章，关于《社区体育器材的修理需政府部门帮助》等提案，得到有关部门高度重视，较好推动相关领域建设。2011年，支部联合解放桥社区开展主题为“缅怀革命先烈，弘扬爱国精神”的青少年诗歌朗诵比赛，8支参赛队伍激情朗诵《我爱祖国》《祖国颂》等诗歌。

第二节 民建广陵区支部

1994年，按照中国民主建国会（以下简称民建）扬州市委员会要求，广陵区所属原扬州工具厂7名成员组建扬州工具厂民建直属小组（第三小组）。负责人为任锦江。1997年，基层支部改选，将原扬州工具厂小组成员和在广陵区工作的共11名成员整合为广陵支部。鲍家惠任主委。2000年，支部改选，广陵支部更名为广陵区支部，有12名会员。任锦江任主委。2003年结合支部改选，成立广陵区一支部和广陵区二支部。广陵区一支部由在机关、事业单位工作的8名成员组成，广陵区二支部由在企业工作的12名成员组成。支部主委分别为陈晓锡和袁留路。2011年，广陵区一支部与二支部合并为民建广陵区支部。袁留路任主委。2011年，成员22人。

1994～2009年. 支部每年都到社区宣传节电和低碳生活，推广科普知识，赠送“小管家”节能节电插座价值总值5万多元。2001年10月，任锦江、成爱军、鲍春华被民建扬州市委表彰为“新世纪、新贡献，争先创优”竞赛活动优秀会员。2003年10月，袁留路被省总工会和市总工会分别授予“江苏省再就业创业带头人”和“扬州市十佳二次创业带头人”称号。2010年，联合上海市扬州人联谊会资助4名品学兼优、家庭贫困的小学生，每人每年1000元，直到完成学业。是年6月，民建广陵区支部与区消防大队、邗江区邗上街道，开展“节能环保低碳生活进部队、进社区”活动。在活动仪式上，民建支部向区消防大队赠送价值2000多元的电子节能产品和80件T恤衫，并现场讲解节能产品的原理，演示其使用方法，倡导节能环保低碳生活理念。市疾病预防控制中心的专家为官兵提供医疗保健方面的专业咨询和体检，赠送温度计等简易医疗器械。社区的拥军妈妈们带粽子到驻地慰问官兵。座谈会上，民建会员、社区群众、大队官兵就进一步拓展共建领域进行沟通交流。2011年6月，民建广陵区支部、东关街道东关街社区组织开展“小管家杯”中共党史知识竞赛，来自社区的共产党员、统战对象共100多人参加活动。活动间隙，社区的文艺工作者表演精彩的文艺节目。

第三节 民进广陵区支部

1984年10月，按照中国民主促进会（以下简称民进）扬州市委员会要求，广陵区育才小学9名教师组织成立民进广陵区育才小学支部，张青万任主委。2009年12月，由辖区教育系统、司法系统和民营企业的基层会员组织根据发展需要，成立民进广陵区综合支部。1989～2011年，两支部历任负责人分别为陶定新、余耀、陈正强、杨彩莲、薛卫、李锋。2010年，民进广陵区育才小学支部被民进省委表彰为先进基层支部，民进广陵区综合支部被评为民进扬州市先进基层组织。2011年，民进成员36名。

1989～2006年，每年9月，民进广陵区育才小学支部每个会员利用业余时间，走访50多户家庭，参加“千名教师进万家，构建和谐教育”活动。2007年6月，开展“端午讲屈原”等爱祖国、爱家乡、爱他人、爱岗位，弘扬民族传统系列活动。2008年5月，开展“奥运火炬接力古城扬州”“杏坛杯在育才”“汶川小朋友，我来了！”等活动。2009年4月，参与“大运河申遗”。是年6月，支部副主委薛卫为扬州大学第二幼儿园的家长作《人生学习的起步阶段——一年级决定孩子的一生》的低幼衔接讲座。2010年4月，举行“远足看古城扬州”活动。2011年11月，携手农工广陵区支部成员走进结对社区，开展社会服务活动。

民进广陵区育才小学支部先后提出《关于稳定小学教师队伍，提高小学师资队伍建设的建议》《关于加强外来货车管理，提升古城形象的建议》《关于严格控制学生在校学习时间，切实提高扬州青少年身体素质的建议》《关于缓解扬州市育才小学门前交通拥挤状况，消除安全隐患的建议》《出租车停靠点也需体现精致》《公共服务场所的设施更为人性化是幸福扬州的组成部分》《重塑红领巾的尊严和神圣》等提案，受到市、区两级政府领导关注，有的提案还引起扬州电视台《今日生活》栏目和《新闻女生》栏目的关注并给予报道。其中《重塑红领巾的尊严和神圣》，引起共青团中央的关注，扬州电视台《关注》栏目、民进中央网站、《人民政协报》予以报道并高度评价。《关于严格控制学生在校学习时间，切实提高扬州青少年身体素质的建议》被市政协提案委立为重点提案。支部成立后，先后提交社情民意和各类提案70多件。

2010年8月，民进广陵区综合支部与结对的渡江路社区共同开展送法、送爱心进社区活动，广陵区法院少年庭法官为社区30多名中小学生及其家长作法律知识辅导讲座。现场进行法律知识有奖竞答，来自民进的企业家为5名家庭困难的学生发放价值1000元的读书卡。2011年5月，支部向彩衣街社区青少年活动中心赠送4台新电脑，为社区文明创建提供支持和帮助。8月，在区委统战部组织下，民进广陵区综合支部、民进广陵区育才小学支部联手渡江路社区、彩衣街社区在愿生禅寺举办"清风净土"廉政文化作品展和现场泼墨挥毫表演活动。民进广陵支部副主委、沙口小学副校长余耀在文昌大讲堂第三讲暨曲江街道"社区讲坛"开讲，以"读国学，知礼仪"为主题，以"少年智则国智，少年富则国富，少年强则国强"为切入点，重点讲解《弟子规》《三字经》等国学经典。

民进广陵区综合支部积极组织会员建言献策，反映社情民意，不断提高支部参政议政水平，为促进和谐广陵建设发挥积极的作用。其中支部主委余耀《传承董子正谊明道思想，打造扬城国学教育典范》等多份提案在区政协大会上作交流发言，支部副主委朱俊《城市建设应慎重规划，增强严肃性》《破解文昌商圈周边交通拥堵问题的几点建议》《关于进一步推进传统建筑业技术创新、资产升级奖励的建议》《关于完善设立广陵新城、产业园主干道交通提示牌的建议》等提案引起有关部门的重视。

第四节 农工广陵区支部

农工民主党（以下简称农工党）广陵区支部于2010年12月成立，党员8人。2011年9月，成立广陵区支部委员会并召开支部第一届委员会议，选举周一天为主任委员，杨慧钰、盛大放为副主任委员。是年，党员15人。

从2009年2月支部筹建起，定期开展组织生活，加强理论学习，不断提升党员素养；在纪念中国共产党建党90周年之际，组织党员去警示教育基地，接受廉政教育。2009年10月赴延安，接受革命传统教育；2010年起，每年4月组织新党员赴南京祭扫邓演达墓、参观雨花台烈士陵园，进行党史教育。2011年，与扬州市特殊教育学校联合举办助残爱残在行动、健康咨询走进树人中学等活动，积极服务社会。

2010年，杨慧钰在《中国统一战线》发表文章《谁能不爱咱扬州》。2010年，在纪念中国农工民主党建党80周年表彰活动中，杨慧钰被中国农工党江苏省委表彰为优秀党员。2011年，杨慧钰撰写的《加强志愿者队伍建设，让城市爱心迸发》《建好市区小贩中心和疏导点的构想》《探索城乡多元化养老模式》等文章入选扬州市政协论坛。

2010年4月，农工党广陵区支部在湾头镇开展"送医到古镇、温暖众乡亲"义诊活动，检查出急需住院治疗的重症患者1人，发放疾病预防宣传手册1000多份，接待义诊患者600多人。2011年7月，支部与湾头镇壁虎坝社区结成共建对子。2011年12月，支部联合苏北人民医院、市第一人民医院医疗专家赴湾头医院开展义诊咨询活动，为社区居民免费测量血压、赠送常用药品，共服务群众200多人次，发放健康宣教资料200多份。

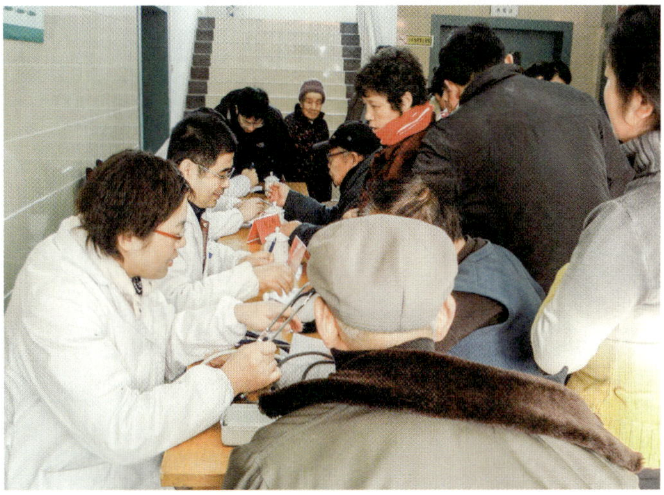

图24-1-1 2010年4月，农工广陵区支部在湾头镇开展义诊

第二章　工商业联合会

第一节　组织机构

1994年，广陵区工商业联合会（以下简称工商联）成立后，认真履行各项职能，强化为会员企业服务机制，不断创新工作思路和服务方式，多次被市工商联评为先进单位。杭集镇商会、头桥镇商会亦被评为省级先进基层商会。至2011年，全区有基层商会11个，其中街道、乡镇基层商会9个，园区商会2个；有行业商会（协会）4个。会员企业2100多家。

第二节　代表大会

一、第一次会员代表大会

1994年11月23日，区工商联第一次会员代表大会召开，出席会议代表120人。会议听取并审议通过会长何继忠所作的工作报告，选举产生第一届执行委员会，何继忠任会长。

二、第二次会员代表大会

2002年4月25日，区工商联第二次会员代表大会召开，出席会议代表122人。会议听取并审议通过会长曹瑞泉代表第一届执行委员会所作的工作报告，选举产生第二届执行委员会，曹瑞泉任会长。

三、第三次会员代表大会

2006年11月1日，区工商联第三次会员代表大会召开，出席会议代表148人。会议听取并审议通过会长曹瑞泉代表第二届执行委员会所作的工作报告，选举产生第三届执行委员会，王新勇任会长。

第三节　主要工作与活动

一、组织建设

2005年5月，筹备组建扬州全市家政服务业商会。6月，文峰街道商会正式成立。至此，全区6个乡镇、街道均建立商会。为进一步促进基层商会间的交流和沟通，建立基层商会季度工作例会制度。11月，举办工商联家政服务业招聘大会，面向“4050”（女满40岁、男满50岁）下岗职工，为他们提供3000多个岗位。同月，与浙江德清县工商联结好。2008年，成立广陵产业园商会，4名非公经济代表人士担任基层商会主席。2006年，成立餐饮行业商会。同时，针对商会特点，开展培训、参观考察、研讨等一系列活动。加强与兄弟城区工商联交流学习，加强信息交流，工作互访，先后与浙江省台州市路桥区工商联、淮南市田家庵区工商联、苏州市吴中区工商联、绍兴市越城区工商联、无锡市崇安区工商联、泰兴市工商联建立友好商会关系。2010年年初，制定《乡镇（街道）商会考核评比细则》，指导和帮助基层商会开展工作。加强文昌商圈内商业企业间的联系，凝聚各企业力量，提升合作层次，于6月成立扬州市文昌商圈商会。2011年，根据湾头镇的产业特点，走访100多家企业，分别于8月和12月成立广陵区刷业商会和广陵区玉器商会。

二、会员服务

1994～2004年，区工商联走访慰问会员1215人次，接待来访320多人次，提供法律政策咨询60多次，维护会员合法权益28户，为会员提供各种政治、经济、技术、管理、营销等信息500多条，办理出国手续9次。区工商联会长何继忠被省工商联表彰为先进个人。2005年，组织会员企业参加西交会、宁波投资洽谈会等活动。帮助广菱电子有限公司申报国家级火炬计划，使其“液晶显示器精密背光板”项目成为省唯一通过工商联系统获得批准的国家级火炬计划项目，得到国家3000万元技改项目贴息贷款。2006年，在全区民营企业中开展创建劳动关系和谐企业活动，有10家民营企业获得2006年度“劳动关系和谐企业”称号。召开餐饮企业研讨会，探讨餐饮企业发展的新思路，成立餐饮行业商会，加强行业自律。2007年，成立区工商联会员服务中心，搭建企业同政府职能部门沟通交流的平台，与区劳动局联合举办劳动合同法培训，与区物价局共同举办“改善投资环境，规范收费行为”座谈会，与市国税局共同举办企业所得税法讲座。2008年，帮助企业申办科技项目，协助解决融资、土地事宜；帮助企业协调劳动统筹关系，促进会员企业健康发展。2009年，帮助企业理清发展思路，为企业提供境外融资乃至未来境外上市的咨询服务；发放“会员连心卡”，开展走访百家企业活动，促进企业资源互补。利用服务中心平台，引导企业调整产业结构，增强核心竞争力，帮助3家会员单位申报4项国家火炬计划项目。曲江商品城因过去历史遗留问题而承担银行贷款担保连带责任，通过服务中心法律顾问，找准切入点，使曲江商品城合理合法地规避连带责任。2011年，组织相关会员企业负责人赴无锡京瓷化学有限公司参观学习，了解阿米巴经营管理模式。帮助长江钢业搭建技术合作平台，与上海交通大学电子信息与电器工程学院合作研发科技项目。

三、参政议政

1994年起，有关职能部门先后聘请30多名会员为行风监督员，参与市公安、教育、卫生等系统19家单位的行风廉政建设。1997年12月，广陵区委邀请区第一届工商联20名执委，作为非公经济代表人士，列席区委四届三次扩大会议。第一届工商联共有11位会员当选为人大代表和政协委员，其中市人大代表1名、市政协委员1名、区人大代表2名、区政协委员7名。2002年4月～2004年12月，第二届工商联共有59名会员成为区人大代表和政协委员。2003～2004年，区工商联界别的政协委员，共提出22件提案，立案22件，其中《减少审批环节，优化审批方式，促进经济发展》提案被评为优秀提案。2005年，有23人次提出22件提案，并立案。2008年，针对全球经济危机给会员企业带来的影响，组织工商联界别委员深入会员企业，对实施《中华人民共和国劳动合同法》(以下简称《劳动合同法》)情况进行调查研究，撰写《改善经济发展环境，促进中小企业健康发展》调研报告，并在区政协七届二次会议上作专题发言。区政协整理成主席督办提案，交由区政府办理。2009年，工商联界别委员到餐饮行业发展较快、较好的重庆市学习考察，并走访市内餐饮企业，在区政协七届三次会议上作《做强餐饮企业，打造城市名片》的大会发言。随着广陵区“三河三城”建设的加快，企业人才的需求显得更为迫切，区工商联一方面积极帮助企业与大专院校联系，取得技术支持；另一方面向政府提出建议，并在区政协七届四次会议上提交《加强人才队伍建设，促进企业转型升级》的大会发言，推动全区人才工作的开展。2011年，组织工商联界别政协委员到茱萸湾社区走访调研，召开群众座谈会，收集和整理9条与群众生活密切相关的提案递交区政协。

四、招商引资

区工商联响应区委、区政府发展经济、招商引资号召，发挥商会联系面广的优势，广泛牵线搭桥。1998年，接待台湾节日灯串行业协会商务考察团，为广陵区与广东东莞商务往来和广陵区与台商之间沟通架起桥梁，获得区委和区政府的嘉奖。2003～2004年，成功引进18个民资项目，引进民资近5000万元，获得区委、区政府奖励。2006年，成功引进兴化人士到扬州开办资产管理公司，为会员企业融资搭建新平台。2008年，根据区委“三年倍增，五年再造一个新广陵”的号召，充分发挥人脉优势，做好招商引资工作。会员企业汤汪塑胶厂等企业引进3个项目，吸引外资3000多万美元；引进4个项目落户广陵，民资注册资本8000多万元。2009年，区工商联把招商引资纳入街道、乡镇和产业园基层商会工作，引导团队力量为区经济建设贡献力量，实现民资注册资本8200万元，圆满完成招商引资指标任务。2003～2011年，引进外资、民资4.16亿元。

五、光彩事业

关心社会、回报社会是区工商联会员企业的光荣传统。在经济发展的同时，广大会员企业致力于光彩事业，为构建和谐社会作出表率。1994～2003年，累计有100名私营业主捐款近百万元，资助23名特困大学生、34名中学生、34名小学生、20名幼儿、18名孤寡老人和1户特困户。2004年，对区属26所中小学家庭相对困难的466名学生免费进行视力检查。对检查出近视的116名同学免费配置眼镜，对350名同学赠送学习用品。2005年，民营企业家向汤汪乡10户贫困家庭和10名贫困学生送去慰问金和助学金；组织东方医院向贫困家庭发放5000张医疗救助卡；组织汇银家电公司在全区46个社区建立家电维修服务站，免费为市民维护保养家用电器。2006年，组织广大会员参加"三下乡"活动，为湾头镇和汤汪乡贫困家庭送温暖，部分会员还主动与贫困家庭结对帮扶，为扬州大学困难学生提供生活费用。2007年，吴良材眼镜店向市红十字会捐助200万元，成立扬州市红十字会青少年视力康复中心；曲江小商品城30名业主，举行"结对帮扶、爱心助学"活动，对困难家庭学生进行资助，资助其完成义务教育阶段学业。诚德布庄同6个贫困人口较多的社区结对，从促销活动前后10天营业额中提取2%，资助社区贫困家庭；灯泡集团、飞驰电动车等企业积极参加慈善一日捐、结对帮扶等活动，共捐款30万元；广菱电子有限公司、金鹰国际购物中心向市慈善总会捐款300万元。2008年，四川汶川地震发生后，工商联和各基层商会及时向各会员企业发出倡议，共向灾区捐款200多万元。会员企业曲江商品城在路边设立捐款台，短短4天时间，共募集善款8.32万元，及时解缴给区慈善总会；奥运会开幕前夕，与区残联共同举办"迎奥运助残"活动，出资4万多元，购置60台彩电，捐赠给区60户无彩色电视机的残疾人家庭。2009年，汤汪商会建立同心村、连运村慈善超市。2010年，区工商联召开执委会期间，在短时间内共募集善款近10万元，设立帮扶基金，向50多户困难群众各送去500元慰问金，此项活动一直延续至今。2011年春节前，区工商联机关和会员企业代表向6个乡镇、街道的50多户困难群众各送去500元慰问金和节日祝福。

六、教育培训

1999年4月，组织10名非公有制经济代表人士，参加中央党校举办的全国首期非公有制经济理论与实务高级培训班。1999年7月～2004年，陆续推荐并组织65人次参加市社会主义学院、市委统战部、市工商联举办的非公有制经济代表人士培训班计6期。2008年，与市国税局、区政协联合举办企业所得税法知识讲座，与区科技局、区计经委、区社保局在广陵产业园联合举办科技项目申报、专利申报、劳动合同法等相关政策的讲座，组织广大会员企业参加"清华—扬州2008"企业发展战略讲座。2009年组织餐饮企业会员进行《中华人民共和国食品安全法》培训，会同区委组织部、区委党校、区发经委共同举办企业负责人及企业中层管理人员培训，会同区物价局举办全区涉企收费政策培训。2011年，组织传达学习《中共中央、国务院关于加强和改进新形势工商联工作的意见》。

第三章 群众团体

1989～2011年，广陵区的群众团体有广陵区总工会、共青团广陵区委员会、广陵区妇女联合会、科学技术协会、残疾人联合会、红十字会、归国华侨联合会等，在区委、区政府的领导下，群团根据党的路线、方针、政策，按照各自的章程和工作职能，认真履职，创新工作，为全区政治、经济、文化建设作出贡献。其间，广陵区先后获"全省社区残疾人工作示范区""全省残疾人社区康复先进区""白内障无障碍区"，全国"白内障无障碍区"以及"江苏省科普示范区"等称号。区总工会被评为江苏省"送温暖工程"先进集体。

第一节 总工会

一、组织机构

1989年，全区工会组织85个，会员1.53万人。

1990～1994年，配齐配好基层工会主席，并组织培训和考核。1990～1999年，全区工会会员基本维持在1.5万人以上。2000～2004年，按照"党建带工建、工建促党建"的要求，在全区经济组织和社区中新发展会员 0.1 万～1.5 万人，职工入会率 96%；举办工会干部培训 5 期，参培 556 人次，100 多名工会干部参加省、市总工会培训，57 名被省、市、区总工会授予“优秀工会工作者”称号。2005 年，建立党委（支部）定期研究工会工作制度。

2006 年，通泗、龙头关、常府社区共同组建汶河南路社区工会联合会。2008 年，湾头镇工会创成省模范乡镇工会，曲江街道工会创成市模范乡镇（街道）工会，琼花观社区、四望亭社区创成市示范社区工会。2009 年，组建婚纱摄影行业工会。开展“扬州市星级基层工会”创建活动，创成 7 个三星、2 个四星和 2 个五星级基层工会，曲江街道、汶河街道分别创省、市模范街道工会。2010 年，开展“外商投资企业工会组建年”活动，贯彻全国总工会“要依法推动企业普遍建立工会组织，要依法推动企业普遍开展工资集体协商”的要求，开展“广普查、深组建、全覆盖”行动，建立 10 名职工以上企业数据库，承办全市“党建带工建”工作现场会，100 多名与会人员参观四望亭社区、中冶京诚公司 2 个现场。汶河街道工会获“省模范街道工会”称号，万福村、文昌花园社区获“市示范村（社区）工会”称号，创省模范职工之家 2 个、市模范职工之家 2 个。2011 年，组建“双东（东关街、东圈门）”街区工会联合会、摩尔曼尼楼宇工会，对 28 家劳务派遣企业集中建工会组织，创市星级基层工会 16 个。是年，全区基层工会组织 523 个，会员 5.87 万人。

1989～2011 年广陵区基层工会组织概况一览表

表 24-3-1

年份	职工数(人)	会员数(人)	基层工会(个)	工会小组(个)	建立基层职代会制度的单位(家)
1989	15980	15300	85	1062	63
1990	16080	15526	87	1067	63
1991	16345	15800	91	1079	64
1992	16390	15838	92	1083	65
1993	16482	15918	94	1088	66
1994	15022	14667	82	989	58
1995	15234	14889	86	1003	60
1996	16078	15202	88	1017	61
1997	16173	15288	89	1019	61
1998	17200	16084	111	1123	72
1999	17313	16192	113	1166	78
2000	18068	16990	125	1190	83
2001	19299	17780	128	1201	84
2002	19605	18280	166	2012	108
2003	22131	20988	209	2933	129
2004	33008	31122	383	2282	168
2005	35008	34200	405	2530	172
2006	29831	28726	189	1010	45
2007	38695	37713	261	1236	61
2008	43962	42306	343	1501	161
2009	47843	46544	400	1644	50
2010	52041	50546	463	1767	53
2011	60291	58659	523	1948	80

二、代表大会

（一）第二次代表大会

1989年12月27～29日召开，出席会议代表181人，特邀代表18人。大会审议并通过周丛赟代表区总工会第一届委员会所作题为《强化工会职能，发挥工会优势，团结广大职工，为夺取治理整顿和深化改革的胜利而奋斗》的工作报告。选举产生区总工会第二届委员会，由13人组成，周丛赟当选主席。

（二）第三次代表大会

1994年12月15～16日召开，出席会议代表181人，列席代表16人。大会审议并通过张培纯代表区总工会第二届委员会所作题为《把握改革发展稳定的大局，围绕经济建设中心，努力做好我区工会工作》的工作报告。选举产生区总工会第三届委员会，由13人组成，张培纯当选主席。

（三）第四次代表大会

1999年12月8～9日召开，出席会议代表159人，列席代表7人。大会审议并通过张培纯代表区总工会第三届委员会所作题为《高举邓小平理论伟大旗帜，团结动员全区职工，在跨世纪宏伟事业中再立新功》的工作报告。选举产生区总工会第四届委员会，由13人组成，张培纯当选主席。

（四）第五次代表大会

2004年11月25～26日召开，出席会议代表175人，特邀代表8人，列席代表9人。大会审议并通过马宝惠代表区总工会第四届委员会所作的工作报告。选举产生区总工会第五届委员会，由15人组成，马宝惠当选主席。

三、主要工作与活动

（一）主题教育活动

1989年，全区工会系统开展“创企业精神，树立主人翁形象”（以下简称“创树”）主题教育活动。

1990～1994年，扬州灯泡厂被评为省百家企业精神先进单位。

1995～1998年，初步建立“当文明职工，创文明岗位，建文明班组和文明新风家庭”四位一体的工会精神文明创建活动机制，结合纪念区总工会建会10周年，举办“敬业爱岗”职工道德演讲比赛和“创树主题教育”知识竞赛。

1998年，配合市委、区委开展向高仁林学习活动，先后举行“职工广播操比赛”“庆国庆·升国旗仪式”“祖国颂职工演讲”“面向21世纪职工主人翁形象征文”“迎香港（澳门）回归读报知识竞赛”和职工文艺调演等活动。

1999～2004年，继续深入开展“创树”主题教育活动，在全区初步形成“文明职工”“文明班组”“文明岗位”“文明新风家庭”的精神文明创建格局，全区涌现扬州市五一文明班组8个、扬州市五一文明岗位6个、广陵区五一文明班组20个和区级以上文明职工39人。

2005年，开展纪念全国总工会成立80周年活动，组织“发展先进性，永远跟党走”征文比赛，评选区“文明职工标兵”10人、“五一文明示范岗”9个、“五一文明班组”9个，并召开“争创学习型组织、争做知识型职工，树新时代职工形象”活动推进会。

2006年，扬州金利机械有限公司黄达明被评为省先进个人、全国学习型职工标兵。

2007年，深入开展社会主义荣辱观系列实践活动，评选表彰五一文明职工标兵25人、五一文明示范岗12个、五一班组10个、五一文明科室20个。

2008年，扬州欣宝机械有限公司、扬州意得机械有限公司被评为扬州市工人先锋号。组织8000名职工参加中共十七大知识竞赛，万名职工参加“迎奥运、讲文明、树新风”礼仪知识竞赛。

2009年，新建10个职工书屋，其中市级2个、省级1个。

2010年，加强职工书屋建设，新建职工书屋10个，其中省级1个，市级2个。举办“精致扬州·魅力文昌”读书征文比赛，编印16万字的《征文集》。组队参加省第17届运动会职工排舞比赛，获团体第6名。

2011年，以建设“活力工会”为目标，丰富职工文体生活，激发职工劳动热情和创造活力。“三八”期间，组织基层女工干部进行户外拓展训练，开设女职工素质提升流动课堂，组织1000名女职工免费体检，在暻泰车材企业召开“女职工素质提升基地”现场观摩会。举办“巨人杯”职工拔河比赛、纪念建党90周年职工书画比赛及获奖作品展。开展万元图书送基层活动，创市级职工书屋示范点1个、全国职工书屋示范点1个。

（二）维护职工权益

1989年，建立职代会联席会议制度和基层职代会报告分析制度。1990～1994年，参与制定涉及职工利益的改革方案，试行股份制企业的工会主席90%以上进入企业管理决策机构；62家基层工会为合格职工之家，占应建数80%。

1995～1999年，55家企业签订集体合同，占应签企业90%；建立劳动争议协调委员会（以下简称劳调会）53个，合格劳调会创建率90.6%；建立职工法律咨询小组53个。慰问困难职工2910人次，慰问离退休、伤病、孤寡职工2147人次。区职工帮困互济会吸纳会员9700多人，基金累计38万元，为460多名会员提供特殊困难互济金16.8万元。

2002～2004年，40家企业推行工资协商制度，签订集体合同85份。

2005年，参加汤汪乡五金皮革制品公司209名职工欠薪劳动争议的公开审理，帮助职工讨回工资40多万元，参与劳动争议仲裁4件，完善工会劳动关系预警机制。同年，湾头镇工会被省总工会命名为江苏省百强示范乡镇工会。

2008年，以《劳动合同法》颁布实施为契机，建立源头参与机制，指导企业签订集体合同，进行工资集体协商，依法、主动、科学维护职工合法权益。强化民主管理，健全职代会、企务公开制度，保障职工民主权利。

2011年，制定工资协商三年计划和年度实施方案，向区各类企业、各级工会发出积极推进工资集体协商倡议书，举办工资集体协商培训班，开展春季、秋季集中要约行动，全区生产经营正常的建会企业，工资集体协商建制率95%，涌现出一批示范企业。广陵产业园、文峰街道分别获“市工资集体协商示范园区”“市示范街道”称号。

（三）扶贫帮困解难

1989年，参与制定医疗费改革、职工病假工资、死亡亲属补助、女职工劳动保护、分配住房公开等制度。工会信访形成网络，参与劳动争议和调解工作。1990～1994年，为群众办实事、帮扶解困和“送温暖”，筹集资金90多万元，慰问困难职工7145人次，建立互助互济组织60个，处理387件职工来信来访，结案率95%以上。

2000～2004年，接待、解决职工来信来访116批227人次；建立特困职工档案571份，发放3批计450份特困证，资助金30多万元；协助政府解决50名双下岗失业特困人员一方的就业安置，选树自主创业典型10人，培训下岗职工1900人次，再就业376人，为295名职工发放互济金10.6万元。

2008年，开展助资、助智、助志金秋助学活动，发动劳模、企业家与“宏志班”和特困生结对帮扶，发放助学金1万元，赠送学习用品1万元。牵线育才小学与同心学校实施结对助教，请学有所成的受助学子对受助学生进行励志教育。区总工会被评为全市为职工“办实事、做好事、解难事”先进单位。

2011年，完善困难职工和特困职工档案，多渠道筹集帮扶资金，实行集中帮扶与日常救助相结合，培育2个农民工创业示范基地。

（四）劳动竞赛和安全生产

1989年，开展以“双增双节”为主要内容的社会主义劳动竞赛和合理化建议活动。评出6条市优秀合理化建议。1990～1994年，开展“学先进、干八五、当主人、立新功”“八五振兴杯”竞赛活动，提合理化建议1.89万条，实施4230条，技术革新成果109项，共创经济效益3827.35万元。全区80%以上企业形成安全管理和监督检查网络，区总工会连续3年被市总工会评为劳动保护监督先进单位。1995～1999年，组织全区电、钳、车工技术比武大赛，在教育、商贸、卫生等系统开展业务竞赛。2000～2004年，举办技术比武、技术练兵30多场次，参与职工2800人次，涌现出一批“创新能手”和“创新工程示范岗”。2005～2006年，立功竞赛从速度质量效益型向科技管理型转变。区总工会成功承办扬州市“业红杯”修脚工技能大赛。2006

图 24-3-1　2008 年，广陵区举办“业红足艺杯”技能大赛

年，举办“万福楼”职工插花技能比赛、全区焊工技能大赛、“商品陈列”和收银员技能大赛，并会同区劳动局举办或组织参加餐厅、客房服务、修脚、中式烹饪等技能比赛，有 10 多个系统的 300 多名职工参加比赛。

2008 年，深入开展“安康杯”竞赛活动和“劳动保护合格工会”评选活动，欣宝机械、海沃机械、中冶京诚、意德粉末 4 家企业被评为扬州市劳动保护示范单位。

2010 年，区各级工会组织开展竞赛活动 65 场次，选派优秀选手参加全市化工、修脚、叉车工、电线电缆工 4 个工种的技能大赛。海沃机械研发部职工张后亮获“扬州市首席员工”称号，并被授予市五一劳动奖章。开展“我为企业创新发展献一计”活动，征集合理化建议 1500 多条，其中中冶京诚公司“大型步进梁式加热炉提升框架连接梁方式创新”获全市“金点子”奖，元辰汽配公司“表面处理生产工艺改造”被评为全市优秀合理化建议。开展创建“工人先锋号”活动，并将创建活动向机关科室和事业单位服务窗口延伸，涌现出一批具有“五个一流”水平的先进班组，新创省“工人先锋号”1 个、市“工人先锋号”3 个。

2011 年，承办扬州市“广陵杯”职工数控技能大赛；全区各级工会组织开展各项竞赛活动 60 多场次，晋升中级工 1675 人，晋升高级工 186 人，晋升技师 206 人；继续开展“我为企业创新发展献一计”活动，征集职工合理化建议 1 万多条，节约增效 3500 多万元。加强基层班组建设，培育学习型、技能型、创新型、安全型、节约型、和谐型班组 48 个，为企业发展增强活力。

（五）和谐企业创建

2006 年 8 月，区总工会联合区发改委、人社局、工商局、安监局、工商联 5 部门，在全区企业中开展创建和谐劳动关系企业活动。10 月，与活动发起部门联合对企业活动开展情况进行督查。推荐万家福、大力工具、正宇锅炉 3 家企业为省、市和谐劳动关系企业。

2009 年，将和谐劳动关系企业标准概括为“10 条 40 字”：守法经营、规范用工、民主管理、安全生产、劳动保护、职工待遇、企业文化、争议调解、工会工作、社会责任，中工网对广陵这“40 字标准”进行转载。全年新创区级和谐劳动关系企业 17 家，创扬州市星级和谐劳动关系企业 21 家。

2011 年，宣传和谐劳动关系格言 20 条。全年新创区和谐劳动关系企业 20 家、市和谐劳动关系星级企业 33 家。广陵产业园、海沃机械创成省模范劳动关系和谐企业。

（六）评选劳动模范

1989～2005 年，评选出全国劳动模范 2 人、省（部）级劳动模范 9 人、市级劳动模范 30 人。2004 年，首次评选区级劳动模范 28 人。

2006 年，市五一劳动奖章获得者 4 人，市五一劳动奖状获得单位 3 家。

2010 年，大力弘扬劳动模范时代精神，评选并表彰 30 名区级劳动模范，推荐申报市五一劳动奖章 4 人、市五一劳动奖状单位 1 家，以及省五一荣誉劳动奖章 1 人。加强劳模工作室建设，区法院建立以 5 名劳模为主体的劳模团队工作室，在公安分局举办劳模大讲堂，宣传劳模

图 24-3-2　2008 年，广陵区举办劳模庆“五一”、游双东、看新城、话发展座谈会

先进事迹，发挥劳模示范引领作用。

2011 年，推荐评选 3 名省劳动模范、5 名市劳动模范，健全完善劳动模范档案，落实劳动模范待遇，组织部分劳动模范体检、疗休养、参加元旦长跑。召开“建功十二五、创新促发展”劳动模范座谈会。

1989 ～ 2011 年，全区共评选出全国劳动模范和先进工作者 2 人:1995 年，汶河小学马恩甲评为全国先进工作者。2000 年，扬州灯泡厂高仁林评为全国劳动模范。评选出省部级劳模和先进工作者 15 人，市级劳模和先进工作者 39 人，区级劳模 95 人。(参见第三十八篇第二章第三节)

第二节　共青团

一、组织机构

1989 年，共青团扬州市广陵区委员会设书记 1 人、副书记 1 人、干事 3 人。全区有基层团委 6 个、团总支 4 个、团支部 72 个，团员 1002 人。2000 年，全区基层团委、团工委 11 个、团总支 24 个、团支部 134 个，团员 4155 人。2002 年第一次区划调整后，全区基层团委 14 个、团总支 26 个、团支部 162 个，团员 5789 人。2011 年第二次大的区划调整后，全区基层团委 23 个、团总支 54 个、团支部 330 个，团员 1.5 万人。

1989 ～ 2011 年广陵区共青团组织基本情况一览表

表 24-3-2

年份	基层团委(个)	团总支(个)	团支部(个)	团员(人)
1989	6	4	72	1002
1990	6	4	74	1057
1991	6	6	74	1128
1992	6	7	76	1349
1993	8	8	81	2103
1994	8	8	92	3142
1995	10	10	114	3326
1996	12	10	172	4636
1997	12	12	144	5316
1998	12	16	151	5274
1999	10	20	147	4722
2000	11	24	134	4155
2001	12	24	156	5514
2002	14	26	162	5789
2003	16	30	189	6412
2004	16	32	201	7841
2005	18	34	224	8872
2006	18	36	257	9170
2007	18	36	289	9924
2008	18	36	301	10516
2009	18	36	312	11228
2010	18	36	324	13714
2011	23	54	330	15019

二、代表大会

（一）第三次代表大会

1990 年 11 月 12 ～ 14 日召开。出席会议代表 210 人，列席和特邀代表 30 人。陈效燕代表共青团扬州市广陵区第二届委员会作题为《振奋精神，开拓进取，把我区共青团工作提高到一个新水平》的工作报告。大会选举产生共青团扬州市广陵区第三届委员会委员 25 人、常委 9 人，陈效燕当选书记。

（二）第四次代表大会

1993 年 11 月 4 ～ 5 日召开。出席会议代表 180 人，列席代表 20 人。张勤代表共青团扬州市广陵区第三届委员会作题为《高举团旗跟党走，火红青春献广陵》的工作报告。大会选举产生共青团扬州市广陵区第四届委员会委员 21 人、常委 7 人，张勤当选书记。

（三）第五次代表大会

1997 年 10 月 15 日召开。会议选举产生共青团扬州市广陵区第五届委员会委员 21 人、常委 7 人，刘忠华当选书记。

（四）第六次代表大会

2002 年 4 月 29 ～ 30 日召开。会议选举产生共青团扬州市广陵区第六届委员会委员 21 人、常委 7 人，田醒民当选书记。

（五）第七次代表大会

2006 年 1 月 9 日～ 10 日召开。会议选举产生共青团扬州市广陵区第七届委员会委员 21 人、常委 7 人，过璟玮当选书记。

三、主要工作与活动

（一）青年人才培养

1994 年 8 月，以“提高青年技能，迎接新世纪挑战”为主题，开展工交、财贸、基建等各条战线的技术练兵活动，全区 2000 多名青工参加 30 多个项目的技术比武活动。2000 年 10 月，举办第二届私营餐饮企业青工技能操作比赛，全区餐饮行业 600 多人参加活动。

图 24-3-3 2011 年广陵青年读书会“红色阅读季”启动仪式暨青春红歌赛

2003 ～ 2008 年，以培养专项青年人才为目标，开展丰富多彩的培训和学习活动。2003 年 8 ～ 10 月，举办基层团干英语培训班，50 余名团干部参加为期 100 天的英语培训课程。同年 11 月，召开广陵区青春创业大会，启动“创业广陵、青春行动”，10 名青年创业者与会介绍自己的创业项目。2004 年 3 月，在湾头镇万福村举行“青春创业博士行”启动仪式，成立博士顾问团，成立创业实践基地，开设青年财富论坛，为广大创业青年提供智力、经验、技术和资源。11 月，开展“借你十万元，请你来创业”优秀创业方案征集及实施活动，通过活动征集 5 个优秀创业方案，并为其提供资金支持。2008 年，组织广陵区知识产权青年干部培训班、青年干部理论培训班。

2009 ～ 2011 年，通过与迪信通手机卖场、昊驰呼叫中心、扬农化工集团等企业合作，成立区级青年创业就业实践基地 10 个。

（二）青年志愿服务

1997 年 3 月，团区委、区民政局召开“青年志愿者服务百居行动”动员大会。1998 年，围绕下岗青工开展帮扶活动，实施“共青解困再就业”工程，印发《关于做好下岗青工就业工作的实施意见》，明确共青团帮助下岗青工再就业培训技术、推荐上岗等一系列举措；举办下岗职工子女结对助学仪式，结对帮扶下岗职工20人，发放帮扶资金6000多元。

2007年3月，为使志愿服务制度化，推广中国社区志愿者注册制度。6月，举行区志愿服务表彰大会，首批1000名志愿者领取由中国社区工作协会颁发的中国社区志愿者证。这也是全省颁发的第一批中国社区志愿者登记证。

图24-3-4　2007年6月，广陵区召开志愿者表彰会暨颁证仪式

2009年4月，在东关古渡广场开展“百千志愿者，服务4•18”活动暨广陵志愿者服务驿站发布仪式，共同宣誓为家乡广陵贡献力量。2010年12月～2011年2月，以“健康成长与社会融入——关爱新生代农民工”为专题，开展“共青团与人大代表、政协委员面对面”活动。征集新生代农民工对“社会融入”的意见和建议，帮助解决提高新生代农民工的薪酬待遇，进城后住房、医疗保障，培训及其子女受教育等问题，形成志愿关爱农民工及其子女的浓厚氛围。2011年4月，在连福社区开展扬州大学“服务百居”暨广陵区“幸福蒲公英”志愿服务行动启动仪式。近1000名大学生志愿者和广陵区的青年志愿者共同走进社区，给农民工子女进行心理辅导，教农民工子女绘画、写毛笔字，为他们上文化课；为居民特别是空巢老人量血压、切干丝、包饺子；教居民插花、编中国结，宣传文明创建及低碳科学的生活知识。

（三）少年先锋队活动

1989年10月，全区各级少先队组织积极响应团中央、全国少工委发出的“向赖宁学习”的号召，广泛深入开展向赖宁学习活动。6个以英雄名字命名的少先队中队，走在学赖宁活动的前列；500多个红领巾义务服务小分队，定期活动，为孤寡老人、军烈属献一片爱心。

1994～1998年，团区委、区少工委倡议中小学与农村地区学校开展“手拉手”活动，受到各中小学少先队组织的积极响应。15所学校与农村20所中小学建立“手拉手”关系。1995年，全区结成2000对“手拉手”对子。1997年9月，开展“雏鹰假日小队手拉手文明行动周”活动，授予广陵小学“雏鹰假日小队先进集体”称号；授予跃进桥小学“海燕”小队、工人子弟小学“小白鸽”小队、三元桥小学“雏鹰”小队、北柳巷小学“爱古城”小队、汶河小学“文明雏鹰假日小队”称号。区少工委组织“手拉手”情系灾区小伙伴活动，共征集3000余件衣物、文具，以及100多箱少儿书籍送往灾区小朋友。

1998年，广陵区第三次少代会召开。会议选举勾凤诚为区少工委主任。1999年12月，在育才小学召开广陵区少先队雏鹰奖章活动，引导和帮助广大少先队员在活动中学会生存、服务和创造。组成“雏鹰假日小队”近1000支，参加人数近3万人，占全区少先队员总数的75%。2000年，围绕推进少年儿童素质教育，以“迎接新世纪”为主题，开展“星星火炬，代代相传”“珍惜伟大时代，树立远大理想”等主题教育实践活动。区少先队工作会议召开，各校校长、大队辅导员、部分中队辅导员代表参加会议。

2006年6月，举办区首届社区少儿文化艺术节，全区150多名3～12岁儿童参与活动。2006年12月～2007年1月，全区20支队伍、400多名少年儿童参加“迎奥运，健康型”社区少儿迪斯科大赛。2007年，在全国首推辅导员职级评定，扬教院二附小大队辅导员田笑被表彰为省十佳辅导员，荷花池社区伏正予被表彰为省十佳志愿辅导员。在全市红旗大队检查验收中，以总分和均分双第一的优异成绩获得专家组的好评，8个少先队大队被评为市红旗大队。

2011年，进一步探索社区少工委建设，组织全区中小学校与社区结对，发放结对联系卡；常态化开展农民工子女课后学业辅导、亲情陪伴、感受城市、自护教育等活动。

第三节　妇女联合会

一、组织机构

1990 年，广陵区妇联改选。1991 年，举办 140 人的妇代会干部培训班。1998 年，帮助下岗女工寻岗创业，成立三级服务网络。1999 年，与区委组织部联办女干部培训班，对 89 名新任妇代会主席进行培训。2001 年，构建社会化社区妇女工作组织网络，成立东关妇女联席会、汶河社区妇女工作协调委员会、广陵社区妇女工作联席会；以美食一条街为新经济组织试点，成立汶河社区美食街个体私营女业主妇女工作联谊会。2006 年，成立广陵产业园妇女工作委员会，以汤汪乡同心村为试点，公推直选村妇联主席。2007 年，区妇联成立区妇女创业促进会。2009 年，成立区财政局妇女委员会。2010 年，成立区妇联系统创建全国文明城市领导小组。2011 年 6 月，推进妇女议事制度。区妇联的基层组织分布在各街道和乡镇。

二、代表大会

1992 年 5 月，广陵区妇女第三次代表大会召开。自 1993 年 12 月始，地方妇联主任、副主任改称主席、副主席。其间，林桂春、王若芬先后任妇联主席。1997 年 10 月，召开广陵区妇女第四次代表大会。至 2011 年，王若芬、陈静、袁颖先后任妇联主席。

三、主要工作与活动

（一）主题活动

图 24-3-5　2006 年，区妇联组织女企业家庆"三八"拓展训练

1989 年起，重点抓好全区计划生育工作。1994 年，与市妇联联合举办纪念国际家庭年新风报告会。1997 年，与区委宣传部、区文化局联合举办区住宅小区文艺节。2000 年，印制《广陵区妇代会工作手册》，围绕"五好文明家庭""文明楼幢"创建，开展读书工程家庭文化成果展示、"讲文明、树新风"治家格言、双休日万家互动等活动。组织"廉政教育进社区"系列活动。2002 年，与区公安局联合表彰"十佳军嫂"和"十佳贤内助"，与区民政局、团区委联合成立广陵区社区服务志愿者协会。2003 年，拓展"巾帼建功"领域，丰富"双学双比"（学文化、学技术、比成绩、比贡献）内容，实施"巾帼社区服务工程"。参与"学习型"家庭创建并开展第七届社区艺术节活动。2006 年，举办个私女业主新公司法培训班。"六一"期间，举办"宝宝熊"杯和"快乐宝宝"亲子大赛活动。开展结对帮扶"五个一"活动（成立一支 50 人参加的巾帼爱心志愿者队伍，结对帮扶一批贫困儿童，设立一个广陵巾帼爱心基金，制作一张"巾帼爱心结对卡"，举办一场巾帼爱心在行动爱心结对晚会）。2008 年"三八"前夕，开展"恒爱行动——温暖残疾儿童"爱心毛衣捐赠活动。2009 年，举办"广陵发展与巾帼建功"论坛。开展"小康暖万家，巾帼在行动"帮扶活动。成立广陵区流动儿童艺术培训中心。2010 年，开展"三八"国际劳动妇女节 100 周年纪念活动。2011 年，举办广陵区青年交友户外联谊活动。区妇联举办"情谊金秋"寻爱大行动。

（二）维权服务

2002 年 7 月，成立汶河街道荷花池社区妇女法律维权服务站。2003 年，分别在 23 个社区建立妇女法律维权服务站，设立维权热线，聘请法律工作者；八大家社区把每月 20 日定为法律咨询服务日，琼花观社区为全市首家"家庭抗暴力"试点。2004 年 3 月，成立汶河街道南门街社区、小码头社区、皇宫社区、常府社区妇女法律维权服务站。5 月，成立宝塔、联谊路、皮坊街、渡江南路、三里桥、化工、连运、文峰、渡江 9 个社区（村）妇女法律维权服务站，全年共在 44 个社区和 22 个村建立妇女法律维权服务站。2005 年，与 8 个派出所联合成立家庭暴力投诉中心，开展“新市民巾帼维权行动”；组织5000多户参加“沙钢杯”男女平等基本国策知识竞赛，开展广场法律咨询和“三八”健康维权进社区活动。8月，曲江街道顾庄社区家庭暴力投诉中心成立。2007年，协调相关部门送法律、政策服务到社区、村组，共接待咨询400多人次，分发各类资料1000多份。共举办普法讲座3次，组织普法宣传广场活动1次，接受法律咨询和服务人数达1000多人次。接待来信来访67件103人次。2008年，全区有18个维权岗参加争创活动，9个岗位被命名为市级优秀维权岗。2011年，10个集体被授予省“十佳文明岗”称号。宝塔社区居委会等100个岗为市级文明岗。命名表彰广陵区唐城律师事务所等10家单位为优秀维权岗。

图24-3-6　社区妇女法律维权服务站

（三）创先争优

1989年，组建妇女信息员队伍。1990年，改选基层122个妇代会。1994年，区妇联被市妇联评为年度先进单位、双文明先进单位。1996年，开展“四进户”活动，即思想政治工作进家庭，传统美德进家庭，文化娱乐进家庭，法律知识进家庭。创争4个“十佳”，即十佳婆媳、十佳姑嫂、十佳妯娌、十佳邻里。1999年，区妇联表彰“三八红旗手”83人、先进集体24个。2000年，按照社区妇女工作新定位，努力实现妇女工作方式新转变。5名被评为巾帼社区服务工作先进个人、2名被评为市岗位能手、3个岗被评为市巾帼示范岗。2002年，依托华南保姆市场，为下岗失业女工介绍家政服务672人次，其中妇联直接介绍103人。荷花池社区、育才小学被评为三八红旗集体。2003年，通过购岗、创岗、腾岗，共解决2693名妇女再就业。2004年，成立女性创业促进会，帮助4935名妇女再就业。2005年，伏正予被授予省第四届“十大女杰”暨省“三八红旗手”称号。飞驰动力机械厂为省巾帼示范明星岗，托阳幼儿园和天香阁商贸有限公司被评为省巾帼示范岗。

（四）少儿工作

1995年，成立区妇女儿童委员会。2000年，结对帮扶一批贫困儿童，设立广陵巾帼爱心基金，举办巾帼爱心结对晚会。2002年，对区属小学特困学生进行调查摸底。在荷花池社区成立妇儿维权站，在汶河小学举行“小公民道德建设”启动仪式。2003年，3名小朋友的摄影绘画作品获省“童眼观德”大赛优秀奖。2005年，组织“五个一”亲子道德实践活动。2007年，召开“让流动的花朵更美丽”为主题的流动儿童暨家长茶话会。2011年，举办区家庭亲子趣味运动会。

第四节　科学技术协会

一、组织机构

1984～2005年，科协设主席1人，无内设机构。2006年，增设兼职秘书长1人。2009年增加工作人员1人。2011年，区属协会2个，下辖企业科协13个，乡镇、街道科协11个，社区科协48个，农村专业技术协会2个。至2011年，戴道娴、符学文、陈克家先后任科协主席。

二、代表大会

1988年11月，召开区科协第二次代表大会。2009年11月，召开第三次代表大会，正式代表120人，特邀和列席代表20人。选举产生科协委员23人、常委11人、主席1人、兼职秘书长1人。

三、主要工作与活动

（一）农村科普

图 24-3-7 区科协实施省“千乡万村环保科普行动”

2002年，区科协联合区农水局开通农业“科技110”服务热线，免费为农民群众提供咨询服务。同时，协调、联系农业科技专家，采用进村入户方式，定期举办培训班，及时提供信息和资料，义务为农民群众服务，帮助群众解决生产技术难题。“科技110”开通后，共受理电话咨询1000多次，科技人员进村入户服务600多次，帮助农民解决技术难题100多个，举办培训50多期，提供技术信息和资料2000多份。2002～2004年，共有2个乡镇和20个村被命名为科普文明乡镇、村，科普示范乡镇、村覆盖率95%以上。2005年，建成汤汪乡蔡坝大棚蔬菜栽培示范基地。全区组织开展“百名科技专家兴农富民工程”。2006年8月，成立区“百名科技专家兴农富民工程”协调小组。2008年，通过“兴农富民”项目实施，辐射带动一批农户项目提质升效，建立一支以江苏里下河农科所惠飞虎为带头人的科普惠农队伍。2010年，聘请以扬州大学教授祝树德为首6名科技专家，与汤汪乡的6农户结成帮扶对子，帮助农民解决生产中遇到的技术性难题。2011年，建立扬州大学和江苏农科院等高等院所为支撑的农业技术开发推广体系，实施“兴农富民工程”“科普惠农兴村计划”。全区有5个项目列为区兴农富民工程项目，1个项目列入市兴农富民重点项目，2个列入科普惠农兴村计划。湾头镇二桥村奶牛养殖项目获批“省科普惠农兴村计划”，项目技术专家教授周明荣被省科协评为科普惠农兴村计划先进个人。沙头镇现代农业展示中心被认定为省级科普教育基地。至2011年，先后向农民群众赠送科普图书4000册、科技资料5000份，举办农业科技、种养植知识讲座50多次，为农民义诊2000多人次，开展现场咨询服务活动40多场次，发送科普光盘100多张。

（二）科普进社区

1996～1998年，向各社区赠送全套科普工作者学习光盘，发放科普专题挂图，印发科普法宣传册3000本。1999年，制定“科教进社区”活动方案，确定荷花池、古旗亭、个园、沙北二村社区为“科普进社区”活动示范点。组织科技、文化、卫生、法律“四进社区”活动18次。2000年，举办“崇尚科学文明，反对封建迷信”图片展，参观人数3000多人次。2003年“非典”期间，运用宣传手册、挂图、画廊、专家咨询、科普录像等方式和通过电视、广播、报刊等宣传媒体，全方位宣传普及“非典”相关的发病机理、预防方法、传染途径和治疗方式等科学知识；累计发放宣传手册1000册、宣传专刊500份、科普挂图30套、光盘20套，放映科普录像10场次。2007年，成立“全民科学素质行动计划纲要”领导小组。至2008年，通过科普基础设施建设，全区所有社区创建成区级以上科普示范社区。2009年，成立3家企业科协组织。2010年，扬农集团企业科协开展“讲理想、比贡献”竞赛活动，被中国科协评为全国竞赛活动先进单位。2011年，开展“科普社区示范点”建设工作，每个乡镇、街道建设科普活动中心；先后邀请2名院士及专家开展“院士专家广陵行”活动，与企业建立紧密型合作关系；扬州泰华彩色园林研发有限公司建立市院士工作站，同时就项目合作，与山东农业大学院士束怀瑞团队签约合作。至2011年，区创建成省级科普示范区；曲江街道新星社区和文峰街道连福社区获“国家级科普示范社区”称号，湾头镇天顺花园社区获“省级科普示范社区”称号；信息产业基地数字展示中心被中国科协认定为国家级科普教育基地，在中电宝军、万方电子、水利机械等10家企业建立市级以上院士工作站，江苏信息产业基地被认定为省级海智工作基地。

（三）青少年科技活动

1989年，举办区第二届青少年科技成果展，共有50件作品参展。通过评选，有10件作品得到奖励。1992年，泰州路小学学生于辉发明的“折缩梯子”获两省一市（江、浙、沪）青少年“亿利达”发明竞赛唯一金奖，美籍华人杨振宁博士亲自为他颁奖。1997年3月，组织200名青少年参加海尔波普彗星与日食观测活动，30名师生借助天文望远镜观看罕见的日食现象。1999年，城南小学获批省首批青少年科技教育特色学校。

2000 年，组织参加省第十一届青少年发明创造竞赛，获一等奖 3 项、二等奖 7 项。2001 年，举办全国第九届“智力七巧板”比赛，2000 多名青少年报名参赛，150 多名选手进入决赛，获全国一等奖 12 人、二等奖 36 人。2002 年，湾头中学获批省青少年科技教育特色学校。2004 年，组织青少年参加省第十五届青少年科技创新大赛，25 件作品获奖。2005 年，组织推选全区中小学生 250 多件作品参加省第十六届青少年科技创新大赛，获一等奖 15 件、二等奖 40 件。2010 年，与区教育局共同组织学生参加扬州市第七届“七巧科技”系列竞赛，获幼儿组一等奖 2 人、二等奖 3 人、三等奖 4 人，小学组一等奖 13 人、二等奖 18 人、三等奖 35 人；参加“金钥匙”科技竞赛，获小学组一等奖 5 人、二等奖 9 人、三等奖 14 人；参加青少年科技创新大赛，获得优秀组织奖、学校团体奖，沙口小学获一等奖，育才实验学校获二等奖；其中申请专利 13 项，7 名师生获国家发明专利。2011 年，充分利用学校少年科学院、科普活动兴趣小组等活动载体，针对不同年龄段学生特点，选择性开展以普及科学知识为主的知识性活动：以培养动手能力为主的技能性活动，以培养创新能力为主的探究性活动，以培养良好心理素质为主的心理卫生科普活动，深化青少年特色科普教育活动，沙口小学获批省科技特色学校；邀请地震工作者、消防官兵为未成年人讲解防震减灾科普知识和消防知识等；与区教育局共同组织参加市机器人比赛、创新大赛、金钥匙等科技比赛活动，多人在省、市创新大赛中获奖，近 20 人在省小发明家评选中获奖，同时申报专利 7 项。区教育局获第二十二届扬州市青少年科技创新大赛优秀组织奖。信息产业基地数字展示中心获批国家级科普教育基地。

（四）科普宣传周活动

1989 年 11 月举办首届科普宣传周活动后，每年举办一届，连续举办 23 届科普宣传周活动。区政府在每届科普宣传周开展之时，及时下发“科技活动周暨科普宣传周”“全国科普日”活动实施意见，对活动统一部署，层层分解，责任到人，做到主题突出，丰富多彩。科协每年确定一个主题，通过科普讲座、科普知识培训、科普作品展示、科普大篷车进社区等形式，使科学常识走进企业、机关、街道、乡镇、社区。1989 ～ 2011 年，开展科普宣传周活动项目 901 个，发放资料 15.5 万份，参加人数 38.3 万人次。

1989 ~ 2011 年广陵区历届科普宣传周活动情况一览表

表 24-3-3

时间	届次	主题	简况			
			活动项目（个）	发放资料（份）	放映影像（次）	参加人次
1989. 11	一	科学技术是第一生产力	50	8000	—	20000
1990. 11	二	科技兴农	35	—	8	10000
1991. 9	三	科技、质量、品种、效益年	30	—	10	10000
1992. 10	四	科技兴区	40	—	—	20000
1993. 6	五	江苏科技、专利博览会	100	—	—	18000
1994. 10	六	科学与健康	28	5000	—	13000
1995. 6	七	环境与人类	25	4000	—	12000
1996. 9	八	公众理解科学	30	—	10	10000
1997. 9	九	科学在我身边	29	—	7	10000
1998. 9	十	提高国民科技素质，迎接 21 世纪	35	10000	—	20000
1999. 9	十一	依靠科技进步，迎接 21 世纪挑战	28	3000	12	16000
2000. 9	十二	提高全民创新意识，促进 21 世纪跨越发展	23	20000	9	12000
2001. 9	十三	环境保护——安全与健康	45	5000	15	18000
2002. 5	十四	科技创造未来	32	10000	10	20000

续表 24-3-3

时 间	届次	主 题	简 况			
			活动项目（个）	发放资料（份）	放映影像（次）	参加人次
2003．5	十五	依靠科学，战胜“非典”	29	8000	15	18000
2004．5	十六	科技以人为本，全面建设小康	37	5000	13	12000
2005．5	十七	科技以人为本——保护生态环境，共建美好家园	40	16000	10	20000
2006．5	十八	弘扬“三创”精神，共建创新型城市	45	10000	15	18000
2007．5	十九	提升科学素质，共建和谐社会	28	5000	8	10000
2008．5	二十	携手创新，促进和谐	62	20000	25	30000
2009．5	二十一	防灾减灾，消防教育	50	10000	12	23000
2010．5	二十二	低碳生活	55	16000	13	13000
2011．5	二十三	节能环保，和谐创新	35	—	—	30000

说明：个别年份资料缺失

第五节　残疾人联合会

一、组织机构

1990 年前，广陵区残疾人救助工作由区民政局负责。1990 年 4 月，成立广陵区残疾人联合会（以下简称区残联），二级局建制。负责全区残疾人劳动就业、技能培训、助残扶贫、残疾康复等工作。1990 年，组建区工业系统残疾人联合分会。1994 年，区委将残疾人事业纳入全区经济社会发展规划。1997 年 4 月，区残联为区正局级单位。2002 年，全区 6 个乡镇、街道均建立残联基层组织，形成区、乡镇（街道）、社区（村）三级工作网络。2004 年，区残联与区民政局分设，进入政府序列，实行理事长制度。是年，广陵区将残疾人康复、就业、教育、维权、文体、社会保障及残疾预防等工作与社区建设融为一体，共建共享，共同发展。

二、代表大会

区残联实行代表大会制度，每 5 年左右召开一次。

1990 年 4 月，成立区残联，召开第一次代表大会。1998 年，召开第二次代表大会。2004 年 6 月，召开第三次代表大会。2008 年 1 月，召开第四次代表大会。至 2011 年，王中义、薛平先后任残联理事长。

三、主要工作与活动

（一）康复服务

1990 年，区残联康复工作从白内障复明、小儿麻痹症后遗症矫治和聋哑儿童语言训练起步，成立“三项康复”领导小组。在有条件的单位为有残余听力的聋人配置助听器，开展心理康复，指导福利厂办好工疗小组，培养弱智职工日常规范和职业技能，使他们能够从事力所能及的劳动。是年，区政府加大康复资金投入，不断拓宽康复领域，康复内容逐步发展为“三助一给”（助听、助明、助行和免费给药）、创建白内障无障碍区、0～6 岁残疾儿童抢救性康复训练以及精神病防治等。与区卫生局组建社区康复医疗设施示范单位，实行“六位一体”（预防、保健、医疗、康复、健康教育及计划生育）技术指导。加强各乡镇、街道医院残疾人康复指导中心的建设，推进“康复进社区，服务到家庭”活动。2007 年，启动 6 岁以下贫困家庭残疾儿童抢救性康复工作。2008 年，依托基层残疾人专职委员，对残疾人康复需求进行上门调查摸底，实现全区残疾人康复需求长效管理。是年，区被省残疾人工作委员会授予“白内障无障碍区”称号。2009 年，被全国康复办授予“白内障无障碍区”称号。至 2011 年，全区 7 个乡镇、街道相继建立残疾人康复指导中心，有 42 个社区（村）成立康复室，区、乡（街）两级建立和完善精神病防治领导小组和技术指导小组。对经过筛查确诊的贫困白内障患者实施复明手术1685例。落实75名残疾儿童进入雏鹰儿童发展中心定点机构康复训练，培训康复员450人次。通过实施“三助一给”助残工程，向残疾人发放辅助用具2031件，装配假肢19例；每年为403名贫困精神病患者免费给药，精神病人监护率95%。开展以康复指导、辅具适配、无障碍改造、康复知识普及为主要内容的康复服务“四进家庭”活动，被救助人员778人，使他们足不出户就能得到康复训练与服务。对873户残疾人家庭进行无障碍设施改造，进一步方便残疾人的生活起居，得到各类康复服务人员共2.01万人次。

（二）就业服务

1994年起，区政府推行按比例分散安置残疾人劳动就业政策。区机关、团体、企事业单位及城镇集体组织，按本单位在职职工总数1.5%比例安置残疾人就业，或按年度缴纳残疾人劳动就业保障金。2003年，区政府制定《关于进一步加强残疾人就业和就业保障金征收工作的通知》《关于农村残疾人税费减免有关问题的通知》等文件，采集工作岗位，协调落实保障经费，为残疾人就业提供政策、物质保障，依托福利企业集中安置残疾人就业；鼓励用人单位按比例安置残疾人就业；加大对残疾人职业培训力度，先后安置残疾人就业1800多人，并为135名社区残疾人购买公益性岗位。2010年，制定《广陵区残疾人自主创业奖励意见》，寻求和推荐具有一定技术含量、投资少、见效快的项目，扶持180户残疾人走上自主创业、自食其力的道路。2011年，建成扶贫基地11个、创业基地1个，集中安置90多名残疾人，辐射带动360多名残疾人脱贫。

图24-3-8 2011年12月，琼花观社区开展残疾人技能培训

（三）维权服务

1991年起，区制定并完善保障残疾人合法权益政策措施，建立法律服务机构，在无障碍环境、法律援助、信访、基本生活保障等方面加大依法维护残疾人权益工作力度。2005年，区残联建成面积600多平方米的综合服务大楼，集机关办公、残疾人康复、教育、职业培训、信访办证以及用品用具供应、娱乐活动为一体。2006年，依托公益律师和乡镇、街道司法所成立基层助残维权岗，为残疾人提供法律咨询和法律援助。2007年8月，全市开展残疾人机动车整治工作，对代步和营运的残疾人机动车进行置换。区残联制定分类实施优惠政策：根据不同情况，分别采取安置就业、自谋职业经济补贴、纳入低保、给予困难生活补助等方式，在保障残疾人合法权益的同时完成残疾车整治任务。2011年，成立残疾人法律救助工作站，与区法院结对共建“模范法官”工作室，与区法律援助中心共建律师工作室，与省五台山医院心理专家共建心理咨询工作室，办理残疾人证1.4万份。

（四）特殊教育

1990年3月，省首家聋儿康复机构——扬州市聋儿康复中心在工人子弟小学附属幼儿园成立，为学龄前儿童实行语言康复训练。是年，区残疾人教育以义务教育和职业技术教育为重点，依托市特殊教育学校、普通小学特教训练班，把残疾少年儿童纳入义务教育轨道。1992年，扬州盲校创办，与市聋哑学校实行统一管理。1995～1998年，学校两次搬迁。其间，区政府先后投资100万元，成立市特殊教育学校。2002年，扬州市培智学校实施“四机一幕进课堂”教学方法，采取学籍不同、调班学习等科学措施，以人为本，因人施教，得到中央教科所专家的肯定。2003年，市培智学校承办江苏省培智学校课程改革研讨会。2004年5月，培智学校被授予“省特殊教育现代化示范学校”称号。

2009年，区残联对《广陵区残疾人家庭子女及残疾学生考学奖励实施办法》进行修改，开展助学活动，落实对残疾儿童少年义务教育免书费、免学费和补生活费的“两免一补”优惠政策；开展“希望工程”“春蕾计划”和“春雨行动”。是年，区残联成立区残疾人职业技能培训基地、区残疾人职业技能培训实践基地，举办家电培训班，招收20多名残疾人免费参加培训。2011年，向194户考取高中以上学校的贫困残疾人家庭子女和残疾学生发放考学奖励及教育专项补贴，合计18.41万元，其中省级教育专项补贴2.9万元、市级配套教育专项补贴8.6万元，区残联考学奖励6.91万元。

（五）文化、体育、技能赛事

在1991年扬州市首届特奥会（特殊奥林匹克运动会简称，专为智障人员开设）上，区残疾人运动员获得田径、乒乓球比赛7枚金牌、7枚银牌、8枚铜牌，并获总分第二名。在1998年省残疾人书画作品展上，广陵区6件参展作品获得好评，有2幅扶残助残及自强摄影作品被编入《爱的奉献——发展中的江苏残疾人事业》画册。在1999年省五届残运会上，获得3金、5银、6铜共14枚奖牌。1999年省特奥会上，获得2金、3银、5铜。在2000年4月全国残疾人书画摄影展上，聋人宋新江的作品获三等奖。在2001年省五届残疾人艺术会演中，广陵区选送的培智学校师生编演的舞剧《烟花三月下扬州》获表演三等奖。在2001年10月市首届残疾人运动会上，区25名残疾人运动员共获得22金、12银、7铜，并获得团体总分第三名。在2002年5月省六届残运会上，广陵区9名残疾运动员夺2金、1银、2铜。残疾人谢荣贵获中国残联及国家体育总局“1998～2002年全国残疾人体育先进个人”称号。2002年，广陵区选送的10件（幅）作品参加全省残疾人书法、绘画、摄影作品比赛全部获奖，其中一等奖1件，二等奖2件，三等奖3件，优秀奖4件。同年9月，区盲人按摩师唐利剑代表扬州市，在首届中国按摩保健技能邀请赛（南京赛区）中获三等奖。2003年，在第四届江苏省盲、聋、培智学校学生艺术会演评选中，广陵区智障学生演出的《小熊请客》获表演三等奖。同年，在全国第六届残运会（扬州赛区）上，区残联被评为爱心明星单位。2006年9月28日“国际聋人节”，区残联与聋协举办聋人朋友乒乓球比赛，开展交心交友交流活动。2006年10月15日“国际盲人节”，区残联与盲协举办盲人网络技术培训班，使盲人在信息化时代能与正常人一样在网上交流，在黑暗中感受“光明世界”。在2008年省残疾人青少年游泳锦标赛上，区残疾人选手分别获得第四名和第五名。在2009年省残联第四届技能比赛上，区残疾人作品分别取得第二名和第四名，残疾人光光的优秀泥塑作品被副省长李小敏收藏。在2010年全省第五届特奥会上，由培智学校12名残疾人选手组成的市特奥运动代表团，参加田径、羽毛球、乒乓球三个大项的比赛，取得7枚金牌、9枚银牌、7枚铜牌。2011年，汶河街道举行首届社区残疾人棋牌比赛。文昌社区举办“残疾人红歌会”。是年，在省残联第四届技能比赛中，区残疾人作品分别取得第二名和第四名。

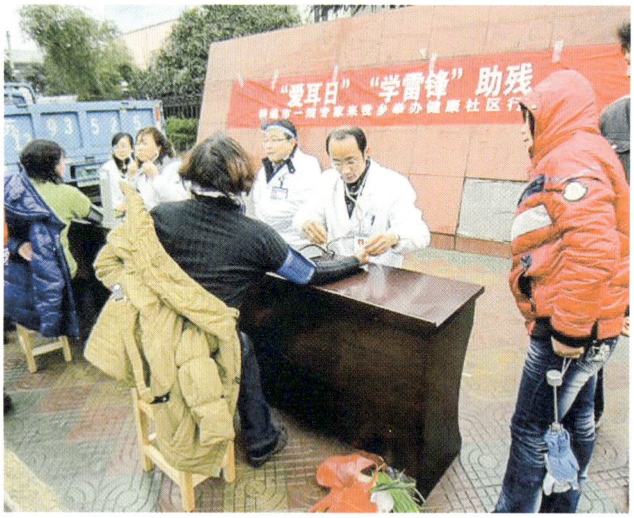

图24-3-9　汤汪乡开展爱耳日学雷锋助残活动

图24-3-10　助残日，琼花观社区给残疾人送关爱

（六）社会助残

1990年区残联成立后，每年在“全国助残日”（5月15日）、“爱耳日”（3月3日）、“盲人节”“国际残疾人日”（12月3日）等节日，开展助残爱心

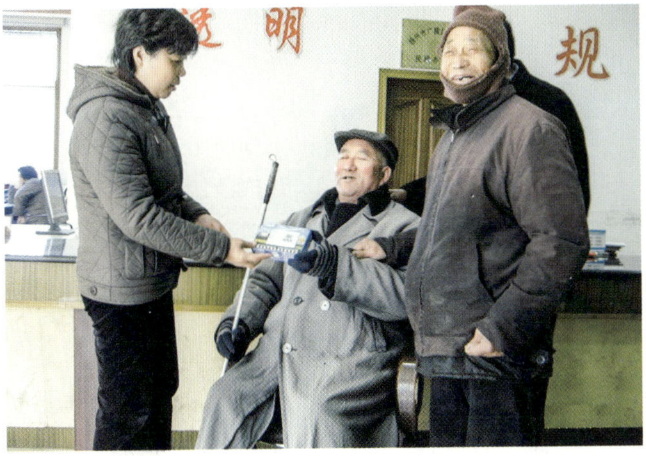

图 24-3-11　湾头民政工作人员为盲人送收音机

活动，组织部分残疾人旅游观光，举办残疾人小型职业技能比赛。各级党政领导及社会各界也广泛开展志愿助残、社区助残、医疗助残、法律助残等多种形式的助残活动。电视、广播、报刊开办残疾人专题节目，增强全社会助残扶残意识和社会氛围。

2009 年全国助残日，区残联和广陵区国土分局联合向全区 24 户贫困残疾人家庭捐赠彩色电视机；汶河街道组织三轮车爱心车队带残疾人看“双东”、游古渡、观大水湾。2011 年全国助残日，区残联向辖区内贫困残疾人家庭捐赠 90 台电饭锅，并为贫困肢残人捐献轮椅。

第六节　红十字会

一、组织

1989 ～ 2011 年，广陵区红十字会一直挂靠在区卫生局，无专职编制和专项办公经费。区政府先后明确副区长薛清华、李成志、王涛分管区红十字会工作，具体工作由区卫生局承担，有一名分管负责人和一名工作人员兼职配合市红十字会，履行卫生救护知识宣教、无偿捐献、募捐赈灾、扶贫济困等职能。

二、活动

（一）红十字精神宣传教育

1989～2011年，全区红十字事业坚持弘扬“人道、博爱、奉献”的红十字精神，每年结合“5•8”世界红十字会日，依托辖区基层医疗卫生机构开展《中华人民共和国红十字会法》、无偿献血、造血干细胞捐献和救护知识等宣传活动。2006 年，在“12•1”世界艾滋病日宣传日，会同区卫生局、疾病预防控制中心在文昌广场举行“遏制艾滋，履行承诺”主题活动，免费发放预防艾滋病知识宣传材料和安全套，免费抽血检测。2011 年 5 月，配合市红十字会在文昌花园社区开展第 64 个世界红十字日广场纪念活动日，现场为社区困难群众发放爱心救助物资，开展现场应急知识和技能宣传演示、无偿献血、造血干细胞捐献采样、专家义诊等活动。

图 24-3-12　2006 年，区红十字会关爱困难儿童助学行动

（二）救护培训

2007 年 9 月，会同区教育局，在青少年自护教育基地，为沙口小学的小学生举办一次急救自救知识宣传教育活动。2008 年 9 月，联合区卫生局对辖区医疗机构的医护人员开展急救知识与技能培训，采用授课和现场演练相结合的方式，参加培训 52 人。

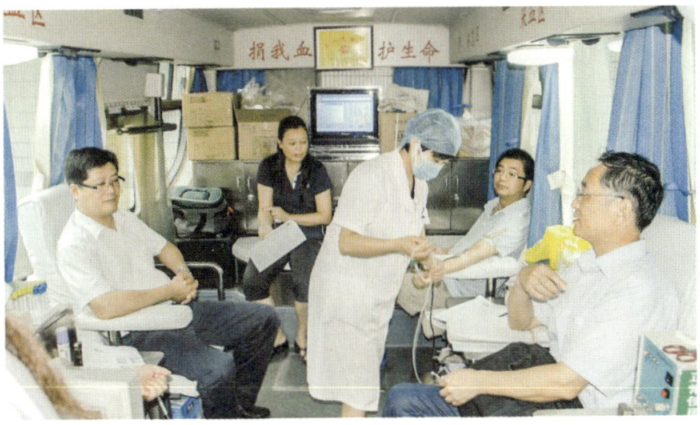

图 24-3-13　2001 年 7 月，组织机关干部献血

（三）博爱救助

2006 年，在市红十字会支持下，开展家庭贫困

学生助学活动2次，发放助学金8000元，受益人数8人。2006～2011年，区红十字会向贫困家庭、贫困学生、白血病患者发放救助款、物、食品价值15.5万多元，其中向汶川地震实名募捐7.3万元。

（四）无偿献血

2002年度，完成无偿献血305人。区卫生局工作人员每人每年献血400毫升。2007年12月，志愿者扬州市第一中学教师崔蓉蓉经过体检合格后，在南京成功捐献造血干细胞，挽救1名白血病患者的生命，成为区境内第一例造血干细胞志愿捐献者。2010年7月，区政府组织开展机关干部职工无偿献血活动，成功献血38人，献血总量1.14万毫升。2011年7月，成功献血82人，献血总量2.72万毫升。

第七节 归国华侨联合会

一、基本侨情

广陵区经2002年、2008年、2011年三次区划调整，侨情发生很大变化。至2011年年底，有归侨18人，旅居海外华侨、华人727人，分布在全球30多个国家，其中新侨（1978年改革开放之后出国人员）141人。华侨中有学者、专家和工商业者，有的在国外华人社会和学术界、实业界有较重要的地位，有的是在所居住国家和地区政治上有影响、经济上有实力、社会上有声望、学术上有造诣的知名人士。港澳台同胞40人。

二、代表大会

1985年4月，召开广陵区第一次归侨侨眷代表大会。程平任主席。侨联侨办合署办公。1988年6月，召开第二次归侨侨眷代表大会，程平任主席。1991年12月，侨联召开全委会，同意程平辞去主席职务，选举金同合为侨联主席。1994年5月，召开第三次归侨侨眷代表大会，金同合任主席。2002年年底，侨联与政协三胞联谊委员会合署办公。2010年后，侨联与外侨办合署办公。2011年12月，金同合调离侨联，丁竺松任主席。

三、主要工作

（一）服务经济建设

引资引智 1989～2000年，贯彻省引荐外商投资项目奖励办法，广泛发动归侨、侨眷和港澳同胞眷属为区发展外向型经济献计出力。开展“五个一”（贡献一计、引进一个项目、提供一条信息、推销一个产品、介绍一个人才或客户）活动。先后为灯泡厂、桅灯厂、伞厂、扬州大酒店、城南街道等单位引进项目、产品外销等做服务性工作，涌现出高仁林等一批侨界典型。2001～2011年，在科学发展、转型发展、跨越发展的引领下，以“科技招商、产业合作”为主题，围绕“两城三区”，积极参与“烟花三月”经贸旅游节、“海外江苏之友”等招商引资和招才引智活动。参与承办2008年3•15香港推介会、2009年9•12深圳招商会、2010年“海外江苏之友”广陵行、2010年华人华侨专业人士广陵行、2010年“创业中华·创新江苏”侨资侨智对接交流会、2010年世界绿色设计论坛扬州峰会等多场引资引智活动，参与接待微软全球副总裁、法国施耐德电气全球总裁、新加坡爱妮娜国际控股集团董事局主席、新加坡第一家企业集团董事局主席、中国香港创意产业及科技创新委员会主席等高端客商和高层次人才。协助相关园区、街道引进五丰冷食、明发广场、SM城市综合体等一批有影响的项目。至2011年年底，共牵线促成投资项目6个，注册资本超过3亿美元，投资总额25亿美元。引进海外高层次人才27人。

服务侨企 1989～2000年，先后兴办华侨工商实业公司、华侨编织厂、广告公司、区第二运输公司、物资机电化工公司、申扬电子电脑技术开发公司、经济服务公司、气站8家下属企业，职工超100人。2000年下半年，随着经济体制改革的深化，原有侨办企业全部关停并转，重心转到为属地侨、港、台资企业服务上，主动到侨港台资企业开展交友走访活动。2009年，成立扬州市华商协会广陵分会和广陵区海外高层次人才交流协会。至2011年，共为侨、港资企业办理APEC商务卡30多张，协调处理相关事务20多项。

（二）海外交流

加强对外联络 1990年，区侨联于春节期间，通过送贺卡形式向广陵籍海外华人送去祝福。1998年，区成立侨务工作领导小组；同年，侨办更名为外事侨务办公室，以加强对侨务工作的领导。2000年，通过“海外中秋情”活动向海外华侨发送中秋节祝福电邮。2005年后，每年元旦、中秋、春节、圣诞等重大节日，通过电话、传真、贺卡多种形式，向海外华侨华人送去祝福和问候，增强旅外乡亲对家乡的归属感。对海外到扬的政治上有影响、经济上有实力、科学技术上有造诣、社会上有地位人士，侨联及时向区分管领导汇报，请区领导出面接待，介绍广陵区经济建设成就和发展环境。2008～2011年，区侨联连续4年通过“海外华人华侨专业人士广陵行”活动，共向海外寄发各类资料、联谊信件4300多件，接待回国创新创业的海外乡贤30多人次。

扩大海外交往 主动加强与国内侨务重点地区、重点高校同学会的联系，依托市侨联、侨办，加强海外人才工作站和海外同乡会建设，建立健全“海外侨情库”和区内侨港资企业、海外高层次人才工作网络，至2010年，区侨联已与20多个国家、地区的220多名海外同乡会、协会会长、副会长建立联系。先后组团到新加坡、马来西亚、泰国、欧洲、美国、巴西和中国香港等国家和地区开展活动。2010年，赴新加坡、马来西亚等地展示扬州木偶戏、雕版印刷。2011年赴马来西亚、泰国等国展示扬州厨艺，在当地引起轰动。

（三）侨法宣传

1989～1998年，通过举办专家讲座和群众座谈形式，在归侨和部分海外人员中进行侨法宣传。1999年4月始，随着社区建设的深入，主动加强与有关部门、街道办事处、社区居委会的配合与协作，构筑社区侨务网络。1999年，每年开展“送法进社区”活动，在归侨侨眷相对集中的社区，通过印发宣传资料、出墙报、举办讲座、开展知识竞赛等形式，举办丰富多彩的社区服务及联谊活动。2005年，建成琼花观、荷花池、东关街等社区“侨法宣传角”12个。“侨法宣传角”设施建设做到有场地、有专栏、有制度、有书籍资料、有音像设施、有微机网络、有侨情档案、有人员管理。2010年5月，琼花观社区获批全国侨务系统“五五普法”“侨法宣传角”示范社区，国侨办国内司领导对琼花观社区“侨法宣传角”及社区为侨属服务工作给予高度肯定。当年，荷花池社区上门向每一户侨眷送上一本《侨务法律法规汇编》。2011年，区侨联邀请专业法律工作者和扬大政法学院大学生志愿者进社区为侨胞侨眷提供法律服务。

（四）维护侨属权益

1989～2011年，区侨联共接待华人华侨、归侨侨眷信访、咨询280多人次，处理信访案件47起，结案率和满意率均100%。

2000年后，侨联先后开展3次困难归侨、侨眷和空巢老人情况调查。2009年8月，荷花池社区在全省首家成立归侨侨眷老年快乐服务中心，省侨办副主任季俊秋参加社区揭牌仪式，并对广陵区侨务工作给予充分肯定。2011年8月，区侨联联合市侨联及知名侨企，为侨眷侨属空巢老人居住较为密集的琼花观社区赠送老人日常生活所需食品。23年中，区侨联先后走访重点侨界人士2100多户次。

第二十五篇 法治武装

要 目

1989～2011年，全区政法机关以保障经济发展、社会稳定为己任，切实履行职责，充分发挥“打击敌人、惩治犯罪、保护人民、服务四化”的职能作用，广泛开展法治教育，坚持惩防并举，构筑社会治安防控体系，落实社会治安综合治理各项措施，为改革开放和经济建设创造稳定良好的社会环境。

市公安局广陵公安分局持续强化“严打”震慑威力，依法从重、从快打击严重刑事犯罪，组织开展“打黑除恶”“扫黄”“反盗窃”“三禁”（禁毒、禁娼、禁赌）等专项斗争。加强治安、户政、消防等管理，大力整顿社会秩序，切实维护社会稳定。区检察院全面履行法律监督职能，加大查办和预防职务犯罪工作力度，强化诉讼监督，在反贪污贿赂、反渎职侵权、审查批捕、公诉、控告申诉检察等方面发挥积极作用。区法院坚持公正与效率目标，加强刑事、民事、经济、行政案件审理，惩治犯罪，公正执法，维护当事人合法权益，不断提升司法公信力。区司法局坚持“以防为主，调防结合”方针，深入开展5个“五年规划”普法教育，健全调解组织网络，构建社会矛盾纠纷大调解机制，认真做好安置帮教、社会矫正、法律服务与援助工作。

全区政法机关加强队伍建设，始终坚持以人为本，不断深化理想信念与职业道德教育，强化思想作风与纪律建设，坚持以法治警，科学管理，内强素质，外树形象，队伍思想素质与综合执法能力不断提升，涌现出一大批先进集体与英模典范。2000年3月，文峰派出所民警陈先岩被公安部授予“全国特级优秀人民警察”称号。2000～2004年，广陵区被评为全省社会治安综合治理先进地区。2004～2011年，获得全省社会治安安全区八连冠。2011年，被表彰为2006～2010年度全省社会治安综合治理先进单位。

区人武部坚持党管武装光荣传统，把民兵、预备役工作作为国防后备力量建设重要组成部分，组织民兵训练，参与抢险救灾、双拥共建，做好国防动员、国防教育、人民防空等方面工作。

第一章　社会治安综合治理

1989年5月，区社会治安综合治理领导小组成立。领导小组下设办公室，办公室设在区委政法委员会。1996年，区委、区政府明确区综治委办公室与区委政法委合署办公，区委政法委挂“区社会治安综合治理委员会办公室”牌子。1997年，广陵区被市委、市政府表彰为安全城区。1999～2000年，被市委、市政府表彰为社会治安综合治理先进集体。2000～2004年，被省委、省政府表彰为省社会治安综合治理先进单位。

第一节　组织建设

1990年起，区政府与区内各系统单位负责人签订综合治理（以下简称综治）工作责任书，进行分解承包。综治工作作为考核干部重要内容之一，实行“一票否决制”。1991年10月，市政府印发的《关于实行社会治安综合治理一票否决权制的规定（试行）》，肯定区综治委一票否决制做法。1996年，区综治委研究修订《广陵区社会治安综合治理一票否决制实施办法》，明确内容，规范程序，改年终与事中考核相结合，以平时考查促进综治工作。

1992年，综治工作纳入评审文明单位考核目标，对发生重大防范责任问题单位，实行责任查究。定期检查考核各系统、单位创安工作，建立创安申报制，汇编“城区社会治安综合治理组织网络表”，实行创安工作与综治评比挂钩、治安责任与综治一票否决权挂钩的“双挂钩”制度。1996年以后，区综治办协调44个系统、25家驻扬单位和4个街道，分头组织，分级负责，分类指导，针对城区维稳工作，综治委成员单位和重点部门成立稳定工作领导小组，着力加强乡镇街道综治委建设。相继成立社区禁毒领导小组、创安协调领导小组、娱乐场所专项整治领导小组等多种综治组织。

2000年起，区委、区政府把政法部门信息网络建设、服务平台建设、防控体系建设、新增保安辅警和外

图 25-1-1 2011 年 3 月，广陵区召开全区政法工作会议

来人员服务管理以及装备建设、司法所建设所需经费，纳入区财政预算，并与经济发展同步增长。2001 年，对一家单位因不重视综治工作亮黄牌；通过对街道综治创安工作检查考核，摘掉 10 个小区“安全文明”牌子。2002 年，区行政区划调整后，辖区扩大，区委、区政府探索市场经济体制下治安防范社会化、市场化方法，多途径、多渠道筹集经费。2003 年，区委决定社会治安综合治理工作在保障已经审批的部分预算和例行实拨经费同时，按照“谁受益、谁出资”“取之于民、用之于民”原则，多渠道筹集资金。主要通过公安机关对娱乐场所、宾馆饭店、大型商场超市、物业管理公司等企业提供保安服务，征得企业支持。推广全国特级优秀人民警察陈先岩社区工作法，按照“三块三、保平安”方法，在居民住户自愿基础上，从社区居民中筹集部分社区综治经费。同时，通过“联店联保”“政府购岗”等形式解决辖区保安经费来源。

2003 年，区综治委协调成立维护稳定、普法宣传与预防青少年犯罪、“两劳”（劳动改造、劳动教养）释放人员安置帮教、外来人员服务、安全生产管理、新建小区防范配套管理与技术防范推广、群防群治队伍建设与经费筹集、创建效能督查 8 个执行小组。建立综治委成员单位联络员制度，组织综治成员单位与社区开展结对共建活动。引导辖区单位投入治安防控体系建设，参与社会治安联防，将单位技防监控向街面延伸。

2010 年，区委、区政府对 2009 年度全区社会治安综合治理 90 个先进集体和 100 名先进个人进行表彰，同时命名十佳平安社区、十佳平安企业、十佳平安校园、十佳平安金融单位，对 65 个平安社区（村）确认命名。2011 年，区委、区政府对 2010 年度社会治安综合治理 100 个先进集体和 50 名先进个人进行表彰，对 65 个平安社区（村）确认命名，同时对年度考核末位单位进行警示。

第二节 维护稳定

一、政治稳定

1989 年春夏之交发生在北京的政治风波对广陵区造成一定影响。区委政法委组织政法干警认真学习中共中央、国务院指示，密切注意社会动态，及时掌握信息，维护秩序，疏通道路，加强巡逻防范，保卫领导机关和要害部门。全区未发生打砸抢烧和对工农业生产和市民生活造成重大影响事件，未发生严重堵塞交通情况。1997 年香港回归、中共十五大期间，妥善处理因企业严重亏损、职工报酬长期拖欠和拆迁安置等原因引起的上访问题；共调解各类矛盾纠纷 4000 多件，调解率 98%；接待人民群众来访 6536 人次，来信 450 件，制止集访苗头性事件 79 件。深入开展禁毒、取缔邪教组织及非法宗教专项斗争。“非典”疫情期间，一手抓防治“非典”、防汛抗洪，一手抓维护社会稳定，实现“零病例”“无疫区”“不倒一圩、不死一人、不出疫情”目标。2008 年，突出北京奥运会安保工作，强化出入境人员登记管理，对出入境团队及人员，做到政审、教育、登记三到位，密切注视境内外敌对势力、敌对分子组党结社、插手社会矛盾、境外宗教渗透、邪教组织破坏等方面动态，落实防范与打击措施。2010 ～ 2011 年，重点围绕农村土地征用、城市房屋拆迁、企业拖欠工资、民族宗教等易发群访问题，开展排查、化解、管控工作。制定并采取周密措施，共出动安保力量 2 万多人次，其中警力 4000 多人次，完成上海世博会、国家领导人到扬州视察、“烟花三月”经贸旅游节、世界运河名城博览会、文明城市创建、朝鲜领导人到访、建党 90 周年等重要安保任务。开展“信访积案化解攻坚年”行动，化解交办的陈年积案。

二、"严打"整治

图 25-1-2　2011 年，广陵警方"打黑除恶"专项斗争

1989～1990 年，全区共打击处理各类违法犯罪分子 658 人，摧毁犯罪团伙 18 个，缴获赃款赃物价值 39.98 万元。1991～1997 年，先后组织开展"反盗窃""打击车匪路霸""治乱除霸"以及打击暴力犯罪、黑社会性质团伙犯罪、重大盗窃、打拐、整治水上治安、"两禁"（禁毒、禁娼）等专项斗争。通过深入宣传、发动群众参与，抓获在逃人员 42 人，协助外地抓获在逃杀人凶犯 11 人，31 名违法犯罪人员投案自首，抓获各类犯罪人员 239 人，破获刑事案件 88 起、重大案件 26 起、严重刑事案件 34 起，成功破获省挂牌督办的"4·25"奸幼案件及一批市挂牌案件；召开千人以上宣判大会 4 场次，依法判处各类刑事案件犯罪分子 354 人。

2001～2002 年，按照全国"严打"提出的重点，结合辖区特点突出"打黑除恶"，着力于破大案、追逃犯、抓现行，先后侦破一起黑恶势力团伙和震惊全省的"6·21"抢劫大案，抓获流窜 6 省 21 县（市），作案 38 起，致人死亡 30 多名的杀人抢劫嫌犯，侦破在市区连续 8 次作案的"飞车"抢夺案。先后 9 次召开集中公开审判大会，逮捕 292 人，宣判 105 人。

2003～2010 年，深入开展打击"两抢"(抢夺、抢劫)、盗窃"两车"(摩托车、自行车)和破坏盗窃"三电"(电力、电信、广播电视）设施攻坚专项行动，组织"夏季打防绩效考核百日攻坚战"，开展网吧整治，"废旧金属收购业整治""防盗窃、防诈骗"等专项斗争。治爆缉枪集中行动，加大对涉黄、涉赌、涉毒违法犯罪的查禁力度，突出文昌商圈重点整治，全面落实 22 个重点地区综合整治，解决"脏乱差"问题。2011 年，在"打黑除恶"专项斗争中，先后成功侦破"6·7"故意杀人案、"8·18"持刀抢劫案、"9·24"盗窃玉石案等大要案件。

第三节　群防群治

1989 年，建立专业联防队伍，包括面上的联防队、内部的护卫队、街巷的"四护"（护街、护巷、护楼、护院）小组以及重点单位的保安队等群防组织。至 1990 年，共建专业联防组织 581 个，一般性群众联防组织 40 个 3400 多人。

1991～1993 年，调整专业联防队伍，加强巡逻设卡，实行公寓式管理，深入"四护"活动，全面推行安全、治安、调解"三员一体"模式，加强自防自治。针对一些行业小店多、人员少、自防力量不足状况，开展"店际联防，内外联防"活动。逐步形成专职治安联防队、民警治安巡逻队与内部单位护卫队、经济民警、武警机动队相结合的巡逻防范网络。

1997～1998 年，针对辖区实际，推行义务"四护"防范、开放式住宅区专人防范以及小区"公寓式"管理三种模式。环城河以内 69 个居委会辖区，做到定人、定岗、定时间，包地段看守。针对火灾频发态势，开展"创建消防安全家庭"活动。对院落或封闭条件较好的住宅区，通过修补围墙、加强门卫守护等形式，实行封闭管理。对无封闭条件有一定规模的住宅小区，组建专群结合的社区保安组织。在以平房庭院为主的老城区，根据其街巷多、人际关系熟悉特点，组织退休工人、老干部，开展"四护"活动。

2000 年起，健全居委会、治保会、联防队及民调、普法、帮教等群众性治安防范队伍，组织社区（村）群众，实行邻里守望，建成治安户籍协管员、内部治保干部、义务四护社区志愿者等队伍。按照"谁出资、谁受益""取之于民、用之于民"原则，筹集资金 75 万元，发展保安服务业，聘用企业和社区保安 661 人。成立由区公安、财政、物价、机关工委、团委、人武部、妇联、审计等部门组成的区综治委群防群治队伍建设与经费筹集执行小组，建立治安志愿者协会，吸收社会有志者加入社会治安综治工作。

2006～2009年，推进社会治安"自治"进程，全区有治保会225个1328人，调委会199个2291人，专业保安联防队员466人，治安协管员232人，治安志愿者2733人，治安信息员3478人，义务消防队员1487人。开展创建乡镇、街道政法综治中心和社区（村）星级综治办活动；建立社区理事会制度和社区联系户制度，组建社区理事会57个、联系户1885户。在农村自然村落逐步设立电子巡更信息点。推进群众性义务巡防"红袖标"工程。社区（村）综治办从党员、团员、离退休老干部、低保户、社会工作者以及出租车司机、三轮车主、保洁员、送奶工、送报员、水电气抄表员、加油站员工、停车场管理员中物色治安楼幢长（或治安中心户长）、义务巡逻队员、义务调解员、治安信息员、法律服务志愿者队伍。行政村建立专兼职护庄队和义务调解员、治安信息员、法律服务志愿者队伍，分类制定工作职责，明确权利义务，建立工作、例会、奖励慰问制度，分类设计人员标识，建立电子巡更系统，巩固和发展群防群治队伍。

2010～2011年，汶河街道和汶河派出所共同构建11个由社区红袖标队员组成的商圈"红袖标"联防队，由街面车辆管理员、早餐外卖员、三轮车主、清洁工等组成的商圈"红马夹"队伍，由大型商场营业员、收银员、保安员等组成的"红徽章"治安巡视员队伍。

第四节 特殊人群管理

1989～1992年，区委政法委开展法治宣传教育，做好对有一般违法、劣迹行为人及刑释解教人员等的教育、转化和控制工作，切实加强特殊人群管理。对刑释人员，由所在地派出所牵头负责，各有关方面参加，逐一建立由居委会、单位、家庭和派出所组成的教育小组包管包教。释放人员原则上由原单位安置，其他的以劳动部门为主，街道配合，多渠道做好就业安置工作。对假释、保外就医等监外执行人员，公安部门落实监管措施，负责考察其改造表现，检察院、法院密切配合。区综治委推广甘泉路派出所认真做好重点人口教育转化工作经验，主要抓住三个环节：即所在地派出所、单位关心和支持；将寓教育改造于解决实际困难之中；因人而异，发挥其家人帮教作用。

1993～2005年，对区重点帮教对象建立帮教小组，实行定人、定位、定责任，包管包教。组织有关系统单位，安排干警、地区治保主任对劳改劳教人员进行探视活动，同时与劳改劳教单位签订帮教协议，共同做好服刑人员帮教工作。对1997年以后刑释解教人员全部建立档案，逐一落实帮教力量，采取多元化安置措施。区及各系统成立领导小组，各街道建立安置帮教工作站。按照属地管理要求，对往年刑释解教人员进行清理移交。加强规范化建设，制定《安置帮教办公室成员单位、乡镇街道、村居刑释解教工作职责》，对新回归人员实行常规帮教，对后进人员实行重点帮教，对服刑人员实行延伸帮教。按照"安置领域多元化，安置方式多样化，安置机制市场化"要求，做好刑释解教人员就业安置工作。定期组织有关部门、单位、社区（村）、亲属赴看守所探视广陵籍服刑人员，送去法律书籍，介绍家乡变化，提供法律咨询等，用乡情、亲情感化，增强教育改造效果。2005年，区共有帮教小组518个1480人，有刑释解教人员518人，安置帮教率96%，重新犯罪率2.3%。

2006～2009年，突出管控重点。对有重新违法犯罪倾向的实行重点帮教和管控，组织相关部门和人员赴监狱延伸帮教26名广陵籍服刑人员。与扬州电视台联手制作《亲人的嘱咐》专题片，向服刑人员播放。重点开展刑释解教人员调查摸底专项活动，乡镇、街道建立过渡性安置基地。对服刑人员中未成年子女、流浪儿童、辍学学生、闲散未成年人等专门工作重点对象，全部由乡镇、街道社工服务中心登记在册，由各专业部门分头管理。2009年4月，在曲江街道新星社区建立扬州市首家司法站。

2010～2011年，深入实施转化工程。全区72个社区（村）先后建立司法站。坚持每月与公安机关核对特殊人群名单，排查脱管漏管人员，确保管教工作落到实处。会同检察机关每季巡回督查，通过查阅档案、与帮教对象见面谈话等形式，督查管教工作。通过约请法官参与制定矫正方案，强化矫正效果。以制度规范管理，先后出台社区矫正工作规范、社区矫正工作"双回执"制度、社区矫正委托管理制度。为15名管教对象办理最低生活保障金，通过多种途径安置就业 49 人，农村户口均落实责任田，所有解教人员纳入人社部门就业培训计划，落实帮扶资金 3 万多元。帮教率、安置率均 100%，无一人重新犯罪。

第五节　平安广陵创建

一、技防城市建设

2000 年，区 168 家单位移动目标和固定目标的防盗、报警系统与“110”实现联网，物防技防总投入超过 1000 万元，其中技防占 47%。2002 年，建成高起点、高标准的科技安全文明小区 26 个。

2006 年 9 月，广陵区获全省首批科技强警示范区县。9 月 28 日，区综治委在湾头镇召开全区科技防范建设现场会，把综合治理和平安建设工作一并纳入区、街道以及社区基础信息系统。年底，共建成技防乡镇街道 5 个，技防一条街 13 条，技防小区 32 个。

2008 年，乡镇、街道和产业园技防建设全部达到星级以上标准，城市主要道路街面、公共场所、党政机关、治安保卫重点单位、主要路口以及古运河两岸均安装监控系统。

2011 年，打造“防范技术融合应用、防控时空无缝衔接、防控目标全网追踪、防控区域城乡覆盖”的科技防范网络。重点推进技防小区建设。整治老小区 18 个，安装红外线一体化摄像机 227 台，红外智能高速球机 5 台，嵌入式硬盘录像机 18 台。实现全区技防小区、技防村覆盖率 80%。

二、“创六安”活动

1996 年，区委、区政府提出开展“创六安”（安全系统、安全单位、安全场所、安全街道、安全居委会、安全小区）活动，并制订三年规划，系统推进。1997 年，按照“立足安全打基础，瞄准文明上水平”思路，加强创建安全文明小区工作。是年，全区 129 个居委会、301 个小区达标，其中治淮、二畔铺等小区经验在全省、全市有关会议上做交流。

1999 年，在原有 5 个创安指导小组基础上，成立有关职能部门参加的创安协调小组。组织 4 个街道调查组，发动 100 多名居委会干部和派出所民警对小区楼幢逐个勘察制图，按照一区一策要求，制定每个小区具体创建方案和长效管理措施，排查出 10 个治安问题较多、创建难度大的重点小区，采取挂包帮助方法，交由区政法部门定点挂包。经上级考核，全区被命名为省级安全文明单位 8 家，省级安全文明小区、街道 2 个；被命名为市级安全文明单位 5 家，市级安全文明小区、街道 8 个，市级先进集体 25 个。是年，广陵区被市委、市政府表彰为社会治安综合治理先进集体。

三、最安全地区创建活动

2003 年 8 月，区委、区政府印发《广陵区 2003 ～ 2005 年建设平安广陵、创建全国最安全地区工作规划》，召开全区建设平安广陵、创建全国最安全地区动员大会，印发《致辖区公民和驻区单位一封信》。强化安全生产责任制，组织安全生产大检查。开展“安全生产月”、“11•9”消防咨询等活动，强化全民安全意识。针对区划调整后新情况，重点开展市场创安活动，打击不法商贩，规范市场管理，强化商户安全教育，落实治安责任。12 月 2 日，《扬州日报》在头版显著位置，以较大篇幅刊登题为《“平安广陵”今更安》的报道。广陵区被省综治委命名为江苏省创安先进区。

2004 年，贯彻市综治委关于《深入开展基层“平安创建”活动实施方案》，组织推进创建平安社区、平安村、平安住宅区、平安企业、平安市场、平安大道、平安医院、平安学校、平安金融单位、平安建筑工地等活动。分类组织各级安全生产检查，广泛开展夏季百日安全生产无事故竞赛等活动。当年，广陵区被省委、省政府命名为社会治安安全区，同时被表彰为 2000 ～ 2004 年度社会治安先进区。

2005 年年初，区妇联、区综治办、市公安局广陵分局在时代广场联合举行万人签名拒赌大会。5 月，汶河街道举行青年志愿者队伍授旗仪式，300 多名青年志愿者分赴各社区参与平安和谐社区创建活动。区委、区政府明确把社会治安综合治理保障经费列入各级财政预算，并高于财政收入增幅。区综治委印发《广陵区社会治安综合治理领导责任制及其警示制、一票否决制实施细则》等文件。根据省、市统一部署，在各乡镇、街道建立政法委员会，在各社区（村）建立集综治办、警务室、治保会、调委会、刑释解教人员（社区矫正）安置帮教工作站、流动人口工作站“六位一体”的综治办。在居民住宅小区实行治安等级管理，根据小区治安管理组成要素，将居民小区分为A、B、C、D四类进行考核奖惩，推动小区治安管理不断升级。2006年，区综治委对居民小区A类平安示范小区20个、B类平安先进小区16个、C类平安达标小区26个、D类平安争创小区7个，全部挂牌，并设定物管环境、技防建设、群防群治、治安状况、居民评价五大标准，实行细化考核奖惩。同时推进社会主义新农村建设，区22个行政村全部建立警务室。全区创建平安社区46个、平安村22个、平安单位299家，达标率分别为97.8%、100%和88.2%。

2007～2011年，在金融网点、高等院校、中小学校、医院、大型商场等行业推行治安等级管理。由公安部门负责日常管理，首次评定和升降由区综治委批准认定，并在政府网和重要媒体向社会公布。先后召开社工服务中心建设、反传销、社区（村）平安建设等现场会，选树各类创建典型10多个，有4个典型经验在全市平安社区推进会上交流。推广四望亭社区实施新市民教育工程、共建平安文明和谐社区，南门社区建好社区巡逻队、打造平安守护神，宝塔社区充分发挥退休党员作用，构筑平安社区铁壁铜墙经验做法。

第二章 公 安

1989～2011年，市公安局广陵分局（以下简称广陵分局）依法惩治犯罪，严密治安管理，加强社会服务，全力维护区内政治稳定和社会安宁，努力为经济建设和社会事业发展创造良好治安环境。2000～2007年，广陵分局分别获“全国优秀公安局”“全国严打斗争先进集体”“全国公安机关国内安全保卫工作先进集体”“全省优秀公安局”“全省县级公安机关工作绩效考评优秀单位”等称号。广陵分局立一、二等功21人次，集体4次，被省政府和公安部授予荣誉称号的个人14人次和集体5个次。五里庙派出所被评为全国人民满意基层单位，陈先岩被授予“全国特级优秀人民警察”“全国先进工作者”“全国公安系统一级英雄模范”称号，俞洪、孙介如被评为全国优秀人民警察，吴鹏被授予“省十大杰出青年卫士”称号。

第一节 机构队伍

一、机构

（一）局机构设置

1989年，广陵分局的组织人事、财政属区委、区政府，业务受市公安局指导。内设办公室、教导员办公室、政保股、内保股、治安股、刑警队、预审股、消防股、保安公司。1990年，增设法制办公室。1991年，设行政装备股。1992年3月，教导员办公室更名为政治工作办公室。1994年6月，政保股、刑警队、治安股和预审股分别改建为政治侦察大队、刑事侦察大队、治安大队和侦讯大队。保安公司改建为市保安公司广陵分公司。原广陵保安公司编制、名称仍然存在，两块牌子，一套班子。

1994年，广陵分局划归市公安局，同时接受区委、区政府领导。广陵分局地址为广陵路272号。1996年4月，政侦大队同时使用对外联络科名称。1997年3月，设督察室。1998年，侦讯大队撤销；市保安公司广陵分公司改建为市保安服务公司第一保安部。1999年10月，设审计室。2000年1月，设经济案件侦察大队。2001年9月，原内保股改建为经济文化保卫大队，10月撤销。12月设监察室。

2002年，政治工作办公室改设政治处。5月，市保安服务公司第一保安部更名为市保安服务公司广陵保安大队。7月，消防股更名为消防科。12月，原政治侦察大队、刑事侦察大队、治安大队、经济案件侦察大队分别改建为国内安全保卫大队、刑事警察大队、治安警察大队、经济犯罪侦查大队。2003年3月，增设出入境管理股、侦控大队和夜控大队，分别隶属于国保大队、刑警大队和治安大队。消防科更名为区公安消防大队，亦称中国人民武装警察部队扬州市消防支队广陵区大队，原广陵路中队纳入广陵区大队序列，更名为扬州市广陵区公安消防大队广陵路中队，亦称中国人民武装警察部队扬州市消防支队广陵区大队广陵路中队。2004 年，广陵保安公司编制撤销。2006 年 8 月，成立科技情报科。9 月，成立驻区政府机关治安民警办公室。2007 年，广陵分局迁至淮海路209号。11月，行政装备股更名为行政装备科。2009年2月，成立网络监察大队。3 月，成立巡防大队，隶属于治安大队。8 月，巡防大队独立办公。

（二）派出所设置

1989 年，广陵分局下辖派出所 16 个，均为股级建制，分别是院大街、甘泉路、瘦西湖、南门、康山、水上、国庆路、皮市街、东关街、便益门、梅岭、文峰、曲江、五里庙、车站、公交派出所。车站派出所、公交派出所、瘦西湖派出所属于治安派出所，只履行治安管理职能，不负责户籍管理。1997 年 12 月，水上派出所划归市公安局水上分局。1998 年 5 月，皮市街派出所与国庆路派出所合署办公，康山派出所与南门派出所合署办公。2001 年 8 月，撤销公交派出所、车站派出所，设福运门派出所。

2002 年 2 月，原市公安局江阳分局湾头派出所、汤汪派出所、城东派出所划入广陵分局。同时，广陵分局梅岭派出所、便益门派出所、瘦西湖派出所划归江阳分局。4 月，甘泉路派出所更名为汶河派出所，院大街派出所并入；东关街派出所更名为东关派出所，国庆路派出所并入；南门派出所更名为响水桥派出所；原城东派出所并入曲江派出所。五里庙派出所被公安部评定为首批“一级派出所”。2003 年 2 月，撤销福运门派出所，原福运门派出所辖区并入文峰派出所。7 月，响水桥派出所更名为运东派出所，迁址到广陵产业园，原辖区小秦淮河以东并入东关派出所，小秦淮河以西并入汶河派出所。2007 年，文峰派出所、东关派出所分别被评定为“一级派出所”。

2011 年，文峰、汶河、曲江、东关、五里庙、汤汪、湾头派出所升为副科级建制单位。11 月，头桥、李典、沙头、杭集、泰安 5 个派出所由邗江分局划入广陵分局。至年底，广陵分局下辖派出所 13 个，分别是汶河、东关、文峰、五里庙、曲江、运东、汤汪、湾头、沙头、头桥、李典、杭集、泰安派出所。

二、队伍

1989 年，广陵分局民警 292 人、合同制民警 19 人。1992 年，全国公安民警统一实行警衔制。9 月 1 日，广陵分局 282 名干警被授予警督、警司、警员等警衔，其中警督 70 人、警司 177 人、警员 35 人。1993年，4名合同制民警转为行政编制。

2011 年，广陵分局民警人数 433 人。其中大专以上文化程度 422 人，中专文化程度 11 人；中共党员 361 人，共青团员 51 人；警督 198 人，警司 220 人，警员 3 人。另有合同制民警 3 人。2011 年，消防大队下辖广陵路、南泉路两个中队，另有消防点 3 个，有现役官兵 39 人，其中干部 12 人、士官 12 人、义务兵 15 人。消防大队有合同制消防员 16 人。

图 25-2-1　巡防大队练习“跃起侧踹”

第二节　警务改革

一、运作机制改革

1989 年，广陵分局对传统警务运作机制进行改革。根据警务分工和季节不同以及治安形势变化，部分派出所调整民警作息时间，实行弹性工作制。1997 年，派出所警务工作划分为刑侦组、警务组、门市接待三大块。2003年，曲江派出所、汶河派出所率先实行“412”警务运作模式，设社区民警、治安管理、刑侦、巡逻防控4个中队，1个内勤室，外来人口管理服务和矛盾纠纷调解2个中心。2003年6月，省公安厅厅长到曲江派出所视察，肯定广陵分局的警务运作改革。2006年，广陵分局实施信息引导警务战略，将派出所内勤室改建为信息勤务室，将巡逻处警中队改建为巡防中队。2009年，文峰派出所将“412”警务运作模式调整为两队两室：社巡中队、案件查处中队和勤务指挥室、治安调解室。2010年5月，省公安厅对广陵分局警务运作机制改革中的探索予以肯定。

图 25-2-2　警民一家

二、社区警务创新

1989～1993年，院大街派出所在居民区实施“四比四看”（比治安防范，看案件发生率；比帮教控制，看违法犯罪率；比民事调解，看纠纷调处率；比正常管理，看登记簿册）。通过竞争、评比、奖励方法，调动居民区干部和居民群防群治、参与治安积极性。1992年2月12日，《法制日报》头版对院大街派出所发动群众、共同维护社会治安做法予以报道。

2008年，广陵分局在全区实行社区警务理事会制度。理事会成员由社区民警、人大代表、政协委员、社区主任、群众代表、警风警纪监督员参加，定期召开理事会议，由民警通报警务工作情况，收集信息，征求意见，商议解决社区相关工作。全区共成立社区警务理事会58个，成员1338人，召开理事会议179次。

2010年，五里庙派出所在文昌花园社区制定社区志愿者积分办法，对参加义务巡逻、矛盾调解、结对帮扶等社区服务的志愿者，实行积分考核。积分可在本社区兑换慈善超市物品或抵扣部分物业管理费。2011年，该办法在全区各社区推广。

三、情报信息机制建立

1997年，广陵分局成立信息工作领导小组。1999年，设立信息中心，建成千兆局域网，并与市公安局联网运行，与全国公安网站链接，各基层所队均以数字专线方式接入公安主干网。广陵分局350兆公安无线通信集群建设系统初成规模，共配有350兆对讲机135部、车载台18台，一线民警电台配备达到人手一部，实现本地350兆系统无盲区覆盖。2002年10月，在全省率先启用人口信息升级换代系统。全区161家旅馆和42家大型休闲沐浴场所安装旅馆业治安管理信息系统，62家网吧安装实名登记系统。2004年，推进信息主导警务战略，按照“实用、安全、稳定、关联、减负、增效”原则，打造以网上预警、网上作战、网上办公、网上执法、网上统计、网上考核和研判应用“6+1”板块为重点的警务信息平台，将40多个信息系统分为身份确认、背景资料、案件信息、信息上报和其他信息五大类，变多系统为一网式。广陵分局建立三级信息研判机制：第一层次由各派出所、刑侦中队对采集的信息进行初研后上传至广陵分局信息平台；第二层次由广陵分局信息中心和由办公室、刑侦、治安、国保、政治处等部门牵头的情报信息研判小组，分别对综合信息、刑事犯罪信息、社会治安信息、涉及国家安全和政治稳定的信息、队伍管理信息进行研判，发布研判成果，指导破案防范；第三层次由分管领导召集有关部门会研，明确阶段性工作重点和措施。基层实战部门根据广陵分局预警提示和指令开展工作，并将工作情况反馈至广陵分局警务平台。2006年，通过省公安厅和省科技厅考评验收，广陵区被授予“全省科技强警示范区”称号。2007年，被公安部确定为科技强警标准化试点单位，承担科技装备应用和公安信息应用两个任务。2009年，汶河派出所处警科技装备使用工作法获公安部首届公安基层技术革新三等奖。2010年，广陵分局研制出智能化考核系统。2011年6月，经省公安厅评审，获得省科技强警科技应用类二等奖。

专记　陈先岩八大家社区警务室

1993年，陈先岩从部队转业至广陵分局文峰派出所，担任八大家社区民警。1997年，陈先岩对一废弃的公路收费亭进行改造，将其安置在社区内。他把此亭命名为“民警服务亭”，定时在亭内接待群众，处理警务。1998年，陈先岩将“民警服务亭”改建为八大家社区警务室。摸索出一套社区民警群众工作方法，内容包括“联系群众工作法、宣传群众工作法、组织群众工作法、服务群众工作法”。借鉴保险的方式，由社区居民以户为单位，每月缴纳三块三毛钱，社区用此招聘治安巡防员负责社区保安。如在规定时间内发生盗窃，社区对住户损失予以赔偿，此方法受到群众欢迎，被称为“三块三，保平安”。陈先岩还发明自行车防盗器，并获得国家发明专利。

2000年10月，省公安厅在全省实施社区警务战略，推广陈先岩设立社区警务室的做法，称之为“陈先岩社区群众工作法”，要求全省社区民警学习借鉴。2002年，广陵分局结合区划调整，将12个派出所合并为9个，划分59个警区和72个警务责任区，配齐社区民警，各警区全部建成社区警务室。2005年，全区22个行政村全部建成农村警务室。2008年，陈先岩八大家社区警务室被省公安厅评定为一级警务室。2011年年底，广陵区有社区警务室及农村警务室78个。

陈先岩社区警务创新工作得到公安部重视和肯定。2002年，公安部在全国范围内推广社区警务室警务模式。2004年，在公安部纪念建部55周年大型文艺晚会上，陈先岩被誉为“全国社区警务室的创始人”。

第三节　案件侦查

一、刑事案件侦查

1989～2011年，随着行政区划扩大，全区刑事案件发生率较快上升。在公安干警艰苦努力下，大案结案率2000年后保持在80%以上，最高的2009年大案结案率97.9%。

1989～2011年广陵区刑事案件侦查情况一览表

表25-2-1

年份	发案（起）	破案（起）	大案（起）			破案率（%）
				破案（起）	破案率（%）	
1989	299	158	83	46	55.4	52.8
1990	215	116	56	27	48.2	54.0
1991	418	295	110	77	70.0	70.6
1992	502	311	114	78	68.4	62.0
1993	618	401	182	125	68.7	64.9
1994	602	413	251	183	72.9	68.6
1995	604	433	269	196	72.9	71.7
1996	469	343	238	180	75.6	73.1
1997	444	310	268	196	73.1	69.8
1998	1738	437	573	137	23.9	25.1
1999	1890	652	670	183	27.3	34.5
2000	2105	842	68	55	80.9	40.0
2001	2079	818	58	51	87.9	39.3

续表 25-2-1

年份	发案（起）	破案（起）	大案（起）			破案率（%）
				破案（起）	破案率（%）	
2002	2046	1000	77	65	84.4	48.9
2003	2013	1062	63	56	88.9	52.8
2004	1964	1071	62	57	91.9	54.5
2005	3708	1850	65	61	93.8	49.9
2006	3831	1876	65	62	95.4	49.0
2007	3850	1856	64	58	90.6	48.2
2008	3900	1888	59	50	84.7	48.4
2009	3816	1898	48	47	97.9	49.7
2010	3802	1660	44	38	86.4	43.7
2011	3833	1709	46	44	95.7	44.6

说明：2000年起，大案指杀人、强奸、抢劫、故意伤害、放火、绑架、爆炸、投毒8类案件

1989年，新中国成立后扬州市最大一起中百一店10.3万元现金盗窃案告破。1993年5月，市第四中学化工班学生曾某和其弟在市区甘泉路常府巷口遭到两名不法人员持刀滋扰，曾某被刺身亡。8月，广陵分局在《扬州日报》头版公布案情，悬赏2万元缉拿凶犯，这是新中国成立以来扬州首次运用新闻媒介公开悬赏缉拿案犯。次日，得到相关线索，并由此查破此案。此后，通过悬赏获取线索成为破获重大刑事案件的一个重要手段。1994年8月，发生的新中国成立后扬州市最大案值盗窃案——扬州闸管理处140箱价值54万元的308纯镍铸铁电焊条案告破。2001年12月，在常州抓获当月在扬州抢劫杀人的犯罪嫌疑人宋某某。经查，宋某某2001年2～12月采用铁锤敲头等手段，先后在山东、江苏、河南、辽宁、吉林、河北等省23个城市抢劫作案38起，致使死亡8人、重伤17人、轻伤3人、轻微伤2人，计劫得3.68万元，各种牌号手机、手表、寻呼机等物品折合人民币2.39万元。因破获此案，广陵分局局长被省公安厅记一等功，分管刑侦副局长和刑警大队大队长分别记二等功。

2004～2008年，杀人案件全部破获。2004年4月，广陵分局刑事科学技术室被评定为全国三级刑事科学技术室。2005年1月，通过省厅刑侦局和省物证鉴定中心一室有关领导和专家检查验收，成为全国二级刑事科学技术室。11月，广陵分局刑警大队技术中队加挂"广陵分局刑事科学技术室"和"广陵分局物证鉴定室"牌子。是年，广陵分局刑事科学技术室被评定为全国一级刑事科学技术室。2007年1月，刑警大队东关刑警中队、汶河刑警中队被公安部命名为"全国一级责任区刑警队"。2008年4月，广陵分局被省公安厅表彰为全省侦破命案工作先进集体。2011年6月7日，家住广陵区江阳东路居民赵某被发现死于家中，经勘查，死于凶杀。广陵分局悬赏5万元征集线索。6月9日，获群众举报线索，并由此抓获犯罪嫌疑人。从案发到破案，仅48小时。

二、经济案件侦查

1989年后，广陵分局刑警队负责侦破诈骗、走私和投机倒把等经济案件。1991年6月，侦破扬州印刷厂仇某涉嫌销售伪造煤券，冲击市区煤炭计划供应案件。1998年，增加侦破破坏社会主义市场经济秩序罪和侵犯财产罪等犯罪案件。

2004～2011年，广陵区查处各类经济案件中立案400起，其中破案384起，破案率96%。2010年1月，广陵分局获取线索，发现浙江籍姚某等人有制售假发票违法犯罪嫌疑。5月26日凌晨，在市区闻香花园、化工新村和江都惠民东路等处，相继抓获该案犯罪嫌疑人10人，捣毁窝点4处，收缴增值税普通发票、江苏省通用发票、扬州市通用发票、工商业统一发票、扬州市定额发票等各类发票共计21.78万份，假公章25枚，电脑7台，打印机3台，用于作案的手机17部，代开发票的小卡片4.3万张以及制票工具20多件。8月3日，

该案被公安部列为深入打击整治发票犯罪专项行动督办案件。

2004～2011年广陵区经济案件侦查情况一览表

表25-2-2

年份	立案(起)	破案(起)	破案率(%)
2004	71	71	100
2005	75	73	97.3
2006	27	25	92.6
2007	14	14	100
2008	45	45	100
2009	61	61	100
2010	62	57	91.9
2011	45	38	84.4

2010年6月，经侦大队会同汶河派出所经缜密侦查，抓获涉嫌信用卡诈骗犯罪嫌疑人冯某，查获伪造银行卡58张。经查，2010年4月，冯某伙同另一男子利用从国外购买的相关信用卡资料及写卡器、磁卡等工具，自行复制信用卡信息并制成伪造的银行卡1000多张，可取金额4000多万元。二人先后在扬州多个金融网点自动柜员机盗取银行卡现金2.7万元。11月14日，另一名犯罪嫌疑人在北京被擒获。该案系高智能跨国作案，公安部将其列为部督案件。案件成功告破后，公安部经侦局于8月致电省公安厅经侦总队表示祝贺。2011年1月，广陵分局经侦大队撰写的冯某信用卡诈骗案例被省公安厅经侦总队评为2010年度全省经侦部门优秀案例，并被编入《2010年经济犯罪侦查工作案例选编》。

第四节　治安管理

一、特种行业管理

1990年10月，对广陵辖区废旧业进行清查整顿，共清查固定废旧收购站点62个，查封可疑金属材料2842千克；清查新河湾、湾头等处水上废旧收购船只及囤积点。统一核定废旧金属收购网点经营范围，实行定点分类收购。发放由省公安厅统一印制的省特种行业许可证。

1994年12月，广陵分局牵头成立区特种行业治安管理协会。协会为区旅馆业、印刷印章业、信托寄卖典当拍卖业和废旧金属收购等行业自愿组成的非营利性的社会团体，有会员130人（个）。

2000年，在辖区内旅馆业（含宾馆、饭店、旅社、招待所）统一安装公安部旅馆业治安信息管理系统标准软件。2004年，桑拿休闲中心、浴室业统一安装旅馆业治安信息管理系统。2006年，在所有特种行业推广安装治安信息管理系统。

图25-2-3　治安民警检查旅馆登记住宿情况

2010年，对旅馆业、典当业、公章刻制业实行特种行业行政许可管理，发放省特种行业许可证；对生产性废旧金属收购业、开锁业实行名录制度管理，发放特种行业名录管理证；对寄卖业，旧车辆、旧移动电话、旧笔记本电脑等旧货交易业，金银首饰加工、置换业，报废机动车回收拆解业，汽车租赁业，印刷业（专门从事包装装潢印刷经营活动的除外），机动车维修业实行备案管理，发放特种行业备案管理证。是年开始，实行治安违法行为累计记分制管理。

图 25-2-4 广陵区公安干警在市区巡逻

二、公共场所管理

1992 年，发放公共娱乐场所安全合格证，范围是咖啡馆、酒吧、酒菜饭馆（店）、音乐茶座、台球室、溜冰场、康乐球室、棋牌室、健身房、弹子房、高尔夫球场、网球场、武术馆。1995 年 3 月，成立扬州市城区公共场所治安联合会，办公地点设在国庆路 2 号。2001 年 9 月，依照省公安厅《娱乐服务场所硬件设施及从业人员管理规定》，对所有场所容量进行重新核定，对音量、灯光等提出明确要求，从业人员必须挂牌上岗。根据“谁经营、谁负责”原则，由各派出所与公共娱乐服务场所签订治安责任状。2006 年 8 月，对歌舞和游艺等娱乐场所、洗浴按摩、美容美发和酒吧、咖啡馆等服务场所安装治安管理信息系统，对经营负责人、领班、保安、技工、服务员制作上岗信息卡。场所经营时启动计算机客户端系统软件，从业人员刷卡上岗，场所操作员将信息传输至市公安局后台服务器，公安机关可实时查询从业人员上岗情况。

2009 年 6 月，《江苏省公共场所治安管理条例》施行。对营业性娱乐场所进行备案登记，其他营业性公共场所书面告知所在地派出所。在歌舞娱乐场所和大型集贸场所安装闭路电视监控设备。2011 年，对辖区内取得餐饮服务、环保、消防许可证和营业执照，向消费者提供酒水、饮料、食品及消费场所和设施的餐饮业、酒吧、茶座等公共场所实施备案管理，并在场所内张贴公共场所备案管理证。

三、危险品管理

1989 年，辖区烟花爆竹销售通过市日杂公司定点许可，经当地派出所初审后，由分局消防股复审并发放爆炸物品销售许可证。营业中，统一到市日杂公司进货。1996 年 9 月 1 日开始，市区禁止燃放烟花爆竹。为认真执行市政府关于禁止燃放烟花爆竹的通告，市区东至沙施河，南至运河西路、江阳路，西至扬子江路，北至古运河、漕河等各路、河相连接的范围内禁止储存、销售、燃放烟花爆竹。此外，列入省级以上文物保护单位的古建筑及其院外 50 米范围内、各企事业单位危险品仓库及周围 50 米范围内、销售易燃易爆化学品的场所也属于禁止烟花爆竹范围。

1990 年，辖区共有猎枪 126 枝、汽枪 519 枝。10 月，对猎枪、气枪进行查验和枪证核发工作。根据个人不得持有射击运动步枪规定，对个人持有的射击运动步枪予以收缴；对私自制造的土枪或枪支机件严重锈蚀、损坏，不符合要求的，经派出所所长批准，予以没收，交由分局销毁，收回枪证，并规定从严审批购买汽枪，原则上不再允许个人购买猎枪。1996 年 10 月，《中华人民共和国枪支管理法》施行。分局在全区范围内进行枪支清理登记和非法枪支弹药收缴工作。对辖区内猎枪、小口径步枪，无论是否有持枪证，均由属地派出所收缴。除有固定场所和保管设施并领取营业执照和公共场所安全合格证、开展游艺活动的单位和个人持有的 4.5 毫米口径以下气枪外，对辖区内气枪，有持枪证的由属地派出所登记，收缴枪支和枪证，无枪证的汽枪予以收缴。对打猎的枪支一律收缴。对猎枪、气步枪持有审批自 1996 年起由市公安局负责。对仿真枪支和管制刀具进行管理，严禁出售各类仿真枪支和管制刀具。

四、查禁黄娼赌毒

（一）扫“六害”专项斗争

1989 年 10 月，国务院部署在全国范围内集中开展扫除“六害”（卖淫嫖娼、制作贩卖传播淫秽物品、拐卖妇女儿童、私种吸食贩运毒品、聚众赌博、利用封建迷信骗财害人）的统一行动。区政府发布通告，在全区范围内进行打击犯罪、扫除“六害”集中收捕行动。市、区两级政府在市工人文化宫召开公开处理大会，参会人员1500人。14名制作、贩卖、传播淫秽录像在内的违法犯罪人员分别被依法提请批准逮捕、劳动教养和治安拘留。1990年3月，广陵分局再次组织集中行动，对17名卖淫、贩卖传播淫秽物品及赌博等违法人员进行处罚。此次专项斗争捣毁淫秽音像播放窝点76个，收缴淫秽物品1187件，没收传播工具电视机、录像机7台，打击处理涉及“六害”违法犯罪人员198人。

1989～2011年，针对黄娼赌毒等社会丑恶现象，广陵分局进行多次专项治理。

图25-2-5　治安大队民警开展流动摊点检查

（二）禁黄

1989～1999年，查获的淫秽物品主要为书刊和音像制品，由市公安局等有关部门负责鉴定。1999年5月，广陵分局治安大队承担淫秽物品审查认定工作。2010年9月，查处动漫先锋网站淫秽物品传播案。该网站发布淫秽色情动漫电影、漫画、小说2万多部，点击下载超过50万人次。此案被公安部列为督办案件。2011年7月，查处犯罪嫌疑人李某在互联网设立网站传播淫秽物品案。

（三）禁娼

1989～1992年，对查获的卖淫嫖娼人员予以劳动教养及治安处罚。1993年，根据国务院《卖淫嫖娼人员收容教育办法》，除依照《治安管理处罚条例》规定处罚外，尚不够实行劳动教养的，决定收容教育，期限为6个月至2年。1999年8月始，委托市医学检验中心对卖淫嫖娼人员进行强制性病检查。

（四）禁赌

1995～2011年，开展查禁利用赌博机进行赌博的专项斗争。2005年，检查棋牌室397家、各类旅馆123家、休闲沐浴场所39家，破获赌博案件42起，缴获赌博机37台，查获赌博人员152人。2009年，查处陈某网络赌博案。陈某采用摇“骰子”比大小的方式参与赌博，赌资200万元。6月，在湾头镇集中销毁赌博机400台。2010年4月起，广陵分局组织专项整治赌博机百日会战，查处一起20多名人员参加的聚赌案件，查获赌资300多万元。2011年，先后组织两次集中检查行动，出动警力200多人，收缴赌博机50多台，查处涉毒场所5家，刑事拘留2人，治安拘留13人。在河南省新乡市抓获开设“全球私彩网站”犯罪嫌疑人郭某等2人。

图25-2-6　90年代，广陵分局民警查获赌博机

（五）禁毒

1997年5月，区建立禁毒工作领导小组。2002年，更名为区禁毒委员会，下设办公室，办公地点设在广陵分局内。2003年6月，在汤汪乡举行“不让毒品进我家”活动。2004年6月，广陵分局举行“创建无毒社区、确保一方净土”万人签名活动。2008年2～6月，美国警方在一个从寄往扬州的包裹中发现有毒品。根据这一线索，广陵分局转战上海、安徽和浙江，抓获犯罪嫌疑人5人，其中外籍人员3人，缴获可卡因、冰毒、海洛因计1200多克。这是扬州破获的首起跨国贩运毒品案件。公安部将其列为当年十大涉毒案件之一。

2001～2011年，共查处涉毒案件559起，依法处理涉毒人员566人。

五、治安巡防

1990年4月，区治安联防大队成立，下设19个中队（13个为分局各派出所所属中队，6个内部单位中队），治安联防队员共705人。1994年，大队设政治委员。

图25-2-7 2009年，广陵区农村夕阳红义务巡逻队在乡村巡逻

2001年6月，区委、区政府召开推进社区警务改革暨科技防范工作现场会。2003年，以派出所为单位筹建监控中心，与辖区内居民小区和道路监控点联网。在市区出入口等处设立流动综合执法卡口10个。2005年3月，成立夜控中队，负责夜间巡防工作。2006年3月，夜控中队改建为巡防大队，隶属于治安大队。2009年8月，成立单独的巡防大队，负责区重点路段巡防、各派出所巡逻和岗点设防的检查、督促和指导。2009年，在村组群众、社区和物业公司志愿者、三轮车工人和看车员以及数字化城管监督员中，物色建立“红袖标”义务巡防队员330人。7月，全市“红袖标”义务巡防启动仪式在时代广场举行。

2011年，全区共有治安联防组织360个1095人，其中城市联防组织160个690人，农村联防组织200个405人；为公安机关提供线索671条，抓获违法犯罪嫌疑人286人，挽回经济损失78.9万元。

六、突发事件处置

1996年2月18日除夕夜，南门街8号居民楼地下煤气管道泄漏，遭遇明火发生爆炸，致死亡19人，多人受伤。广陵分局迅速调集干警赶赴现场，抢救伤员，疏散群众，维持秩序，并着手进行现场清理和事故调查，同时与有关部门密切配合，做好受灾居民临时安置和情绪疏导工作。

图25-2-8 2003年5月16日，省长梁保华（前排中间）在荷花池社区视察时阅读《致回（来）扬人员一封公开信》

2003年4月，“非典型性肺炎（SARS）”疫情出现，广陵分局向辖区内房屋出租业主、旅馆和休闲场所负责人及从疫区到（回）扬人员发放《致回（来）扬人员一封公开信》，宣传《中华人民共和国传染病防治法》，提出防控要求。5月16日，省长梁保华视察荷花池社区防疫工作，对该区做法给予肯定和表扬。根据省公安厅《关于公安机关协助卫生部门对非典型性肺炎病人实行隔离执法工作规范（试行）》，广陵分局发布《对非典疫情隔离点控制通告》，5月8～19日，在江扬宾馆对市区6名“非典”疑似患者隔离观察进行保卫。为防止非典疫情在人际间传播，市规定从2003年5月10日起停止公共娱乐场所营业（6月2日起恢复；6月7日，除观音山外，市区旅游景点免费开放），会同有关部门对网吧、餐饮、娱乐等公共聚集场所进行检查，严禁违规经营。

图25-2-9 2010年，广陵区综合应急救援大队成立仪式

2004年2月，制定《防治禽流感应急处置工

作预案》。7月，会同有关部门对家禽批发市场进行安全检查，对所有进场交易客户进行防疫知识宣传和教育，所有进场车辆进行消毒，严密禽流感疫情防控。随后，所有农贸市场禁止活禽交易，直至警情解除。2009年，省内两县（市）又发生禽流感疫情，区根据应急处理预案，再次严密预防。由于措施得力，全区未发生一起疫情。2010年12月，打破部门职能界限，以广陵区消防大队为依托，整合社会力量，成立综合应急救援大队。大队下设“八队三组”，分别为抢险救援队、治安维护队、医疗救护和食药安全队、环境污染救援队、防汛抗旱救援队、恶劣天气应急救援队、机动队、应急救援志愿者队和应急物资保障组、应急救援专家组、舆论引导组，成员共有450人。各乡镇街办、广陵新城、各园区依托辖区公安派出所、乡镇消防队、企业专职消防队成立各自的综合应急救援分队，每个分队不少于50人。大队长由广陵分局局长兼任。

七、犬类管理

市区范围内单位和个人养犬须向公安机关申请，并到畜牧兽医部门对犬只进行健康检查，注射狂犬病疫苗，领取犬类免疫证和犬牌。2010年12月，《扬州市市区养犬管理暂行办法》施行。广陵分局从2011年1月起，对辖区居民饲养犬只进行登记、审核，对符合条件犬只发放犬牌，并交由动物医院等部门植入电子芯片，对不符合条件犬只、无主犬及流浪犬送至市犬类留检所统一管理。

第五节　安全保卫

一、国内安全保卫

80年代末，国保基础工作向派出所延伸。1999年11月，公安部在扬州召开全国国内安全保卫基层基础工作会议。广陵分局将政治保卫工作由专业部门拓展到派出所的做法受到大会肯定，五里庙派出所在大会上作经验介绍，与会领导视察广陵分局五里庙派出所和梅岭派出所。这次会议被公安部称为“扬州会议”，广陵分局国保工作做法被称为“扬州经验”。2002年，国保大队被评为省国保先进集体，并立集体二等功。

2004年，广陵分局实施维稳工程建设，在所属派出所动员辖区内社会力量维护稳定，保一方平安。2005年1月，在全国公安机关国内安全保卫工作会议上，广陵分局国保大队被公安部授予“全国公安机关国内安全保卫工作先进集体”称号。2007年2月，公安部维稳工作片会在扬州召开。参加会议的全国19个省分管国保工作副厅长、国保总队长到五里庙派出所视察。公安部领导高度肯定分局维稳工作，称赞扬州对全国公安国保工作做出的两个“历史性的贡献”，一个是1999年把国保工作由国保部门向派出所延伸的经验，一个是2007年整合社会资源共同维护社会稳定的经验。3月20日，省维稳工作现场会在广陵区召开，广陵分局维稳工程建设经验被介绍推广。2009年3月，在第三次全省公安国保工作会议上，广陵分局国保大队被表彰为全省公安国内安全保卫系统先进集体。

二、反邪教协会成立

2004年9月，在新东方外国语学校举行“深化反邪教警示教育，推动创建无邪教地区活动”启动仪式。12月，全市创建无邪教地区工作现场会召开，区委政法委介绍经验，播放区创建无邪教地区工作成果演示片《驱除迷雾》。2009年12月，区反邪教协会成立大会暨第一届理事会在广陵分局召开，52个团体和个人会员参加会议。

图25-2-10　2004年，广陵区深化反邪教警示教育创建无邪教地区活动启动仪式

三、重点单位保卫

1989年，辖区内工厂企业开展创建“安全合格财会室”“安全合格仓库”活动。1991年，开展“安全合格车间、安全合格门卫”创建活动。1993年5月，以派出所为单位，与辖区内学校建立定点挂钩

制度。1995 年，对辖区内各系统局（公司）、驻扬单位、区属单位用以存放现金、有价证券、增值税发票、金银、重要图纸及贵重物品的保险箱，包括人武、保卫部门用以存放枪支保险箱实行封闭式加固。区内部单位保险箱加固 253 台。

1997 ～ 2011 年，区企事业单位推行保安制；在医院等重点单位设立警务室，派驻民警；设立校园警务室。2002 年，以“突出重点、分级管理、条块结合、以块为主”原则，将 60 家重点单位安全保卫工作由经文保大队直接管理，驻地派出所配合；其他单位由派出所纳入社区治安管理，经文保大队指导。经文保大队成立办案组，负责办理省公安厅《关于公安机关经文保部门办理重大责任事故等案件程序的规定（试行）》9 类案件。2011 年，经文保大队直接管理重点单位 93 家。是年，区内有医院警务室 3 个、校园警务室 78 个、学校技防系统 78 套、法制副校长 38 人。

四、重大活动保卫

每年节日期间，市、区两级政府及有关部门组织大型节庆活动。广陵分局加强安全检查，严密治安管理，采取有效措施，保证活动顺利进行。1991 年 5 月，中国扬州琼花节举办。2000 年 4 月，举办“烟花三月”国际旅游节。2002 年，更名为中国扬州“烟花三月”国际经贸旅游节，此后每年举办。广陵分局制订周密计划，与有关部门通力协作，完成历年经贸旅游节期间保卫任务。

2001 年 9 月，出席 AEPC 财长会议的华商大会代表到扬州参观考察。广陵分局出动警力 310 人、保安队员 198 人、警卫车 31 辆，完成瘦西湖公园、漆器厂游览点和西园、迎宾馆以及途径线路 75 个路口、10 个制高点的安全保卫工作。

2002 年 10 月，扬州中学开展纪念建校 100 周年活动。校庆期间，举行 21 世纪中学教育论坛、赠送树人宝鼎暨校史陈列馆开馆仪式、庆祝大会、招待酒会、文艺晚会等一系列活动。国务院有关部委及省市领导、教育界专家名流等参加活动人数 8000 多人。广陵分局专门成立安全保卫工作领导小组，制定保卫方案，确保安全检查、现场控制、驻地保卫、应急处置、维持现场治安秩序等措施落实到位，圆满完成扬州中学百年校庆保卫任务。

图 25-2-11　守护古城平安

2007 年 9 月，市举办首届世界运河名城博览会，以后每年 9 月举办一次。广陵分局全力投入安保，为博览会顺利召开提供良好治安环境。2008 年 5 月，奥运火炬接力传递活动在扬州举行。区委、区政府先后召开区委常委会和常委扩大会，专题研究奥运火炬传递安保工作。广陵分局按要求，抽调 680 多名安保力量，在规定时间内到达指定岗位开展安保工作，圆满完成奥运火炬接力传递安全保卫。

第六节　户政管理

一、户口登记

区内常住人口户口登记由广陵分局所属各派出所负责。1989 ～ 1993 年，户口登记均为手工操作。1993 年，广陵分局开始在甘泉派出所、五里庙派出所试点建立户口信息管理系统。1994 年年底，户口信息管理系统在各派出所建成并投入使用。1995 年 4 月，各派出所统一使用计算机为群众办理户口登记。2002 年 10 月，户口迁移实行“一站式”管理，居民在广陵区、维扬区、开发区内迁移户口直接在迁入地派出所办理。次年，“一站式”管理范围扩大至邗江区。

二、人口统计

以每年 12 月 31 日 24 时为统计时点，对当年辖区人口进行统计。1989 年，区常住人口总数为 29.49 万人。

1990年,为30.15万人。2011年,常住人口总量为49.65万人。

1989～2011年,广陵区行政区划经历了三次调整。2002年,区增加湾头镇、汤汪乡,分别划入2.81万人、1.75万人,曲江派出所另划入1.24万人。梅岭派出所、便益门派出所以及汶河派出所和五里庙派出所部分区域划归江阳公安分局,所辖人口数分别为4.7万人、3.53万人、7263人和480人。2008年6月,邗江区沙头镇大众村、高桥村、中兴村项一组及中兴村项二组两个片区划由广陵区管辖。上述地区常住人口计2096户8000人。2011年,原邗江区头桥镇、李典镇、沙头镇、杭集镇、泰安镇划入广陵区,头桥镇为1.34万户4.36万人,李典镇1.16万户4.05万人,沙头镇1.13万户3.67万人,杭集镇1.13万户3.7万人,泰安镇6743户1.98万人。(参见第五篇第一章)

三、人口管理

(一)常住人口管理

居民户口性质　1989年年初,梅岭和五里庙派出所共有农业户口392人。2002年,郊区汤汪乡和湾头镇划归广陵区,4.91万名农业户口也划由广陵分局管理。2003年5月1日,根据市公安局有关贯彻落实省政府转发省公安厅《关于进一步深化户籍管理制度改革的意见》,取消农业户口与非农业户口的户口性质。自此,所有户口均按实际居住地登记,统称为居民户口。

地方城镇户口　1993～1999年,广陵区共办理地方城镇户口1.52万人。2000年1月,根据市局统一部署,广陵分局对全区1.52万名的"地方城镇户口"通过投靠等方式与城市户口并户,统一纳入非农业人口管理。是年,广陵区即没有此类地方城镇户口。

户口入区　1999年,放宽城市准入审批,实行户口"三投靠"政策,即夫妻互相投靠,父母投靠子女,子女投靠父母。对结婚满5年,配偶户口不在广陵区,实际在广陵区共同居住,要求将配偶户口迁至广陵区的可准予办理。夫妻一方确因病残、生活有特殊困难的,并实际在广陵区居住的,入户条件可放宽至结婚满两年。对男性超过60周岁、女性超过55周岁,原籍无子女,需要到广陵区投靠子女的,可以批准办理。父母或其中一方户口在广陵区的,婴儿及未成年可批准入户。2002年,根据市政府《转发市公安局〈关于深化户籍管理制度改革的意见〉的通知》,进一步放宽户口迁移政策,取消农转非户口审批,以在广陵区有合法固定住所或稳定职业(生活来源)为户口准入基本条件,全面实行户口迁移条件准入制。

(二)流动人口管理

1989年,区共有暂住人口1.31万人,其中务工3739人、经商1312人、服务4018人、借读培训266人、保姆130人、投靠亲友3600人、其他59人。是年,暂住广陵区的外来人口按要求应到派出所登记。1990年,辖区单位结合人口普查和户口整顿,对流动人员按照暂住人口管理及时申请登记,不属于暂住人口实行建档管理。1991年9月,省公安厅、财政厅统一制发暂住证。凡年满16周岁,离开户口所在地,在广陵区居住3个月以上的外来人口,凭本人身份证和营业执照、务工证明和其他证明,由暂住地派出所向其发放暂住证。暂住证有效期为一年,期满换发。是年,各派出所设立暂住人口管理办公室。1993年年底,全面完成暂住人口换发证工作。1999年,市暂住人口改称为流动人口。2000年,区成立加强流动人口管理领导小组。对区647家成建制使用外来务工人员单位进行调查清理,落实治安、劳动、计生三大管理措施。在美食街建立区第一个流动人口管理工作站。至2001年年底,共建立流动人口管理小组302个,聘用专职协管员156人,兼职协管员1007人,初步形成区流动人口治安管理领导小组、治安管理办公室、基层治安管理小组三级管理网络。

2002～2006年,按照属地管理和"谁用工,谁负责"原则,落实管理责任。重点加强流动人口落脚点的治安管控。2005年,成立流动人口管理中心,依托公安综合信息平台,建立网上高危人群在线跟踪管控机制。2006年,召开全区流动人口服务管理工作现场会。

2009年,建立流动人口社会化管理机制,依托党委、政府整合社会资源,推行流动人口社会化管理,健全区、乡镇(街道)、村(社区)三级流动人口管理网络。汤汪乡设流动人口服务管理中心;村设立服务管理站,配备专管员;村民小组聘用服务管理信息员,每个村和50人以上企业、市场安装社会化采集系统。2010年8月,全省公安机关社会管理创新工作现场会在扬州召开,现场会考察团到汤汪乡联运村实地考察流动人口管理工作。2011年，探索"以证管人、以房管人、以业管人"新模式，推进外来人口信息化采集系统建设。区流动人口服务管理办公室迁入区社会管理综合服务区，整合区公安、民政、住建、人社等部门职能，推行"一站式"服务管理。

2011年，区共有流动人口14.46万人，其中男9.41万人、女5.05万人。流动人口中，务工9.31万人，务农636人，经商1.56万人，服务1.43万人，因公出差1088人，借读培训4924人，治病疗养174人，保姆218人，投亲靠友1095人，探亲访友1077人，旅游观光138人，其他1.22万人。

四、居民身份证管理

1987年，对区内16周岁以上常住人口发放居民身份证。10月，首批居民身份证发证大会在市政府礼堂召开。是年，共发证21万份。

1989年，临时居民身份证发放工作开始启动，对辖区内居民身份证遗失，来不及办理而又急需居民身份证的居民办理临时居民身份证。9月起，开始对居民身份证进行查验。

2005年，办理第二代居民身份证。扬州与南京被确定为全省第二代居民身份证换发工作试点城市，广陵区接受扬州市换发试点工作任务。1月，区政府成立广陵区换发第二代居民身份证工作领导小组，制定换发第二代居民身份证工作方案。6月，文峰和东关派出所被市公安局选定为试点单位。9月，举行第二代居民身份证首发仪式，20名市民代表成为市首批领取第二代居民身份证公民。11月，市局在东关派出所召开换发工作现场会，推广文峰和东关两个派出所的成功做法。

2005年，办理辖区内居民16周岁以下居民身份证。对未满16周岁、自愿申领居民身份证公民，发给有效期为5年的居民身份证。2011年年底，区共办理发放第二代居民身份证51.83万份，其中16周岁以上49.68万份、16周岁以下2.15万份。

图25-2-12　2005年，扬州市举办第二代居民身份证首发仪式

2010年3月9日，全国人大代表、广陵分局副政委陈先岩牵头32位江苏全国人大代表向十一届全国人大第三次会议秘书处提交关于修改《中华人民共和国居民身份证法》议案，建议修改2004年施行的《中华人民共和国居民身份证法》第三条，在原条文居民身份证登记的项目中增加"指纹"两个字。2011年10月29日，第十一届全国人大常委会第二十三次会议作出《关于修改＜中华人民共和国居民身份证法＞的决定》，修改后的身份证法在第三条中增加"指纹信息"。

第七节　消防管理

一、火灾预防

1989年，广陵区设防火工作委员会。广陵分局确定辖区内11家单位为区消防重点单位。消防宣传主要形式是公安及消防专业部门深入企业、居民区上门宣传，讲解消防知识。1998年9月，《中华人民共和国消防法》正式实施，广陵分局当天在万家福商城召开各系统、街办和重点单位负责人及安技人员参加的消防法宣传工作会议。9月6日，在愿生寺向居民群众赠送灭火器和消防安全资料。1999年4月，建立区消防联席会议制度，区联席会议下设办公室，办公室设在广陵分局。同年，重新确定31家单位为区消防重点单位。2002年，公安部颁布《机关、团体、企业、事业单位消防安全管理规定》，区内消防管理单位分为三级，一级重点单位由市消防支队直接管理，广陵分局管理二级和三级重点单位。消防大队对400家单位中的51家二级重点单位予以管理，其余列为三级单位，由派出所予以管理。

2003 年 11 月，消防大队和派出所会同市总工会、区安监局分别在市总工会、银河电子城、世纪联华、东方商品城等处设立“119”消防宣传台，现场播放火灾自救和逃生录像，向群众发放家庭消防安全知识宣传资料。2004 年 3 月，广陵分局联合区工商、安监、文化等部门在文昌中路开展消防产品打假活动，向消费者宣传合格手提式灭火器、应急照明灯、灯光疏散指示标志等消防器材识别常识，提高消费者识别真假消防器材能力。2008 年，消防大队在辖区内近 50 家单位、场所、社区设置液晶电视，进行消防宣传，同时建成 1912 街区消防文化一条街。2011 年，广陵区共有二级消防单位 120 家、三级消防单位 118 家。进行消防安全网格化宣传，将消防重点单位划分为 2413 个网格，深入机关、团体、企事业单位，发放安全告知书、服务提醒等，将消防宣传融入日常消防监督检查之中，向公共娱乐场所、商场、市场、车站发放消防标识图集，制作并张贴各类消防标识近 1 万张。成立火灾隐患举报投诉中心，公布举报电话 96119，发动群众举报消防违法违章行为。

图 25-2-13　消防应急演习

二、火灾处置

1989 ～ 2011 年，全区共发生火灾 1069 起，虽经全力扑救，仍造成人员伤亡和财产损失，其中经济损失 757.08 万元，死亡 24 人。1992 年 9 月 19 日 15 时 40 分，旌忠寺发生特大火灾。该寺藏经楼因有人乱丢烟蒂起火，烧毁藏经楼及其收藏的清代乾隆年间大藏经 1 部计 5048 卷，其他经典经书 7000 多卷，缅甸国佛教信徒赠送的白玉佛像 1 尊，佛教协会保存于此的文物 170 多件，樟木经柜，铜、瓷佛像，棉被、电视机、家具等生活用品，直接经济损失 94 万元。1992 年 12 月 25 日 19 时 25 分，广陵路 290 号大院内一幢两层木质宿舍楼因电线超负荷引发火灾，市消防大队及所属 3 个中队出动 6 辆消防车、60 多名官兵经 3 小时扑灭。这起火灾共烧毁房屋 10 间及大量生活用品，直接经济损失 4 万多元。2000 年 5 月 21 日 10 时 10 分，大草巷 15 号居民住宅因电线老化引发火灾，过火面积 1000 多平方米，18 户居民受灾，直接经济损失 59.2 万元。2001 年 1 月 18 日，古运河东侧的长生寺阁发生火灾，寺阁大部被毁。

1989 ～ 2011 年广陵区火灾情况统计表

表 25-2-3

年份	火灾(起)	经济损失(万元)	死亡(人)	受伤(人)	年份	火灾(起)	经济损失(万元)	死亡(人)	受伤(人)
1989	8	1.76	—	—	2001	26	42.75	—	—
1990	32	3.28	2	3	2002	51	19.32	1	—
1991	17	1.27	—	3	2003	56	84.67	2	—
1992	19	14.44	2	4	2004	63	20.42	1	—
1993	12	8.40	—	5	2005	114	111.99	2	—
1994	18	3.42	—	1	2006	49	12.88	4	—
1995	19	7.19	1	—	2007	98	5.33	—	—
1996	17	13.55	2	—	2008	90	15.73	—	1
1997	9	27.51	1	1	2009	23	27.14	1	2
1998	16	34.80	3	3	2010	34	61.67	1	4
1999	11	18.04	—	—	2011	245	139.63	1	2
2000	42	81.89	—	—					

第三章 检 察

1989～2011年，全区检察工作坚持“公正执法、加强监督、依法办案、从严治检、服务大局”方针，以“强化法律监督、维护公平正义”为主题，围绕经济建设中心，全面履行法律监督职能，依法严厉打击各类犯罪活动，不断加大预防和查办职务犯罪工作力度，加强检察队伍建设，执法办案水平和检察队伍综合素质不断提高。1999年、2000年、2006年，区检察院先后被省检察院评为五好检察院、人民满意的五好检察院、省先进检察院。2005年、2011年，分别被评为全国检察机关文明接待室、省文明单位、省文明接待室、省文明行业，先后获得“江苏省未成年人保护工作先进集体”、省级“优秀青少年维权岗”、“巾帼文明岗”等称号。

第一节 机构队伍

一、机构

1989年，区检察院位于广陵路277号，建筑面积1500平方米。内设办公室、刑事检察一科、刑事检察二科、经济检察科、法纪检察科、控告申诉科。1990年9月，增设税务检察室。1992年11月，增设民事行政检察科。1993年8月，增设政工科。12月，增设反贪污贿赂工作局。1995年5月，设派驻扬州经济技术开发区检察室。1996年1月，设法律政策研究室。1997年1月，区检察院迁址于广储门外街12号，建筑面积3000平方米。是年，刑事检察一科、二科分别更名为审查批捕科、审查起诉科，成立技术室，撤销税务检察室。

1998年12月，区检察院内设办公室、政治处、审查批捕科、审查起诉科、反贪污贿赂工作局、法纪检察科、民事行政检察科、控告申诉检察科、举报中心（挂“刑事赔偿办公室”牌子）、法律政策研究室、检察技术科、法警队、派驻经济技术开发区检察室，另有区纪委派驻纪检组（监察室）。

2002年9月，区检察院内设办公室、政治处、侦查监督科、公诉科、反贪污贿赂局（内设侦查一科、二科）、渎职侵权检察科、民事行政检察科、控告申诉检察科（举报中心、刑事赔偿办公室与其合署办公）、检察技术科、法律政策研究室、警务科、派驻市经济开发区检察室、纪检组（监察室与其合署办公）。

2006年3月，反贪污贿赂工作局增设综合科。4月，渎职侵权检察科更名为反渎职侵权局，内设侦查科和综合科。是月，区检察院迁址于运河西路215号，建筑面积2683平方米。2008年7月，增设案件监督管理科。12月，增设职务犯罪预防科（均与控告申诉检察科合署办公）。2010年8月，职务犯罪预防科和案件监督管理科从控告申诉检察科中划出，单独设置。

2011年，区检察院内设15个职能部门：办公室、政治处、批捕科、公诉科、反贪污贿赂局（内设综合科、侦查一科、二科）、反渎职侵权局、民事行政检察科、控告申诉检察科（举报中心、刑事赔偿办公室与其合署办公）、检察技术科、法律政策研究室、警务科、案件监督管理科、职务犯罪预防科、派驻经济技术开发区检察室、监察室。

二、队伍

1989年年初，检察专项编制51人，实有51人。其中大专以上学历17人（其中本科学历1人），占33%；党员41人，占80%；设检察长1人、副检察长2人、检察委员会委员9人，检察员33人，助理检察员4人，书记员8人，法警5人，其他人员1人。

1998年11月，全国首次检察官等级评定，区检察院评定出在职检察官54人，其中四级高级检察官7人、一级检察官14人、二级检察官4人、三级检察官13人、四级检察官15人、五级检察官1人。此后，每年根据职务和工作年限变化进行等级调整。2011年年底，在职检察官45人，其中三级高级检察官1人、四级高级检察官 8 人、一级检察官 21 人、二级检察官 7 人、三级检察官 2 人、四级检察官 1 人、五级检察官 5 人。

2011 年，共有检察专项编制 78 人，实有 66 人，设检察长 1 人、副检察长 3 人、检察委员会委员 11 人。本科及以上学历 59 人，占 89%，其中获得研究生学历或硕士学位 29 人，占 44%；党员 45 人，占 78%；检察员、助理检察员 36 人，书记员 9 人，法警 4 人；副处级以上干部 1 人，科级 16 人，一般干警 49 人。

1989 ～ 2016 年，区检察院历任检察长为：张天立（1984 年 4 月～ 1993 年 3 月）、任光耀（1993 年 3 月～ 1998 年 1 月）、姚家驹（1998 年 1 月～ 2003 年 1 月）、陈俊（2003 年 1 月～ 2012 年 3 月）、郭锦勇（2012 年 3 月～）。

第二节　刑事检察

一、审查批捕

1989 年，参加“扫除六害”等专项斗争，聚焦严重危害社会和人民财产安全的盗窃、诈骗、抢劫、强奸和流窜作案犯罪分子，依法审查逮捕 176 人，其中重特大案件 37 人、涉嫌盗窃 126 人、涉嫌诈骗 13 人，介入侦查活动 34 人次，提出侦查建议 12 条。驻市经济技术开发区检察室受理一起团伙贩毒案后，干警加班阅卷，提审案犯，迅速将其中 3 名主要犯罪嫌疑人依法逮捕。

1990 年起，区检察院集中力量打击暴露在面上的严重刑事犯罪分子，坚持在集中统一行动前提下有重点地解决突出犯罪问题。1990 年，审查批准逮捕 109 人，提前介入市中百一店特大盗窃案和涉嫌强奸、盗窃案侦查活动，深入现场勘察与提审，迅速批捕犯罪嫌疑人。

1993 年，集中精力查处“三机关一部门”职务犯罪案件，立案侦查 10 人，决定逮捕 6 人。积极参加“反盗窃”“除六害”“打击车匪路霸”等专项斗争，依法逮捕 100 多人。为营造良好经济社会环境，根据社会治安形势与“严打”斗争要求，配合公安机关开展“禁毒”“破案防范百日会战”“反盗车”“反窃电”等专项斗争，多次集中搜捕行动，提前介入重特大案件侦查与预审。

1999 年，深入开展“批捕案件质量年”活动，根据公安机关侦审体制改革，适时完善检察机关内部制约协调机制；主动加强与侦查机关协调，建立驻所中队联系制度，完善警片挂钩、专人负责和适时介入程序。受理公安机关提请批捕各类刑事案件 224 起 315 人，审查批准逮捕 206 起 290 人。2000 ～ 2003 年，参与“打黑除恶”（即打击带有“黑社会”性质的犯罪团伙和地方邪恶势力）、“扫黄打非”“春雷行动”和打击“两车一室”（盗窃摩托车、自行车和入室抢劫）、“两抢”“百日防范破案”“夏季治安整治”等集中行动专项斗争 27 次，配合公安、法院召开宣捕、宣判大会 19 次，集中批捕各类犯罪嫌疑人 518 人。2005 年，配合江苏油田公安分局先后依法查办高某某等 16 人盗挖油田备用管线、马某某等 3 人盗窃油田电动机、油田职工谭某某等 8 人侵占原油等系列犯罪案件，有力地维护油田生产秩序。2006 ～ 2007 年，台商独资企业可瑞尔公司员工职务侵占窝案发生后，本着亲商、安商、富商理念，依法批准逮捕 6 名涉案人员同时，督促侦查机关全力追赃，使企业经济损失减少到最低限度。

2008 年，重点打击黑社会性质组织犯罪、暴力犯罪和“两抢一盗”（抢劫、抢夺、盗窃）等多发性犯罪。先后批准逮捕故意杀人、强奸等暴力犯罪嫌疑人 23 人，抢劫、抢夺、盗窃犯罪嫌疑人 432 人。先后办理涉嫌合同诈骗 380 多万元，涉嫌盗窃港口铁矿粉 3700 多吨，绑架外商勒索 150 万元以及全省首例非法获取国家秘密案等一批罕见重特大刑事犯罪案件。2009 年，依法打击严重危害社会的刑事犯罪，先后批准逮捕涉嫌故意杀人、强奸等暴力犯罪嫌疑人 14 人，涉嫌抢劫、盗窃等侵财性犯罪嫌疑人 321 人，其中诸某某等人涉嫌制作、销售、传播计算机病毒案，为全省首例，提起公诉的 9 名被告人均作有罪判决，中央电视台《朝闻天下》栏目作专题报道。审查批捕的李某等 7 人传销案，被骗者 15 万多人，涉案金额数亿元，在全国引起重大反响。

2010 ～ 2011 年，突出打击黑恶势力犯罪、严重暴力犯罪、毒品犯罪，依法从快办理一批有较大社会影响的大要案。先后查办引起高检院高度关注的冯某等伪造 958 张信用卡涉嫌伪造金融票证罪案，涉案跨五省区的苏某等9人网络传播淫秽物品案、姜某等7人涉嫌网上开设赌场案、唐某7人组织卖淫案以及在市区有重大影响的张某、吕某两起涉嫌以危险方法危害公共安全案。

1994～2011年广陵区检察院审查逮捕案件情况一览表

表25-3-1

年份	受理案件		审查提请批准逮捕案件		不批准逮捕案件	
	件数(起)	人数(人)	件数(起)	人数(人)	件数(起)	人数(人)
1994	190	307	188	289	2	18
1995	185	277	184	272	1	5
1996	157	222	155	218	2	4
1997	135	235	127	222	8	13
1998	—	229	—	219	—	10
1999	224	315	206	290	18	25
2000	247	318	234	298	13	20
2001	293	413	268	378	25	35
2002	258	352	237	318	21	34
2003	236	312	222	293	14	19
2004	246	340	233	324	13	16
2005	334	507	317	480	17	27
2006	382	573	360	542	22	31
2007	462	730	431	680	31	50
2008	491	723	457	664	34	59
2009	460	677	407	606	53	71
2010	489	820	423	706	66	114
2011	462	761	373	600	89	161
合计	5251	8111	4822	7399	429	712

说明：1998年受理案件数、审查提请批准逮捕案件数及不批准逮捕案件数等资料缺失

二、审查起诉

1989年，针对区内治安突出问题，配合公安机关组织开展辖区集中整治行动。受理公安机关移送审查起诉104起164人，经审查提起公诉98起148人，决定免予起诉17起34人，建议撤回移送起诉3人；先后将5名犯罪情节特别严重的盗窃、强奸案犯罪嫌疑人报请市检察院审查起诉。10月10日，区委政法委召开宽严政策兑现大会，决定对2名自首人员免予起诉。1990～1991年，提起公诉盗窃犯罪案件45起58人，占全年起诉件数57.69%。

1992～1993年，在依法审查起诉案件中，坚持“以事实为依据”“法律为准绳”，结合案情需要自行补充侦查，收集完善证据以保证出庭公诉。对唐某、陈某某涉嫌抢劫犯罪讯问调查时，发现被告人伙同其他人犯有抢劫嫌疑，自行侦查补充证据，迅速将另3名犯罪嫌疑人追诉依法惩处。

1994年，坚持从重从快严厉打击各类刑事犯罪。全年共受理公安机关移送起诉犯罪嫌疑人327人，经审查向法院提起公诉275人，比1993年上升42.5%；免予起诉19人，免诉率比1993年下降1.1%；提起公诉自侦案件25起30人，免予起诉6人。移送市检察院审查起诉11起41人。5月上旬，集中时间和力量，

向法院起诉 16 起盗车案件，其中重大案件 8 起、特大案件 2 起，共计盗窃自行车 86 辆、摩托车 30 辆，犯罪金额 15.6 万元。

1995 年，共审查提起公诉 239 人，免予起诉 14 人，移送市检察院审查起诉 9 起 42 人，配合公安机关开展反盗窃、扫黄打非、禁毒禁娼等专项行动 7 次。在依法审查起诉案件时，严把证据关，既不殃及无辜，更不放松漏罪的追究。在审查起诉陈某涉嫌盗窃、诈骗犯罪案件时，其家属四处活动通过关系为陈某开具精神病分裂症（早期）无刑事责任能力证明以逃避法律判裁。在法院配合支持下，区检察院迅速查明此事系某医院李某某徇私提供伪证，最终被依法作出处理。

1996 ～ 1997 年，共参与“严打”统一行动 14 次，向法院集中起诉 18 起 22 人。市开发区发生一起罕见的 8 人流氓恶性团伙案，驻市经济技术开发区检察室干警快速向法院提起公诉。组织干警学习修改后的《中华人民共和国刑事诉讼法》，按照庭审改革要求办理出庭公诉案件，与法院协商，开试验庭 20 个和简易程序审判庭 15 个。1998 年，针对“4•28”出租车司机聚众扰乱交通秩序犯罪案件，涉案多人、案情复杂、社会关注度高、影响大等情况，先后 2 次组织模拟庭演示，全院干警观摩广泛听取意见，制定方案。由于准备充分，出庭公诉时指控有力，阐述严谨，取得较好效果，受到各方好评。

1999 年，深入开展“出庭公诉效果年”活动，积极稳妥推行主诉检察官办案责任制，强化审案质量与公诉效率，规范“三书三纲”（起诉书、公诉意见书、审查终结报告书，询问提纲、举证提纲、答辩提纲）开展“一庭一诉一议”活动，结合疑难复杂案件及新罪名案件的办理、学习、研讨，提升公诉议案质量。办理江阳汽车厂陈某签订合同关系被骗案，经法院判决后，引起新闻媒体及社会关注，扬州电视台专题采访，中央电视台《今日说法》栏目作专题报道。

2002 ～ 2003 年，稳步推进检察改革，深化主诉检察官办案责任制，开展普通程序简易审，与法院商定出台《普通程序简易审理办法》，化解人少案多压力，减少诉讼成本，提高诉讼效率，试行量刑建议、证据开示和公诉引导侦查等制度，探索完善诉讼监督新途径。2004 年，配合公安机关开展打击破坏公共设施、侵犯知识产权等专项行动 6 次。依法出庭公诉程某破坏电力设备案、扬农集团周某某等人侵犯商业秘密案。开展“能力建设年”活动，深化公诉制度改革，加强公诉能力建设，“量刑建议制度”在全市检察系统推广。区检察院在全市检察机关公诉抗辩赛中获团体第一名，2 名干警获“十佳公诉人”称号。

2007 ～ 2009 年，全面贯彻宽严相济的刑事政策，全力保障社会安定有序和群众安居乐业。坚持对重特大案件适时介入制度，引导侦查取证，形成打击合力。通过“百日会战”、打黑除恶等专项斗争，对涉黑涉恶犯罪团伙首要分子、团伙骨干依法快捕快诉，全年共出庭公诉杀人、抢劫、强奸、聚众斗殴等恶性刑事犯罪案件 54 起 116 人。在依法严厉打击严重刑事犯罪同时，对未成年人犯罪、初犯、偶犯和轻微犯罪案件，实行轻微刑事案件和解制度，对轻伤害、交通肇事案件，注意做好当事人调解工作，促成双方和解。努力推进创建“平安广陵”活动。重点打击黑社会性质组织犯罪、暴力犯罪和“两抢一盗”等多发性犯罪。先后成功起诉周某绑架外商勒索 150 万元重特大刑事犯罪案件，省内首例唐某、周某非法获取国家秘密案。审查起诉全省首例褚某某等人破坏计算机信息系统新类型案件，被告人褚某某等人制作、传播用以盗窃网络游戏账户信息的木马程序和“下载者”破坏性程序，窃取他人游戏账号和密码牟利，致使数万台计算机系统信息安全遭受侵害。经提起公诉，数名被告人均获有罪判决，中央电视台《朝闻天下》栏目作专题报道。

2010 ～ 2011 年，推进轻微刑事案件快速办理、被告人认罪案件简化审、刑事和解、量刑建议等新办案方式，加强对不批捕、不起诉、不抗诉等环节的说法、说理工作，这一做法被省委、市委《政法情况》转发。

1999～2011年广陵区检察院审查起诉情况一览表

表25-3-2

年份	受理案件		经审查提起公诉		移送市检察院起诉	
	件数(起)	人数(人)	件数(起)	人数(人)	件数(起)	人数(人)
1999	247	361	308	318	2	2
2000	326	463	299	426	2	2
2001	308	471	291	442	8	12
2002	276	409	259	364	14	37
2003	288	390	261	234	3	6
2004	347	473	323	451	6	8
2005	384	586	344	517	12	12
2006	481	751	436	676	10	18
2007	561	946	506	829	9	12
2008	594	954	561	876	—	—
2009	575	958	451	688	10	35
2010	640	1131	563	939	17	38
2011	594	1014	552	959	7	23
合计	5261	8907	5154	7719	100	205

说明：受理案件为受理公安机关以及自侦部门移送审查起诉案件

三、侦查监督

1989年，提前介入侦查活动34人次，口头或书面纠正违法行为24次，对不符法定条件18名犯罪嫌疑人依法不批准逮捕。1990～1994年，对事实不清、证据不足案件，依法不批准逮捕24人，退回补充侦查8人，建议提捕12人，撤销案件2人，对侦查活动中违法行为提出书面和口头纠正意见12件次。

1995～1998年，在侦查监督中强化证据意识。在审理一起移送起诉涉嫌盗窃案件中，从证人“失主”证言中发现疑点，迅速查明“失主”本人也是涉嫌盗窃别人摩托车的当案分子，及时通知侦查机关立即追诉。在审查一起涉嫌强奸案时，通过走访相关邻里群众与证人，进一步找到“受害人”，认真核实，认为此案不构成犯罪，故作出不批准逮捕决定。在审查一起诈骗与三起盗窃案中，依据不同情况分别对相关犯罪嫌疑人作出不同处理，徐某某参与共同盗窃，因事实不准，尚无明显犯罪故意，不以犯罪论处；潘某某盗窃1000元未遂，不追究刑事责任；郝某等人系未成年人、在校学生，盗窃数额虽刚达较大标准，但根据相关司法解释，亦不作犯罪处理。在审查王某某寻衅滋事罪案时，发现某派出所原联防队长杨某某亦犯同罪，经补充侦查，将其追诉依法惩处；贡某某无端遭人殴打致伤到检察院控告，经调查，当事人控告有据，经检委会研究，检察长决定，侦查机关迅速立案侦查，将肇事者绳之以法。

2000年，侦查监督从以追捕为主，转为对全部侦查活动全面监督，重点纠正刑事侦查中，该立不立、不该立而立、刑讯逼供、违法取证、超期羁押以及在取保候审、监视居住执行过程中违法现象。

2001～2006年，制定立案监督工作制度、警区联络工作规则、立案催办制度等，深入警区，引导办案，指导侦查。向侦查机关发出说明不立案理由通知书31份，建议撤案6起，提请口头和书面纠正建议11起；发出不予批准逮捕案件补充侦查提纲14份，实施对不应立案而立案的案件监督13起18人；依法追捕5人，追诉3人，不捕13人，不诉4人；向侦查机关或行政执法部门发出纠正违法通知书、检察建议书52份，监督立案9起。

2007～2009年，重点加强对违反法定程序、侵犯人权问题的监督，维护当事人诉讼权利。加强立案监督，严把事实关、法律关和程序关，对受理案件在审查中实行“一案一登、一案一查、一案一追、一案一跟踪”，既重视深挖余罪漏犯，又注意防止冤及无辜。2010～2011年，重点对“在逃”“另案处理”两类涉案人员实施跟踪监督，制定未到案人员跟踪监督实施办法，建立未处理涉案人员台账，健全立案监督机制组织专人跟踪监督，不定期审查侦查机关立案情况。

四、审判监督

1989～2011年，区检察院依法对法院作出的刑事判决和裁定履行监督职责，建立判决裁定审查机制，注意听取当事人及其家属或其他公民的控告申诉，对法院判决裁定中确实存在认定事实或适用法律错误，或法院审判过程违反诉讼程序案件，及时提出抗诉6起。

1989年，区检察院对一起经区法院一审判决定性为交通肇事案件，审查认为定性不当，适用罪名有误，遂以过失杀人罪，依法提起抗诉，经市中级人民法院二审受理决定撤销原判决。1992年，在一职务犯罪案件出庭公诉中，认为法院在该起贪污挪用公款罪案定罪量刑上有偏差，遂依法提起抗诉，引起上级有关方面高度关注。坚持“以事实为根据，以法律为准绳”，追捕追诉被告人8人，追漏罪7条，出庭支持公诉、发表公诉词148次。2009年，加大刑事侦查、审判诉讼活动监督力度，重点纠正有罪不究、以罚代刑和有罪判无罪、量刑畸轻畸重等问题，对违法减刑、假释、保外就医等放纵包庇犯罪问题开展专项监督。全年纠正漏诉5人，提起刑事抗诉1起，发出纠正违法通知书12份，发出检察建议19份。2010年，审查起诉叶某某聚众斗殴案，经法院审理认为，叶与他人因交通事故纠纷而纠集多人殴斗，导致2人轻伤。因对方没有斗殴故意，认定判处叶构成故意伤害罪。区检察院以法院认定事实错误，适用法律不当而提请抗诉，得到上级检察机关支持。2011年，区检察院纠正漏诉13起25人，纠正漏罪40起，发出书面纠正违法意见书13份。健全和落实检察长列席审判委员会、检察长出庭支持公诉等制度，积极开展量刑建议和刑事抗诉工作，依法提出抗诉1起，量刑建议采纳率98%以上。

五、人民监督员制度

2004年，区检察院试行人民监督员制度提请区人大常委会审查同意，聘请首批来自社会各界人民监督员（任期3年）9人，对区检察院侦查职务犯罪的三种类型（即犯罪嫌疑人不服从逮捕决定、拟作撤销、拟作不起诉案件）进行监督。2008年，向区人大常委会提请审查，任命第二届人民监督员10人，其中人大代表、政协委员占60%。

至2011年，人民监督员按规定，先后直接参与不服从逮捕决定的职务犯罪案件20起。通过阅卷审查，听取办案人员案情汇报，询问案件事实证据及法律适用等问题，经过封闭式评议与无记名表决，形成监督意见，在认同检察院作出处理表决的同时，针对办案中不足方面，提出中肯意见。

第三节　反贪污贿赂

1989年，立案侦查国家工作人员贪污、贿赂案件45起50人，其中贪污20起32人、受贿10起13人，提起公诉24人，依法追缴赃款赃物45万元。

1990～1991年，先后立案侦查并依法逮捕市信用社原主任严某某、市工业产品联合经销公司周某某、市集资办原副主任袁某某等涉嫌受贿案，市公交公司原经理张某某受贿案，市城市管理委员会办公室原副主任陆某某、市创建文明城市办公室原副主任姜某某等4人贪污、挪用公款案。

1993～1997年，立案查处贪污贿赂案件180起，其中涉嫌贪污63起、受贿83起、挪用公款34起，为国家和集体挽回经济损失1600.57万元。向市检察院移送市经委原副主任陈某某涉嫌贪污挪用58万元的全市首件处级以上领导干部职务犯罪线索。

1998～2002年，坚持以“三机关一部门”（党政领导机关、司法机关、行政执法机关和经济管理部门）以及国有大中型企业领导和管理人员为重点，持续关注企业改制中职工反映强烈、直接影响经济发展和社会稳定的职务犯罪活动，立案侦查93起，其中涉嫌贪污37起、受贿31起、挪用公款25起，为国家、集体挽回经济损失949.69万元。办案数量列全市检察机关之首。先后查处涉案20多人的扬州二电厂及其承建单位省电建三公司特大受贿窝案，谢馥春日用化工厂原副厂长沈某某、财务科科长、副科长贪污受贿窝案，扬州江阳汽车厂原厂长周某某受贿案，扬州亚星－奔驰有限公司财务会计处原处长叶某某、会计孙某某，中国人民保险公司扬州分公司业务员嵇某贪污、受贿、挪用公款等一批有影响的大要案件。

2003～2007年，先后查办市政工程总公司会计涉嫌贪污、省水利科学研究所会计涉嫌挪用、市邮政局居某某涉嫌受贿、扬州彩虹针织集团原董事长涉嫌贪污、受贿30多万元案，扬州印染厂涉案30多人涉案总金额500多万元的贪污受贿窝案，市国土储备中心、市兆通监理公司、开发区拆迁安置办等一批在市区有影响的职务犯罪大要案。

2008～2011年，先后查处中国外运江苏集团扬州公司贪污、受贿、挪用公款窝案，市供电公司广陵供电所原所长、会计、电工班长等涉嫌特大贪污窝案，孔某某、王某某等5人挪用拆迁补偿款窝案，雷某某、符某某等6人在工程承包中的贿赂窝案，涉案13人、涉案金额350多万元的新星公司人员拆迁过程贪污、受贿、渎职系列窝案，市红十字中心血站原站长涉嫌贪污、受贿案等一大批职务犯罪案件。

1993～2011年广陵区检察院查处经济犯罪情况统计表

表25-3-3

年份 项目	受理案件 （起）	立案 （起）	贪污 （起）	贿赂 （起）	挪用公款 （起）	挽回损失 （万元）
1993	24	24	10	7	5	65.90
1994	108	49	20	18	10	100.24
1995	207	48	15	16	7	293.27
1996	154	32	7	4	5	1014.90
1997	139	27	5	8	2	126.26
1998	69	18	4	11	3	50.89
1999	107	18	6	4	8	72.80
2000	97	21	10	4	7	149.71
2001	81	21	8	10	3	376.29
2002	58	15	9	2	4	300.00
2003	57	14	5	8	1	230.80
2004	49	13	9	1	3	330.00
2005	38	17	8	6	3	500.00
2006	33	18	8	8	2	2000.00
2007	17	13	2	11	—	200.00
2008	15	15	7	4	3	1000.00
2009	22	18	5	4	1	500.00
2010	21	13	5	6	2	1000.00
2011	16	10	4	6	—	339.00

第四节　反渎职侵权

1989～1997年，区检察院受理法纪犯罪案件线索128起，立案侦查32起，分别涉及非法入侵、重大责任事故与玩忽职守案件。先后查办市某局工作人员因挪用公款被立案侦查，竟雇佣打手公然殴打举报人，严重侵犯公民民主权利罪案；市区某商店原负责人朱某某值班脱岗，擅离职守，致使店内空无一人，因弱火源长时间阴燃为明火，酿成大火，造成14万多元的直接经济损失；广大物资公司原经理胡某某贪污、玩忽职守，致使该公司170多万元货物被骗，造成200多万元亏损；市物资开发公司业务员刘某某玩忽职守，造成55万元的巨款被骗，给企业带来巨大损失；双桥金融服务社结算员周某某玩忽职守，中午值班离岗，致使该服务社无人值班，营业款10.6万元被盗；扬州印染厂工人缪某某在成品库违禁吸烟引发火灾，烧毁成品布料200多件，直接经济损失40多万元。依法解救人质，保护公民人身权利，先后救援帮助解救人质4次9人。区商贸公司业务员被湖北某公司非法拘禁在某地偏僻地点，区检察院接报后，立即派员前往解救，面对不明真相的持械群众围攻，办案人员与绑架者周旋5天5夜，最终成功解救人质，同时为企业挽回损失数十万元。

1998～2003年，受理渎职侵权犯罪线索27起，查结18起，立案侦查4起，发出检察建议4份。1998年、2003年，梅岭派出所、市经济技术开发区文化路派出所分别发生留滞审查人员死亡事件，迅速派员介入，查明事件情况与死因；配合公安机关依法做好解释工作，并督促有关方面妥善处理后事，避免事态扩大；同时，针对派出所在留滞审查时限、方式及管理等方面存在的问题提出检察建议，对相关责任人提出问责。

2004～2005年，组织开展查办国家机关工作人员利用职权侵犯人权犯罪专项活动，突出重点对行政执行人员行政不作为、乱作为、破坏公平竞争、扰乱经济秩序行为实施专项监督。2007年8月，组织开展“反渎职侵权工作宣传月”活动，在汤汪乡、广陵产业园等地开展法治宣传3次。先后依法查办市建筑安全监察站王某某玩忽职守案，新星公司拆迁过程中行贿、受贿、渎职窝案，区拆迁办姚某某滥用职权案，市房地产评估所吴某某涉嫌提供虚假证明文件案，市规划局维扬分局原副局长周某某涉嫌滥用职权、受贿案，江都农业机械技术推广站原站长李某某涉嫌滥用职权案等。2011年，立案侦查渎职侵权案件11起12人，其中查办的骗取国家病害猪补贴一案，呈报至最高人民检察院。

第五节　预防职务犯罪

1989～1995年，结合职务犯罪案件查处，先后在苏北机米厂、维扬商场、扬州理发工具厂、广大物资贸易公司、扬州工具厂等单位开展个案预防，以案释法，查因析果，宣传法治，帮助立章建制，完善管理机制，以口头或书面方式提出检察建议100多份，结合查案选择典型案例与重点单位开展“检企共建”联系点活动。

1996年，区检察院与市经济适用房中心建立预防职务犯罪联系点，提出预防建议，共商预防措施，在工程预算、项目招标、施工队伍选择、原辅材料采购、质量监理、竣工验收及决算审计等环节设置预警点。依法服务帮助把关实施工程同步预防。1997年，区检察院反贪局设立犯罪预防室，结合“两法”实施开展法治宣传，定期深入检企共建联系点，宣讲职务犯罪预防。1998年5月，建立区委、区政府、区委政法委、区纪委、区检察院负责人参加的城区职务犯罪预防工作协调组，在区检察院设职务犯罪预防中心，由检察长兼任中心主任，设专职副主任，负责预防计划制订、活动安排及日常组织协调工作。在反贪局内设综合预防科，专司个案预防。同时组建全市首家职务犯罪预防协会，53个市区机关、企事业单位为会员单位，签订预防协议，明确责任与义务，定期参加培训学习。结合查案，先后到市第一食品集团、扬州玻璃仪器厂等单位法治宣讲20多次，发出检察建议15份，主动与辖区金融、税务、房地产开发、冶金机械等行业单位党组织、纪检部门联系，共同探讨具有行业特点的职务犯罪预防规律。

2001～2008年，先后3次召开辖区职务犯罪预防网络协会会议，邀请国企负责人到院驻点研讨交流预防工作，在市自来水公司、扬州晶来集团等单位建立预防联系点，结合其不同情况实施预防活动。加强预防与办案融合，实行“一岗双责”责任制，规定谁承办案件谁负责预防；在开展专项和行业职务犯罪预防过程中，实行办案质量与廉政建设“双合同制”。规范个案预防，开展“五个一”预防活动，即责成犯罪嫌疑人写一份忏悔书，开一次发案原因分析会，提一份检察建议，上一堂法治教育课，定期进行一次回访。组织职务犯罪预防宣传活动，举办职务犯罪图片展，发放宣传材料5000多份，提出检察建议70份，举办座谈会、法治讲座69次，编辑《金融案例与法律知识选编》等学习宣传教材。

2009～2011年，开展无职务犯罪单位创建活动。依托区预防职务犯罪网络，构建系统预防和专项预防工作体系。召开全区预防职务犯罪工作会议，制定《职务犯罪预防和腐败风险预警防控建议规范化管理规定》。充分发挥检察建议、预防调查、行贿档案查询、联席会议作用，与19家企业建立服务联系点。在教育系统建立预警机制。组织开展“察民情、听民声”预防宣传进社区活动，到文昌花园、跃进桥、洼字街等10个社区（村镇）进行预防宣传；探索以点、线、面构建单位、行业系统、社会的大预防组织体系，试行对敏感部门和关键环节对应诱发职务犯罪风险，分等级预警定期进行督促。

第六节 预防未成年人犯罪

1990～1994年，区综治委牵头组建由宣传、教育、工青妇和政法部门参加的全区青少年教育指导委员会，负责推动青少年教育工作规划、协调、指导和督促。选派优秀政法干警担任中、小学校外辅导员。组织政法部门向辖区40所中小学派出法制辅导员。协调区工商、公安等部门整治校园周边秩序，学校治安状况得到改观。

1994年，区检察院所办刑事案件息诉中，未成年人犯罪免诉占68.42%。1997～2002年，依法从宽处理未成年犯罪嫌疑人17人，经帮教无一人重新犯罪，其中有的成为勤劳致富能手、先进工作者。

1999年，结合贯彻《中华人民共和国未成年人保护法》《中华人民共和国预防未成年人犯罪法》，针对辖区在校学生刑事犯罪发生率日渐上升态势，组织开展创建“优秀青少年维权岗”活动，成立专门领导小组，设立青少年维权办公室，组织专门办案小组，先后与新华、竹西等中学建立未成年人犯罪预防网络。院领导与7名干警分别兼任学校校外活动副校长，配合学校加强在校学生法治教育。是年，区检察院被评为省未成年人保护工作先进集体。

2000年，成立区未成年人保护委员会，组织传统教育报告团和法治教育讲师团，建立青少年维权岗，在学校、家庭和社会之间建立青少年帮教小组240个。6月，在市职教中心组织学生进行模拟法庭活动，得到到扬州视察的全国人大常委会内务司法委领导肯定与好评。8月，扬州大学某学院发生学生聚众斗殴致人伤亡的恶性案件，区检察院协调公安机关迅速查处案件后立即以案释法，开展法治教育，引导学生从中吸取教训，增强正确的防范意识；同时向学院发出检察建议书，指出校园管理中问题，引起学校领导高度重视。为深化效果，联合新闻媒体拍摄播放《走进高墙的“天之骄子”》专题电视教育片。

图25-3-1 校园法治教育

2001年，成立青少年维权保护委员会；为全区中专、职校和民办学校选聘法制副校长21人；规定每月20日为“维权日”，对依法作出不捕不诉（免诉）的未成年人进行集中谈话，结合法治教育与心理疏导，勉励他们认真改造。为便于沟通联系，开通“青年维权热线”及时回答未成年人及其家长法律咨询，适时进行回访。9月，院领导带领维权工作小组专程赴南京龙潭监狱、省少管所走访正在服刑的扬州籍失足青少年，送去书籍与生活用品，勉励其把刑期当学期，珍惜宝贵时光，努力学习改造争取早日重返社会。是年，区检察院被授予“省优秀青少年维权岗”称号。

2003年，充实调整校外兼职法制副校长队伍，先后在扬州中学、扬州大学师院附中等十多所学校建立青少年维权基地和未成年人犯罪预防“检校联系点”，开设校园法治宣传栏，设立维权信箱，建立维权信息平台。通过组织参观未成年人犯罪警示教育展览，举办法治讲座、案例剖析、法律知识竞赛等活动，强化未成年人法律意识。

2004年3月18日，江泽民给东关小学吴霜同学的回信公开发表后，各学校、各社区开展“树立远大理想、立志成才报国”“看扬州巨变、听市民心声”“关爱在社区、文明共建设”等系列活动，组织青少年进行“学什么人、走什么路”大讨论。积极实施以提高青少年法治、道德素质教育为主要内容的“免疫工程”，以“除暴、治乱、扫丑、清障”为主要内容的校园及周边地区环境“净化工程”，以维护青少年合法权益为主要内容的“爱心工程”，以加强青少年爱国主义教育为主要内容的“基地工程”。

2006～2011年，结合检察工作改革，探索建立对未成年犯罪嫌疑人品行调查制度。在依法审查犯罪事实与法律适用的同时，通过延伸调查及时制作其品行调查报告，客观反映涉案人成长过程、教育背景、家庭社会影响及其心理素质、道德品质发展演变过程，为有效实施教育挽救及预防未成年人犯罪，切实维护未成年人合法权益提供依据。

第七节　民事行政检察

1994～2011年，先后建立起“民事抗诉案件公开审查听证制度”“民事行政检察律师代理申诉制度”和“再审检察建议工作制度”。受理不服法院判决裁定的申诉案352起，经审理立案105起，提请抗诉或提请上级检察院抗诉78起，再审检察建议17份，再审或改判16起，发出检察建议33份，维护正确判决裁定，经动员息诉185起。

1998～2003年，突出对公民、法人不服法院已生效判决、裁定的申诉及案件审理和判决明显不公的抗诉工作。根据胥某某对区法院判决的承包合同纠纷案不服申诉，经多方调查认为，原承包合同违反工商行政法规，应视为无效，一审判决认定合同部分有效显属错误，遂依法提起抗诉，经二审法院审理决定发回重审。

在立案审查市供销合作社因委托拆迁费用纠纷不服原审法院判决申诉案时，组织召开公开听证会，请原诉双方代表到场，认真听取双方当事人及其代理人陈述，增强民事行政抗诉案件审查透明度，此案经审查提请抗诉。市中级人民法院裁定中止原判执行，改变管辖，指令再审，依法撤销原判决。为拓宽案源，试行民事行政检察律师代理申诉制，在市区建立4个民事行政案件委托受理点，在扬州擎天律师事务所等单位分别挂牌，聘请12名律师为民事行政案件信息联络员。2003年，区检察院在办理一起合同纠纷申诉案件时，采取再审检察建议形式向市中级人民法院提出再审意见，经法院再审改判，为申诉人挽回经济损失15万元，该案例被《检察日报》报道。

2006～2011年，探索以个案检察建议督促启动再审程序工作，减少办案环节，节约司法资源，提高监督效率。对确有错误的民事行政判决、裁定，依法提请或建议提请抗诉52起；发出再审检察建议28起，促成当事人和解6起，改判2起，息诉71起。

2011年，通过支持公诉77起，帮助77名外来民工成功讨薪25万元。注重利用刑事案件的触角，开展刑民对接，探索拓宽民事行政检察监督渠道。从一起保险诈骗案中，先后挖掘4起民事监督案件线索，经认真办理，改判3起，撤诉1起。

1997～2011年广陵区检察院民事行政检察工作情况一览表

表25-3-4 单位：起

年份	受理申诉	息诉	提请或建议提请抗诉	再审检察建议	年份	受理申诉	息诉	提请或建议提请抗诉	再审检察建议
1997	8	1	1	—	2005	26	20	6	—
1998	13	1	3	2	2006	23	—	9	1
1999	27	14	3	1	2007	25	—	8	11
2000	25	16	2	—	2008	19	58	9	1
2001	24	15	4	—	2009	19	3	10	1
2002	23	15	3	1	2010	20	6	11	3
2003	23	15	3	—	2011	26	4	5	11
2004	21	16	1	1					

第八节 控告申诉检察

1990～1996年，注重控告申诉工作制度化、规范化建设，先后制定审阅、呈批、转办等一系列举报线索办理制度。在举报工作上，既注意保护举报人合法权利，积极查处、打击经济犯罪，又注意保护好人不被诬陷，积极为当事人消除影响。制定《奖励举报有功人员的实施办法》，完善举报中心统一受理、分流、反馈机制，对人民群众来信来访，做到件件回音，事事着落。坚持检察长接待日制度，大力开展举报宣传，院领导到电台、电视台发表讲话，对有影响案件及时通过新闻媒体曝光，使人民群众反腐热情日渐高涨，举报数量超过以往。1994年，受理来信来访147件，1995年为275件，增长近1倍。

1997～1999年，在举报中心基础上，增设刑事赔偿工作办公室，进一步完善和规范举报工作制度，举办辖区检察知识竞赛。推行检务公开，向社会公开检察职能、受理范围、执法程序、执法纪律，印发检务公开手册，自觉接受社会监督。开展举报宣传周活动，干警走上街头，设立宣传台，发放宣传资料，展示检察工作成果，受理举报与法律咨询。1998年，受理举报线索143起，1999年受理举报234起，比上年增加91起。

2000年，完善检察长接待预约和首办责任制、集体答复举报人制度，规范接待工作程序。组织民事行政、控告申诉、法纪等部门深入市区重要路段，设点宣传，印发宣传资料1000多份，激发群众举报热情，并对举报有功的1家单位、7名人员实施表彰奖励。积极开展“大接访”活动，加强“接待无小事”意识，妥善处理信访案件，文明接待上访群众，全年受理各类来信来访150件，检察长接待66人次，集体答复举报人4人次，受理刑事申诉案件2起，依法妥善处理历史遗留刑事赔偿案1起。

2001～2011年，进一步修订“控申工作规范”“控申、举报线索的分流、反馈制度”“关于受理刑事申诉案件的规定”“关于受理民事行政案件的规定”等制度。采取检察长预约接访、巡回接访、检察服务进社区等措施，及时受理群众诉求，切实解决实际问题。扬州外运公司原系市规模较大、效益较好的国有公司，企业改制后矛盾激化，职工集访不断、情绪激烈，检察长先后3次预约接待，晓之以理，及时稳定职工过激情绪。按照“件件依法办、案案有结果”目标，完善处理涉及民生的信访工作机制。对涉及民生重大上访，坚持检察长率领主要业务部门集体开门接访，实行首办责任制和“定领导、定责任、定方案、定期限”办理的领导包案制。在设立举报信箱、公布举报电话基础上，开通网上举报和QQ举报平台，设立控告申诉联络站，定期到乡镇、企业开展巡访，了解群众诉求，畅通信访渠道，拓展接访平台，确保涉检信访零赴省进京目标。

1989～2011年广陵区控告申诉检察情况一览表

表25-3-5

年份	受理来信来访(件)	申诉线索(条)	年份	受理来信来访(件)	申诉线索(条)
1989	273	—	2001	144	31
1990	110	2	2002	154	28
1991	102	3	2003	110	20
1992	121	1	2004	85	15
1993	175	6	2005	60	23
1994	147	2	2006	76	9
1995	275	—	2007	96	14
1996	213	—	2008	45	2
1997	180	—	2009	37	7
1998	109	7	2010	45	8
1999	159	51	2011	40	9
2000	150	42			

第四章　审　判

1989～2011年,区审判工作紧扣"公正与效率"主题,围绕"建一流班子、带一流队伍、创一流业绩"目标,坚持严格公正文明司法,强化内部管理,推进审判方式改革,不断提升司法公信力,为区经济繁荣、社会稳定提供有力司法保障。区法院先后获得全国优秀青少年维权岗、维护国防利益和军人军属合法权益工作先进集体,获得"省人民满意的法院""平安江苏创建先进集体""省公正司法示范点""省涉诉矛盾纠纷化解工作先进集体""省诉调对接工作先进集体""省法院文化建设示范单位"等称号。

第一节　机构队伍

一、机构

1989年,区法院坐落于广陵路297号,面积2224平方米。内设七庭一室:刑事审判庭、第二刑事审判庭、民事审判庭、经济审判庭、行政审判庭、告诉申诉庭、执行庭和办公室。1990年7月,设专职监察员。11月,撤销第二刑事审判庭,增设政工科(1992年8月挂牌)。1992年2月,设经济纠纷调解中心。8月,并入经济审判庭,增设城市规划和城市建设巡回法庭。1994年,取消政治协理员设置。1995年,派出扬州市经济技术开发区办案组。1996年8月,设少年庭(附设在刑庭)、司法警察大队。12月,增设新城人民法庭(派驻经济技术开发区,原办案组并入新城人民法庭)。1998年,增设纪检组、监察室,政工科升格为政治处。3月,设案件督查办公室。

1999年9月,撤销告诉申诉庭,分设立案庭和审判监督庭,原案件督查办公室职能并入审判监督庭,增设司法行政科。少年庭单设,并受市中级人民法院指定,管辖广陵、郊区、邗江及经济技术开发区范围内少年刑事案件。2000年12月，区法院迁址于史可法路36号，办公面积6595平方米。2002年7月，民事审判庭和经济审判庭分别改称第一民事审判庭和第二民事审判庭。2003年，少年庭职能扩充为综合庭，受理少年刑事和涉少民事案件。4月，设立执行局，与执行庭合署办公。2005年3月，设审判管理办公室，与审判监督庭合署办公。区法院新城人民法庭由开发区投资委托新建，建筑面积1070平方米，于2006年投入使用。2008年1月，区法院迁址于江都路545号，建筑面积7432平方米。至2011年，区法院设职能部门：政治处、办公室、监察室、审监庭、刑庭、少年庭、民一庭、民二庭、行政庭、法警大队、执行局、立案庭，另设新城法庭、李典法庭。

二、队伍

1989年，区法院编制78人，实有干警73人。其中大学学历5人，大专学历17人；院长1人，副院长3人，其他党组成员1人，政治协理员1人；审判委员会委员12人；审判员20人，助理审判员9人，书记员19人，法警3人。是年，参加全国法院法律业余大学学习并取得大专文凭15人。1999年，首次法官等级评定，区法院在职法官中，三级高级法官1人，四级高级法官9人，一级法官19人，二级法官3人，三级法官17人，四级法官15人，计64人。2011年，区法院政法专项编制96人，行政附属编制9人，实有干警91人。其中研究生学历8人，大学学历69人，大专学历12人；院长1人，副院长5人，其他党组成员1人，审判委员会专职委员1人，院长助理1人；审判委员会委员17人；审判员43人，助理审判员2人，书记员8人，法警8人。在职法官中，四级高级法官14人，一级法官28人，二级法官16人，三级法官2人，四级法官2人，计62人。

图25-4-1 广陵法院法制宣传文艺汇演现场

区法院坚持“有认识、有热情、有威信、有能力、有时间、有精力”的“六有”标准，通过自下而上、点面结合、规范程序、严格标准，选任人民陪审员。1988～2007年，人民陪审员多从工厂、机关、学校推荐人员中产生，经政治处资格审查后，报请区人大常委会批准予以任免。先后共产生人民陪审员265人。2008年，区法院对人民陪审员选任实行公开招聘，并在各大媒体上发布选任公告，明晰人民陪审员选任条件。当年报名人民陪审员102人，经筛选，择优选任45名担任人民陪审员。

1989～2016年，区法院历任院长为杨挥（1989年～1990年3月）、李惠生（1990年3月～1998年1月）、徐军（1998年1月～2002年2月）、王继荣（2002年2月～2007年10月）、朱愈明（2007年10月～2017年1月）、黄顺祥（2017年1月～）。

第二节 审判改革

一、民事审判方式改革

90年代初，民事审判方式上实现三个转变，即庭前调解转变为依法开庭调解；庭前调查为主转变为开庭调查、收集、核实证据为主，强调当庭举证、质证、辩论，提高办案透明度和公开性；法院调查为主转变为当时人举证为主，强调当事人举证责任，坚持案件法律规定，谁主张、谁举证，调动当事人积极性。

2002年，为适应办案需要，民一庭成立专司劳动争议合议庭、专司医患纠纷合议庭、专司房产纠纷合议庭。2003年年初，在民一庭进行试点，按照“专业分岗、主辅分离、繁简分流”要求，落实审判长、独任审判员改革措施。

2004年，成立案件速裁合议庭，建立速裁机制。对事实清楚、争议不大的民事、商事案件，在规定时间内，快速裁决。是年，速裁合议庭共审结民商事案件21起，平均办案天数仅为4天。

2005年，民一庭结合案件需要，邀请人民陪审员参加30多起案件的审理活动。类型涉及婚姻、医疗、劳动争议等，特别注意邀请具有专业知识人员参加相关案件审理，例如在审理医疗纠纷案件中，多次邀请医院医务处、医学博士和卫生局相关人员参加，认真听取与吸收专业意见，增强案件审理客观公正性。

二、刑事审判方式改革

2001年7月，区法院开展刑事普通程序简易化审理，在被告人认可指控的罪名和主要犯罪事实的前提下，简化部分程序，使原适用普通程序需用几个小时才能完成的庭审，能在一个小时内结束，尤其是对涉案事实较多、被告人较多的案件，简化效果越明显，当庭宣判率70%，审判周期明显缩短。同时在适用普通程序简便审模式案件中，由于被告人对指控能够基本认同，此类案件上诉率很低。

三、推行审判长和独任审判员选任制

为改变法院审判中存在的“审者不判、判者不审、审判脱节”现象，区法院于2001年9月开展审判长、独任审判员选任工作，并对法官担任审判长和独任审判员的条件、权力和责任作出明确规定，建立审判长、独任审判员审查、考核、选任制度。充分发挥审判长和独任审判员在庭审过程中指挥、协调作用，增强法官依法办案责任意识，提高审判效率，当年全院审结案件3210起，同比上升50.4%，独任审判员审理案件占比52.7%。

四、创新调解机制

1991年，民事调解率79%。1993年通过加强疏导，妥善处理矛盾易激化案件62起，调解结案占90%以上，有效防止上访纠缠或相互冲打等事件发生。1995年，坚持合法、自愿原则，着重对一些矛盾比较尖锐、易于激化的案件，以耐心细致的教育疏导工作先行，坚持依法晓之以理，动之以情，缓解对立情绪。当年审结的745起民事案件中，经调解结案的476起。

2003年，审结案件866起，调解和经调解撤诉占60%，其中近40户相邻关系化干戈为玉帛，135对夫妻和好如初，80多家单位止争息纷，妥善处理3起有可能引发群体性集团纠纷。

2005年，民事案件结案820起，调解、撤诉率52%。同时对委托基层组织调解进行尝试，委托双方当事人所在单位或社区进行调解，如获成功由法院及时制作文书，发挥民事审判特有的“减压”作用。

1989～2011年广陵区一审民事案件受理和调解情况统计表

表25-4-1 单位：起

年份	受理数	调解数	年份	受理数	调解数
1989	523	279	2001	1234	469
1990	500	259	2002	1072	388
1991	463	270	2003	1071	288
1992	717	313	2004	1100	321
1993	779	305	2005	1081	295
1994	807	355	2006	1181	331
1995	815	372	2007	1525	434
1996	600	232	2008	1861	525
1997	1087	311	2009	2363	927
1998	1059	395	2010	2366	932
1999	1126	330	2011	2018	646
2000	1222	428			

第三节 立案 信访

一、立案

1989年，根据司法改革、立审分离要求，成立告诉申诉庭。1997年4月，立案工作与审判分开，区法院设立案组。对符合要求案件需在7日内立案，及时移送有关业务庭审理。1998年，所有审查立案工作统一归口到告诉申诉庭。1999年，按照立审分立、审执分立、审监分立要求，撤销告诉申诉庭，成立立案庭和审判监督庭，信访工作移交立案庭。

2005年，设立立案大厅，从递交诉状、申请书到审查、批办、受理、排期、送达开庭传票等一条龙服务，降低诉讼成本。同时，受理各类新类型案件，如网络代理合同纠纷、探视子女权纠纷、姓名权纠纷，做到案由准确，操作规范，及时保护当事人诉权，解决"告状难"问题。专门开通特快专递邮政业务，直接送达率95%以上，提高当事人出庭率，缩短诉讼周期。将"诉讼须知""审务公开"等规章制度制成牌匾，置于大厅内，并通过电子显示屏播放，使当事人了解、熟悉诉讼程序和法律法规。2009年8月，成立诉讼服务中心，对原立案庭工作进行调整，加强立案调解力量，信访、集中接访、诉调对接、保全、材料收转、案件查询、电话查询、联系承办法官、司法鉴定、执行督促、公告集中办理等工作职能由诉讼服务中心统一实施。设置志愿者导诉台、电子触摸屏，做到诉讼有人引、材料有人收、电话有人接、咨询有人答、法官有人找、上诉有人办、答疑有人解、传票有人送。对一些老年人、残疾人、病患者等不方便参加诉讼的特殊群体和外地当事人，畅通立案绿色通道，实行邮寄立案、口述立案、电话预约立案、网上立案。2011年，区法院被省高院评为全省法院诉讼服务中心建设工作先进集体，被命名为首批"全省法院诉讼服务中心示范单位"，立案信访窗口受到最高法院表扬。

二、信访

90年代初，来信来访主要处理历次政治运动以及"文化大革命"时期冤假错案和刑事案件为主，90年代中期后，申诉上访以民商事案件为主。1989～2011年，共处理来信1698件，来访4210人次，化解各类易激化矛盾150余起。

2000～2004年，建立院长接待日，审判庭庭长、副庭长、审判长来访接待制度，明确业务庭庭长为信访直接责任人。建立信访信息通报制度，及时掌握信访动态。加强与有关部门协调配合，做好群众集体上访工作。对来信来访实行跟踪流程管理，老上访明显减少。针对进京赴省上访情况，建立矛盾纠纷和不安定因素定期排查机制，健全和完善排查制度，领导包案、接待、当面答复制度，信访案件会办制度，制定突发事件处置办法。开展集中处理涉诉上访， 2003年以前的涉诉上访案件，息诉息访率60%，对省高级人民法院交办案件逐一进行复查。

2011年，建立健全倒查问责常态化机制，对引发重大信访事件的，发现一起，倒查一起，追究一起，并纳入年度目标管理考核，作为评优评先重要依据，当年涉诉涉法信访量同比下降53%。

第四节 刑事审判

1989～2011年，共受理审结各类刑事案件7906起1.2万人。其中受理审结自诉案件263起344人；对5名被告人宣告无罪，对75名被告人宣告免于刑事处罚，对247名被告人单处罚金，对2427名被告人适用缓刑。

1989～2011年广陵区刑事审判案件情况一览表

表25-4-2

年份	案件数（起）	被告人数（人）	盗窃罪		故意伤害罪		强奸罪		抢劫罪		诈骗罪		贪污罪		交通肇事罪	
			案件数（起）	被告人数（人）	案件数（起）	被告人数（人）	案件数（起）	被告人数（人）	案件数（起）	被告人数（人）	案件数（起）	被告人数（人）	案件数（起）	被告人数（人）	案件数（起）	被告人数（人）
1989	149	209	80	121	7	13	6	7	6	18	10	12	6	10	2	2
1990	122	176	67	96	11	11	3	3	4	16	3	6	10	13	—	—
1991	112	168	47	60	17	17	1	1	9	35	6	7	9	11	—	—
1992	140	219	58	83	22	15	2	13	7	24	0	0	9	13	1	1
1993	164	230	80	109	21	22	0	0	8	25	5	9	8	8	1	1
1994	251	381	117	178	27	29	4	5	14	54	18	22	12	12	4	4
1995	233	330	91	130	20	20	9	9	8	22	11	20	20	26	6	6
1996	239	317	134	134	23	24	11	13	12	18	12	25	11	9	7	7
1997	242	269	111	139	22	23	13	13	11	19	16	23	3	3	8	8
1998	276	367	88	127	34	37	9	9	10	18	13	20	7	8	7	7
1999	256	363	136	197	22	33	5	5	5	13	6	11	3	7	3	3
2000	341	541	169	283	47	69	4	4	11	24	5	6	12	21	6	6
2001	357	526	154	219	48	53	7	11	18	44	8	8	8	12	7	7
2002	336	497	126	175	46	58	9	16	20	46	7	8	7	10	15	15
2003	366	514	153	217	30	37	6	8	25	43	9	9	9	15	46	47
2004	399	558	185	260	36	38	15	24	19	50	12	16	4	4	55	55
2005	455	731	214	373	57	61	12	20	26	63	16	17	7	12	36	36
2006	518	829	262	432	34	37	11	31	31	83	15	17	8	10	45	46
2007	602	962	332	504	46	53	11	15	33	101	13	21	6	7	49	48
2008	667	1061	367	546	37	38	20	22	55	153	6	10	2	2	38	37
2009	514	792	290	440	31	38	10	14	41	79	14	18	5	7	45	42
2010	598	984	280	424	40	49	15	14	32	71	10	17	3	6	32	31
2011	569	972	240	362	52	59	16	24	16	41	15	23	3	3	35	39
合计	7906	11996	3781	5609	730	834	199	281	421	1060	230	325	172	229	448	448

普通刑事案件　区法院严格执行法律规定，规范法律适用。盗窃案件作为多发性犯罪，数量多，发案广，严重危害社会治安，人民群众对此反应强烈。1989～2011年，共审理此类案件3781起，占全部刑事案件47.8%，尤其是2005年后，盗窃案件审理年均超过200起，其中2008年367起。交通肇事类案件在1997年之前受案较少，1989～1996年，共受理21起。1997年《中华人民共和国刑法》（以下简称《刑法》）修订后，加重对交通肇事后逃逸的刑事处罚；随着社会经济和交通工具的发展，此类案件较前增幅较大，是年共受理8起，2004年上升为55起，此后各年均在30起以上。

随着社会经济转型发展，大量新类型案件涌现，《刑法》多次修正，增加许多新罪名案件，刑事审判工作及时调整思路，先后审理违法发放贷款、危险驾驶、开设赌场、破坏计算机信息系统罪等新类型案件。2005年，姜某纠集12名同伙，利用经营的酒店浴室，组织、容留、介绍妇女卖淫，以“司法不公”为名聚众围堵司法机关大门，向有关单位敲诈勒索，在群众中造成极坏影响。2006 年 1 月，区法院集中 4 天开庭审理，对姜某等 12 名被告人依法作出 1 年至 19 年不等的处刑。2008 年，办理李某、张某某、张某某、陈某某、蒋某某等人编写盗窃网络游戏账户信息的木马程序并出售的案件，以破坏计算机信息系统罪，依法判处李某等人 1 年至 2 年不等的有期徒刑。2011 年 5 月，《刑法》修正案（八）将酒驾入刑，增加危险驾驶罪。是年，审理危险驾驶案件 12 起 12 人，其中张某某以危险方法危害公共安全案较典型，社会影响较大。被告人张某某在城市中心区域逆向行驶，为逃避查处，不顾公共安全，无证驾驶汽车连撞多人，撞坏轿车 1 辆，构成以危险方法危害公共安全罪，被依法判处有期徒刑 4 年。

图 25-4-2　2011 年，区法院召开公开审判大会

重大刑事案件　1989 ～ 2011 年，共审结抢劫案 421 起。1996 年起，年审结数平均在 10 起以上。2002 年起，增至 20 起。2006 年始，年结案均超过 30 起，其中 2008 年 55 起。共审结故意伤害案件 730 起，其中判处 3 年以下轻伤害案件约占伤害案件的 64％。1989 ～ 2001 年，将强奸罪和奸淫幼女罪分列两个罪名，分别审结案件 74 起、18 起。2002 年，奸淫幼女罪名取消，统一确定为强奸罪。2002 ～ 2011 年期间，共审结强奸案件 125 起。毒品类犯罪作为刑罚打击重点，1989 ～ 2011 年，共审理涉毒品犯罪案件 179 起 273 人。绑架犯罪偶有发生，2004 年、2007 年、2010 年各 1 起。

1990 年、2001 年，区法院根据中央关于开展“严打”斗争决策、部署，坚决打击故意杀人、抢劫、绑架、重大盗窃等暴力型犯罪和团伙性犯罪，依法严惩严重刑事犯罪，维护社会稳定，促进社会治安明显进步。2008 年 1 月至 2009 年 3 月间，王某先后和曹某、方某、马某流窜江苏省苏州市、扬州市，江西省九江市，广西壮族自治区南宁市，浙江省义乌市等地抢劫作案 5 起，劫得财物计 6.18 万元，2010 年，被依法以抢劫罪从严判处 4 名被告人 10 ～ 15 年不等的有期徒刑。

经济犯罪案件　1989 年，最高人民法院和最高人民检察院发布经济罪犯限期自首坦白通告。是年，受理贪污案件 6 起、受贿案件 5 起。1989 ～ 1999 年，受理各类经济犯罪案件 56 起，审结 56 起，判处犯罪分子 72 人。2002 年起，少数经营管理人员在改制以及经济转轨过程中，贪污侵吞国有资产，犯罪数量明显上升，如扬州印染厂原 8 名厂领导和中层干部，利用职务便利，贪污、受贿 118 万元，被判处 1 年 6 个月至 10 年不等的刑事处罚，没收全部赃款，有 3 名被告人被并处罚金。市开发区拆迁安置管理办公室原主任李某某 2002 ～ 2006 年间利用职务之便，先后多次收受贿赂，被判处有期徒刑 10 年 6 个月，并处没收财产 5 万元。

随着经济转轨、社会转型，新类型案件不断涌现。2005 ～ 2011 年，共受理并审结偷税、虚开增值税专用发票、虚开用于抵扣税款发票、非法制造发票、出售非法制造发票案件 17 起，生产、销售伪劣产品，生产销售有毒、有害食品案件 8 起，破坏社会主义市场经济秩序的集资诈骗、贷款诈骗、金融凭证诈骗、保险诈骗案件 22 起，侵犯财产诈骗案件 64 起。2008 年，审理非法经营案件 10 起 26 人，重点审理秦某某、王某非法吸收公众存款案件，该案涉案金额 400 多万元，被骗群众 50 多名，严重影响社会主义市场经济秩序，依法从重判处有期徒刑 7 年和 6 年。

第五节　民事审判

1987年《中华人民共和国民法通则》施行，民事收案范围扩大，案件种类增多。1989～2011年，共审理各类民事案件2.66万起。

2002年，实行大民事审判格局，将原有民事审判庭、经济审判庭更名为民事审判第一庭、民事审判第二庭。民事审判第一庭审理婚姻家庭、人身权利、房屋及相关合同案件，民事审判第二庭审理合同、证券、票据、金融、破产类案件。2007年后，《中华人民共和国物权法》《中华人民共和国劳动合同法》《中华人民共和国劳动争议仲裁调解法》等法律相继颁布实施，相关类型案件增多，劳动争议案件上升明显。2008年，劳动争议案件241起，比2007年上升38.5%。

婚姻家庭案件　一般分为离婚、解除同居关系、抚育、赡养、抚养、收养、析产、财产纠纷等。婚姻案件的处理以夫妻感情是否破裂为标准。区法院在审理这类案件时，注意弘扬社会主义道德风尚，注意依法充分保护妇女、儿童和老年人合法权益。同时在查清事实、分清是非基础上，邀请基层人民调解组织、妇联、当事人亲属等有关人员共同做好当事人思想疏导工作，力促当事人和好。对夫妻感情确已破裂的，首先调解离婚，调解不成则判决离婚。1989～2011年，审结离婚纠纷案件9275起，其中调解结案4503起、调解离婚2233起、判决离婚849起。

房屋案件　1988～1999年，受理房屋纠纷案2589起，占同期民事受理案件总数16.7%。1999年后，城市建设、旧城改造速度加快，与此相关的各类相邻权益纠纷、房地产开发经营纠纷、拆迁安置纠纷明显增多。1999～2002年，审结涉及城市建设房屋拆迁案件482起。2001～2011年，受理房屋案2875起，其中买卖纠纷893起、租赁纠纷1982起。在处理租赁纠纷案件时，做到在维护产权人合法权益的同时，充分考虑承租人困难，尽量慎重妥善予以调解结案。

损害赔偿案件　人身损害赔偿和财产损害赔偿案件总数呈逐年上升趋势，由1989年的16起上升到2011年724起。1989～2011年，共受理一审损害赔偿纠纷案件4206起。其中以机动车交通事故损害赔偿、医疗事故损害赔偿占较大比例，其案件总量约占全部一审损害赔偿纠纷案件的45%、35%。区法院在审理此类案件时，坚持“能调则调、当判则判、调解优先”，积极适用简易程序，减少当事人讼累，及时、有效地维护当事人合法权益。

劳动争议案件　劳动争议案件从经济审判庭划由民事审判庭审理，一般实行“先裁后审”程序，案件数量出现急剧增长。2007年，《中华人民共和国劳动合同法》修订通过后，劳动者维权意识提高，受理的劳动争议案件急剧增加。2011年，该类案件受理276起。其特点主要表现为：案件数量高幅攀升；纠纷主体多元化、案件类型复杂化，矛盾尖锐、调解难度大；群体性纠纷多。区法院坚持平等保护劳动者合法权益和用人单位用工自主权和企业管理权原则，根据不同案件类型，确定不同审理重点，既保护劳动者的合法权益和生产积极性，又依法保护企业用人自主权，以维持正常生产秩序。

1989～2011年广陵区一审劳动争议案件情况一览表

表25-4-3　　单位：起

年份	受理数	年份	受理数
1989	1	2001	34
1990	1	2002	29
1991	7	2003	37
1992	12	2004	35
1993	5	2005	59

续表 25-4-3

年份	受理数	年份	受理数
1994	5	2006	73
1995	7	2007	174
1996	6	2008	241
1997	4	2009	297
1998	2	2010	214
1999	14	2011	276
2000	16	合 计	1549

第六节 商事审判

1992年，经济纠纷案件急剧上升，区法院成立经济纠纷调解中心，与经济庭合署办公。1999年，经济审判统一改称为商事审判。1989～2011年，全区共受理审结商事(经济)纠纷案件1.23万起，诉讼标的额19.08亿元。

1989～2011年，审结买卖合同纠纷案件6100起，占审结商事纠纷案件49.5%，诉讼标的额7.07亿元。90年代上半期，在审理买卖合同纠纷案件中侧重于制裁，强调对合同效力的审查，对于纠纷中出现超范围经营、有违法行为或违反行政命令等情况，确认合同无效并对相关当事人予以制裁；对违约方，强调以没收违法所得等制裁方式，确保违约方无法从违约行为中获益。90年代下半期至2011年，随着市场交易日益兴起，在司法实践中逐渐调整审判理念。在合同无效的确认上更加谨慎，尽量确认合同效力，以维护交易安全和秩序；加强对守约方保护，对守约方要求损害赔偿的，除支持直接损失外，还确立可得利益损失计算公式，对于恶意违约者要求调减违约金的，一般不予支持。

1989～2011年，审结借款合同纠纷案件4314起，诉讼标的额5.46亿元。借款合同纠纷案，原告以各商业银行和农村信用社居多，被告则以乡镇企业、个人合伙企业、独资企业或个体工商户居多。案件诉讼标的额较大，贷款回收难度大，贷款逾期时间跨度较长。

区法院在受理企业破产还债申请后，即组成合议庭，对申请所提供的审计报告、企业债权债务、企业已发生的诉讼、企业职工安置方案等有关材料进行审查。如符合法律规定的破产还债条件，即作出破产还债裁定，进入破产程序。在审理中，从实际出发，既保护债权人利益，又重视破产企业职工生活和就业问题。在企业申请破产时，要求其首先对职工安置作出承诺。1998～2011年，受理破产案件58起，诉讼标的额1.45亿元，没有一件因职工未安置妥当而上访或闹事。其中2001年受理扬州鞋厂等破产案件11起，审结11起，处理债权债务5506万元，资产变现近3000万元，协助安置职工2000多人。指导清算组认真审查破产企业账单，向债务人发出偿还债务通知，帮助破产企业追回债权100多万元。

1989～2011年广陵区商事(经济)审判案件情况一览表

表 25-4-4

年份	案件数(起)	诉讼标的总额(万元)	买卖合同		建设工程施工合同		借款合同		加工承揽合同		破产	
			案件数(起)	诉讼标的额(万元)	案件数(起)	诉讼标的额(万元)	案件数(起)	诉讼标的额(万元)	案件数(起)	诉讼标的额(万元)	案件数(起)	诉讼标的额(万元)
1989	219	427	116	237	3	12	14	22	14	2	—	—
1990	156	402	51	193	3	4	9	15	12	15	—	—

续表 25-4-4

年份	案件数（起）	诉讼标的总额（万元）	买卖合同		建设工程施工合同		借款合同		加工承揽合同		破产	
			案件数（起）	诉讼标的额（万元）	案件数（起）	诉讼标的额（万元）	案件数（起）	诉讼标的额（万元）	案件数（起）	诉讼标的额（万元）	案件数（起）	诉讼标的额（万元）
1991	143	483	39	171	3	16	10	60	10	16	—	—
1992	236	626	75	236	4	6	18	63	12	29	—	—
1993	473	2165	301	1629	8	13	24	57	13	29	—	—
1994	462	3277	263	1980	6	23	50	684	27	140	—	—
1995	512	4012	305	2529	8	38	79	1334	31	314	—	—
1996	616	4722	334	2462	15	74	98	1466	37	404	—	—
1997	790	7726	477	3992	10	100	127	1651	44	326	—	—
1998	679	30124	396	6271	4	38	108	2388	43	370	6	130
1999	638	6397	374	3264	2	33	97	1789	43	373	9	303
2000	567	4172	317	2230	12	155	65	1021	35	148	4	54
2001	696	11225	312	2545	21	250	66	958	36	136	11	5506
2002	628	6219	286	2654	19	213	294	1826	38	157	5	1576
2003	449	4145	193	1918	12	275	273	1248	20	221	5	3612
2004	372	3818	184	2168	9	538	233	784	19	205	1	158
2005	456	4302	152	1753	12	489	298	1716	24	180	2	747
2006	477	5110	186	2343	18	327	189	1339	38	572	2	669
2007	588	7142	228	2481	30	252	292	2822	31	317	1	429
2008	845	22047	349	3463	31	126	366	4647	72	516	2	450
2009	869	22744	378	7583	71	902	545	12690	55	625	4	832
2010	733	21788	407	9698	44	1428	519	7811	54	1220	3	—
2011	720	17692	377	8917	52	2069	540	8208	42	1104	3	—
合计	12324	190765	6100	70717	397	7381	4314	54599	750	7419	58	14466

第七节 行政审判

1989 年 1 月，成立行政审判庭，除管辖广陵区、开发区行政案件外，接受上级指定，管辖涉及京沪高速公路（扬州段）、江苏油田公安分局、水上公安分局因行政执法引起的行政诉讼案件。1989 ～ 2011 年，共受理并审结行政诉讼案件 651 起，涉及市公安、房管、规划、工商、质监、国土、建设、劳动、环保、民政、教育、交通、卫生、地方海事、乡镇政府等行政机关 30 多家。已结案中，维持行政机关决定的 65 起，占 10%；撤销和部分撤销行政机关决定的 41 起，占 6.3%；驳回原告诉讼的 125 起，占 19.2%；经协调原告主动撤诉的 334 起，占 51.3%；其他 86 起，占 13.2%。

1989～2011年广陵区行政审判情况一览表

表25-4-5 单位：起

年份	审结数	公安类	城建类	工商类	土地类	民政类	其他
1989	2	1	—	—	1	—	—
1990	9	1	4	—	—	—	3
1991	3	2	—	—	—	—	—
1992	1	1	—	—	—	—	—
1993	4	1	1	1	1	——	—
1994	8	3	3	1	1	—	—
1995	17	5	3	—	1	1	7
1996	17	6	3	—	2	3	3
1997	26	5	6	2	—	13	—
1998	25	5	3	6	—	—	11
1999	21	5	4	5	—	2	5
2000	32	6	2	2	2	—	20
2001	30	2	7	4	3	2	12
2002	30	12	13	4	—	1	—
2003	43	5	32	4	—	—	2
2004	37	14	16	—	—	—	7
2005	53	10	32	5	3	2	1
2006	49	8	32	6	2	—	1
2007	40	9	25	4	—	2	—
2008	46	2	29	—	4	1	10
2009	55	15	29	5	6	—	—
2010	46	7	35	3	—	—	1
2011	57	23	28	1	2	—	3
合计	651	148	307	53	28	27	86

1991年，区法院在审理安徽省亳州市农民陈某某诉市卫生局不服销售劣药处罚决定一案时，审查发现市卫生局作出的处罚决定违反法定程序，主要证据不足，依法判决撤销。原告因此获得9000元赔偿。1993年，向市规划局和市城乡建设委员会派出巡回法庭。受理行政执行案件中，有22起为市规划局通过巡回法庭申请执行。1995年，审理朱某某等49名原告诉市规划局、市劳动局、市土地局、市消防支队、市环保局批准锅炉房建设决定一案，市规划局仅凭第三人的申请即选址定点，审批并核发建设用地规划许可证，属违法越权行为，且4被告未经批准分别同意其定点意见，擅自改变城市详细规划，违反法定程序，依法判决撤销5被告行政行为，纠正被告违法行政行为。

1996～2000年，受理各类行政案件121起，主要为治安类行政案件。2001年后，行政审判案件数量继续增长，案件类型多样，并呈现出一定的复杂性和时代特征。2001年，出现扬州首例要求确认民政部门离婚登记无效案、首例要求撤销人民银行取消金融从业资格案、首例要求撤销计委建设立项批文案、首例状告文化行政部门行政许可不作为案等。行政案件类型结构发生变化，一些非处罚类行政案件有所增多，行政不作为案件进一步增多。

2008年，办理贾某某、朱某某分别诉市社保中心等案件时，注重案件实际处理效果，运用协调方式，使当事人较快领到工伤赔付款；在审理郭某某诉市规划局不履行法定职责一案中，通过庭审，虽知晓原告不可能胜诉，但考虑到原告系80岁老人，其要求翻修有安全隐患的旧房屋确有合理之处，经法院领导上门看现场、拿方案，多次做当事人工作，老人对立情绪逐步得到舒缓，在此情形之下，区法院依法判决老人败诉，同时发出司法建议，建议市规划局对老人实际问题在依法前提下，给以最大方便。此案判决后，双方均服判，无人上诉。

区法院行政审判工作自2000年起，连续三年被省高级法院授予全省行政审判先进单位，2003年，被评为全省行政审判先进集体。

第八节 少年审判

1989～2011年，区法院共审判少年犯1558人，其中故意伤害46人、盗窃878人、抢劫381人、强奸51人、寻衅滋事70人、聚众斗殴82人、其他50人。

少年犯罪案件呈现逐年增多，向低龄化发展态势。从未成年犯罪知识层次构成上看，初中以下文化程度占87%，在校生比例低，且呈逐年减少趋势。犯罪类型相对集中，侵财犯罪占大多数。盗窃、聚众斗殴、寻衅滋事、故意伤害等占犯罪总数85%以上。

少年庭在审理未成年人犯罪案件过程中，注重严格把好程序关、事实关、年龄关和适用法律关，确保少年案件质量。坚持寓教于审，将教育、感化、挽救宗旨贯穿于案件审理全过程，以法信人，以情感人，以理服人。通过多年实践，少年庭已形成聊天式讯问方式、回型审判模式、合适成年人参与诉讼、全过程心理疏导、赠送庭审光盘、案例选编、法官寄语等独具广陵特色的未成年人犯罪新型审理模式。

2001年，少年庭被共青团中央和最高人民法院授予“优秀青少年维权岗”称号。2005年，被授予“青年文明号”称号。2011年，在全国首创少年审判回型桌模式，改造后的审判法庭在布局上，分为庭审区、教育区、帮教区，精心打造独具特色的审判环境。审判桌设计成既具有圆桌特点，又突显“回”形特征，审判员所在的一侧两角采用直角，体现法庭的庄严，被告人面对的一侧采用弧形圆角，体现法庭对未成年人的关爱。整个“回”寓意让被告人早日回头、早日回家、早日回归社会；在教育手段上，既有精选的多幅图片，也有生动的视频播放；与法庭配套还设有亲情会见室和心理咨询室，让被告人与其亲友会面交流，让亲人的期盼激发被告人知错、认错、改错，悔过自新。

1989～2011年广陵区未成年人案件情况一览表

表25-4-6 单位：人

年份	人数	故意伤害罪	强奸罪	抢劫罪	盗窃罪	聚众斗殴罪	寻衅滋事罪	其他
1989	5	2	—	—	3	—	—	—
1990	5	—	—	5	—	—	—	—
1991	7	3	—	1	3	—	—	—
1992	19	—	7	8	3	—	—	1
1993	10	3	—	2	5	—	—	—
1994	58	—	1	25	32	—	—	—
1995	23	—	—	6	14	—	—	3
1996	7	6	—	—	1	—	—	—
1997	14	1	—	2	11	—	—	—
1998	10	—	—	2	5	—	—	3
1999	12	—	1	3	7	—	—	1

续表 25-4-6

年份	人数	故意伤害罪	强奸罪	抢劫罪	盗窃罪	聚众斗殴罪	寻衅滋事罪	其他
2000	41	2	—	9	27	—	—	3
2001	59	2	3	24	25	1	4	—
2002	73	1	4	27	34	4	3	—
2003	87	2	3	12	55	3	11	1
2004	83	3	2	14	50	6	2	6
2005	169	1	5	51	94	4	11	3
2006	152	3	5	21	100	15	3	5
2007	189	9	4	40	119	6	8	3
2008	178	5	5	58	96	3	6	5
2009	135	1	2	32	82	10	5	3
2010	133	2	1	29	75	9	11	6
2011	89	—	8	10	37	21	6	7
合计	1558	46	51	381	878	82	70	50

第九节 执行工作

一、执行管理

1991 年 4 月,《中华人民共和国民事诉讼法》颁布实施后,区法院改进执行方式,以执行庭作为攻坚力量,专啃疑难执行案件;各业务庭同时办理部分执行案件,各审判庭参与执行工作,调解结案的案件由审判人员自审自执。

1992 年年初,建立执行工作责任制,对多办案、办好案的执行人员,给予奖励。加强执行制度建设,对执行工作每个具体环节作出规定,加大执行人力和财力投入。配齐执行力量,增加执行庭办案机动性和快速反应能力。1995 ～ 1997 年,进一步整顿执行秩序,严格按照诉讼法规定采取查封、扣押、划拨措施,变更主体依法有据,坚决杜绝以拘代执人质事件发生。抵制和克服地方保护主义干扰,对外地法院委托执行,请求协助执行案件认真办理,及时答复。在执行中,异地实施拘留的,坚持委托被拘留人所在地法院协助执行,不异地关押;需要依法实施逮捕的,作出决定,依程序交公安机关执行。2001 年,将执行程序中的裁决权、实施权、异议审查权分开,实现执行权能的分离和制约。实行执行案件流程管理改革,调整制定执行案件流程管理相配套的量化考核指标体系。

2004 ～ 2009 年,在执行局内部设立执行实施处（科）、执行裁决处（科）、综合协调处（科）,使执行裁决、执行实施、执行异议审查之间形成相互制约、相互监督局面。把解决执行难列入区综合治理工作内容进行考核,形成党委牵头、法院主办、各界参与、全区关注齐抓共管的工作新格局。建立由 83 名执行联络员组成区协助执行网络,执行救助基金获得政府财政支持,与银行、房产等部门合作的执行联动机制发挥重要的作用。做好执行案件信息网上录入工作,初步形成与全国法院及相关部门相互配合、信息共享机制。1989 ～ 2011 年,区法院受理执行案件 1.7 万起,执结 1.52 万起,执结标的总金额 12.23 亿元。

1989～2011年广陵区审理一审执行情况一览表

表25-4-7

年份	受理(起)	执结(起)	执结标的额(万元)
1989	137	71	85
1990	88	76	76
1991	75	60	73
1992	133	94	130
1993	187	128	144
1994	611	537	1034
1995	837	682	1877
1996	861	701	1921
1997	926	462	1692
1998	1175	890	8090
1999	1073	1055	7079
2000	952	946	6117
2001	834	830	5938
2002	870	864	5235
2003	839	818	3322
2004	631	611	4936
2005	756	629	4510
2006	836	727	6115
2007	821	754	6064
2008	1061	991	8322
2009	1323	1284	13451
2010	988	982	19222
2011	1007	1002	16835
合计	17021	15194	122268

二、执行措施

1991年前，执行办法基本是说服教育、督促或请有关部门协助冻结账户、扣划存款，责令当事人履行所承担义务。对个别抵赖拖延，甚至威胁打击对方或不听劝阻、抗拒执行的被执行人，依法予以司法拘留或罚款。个别情节严重、触犯刑律的，依法定罪科刑。遇有生产不景气、暂无偿债能力的企业，疏导申请方“放水养鱼”，帮助债务人恢复活力，待条件成熟再执行。1991年，采取审执结合、集中执行与分散执行结合、疏导教育与强制执行结合等措施，提高执行效率。1996年，实行审执分立，由执行庭负责所有执行案件执行、统计、上报等工作。建立当事人财产申报制，要求被执行人如实反映自己财产状况，敦促其自觉履行义务。

1998～2005年，采取在新闻媒体登公告，对有关债务人曝光；召开被执行人会议，集中现场执行；查清被执行企业财产状况、适时变更、追加被执行主体；慎重执行涉及行政机关案件；开展专项执行金融案件、改制企业案件和委托执行案件活动方法，执行一批有一定影响的疑难复杂和久执未果案件。

2005年7月，区法院组织对执行员进行岗位目标、百日竞赛活动考核，推行“1+3”执行措施制度。“1”是指案件到达执行长后，先由其浏览卷宗，下达执行指令。“3”是指案件到达承办人开始执行后，必须履行

“详记执行日志、穷尽执行措施、告知当事人执行风险与执行措施”3 项义务。实行执行案件曝光制度，降低“老赖”社会诚信度。试行执行线索举报悬赏制度。建立执行案件内部交叉执行制。对在规定期限内未采取执行措施或未能执结的案件，无正当理由的，指定其他实施组负责执行。

2008 年后，建立“周三强制执行日”制度，承办人每周申报执行计划，做好执行准备、突发情况预案，对执行期限长、不履行执行义务的案件采用公开曝光等措施；对暴力抗法的当事人依法处置。是年，组织集中强制执行 46 次，采取各种强制执行措施 117 次，司法拘留 36 人次，搜查 19 次，扣押执行财产价值 291 万元。

2011 年，组织 2 次大规模强制执行活动，每个月分小组组织开展强制执行行动，采取冻结、扣押、查封、拍卖、搜查等强制措施 600 多次，拘留 15 人。认真开展清理执行积案活动，清理程序终结案件，恢复执行 58 起，全部办结。开展执行案件“回头看回头办”，对 92 件执行和解案件进行梳理，全部履行到位。在全市法院率先成立执行督促窗口，通过采取执前通知督促、保全督促等形式督促义务人自觉履行义务，自觉履行案件 79 起。

第十节 审判监督

审判监督工作原由刑事审判第二庭负责审查，民事、经济案件由业务庭另行组成合议庭审查。1988 年 3 月，成立告诉申诉庭，刑事、民事、经济、行政案件申诉、申请再审统一由告诉申诉庭审查、再审。1999 年，撤销告诉申诉庭，设立立案庭和审判监督庭，审判监督庭对院各项审判工作行使法定审判监督功能。2000 年 3 月，将 1999 年尚未审结的案件造册，并按规定期限将 53 件积案清理完毕。2005 年，区法院成立审判管理办公室，与审判监督庭实行两块牌子、一套班子。

民事、经济、行政案件审判监督 1989 ～ 1990 年，告诉申诉庭直接处理民事简易纠纷 86 起。1991 年，受理刑事再审案件 13 起，比上年下降 30.07％。受理民事、经济、行政等再审案件 9 起，比上年上升 13％。1993 年，受理各类民事、经济、行政再审案件 14 起，刑事再审案件 13 起，再审案件数首次超过刑事案件数。

1997 年，完善审判与监督分开的审判运行机制，对当事人告诉申诉有理的，依法及时立案，决定再审或者提审；对其中确有错误的，按照“有错必纠”原则，依法予以改判。受理再审案件 11 起，改判 3 起。1998 年，开展“案件质量年”活动，立再审案件 15 起（含上年未结 2 起），审结 15 起，改判 6 起。先后制定案件督查工作暂行规定和各类案件质量评查暂行标准等，规定各庭当月办结的所有案件卷宗，于次月同日前移送督查办公室评查，并在一个半月内评查结束，评查结果分四个等级，不合格案件报分管院长审定，错案经审判委员会研究确定，评查结果与评比先进、职务晋升、年度目标管理奖挂钩。全年共评查案件 917 起。

1999 ～ 2000 年，共受理再审案件 64 起，审结 63 起。对区人大常委会实施个案监督的案件认真复查，及时审结并报告结果。制定刑事、民事、经济、行政案件庭审质量评议表，在法律规定审限内，明确办案过程中各环节处理时间和各自责任要求。对各庭案件是否超审限，实行每季通报。设立院长信箱，启动以错案追究责任制为主要内容的审判监督制度改革，实行立案与审判分立、审判与执行分立、审判与监督分离体制，建立申诉听证制度，规范审判程序，为确保审判公正提供制度保证。

2001 ～ 2011 年，区法院审结刑事再审案件 7 起，民事再审案件 52 起，行政再审案件 2 起。

刑事审判监督 1989 年，受理刑事申诉案件 21 起，1990 年，降至 15 起，累计审结 36 起。受理、审结、未结案件，大量的是 1983 年、1984 年“严打”期间案件。1991 年，依照刑事审判监督程序审理刑事申诉案件，审结历年来判决后申诉的刑事案件 16 起，改判 6 起。对案件所涉 12 名原审被告人，减轻刑罚 9 人，宣告无罪 1 人，其他处理 2 人。1993 年，共审结历年来判决后申诉的刑事案件 18 起 35 人，改判 11 起 24 人，其中减轻处罚 18 人、免予刑事处分 3 人、宣告无罪 1 人、其他 2 人。1996 年后，刑事申诉案件逐年下降。2001 ～ 2011 年，刑事再审案件共审结 27 起。

第五章　司法行政

1989～2011年，区司法行政工作推进民主法治建设，拓展工作领域，综合运用司法行政职能，组织实施六个“五年法制宣传教育”活动，律师工作创新发展，法律服务与援助工作不断提升。落实“一村（社区）一顾问”制度，满足群众法律服务需求。积极拓展公证业务空间，丰富服务内容。建立区、乡镇（街道）、村（社区）、大中型企事业单位调委会，形成调解组织网络，创建社会矛盾纠纷大调解机制。逐步建立多元化、多渠道、多形式的安置帮教模式，建立帮教组织，启动社区矫正工作。2010年12月，区司法行政系统被省精神文明建设指导委员会命名为“2007～2009年度省级文明行业”。2011年1月，汤汪司法所被表彰为全省司法行政系统先进集体。是年7月，区法制宣传教育工作领导小组办公室被表彰为2006～2010年度全省法制宣传教育先进单位。

第一节　机构队伍

区司法局　1989年5月，区司法局内设办公室、法制宣传股、基层工作股、法律顾问处、公证处，在职人员15人。1990年3月，增设政工股。1996年8月，增设刑满释放解除劳教人员安置帮教办公室。1998年12月，增设区法律援助中心。2002年5月，内设办公室、法制宣传科（挂“区依法治区领导小组办公室”牌子）、法律服务工作管理科（挂“区法律援助中心”牌子）、基层工作科（挂“安置帮教工作科”牌子）、政工科、公证处（为直属行政机构），设行政编制17人、附属行政编制1人。2005年，区社区矫正工作领导小组成立，办公室设司法局内。2007年5月，增设社区矫正工作科（原挂牌安置帮教工作科与之合署办公）。2011年12月，区整合法律援助、矛盾纠纷调处、社区矫正及法制宣传等工作，成立区司法综合服务中心。区司法局内设机构为：办公室（挂“法制科”牌子）、法制宣传科、法律服务管理科（挂“区法律援助中心”牌子）、基层工作科、社区矫正工作科（挂“安置帮教科”牌子）、政工科。公证处仍为直属行政机构。区司法局核定编制25人。

乡（镇）街道司法所　1989～2001年，区辖广陵、东关、汶河、城南街道，均设街道司法科。2002年，曲江、文峰、东关、汶河街道及湾头镇和汤汪乡均成立司法所。街道司法所为区司法局派出机构，乡（镇）司法所为乡（镇）内设机构，业务隶属区司法局指导。2007年，曲江司法所被省司法厅命名为“江苏省规范化司法所”。2009年，湾头、汤汪、东关、汶河、文峰司法所被命名为“江苏省规范化司法所”，汤汪、曲江司法所被表彰为省优秀司法所。2011年12月，新增头桥、李典、沙头、杭集、泰安5个乡镇司法所，全区共设有基层司法所11个，均为区司法局派出机构，设编制28人，现有人员32人。是年，汤汪乡司法所被表彰为全省司法行政系统先进集体。

律师事务所　全区律师事务所接受区司法局组织领导和业务监督。1987年12月，区法律顾问处更名为扬州市第三律师事务所，从业人员9人。1993年11月，扬州市广陵律师事务所成立，从业人员5人。1994年1月，扬州市经济律师事务所成立，从业人员7人。1996年5月，全市律师事务所统一更名，扬州市第三律师事务所更名为扬州市华朋律师事务所，扬州市经济律师事务所更名为扬州市星海律师事务所。1999年2月，扬州市星海律师事务所注销并入扬州市华朋律师事务所，从业人员11人。2000年10月，扬州市华朋律师事务所改制，其人员、业务、财务等全部与政府脱钩，改为合伙制律师事务所。是年，扬州市广陵律师事务所申请注销。2002年，新设立扬州市唐城律师事务所。2011年7月，成立吴国强律师事务所。是年底，区辖华朋、唐城、吴国强律师事务所3家，从业人员35人。

基层法律服务所　1989年10月，广陵、汶河、城南、东关街道办事处相继成立法律服务所，由街道主管、区司法局业务指导，从业人员16人。1999年4月，成立广陵区众诚法律服务所，从业人员4人，直属区司法局。2001年，全区法律服务所实施脱钩改制为合伙制法律服务所。2002年，广陵法律服务所随其街道撤销而注销，城南法律服务所更名为新宇法律服务所，汶河法律服务所更名为四方法律服务所，东关法律服务所更名为雷霆法律服务所，新增汤汪乡的东南法律服务所、湾头镇的润民法律服务所，区共辖街道乡镇法律服务所6个。2003～2006年，四方、雷霆、众诚法律服务所人数不足3人，未通过年审注册。2011年12月，区划调整，新增乡镇法律服务所5个，区共有新宇、东南、润民、宏宇、三江、竞翔、江洋和杭杰8家法律服务所，从业人员31人。

第二节 普法宣传

一、"一五"（1986～1990年）普法

1985年3月，区委成立普法宣传教育领导小组，区委副书记任组长，办公室设区司法局，制定"一五"普法规划。1989年3月，区委、区政府召开"九法一例"普法教育总结表彰大会，编印《中华人民共和国企业法》（以下简称《企业法》）、十六法汇编宣传学习资料3.05万册，培训《企业法》基层教员103人，组织区机关副局级以上干部参加的治理整顿法律法规专题讲座，举办市、区五大系统法律知识竞赛。1990年，开展以宪法为核心，《中华人民共和国行政诉讼法》（以下简称《行政诉讼法》）、《中华人民共和国集会游行示威法》（以下简称《集会游行示威法》）为重点的普法宣传工作，印发《行政诉讼法》《集会游行示威法》宣传讲话1.05万册，培训教员86人，组织110名机关干部参加"两法"培训学习与考试。"一五"普法期间，征订、编印普法宣传材料41.08万册，组织法治报告会、讲座、法治课1.68万场，举办普法宣传骨干培训班18期，出法治宣传专栏7906期，利用媒体宣传1.29万次，法律知识竞赛59场，文艺节目演出11场，全区学完普法规定内容20.19万人，占应参学人数91.2%。1990年，通过省、市"一五"普法工作验收，7家单位被省、市表彰为普法先进集体，被省、市表彰为普法先进个人4人，扬州轻工机械厂被表彰为全国"一五"普法先进集体。

二、"二五"（1991～1995年）普法

1991年，区委制定"二五"普法规划，区人大常委会作出《关于在全区深入开展法制宣传教育第二个五年规划的决议》，组织宪法宣传周活动，购发"二五"普法教材6.22万册，培训普法教员184人、基层骨干1500多人，在辖区五大系统进行"二五"普法试点。1992年，突出机关干部学法与普法骨干培训，进行宪法讲话等普法辅导，学习"基本国策"法律法规，参学率90%以上，培训普法骨干76期4392人，编发法治宣传材料1.2万册，组织法治黑板报展评。1993年，以机关干部和青少年为普法重点，举办普法骨干培训班5期，企业经营管理人员2470名参加经济法律法规知识测试。牵头落实区政法机关干警担任区40所中小学普法教员，在市第二中学召开学校法治教育现场会。1994年，配合"严打"斗争和维护社会稳定，突出《刑法》《治安管理处罚条例》《集会游行示威法》《国家安全法》宣传，组织团员青年"五四"街头法律咨询活动，发放普法教材6500多册，组织专题普法讲座113场次，受教育1.1万人次。法律辅导员为全区中小学上法治课124场次。1995年，分期组织城区251家单位295名普法骨干培训班，开展"二五"普法知识竞赛，对50家系统（局公司）、驻扬单位、街道办事处及52家区直基层单位进行"二五"普法工作考核验收。"二五"普法期间，辖区参加普法学习22.6万人，占应参学人数85.7%，其中机关事业单位4.19万人，参学率92.3%；职工14.61万人，参学率84.2%；学生2.92万人，参学率95%。征订编发普法材料13.12万份，上法治课332场次，受教育3.25万人，举办培训班102期，培训5877人次。1995年8月，通过市"二五"普法工作考核。扬州邮政局被表彰为全国"二五"普法先进集体。

三、"三五"（1996～2000年）普法

1996年，配合"严打"斗争，突出《刑法》《刑事诉讼法》《行政处罚法》宣传，培训机关副局级以上干部4期250人次，培训普法教员368人，校外法制辅导员为中小学生上辅导课80场次，法治讲座286场，受教育者1.2万人。1997年，组织"巾帼环保杯"法律知识竞赛，对390名普法干部进行会计法培训。1998年，以

《刑法》《公司法》《劳动法》《价格法》为重点，5期培训班368名普法骨干受训，调整充实校外法制辅导员38人，举办公务员培训班，组织526名公务员参加全省公务员法规知识考试。1999年，集中开展《宪法》《刑法》《集会游行示威法》《治安管理处罚条例》《社团登记管理条例》的学习宣传。2000年，集中开展《宪法》《环境保护法》《土地管理法》《消费者权益保护法》《劳动法》《产品质量法》和取缔整治邪教等方面法律法规宣传活动，组织企业干部职工学习加入世贸组织的法律知识，组织市民学习《市民守则》，组织开展社会治安宣传活动。“三五”普法期间，根据不同对象，坚持因材施教，分类实施，多形式、分层次展开普法宣传教育，累计举办法治讲座183场，中小学生法治课300多场，出专题板报3200多期，文艺宣传60场，知识竞赛153场，发放宣传材料10.8万册，征订教材7.75万册，培训骨干1436人次。是年12月，通过市、省级“三五”普法考核验收。广陵区被省依法治省领导小组表彰为“三五”普法先进区，江苏通裕纺织集团有限公司等9家单位及15名个人被市委表彰为“三五”法治宣传教育先进集体和先进个人。

图25-5-1　“三五”普法教育基础资料

四、“四五”（2001～2005年）普法

2001年，系统学习《婚姻法》《产品质量法》等法律法规，编印普法教材9000册，“严打”整治斗争宣传材料2000多份。2002年，加大宣传WTO法律规则、《人口与计划生育法》《江苏省工地管理条例》、招商引资和发展私营个体经济等法律法规。调整配齐依法治区联络员57人、法治宣传员600多人，实现每个机关部门、乡镇、街道有1名依法治区联络员，每个基层单位有1名法治宣传员。2003年，重点宣传《安全生产法》《工会法》、城市拆迁改造法律法规及人民调解法律制度。在湾头镇传统物资交流大会期间，组织全区10多个部门开展“送法下乡”活动。2004年，对全区200多名副局级以上领导干部学法笔记进行抽查，进一步促进领导干部学法。在区委党校、文峰街道八大家社区、宝塔社区等建立法治教育基地。2005年，组织送法下乡活动，禁毒、反邪教、平安创建宣传活动，产业园集中法治宣传活动，送法进社区等活动，整理普法档案六大类156卷，并制作成果画册。

图25-5-2　法制宣传日送法进社区活动

“四五”普法期间，坚持以面授为主，典型引路，条块结合，以点带面，形成合力。编发普法宣传材料1.8万册，发放宣传材料8000多册、公务员习题集2700册，配齐辖区内43所中小学法制副校长，征订下发各类普法教材4.02万余册，开设法治教育讲座2224场次，受教育者22.57万人次，培训骨干1340人次，被市委、市政府表彰为2001～2005年法治宣传工作先进集体，文峰司法所所长曹宏根被表彰为全省法治宣传教育工作先进个人，3名司法所所长被表彰为市法治宣传工作先进工作者。

五、“五五”（2006～2010年）普法

2006年，制定“五五”普法规划，健全“五五”普法组织，编印“五五”普法教材2套共4000份。组建农村法治宣传教育志愿队、青少年法治教育宣讲团等普法力量。组织相关单位162名普法干部参加年度普法培训班，组织开展社会主义法治理念、《治安管理处罚法》《信访条例》《物权法（草案）》等法律法规学习。

2007年，开展农村普法宣传、青少年法治教育、流动人口法治宣传、送法进园区、平安创建主题宣传等活动。坚持、完善和落实党委中心组学法、领导干部法治讲座和领导干部任前法律知识考试等制度，将法律培训纳入“5+X”（“5”是指公共行政、公共政策、公共经济、依法行政和创新能力等公务员必须掌握的5门必修课，“X”是指个人选修课，包括国家规定的政治鉴别能力、调查研究能力等通用能力以及实际工作需要的业务能力）公务员能力培训工程，人大任命领导干部任前法律知识考试率100%，与扬州市供电公司联合举办“广陵杯”物权法有奖知识竞赛。区编排的法治文艺节目《竞选》《快乐的小交警》被表彰为市首届法治文艺调演优秀节目奖二等奖；在文峰街道举办“建设法治社会，共建和谐家园”为主题的大型社区法律文艺会演和法律咨询活动，现场观众1200多人，发放法治宣传材料2000多份。围绕湾头镇沙联村违章建筑拆除、二桥废旧塑料市场取缔等工作开展法律法规和政策宣传，推动相关重点工作顺利开展。2008年，深入开展法律进机关、进乡村、进社区、进学校、进企业、进单位“法律六进”和“农民工学法活动周”活动，以“推进法治文化、弘扬法治精神、建设法治广陵”为主题，在全区开展法治文化“六个一”活动，即每个乡镇（街道）建设一条法治文化宣传街、一个法治文化广场，每个社区建立一所法治市民学校、一个法律书屋、一个普法宣传栏、一个法律服务室。开展文昌商圈法治一条街建设，整合文昌商圈33个室内外电子屏，编发法治宣传标语79条滚动播放，在扬州主城区营造法治氛围。2010年，组织“五五”普法迎查自查工作，32家被查单位均一次性验收合格。6月、7月和9月，分别迎接市、省和国家检查组对区“五五”普法工作考核验收，受到各级考核组高度评价。充分利用广陵区深厚人文资源，建成扬州首家融合法治文化、社区文化和古城文化为一体的法治文化基地——琼花观法治苑。法治苑设有法治廊坊、警示教育廉政文化墙、法治历史人物解读中心、法治书场、社区司法站、法律书屋以及法治艺术长廊七部分。12月，举行扬州市暨广陵区首届校园法治文化节。开展法治建设示范单位创建活动，曲江街道、区检察院、扬农集团等5家单位被市委、市政府命名表彰为法治扬州示范单位。

“五五”普法期间，全区开设法治课1282场次，受教育面15.57万人次，举办普法骨干培训1.5万人次。征订部、省编普法教材1万多册、法治宣传资料及挂图4000多份。编发普法辅导教材2.5万册。区法制宣传教育工作领导小组办公室、汤汪乡政府被表彰为2006～2010年度全省法治宣传教育先进单位，汶河司法所所长王军被表彰为2006～2010年度全省法治宣传教育先进个人。广陵区被市委、市政府表彰为2006～2010年度全市法治宣传教育先进县（市、区），3名个人被表彰为法治宣传先进个人。区司法局被市委、市政府表彰为2010年度法治扬州建设先进单位。

图25-5-3　法治书场宣传法治知识

六、“六五”（2011～2015年）普法

2011年，全力抓好“六五”普法启动开局。围绕进一步创新法治理念、培育法治精神、弘扬法治文化，科学研究制定全区“六五”普法规划。8月，召开全区“五五”普法总结表彰暨“六五”普法启动大会。调整充实区法制宣传教育领导小组及其成员单位，下发2011年度法治宣传工作要点，举办全区“六五”普法培训班，为“六五”普法全面开展打下扎实的工作基础。进一步整合全区法治文化资源，全力推进法治文化阵地建设，打造有广陵特色的法治文化新品牌。5月10日，司法部领导视察位于“双东”历史文化街区的全市首家法治文化基地——琼花观法治苑，法治苑的建设情况和普法成效受到司法部领导的充分肯定。10月，在曲江街道大桥农贸市场建成全市首家法治文化市场，法治文化更加深入基层、贴近群众。至年底，全区创成国家级民主法治示范村1家、省级民主法治示范村（社区）19家、市级47家、区级73家。

第三节　律师　公证

一、律师

1989 年，律师事务所的人、财、物及业务属区司法局领导和监督，主任实行任命制。1993 年，律师事务所主任试行民主选举，实行效益浮动工资，通过改革管理体制和分配制度，成为自我管理、自我约束、自我激励、自我发展的相对独立的法律服务实体。2000 年，国资律师事务所改制，从名称、人事、财务及业务上与政府脱钩，改为合伙制律师事务所，成为自主管理、自担风险、自我发展、平等竞争的执业主体。律师管理工作内容侧重监督律师遵守职业道德和执业纪律，规范律师和律师事务所执业行为。

图 25-5-4　律师现场咨询

1990 年，律师工作突出以常年顾问为重点，为企业代理经济纠纷诉讼，先后为江都蜂乳厂挽回经济损失 70 万元，为扬州印刷厂挽回经济损失 21.5 万元，为建筑设计院纠正审计人员工作失误，避免被罚款 3 万元。1992 年，帮助 106 家顾问单位清理债权债务，为 30 家顾问单位发出催款函 350 份；帮助审查草拟各类经济合同 2139 份；参加 12 家单位合资项目谈判；为企业办理各类法律事务，解答法律咨询，提供法律服务 1094 人次。

1995 年，市经济律师事务所、市第三律师事务所分别与市经济广播电台联播《市场与法》栏目、《法制长廊》节目，受到群众欢迎。区司法局组织律师开展“3•15”消费者权益保护法现场咨询活动；为企业草拟、审查、修改各类合同 298 份，参与企业谈判 29 次（其中区属企业 8 次），提出法律建议 108 次，出具法律意见书 56 份；组织市第三律师事务所在虹雨集团开展非诉讼业务试点，先后参与俄罗斯、法国、美国等外商涉外商务谈判。1996 年实行律师事务所主任民主选举制。为企业草拟、修改各类合同 30 多份，处理各类法律事务 2500 多件，参与企业谈判 18 场次，提出合理化建议 280 条。1997 年，华朋律师事务所为扬州工商银行挽回经济损失 1000 多万元，许滨律师为顾问单位虹雨集团索回 200 万元货款。星海律师事务所为扬州鞋厂挽回经济损失 10 多万元。

2005 年，全区律师在政府招商引资、东部拆迁改造工程、曲江公园二期工程强制拆违、产业园建设等工作中发挥法律服务和法律保障作用。同时，积极参与涉法信访接待，发挥法律咨询、法治宣传和调解等服务功能。2006 年，完善政府法律顾问团工作，引导律师特别是顾问团成员，参与招商引资、产业园区建设、重大工程项目建设、城市综合整治、重大矛盾纠纷调处等重点工作。2007 年，指派律师为广陵新城、商贸物流园建设融资等提供法律顾问服务。2008 年，全区每个村（社区）配备一名律师为法律顾问，满足基层群众法律服务需求。2010 年，开展以“促转型、促升级；助稳定、助发展”为主题的法律服务专项活动。走访企业 55 家，发放服务承诺书，出具风险提示、法律建议 101 件。同时，开展“法企合作”活动。2011 年，依法妥善平息和处理群众各类诉求 178 人次。走访企业 184 家，建立法律服务平台 15 个，为企业答疑会诊 149 人次，避免经济损失 2730 万元。华朋律师事务所主任蒋敏被省司法厅表彰为全省“双促双助”先进个人，华朋律师事务所被市中院、市司法局表彰为发挥律师在诉讼中的作用，推动涉诉矛盾纠纷化解工作先进集体，蒋敏与市中院法官杨松共同化解保险合同矛盾纠纷案，被列为律师参与涉诉矛盾纠纷化解典型案例。

1989～2011年广陵区律师业务统计表

表25-5-1

年份	担任法律顾问（家）	刑事辩护（件）	民事代理（件）	经济代理（件）	非诉讼事务（件）	法律咨询（人次）	代写法律文书（件）	追回货款（万元）	避免经济损失（万元）
1989	80	93	98	75	11	638	140	120	200
1990	78	70	91	35	19	743	130	80	220.5
1991	91	70	124	41	8	531	165	206.2	
1992	106	92	125	69	15	637	321	619.5	200
1993	111	76	173	65	16	750	510	489.2	500
1994	137	110	207	124	33	820	33	772	2518
1995	122	65	246	143	28	860	28	810	2700
1996	144	82	280	175	39	810	33	2040	5000
1997	141	71	230	155	93	780	90	1084	1000
1998	74	44	147	95	21	830	32	8200	5400
1999	73	52	136	89	11	770	65	1000	
2000	50	75	125	36	10	840	40	220	1300
2001	65	121	165	51	27	880	40	600	1200
2002	114	132	190	65	22	910	68	1000	
2003	108	135	438		17	950	88	400	1000
2004	90	138	332		16	1000	92	430	880
2005	68	163	323	41	14	960	90	280	900
2006	66	144	281	57	19	1050	85	230	930
2007	62	116	255	46	26	1200	98	250	680
2008	39	51	365	51	51	540	120	190	770
2009	90	48	280	31	44	860	110	188	460
2010	57	78	310	43	49	1210	108	178	530
2011	81	90	431	33	28	149	95	183	2730

二、公证

1989年，区公证工作由市公证处直接受理。1990年12月，区公证处挂牌成立，负责承办辖区内各项国内公证业务。1991年，区公证工作平稳起步，为区属企业二轮承包提供公证服务，办理承包合同公证7件、各类经济合同7件，为扬州鞋厂与扬州印刷厂合并协议公证。1992～1996年，陆续开始为房地产、计划生育、民政事务、企业内部承包等服务，主动介入金融、服务与企业改制等领域。先后为金融单位办理抵押贷款合同公证26件，起草抵押贷款合同5500份、租赁承包合同公证105件、离婚协议公证155件、计生合同公证160份，上门为老弱病残当事人办理公证90件。

1997年，深入金融、拍卖、企业改制等领域，主动为东方商厦办理贷款抵押合同公证，获得交行贷款300万元，使之摆脱资金短缺困境，顺利转制为小商品市场；介入新兴拍卖行发展，与市永安拍卖行合作，提供拍卖公证13次，成交达100多万元。

1998～2011年，先后为古运河二、三、六期综合整治，解放桥南至跃进桥东段、徐凝门桥至渡江桥段、高桥段以及区重点工程东关街整治、曲江公园、洼字街及广陵产业园项目拆迁拆违，办理各类拆迁项目公证1772件，其中确权534件。服务中针对房屋大多陈旧失修，建房手续不全，产权不清，矛盾纠纷频发困难，深入实际，细致调查，完善证据，依法化解矛盾纠纷，保证各项拆迁整顿工程顺利进行。同时，先后为6家银行开展购车购房贷款抵押公证900件，涉及金额9500万元，其中为嘉隆房地产公司成功并购福兴房地产公司1000万元合同公证；全程参与区首届5000万元福利彩票销售现场兑奖公证，为五交化公司、江阳汽车厂、城南光明电器公司、万元熟食店等企业改制提供公证服务。

1991～2011年广陵区国内民事公证情况统计表

表25-5-2　　单位：件

年份	收养	解除收养	继承权	遗嘱	产权	亲属关系	房屋买卖	房屋租赁	遗赠扶养协议	委托书	赠与书	声明书	现场监督	签名印鉴属实	文本相符	证据保全	拆迁协议	计划生育	赡养协议	合伙协议	夫妻财产协议	其他民事协议	离婚协议	其他	合计
1991	3	—	18	19	3	—	—	4	3	4	12	11	7	—	—	—	—	—	2	—	—	25	—	3	114
1992	4	—	36	22	17	—	—	19	—	9	14	26	18	—	—	—	—	—	2	2	—	67	—	6	242
1993	4	—	21	21	3	—	3	21	1	7	10	8	—	—	—	—	—	124	—	—	—	26	—	10	259
1994	8	—	36	31	9	—	5	23	5	12	20	28	19	—	—	—	—	120	5	4	—	110	—	28	463
1995	2	—	7	46	—	—	2	18	2	9	10	22	17	—	—	—	—	286	3	—	6	22	156	47	655
1996	3	—	7	32	10	—	2	11	1	3	1	12	11	—	—	—	19	293	1	—	3	10	231	69	719
1997	3	—	40	61	28	3	—	12	4	—	23	17	4	—	3	—	—	150	4	2	7	134	286	125	906
1998	4	—	142	52	111	—	—	8	1	263	105	187	4	3	6	4	—	—	8	—	4	257	76	—	1235
1999	—	—	266	52	322	4	1	—	1	175	179	44	46	—	2	2	—	—	1	—	8	87	8	60	1258
2000	—	—	260	55	310	2	2	1	—	215	161	34	2	—	—	82	—	—	1	—	7	160	—	8	1300
2001	1	1	182	25	253	4	—	—	—	294	121	22	—	—	10	48	—	—		—	4	65	—	5	1035
2002	—	—	174	—	127	10	—	—	—	401	60	220	2	—	2	40	—	—	44	—	1	37	—	10	1128
2003	—	—	193	4	119	8	—	—	—	372	112	112	—	—	1	81	—	—	66	—	6	44	—	6	1124
2004	—	—	163	6	28	3	—	—	—	276	77	56	—	—	—	83	—	—	25	—	5	39	—	11	772
2005	—	—	144	5	1	1	—	—	—	173	57	83	—	—	—	113	—	—	17	—	5	40	—	13	652
2006	—	—	141	1	—	—	—	—	—	85	109	188	—	—	—	24	—	—	17	—	—	256	—	16	837
2007	—	—	82	1	—	—	—	—	—	27	9	65	—	—	—	32	—	—	5	3	—	414	—	3	641
2008	—	—	157	—	—	—	—	—	—	117	15	189	—	—	—	15	—	—	8	4	—	290	—	2	797
2009	—	—	220	—	—	—	—	—	—	276	7	153	—	—	—	37	—	—	5	2	—	709	—	4	1413
2010	—	—	209	—	—	—	—	—	—	265	6	142	—	—	—	5	—	—	3	4	—	418	—	5	1057
2011	—	—	205	—	—	—	—	—	—	215	5	190	—	—	—	1	—	—	3	3	—	429	—	11	1062

1991～2011年广陵区国内经济公证情况统计表

表25-5-3 单位：件

年份	购销合同	联营合同	拍卖	贷款合同	担保书	招标、投标	科技协作	供用电合同	劳务合同	建筑工程承包	工商服务业承包	财产租赁	企业租赁	资产经营责任制	还款协议	其他经济合同	法人资格	法人委托书	公司章程	执行许可证明	提存	抵押登记	其他	合计
1991	—	—	—	—	—	—	—	—	—	—	2	1	—	6	—	—	1	2	—	—	—	—	2	14
1992	—	1	—	—	—	—	1	—	1	—	14	1	—	—	—	1	1	10	—	—	2	—	2	34
1993	1	4	—	1	2	—	—	—	—	—	20	19	—	—	—	—	2	—	—	1	43	—	96	189
1994	2	9	—	3	2	—	2	—	2	—	38	37	—	9	—	5	5	13	—	2	35	—	33	197
1995	1	3	—	—	—	—	—	—	2	4	43	40	7	—	—	—	—	2	—	1	7	26	12	148
1996	1	1	—	—	—	—	—	—	—	3	8	18	2	7	—	36	2	2	—	—	1	32	22	135
1997	1	—	13	21	—	—	—	—	1	—	8	—	2	—	3	38	—	3	—	—	—	—	31	121
1998	—	14	2	2	—	—	—	—	40	—	57	3	—	—	17	—	—	—	—	—	—	—	241	376
1999	—	—	—	46	323	—	—	—	293	—	—	1	—	—	—	13	—	—	—	—	—	—	22	698
2000	—	—	—	197	2	—	—	—	79	—	—	—	—	—	19	—	—	—	—	—	—	—	3	300
2001	—	—	—	930	—	—	—	—	16	—	4	—	—	—	—	—	—	—	2	—	—	—	—	952
2002	—	—	—	718	—	—	—	—	—	2	—	—	—	—	—	—	—	—	—	15	—	2	31	768
2003	—	—	—	44	—	—	—	—	—	1	—	—	—	—	—	1	—	—	—	41	—	—	—	87
2004	—	—	—	30	—	3	—	—	—	—	—	—	—	—	—	10	—	—	—	8	1	—	60	112
2005	—	—	—	291	—	1	—	—	—	—	—	—	—	—	—	35	—	—	—	2	1	—	—	330
2006	—	—	—	232	—	—	—	—	—	—	—	—	—	—	—	28	28	—	—	3	—	—	6	297
2007	—	—	—	20	—	—	—	—	—	—	—	—	—	—	—	—	—	29	2	—	—	—	1	52
2008	—	—	—	691	—	—	—	—	—	—	—	—	—	—	—	—	—	28	6	—	—	—	—	725
2009	—	—	—	1310	—	1	—	—	—	—	—	—	—	—	—	—	—	45	9	—	—	—	10	1375
2010	—	—	—	878	—	1	—	—	—	—	—	—	—	—	—	—	—	33	6	—	—	—	10	928
2011	—	—	—	54	—	1	—	—	—	—	—	—	—	—	—	—	1	54	16	—	—	—	112	238

第四节 人民调解

1989～1990年，建联合调解组织13个，化解矛盾纠纷53起；建调委会501个、调解小组2546个，有调解员8811人、调解信息员3868人。举办民调业务培训班3期，参训94人；对区企事业单位专职调解干部和居委会调解主任共436名进行业务考试。全区获省司法厅防激化一等奖1人，扬州纱厂调解专职干部刘淑萍事迹材料被司法部《人民调解》第二期刊载。

1991～1992年，全区开展创建标准化调委会，突出以防激化为重点的人民调解工作。辖区有397个调委会经考核验收达标，占总数88%。扬州纱厂实行科学控制，防止纠纷激化的经验，在全省交流推广。组织1600名调解干部参加人民调解有奖知识竞赛，获司法部、法制日报社、中央电视台鼓励奖。1997年，城区共有调委会521个，参加调解人员1.26万人，形成纵向到底、横向到边的调解网络体系。是年，共调处各类民间纠纷1710起，调解成功率95%，较好地发挥人民调解工作“第一道防线”作用。

图 25-5-5　2004 年，广陵区司法所暨人民调解委员会规范化建设现场会

1999 年，针对城郊接合部“三跨”（跨地区、跨部门、跨行业）纠纷多发情况，及时协调江阳船厂、扬州有机化工厂、扬州冶金厂、扬州纱厂等企业，调整充实调解组织力量，加强矛盾纠纷排查调解，及时化解纠纷，防止激化，有效控制纠纷多发势头。同时主动协调区工商联，在 10 家较大规模私营企业建立调解委员会。2002 年，调整新建社区民调组织 43 个，充实社区调委会成员。通过培训和考核，提高其业务水平。全区有各类调委会 476 个，其中私营企业调委会 50 个、农贸市场调委会 20 个、联合调委会 6 个。汤汪乡横沟村人民调解委员会被省司法厅表彰为 2002 年度省防止民间纠纷激化工作先进集体。2003 年，坚持实行以“提高人员素质，规范调解行为”为核心的调解员持证上岗制度，240 名调解员通过培训考试获得调解员工作资格。深入集中排查民间矛盾纠纷 163 起，重点调处 137 起。在乡镇、街道增建 12 个快报、直报点，重大纠纷信息得到迅速传递。汶河街道荷花池社区居委会人民调解委员会主任伏正予、东关街道皮市街社区人民调解委员会主任居俊卿被省司法厅表彰为 2003 年度省防止民间纠纷激化先进个人。2004 年，区规范化调委会建设达标率超过 90%。制定《扬州市广陵区首席人民调解员管理办法（试行）》。对 113 名首席调解员进行培训。湾头镇人民调解委员会、汤汪乡人民调解委员会分别被表彰为全省人民调解工作、防止民间纠纷激化工作先进集体。

2005 ～ 2006 年，开展调委会标牌、印章、标识、程序、制度、文书“六统一”为核心内容的规范化建设。辖区内 300 人以上驻区单位全部建立人民调解委员会，同时加强各类市场、私营企业、改制后企业的调解组织建设。组织乡镇街道大调处中心调研工作，围绕因征地拆迁、拖欠职工工资、福利待遇、改制企业职工安置、困难职工基本生活保障等引发的矛盾纠纷，开展排查调处。加强人民调解与民事诉讼的衔接、人民调解与司法调解、大调解与“110”接处警对接机制试点工作。东关司法所所长吴庆玲、曲江街道新民村党总支书记卜文卫被表彰为全省 2005 ～ 2006 年度人民调解防止民间纠纷激化工作先进个人。

2007 年，区人民调解委员会成立，承担管理、协调、指导区乡镇（街道）、行业协会、驻区系统（单位）人民调解组织工作。曲江街道太平村调委会和文峰街道渡江村调委会主任刘春奇、东关街道皮市街社区调委会主任居俊卿分别被省高级人民法院、省司法厅表彰为人民调解工作先进集体和先进个人。2008 年，成立区社会矛盾纠纷调解工作领导小组，下设社会矛盾纠纷调处服务中心，明确相关制度和工作流程，推进诉调、检调、公调、访调、纪调五大机制对接，10 月，成立区诉调对接工作领导小组。以个人命名的基层调解室“正生人民调解工作室”“正功人民调解工作室”在曲江街道太平村、文峰街道江苏联谊农副产品批发市场挂牌成立。该创新举措在江苏卫视《江苏新时空》栏目播出。

图 25-5-6　2004 年，汤汪乡社会矛盾纠纷调处中心揭牌

2009 年，区法院成立区人民调解工作室，聘请专职调解员 2 名，受理区法院立案庭诉前调解的涉诉案件；参与民事、行政案件诉讼调解，协助执行和解等。6 月，首个公调对接人民调解室在湾头派出所成立。7 月底，全区公安派出所全部设立人民调解室。

2010 年，拓展大调解工作领域，完善大调解工作机制建设。在文昌花园社区成立市首家社区矛盾调解工作站，成立文昌商圈劳动争议人民调解委员会，将大调解工作职能向基层延伸。2011 年 1 月，区司法局与区检察院联合制定新的《“检调对接”工作实施办法》，进一步健全大调解工作机制的相关制度和流程，实现人民调解、行政调解、司法调解的有机衔接和配合。

1989 ~ 2011 年广陵区民间纠纷调处情况统计表

表 25-5-4

<table>
<tr><th>年份</th><th>纠纷调处总数（件）</th><th>防止非正常死亡（件/人）</th><th>避免民转刑案件（件/人）</th><th>防止群体性械斗（件）</th><th>防止群体性上访（件/人）</th><th>调解率（%）</th><th>成功率（%）</th></tr>
<tr><td>1989</td><td>2093</td><td>3/3</td><td>2/2</td><td>2</td><td>2/30</td><td>100</td><td>96.1</td></tr>
<tr><td>1990</td><td>2085</td><td colspan="2">45/45</td><td>3</td><td>4/50</td><td>100</td><td>96.4</td></tr>
<tr><td>1991</td><td>1917</td><td colspan="2">33/52</td><td>2</td><td>4/55</td><td>100</td><td>94</td></tr>
<tr><td>1992</td><td>1717</td><td colspan="2">28/45</td><td>7</td><td>8/110</td><td>95</td><td>90</td></tr>
<tr><td>1993</td><td>1708</td><td colspan="2">7/9</td><td>9</td><td>9/130</td><td>100</td><td>94.6</td></tr>
<tr><td>1994</td><td>1704</td><td colspan="2">15/17</td><td>6</td><td>7/110</td><td>100</td><td>98</td></tr>
<tr><td>1995</td><td>1710</td><td colspan="2">36/53</td><td>4</td><td>13/190</td><td>100</td><td>97</td></tr>
<tr><td>1996</td><td>1480</td><td>4/4</td><td>3/4</td><td>8</td><td>15/200</td><td>100</td><td>95 以上</td></tr>
<tr><td>1997</td><td>1710</td><td colspan="2">36/53</td><td>9</td><td>17/300</td><td>100</td><td>95</td></tr>
<tr><td>1998</td><td>1880</td><td>10/12</td><td>10/12</td><td>9</td><td>40/3000</td><td>100</td><td>96</td></tr>
<tr><td>1999</td><td>1763</td><td>9/13</td><td>11/16</td><td>11</td><td>30/2700</td><td>100</td><td>96</td></tr>
<tr><td>2000</td><td>1730</td><td>8/10</td><td>9/10</td><td>10</td><td>50/3000</td><td>100</td><td>96</td></tr>
<tr><td>2001</td><td>1740</td><td>5/7</td><td>6/6</td><td>11</td><td>50/2000</td><td>98</td><td>96</td></tr>
<tr><td>2002</td><td>1810</td><td>4/4</td><td>6/6</td><td>9</td><td>50/1200</td><td>98</td><td>96</td></tr>
<tr><td>2003</td><td>1699</td><td>6/6</td><td>8/12</td><td>13</td><td>9/680</td><td>100</td><td>98</td></tr>
<tr><td>2004</td><td>1216</td><td>3/3</td><td>4/6</td><td>10</td><td>38/1120</td><td>100</td><td>98.3</td></tr>
<tr><td>2005</td><td>1006</td><td>3/3</td><td>1/1</td><td>9</td><td>11/480</td><td>100</td><td>98</td></tr>
<tr><td>2006</td><td>1013</td><td>4/4</td><td>3/3</td><td>1</td><td>17/540</td><td>100</td><td>98.3</td></tr>
<tr><td>2007</td><td>971</td><td>7/7</td><td>6/6</td><td>6</td><td>69/1366</td><td>100</td><td>98.1</td></tr>
<tr><td>2008</td><td>1560</td><td>4/4</td><td>3/3</td><td>3</td><td>172/1266</td><td>100</td><td>98.1</td></tr>
<tr><td>2009</td><td>1528</td><td>5/5</td><td>4/5</td><td>4</td><td>8/130</td><td>100</td><td>97.9</td></tr>
<tr><td>2010</td><td>1539</td><td>3/3</td><td>5/6</td><td>3</td><td>293/848</td><td>100</td><td>97.37</td></tr>
<tr><td>2011</td><td>1441</td><td>5/5</td><td>4/4</td><td>3</td><td>5/120</td><td>100</td><td>98.61</td></tr>
</table>

第五节 法律服务和援助

一、法律服务

区基层法律服务所依托街道司法科建立，其人、财、物属街道管理。1989 ~ 1991 年，先后成立广陵、汶河、城南、东关街道法律服务所。1992 年，汶河街道法律服务所被评为市优秀法律服务所。1995 年，广陵法律服务所被省司法厅表彰为先进集体。1996 ~ 1999 年，逐步实现自收自支、自负盈亏、自我约束、自我发展。

1996年，区基层法律服务所担任常年法律顾问54家，办理各类案件766起。2001年，实施脱钩改制，成为独立法人实体，业务受区司法局监督和指导。2003年，开展“规范执业道德，严格职业纪律”集中教育活动。60名法律服务志愿者进入社区，开展义务法律服务活动。

2006年，参加市司法局组织的法律服务培训。润民法律服务所及王文涛分别被表彰为2003～2006年度省级优秀法律服务所和优秀基层法律服务工作者。

2008年，区司法局为每个村、社区配备一名法律服务工作者作为法律顾问，进一步满足基层群众法律服务需求。开展各种咨询活动；组织“送法进企业”“送法进市场”活动，帮助企业审查各类合同文本、规章制度，分析法律风险，出具风险提示和法律建议，为企业发展开设法治讲座，宣传《金融法》《公司法》《合同法》《劳动法》和《劳动合同法》等，提高企业经营管理人员应对金融危机、依法经营管理能力；代理各类案件，避免经济损失。2009年，市首家社区司法站在曲江街道新星社区成立。

2010年，先后在汤汪乡、湾头镇、曲江街道举办农村法律咨询活动，举办法律服务所主任专题培训班，推动深化诉调结合，提高法律工作者业务素质和职业技能。1989～2011年，全区基层法律服务所共提供法律咨询服务1.17万次，担任街道、企事业单位常年法律顾问数10家，代理民事和经济案件诉讼3987起，代写法律文书3062件，参与帮助追回货款1448.77万元，避免经济损失3652.9万元，为区经济社会事业发展，构建和谐社会，提供良好法律服务。

图25-5-7　2010年，法律工作者接待群众法律咨询

1989～2011年广陵区基层法律服务统计表

表25-5-5

年份	常年法律顾问（家）	民事、经济代理（起）	代写法律文书（件）	法律咨询（人次）	追回货款（万元）	避免经济损失（万元）
1989	16	116	67	530	112.6	25
1990	29	146	109	342	129.2	40.9
1991	41	190	210	480	114	90
1992	74	249	195	510	124.97	250
1993	80	210	250	600	25	9
1994	85	168	270	580	393	937
1995	90	286	220	530	103	85
1996	54	236	290	650	50	100
1997	40	135	150	500	50	10
1998	40	200	200	600	55	28
1999	43	195	260	550	30	75
2000	46	200	100	600	24	80
2001	50	215	100	500	100	
2002	30	230	105	409	20	106
2003	37	171	56	450	10	31

续表 25-5-5

年份	常年法律顾问（家）	民事、经济代理（起）	代写法律文书（件）	法律咨询（人次）	追回货款（万元）	避免经济损失（万元）
2004	31	145	71	254	25	46
2005	27	110	90	205	28	310
2006	9	98	27	95	31	150
2007	22	125	39	316	23	310
2008	22	131	20	540	30	190
2009	20	138	68	450	20	150
2010	20	142	80	1590	33	400
2011	21	151	85	420	18	130
合计		3987	3062	11701	1448.77	3652.9

二、法律援助

1998 年 12 月，成立广陵区法律援助中心。1999 ～ 2000 年，广陵、城南、东关和汶河街道相继建立法律援助站，建立接待、审查、受理、接转等工作制度，明确法律援助范围和条件、受理程序、援助纪律等，并公示上墙，方便群众。2000 年，全区法律服务窗口共办理法律援助案件 6 起，办理法律援助事务 80 件，免费为群众提供法律咨询 207 人次，为生活困难的当事人减免法律服务收费，取得较好社会效果。2002 年，先后 7 次组织律师和基层法律工作者在市区和社区设立宣传台，宣传法律援助制度，解答法律咨询。针对当事人法律援助诉求，凡符合援助条件的，立即受理。扬大医学院一名学生因乘车途经常州前黄镇时，被大货车撞成 9 级伤残。该学生家庭贫困，无力医治，而肇事司机逃避赔偿责任。华鹏律师事务所获悉，主动为其提供法律援助，使之获得赔偿，得到及时治疗。

2003 年，《国家法律援助条例》颁布实施，全区 7 次组织人员走上街头，深入社区广泛宣传。对法律援助案件，统一受案、排查、指派、监督，确保法律援助案件规范化运作。2004 年，组织相关人员赴龙潭监狱开展“送法进监狱”活动。2006 ～ 2007 年，区法律援助中心赴广陵产业园和汤汪乡调研，组织召开农民工座谈会和发放问卷调查表，了解社情民意。对涉及农民工讨薪等维权案件放宽审查条件，依法尽力援助。协调区法院进一步明确指定刑事案件指派流程，开拓非诉案件法律援助。建立村（社区）法律援助工作联系点，设立法律援助工作联络员，初步构建区、乡镇（街道）、村（社区）三级法律援助网络。实行法律援助案件网上登记工作，组织开展法律援助案件档案卷宗质量检查。

图 25-5-8 2007 年，区法律援助中心讨薪案件工资发放仪式

2008 年，完善区、乡、村三级法律援助网络，在 6 个村级便民服务中心设立法律援助接待窗口。放宽法律援助经济困难标准，对涉及农民工、残疾人以及土地征用、房屋拆迁等法律援助申请事项，实行绿色通道，做到“应援尽援”。开展专项宣传活动 16 次，散发宣传资料 1.2 万份。区法律援助中心经省考核组检查验收，获评为省级规范化法律援助机构。2009 年，全区村和社区全部设法律援助联络员，进一步放宽受案审查条件，将农村“五保”对象、社会福利机构中由政府供养的人员、依靠最低生活保障金为主的困难人员，直接纳入受援范围，对涉及农民工、未成年人、老人等弱势

群体求援案件，采取即收即办，提高办案效率。在汤汪乡成立农民工法律维权服务点，实行优先受理、优先指派、优先办理，对符合法律援助条件案件，直接转办法律援助手续，实行“一站式服务”。

2010～2011年，在原有三级网络基础上，区妇联、区残联、区总工会、团区委、区老龄委、区双拥办相继建立法律援助工作站。区农民工法律维权服务点开展“农民工维权活动周”法律咨询活动，现场接受群众咨询，有效发挥法律维权服务点职能作用。两年中，共受理法律援助案件572起，接待来访法律援助咨询3423人次。

2000～2011年广陵区法律援助案件统计表

表25-5-6

年份	受理案件总数(起)	接待来访或解答法律咨询(人)	年份	受理案件总数(起)	接待来访或解答法律咨询(人)
2000	6	207	2006	82	112
2001	14	250	2007	102	350
2002	26	300	2008	132	600
2003	15	210	2009	251	726
2004	22	162	2010	377	1903
2005	27	90	2011	195	1520

第六节　安置帮教与社区矫正

一、安置帮教

1983～1994年，刑释解教人员安置帮教工作，由公安机关和司法行政机关共同管理。1996年8月，区刑满释放解除劳教人员安置帮教办公室成立后，专职负责管理协调刑满释放（以下简称刑释）解除劳教（以下简称解教）人员安置帮教工作。1997年，全区有刑释人员69人、解教人员9人；建立帮教小组78个，落实帮教力量234人；安置就业70人；全年接待上访“两劳”人员10人40次。1998年，落实帮教人员225人，建立“两劳”人员回归登记制度。是年，刑释解教回归人员75人，经多方协调由原单位安置4人，从事个体经营39人，从事其他职业25人。1999年，区总工会和4个街道办事处分别建立安置帮教工作站。采取多元化、多渠道、多形式安置办法，对原有工作单位人员，尽量动员原单位安置；对有劳动能力而不能回原单位人员，由安置帮教办公室协调，提供优惠条件，帮助其开办个体私营企业或做临时工；对年老体弱又无经济来源特困回归人员，商请民政部门发放救济金。通过上述办法，使35名刑释解教回归人员得到妥善安置。

2002年，将思想不稳定、行踪不定、收入不明人员列为重点帮教对象。对服刑在教人员实行延伸帮教，与相关部门先后3次组织包括服刑在教人员家属在内人员到劳改劳教单位看望服刑在教人员。是年，制定《广陵区刑释解教人员安置帮教工作管理办法》，制定安置帮教工作制度11项，并公布上墙。2003年，在曲江街道、湾头镇建立安置帮教规范化工作站。按照“一人一档”，建立健全衔接工作台账。组织家属及各界人士分别到金陵监狱、南京女子监狱看望服刑在教人员。

2004～2011年，完善基层组织网络，落实报到登记、建档立卡、走访谈话、跟踪帮教、回归衔接管理等制度，强化乡镇、街道工作站规范化管理。文峰司法所、曲江街道新民村委会被表彰为全市安置帮教工作先进集体。赴龙潭句容、洪泽湖监狱探视广陵籍服刑人员，同时播放与扬州电视台联合制作的《亲人的嘱托》专题片，进行延伸帮教。乡镇、街道全部建成刑释解教人员过渡性安置基地。

二、社区矫正

2005年4月，成立区社区矫正试点工作领导小组，下设办公室，区司法局局长兼主任。同月制定下发社区矫正试点工作意见，召开全区社区矫正试点工作动员大会。5月，在文峰街道举行矫正对象接受仪式。区司法局与省扬州五台山医院心理矫治中心联合成立区社区服刑人员心理矫正基地，聘请两位心理专家定期提供心理矫正咨询和指导。6月，编发《社区矫正知识五十问手册》。年底，镇、街道全部启动社区矫正工作，共接受社区矫正对象108人，开展集中教育15次，组织公益劳动20次，解除矫正5人。

2007年，实施分组管理分类教育，提高管理教育针对性。通过确立担保人、打工单位出具证明等方法，对外出打工矫正对象加强监控。共为20多名矫正对象办理最低生活保障金，为符合条件的矫正对象解决住房租金补贴和廉租房。93名矫正对象接受社区矫正。全区社区矫正实行分组管理经验交流材料被司法部《人民调解》杂志刊载，并向全国推广。

图25-5-9 2008年，广陵区举办社区矫正对象集中心理矫治活动

2008年，全区建立由207名成员组成的社区矫正志愿者队伍。7月，在省扬州五台山医院对67名社区矫正对象进行集中心理矫治活动，心理专家采集相关信息数据，进行心理分析，并对个别对象进行心理疏导。制订《社区矫正突发事件应急处置预案》，成立应急处置指挥小组，明确预防和应急处置工作要求。为10多名矫正对象及时办理最低生活保障金，共有100名矫正对象接受社区矫正。2009年，将社区矫正对象基本资料全部输入计算机信息系统，对23名矫正对象使用定位手机进行电子跟踪监管。8月，在省扬州五台山医院成立区社区矫正心理矫治中心，制定《社区矫正工作规范意见》，从社区矫正对象入矫宣告、请假审批、重点人员监管、公益劳动和信息管理系统操作5个方面全面规范。共有153名矫正对象接受社区矫正，入矫49人，解除矫正53人。2010年，开展社区矫正教育年活动，协调建立社区矫正工作“双回执”制度，解决“见档不见人”“见人不见档”以及对象不报到或是延迟报到情况；区检察院、市公安局广陵分局、区法院均建立联络员制度，定期组织联络员核对管教对象人数、名单，防止发生脱、漏管情况。加大社区矫正考核奖惩力度，办理社区矫正对象孙某立功减刑案件和社区矫正对象朱某撤销缓刑收监案件。组织部分社区矫正对象在曲江公园进行植树活动。是年，接受社区矫正共142人，立功2人，减刑1人，收监1人。

2011年，做好重点人管控工作，文峰司法所成功预防一起社区服刑人员蓄意劫持、伤害人质恶性案件。汤汪乡司法所被省综治委特殊人群服务管理工作领导小组表彰为全省社区矫正工作先进集体。

第六章 武 装

第一节 军事机构

一、区级机构

（一）区人民武装部

中国人民解放军江苏省扬州市广陵区人民武装部（以下简称区人武部）是广陵区军事领导指挥机关和兵役机构。1989年，区人武部为副县级单位，下设军事科、政工科、办公室。编制员额14人（其中干部11人、职工3人)。科室为正科(局)级。列入地方行政编制后,接受区委、区政府和上级军事机关双重领导。1996年4月,区人武部列入军队序列,为中国人民解放军江苏省扬州市广陵区人民武装部,正团级单位,接受扬州军分区和中共广陵区委、区政府双重领导。2011年,区人武部有实编现役干部11人,职工10人,移交职工4人。内设军事科、政工科、后勤科。区人武部办公地点设在汶河南路63号长城大厦。

1989～2016年广陵区人武部领导人任职一览表

表25-6-1

职务	姓名	任职时间	职务	姓名	任职时间
部长	于振林	1989年12月～1996年3月	政委	陈　侠	1989年2月～1992年1月
	汪元才	1996年4月～1999年3月		阮定魁	1993年6月～1996年3月
	段成宝	1999年3月～2000年3月		张　跃	1996年10月～2001年3月
	姜秀志	2000年4月～2001年3月		姜秀志	2001年5月～2003年3月
	黄　波	2001年3月～2005年12月		陆裕彪	2003年3月～2006年12月
	朱兆权	2006年3月～2008年3月		史美章	2007年3月～2008年3月
	史美章	2008年3月～2010年4月		魏德余	2008年3月～2012年3月
	张建军	2010年4月～2014年2月		张佑根	2012年3月～2015年3月
	李斌桃	2014年3月～		白　江	2015年3月～
副部长	马德祥	1992年8月～1996年3月	副政委	阮定魁	1992年8月～1993年6月
	刘炳炎	1996年4月～1998年5月		张　跃	1996年4月～1996年10月
	徐建新	1998年5月～1999年5月		1996年10月后无副政委任职	
	唐喜全	1999年5月～2003年3月			
	任西泉	2003年3月～2005年3月			
	崇玉强	2007年3月～2008年4月			
	周　伟	2008年4月～2015年5月			
	杨建林	2015年5月～			

1989～2011年,区人武部注重加强党委和机关建设。2007年、2009年,被市委、市政府评为扬州市年度文明单位。2010年,区人武部党委被省军区表彰为先进团党委。

(二)区人民武装委员会

1988年12月,成立广陵区人民武装委员会(以下简称区武委会),由地方政府、军事机关和政府有关部门主要负责人组成,区长任主任,分管武装工作副书记、副区长以及区人武部部长、政委任副主任,一直延续至今。

1989～2011年,区武委会每年年初召开全体成员会议或区武装工作会议,总结、部署辖区武装工作,研究解决加强后备力量建设,做好军事斗争准备中迫切需要解决的重点、难点问题。1997年,区武委会主要解决把人武部工作纳入地方目标管理,民兵应急分队建设,组建高技术含量民兵专业分队,民兵训练经费统筹,民兵以劳养武,广陵区民兵训练基地用地等问题。2002年12月,始建乡(镇、街道)武委会。2005年,区人武部在汶河街道进行街道武委会如何落实属地管理试点工作。是年5月29日,解放军总政治部调研组,考察汶河街道荷花池社区、树人苑社区民兵工作,对汶河街道武委会规范化建设工作给予充分肯定。2007年,省军区召开基层武委会建设总结表彰大会,曲江街道武委会为参观观摩单位。2011年,区人武部积极探索重点企业和非公有制企业武装机构建设,重点推进江苏扬农化工集团和扬州自来水公司等企业武装工作规范建设，受到省军区工作组高度评价。

（三）区国防动员委员会

1996年6月，成立区国防动员委员会（以下简称区国动委）。区国动委设第一主任、主任、副主任。由中共广陵区委书记兼任第一主任，主任由区长兼任，副主任由分管武装工作的区委副书记、副区长、区人武部部长、区人武部政委兼任，委员由区人武部副部长、区委办公室主任、区政府办公室主任，以及区委组织部、区委宣传部、人武部各科、区计经委、区财政局、区卫生局、区民政局、区教育局、区贸易局、公安广陵分局、区总工会、区妇联、共青团区委等15个部门负责人组成。区国动委下设办公室。2002年起，各乡镇、街道相继成立国动委。

区国动委办公室成立之初，内设一组两办：秘书组设在区人武部军事科，由区人武部副部长任组长；人民武装动员办公室设在人武部军事科，由军事科长任主任；经济动员办公室设在区计经委，由区计经委主任任主任。2001年起，区国动委办公室内设一组四办，即秘书组、人民武装动员办公室、政治动员办公室、科技动员办公室、经济动员办公室。2002年6月起，区国动委办公室内设"五办"，即综合办公室、人民武装动员办公室、政治动员办公室、科技动员办公室、经济动员办公室。

二、基层人民武装部

1989年，广陵区有基层人武部59个，配备专职人武干部69人。基层人武部接受同级党委和广陵区人武部双重领导。专武干部列入各单位编制，按规定统一着制式服装、佩戴人武工作专业符号。1998年，区委常委议军会议决定，基层专武部长进同级党委，并享受副局级待遇。2003年，为适应经济体制改革，撤并12个企业人武部，在市房管局、市水利局、市教育局、市机电公司、市交通控股公司新成立5个人武部，明确区人武部直管的28个基层人武部为市直9个、区属9个、企事业单位8家、驻扬单位2家。2008年，在万方电子技术有限责任公司成立市内第一个民营企业人武部，组建中船重工集团723所武装部。2011年，新建市城控集团公司及所属中燃公司、洁源排水公司3个基层武装部。2011年，区设基层人武部38个，基层武装部规范化建设全部达标。

三、驻区军事单位

（一）扬州军分区

中国人民解放军江苏省扬州军分区（以下简称扬州军分区），驻广陵路56号。军分区机关内设司令部、政治部、后勤部，下辖江苏省扬州军分区第一、第二离职干部休养所，第二离职干部休养所驻地在广陵区。

（二）武警扬州市广陵区消防大队

中国人民武装警察部队江苏省扬州市广陵区消防大队，驻广陵路195号。前身为1952年11月成立的扬州市公安局消防队。1983年称扬州消防大队二中队，2001年称消防大队广陵路中队，2003年改编为武警扬州市消防支队广陵区大队。大队承担着广陵区消防监督检查和灭火救援任务。成功扑灭过旌忠寺、扬农化工集团等特大火灾。圆满完成1991年扬州通运闸抗洪、1996年南门街"2·18"煤气爆炸等抢险救援任务。2010年，大队在宁通高速车祸现场成功救出5岁男孩一家三口。其间，大队以"打造消防铁军"为目标，加强队伍建设，提升灭火救援能力，在广陵区社区、农村组建义务消防队，构建乡镇消防安全组织网络。至2011年，两次立集体三等功，连续9年被市政府评为文明单位、双拥模范单位，1次被武警江苏消防总队评为先进中队。

（三）武警江苏省总队医院

中国人民武装警察部队江苏省总队医院（以下简称省总队医院），驻江都路36号（旧称卧佛寺）。2011年，医院编制床位250张，编制248人；实际开放床位450张，职工658人。坚持科技兴院、质量建院、特色办院，先后有78项科研成果获武警总部二、三等奖，46项科研成果获四等奖，181项科研项目被武警部队科研部门立项。1994年5月，被评为三级乙等医院。2010年9月，创建武警部队三级甲等医院。

（四）扬州军分区第二离职干部休养所

1979年10月组建，正团级单位。至2011年，所部一直驻施井路27号。休养所石塔驻地占地面积0.82

公顷，施井路驻地面积 0.72 公顷。设石塔寺、施井路、西门街、书院巷、集贤庄、下铺街和军分区丁家花园宿舍等主要居住点。主要接收江苏、山东、河北、安徽等地部队在新中国成立以前入伍的正团级以上离休人员。现有离休人员 43 人，工作人员 25 人。干休所设党委机关、内编驾驶班、卫生所等机构，先后被江苏省军区、南京军区评为先进干休所。

（五）南京军区空军扬州干休所

1983 年 4 月组建，驻地在运河西路 241 号。占地面积 1.17 公顷，建筑面积 1.15 万平方米。建有离休干部生活楼 7 幢、工作人员家属楼 1 幢、办公楼 1 幢、附属建筑 4 幢。干休所设党委机关、内编卫生所、驾驶班、通信班、炊事班等。1984 ～ 2011 年，先后接收空军团级（抗日战争时期）和师级（解放战争时期）离休干部 46 人。2011 年，有工作人员 30 人，建有老干部管理委员会和家属工作委员会。

（六）中国船舶重工集团公司第 723 研究所

723 所是专门从事舰船电子工程设备科研的研究所，驻南河下 26 号。1983 年 11 月，更名为中国船舶工业总公司第七研究院第 723 研究所。1999 年 7 月，更名为中国船舶重工集团公司第七研究院第 723 研究所。2002 年 8 月，变更为中国船舶重工集团公司第 723 研究所。全所占地面积 14 公顷，建筑面积 11 万平方米。2011 年，有职工 1000 多人、技术人员 600 多人，其中高级工程师 100 余人，设有博士后工作站。内设系统工程、微波、电子线路、电源、结构设计、计算机软硬件、自动控制、技术开发应用、质量控制等专业研究室，拥有无线电计量标准仪器和测试仪表 1000 多台（套）。在研制船用电子装备同时，开发研制民用产品。研究所 2002 年、2004 年被评为江苏省文明单位标兵，2003 年、2005 年被评为全国精神文明建设先进单位。至 2011 年，研究所先后获科技进步成果奖 300 多项。

（七）中电科技扬州宝军电子有限公司

驻解放北路 84 号。名称多经变更，1957 ～ 1998 年，称地方国营宝城无线电厂，研制生产雷达地面询问机、自动纠错机、雷达图像记录仪、双卡高速录音机、收录机等产品。1998 年改制。2003 年 7 月，称中电科技扬州宝军电子有限公司。公司是国家定点研制军工企业、省高新技术企业。2005 年，被省政府命名为省“重合同守信用”企业。是年 8 月，公司通过中国新时代认证中心的“军工质量体系”扩大范围认证。

第二节 国防动员

一、组织网络

1996 年成立的广陵区国动委，是在区委、区政府和区人武部领导下，负责组织和协调广陵区区域内的国防动员工作，战时进行平战转换的议事协调机构，行使指挥区内国防动员行动的职权。区国动委建有上下畅通、左右协同、职责明确、程序清晰、运转高效的指挥系统，拥有国防动员必备的可供动员的、翔实的人、财、物实力数据库，储有训练有素的后备兵员，定有各项应战应急预案。政治动员执行机构为区国动委政治动员办公室（以下简称政动办），由区委办、区政府办、区委宣传部等 10 多家单位组成。各单位都设联络员 1 人。人民武装动员执行机构为区国动委人民武装动员办公室（以下简称武动办），由区委办、区政府办、区委组织部、区工青妇以及区公安、区卫生、区交通、区财政、区粮食、区供电、区邮电等部门组成。各单位设联络员 1 人。经济动员执行机构为区国动委经济动员办公室（以下简称经动办），由区发改委、区经贸委、区财政局、区卫生局、区统计局、区劳动社会保障局、区人武部后勤科等单位组成。各单位设联络员 1 人。科技动员的执行机构为区国动委科技动员办公室（以下简称科动办），由区科技局、区教育局、区人事局、区财政局等部门组成。各单位设联络员 1 人，具体负责科技、信息动员的组织协调工作。2004 年，投资 15 万元建成军用程控电话网、国防动员信息网、计算机局域网及电视电话会议系统。2005 年 9 月，实现区国动委各办公室之间的联网。同年，区人武部和区国动委组织调查江苏扬农化工集团有限公司、江苏群发化工有限公司、江苏联环药业集团 3 家企业有氯化苯、液氯、双氧水等 16 种有毒有害材料。3 家企业分别成立专业消防队、义务消防队和民兵应急分队，由企业购置消防车、消防器材和设施。市区交通战备动员和人民防空工作，由市国动委交通战备办公室、市人民防空办公室组织实施，区人武部协同配合，做好涉及辖区内相关工作。

二、国防潜力调查

1998～2011年，区国防潜力调查一直实行每年调查补充、完善和应战突击全面调查相结合办法，使动员潜力转化为动员实力。较大规模国防潜力调查主要有三次。

图25-6-1　2011年1月，广陵区召开武装工作会议

2001年，区成立基层科技动员办公室33个，组织抽查统计人员126人。调查内容做到“三个突出”：即装备器材突出科技含量高的，技术人员突出与军事专业对口的，登记内容突出与现代战争联系紧密的。调查范围以科研机构、高等院校和其他技术含量较高的企业单位为重点。专业设置以未来战争的需要为依据进行优化组合，突出高技术专业。人员构成尽量选编学历高、职称高，实际工作能力强，能够熟练操作先进技术装备的科研人员。是年，区人武部在江扬船舶集团公司进行科技动员试点，研究确定战时该公司所负担的主要任务。

2004年，区国防潜力调查。调查区内可动员支前的主要设备、交通运输、邮电通信、工程施工、医疗卫生、人民武装建设等全区基本情况。

2005年，区国防潜力调查，对区总人口、地区生产总值，公路运输工具、载客汽车、载货汽车、加油站，内河航道、内河船舶、内河货运量，输天然气管道、输气能力，医疗卫生机构、医疗床位、医护人员，企业研究机构、科技总人数、通信设备，GMS系统基站数、CDMA系统基站、CDMA系统设计容量、GPS终端拥有量、卫星地面站，律师事务所、从业律师、法律研究机构、法律专家，预备役专业技术兵员储备区、总人数，支前保障分队、总人数，邮政局所、通信电路、长话电路、电报电路等各个方面，进行全面翔实的调查。

2006～2011年，区国动委每年对辖区人口情况、地区生产总值、城镇和农村人均收入、交通运输基本建设及运输能力、医疗及通信设施，以及各类工程技术人员基本情况，进行补充调查统计，登记造册，以摸清国防潜力基础。

三、国防教育

广陵区国防教育对象包括辖区内所有公民。重点突出对领导干部、中小学学生、民兵预备役人员的国防教育。对领导干部国防教育，结合每年召开区委常委议军会议、武委会会议、国动委会议、区四套领导班子“军事一日”活动，乡镇（街道）党委书记党管武装述职报告会等活动进行。其形式有播放军情纪实片，举行国防形势报告，参加实弹射击等。对中小学学生国防教育，实施国防教育进校园、进课堂、进教案的“三进”工程；坚持每年组织一次中小学生军事夏令营活动；人武部领导坚持每年给学生作一次国防形势报告；结合每年学生军训，抓好学生国防教育。

1992年，在总结表彰抗击1991年特大洪涝灾害基础上，在民兵中弘扬抗洪精神和“一不怕苦，二不怕死”艰苦奋斗精神教育活动。1995年，认真贯彻民兵思想政治教育落到实处，在扬州机械厂、大华巾被集团公司进行季课教育试点，在扬州机械厂召开城区基干民兵季课教育现场观摩会。1996年，在城区民兵中开展“为改革、发展、稳定做贡献”专题教育及爱国主义教育。1998年，结合民兵工作“三落实”发表36周年，《扬州日报》整版报道广陵区国防教育工作。2002年，出刊《人武简报》，成为区国防后备力量建设的思想阵地。2004年，全民国防教育日，广陵区开展“中华强国防奔小康”万人签名活动，在44个社区开展“国泰民安须思危，富国强兵防未然”全民国防教育。2005年，深入开展当代革命军人核心价值观教育，组织党员到革命烈士陵园重温入党誓词，观看警示教育片，组织群众性大讨论，开展批评与自我批评，提升教育质量，确保广大民兵政治坚定、道德纯洁。2010年，结合兵役登记、士官征招、高校招生等时机，开展爱国奉献教育活动。5月，开展直招士官宣传，40多名大专院校毕业生报名。6月，126名优秀高中毕业生报考军队院校和国防生，报名率创历史新高。2011 年 6 月，区委、区政府在汤汪乡组织召开民兵政治教育试点观摩会，共同观摩汤汪乡民兵政治教育成果。会上，汤汪乡具体介绍民兵政治教育做法，得到军分区首长肯定。

第三节 民兵 预备役

一、民兵组织

1989 年 9 月，区民兵经过组织整顿，实编基干民兵 4484 人。1990 年，区政府提出加强民兵应急分队建设的意见。经调整、充实，在区属企业编组 1 个快速反应连，乡、镇（街道）各组建 1 个排的应急分队。全区组建民兵应急分队 29 个。

1996 年，组建由区人武部直接管理的民兵应急分队。1997 年 4 月，区人武部分别在国营曙光光学仪器厂和江扬船舶集团公司组建民兵高技术专业分队。同年，组建扬州市民兵应急摩步连，在机械冶金、建工、交通、轻工 4 个系统局和市建委组建市民兵应急营。

1998 年，进行民兵组织调整改革试点。辖区编基干民兵 2512 人，其中编应急分队、专业技术分队、高炮分队、工兵分队、防化分队、军械修理分队、通信分队、人防专业队、交通战备专业队、船舰修理分队、供电分队和雷达抢修分队等。2003 年，区人武部加大城市民兵调整改革力度，从城市民兵实际出发，建立“一个主体，两个拓展，三级管理”的领导体制，即坚持以大中型企业为主体，向科技含量较高企业单位拓展，本着属地管理、分级领导、抓大放小原则，确立民兵工作区、街道（系统局、公司）、社区三级领导管理体制格局。6 月，区人武部在汶河街道组建街道武委会。市委、扬州军分区在汶河街道召开街道武委会规范化建设现场观摩会，并在 4 个街道武委会推广。在荷花池社区、解放桥社区单独成立社区民兵连。同时，在汶河街道办事处成立汶河路女子民兵连。8 月，省军区工作组对广陵区城市民兵工作调整改革进行检查，给予充分肯定。区人武部被省政府、省军区评为城市民兵工作调整改革先进单位。2004 年 2 月，在七里甸民兵训练基地召开市民兵高炮团成立大会，区人武部政委陆裕彪任高炮团政委。广陵区民兵高炮分队为市民兵高炮团一营一连，连部设汤汪乡。2005 年 10 月，在湾头镇、汤汪乡和曲江街道组建江苏陆军预备役高炮师第一师第四团指挥连。2006 年 3 月底，在产业园组织点验观摩会，民兵参点率 95%以上。2010 年 3 月，在文峰街道召开基层规范化建设试点观摩会，观摩文峰街道基层武装部、万方电子有限公司武装部和湾头镇沙联村民兵营（连）部规范化建设。2011 年，实编民兵总数 1954 人。结合民兵组织整顿，首批在产业园区内海沃机械、中冶京诚两家外资企业中各组建一个民兵机动分队。

二、民兵训练和演练

1990 年，对民兵应急分队骨干进行训练，完成战斗勤务、识图用图、班排队列、捕俘技术、单兵技术、轻武器射击等课目训练，理论考试平均成绩 96 分，实弹射击及格率 95%，总评成绩优等。军事训练工作成绩突出，被省军区和南京军区评为民兵组训先进单位。1991 年，对民兵应急分队干部、骨干进行升级训练。在参加扬州军分区民兵军事五项比武中，取得械具操作团体第一名、战术团体第二名、投弹团体第二名，并获得精神文明奖。1992 年，基干民兵实训合格率 100%。民兵高机分队 50 人（其中女民兵 10 人），在高机实弹射击考核中，6 个班全部优秀。连考核射击优秀，有效弹率 88%，获得高机实弹射击总评 5 分的好成绩，受到市政府、军分区通报表彰。1994 年 10 月，师直高炮营等部（分）队参加扬州陆军预备役师“9410”演习。这次演习，立三等功 14 人，获通报表彰 12 人，获“支前助后”表彰 15 人。1995 年，成立区民兵训练大队，聘请市公安防暴大队协助民兵训练。区人武部两次在七里甸训练基地组织市轻工、市纺工、市化工、市商业、市粮食、开发区和区卫生局、区计经委、街道办事处等 11 家单位基干民兵 239 名集中驻训。通过考核，6 个课目合格率 100%，优秀率 35%。1996 年 9 月，民兵应急分队汇报表演获得市委、市政府、军分区通报表彰。1997 年 5 月，组织民兵 150 名到军分区训练基地，集中驻训 4 个课目，受到省军区通报表彰。2004 年 5 月，区民兵高炮分队 99 名民兵赴射阳靶场参加江苏省民兵预备役高炮分队实弹射击考核竞赛，获优胜奖。2004 年，投资 15 万元建成军用程控电话网、国防信息动员网，成功举行代号为“天网一号”的室内网上演练。演练内容是平战转换及城市防空袭。11月，广陵区民兵高炮分队和高机分队95名战士参加城市防空袭实兵演习。2005年，区人武部组织开展群众性练兵，推广郭兴福教学法。区人武部选送1名专武部长参加省军区集训，6名专武部长参加军分区集训，抽调2名“四会”（会讲、会做、会教、会做思想工作）教练员参加军分区比武竞赛，均取得较好成绩。

2006年4月，在军分区教导队，组织成建制民兵12•7高机连训练，进行队列、高科技知识、兵种知识和12•7高机操作与射击等内容的学习训练。通过考核，所训课目均在良好以上，及格率100%，优秀率64%。6月，完成自来水抢修分队试训任务。

图25-6-2　民兵训练和汇报演练

2009年7月，组织民兵“四防”（抗灾防洪、反恐防暴、救援防化、战时防空）分队训练。参训人员60人，进行队列和应急棍术训练。7月，参加扬州市“四防”分队汇报表演。8月，在扬州汽车西客站教练场成建制组织民兵应急值班分队训练。结合做好支援奥运安保，进行以队列、警棍盾牌、擒敌拳、紧急出动等课目训练，提高民兵应急分队履行“急、难、险、重”任务能力。2011年10月，在江苏扬农化工集团组织重要目标实现地对接演练。进行组织集结（收拢）和部署任务、建立指挥机构、实施情况演练3个课目训练。

三、政治教育

1990年，开展民兵周期性国防教育，采取灌输教育式、阵地培训式、学科渗透式、班前演讲式、知识竞赛式、刊授辅导式、试卷问答式、环境熏陶式、娱乐活动式等教育形式。累计受教育2万人次；举办各种培训班100期，受训人数2500人；区人武部下发教材1000份，各单位翻印1万份，出国防教育墙报500期，出板报1000块、戗牌2000个，布置宣传栏（窗）200个，出简报400期。区人武部购买《我们缔造和平》《老山情》两部录像片，各单位组织播放50场次，受教育人数近4万人次。

1993～1994年，围绕“政治上永远合格”主题，开展党的基本路线、形势任务、法律法规、革命传统等教育，强化党指挥枪观念，使广大民兵、预备役人员增强拒腐防变能力，确保民兵、预备役部队高度稳定和集中统一。1996～1998年，在民兵中开展“为改革、发展、稳定做贡献”“高举旗帜、维护核心”专题教育及爱国主义、人生观、价值观、苦乐观和艰苦奋斗教育，增强民兵履行国防义务光荣感和责任感。开展争创民兵基层建设先进单位和争当民兵工作先进个人活动。结合改革开放20周年，举办报告会、座谈会、演讲比赛和图片展览等活动，组织广大民兵预备役人员收看全国和全军抗洪救灾总结表彰大会，进行弘扬抗洪精神教育。1999年，在扬州制药厂、扬州机械厂、扬州通裕集团3家试点单位，重点研究探索企业落实民兵政治教育措施，初步形成改革民兵政治教育思路，将民兵教育与职工教育、成人教育有机结合起来，利用职（夜）校的一个领导班子、一块教育阵地、一支师资队伍、一段集训时间、一套规章制度、一套教学计划、一套教材，加入民兵教育内容，对民兵进行政治教育，解决民兵人员难集中、时间难落实、效果难保证问题。归纳总结出“依托纳入式”教育之路：依托企业党校、职校，把民兵政治教育内容纳入党委宣传教育计划，纳入企业领导管理考核目标，从而保证民兵政治教育落实。2002年，区人武部出刊

图25-6-3　2011年，广陵区汤汪乡民兵政治教育现场观摩会

《人武简报》，对人武部机关建设、军事训练、国防教育、基层建设、干部队伍、民兵参建、征兵工作等诸方面进行报道，成为国防后备力量建设的宣传阵地。

2005～2011年，区人武部结合民兵整组、民兵骨干集训、兵役登记、士官征召、高校招生等时机，发动基层武装部、学校、乡镇（社区）和企事业单位，广泛开展艰苦奋斗、革命人生观、战斗精神、爱国奉献等教育活动，提升全民国防意识。

四、预备役登记

1989～2011年，区每年进行预备役登记工作。区人武部按照《中华人民共和国兵役法》（以下简称《兵役法》）对士兵预备役和军官预备役规定的类别、对象、年龄要求，通过内查外调，对各类预备役人员进行逐个核对，分类统计，建立登记卡和花名册，做到数量清、质量清、技术状况清、年龄结构清、分布情况清。根据军事斗争准备需要和上级军事机关要求，每年重点对专业军官进行预备役登记。1991年，广陵区历时1个月，保质保量完成对符合条件的各专业军官的预备登记，受到省委组织部、省人事局、省军区司令部、政治部的通报表彰。

1989～1995年，广陵区参加预备役军官军衔受衔人数共387人。1996年，完成转业军官预备役军官军衔评授工作。此后，广陵区预备役军官军衔评授工作由扬州预备役师负责。

五、预备役集结点验

1984年，扬州陆军预备役师成立。区人武部组织预备役部队高炮分队、通信兵分队、女兵分队，按照规定队形和礼节，接受扬州军分区和省、市领导检阅。1989年7月，对扬州客车厂等5个民兵应急分队进行点验。验收和点验规定应做的8件事：即对民兵进行国防教育、民兵性质任务和光荣传统教育；总结一年来工作，表彰先进；按年龄、身体和政治条件，进行出入转队；组织新入队民兵宣誓，审定预征和参训对象；改选配齐各级民兵干部；修订健全各项活动制度；点验基干民兵或应急分队民兵；上报民兵预备役登记统计表到位情况。

1990年，在验收和点验做好8件事同时，注重验收和点验民兵的军政素质和专业技术水平构成，逐年提高民兵组织中所编党团员、退役军人、经过训练人员、地方专业对口人员比例。1995年，为检验应急分队遂行任务能力，区人武部于6月对市重工、市交通、市轻工、市化工、区计经委等单位应急分队进行集结点验，平均到点率94%。1998年，增加验收是否按总政文件要求对民兵组织实行适应市场经济新形势改革，看民兵组织是否达到“队伍转干、结构优化、反应快速、富有活力、基础扎实”要求。

2003年7月，区人武部根据区国动委动员征召预备役退伍军人命令，在全市率先组织服预备役战士集结点验。动员对象为户籍在广陵区并经过登记的服一类人预备役退伍军人；陆军普通兵、通信兵、工兵、防化兵年龄在28周岁以下，海、空军和高炮专业兵在30周岁以下军人。通过集结点验，积极摸索在资料基础工作、动员管理机制、经济补偿机制、组织指挥手段等方面经验和方法，增强预备役官兵命令意识、纪律意识和使命意识，为维护祖国统一、为战时实施快速动员打下良好基础。是年8月21日，省军区工作组对预备役高炮2连（汤汪乡高炮连）全体官兵进行点验。省军区领导对广陵区城市民兵调整改革工作给予充分肯定。2004年，区人武部对广陵辖区基干民兵进行整组点验。区人武部为扎实做好军事斗争准备，建立一个科学管用的服预备役动员数据系统，研究摸索服预备役动员点验程序和办法，提高快速动员能力。2005年9月8日，省军区工作组对广陵区民兵进行点验考核，区人武部组织区民兵应急分队、科技支前保障分队及首批动员对象参加点验；其中，退伍军人到点率和参加率均为100%，点验中未发生任何安全事故。点验检查广陵区民兵组织落实情况，提高民兵快速动员

图25-6-4　预备役集结点验

的能力，提高战时遂行支前保障任务能力。

2007年4月，军分区工作组对曲江街道和产业园民兵整组作检查考核，点验到位率和专业对口率均95%以上。2009～2011年，重点验收贯彻《军队基层建设纲要》、省军区《基层建设三年规划》和区人武部关于《进一步加强基层武装部工作规范化建设实施意见》是否落实，验收基层武装部、民兵营连部规范化建设是否达标。

第四节 兵员征集

兵员征集是人武部常年的工作重点之一。1983～2011年，广陵区历年完成兵员征集任务，连续28年无责任退兵，连年被评为征兵工作先进单位，受到市政府、军分区表彰。每年区、乡（镇、街道）都成立征兵领导小组。区征兵领导小组组长由区长担任，副组长由分管武装工作的副区长、区人武部部长、政委及有关部门主要领导担任，小组成员由相关部门领导人和人武部军事科、政工科、后勤科科长参加。乡（镇、街道）征兵领导小组组长由乡镇（街道）政府负责人担任。小组成员由乡、镇（街道）人武部长和相关部门负责人参加。征兵领导小组下设征兵办公室，在地方党委和政府统一领导下依法开展征兵工作。依靠地方各级宣传部门、文化部门和共青团、妇联、工会、民兵等群众组织，运用报刊、广播、电视、影剧院、标语、戗牌、横幅、报告会等形式，大张旗鼓地宣传《兵役法》和《中华人民共和国征兵工作条例》，适龄青年报名率达到应征青年的90%以上。规范征兵工作程序，自觉接受社会和舆论监督，做到廉洁征兵、依法征兵。

2004年，广陵区开展招收士官试点工作，当年共征集士官7人，为部队输送合格的专业技术人才。2008年，选送8名学有专长的大学生“直招士官”送到部队。2009年，加大兵役法规制度和突出大学毕业生入伍优惠政策宣传。基层人武部开展“登一次门，见一次面，谈一次心”活动，与应征青年建立联系制度。将征兵政策、征兵工作人员信息向社会公示，设立举报信息，公布举报电话，发放廉洁征接兵监督卡500份，广泛接受社会监督。

1989～2011年广陵区历年兵员征集统计表

表25-6-2　　　　单位：人

时间	征兵人数	时间	征兵人数
1989年3月	130	2001年12月	230
1990年3月	156	2002年12月	195
1990年12月	131	2003年12月	160
1991年12月	152	2004年12月	155
1992年12月	159	2005年12月	163
1993年12月	162	2006年12月	147
1994年12月	194	2007年12月	157
1995年12月	146	2008年12月	155
1996年12月	187	2009年12月	157
1997年12月	223	2010年12月	148
1998年12月	197	2011年12月	220
1999年12月	238	合计	4192
2000年12月	230		

第五节 人民防空

一、组织指挥

（一）指挥机构和设施 广陵辖区人防工作由扬州市人民防空委员会统一管理，不单设专业人防机构，区人武部协同组织实施。2005年年底，市防空地下指挥所和地面防空应急指挥中心建成。同时，建成市人防指挥所领导机构，设正副指挥长。区人武部和各街道武装部增挂“人民防空”牌子，负责本级人民防空组织指挥。

（二）防空预案 市人防办于2001年组织广陵区汶河街道办事处制订街道人口疏散方案。2002年，推广其试点经验，东关、城南、广陵街道办事处分别制订人口疏散方案。区辖汶河、东关、文峰、曲江4个街道武装部于2003年制订、2011年修定街道防空袭预定方案。区人武部于2007年制订、2011年修定《广陵联防区应急作战方案（含防空作战、防空动员）》。

二、队伍组训

1989～2002年，区人武部每年结合民兵整组，调整、充实人防专业分队，进行15～20天专业训练。2003年，增组人防气象通信专业分队。人防专业分队在军分区训练基地进行多课目实兵综合演练，省军区、军分区、市委、市政府和各县（市、区）负责人现场观摩。2005年，组织人防专业分队975人，进行2次演练。2006年，组织民兵防空团修理骨干集训，提高检修高炮能力。区人武部组织首长机关和民兵“四防”分队参加“苏防-2006”“扬防-2007”防空演习。2007年、2008年，区人武部组织民兵12.7高机连集训，并进行实弹射击考核。2009年，组织文昌社区、联谊社区1000多名群众，20所中学3000名学生，进行防空袭等紧急疏散训练。

三、宣传教育

1989～2011年，人防宣传教育形式主要采取举办学生人防教育夏令营。内容是参观人防工程、播放人防教育专题影片、举办人防知识竞赛等。1989年1月，组织学习市人防办编印出版的《江苏人防》扬州专辑第一期。1993年、1999年8月、2001年1月，组织有关单位人员参加市人防组织的全市人防知识、制作简易人防器材竞赛。2002年，开展人防教育进校院、进社区活动。2004年5月，东关街道办事处举办何园社区电影晚会，加放人防知识宣传片，2000多名群众观看。7月，东关社区举办“人防杯”文艺晚会，编排演出《人防之歌》百人大合唱等节目。2005年4月，文峰街道三里桥社区人防教育基地正式成立。8月，市人防办和区汶河街道办事处联合在市中心时代广场组织千人参加的人防知识进社区巡回演出晚会。2007年9月，文昌社区青少年90余人参观地下人防工程，听取平时如何开发利用、战时如何隐蔽藏身方法的介绍。10月，文峰街道联谊社区民防教育基地、鸿锦花园民防教育示范小区正式揭牌。2008年3月，市人防办和区汶河街道办联合举行《市民防空防灾》教育片发放暨首映式。8月，向汶河街道办11个社区和文峰街道8个社区发放DVD影碟播放机和防空知识教育光碟。2009年10月，文昌花园社区、新星社区民防教育基地揭牌，居民代表400多人参加。2011年4月，在广陵区委党校成立市民防教育广陵培训基地。

第二十六篇

精神文明建设

要　目

1989～2011年，区委、区政府把社会主义精神文明建设列入重要议事日程。及时制定《广陵区社会主义精神文明建设五年规划纲要》（“八五”规划）、《广陵区社会主义精神文明建设“九五”规划纲要》和《宣传贯彻公民道德建设实施纲要的意见》，要求全区党员、干部、群众，深入开展“五讲四美三热爱”（讲文明、讲礼貌、讲卫生、讲秩序、讲道德，心灵美、语言美、行为美、环境美和热爱祖国、热爱共产党、热爱社会主义）“学雷锋、树新风”和“社会主义荣辱观”教育等活动，全面开展多种形式的社会主义精神文明建设创建活动，并于2003年9月20日开展第一个全国公民道德宣传日活动，倡导“爱国守法，明礼诚信，团结友善，勤俭自强，敬业奉献”的公民道德基本规范。

2004年，中共中央、国务院下发《关于进一步加强和改进未成年人思想道德建设的若干意见》后，区委、区政府把青少年思想道德教育工作放到更加突出的位置。江泽民给东关中心小学吴霜同学复信公开发表后，区委、区政府将每年3月18日确定为全区青少年思想道德宣传日。2005～2011年，共开展7个不同活动主题的道德宣传日活动。

文明社区建设一直是区委、区政府精神文明建设的重要抓手。1995年开始文明小区建设，1999年开始创建星级社区，2004年开始创建和谐社区，2008年开始加快社区邻里中心建设。至2011年，实现社区邻里中心建设全覆盖。文明村建设是农村精神文明建设的重要基础。2005年开展社会主义新农村建设活动后，把文明村建设与新农村建设有机结合起来，有力推动和促进农村精神文明建设。家庭文明建设是区委、区政府“两个细胞”（社区、家庭）工程的重要内容，1989～2011年，每年评选和谐（五好）家庭户占总户数的20%。

1989～2011年，全区开展广陵文化艺术节、“5·2”市民日、广陵区邻里节、周末广场、夕阳红艺术周和少儿艺术节等活动，充分展示出广陵城乡群众崇文尚德的情操和风采。

2008～2011年，扬州市创建全国文明城市，区委、区政府成立创建指挥部，倾全区之力，充分发挥广陵主阵地、主战场、主力军作用，为扬州市创成全国文明城市作出重大贡献。

第一章　组织　管理

1983年广陵建区后，区委、区政府贯彻落实中共中央《关于社会主义精神文明建设指导方针的决议》《关于加强社会主义精神文明建设若干重要问题的决议》，分别制定区社会主义精神文明建设“八五”规划、“九五”规划纲要，及时组建相应的领导机构。

广陵区从“五讲四美三热爱”到学雷锋活动，再到社会主义荣辱观教育、爱国主义教育、职业道德教育，大力开展文明社区、文明村、文明家庭建设，把社会主义精神文明建设真正落到实处。同时，紧扣评比表彰，进一步激发全社会参与社会主义精神文明建设的热情，全区精神文明建设取得显著成效。至2011年，和谐社区、文明村基本建成，社区邻里中心建设实现全覆盖，和谐（五好）家庭不断涌现。

第一节　组织机构

1984年8月，广陵区成立“五讲四美三热爱”活动委员会及“五讲四美三热爱”活动委员会办公室（以下简称“五四三”办公室）。

1985年8月，扬州市建立创建文明城市领导小组，下设办公室，广陵区委书记兼任办公室主任。

1989年，区“五讲四美三热爱”活动委员会更名为区精神文明建设活动委员会，“五四三”办公室更名为精神文明建设活动委员会办公室。

1998年，区精神文明建设活动委员会更名为区精神文明建设指导委员会（以下简称文明委），区委书记任主任，区委、区政府有关领导任副主任；办公室同时更名为文明委办公室（以下简称文明办）。

2005年3月，区委对广陵区精神文明建设指导委员会组成人员进行调整。至2011年，广陵区精神文明建设指导委员会及办公室机构未变，历届主任均由时任区委书记担任，区委、区政府分管领导任副主任，区委宣传部、共青团区委、区妇联等部门为会员。

2006年7月，广陵区成立城市文明建设推进委员会，区委书记任主任，区委、区政府有关领导任副主任。

2008年，广陵区成立创建全国文明城市指挥部，区委副书记任创建总指挥，区委常委、宣传部部长和两名副区长任副总指挥。

2011年，广陵区建立文明创建领导小组，区委、区政府主要领导任领导小组正、副组长。

第二节　决策部署

1986年9月至1987年3月，区委、区政府组织全区党员、干部、群众学习中共十二届六中全会《关于社会主义精神文明建设指导方针的决议》，要求各级党委政府，把社会主义精神文明建设作为总揽全局、统领各方面建设的主要工作来抓。

1990～1991年，区委贯彻《中共中央关于加强宣传思想工作的通知》精神，制定《广陵区社会主义精神文明建设五年规划纲要》，要求区属各单位紧密联系广陵区实际，广泛开展社会主义、爱国主义教育，大力开展树立社会主义新风活动，努力推进两个文明建设。

1992～1994年，贯彻落实《江苏省社会主义精神文明建设“八五”规划纲要》，结合广陵区精神文明建设“八五”规划目标要求，深入开展“振兴活动”（振兴广陵、建功立业）；继续抓好文明户评比工作，组织开展创建文明单位活动；结合毛泽东等老一辈无产阶级革命家为雷锋题词30周年，搞好学雷锋活动；广泛开展“热爱广陵、艰苦创业、奉献在岗位”活动；继续开展创建文明单位，争创文明户、五好家庭活动。

1994年4月，区委下发《关于在全区深入开展爱国主义教育的意见》。1995年1月，区委批转宣传部《关于在全区开展爱国主义教育的规划》。

1996年10月，区委下发关于认真组织学习、贯彻中共十四届六中全会文件的通知，要求全区干部、群众认真学习贯彻中共中央《关于加强社会主义精神文明建设若干重要问题的决议》，形成全党全社会重视加强精神文明建设的舆论氛围，把精神文明建设各方面的工作做深、做细、做实。同年12月，区委制定《扬州市广陵区社会主义精神文明建设“九五”规划纲要》，要求牢固树立建设有中国特色社会主义的共同理想，实现以思想道德修养、科学教育水平、民主法治观念为主要内容的公民素质的提高，实现以积极健康、丰富多彩、服务人民为主要要求的文化生活质量的提高，实现以社会风气、公共秩序、生活环境为主要标志的城市文明程度的提高，在广陵区形成两个文明建设协调发展的良好局面。同年，广陵区创办《精神文明简报》。

1997～1998年，区委下发《关于在全区开展向高仁林同志学习活动的决定》。组织实施广陵区社会主义精神文明建设“九五”规划纲要，开展“奋战九五，振兴广陵”“创安”“双拥”“讲文明、树新风”，创建国家级卫生城市，以及纪念改革开放20年，纪念周恩来、刘少奇诞辰100周年等活动。

2001年，区委根据中共中央9月印发的《公民道德建设实施纲要》，组织开展爱国主义、集体主义和社会主义教育，广泛开展形式多样的精神文明创建活动。

2004～2006年，组织学习中共中央、国务院颁发的《关于进一步加强和改进未成年人思想道德建设的若干意见》，及时制定《关于进一步加强和改进未成年人思想道德建设的实施意见》；继续组织实施《公民道德建设实施纲要》，进一步加强社会公德、职业道德、家庭美德和个人品德的“四德”教育。同时，认真开展社会主义荣辱观宣传教育活动。

2007～2011年，区委、区政府把精神文明建设放在与经济建设同样重要的位置上，任务一起下，指标一起放，考核一起评，每年评选一定数量的文明单位、文明社区和文明村，彰显精神文明建设的硕果。2009年

12 月，区委印发《贯彻落实〈中共中央关于加强和改进新形势下党的建设若干重大问题的决定〉的实施意见》，把精神文明建设纳入党建工作的考核内容。

第三节　考评表彰

1989～2011 年，区委、区政府每年都把精神文明建设考核纳入整个“双文明”建设、三个文明建设的综合考评体系中，参加评比、考核，进行表彰。1993 年修改完善《文明单位标准》，起草《广陵区文明单位管理办法（试行）》，建设文明单位按照“内强素质、外塑形象、推进工作、与时俱进”的要求，沿着社区—街道—区文明办的审核渠道逐层把关，好中选优。

1990 年，城区共有 359 家单位（含驻区市直单位，下同）获“区级文明单位”称号，6 家单位获“市级文明单位”称号，扬州灯泡厂获“省级文明单位”称号。

1991 年，城区 175 家单位获“区级文明单位”称号。1993 年，城区评出文明单位 413 家、十佳文明户 6 户。2000 年，城区评出区级文明单位 319 家、省市级文明单位 69 家、五好家庭 6.55 万户。

2002 年，区委、区政府表彰区级文明单位 125 家，其中新命名文明村 9 个、文明单位 27 家。湾头镇田庄村等 7 个村被评为市级文明村。2003 年，表彰区级文明单位 142 家。

2004 年，创成省级文明单位 3 家、市级文明单位 47 家。太平村等 11 个村被区委、区政府命名为文明村，其中万寿、夏桥、横沟村为新命名的文明村。湾头中学科技辅导员王克勤科学创新事迹入选省精神文明建设新人新事。

2005 年，文峰街道被评为全国和谐社区建设示范街道。被命名为省级文明单位 3 家、省级文明企业 1 家、省级文明村 1 个，市级文明村 8 个、市级文明单位 49 家、市级文明行业 1 个。表彰区级文明单位 124 家，其中和谐社区 16 个、文明村 19 个。

2006 年，东关街道被评为全国文明社区创建示范点，文昌花园、宝塔、连运、荷花池、四望亭社区被评为全国社区服务先进社区。被命名为省级文明社区 5 个、市级文明社区 19 个、和谐示范社区 33 个。表彰区级文明单位 93 家，其中市直、驻扬单位 41 家。

2007 年，文峰街道被评为全国文明社区建设示范点街道、全国和谐邻里示范街道，文昌花园社区创成全国绿色街道。被命名为省级文明标兵社区 1 个、省级文明先进社区 2 个、市级文明社区 19 个。表彰区级和谐示范社区 46 个、文明村 21 个。

2008 年，文昌花园社区被中央文明委命名为全国文明单位，曲江街道被评为全国和谐社区建设自主创新先进街道。被命名为省级文明标兵社区 1 个、省级文明先进社区 2 个、市级文明社区 21 个、省级文明及先进单位 3 家、省级文明及先进行业 5 个、省级文明先进村 2 个、市级文明村 11 个、市级文明单位 65 家、市级文明行业 3 个。表彰区级文明单位 61 家、文明村 21 个。

2009 年，文昌花园社区创成全国和谐社区建设示范社区、全国文明社区。

2010 年，皮市街社区被评为省和谐示范社区。区委、区政府表彰 72 家文明单位，其中市直、驻扬单位 37 家，区属单位 35 家。

2011 年，区委、区政府表彰文明单位 72 家，其中市直和驻区单位 38 家、区属单位 34 家。

第二章　思想道德建设

1989年后，区委、区政府组织干部群众学习邓小平视察南方重要谈话，深入开展公民思想道德教育；区委宣传部与省有关单位合作，编写出版《思想道德建设理论与实践》一书。2001年中共中央印发《公民道德建设实施纲要》后，区及时制定《广陵区公民思想道德建设实施意见》，并于2003年组织开展第一个全国公民道德宣传日活动，全面进行公民道德教育。

广陵区将每年的3月18日定为青少年思想道德教育宣传日，每年组织社区、学校、家庭开展“3•18”有关活动，努力培育青少年“感恩、责任、宽容、真诚”的文明素养。至2011年，全区组织开展9个“9•20”公民道德宣传日和7个青少年思想道德宣传日活动。

第一节　公民思想道德教育

1989年，区委、区政府继续组织开展“五讲四美三热爱”等活动。同时，深入学习贯彻中共十二届六中和十三届三中全会精神，开展以治理经济环境、整顿经济秩序、全面深化改革为中心内容的形势教育。

1992年，区委组织党员、干部、群众学习邓小平南方谈话，深刻领会精神实质。

1996年，广陵区成立全市第一所文明市民学校，是年7月在汶河街办挂牌。该校以城市居民为对象，以《扬州市文明市民读本》为主教材，每月集中授课2～4次。学校开设8个培训班，组建12个兴趣班，先后举办各科主题活动讲座8（场）次，受训1.2万人次。《人民日报》《江苏通讯》《扬州日报》等多家媒体均进行报道。

1997年秋，区委宣传部与省社科院哲学与文化科研所合作编写的《思想道德建设理论与实践》一书出版。

1999～2000年，全区开展形式多样的“双思”（致富思源、富而思进）教育活动，对党员干部进行思想政治理论教育。

2002年，组织广大干部群众认真学习《公民道德建设实施纲要》。全面实施现代市民与现代农民“两大教育”工程。建立每月碰头例会制度，聘请兼职教师57人，把教育落到实处。

2003年，组织党员干部重点学习“三个代表”重要思想，宣传中共十六大精神。是年，在何园社区召开学习通裕集团退休工人祝正祥等精神文明建设新人新事先进典型座谈会。9月20日，在全区范围内开展第一个全国公民道德宣传日活动，倡导“爱国守法、明礼诚信、团结友善、勤俭自强、敬业奉献”的公民道德基本规范。

2004年，通过深入学习郑培民、高仁林的先进事迹，加强对广大干部群众的思想政治教育。9月20～27日，举办公民道德教育宣传周活动，集中开展机关为民服务咨询、公民道德建设摄影比赛、创建全国文明城市公益广告比赛、10万市民唱《市民守则》、开展青年志愿者服务、组织中小学生道德教育实践、开展“人让车、车让人、车让车”交通教育、公民道德教育大家谈、公民道德教育知识竞赛和精神文明建设新人新事评选十项活动。

2005～2007年，在广大干部、群众中进行普法、反邪教、社会治安、综合治理等宣传教育活动。认真开展“9•20”第三、四、五个全国公民道德宣传日活动。在广大党员、干部、群众中进行“八荣八耻”（以热爱祖国为荣、以危害祖国为耻；以服务人民为荣、以背离人民为耻；以崇尚科学为荣、以愚昧无知为耻；以辛勤劳动为荣、以好逸恶劳为耻；以团结互助为荣、以损人利己为耻；以诚实守信为荣、以见利忘义为耻；以遵纪守法为荣、以违法乱纪为耻；以艰苦奋斗为荣、以骄奢淫逸为耻）教育。开展进一步树立人生观、世界观和社会主义核心价值观的教育，提高广大党员、干部关于社会主义核心价值观是社会主义意识形态的本质体现和“兴国之魂”的认识。

2008年，大力开展思想道德教育，举办千人次参加的群众性精神文明活动10多场；千人次以下活动近100场，参加人数15万人次。大力开展“提升文明素质，建设文明古城”10项行动，即古城文化、市民精神解读行动，文明小秦淮河创建提升行动，文昌文明商圈创建行动，古运河文明带创建行动，“双东”文明旅游区创建行动，都市文明大院创建行动，邻里中心、邻里节活动提升行动，深化十万家庭清洁家园创建行动，新广陵人素质提升行动，争做文明古城人大讨论行动。

2009年，学习贯彻中共十七届四中全会精神，深入学习、践行科学发展观。3月5日，扬州中燃党支部组织公司“双拥服务队”，在市区运河西路苏果超市开展“学雷锋、树新风”双拥服务活动。同年，东关街道创建双东大讲堂，打造市民教育平台。

2010年，逐街道、逐楼、逐户发放《广陵文明市民读本》，发放文明市民“十要十不”资料30万份。“十要”为要爱国守法，要弘扬正气，要诚实守信，要遵守公德，要勤俭自强，要助人为乐，要尊老爱幼，要邻里团结，要讲究卫生，要爱护公物；“十不”为不随地吐痰和乱扔杂物，不说粗话脏话，不违反交通规则，不乱停乱堆乱放，不乱建乱搭，不损坏公共设施，不破坏绿化，不妨碍公共秩序，不乱贴乱画，不在公共场所吸烟。

2011年，广泛开展“推动科学发展、给力‘三河三城’”主题思想大讨论（三河：古运河、大运河、廖家沟；三城：明清古城、扬州旧城、广陵新城）。

附：

扬州市民守则

（市民公约）

热爱祖国，建设扬州。

维护公德，礼貌文明。

勤奋工作，诚实待人。

移风易俗，计划生育。

讲究卫生，净化环境。

遵纪守法，见义勇为。

保护文物，爱护公物。

尊师重教，拥军优属。

敬老爱幼，邻里团结。

美化市容，绿化古城。

第二节 青少年思想道德教育

1992年12月，广陵区成立关心下一代工作委员会（以下简称区关工委），专门从事青少年的思想道德教育。各街道均成立关工委。1993～1994年，全区基层关工委有校外辅导员153人、帮教员370人，利用寒暑假开设法治讲座52场次，受教育人数1.9万人次。

2000年，区成立未成年人保护委员会。2001年，成立青少年维权保护委员会，为全区中专、职校和民办学校选聘法制副校长21人。驻区大专院校普遍开设“思想道德修养”课。广陵区多次组织《预防未成年人犯罪法》知识竞赛，中学生告别“三厅一室”（歌舞厅、录像厅、电子游戏厅，台球室）签名、“珍爱生命远离毒品”等主题教育活动。

2004年2月，中共中央、国务院《关于进一步加强和改进未成年人思想道德建设的若干意见》颁布和3月18日江泽民给东关中心小学学生吴霜复信公开发表后，区委、区政府将青少年思想道德工作提到更加重

图 26-2-1　区关工委老同志为东关小学学生作革命传统报告

要的议事日程，并将每年的 3 月 18 日确定为全区青少年思想道德宣传日。区关工委报告团老同志大力宣传革命传统、民族精神和小公民道德。全年共作报告 20 多场，听讲的中小学生约 8000 人次。各乡镇、街办关工委充分利用小公民道德建设基地及家长学校、“阳光学堂”，将青少年教育工作落实实处。区关工委专门成立青少年法治教育基地，聘请任命一批法制副校长，上法制课 50 多场，受教育学生近 3 万人次。在全区共筹集捐资 28.28 万元，帮扶 919 名贫困生。

2005 年 3 月 18 日是广陵区第一个青少年思想道德宣传日。以“重温回信精神，立志报国成才”为主题，广泛开展师生同唱《夕歌》活动。区委、区政府《关于进一步加强和改进未成年人思想道德建设的实施意见》得到人大代表和政协委员的一致好评。社区“阳光学堂”系列教育活动，搭建起学校、社区、家庭“三位一体”的青少年教育网络。为纪念世界反法西斯战争胜利暨中国人民抗日战争胜利 60 周年，全区开展一系列以青少年爱国主义教育为主题的纪念活动。8 月 15 日，湾头中学、湾头实验学校等青少年学生悼念当年在万福桥上被日军杀害的 400 多名同胞。9 月 18 日，区委、区政府在文昌花园社区举行纪念抗战胜利 60 周年千人歌咏大会。在创建文明城市活动中，上万名中小学生开展“小手牵大手、文明一起走”道德实践活动，近 3 万名家长参与，在全社会形成全民参与和支持青少年思想道德建设的良好氛围。

2006 年 3 月 18 日，结合红军长征胜利 70 周年和社会主义荣辱观的宣传教育，举行“弘扬长征精神、立志报国成才”主题报告会暨“八荣八耻”社会主义荣辱观宣传队授旗仪式，成立荣辱观宣传队 116 支，并开展“六个一”道德实践活动（即一系列社会主义荣辱观宣传教育活动，一场“五老”报告团主题报告会，一场主题电影《大渡河》观摩，一次国旗下讲话、升旗仪式活动，一次青少年慰问老红军、老同志活动，一次“阳光学堂”道德实践活动）。在 2005 年 16 所“阳光学堂”的基础上，新成立社区、村“阳光学堂”51 所，提前实现社区、村“阳光学堂”全覆盖。中央文明委为此专题进行报道并向全国推广。是年，区委宣传部、区文明办联合相关部门及省、市级文明单位代表，在扬州市向往小学举行“同在蓝天下”城乡儿童爱心互助暨文明单位结对帮扶活动，为困难学生代表和家庭发放文明礼仪读本，捐赠助学金和学习用品。关工委与综治办、司法局等部门在暑假期间联合开展法治教育系列活动。共组织 9 次青少年法治巡回宣讲活动；组织 63 名校外法制副校长上 143 堂法治课，受教育人数 3 万多人；编发 2000 本青少年法治教育手册；成立由政法、街道、乡镇干部和“五老”组成的广陵区预防青少年违法犯罪“关爱工作团”。

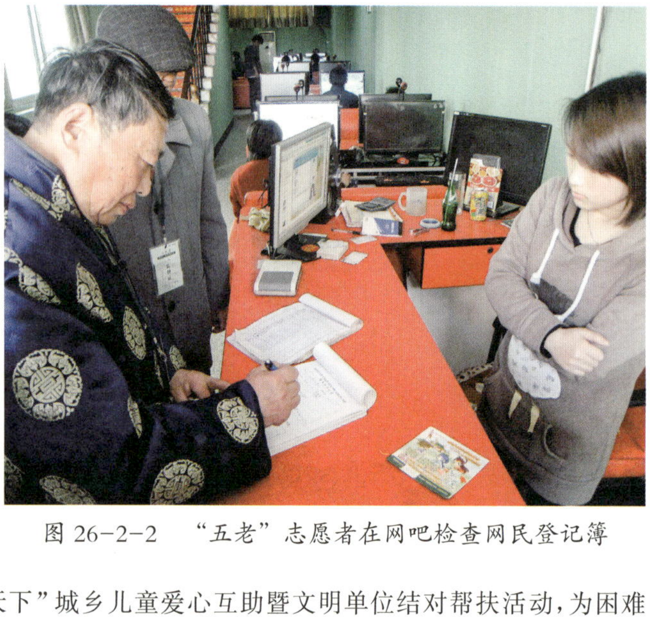
图 26-2-2　“五老”志愿者在网吧检查网民登记簿

2007 年 3 月 18 日，区委宣传部联合区文明办、团区委、区关工委、区教育局等，在育才小学开展“培育感恩之心、倡导感恩之行”——广陵区“3·18”青少年思想道德教育宣传日活动暨“未成年人道德养成教育”推进会，并在随后一个月时间里，在各中小学、幼儿园及社区、村的“阳光学堂”，集中开展以感恩教育为主题的青少年思想道德教育宣传活动，努力培育青少年以“感恩、责任、宽容、真诚”为主要内涵的文明素养。连续3年的“3•18”青少年思想道德宣传日活动已经成为广陵区青少年的一道靓丽风景线。是年，中央文明办向全国推广广陵区“建设阳光学堂，加强未成年人思想道德教育”经验。关工委409名关爱工作团的老同志深入社区，结对70名青少年进行帮教。

2008年3月18日，由区委宣传部牵头，区文明办、团区委、区关工委、区教育局等部门联合在东门遗址广场开展“喜迎‘4•18’、争当文明小主人”——广陵区“3•18”青少年思想道德宣传日系列活动，并在3月18日～4月18日一个月时间里，在各中小学、幼儿园及社区、村的“阳光学堂”集中开展“看一看广陵新变化”摄影比赛、“比一比谁家更整洁”献花行动、“讲一讲古城小故事”演讲比赛、“写一写古城新风尚”征文比赛、“动一动美化我家园”义务劳动五大系列活动。是年，关工委组织报告团、关爱工作团的老同志，在东关小学、工人新村小学、湾头实验小学等进行宣讲。全区103名“五老”网吧义务监督员每周定期到网吧检查，并与网吧业主签订依法经营责任书。

2009年3月18日，以“喜迎‘4•18’、感恩社区行”为主题，由文昌花园、荷花池、琼花观、宝塔4个获得省级以上精神文明表彰的先进社区和2008年度区“十佳和谐社区”及产业园运东社区与辖区中小学校结对，建立健全社区未成年人思想道德教育实践基地。同日，举办区青少年思想道德教育论坛暨启动仪式，共同为促进未成年人思想道德建设再上新水平出谋划策。

2010年3月18日，区文明办、区教育局、区关工委、团区委等部门在东关小学举办“3•18”青少年思想道德集中宣传日暨文明礼仪先锋队出征仪式。在中小学生中广泛开展“争当文明好少年”主题教育活动，积极倡导“在家做一个好孩子，在校做一个好学生，在社会做一个好公民”。

2011年3月18日是区第七个青少年思想道德宣传日，以“唱响文明新童谣、争当创建好少年”活动为主题，开展“向国旗敬礼，做一个有道德的人”“网上签名寄语”“争当文明好少年”等活动。设立“未成年人维权岗”，开通热线电话，实施关爱帮扶工程。建立健全少年宫、社区青少年活动中心等软硬件设施，打造青少年健康成长的社会环境。加强心理健康专业队伍建设，建设学校、社区心理咨询室，形成未成年人的心理健康教育网络。是年，关工委配合有关部门对贫困儿童、留守儿童进行慰问，送去生活及学习用品。全区关工委系统共筹集助学款33.52万元，帮助孤残学生112人、贫困学生400多人。

广陵区爱国主义教育基地一览表

表26-2-1

名称	地址
中共扬州特支旧址	文昌中路492号珍园内
江苏省扬州中学树人堂	淮海路18号
江都县文化界救亡协会旧址	东关街谢家巷13号
侵华日军万福桥大屠杀遇难同胞纪念碑	万福路万福闸西首
江上青烈士陈列馆	旌忠巷33号
曹起溍故居	东关街338号
熊成基纪念馆	东关街附近韦家井6号
朱自清故居	安乐巷27号
朱秀清烈士墓园	李典镇李典村
三野八兵团渡江指挥部旧址	盐阜东路10号个园内
绿杨旅社	新胜街23号

第三章　文明社区(村)、文明家庭建设

1989年后,区委、区政府将社会主义精神文明建设与经济建设放在同等重要位置。1995年,坚持精神文明建设工作与创建和谐社区工作目标同一、工作同向、考核同步,同时从单线推进向齐抓共建转变,狠抓和谐社区建设、文明村建设、文明家庭建设和群众文化建设。1999～2004年,全区初步形成"文明职工""文明班组""文明岗位""文明新风家庭"的精神文明创建格局。至2011年,各项建设目标基本实现。

第一节　文明社区

图26-3-1　文明驿站

一、文明小区建设

1995年,区委、区政府组织区委宣传部、区文明办、区综合治理办公室、区创建办公室等职能部门有关人员,到上海、天津、大连等地学习创建文明小区、文明社区的先进经验。在55个属街道管理的小区中,精心选择有一定代表性的3个小区作为典型,开始创建文明小区。老住宅区治淮新村,硬件略差,但在管理等"软件"上下功夫,使老区换新颜,创建水平走在全区前列;住宅新村新庄小区,自1994年建立后,开展便民服务,组织互助服务,推动中介服务,把小区建成环境优雅、舒适、文明新风荡漾的大家庭;城郊接合部的沙中一村,环境复杂,居民素质参差不齐,街道党工委组织各职能部门进驻小区,广泛发动群众,经过近半年努力,使小区管理实现制度化、规范化。

为更好推进文明小区建设工作,区委、区政府先后多次召开文明小区创建现场会、社区精神文明建设会议和居委会工作会议,研究解决文明小区建设中的实际问题。1997年,制定《关于开展创建文明小区活动的实施意见》及《文明小区标准》,并与各部门签订文明小区创建责任状;市直单位也由所在居委会与其签订"门前四包"责任书,把小区文明建设推向新的高潮。同年,治淮新村被中宣部定为扬州市唯一的全国创建文明城市示范点,新庄小区被评为江苏省文明小区示范点。至1999年,全区有省级文明小区4个、市级文明小区6个、区级文明小区16个。

二、星级社区建设

1999年,区委、区政府决定在全区开始创建以"硬件设施、社会治安、环境、社区、文化、邻里"为内容的星级文明小区活动。从基础设施和绿化覆盖率、环境卫生、社区治安、社区服务、文化建设、计划生育和双拥六个方面对小区创建提出目标,一项达标获一颗星,最高等级为六星级文明社区。是年,共投入资金314万元,社区面貌发生巨大变化。有21个小区完成创建任务,其中创成六星级文明小区13个、四星级8个。

2002年,开展为期3年的创建星级文明社区活动。是年,评出四星级文明社区4个、五星级文明社区2个、六星级文明社区8个。

2003年,大力培植精神文明建设先进典型。东关街社区是一个以整洁卫生为特色的社区,在驻地单位帮

助下,建有扬州首家健康俱乐部。通过文章《一片丹心向阳开,点点滴滴总关情——东关街社区文明创建情况综述》,让更多的人了解东关街社区。荷花池社区大力开展形式多样、内容丰富的社区文化活动,党支部书记、居委会主任伏正予带领社区干部探监帮教,使社区成为全省首家探监帮教的社区,并积极开展再就业工程,率先开办阳光学堂,被中组部、民政部授予"全国先进社区工作者"称号,被推选为省十大女杰,成为社区工作者的先进典型。

2004年,区委、区政府坚持用创新思路推进社区文明创建,着力构建社区自治、管理、服务机制和民心、帮扶、数字、平安、保障工程。当年累计投入800多万元,共创成四星级以上文明社区42个,新、改、扩建社区居委会办公和活动用房7000多平方米,社区办公活动用房平均面积从不足40平方米扩大到近200平方米。全区45个社区中,除洼字街、教场社区因拆迁待建外,43个社区设施硬件全部达标,并全面实行信息化管理。个园社区书画楼、报刊楼等文化特色被中央电视台《新闻联播》报道,连运社区分别被省、市命名为"绿色社区",荷花池社区被评为全国巾帼文明岗,广陵区获"省社区建设示范区"称号。

图26-3-2　联谊社区举办下岗失业创业就业培训班

三、和谐社区建设

2005年,广陵区开始创建和谐社区。区文明办制订《2005～2007年度全区和谐示范社区创建规划及六大和谐考核标准体系》,明确创建考核机制和组织保障体系,考核人的管理、人的参与、人际关系、人的创造、人的利益及人居环境和谐6个方面,共42个子项、142个小项的具体工作目标及考核标准。区委、区政府转发区文明委《关于2005～2007年创建和谐示范社区工作意见》和区文明办的考核方法,提出3年内80%以上的社区创成和谐示范社区的目标。年底经考核验收,区委、区政府命名八大家、东花园、沙口、龙头关、皇宫、新仓巷社区等首批16个和谐示范社区,其中荷花池、琼花观、文昌花园、宝塔、个园、联运社区被评为先进社区典型,四望亭、东关街、顾庄、茱萸湾社区被评为特色文明社区。是年,文峰街道被中国社会工作协会授予首批"全国和谐示范社区建设示范街道"称号,个园社区获"省文明社区"称号。省文明办、省委党校对广陵构建和谐示范社区工作进行专题调研,充分肯定其理论探索和实践所取得的初步成效。民政部网站全文登载广陵创建和谐示范社区指标体系。东花园社区志愿者医疗服务队、广陵公安分局吴鹏分别获得"2005年度扬州市十佳精神文明建设新人新事"称号和提名奖。

2006年,广陵区举办和谐示范社区创建工作论坛,通过经验介绍、交流观摩,推动创建工作再上新水平。有33家社区创成和谐示范社区,占全区社区总数72%。文昌花园社区主任郑翔等26人被评为2006年度扬州市好市民。同时,郑翔与区环卫办颜礼高获"2006年度扬州市精神文明建设新人新事"称号。

2007年,有13家社区新创成和谐示范社区。通过3年创建,全区48个社区除产业园运东社区、汤汪乡东昇花园社区分别因刚刚建立和办公用房面积不达标未申报外,其余46个社区均创成和谐示范社区。东关街道逸圃文物守护者彭向羚和汶河街道救火英雄李诚分别获"2007年度扬州市精神文明建设新人新事"称号和提名奖。江鸣放等10人被评为

图26-3-3　琼花观社区第七届元宵节联谊活动

区十佳道德之星，祝正祥等 20 人获得区道德之星提名奖。

2008 年，启动新三年（2008 ～ 2010 年）和谐社区创建。年初，区文明委按照《江苏省城乡和谐社区建设评价总则》及《附录》的总体要求，对原考核指标进行适当精简和调整，制定新的含四大项 20 个子项的考核标准。区委、区政府转发区文明委《2008 ～ 2010 年全区“和谐社区”创建工作实施方案》，部署开展新三年“和谐社区”创建。2008 年，评出四望亭社区等 10 个首批广陵区和谐社区。文昌花园社区被评为全国文明社区，荷花池社区、琼花观社区被评为省级文明先进社区，宝塔社区被评为省和谐示范社区。

2009 年，文昌花园社区又创成全国和谐社区建设示范社区、全国文明社区和全国社区商业示范社区。东花园、沙北、宝塔、八大家、个园、宋都、旌忠寺、树人苑、运东、壁虎坝 10 个社区评为十佳和谐社区，跃进桥、三里桥、联谊路、四望亭社区被评为特色社区。东花园社区成功举办市第二届社区运动会曲江街道选拔赛。解放桥社区获“省民族工作示范社区”称号；洼字街社区老党员夏文杰自发捐建国旗台，打造爱国主义教育载体，中央电视台《道德观察》栏目组为此专题进行采访拍摄；顾庄社区残疾人楚朝阳为社区残疾人免费开办家电维修班，得到市、区领导的高度认可。中国社会工作协会授予曲江街道“全国和谐社区共建共享先进街道”称号。12 月 1 日，文峰街道宝塔社区工作站在全市率先挂牌。东关街道党工委开启社区干部月度论坛，搭建社区干部交流平台。汶河街道积极探索卫生保洁长效管理机制；仁丰里、粉妆巷、驼岭巷被区爱卫办评为城区十佳卫生街巷。

2010 年 2 月，区委印发《关于加快和推进和谐社区建设工作的实施意见》，是年，文昌花园创建全国文明社区经验被中央电视台《新闻联播》、《人民日报》、江苏卫视等国家级、省级媒体广泛报道宣传。文峰街道宝塔社区被评为省文明社区，皮市街社区被评为省和谐示范社区，八大家社区被评为市十佳社区，连运社区被评为省社区商业服务示范社区。中央电视台《新闻联播》对东关街社区文明创建进行专题报道。坚持多年的“社区文明日”成为东关社区的创建品牌。琼花观社区被评为全省侨务系统“五五”普法示范单位；皮市街社区被授予“省和谐示范社区”称号；新仓巷社区党员预约服务承诺制的做法，被中央深入学习实践科学发展观官方网站“学习与实践”宣传报道。

2011 年，文昌花园社区通过全国文明社区复查验收，先后被评为省放心消费创建活动示范单位、省地震安全示范社区和全市关心下一代工作先进集体，中华全国总工会授予该社区“职工书屋”称号。东关街道被评为省和谐社区建设示范街道。彩衣街社区被评为省和谐社区建设示范社区。沙北社区获“省民主法治示范社区”称号。东花园社区获“扬州市文明社区”称号。解放桥社区被评为扬州市民族团结进步宣传教育示范社区。洼字街社区创省级商业示范社区通过验收。中央电视台《焦点访谈》栏目对双东街区文明创建进行专题报道。

四、社区邻里中心建设

2008 年开始，广陵区加快社区邻里中心建设。区委、区政府坚持借鉴与创新相结合，做到模式多样性、定位差异化，形成具有广陵特色的社区邻里中心建设体系。新区社区邻里中心定位于为园区服务，为失地农民服务；拆迁安置小区社区邻里中心特色定位于和谐邻里关系的构建；老小区社区邻里中心定位于环境改造和服务功能的完善；古城区社区邻里中心定位于构建历史文化的展示平台；农村社区邻里中心定位于为“三农”服务，特别是为农业发展、农民增收服务。

图 26-3-4　邻里中心周末剧场

2008 年，基础条件较好的文昌花园、荷花池、东关街、东花园、宝塔、彩衣街、古旗亭等 20 个社区建成邻里中心。2009 年，旌忠寺邻里中心投资 20 万元进行改建，经验收合格开放；琼花观社区三祝庵邻里中心占地面积1200平方米，建筑面积490平方米。是年，建成社区邻里中心14家。2010年，通泗社区邻里中心建成开放，建筑面积450平方米；常府社区邻里中心同年建成，建筑面积550平方米。是年，共建成社区邻里中心12家。至2011年，区内社区实现邻里中心建设全覆盖。

第二节 文明村

文明村基本标准是“六好”“六无”，即生产发展好、农民生活好、村容村貌好、乡风村俗好、文明管理好、干部服务好，无封建迷信活动、无宗族矛盾纠纷、无青少年文盲、无卖淫嫖娼和严重赌博行为、无重大失窃等刑事案件、无超计划生育。

2002年区划调整后，区、乡两级党委、政府，通过加强宣传发动、健全创建机制、整治环境卫生、强化社会治安、发展科教文卫和为民办实事等一系列措施，大力推进文明村建设。是年年底，湾头田庄村等7个村被评为2001～2002年度市级文明村。2004年，区内21个行政村、1个片区全部创建成区级以上文明村。

为巩固文明村创建成果，2005年3月，广陵区成立新农村建设工作领导小组，分派青年干部进村，与驻村乡镇干部、村组干部形成合力，狠抓“村容整洁、乡风文明、管理民主”等精神文明建设的相关工作。至2007年，原广陵区21个村和1个片区全部达到小康村建设标准。2011年年底划归广陵区的5个镇所属村均达小康村标准（杭集镇2005年，李典、头桥、沙头镇2007年，泰安镇2008年）。

为配合乡镇文明村建设，2008年，杭集镇市民广场建成开放。2010年，汤汪乡建成连运村农民健身广场和九龙村农民公园。是年年底，李典镇滨江市民广场建成开放。2011年，田桥村投资500万元，建成4个农民公园；头桥镇投资1500万元，建成市民广场，面积3.73公顷。

第三节 文明家庭

家庭是社会的细胞。家庭文明建设是区委、区政府“两个细胞”工程的主要内容之一。

1989～2011年，区委、区政府每年把和谐（五好）文明家庭户的评比表彰活动放在与和谐（星级）社区、文明村评比同等重要的位置，与物质文明建设先进单位一起表彰、一起公布。1989～1995年，每年均开展评选文明户活动。1990年，评出区级文明单位359家、市级6家、省级1家。1991年，动员9万多人次，参加开展争创文明户活动，创建文明户8000多家，涌现出大量好人好事，在市区引起较大反响，市委在靖江召开全市精神文明建设大会给予很高评价。其后，争当文明户、遵纪守法光荣户、消防安全户和争创五好家庭等一系列以家庭为单位的社会主义精神文明竞赛活动广泛开展。1996年，区内季家凤、俞文秀被评为省五好家庭标兵户，7户被评为市五好（和谐）文明家庭标兵户。1997年，省、市统一把五好文明家庭名称改称为五好（和谐）文明家庭，区委、区政府把五好（和谐）文明家庭建设作为新时期文明家庭创建的主题。是年，区内方学明家庭获省五好（和谐）文明家庭标兵，夏顺华、高仁林等6户被评为市五好（和谐）文明家庭。1998年，宋亚亭家庭被评为市五好（和谐）文明家庭标兵，高明宏家庭被评为市五好文明家庭。2000年，全区评出五好（和谐）文明家庭6.55万户。其中，帅巧芳家庭、高仁林家庭被评为市五好（和谐）文明家庭标兵，徐长华家庭被评为市五好文明家庭。2003年，罗开珍家庭被评为市五好文明家庭标兵。2006年，张祥生家庭获“省和谐（五好）文明家庭”称号，林达清家庭获“市十佳和谐（五好）文明家庭”称号。2010年，邹尔强家庭获“全国五好文明家庭”称号。1989～2011年，每年平均表彰和谐（五好）家庭户数占家庭总户数的20%。

第四章　全国文明城市创建

2001～2004年，市、区两级政府大力推进城市环境综合整治，取得显著成绩。其间，扬州市先后获得“国家文明城市创建工作先进单位”等多种称号，城区面貌焕然一新。

2007年，广陵区开展文明小秦淮河创建活动。2008年，扬州市创建全国文明城市，广陵区作为扬州主城区，成为文明城市创建主战场。2009年，区文明办协调区域15个部门联合突击开展城市文明提升大行动。2011年，广陵区再次召开创建全国文明城市动员大会，进行创建全国文明城市冲刺，为2011年扬州市获“全国文明城市”称号承担60%以上的测评任务。

第一节　组织领导

2006年7月，广陵区成立城市文明建设推进委员会，区委书记任主任，区委常委、宣传部部长和区相关领导为副主任。同时，各乡镇成立城市文明建设推进委员会。

2008年，扬州创建全国文明城市。区委、区政府成立区创建全国文明城市指挥部，区委副书记任总指挥，区委常委、宣传部部长，两名副区长任副总指挥；区文明办具体组织协调，对照中央文明办《全国文明城市测评体系》要求，分解任务，落实责任。

2011年，区委、区政府成立文明创建领导小组，仍由区创建指挥部总负责、总协调。在此基础上，成立7个专项指挥部，分别是模拟测评和督查问责专项指挥部，全民动员和志愿服务专项指挥部，问卷调查、未成年人思想道德建设、窗口行业和材料审核专项指挥部，交通秩序专项指挥部，城市管理、城市基础设施建设与小区物业管理专项指挥部，农贸市场综合整治专项指挥部，校园周边环境综合整治专项指挥部。创建指挥部坚持每周六例会制度。同时，建立区委、区人大、区政府、区政协四套班子领导指标体系全员分工责任制、区四套班子领导和区级机关挂包联系50个社区责任制以及区域属地管理责任制、条线任务层级分解责任制、路线挂包机制、机关结对社区共建机制等一系列创建机制。

图26-4-1　广陵区文明礼仪先锋队出征仪式

第二节　创建举措

2005年年初，区委在全区宣传思想工作暨文明城市创建推进会上提出，以“创业、创新、创优”三创精神引领文明城市创建和“两个率先”先导区建设进程，强化组织领导机构，努力营造创建氛围。同时，进一步强化文明社区、和谐示范社区基础创建。

2006年，响应市城市文明建设“六千人大会”精神，率先成立区城市文明建设推进委员会。区委、区政府启动“八项行动”，即成立区乡两级工作推进委员会，统筹城乡文明创建工作；发放近万份宣传光盘、画册以及文明礼仪读本，提高市民对城市文明创建的知晓率和自觉执行率；组织“好市民”代表深入社区、村开展“播撒文明种子、培育文明新风”主题宣讲活动；以“明荣知耻树新风、建设文明新广陵”为主题，举办第十届社区文艺节和第二届“邻里节”；开展“七彩的夏日、多姿的少年”——青少年思想道德实践活动；成立文明礼仪辅导员队伍，深入社区开展“万人学礼仪、争做文明人”活动；实施“文明小秦淮河”创建工程，推动文明古城建设；抓好重点区域专项整治，花大力气、做大文章，努力营造优良秩序和文明氛围。科学规划“十大工程”，即“开明开放、活力魅力”广陵精神新内涵塑造工程；以社区党校、市民学校、农民学堂等为主阵地，推进社区教育、创建学习型城区工程；实现社区“阳光学堂”覆盖，开展“阳光普照”未成年人思想道德建设工程；以高效、文明为目标的“两公开、一便民”服务提质提效工程；推动城市文明向城郊延伸，加速城乡文明统筹一体化推进工程；培育社区精神，提升社区文明，以争创全国社区建设示范区为龙头的和谐示范社区创建工程；科学规划古城保护和新城开发暨“净、畅、宁”城建城管创优工程；坚持科教优先、资源节约、环境友好的“科教兴区”战略推进工程；建立“大维稳”“大调处”“大防控”工作机制，营造安全、诚信、法治、和谐环境的“法治广陵”“平安广陵”创建工程；关注弱势群体，维护社会稳定“结对帮扶、脱贫致富、共建和谐”爱心工程。通过“十大工程”系列活动开展，广陵区城市文明推进工作基本实现区委提出的走在城区之先、风气之先、行动之先、标准之先、影响之先、实效之先“六个在先”的目标要求，有效提升文明城区创建活动整体推进水平。

2007 年 4 月，琼花观、荷花池、文昌花园 3 个社区联合向全体市民发出“我爱我家，共建美好家园”倡议。广陵区于 5 月起分 3 个阶段，开展为期 6 个月的文明小秦淮河创建活动。第一阶段宣传发动，制定方案。成立文明小秦淮志愿者、小秦淮合唱队、绿化保洁队、文明劝导队、党员义工队活动小分队，向两岸居民群众发出“河畔是我家，文明靠大家”的倡议，使文明小秦淮河创建活动家喻户晓，人人皆知。第二阶段解决问题，强化引导。针对造成小秦淮河及两岸环境污染的主要因素，区文明办配合市涵闸管理处、市洁源排水公司以及区有关职能部门，现场办公，就地解决问题。街道社区及党员、学生志愿者近 300 人次，开展 2 次大规模的环境集中整治活动，彻底清除绿化带、果壳箱中长期积压的垃圾。同时安排党员义工队、文明劝导队每天在河两岸来回巡逻，教育制止居民群众在河中洗拖把、乱倒粪便等不文明行为，帮助居民群众养成文明健康科学的生活习惯。第三阶段开展创建活动，提升文明程度。7 月，成立由市、区各相关职能部门和街道社区及新闻媒体组成的小秦淮河文明创建协调委员会，建立议事协商解决问题机制，将突击性创建活动转变为日常管理工作。7～10 月，集中开展以“我爱我家，共建文明小秦淮河”为主题的区第十一届社区文艺节、第三届邻里节、小秦淮河“十佳文明家庭”和“十佳文明卫士”评比等一系列活动，有效提升沿河居民文明素质和两岸文明程度。

2008 年，广陵区组织完成扬州创建全国文明城市各项工作，为扬州创成全国文明城市发挥主力军作用。通过“广陵时政”“广陵在线”“中国广陵”网站等多种途径，广泛宣传文明创建的重要意义，发放 10 万份《争当文明市区、共创文明城市倡议书》，并在《扬州日报》头版刊登。利用各种简报、宣传橱窗、板报、电子显示屏、戗牌、横幅等宣传创建知识，营造多层面、立体化的社会氛围。同时，狠抓重点，清除乱堆乱放、乱贴乱画、乱倒垃圾、占道经营等痼疾。开展“小手牵大手、文明一起走”“文明清洁户”等主题活动，创作歌曲《我们是文明的广陵人》、诗歌《广陵就是我的家》等节目，促进市民文明素质和城区文明程度的全面提升。

2009 年 5 月，市城市文明建设推进委员会暨市文明委全委会提出力争在 2011 年建成全国文明城市目标。广陵区制订创建规划和计划，组织宣传发动，对照中央文明办《全国文明城市测评体系》标准，排找涉及广陵区的 100 多项具体任务，一一加以落实，同时提出广陵区在 2011 年创成全国文明城区的奋斗目标。为迎接 8 月中旬中央文明办到扬州开展城市公共文明指数测评工作，区政府主要领导挂帅，区文明办协调全区 15 个部门联合突击开展城市文明提升大行动，发放城市文明宣传册页 10 万份，组织文明志愿者走上街头劝阻不文明行为，开展清除城市“牛皮癣”及娱乐场所、各类市场等专项整治活动，圆满完成迎接城市公共文明指数测评各项任务。

2010 年 2 月，广陵区再次召开创建全国文明城市动员大会，贯彻落实市创建全国文明城市动员大会精神，全力推进全国文明城市创建工作，确保创建目标实现。区四套班子领导全部出席会议，区委书记为创建全国文明城市志愿者服务队授旗。曲江街道、汶河街道、城管执法分局分别对创建工作作专题发言。

第三节 专项行动

广陵区围绕创建全国文明城市“头号工程”，动员全区各方力量，开展市民教育和志愿服务活动，协调解决突出民生问题。2011 年，大力推进专项行动，实施“春、夏、秋、冬”战役，市民文明素质和城市文明程度显著提升，为扬州创建全国文明城市取得年度公共文明指数测评全国第五、全省第一的优异成绩作出重大贡献。

图 26-4-2 志愿者在创作墙体宣传画

一、宣传教育引导

区委、区政府提出“争创全国文明城、争做文明优雅广陵人”的工作要求，加大创建宣传力度，让百姓点评创建、参与创建，增强对城市家园的认同感和归属感。利用沿街商家 600 多块 LED 显示屏，借助报刊网站、电视广播、橱窗箱报等进行全方位、立体式宣传，出版创建简报 50 多期，悬挂横幅 500 多条，出新宣传栏 2000 多块，举办各类文明宣讲座谈会 1000 多场次。依托全区 81 所市民学校、20 家企业“职工课堂”、22 所学校暑期“翼校通”，深入推进“十万家庭、千场讲座”“3 万学生、6 万家长、12 万条短信”宣传。结合“4•18”烟花三月节、“5•2”市民日、“9•20”全国公民道德宣传日、“迎世博、讲文明、树新风”“文明礼仪教育”“小手牵大手”“四进社区”“同创和谐商圈”“关爱空巢老人”“社区邻里节”“文艺节”等主题活动，组织编排“十要十不要”评话、“街上流行小红帽”幽默群口词等居民喜闻乐见的节目，深入社区巡回宣传表演。共举办各类文明进社区活动 600 多场，参与人数 10 多万人次。按照网格化、全覆盖的要求，组织社区工作者和志愿者逐街、逐楼、逐户宣传发放文明市民行为规范 30 万份、调查问卷 30 万份。

二、实施民生工程

区委、区政府始终着眼实处、着眼实事、着眼实效，将为民办实事工程贯穿始终。专门下发社情民意征求意见表，建立为民办实事双周报制度，要求每个社区结合文明创建，至少报两件以上亟办实事。全区共梳理出事关百姓切身利益的急事、难事 100 件，明确工作责任，实施挂图作战。2011 年投入资金 5600 万元，综合整治老小区 7 个，共计楼房 190 幢、居民 7376 户，建筑面积 50 万平方米，受益居民 2 万多人。全年投入 1000 多万元，翻建小街巷，铺设排水管网。对辖区内 37 条道路和 400 条街巷实现市场化运作，初步建立“市场运作，管办分离”的环卫作业新机制。在迎查期间，实行 24 小时全天候滚动保洁，清理垃圾 2100 多吨，更换、维修公厕各类设施 180 多件，维修、新增果壳箱、垃圾容器 400 多只。此外，城中村改造、安置房建设、农贸市场改扩建等民生实事项目抓紧推进，大大提升市民群众的幸福指数。

三、提升服务水平

机关党员、干部和社区工作者发挥主观能动性和自身优势，奋战在创建第一线，用自己的实际行动感动广大市民群众，形成“广陵好人”“扬州好人”的集聚效应，促进市民文明素质显著提升。注册登记的志愿者人数 3.2 万人。组织开展“关爱空巢老人”等社区志愿服务活动 1000 多次，举办就业培训 2500 多人次，提供社区就业岗位 5200 多个，当年建设社区邻里中心 12 家，成立社区工作站 50 个，建设托老所 15 家，开办慈善超市 20 家。

2011 年向 10 万户家庭和 3 万名中小学生发放文明创建、未成年人思想道德建设 2 类 3 种调查问卷 30

万份，编印《市民应知应会宣传手册》，进行个性化辅导；与沿街商铺签订市容环卫责任书 1.5 万份，向百城万店无假货示范街商家发放“百城万店无假货”活动示范点标牌 165 个；在商业大街、主次干道增设 7 处大型公益广告；开展“3•18”青少年思想道德宣传、社区文艺节、邻里节、“四进社区”等系列化主题宣传活动，营造深厚的崇文尚德、文明向上的创建氛围。文明创建实现从局部创建、阶段性创建向全员创建、常态化创建根本转变。

四、完善硬件设施

建成 500 平方米的文化信息资源共享工程支中心和 7 个乡镇街道、园区的基层服务点、科普场所、文化站，46 个社区建成青少年活动场所。投放资金 7000 万元，综合整治老小区 13 个。投放 1000 多万元翻建小街巷 40 条，总长 1.2 万米，铺设排水管网 6000 米。新建改建公厕 3 座，完成 2 个垃圾中转站改造，维修、新增果壳箱、垃圾容器 600 多只。建成 1 个“小贩中心”和 3 个临时疏导点。整修出新主干道沿线墙体立面。城区 4 个街道 49 条道路和 682 条街巷实现市场化运作，市场化保洁主次干道覆盖率 100%，街巷覆盖率 100%。

五、办实事纾民困

大力开展“千名干部进万户、服务基层办实事”主题活动。区四套班子领导、机关干部下社区、跑村组、进企业，与居民群众结对交友，想方设法为民纾困解难。累计投入资金 30 多万元，支持社区创建；搜集群众意见和建议 1385 条，梳理完成社会救助、环境卫生、社区硬件改造、就业服务四大类 200 多件实事项目。建成 2 个货车停车场，彻底解决多年存在的运河南路与联谊路车辆乱停乱放问题。加快实施创业带动就业民本工程，开展“阳光助老”“真情助困”等活动。

六、督查测评表彰

出台《广陵区创建全国文明城市工作问责办法》，编印“掌中宝”1000 册下发各单位，开展 4 次全方位、全覆盖的区级模拟测评。对市、区模拟测评中发现问题后整改情况，农贸市场、校园周边、未成年人思想道德建设等专项行动推进情况，窗口单位、公共场所、城乡接合部等重点部位、重点区域，进行 50 多次专项督查，共下发整改通知书 200 多份，有力推进各项创建任务落实到位。

2011 年 12 月 30 日，市委、市政府召开创建全国文明城市总结表彰大会，区委、区政府被表彰为先进集体。同时受表彰的先进集体还有曲江街道沙南社区，文峰街道三里桥社区，东关街道古旗亭社区，东关街道何园社区，汶河街道通泗、皇宫社区；受表彰的先进个人有赵长松、周鸿钧、夏祥生、薛高辉及戴红兵、邬益军、方临、卢慧勇、杨仕权、倪凌、吴红祥、李忠斌、吴正亚和汤榕 14 人。

第四节　长效机制

2011 年，区委、区政府全面开展“深化志愿服务、推行文明积分”活动，成立文明积分活动领导小组，由区委书记、区长任组长，区委副书记、宣传部部长、副区长任副组长，区志愿服务工作协调小组成员单位与各乡镇街道、园区分管负责人为成员。领导小组下设办公室，由宣传部副部长、文明办主任、区志愿者协会秘书长任办公室主任。

文明积分活动目标：通过 3 ～ 5 年努力，将文明积分活动打造成广陵区文明城市创建、精神文明建设和社会管理创新的品牌项目，到“十二五”末，注册志愿者人数达到 8 万～ 10 万人，人均每年累积 10 个积分，全年达到 80 万～ 100 万积分。志愿者工作形成比较完善的组织领导、社会招募、人员培训、项目推进与保障激励等机制，工作步入活动常态化、人员社会化、技能专业化、运作项目化、载体品牌化、管理信息化的良性轨道。文明积分活动建立星级志愿者制度、奖章授予制度、评选表彰制度，按照积分多少，授予相应的铜质、银质与金质奖章，给予相应的实物奖品或服务。

广陵区文明积分类别及标准一览表

表 26-4-1

类别	具体内容	积分
文明宣传	美化家园、普及文明知识、社会调查、宣传文明礼仪、传播文明风尚等	自发参与活动一次积 5 分;参与单位组织活动一次积 3 分
关爱帮扶	关爱空巢老人、关爱留守儿童、关爱农民工、扶贫帮困、帮残助残、孝老爱亲等	自发参与活动一次积 5 分;参与单位组织活动一次积 3 分。照顾无生活自理能力的人员,直系亲属坚持时间在 1 年以上积 50 分,非直系亲属或志愿者坚持 1 年以上积 100 分,须社区提供翔实材料
文化教育	亲子教育、婚育指导、青少年发展、文艺表演、专业知识普及和培训等	自发参与活动一次积 5 分;参与单位组织活动一次积 3 分
法律维权	法律服务、普法宣教、弱势群体维权等	自发参与活动一次积 5 分;参与单位组织活动一次积 3 分
安全防范	巡防巡查、见义勇为、应急救助、抢险救灾等	一般行为一次积 5 分,重大危险见义勇为行为一次积 100 分
交通旅游	文明交通、导游讲解、语言翻译等	自发参与活动一次积 5 分;参与单位组织活动一次积 3 分
赛会服务	参与大型赛会美化环境、维持交通、义务讲解、通信保障、活动策划、人力组织、语言翻译等	自发参与活动一次积 5 分;参与单位组织活动一次积 3 分
便民惠民	就业指导、家政服务、环保服务、技能培训等	自发参与活动一次积 5 分;参与单位组织活动一次积 3 分
医疗卫生	医疗诊治、专业护理、心理辅导等	自发参与活动一次积 5 分;参与单位组织活动一次积 3 分
捐赠捐献	社会捐款,捐献物品、骨髓,义务献血等	参与活动一次积 5 分,捐献骨髓一次积 100 分

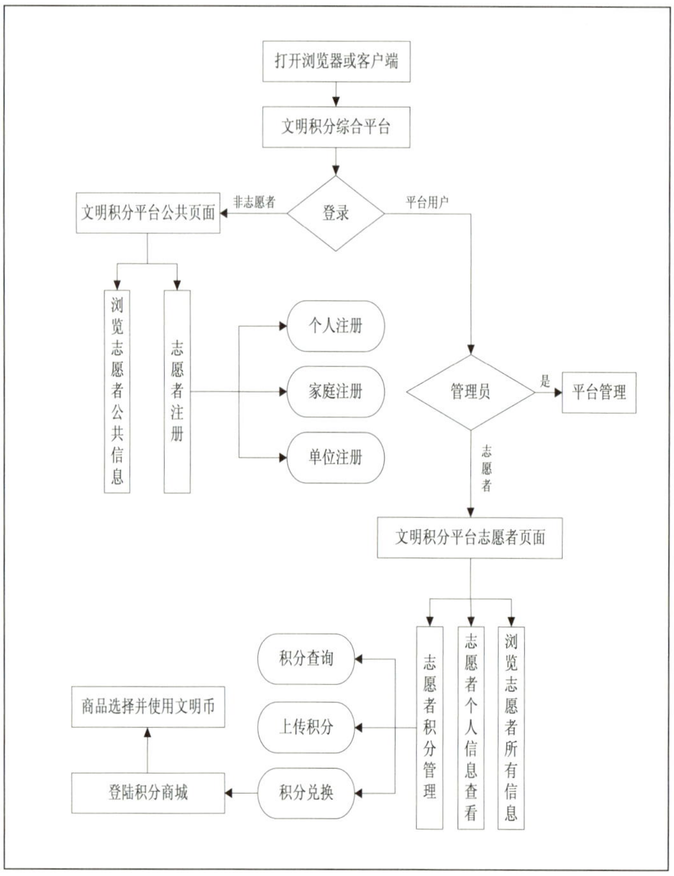

图 26-4-3　广陵区文明积分管理系统使用流程图

第五章　文明新风

1989年后，区委、区政府始终坚持教育和引导广大居民积极投身文明单位建设和传送社会主义文明新风为民服务活动，加强志愿者队伍建设，学习“广陵好人”事迹，社会主义精神文明建设工作不断深入。1997～2011年，广陵区陆续组建14支志愿者总队。各志愿者总队依托自身优势，设立各类专业化较强的服务项目，社会影响越来越广，参与志愿服务的群众越来越多。全区志愿者总数3.2万人，网络注册志愿者2万人。

2010年6月，开展“广陵好人”评选和宣传。至2011年，评选产生“广陵好人”29人，其中3人被评为“江苏好人”“中国好人”。

第一节　志愿者队伍

广陵区推进区志愿者协会、镇（街道）志愿者服务中心、社区志愿服务站三级组织建设，区志愿者协会负责区内志愿者服务队伍建设和志愿者服务活动的统筹和协调等工作。

1997年3月5日，团区委、区民政局在扬州友好会馆召开青年志愿者服务百居（居委会）行动动员大会。100名居委会主任和志愿服务社区的扬州大学学生近1000人参加仪式。同日，区青年志愿者总队成立。

1998年3月，青年志愿者服务百居行动总结表彰推进会召开。会议表彰1997年成绩显著的先进单位4家、优秀居委会主任助理21人、青年志愿者52人。

2002年3月，区社区服务志愿者协会成立。发展吸收会员6345人。同年，区巾帼志愿者总队成立。该总队立足本地实际和妇女儿童的需求，引导巾帼志愿者踊跃参与服务社会、服务妇女儿童、服务邻里等各类志愿活动。

2008年3月，区健身志愿者总队成立。注册人数1600多人，下辖汶河、东关、文峰、曲江街道和湾头镇、汤汪乡、广陵经济开发区分队。

2009年4月，在东关古渡广场举行百千志愿者服务“4·18”活动暨广陵区志愿者服务驿站发布仪式，100余名青年志愿者参加，并走进志愿服务驿站开展旅游咨询、交通指引等各项志愿服务工作。是年，区机关先锋者总队和区医疗卫生志愿者总队成立。医疗卫生志愿者总队下属医疗卫生单位的志愿者，常年为辖区内6岁以下儿童、孕产妇、慢性病患者、重症精神病患者及65岁以上老年人提供免费体检，开展慢性病家庭随访，定期到社区为居民举办健康讲座，并邀请相关专家开展义诊活动。

图26-5-1　志愿者参与整治社区环境

2010年，区志愿者协会成立。

2011年4月，扬州大学“服务百居”暨广陵区“幸福蒲公英”志愿服务行动在连福社区启动。近1000名大学生志愿者和广陵区的青年志愿者共同走进社区，为居民特别是空巢老人和农民工子女展开各种志愿服务。

是年，广陵区成立的志愿者总队有：广陵区“五老”志愿者总队，下设“五老”网吧义务监督分队、校外教育辅导员分队、关爱工作团分队、“五老”法制教育宣讲团分队4个；广陵

图 26-5-2　志愿者在车站帮助老年旅客

区助残志愿者总队，依托基层残联和残疾人专职委员，先后在 10 个乡镇（街道）建立志愿者助残联络站，132 个社区（村）成立助残志愿者小组。此外，全区还有社区志愿者总队、文化志愿者总队、环保志愿者服务总队、网友志愿者总队、职工志愿者总队、科普志愿者总队和旅游志愿者总队。

志愿者承担上路清扫卫生、下社区服务居民、站岗点文明劝导、守道口维持秩序、到景点推荐扬州等服务事项。重点打造关爱空巢老人、“4•18”驿站、雷锋信箱等一批特色志愿服务品牌。明确每月第一个星期六上午为区级机关干部志愿者集中服务日；平时每天组织 88 人站 11 个岗点，245 人守 192 个道口，时间为上班前、下班后各半个小时。另外，组织“五老”志愿者在辖区 66 个网吧进行巡查，每周不少于 2 天。

第二节　广陵好人

2010 年 6 月，市委宣传部、市文明办、扬州时报社、扬州广电总台联合开展推荐、宣传、学习、争做“扬州好人”活动后，区委宣传部、区文明办随即开展全面推荐、宣传、学习、争做“广陵好人”活动。

为进一步弘扬“广陵好人”精神，区委宣传部和区文明办，将广陵区道德讲堂道德模范与身边好人交流活动的好人事迹汇编成册，供各乡镇、街道、单位宣传、学习。“广陵好人”主要有六种类型。

助人为乐好人　有 2008 年成为中国报业协会集报分会成员、原汤汪乡副乡长、集报达人罗永庚；从 2004 年后带领巡逻队风雨无阻为小区巡逻，2008 ～ 2010 年连续 3 年被评为市、区好市民的退休工人、老党员张素琴；每天到琼花观社区“阳光学堂”辅导孩子作业的扬州大学退休老师邵德福；艰苦奋斗创家业，一片丹心报乡亲的沙头镇强民村村民程国林；连续十年每年献血 400 毫升的广陵新城驾驶班普通司机丁民华；主动放弃奖励出国游机会，一对一帮扶汤汪乡贫困生直至高中毕业的万家福商场柜长周学红。

见义勇为好人　有扬大体育学院学生许虎山；制服用长棍、尖刀砍人的“武疯子”的凡人英雄房首宝和马亮；勇救落水母女，埋名 22 天的沙中一村居民蒋国海；深入火海、舍己救人的大实惠巷居民李诚。

诚实守信好人　有骑车上学，剐蹭宝马车后视镜后留下联系小纸条的扬大附中原高一（2）班学生徐砺寒；坚持 9 年修伞开收据的摆摊人徐茂舜。

敬业奉献好人　有全国模范法官、广陵区人民法院副院长郭祝山；十年义务为病人换药的“地方名医”“社区好医生”、头桥镇卫生院医生付宝鼎；深爱“三尺讲台”的泰安镇小学老师李艳；因为懂得，所以慈悲的湾头中学老师徐海英；科技神探、罪恶终止者，全国优秀人民警察、市公安局广陵分局运东派出所副所长刘光兵；28 年如一日，行走在乡邮路上的村民贴心人，省邮政系统先进个人、杭集镇邮递员顾松学。

孝老爱亲好人　比较典型的有暴走 110 天瘦身降脂，顺利割肾救子，荣登“中国好人榜”的“暴走妈妈”颜彩霞；3000 个日日夜夜，陪伴瘫痪母亲的东关街道埂子街下岗职工江鸣放（在其感召下，原本不太理解丈夫的妻子张月琴也被评为“扬州市十佳好媳妇”）；10 岁起就成为病瘸养母“拐杖”的沙北社区 80 后女青年朱丽君；坚强善良、扶养夫家、娘家两侄儿长大成人，2008 年被评为“扬州十佳好人”的头桥镇安阜村农家好儿媳马娟；20 多年贴心照顾生活不能自理妻子的李典镇长生村村民焦正云；不抛弃、不放弃，坚强男人撑家 20 年的曲江街道原沙口村村民田其安；尽心侍奉瘫痪婆婆的孝顺好媳妇、荷花池社区居民李卫星；从 2008 年后深情唱歌 6 年，创造医学奇迹，使植物人妻子能开口发声的头桥镇退休教师沈宏年。

拾金不昧好人　有2010年11月拾金不昧、不图回报的市育才小学原五（9）班学生陆嘉梁。

第三节　见义勇为

2009年，区见义勇为协会成立。同年6月，区见义勇为协会第一次会员代表大会在市公安局广陵分局召开，87家单位会员和个人会员参加。大会通过《广陵区见义勇为协会章程》和《广陵区见义勇为协会对见义勇为行为表彰抚恤的暂行办法》，选举产生协会领导班子。协会下设办公室，设在公安广陵分局。

1994～2010年广陵区受省级以上表彰的见义勇为人员一览表

表26-5-1

姓名	受奖年份	受奖名称	授奖机关
焦彬彬	1999	全国见义勇为先进分子	中华全国见义勇为基金会
吉　祥	2008	全国见义勇为好司机	中华全国见义勇为基金会
邵明生	1994	省见义勇为先进分子	省委宣传部、省公安厅
高明宏	1998	省见义勇为先进分子	省政府
李福清	1998	省见义勇为先进分子	省政府
周习友	2002	省见义勇为先进分子	省政府
曹　波	2004	革命烈士	广东省政府
朱夏胜	2004	省见义勇为先进分子	省政府
颜春山	2009	省见义勇为先进分子	省政府
刘宝根	2010	省见义勇为新市民	省见义勇为基金会
叶多刚	2010	省见义勇为新市民	省见义勇为基金会
马　亮	2010	省见义勇为新市民	省见义勇为基金会

2011年8月，扬州大学体育学院民族体育1001班学生许虎山因见义勇为，入选由中央文明办主办的“我推荐、我评议身边好人”月度“中国好人榜”。2011年9月，扬州大学商学院自学助考国际商务0902专科班学生刘延章因见义勇为，入选由省文明办主办的月度“江苏好人榜”。

见义勇为牺牲人员有：

曹波（1980—2003），广陵区人，广东省深圳市南山区蛇口保安服务公司保安员。2003年3月15日凌晨，曹波正在招商银行深圳东门支行爱国路自助银行执勤点执勤，听到门外有一女子大喊“抢劫”之后，便冲出去与持刀歹徒搏斗。搏斗中，曹波颈动脉被劫匪刺中，身负重伤。3月16日，曹波牺牲。3月18日，共青团深圳南山区委追授曹波“优秀共青团员”称号，深圳市见义勇为基金会追授其“深圳治安勇士”称号。同日，共青团江苏省委决定追授其“江苏省优秀共青团员”称号。4月，扬州市委宣传部、政法委、市文明办、团市委和市见义勇为基金会追授曹波“人民卫士”称号。2004年12月，广东省政府授予曹波“革命烈士”称号。

朱夏胜（1952—2004），广陵区人，江苏扬农化工集团对磷硝分厂工人。2003年12月23日，对磷硝分厂精馏塔发生火灾，引发爆炸，途经此地的朱夏胜抱起灭火器冲上前去灭火。灭火器用完后，他又换一只，再次冲进火场。此时，精馏塔发生第二次爆炸，朱夏胜英勇牺牲。2004年，朱夏胜被省政府追授“江苏省见义勇为先进分子”称号。

颜春山（1955—2004），广陵区人，市公安局广陵分局东关派出所保安员。2004年9月3日凌晨，颜春山在巡逻时发现3名窃贼正在盗窃一市政工程建筑扣件，即前去盘查。为抓获夺路而逃的窃贼，被犯罪分子用木棍击中头部。10月10日，颜春山牺牲。2009年，颜春山被省政府追授“江苏省见义勇为先进分子”称号。

第二十七篇 科技

要 目

1989～2011年，区委、区政府先后3次召开全区科技工作会议，部署实施科技兴区（1995年改为科教兴区）战略。1989年6月，区委制定《关于依靠科技进步，振兴广陵经济的决定》。1993年7月，区政府修改制定《扬州市广陵区科学进步奖励办法》，并且每年拿出10万元作为科技发展基金。1996年，区政府成立区科教兴区领导小组。1995～2005年，区连续10年获市科技进步奖综合评价第一名。1998年6月，广陵区获批全国科技工作先进区。1999年11月，区委制定《广陵区引进优秀人才实施办法》。2000年5月，区政府再次颁发《扬州市广陵区科学技术进步奖励办法（修订）》通知。顺利通过2000～2011年国家科技进步考核、省知识产权试点区验收，获"省知识产权工作先进集体"称号。

23年中，区财政不断加大对科技进步的投入，科技三项经费及专项费用地方财政拨款由1989年的8万元增长到2011年的3477万元。实施"双创"（工业技术创新、企业二次创业）工程和推进"三重"（集聚重要产业、培植重点企业、实施重大项目），设立"双创"专项奖励基金，研发投入资金快速增长。至2011年，全社会科技活动经费投入累计6.5亿元。

2006年，高新技术产业实现产值8.85亿元。2011年，增长到132.06亿元，占规模以上工业产值986.6亿元的13.39%。全区拥有国家创新型企业1家、省创新型企业24家、国家高新技术企业30家，高新技术企业数占规模以上工业企业数17.8%。

围绕"科技创新·产业合作"主题，组织企业参加30多场专题推介活动，与50多所著名高校、科研院所建立长期稳定的合作关系，签订产学研合作协议250多项，80多项研究成果列入国家和省级科技计划项目。至2011年，全区有400多个项目列入市级以上各类科技计划项目，获批省级以上科技计划项目15个、市级科技计划项目39个，获上级拨款3610万元。

大力实施知识产权战略，企业专利申请量增长幅度较大。2006年，全区专利申请183件，2011年1296件，增长6倍；2006年专利授权97件，2011年378件，增长近3倍。

加快科技创新载体和平台建设，为初创型企业发展提供"孵化"服务。广陵产业园投资兴建11万平方米的科技创业园，成为省级环保装备专业"孵化器"；创成省级液压装备科技产业园区，建成10万平方米科技企业"加速器"，助推高技术、高成长企业快速发展；江苏信息服务产业基地建成12万平方米的国家级电子信息专业"孵化器"；食品工业园入选全国中小企业创新服务先进园区；沙头万亩无公害蔬菜园创成省级现代农业示范园；头桥镇、汤汪乡、湾头镇获批省级小企业创业示范基地。至2011年，全区累计建有国家级企业研发机构1家、省级研发机构31家、市级研发机构114家，省级企业院士工作站3家、市级3家、国家级博士后科研工作站4家，省级博士后创新实践基地3家。江苏智慧城市研究院、"设计瑰谷"创智园等创新孵化载体投入运营。

第一章 机构队伍

1983年建区后，广陵区设科学技术委员会。2002年，更名为广陵区科学技术局，并先后增挂知识产权局、地震局牌子。2011年，驻区科研机构有中国船舶重工集团七二三所、中国农业科学院家禽研究所、市科技情报所3家。全区企业科技研发人员2155人。

第一节 机构

1989～2000年，区科学技术委员会（以下简称区科委）负责管理区属科技工作。

1991年，区科委、区科协、区协作办、区开发办4个机构合并组建成区科技协作委员会（以下简称区科协委)。1997年撤销区科协，职能交区科委。2002年更名为区科技局。同年，成立区信息化工作领导小组，设办公室在区科技局。

1989年，驻区科研机构共14家，其中部省属研究所2家、市级研究所12家，部省属科研机构科技人员840人，市级研究所科技人员304人。1996年，市食品科学研究所划归扬州职业大学。1998～2000年，市电子研究所、市化工设计研究所等技术开发型科研机构相继转为科技型企业。2004年，根据市直生产经营型事业单位改革改制精神，有8家研究所撤销。至此，驻区科研机构仅有3家，分别是：中国船舶重工集团公司第七二三研究所；中国农业科学院家禽研究所，亦称江苏省家禽科学研究所；扬州市科学技术情报研究所，隶属市科技局，是地方综合性社会服务机构。

第二节 队伍

1989年年初，全区有区属科技人员610人，占全区职工总数2.5%，其中294人具有专业技术职称（具有中级以上技术职称的42人）。2002年，全区共有工程技术人员461人。2011年，全区企业科技研发人员2155人，其中博士64人、硕士155人、本科毕业生1123人。

1989～2011年，区委、区政府制定一系列惠及科技队伍建设的政策措施，创新人才培养与引进机制，坚持以委托培养与鼓励自学成才相结合，积极招录大中专毕业生与大力集聚专业技术管理人才并重，多渠道、多层次内联外引，科技队伍迅速壮大，质态结构明显优化，有力地支撑与推动创新发展。其间，1998年3月，区政协科技界别委员在调查研究的基础上，撰写《以人为本，建设一支跨世纪的技术人才队伍》调研报告，向区政府提出实施意见的建议。1990～2005年，引进各类专业技术管理人才1233人。2006～2007年，推进企业引智、引才、引项目公务服务平台建设，先后引导企业建立、落实引进国外智力重点服务单位11家。2008～2011年，引进高层次领军人才134人、支柱产业发展急需人才580人，同时建立4978人的储备性人才队伍。

1990年国务院实行发放政府特殊津贴制度后，全区（含驻区企事业单位）范围内：张宇被评为国家级有突出贡献中青年专家；黄永顺、张乃达、凤以良、朱明忠、周其钧、高仁林、徐东进、康纯、李群、金长山被评为省有突出贡献中青年专家；贾硕诚、任达然、叶幼东、金远程、邓惟德、沈祥骏、周平、乔闯、张增华、周方寿、高明久、季家凤、赵如柏、黄丽群、许金来、江春源、陈忠、叶以宁、陈宽维、朱学农、蒋念祖、鞠国钢获享受国务院政府特殊津贴；华祥发、池家骏被评为市有突出贡献中青年专家。

2008～2011年，全区有4名企业家入选省高层次创新创业人才计划，其中拔尖人才1人、优秀人才3人；推荐5人申报省双创人才项目，3人入选现场考察项目，其中1人获批入项，并获得资助100万元。广开渠道加快人才集聚，借助博士后科研工作站承载5名博士入驻，借助留学生创业园吸纳中组部首批“千人计划”学者1人，借助“双创人才计划”挖掘顶尖人才。获批省高层次创新创业人才引进计划7项、省企业博士集聚计划7项、市绿杨金凤计划27项，向上争取人才资助1266万元。为发挥科技项目和高层次领军人才的带动作用，促进企业科技成果转化和自主创新能力的提升，营造科技优势，区政府修改完善《广陵区高层次人才和创新创业项目奖励资助规定》，决定资助1700万元，加大对引进人才、研发团队和高层次创新创业项目的奖励。

第二章科技研发与推广

1989～2011年，区紧紧围绕科技项目研究、成果转化和推广应用，广泛开展工业科技攻关、社会发展、应用基础研究、信息化示范等工作，加大科技成果奖励力度，培育引导规模以上企业成为科技创新的主体成员，促进科技与经济紧密结合。至2011年，评审区级科技进步奖210项。

第一节　科技研发及利用

图27-2-1　船舶工业园

1991年，扬州皮革机械厂GJT超宽自动液压去肉机项目列入国家"火炬"计划。1992年，扬州工具二厂ZCT-1自动反冲洗滤油器项目列入省级"星火"计划。1996年，省科委启动"九五"工业、农业攻关计划，扬州制药厂爱普列特项目列入省"九五"重大攻关计划，后又被列入国家攻关计划。1997年，扬州江扬船舶集团公司国家科技成果推广项目对转桨全回转新型汽车渡轮的开发，获推广贷款1000万元。2001年，江苏华奥涂料化工有限公司稀土在常温固化氟涂料中的开发应用等被列为省科技攻关项目，拨款718万元。同时，重点推进中凌电机组织实施开关磁阻调速电机项目，通过省级鉴定，并与新一代滚筒洗衣机配套。在实施科技研发、项目攻关的同时，全区重视科技成果推广应用。1990年，扬州二布厂试验示范织机节电开关新成果，每台布机比原来节电10%以上，全市纺织行业有三分之一的布机推广应用。1999年，江苏扬农集团完成国家级"火炬"计划项目二氯菊酸甲酯。2002年，菊酯类农药的产业化开发等9个项目，获科技部科技三项费用拨款365万元。2004年，为加快重大科技成果向现实生产力转化，省政府设立省科技成果转化专项资金。2004～2005年，全区有5个项目被列为省科技成果转化专项资金项目。至2005年，在首批获批项目中，江苏扬农集团的菊酯中间体及其下游新农药品种的产业化项目部分产品实现产业化，其联苯菊酯当年生产57.78吨，实现产值2700.1万元。2006～2008年，全区共4个项目被列为省科技支撑计划（工业）项目。至2010年，扬州江新电子有限公司的"大功率塑封贴片式硅基超高频双极性晶体管开发"项目，总投入700万元，投产后实现销售4100万元，利税822万元。2009年，全区共2个项目被列为省科技成果转化专项资金项目。获批立项的企业之一江苏扬农股份有限公司，突破国际农药行业巨头日本住友和德国拜耳的专利技术壁垒，成功开发氯氟醚菊酯和四氟苯菊酯两个新产品，实现仿生农药贲亭酸甲酯的连续化生产。其中，氯氟醚菊酯成为行业中最具竞争力产品，下游行业中，广州立白、上海庄臣、李字、中山榄菊等80多家知名企业均有登记和应用。2011年，江苏扬农股份有限公司高效杀菌剂氟啶胺的清洁生产工艺和高效杀虫剂氯氟醚菊酯的创制及产业化项目，成功入围国家"十二五"科技支撑项目。氯氟醚菊酯先后被授予市科技进步特等奖、中国石油化工协会科技进步二等奖及省科技进步三等奖；"贲亭酸甲酯"下游创新品种的开发及应用获中国石油化工协会科技进步一等奖。

农业科技方面，还有百万亩低产田改造工程综合治理技术、中国地方鸡种资源保护与开发应用和"新扬州鸡”“扬州鹅”的选育等。

1994年，扬州有机化工厂、扬州水箱厂先后被列入省首批CIMS（计算机集成制造系统）推广计划和国家首批CIMS推广应用示范企业。1996年，扬州客车制造厂、扬州柴油机厂被省科委批准为省首批CAD（计算机辅助设计）应用示范企业。1999年，广陵区在全省率先开展市级CAD应用示范企业认定工作，首批确认市级CAD应用推广示范企业18家。江苏亚星客车集团被省科委评为省首批CAD技术推广应用示范十佳企业。2000年，扬州皮革机械厂CAD应用推广示范工程通过省级验收，江苏亚星客车集团CIMS试点示范一期工程通过国家级验收。2005年，区信息化建设坚持“统筹规划、国家主导、统一标准、联系建设、互联互通、资源共享”方针，根据“科学、系统、适用”的工作原理，结合自身实际，加强政策研究，开展信息化建设项目调研，出台管理新措施，完善全区信息化工作机制。先后对“中国广陵”等一批网站进行改版，组织21家区政府机关部门，分别建立有独立域名的政务公开网站。2006年，加强信息化知识普及，开展电子政务培训，组织机关干部和企业技术人员进行计算机初、中级培训，全年共开展6期电子政务培训，培训人员300人次。加强“中国广陵”门户网站管理，确保“中国广陵”正常运行。区科技局“信息中心”及时更新网站信息，调整网站版块，丰富网站内容。2007年，围绕政务公开和“阳光工程——规范事权”行动开展信息化工作，改版“中国广陵”网站，增加市民参与的功能，增设“阳光工程”栏目，向社会公开各部门的行政许可、办事程序等。同时建成11家独立域名的社区网站，先后5次举办社区网站管理员、社区综合信息管理员、科技文献服务平台使用等培训班，参训人员150人次。此外，加强企业信息化工作和ERP（企业资源计划）技术的推广应用，有8家企业应用ERP技术，企业的现代化管理水平得到提升。2008年，区政府陆续制定《2008年广陵区信息化工作意见》《“中国广陵”政府门户网站内容保障办法（试行）》《“中国广陵”政府门户网站内容保障工作计分办法》等文件，全面推进信息化工作。（参见第十四篇第一章第三节）

第二节科研成果

图27-2-2 2010年度广陵区科技进步奖评审会

1989～2002年，全区多次召开科技进步表彰大会，分别对区级科技进步先进企业、先进集体、先进个人、科技项目进行奖励表彰。2003年，区政府设立科学技术进步奖。2004年，共组织申报省、市级科技进步奖2项，获市级科技进步奖2项。同时，加大对获奖项目的奖励力度，区科技进步奖标准一等奖由2000元提高到5000元，二等奖由1000元提高到2500元，三等奖由500元提高到1000元。2004年，评选奖励区科技进步奖20项，其中一等奖3项、二等奖8项、三等奖9项。2005年，组织申报省、市级科技进步奖2项，其中水泥工业用多风道煤粉燃烧器项目获市科技进步三等奖。评出2005年度区科技进步奖28项，其中一等奖6项、二等奖11项、三等奖11项。2006年，对取得显著经济和社会效益的新产品和新技术，给予科技进步奖励。全年获得区科技进步奖励项目27个，其中一等奖4项、二等奖10项、三等奖13项。2007年，重点评选科技含量高、经济和社会效益显著的新产品和新技术。获得区科技进步奖励项目30个，其中一等奖5项、二等奖10项、三等奖15项。2008年，共评审出34个获奖项目，其中一等奖6项、二等奖14项、三等奖14项。2009年，获批省科技进步三等奖1项，市科技进步特等奖1项、二等奖2项、三等奖5项。组织2010年区科技进步奖评审，评出一等奖5项、二等奖12项、三等奖 13 项。2011 年，为积极鼓励自主创新，调动企业和广大科技工作者的积极性、创造性，促进企业自主创新及科技成果示范、推广应用，组织企业参加省、市、区科技成果认定，先后获批省科技进步三等奖 1 项，市科技进步一等奖 2 项、二等奖 3 项、三等奖 3 项。

1989 ～ 2011 年，部分驻区单位获省科技进步二等奖、三等奖 22 项，获市科技进步一等奖、特等奖 25 项；驻区单位获区科技进步一等奖 50 项。

一、部分驻区单位获省科技进步奖项目

1989 ～ 2011 年部分驻区单位获省科技进步奖项目一览表

表 27-2-1

获奖年份	序号	项目名称	完成单位及协作单位	主要完成人	奖励等级
1990	1	鸡白痢全血凝集反应菌种的选定和染色抗原的制作	省家禽科学研究所	方陔、姚大明、刘学贤、马双羊、王荣根	二等奖
	2	SMU005-100 型导型管燃煤热风炉	扬州印染厂、江都热风炉制造厂	方开骏、蒋兆山、谈刚、孙从林	二等奖
1995	3	富右旋反式丙烯菊酯	扬州农药厂	戚明珠、吴汛、李群、黄 辉、许金来	二等奖
	4	扬州市百万亩低产田改造工程综合治理技术及推广	市水利局	翟浩辉、杜青山、管国忠、陶涛、卞祖华	二等奖
1996	5	JS6972 型客车	扬州客车制造总厂	窦正祥、刘国强、吴冠生等 7 人	二等奖
1997	6	JT5140GXC 型吸扫式路面清扫车研制及推广	江扬船舶集团公司特种车辆厂	曹正权、杨卫、殷正鉴、袁正前等 5 人	二等奖
1998	7	部分地方优良鸡种伴性基因和新品系的选育及杂交配套利用	省家禽科学研究所	黄凡美、张学会、苏一军等 7 人	二等奖
1999	8	鸡败血霉形体病防治方法的研究	省家禽科学研究所	丁铲、于圣青、刘学贤等 7 人	二等奖
2001	9	海岛极细复合纤维织物麂皮	扬州华源有限公司	赵继东、徐华等 7 人	二等奖
	10	水泵装置优化设计选型专家系统	扬州大学、省水利工程科技咨询中心、省水利勘测设计研究院	陆林广、朱湘、杨生等 7 人	二等奖
2002	11	微乳薄层色谱用于中药有效成分分离鉴定的研究	扬州药品检验所、扬州大学	康纯、闻利毓、朱霞石等 5 人	二等奖
	12	溴氰菊酯	扬农化工股份有限公司	戚明珠、周景海、王东朝等 7 人	二等奖
2003	13	吸附分离法生产间二氯苯产业化开发	江苏扬农化工集团有限公司	张晓薇、顾志强、许金来等 5 人	二等奖
2004	14	银杏外种皮多糖的基础研究与抗肿瘤应用研究	扬州大学、苏北人民医院、市第一人民医院	许爱华、陈华圣、陈鹏等 5 人	二等奖
2005	15	南水北调工程泵装置理论与关键技术研究	扬州大学、苏北供水局、江苏大学、省水利勘测设计研究院有限公司	仇宝云、刘超等 7 人	二等奖
2007	16	PFJ06 型苹果分级机	扬州福尔喜果蔬汁机械有限公司	许荣华、李永华、赵广华、江水泉、陈暾	三等奖
	17	恒力碟簧浮动支撑系统	扬州东方吊架有限公司	吴利群、帖荣俊、朱国梅、严得忠	三等奖
2008	18	电气化铁路接触网恒张力弹簧补偿装置	扬州东方吊架有限公司	吴利群、帖景俊、帖伍顺	二等奖

续表 27-2-1

获奖年份	序号	项目名称	完成单位及协作单位	主要完成人	奖励等级
2009	19	高活性杀虫剂氯氟醚菊酯的研发及应用性研究	江苏扬农化工股份有限公司、江苏优士化学有限公司	戚明珠、周景梅、姜友法、赵建伟、徐海鹏	三等奖
2010	20	国家一类新药爱普列特及片剂的研究与产业化	江苏联环药业股份有限公司、中国药科大学	廖清江、黄丽群、田伟生、陈钟华、王莉华、李国庆	三等奖
2011	21	益生菌及其发酵乳加工关键技术及产业化	扬州大学、南京师范大学、南京农业大学、南京卫岗乳业有限公司、扬州市扬大康源乳业有限公司	顾瑞霞、潘道东、邹晓葵、杨振泉、朱国强、陈霞、郭宇、黄玉军	二等奖
	22	中厚板保护气氛辊底式热处理炉	中冶金诚(扬州)冶金科技产业有限公司	景杰、蒋乃高、杨三堂、朱光超、张强、田军	三等奖

二、部分驻区单位获市科技进步一等奖项目

1989～2011年部分驻区单位获市科技进步一等奖项目一览表

表 27-2-2

获奖年份	序号	项目名称	完成单位及协作单位	主要完成人员	奖励等级
1989	1	甲醚菊酯的生产与应用	扬州农药厂、南京军区军事医学研究所、省卫生防疫站	田觉民、孙恬、王永福、姚文英等7人	一等奖
1990	2	“853”工程	市电子研究所	周平、孙跃、孙光立等7人	一等奖
1992	3	HQC5型全自动砖块生产线	扬州机械厂	速世昌、邵建中、周以庆、吴国枢、唐祖宏	一等奖
1994	4	富右旋反式丙烯菊酯	扬州农药厂	戚明珠、吴汎、李群、黄辉、许金来	一等奖
1995	5	扬州市百万亩低产田改造工程综合治理技术及推广	市水利局、泰兴市水利局、姜堰市水利局、江都市水利局、市农业局	翟浩辉、杜青山、管国忠、陶涛、卞祖华等15人	一等奖
	6	对转桨全回转汽车渡轮	江扬船舶集团公司	崔健、程道生、刘建新、刘卫平、顾成国	一等奖
1996	7	JS6972型客车	扬州客车制造总厂	吴晓宁、刘国强、朱天平、张裕、陈青生	一等奖
1997	8	JT5140GXC型吸扫式路面清扫车研制及推广	江扬船舶集团特种车辆厂	曹正权、殷正鉴、杨卫、蒋永喜、袁正前	一等奖
	9	374TEU多用途集装箱船	江扬船舶集团公司	赵家林、童文焕、顾成国、吴健、凌学中	一等奖
	10	扬州有机化工厂计算机集成制造系统应用示范工程	扬州有机化工厂	郭加明、张世琪、姜宝驹、薛恒新、王新余	一等奖
1998	11	德国5450吨多用途货船	江扬船舶集团公司江扬船厂	刘士高、任文炯、王发顺、石玉兔、宋金扬	一等奖
	12	超细复合织物摩丝	扬州华源有限公司	赵继东、徐华、田存贵、盛杰、杜德明	一等奖
1999	13	SDB技术用于4’片规模生产	扬州晶来半导体有限公司、东南大学	祝金华、茅盘松、陈德英、张会珍、郦扬成	一等奖

续表 27-2-2

获奖年份	序号	项目名称	完成单位及协作单位	主要完成人员	奖励等级
2000	14	肿瘤浸润淋巴细胞的临床研究	扬州大学、苏北人民医院、市第一人民医院	徐立春、陈平、刘晓丹、陈志琳、	一等奖
	15	氯氟氰菊酯及高效氟氯氰菊酯的研究与开发	江苏扬农化工集团有限公司	杨丕钊、林洋、杨一葵、许金来、吴汛	一等奖
2003	16	吸附分离法生产间二氯苯产业化开发	江苏扬农化工集团有限公司	张晓薇、顾志强、许金来、吴汛、唐琴	一等奖
	17	中国地方鸡种资源保护与开发应用	省家禽科学研究所、扬州大学畜牧兽医学院	陈宽维、张学余、刘立人、王金玉、丁铲	一等奖
2005	18	优质矮小型黄鸡品系选育及利用的研究	省家禽科学研究所、江苏畜牧兽医职业技术学院	黎寿丰、陈宽维、丁余荣、张学余、周新民	一等奖
2007	19	苏禽青壳蛋鸡的选育	省家禽科学研究所、扬州翔龙禽业发展有限公司	丁余荣、苏一军、邹剑敏、周新民、陈宽维	一等奖
2008	20	电气化铁道接触网恒张力弹簧补偿装置	扬州东方吊架有限公司	吴利群、帖荣俊、史文崇、帖伍顺	特等奖
	21	甘油法环氧氯丙烷	江苏扬农化工集团有限公司	张晓薇、许金来、程晓曦等 8 人	一等奖
2009	22	高活性杀虫剂氯氟醚菊酯的研发及其应用性研究	江苏扬农化工股份有限公司、江苏优士化学有限公司	戚明珠、周景梅、姜友法、赵建伟、徐海鹏等 12 人	特等奖
2010	23	中厚板保护气氛辊底式热处理炉	中冶京诚（扬州）冶金科技产业有限公司	董杰、蒋乃富、张强、陆志军、柳姣华、侯煜	一等奖
2011	24	WF216 宽带图像传输系统	扬州万方电子技术有限公司	周春云、曹沅、钱灿军、高杰、郭斌、胡秀娟	一等奖
	25	高效仿生杀虫剂四氟苯菊酯的关键技术创新及产品应用研究	江苏扬农化工股份有限公司（江苏优士化学有限公司参与）	戚明珠、周景梅、王东朝等 9 人	一等奖

三、驻区单位获区科技进步一等奖项目

2001 ~ 2011 年驻区单位获区科技进步一等奖项目一览表

表 27-2-3

获奖年份	序号	项目名称	完成单位及协作单位	主要完成人员	奖励等级
2001	1	高温高压岩心驱替装置	扬州华宝石油仪器有限公司	刘宝和、刘惠群、涂勇、刘开鹏、高鹏云	一等奖
	2	高耐磨粉末冶金气门座	扬州保来得科技实业有限公司	秦刚、徐骥平等	一等奖
2002	3	320 超宽辊印涂饰机	扬州欣宝机械有限公司	王学智、王群、管金龙、吴维联	一等奖
	4	TBR/103 改进型超短波目标引导电台	扬州万方电子技术有限公司	汤恒阳、王春梅、张道峰、谢平、张万俊	一等奖
	5	粉末冶金中空含油轴承	扬州保来得科技实业有限公司	叶桂斌、乐瑞绚、於惠、曹爱玲	一等奖
2003	6	GYYG2 通过式熨平压花机	扬州欣宝机械有限公司	管金龙、王学智、王群、	一等奖
	7	粉末冶金汽车曲轴正时皮带轮总成	扬州保来得科技实业有限公司	叶桂兵、陈扬、张学群	一等奖
	8	WF1790 系列车载综合电源	扬州万方电子技术有限公司	闻海霞、黄信、孙光立、王磊、高杰	一等奖

续表 27-2-3

获奖年份	序号	项目名称	完成单位及协作单位	主要完成人员	奖励等级
2004	9	海沃自卸车顶举升油缸	海沃机械（扬州）有限公司	谈浩、高大鹏、张后亮、薛裕龙	一等奖
	10	水泥工业用多风道煤粉燃烧器	扬州新建水泥技术装备有限公司	周海明、施荣连、王辉等	一等奖
	11	YABB 改用型军用车载计算机	扬州万方电子技术有限公司	钱灿军、王国民、柯明、谈科、周春云	一等奖
2005	12	智能移动式垃圾压缩设备	海沃机械（扬州）有限公司	谈浩、张后亮、高大鹏、杜飞、钱善本	一等奖
	13	YZ-084A 数控插槽机床	扬州金利机械有限公司	张迅、洪世京、黄达明、包德生	一等奖
	14	高密度粉末冶金螺旋齿轮	扬州意得机械有限公司	朱建宏、金峰、丁华龙、陶爱诚	一等奖
	15	液晶显示屏精密背光板	扬州广菱电子有限公司	王新勇、催俊玉、陈督、吴建华	一等奖
	16	卡 e 通电子售卡系统及电子售卡机	江苏怡丰通信设备有限公司	张永正、顾成太、江明章、廖灿斌	一等奖
	17	K/TBR103A 超短波抗干扰双频段目标引导电台	扬州万方电子技术有限公司	汤恒明、张道峰、王春梅、徐远清、谢平	一等奖
2006	18	恒力碟簧浮动支撑系统	扬州东方吊架有限公司	吴利群、帖荣俊、严得忠	一等奖
	19	新型数据传输设备	扬州万方电子技术有限公司	汤恒阳、徐远清、陶建卫、刘中奇、沈学银	一等奖
	20	高温高压油层堵水分析装置	扬州华宝石油仪器有限公司	刘宝和、涂勇、刘惠琴、刘惠存、刘开鹏	一等奖
	21	CDMA 移动电子商务系统	江苏怡丰通信设备有限公司	缪灿彬、张永正、王国民、顾成太、江明章	一等奖
2007	22	超短波双频段电台	扬州万方电子技术有限公司	王春梅、仲林、张勇	一等奖
	23	多种网络平台和接口的用户服务系统	江苏怡丰通信设备有限公司	唐朝奎、刘定文、秦川、缪灿斌、顾成太	一等奖
	24	智能型变频电动执行机构	扬州电力设备修造厂	张为、朱乐尧、张建祥、许海洋	一等奖
	25	宽幅倾斜式大应力铝铸轧机	扬州冶金机械有限公司	杨思安、李中华、李波、宋建康、	一等奖
	26	电气化铁道接触网恒张力弹簧补偿装置	扬州东方吊架有限公司	吴利群、帖荣俊、严得忠	一等奖
2008	27	采用清洁连续化新型工艺制备对氨基苯酚	江苏扬农化工集团有限公司	杨颖、吴惠、郑志刚、汤国邦、王大兵	一等奖
	28	液压驱动曲柄摇杆双步进梁式热处理炉	中冶京诚（扬州）冶金科技产业有限公司	董杰、蒋乃富、张强、朱光超、田军	一等奖
	29	纯电动城市客车(公交)动力系统集成	扬州飞驰动力科技有限公司	丁贇、黄勇、王永安、陈全世、汪福存	一等奖
	30	综合航空型数据检测设备	扬州万方电子技术有限公司	王春梅、仲林、张勇、徐远清、张万俊	一等奖
	31	“北斗 × 号”车载型用户机	中电科技扬州宝军电子有限公司	汤湘伟、严永发、阎双山、周曙华、经林	一等奖
	32	基于 LINUX 平台下的企业成本预算管理系统	扬州远博科技有限公司	严高军、王辉成、吴宗来、王峰、杨浩	一等奖

续表 27-2-3

获奖年份	序号	项目名称	完成单位及协作单位	主要完成人员	奖励等级
2009	33	WF018 抗干扰背负电台	扬州万方电子技术公司	陈士飞、孙正健、张勇、陈瑞青、郭斌	一等奖
	34	国家一类新药爱普列特及片剂的研发与产业化	江苏联环药业股份有限公司	廖清江、唐精桥、黄丽群、田伟生、陈钟华	一等奖
	35	5 万吨 / 年液体环氧树脂连续化清洁工艺的产业化开发	江苏扬农化工集团有限公司	郑亚清、许金来、李群、张晓薇、顾志强	一等奖
	36	氯烯炔菊酯的开发应用	江苏扬农化工股份有限公司	戚明珠、周景梅、姜友法、赵建伟、徐海鹏	一等奖
	37	机载制导弹药密封测控机（QMFC-1/BSD）	扬州宝军苏北电子有限公司	梅玉顺、许建照、赵莉、倪刚亮、唐丽生	一等奖
	38	高精度全液压不可逆铝冷轧机	扬州冶金机械有限公司	席建华、辛寿明、高珊、杨思安、肖德扬	一等奖
	39	中厚板保护气氛辊底式热处理炉	中冶京诚（扬州）冶金科技产业有限公司	董杰、蒋乃富、张强、陆志军、柳姣华	一等奖
2010	40	热连轧超宽步进梁式加热炉	中冶京诚（扬州）冶金科技产业有限公司	董杰、蒋乃富、张强、侯煜、汪宣伟	一等奖
	41	旋挖式清淤采盐机	江苏省水利机械制造有限公司	张立明、韦力生、鲁仁勇、王波、李学荣	一等奖
	42	W103 西方体制地面询问机	中电科技扬州宝军电子有限公司	王安宁、潘景荣、秦笃山、何亚君、赵山中	一等奖
	43	酰氯化尾气的循环利用技术	江苏扬农化工股份有限公司	戚明珠、周景梅、姜友法、朱建荣、孙迎东	一等奖
	44	基于 IP 溯源技术的互联网用户快速定位系统	江苏怡丰软件技术有限公司	高海春、杨国超、高文辉	一等奖
	45	热连轧超宽步进梁式加热炉	中冶京诚（扬州）冶金科技产业有限公司	董杰、蒋乃富、张强、侯煜、汪宣伟	一等奖
2011	46	非侵入式阀门电动执行机构	扬州电力设备修造厂	费向军、张建祥、徐声云、方超、罗兆荣	一等奖
	47	封条式油水整合型散热器	江苏嘉和热系统股份有限公司	李宝民、刘彬、刘雪松	一等奖
	48	一种高效的植物调节剂抗倒酯的开发及产业化	江苏扬农化工股份有限公司	戚明珠、周景梅、姜友法、冯广军、孙迎东	一等奖
	49	高阻尼弹性滑板支座	江苏扬州合力橡胶制品有限公司	宋继良、陈理想、高元、王峰、窦慧	一等奖
	50	硬膜外和腰椎联合麻醉穿刺包	江苏省华星医疗器械实业有限公司	李业中、李伟、潘兆荣、刘如勇、杨建	一等奖

四、重点成果简介

（一）鸡白痢全血凝集反应菌种的选定和染色抗原的制作

由省家禽科学研究所方陔、姚大明等 5 人研究完成。鸡白痢全血凝集反应菌种的选定和染色抗原的制作成果获 1990 年度省科技进步二等奖后，1992 年，再获国家“星火”计划三等奖。该成果经过 20 多年不断改进、推广，为国内各大种鸡场所采用，取得良好的社会效益和经济效益。

（二）车载计算机

由扬州万方电子技术有限责任公司周平、周春云、曹沅、钱灿军等人完成。2003年，获批国家火炬计划。该产品广泛用于公安、武警野外执行任务，国家安全保密部门、地质勘探、石油勘探、煤矿检测、环境检测、救灾指挥以及电视转播、应急指挥通信等行业，还可应用于迅速发展的智能交通车载信息系统等行业，在国内电子信息化领域得到广泛应用。

（三）电气化铁路接触网恒张力弹簧补偿装置研发及产业化

由扬州东方吊架有限公司帖德顺、吴利群、帖荣俊完成。2008年，获江苏省科技成果二等奖。其恒张力弹簧补偿装置在国内电气化铁路接触网的补偿方面取得较高地位，在高速铁路得到广泛应用。

（四）高活性杀虫剂氯氟醚菊酯的研发及其应用性研究

由江苏扬农化工股份有限公司戚明珠、周景梅、姜友法、赵建伟、徐海鹏、刘卫荣、贾炜、赵鹏、张斌、孙希祥、沈迎春、朱萍完成。获2009年度江苏省科学技术进步三等奖，在中国石油和化学工业协会获得科技进步二等奖。氯氟醚菊酯是江苏扬农化工股份有限公司和子公司江苏优士化学有限公司技术人员经过数年潜心研究，得到具有自主知识产权的全新结构新农药品种，是一种超高效的卫生用拟除虫菊酯类杀虫剂，可有效防治蚊、蝇、臭虫等，具有高效低毒的特点，在国内卫生杀虫剂市场得到广泛应用。

第三章高新技术产业

区委、区政府高度重视发展高新技术产业，走新型工业化道路，坚持以高新技术为主导，培育高新技术企业、“双密型”（技术密集、知识密集）企业；发展高新技术产品、软件产业、民营科技企业、科技先导型支柱产业，加强对特色产业基地、技术密集区的建设，推动科技进步。至2011年，全区（含驻区单位）有国家级高新技术企业30家、省级高新技术企业26家；获批高新技术产品211个，列入国家和省科技计划项目98个，有省“双密型”企业3家。2011年，高新技术产业产值占规模以上工业总产值13.39%。

第一节高新技术企业

按照国家关于开展认定高新技术企业工作部署，1991年，开展企业初评和推荐工作。至2004年，扬州华扬太阳能热水器有限公司、扬州亚星客车股份有限公司等24家企业被科技部确认为国家“火炬”计划重点高新技术企业，扬州布厂、扬州制药厂等21家企业被省科委认定为省级高新技术企业。2005年，加强高新技术企业的培育。通过各级各类科技计划的集成扶持，成功培育省级高新技术企业4家、市级高新技术企业16家。2006年，着力鼓励和引导企业加强技术创新载体建设，强化企业技术创新主体意识，发展自身优势。组织16家企业申报国家、省和市高新技术企业。获批国家级高新技术企业2家、省级高新技术企业1家、市级高新技术企业10家。2007年，坚持企业为主体，市场为导向，政府积极引导、推进，产学研结合的创新体系建设。组织企业申报省级以上高新技术企业，共获批国家重点高新技术企业1家、省级高新技术企业10家。是年，有国家级高新技术企业3家、省级高新技术企业26家。2008年，高新技术产业产值近100亿元，占规模

图27-3-1　亚星客车整装车间

工业产值195.69亿元的50.8%，同比增长28.7%。是年，国家设立高新技术企业新标准，经认定，区内有国家级高新技术企业6家（国家新标准）、省科技创新型试点企业1家、省百家成长型科技型企业1家、省节能减排科技创新示范企业1家。2009年，区研发投入占销售收入比重1.8%。新认定6家国家级高新技术企业，全年高新技术产业产值98亿元，占规模以上工业总产值235.6亿元的41.6%。2010年，新增国家级高新技术企业5家、省级创新型企业7家。全年高新技术产业产值102亿元，占规模以上工业总产值273亿元的37.36%。2011年，获批国家级高新技术企业13家。

2008～2011年广陵区获批国家级高新技术企业一览表

表27-3-1

获批年份	名称
2008	江苏怡丰通信设备有限公司
	海沃机械（扬州）有限公司
	江苏南开之星软件技术有限公司
	江苏扬农化工股份有限公司
	江苏扬农化工集团有限公司
	江苏联环药业股份有限公司
2009	扬州万方电子技术有限公司
	扬州广菱电子有限公司
	扬州东方吊架有限公司
	中冶京诚（扬州）冶金科技产业有限公司
	江苏嘉和热系统股份有限公司
	扬州电力设备修造厂
2010	扬州三叶散热器有限公司
	扬州莱斯信息技术有限公司
	扬州冶金机械有限公司
	江苏扬州合力橡胶制品有限公司
	江苏省水利机械制造有限公司
2011	江苏联通电缆有限公司
	扬州森源电气有限公司
	江苏通用电梯有限公司
	扬州动易运动用品有限公司
	扬州扬宝机械有限公司
	盛达特种车辆设备有限公司
	苏垦银河连杆设备有限公司
	扬州亚星客车股份有限公司
	神州数码信息系统（扬州）有限公司
	扬州华铁铁路配件有限公司
	江苏帝一集团有限公司
	扬州华泰特种设备有限公司
	江苏爱默生新材料有限公司

第二节高新技术产品

2004～2008年，获批市级高新技术产品80个、省级高新技术产品209个。2008年后，不再审批市级高新技术产品。

2004～2008年广陵区获批市级高新技术产品一览表

表27-3-2

年份	产品名称	单位
2004	大功率高精度“恒功恒力模块”	扬州路通电子元件有限公司
	YSZ40-VII型高性能电子镇流器	扬州绿宇照明电器有限公司
	RGD型人体红外感应灯具	扬州绿宇照明电器有限公司
	DDL-18Z-1型智能双控电动车	扬州金飞驰电动自行车有限公司
	客车风扇传动机构总成	扬州河源机械有限公司
	CP型潜水排污泵	上海川源机械有限公司扬州分公司
	高强度柔性磁石液	扬州曲江化工有限公司
	高耐侯釉面漆	扬州曲江化工有限公司
	粉末冶金斜齿轮	扬州海昌粉末冶金有限公司
2005	智能活动垃圾压缩设备	海沃机械（扬州）有限公司
	粉末冶金中空含油轴承	扬州保来得粉末冶金有限公司
	高耐磨粉末冶金气门座	扬州保来得粉末冶金有限公司
	超短波抗干扰双频段目标引导电台	扬州万方电子技术有限公司
	超短波双频段电台	扬州万方电子技术有限公司
	L39-4/5自动空气干燥机	扬州宝军苏北电子有限公司
	MTS-1型军用野战照明器	扬州贝尔斯通科技有限公司
	液压水利闸门启闭机	扬州楚门机电设备制造有限公司
	恒力碟簧浮动支撑系统	扬州东方吊架有限公司
2006	CVD型立式污水泵	上海川源机械工程有限公司扬州分公司
	步进式加热炉	中冶京诚（扬州）冶金科技产业有限公司
	辊底式加热炉	中冶京诚（扬州）冶金科技产业有限公司
	铝制机油冷却器	扬州嘉和散热器有限公司
	RC-15/36千伏型硅橡胶高压绝缘套	扬州东源电力设备公司
	智能型煤粉燃烧器	扬州银焰机械有限公司
	车用超声波测速传感系统	扬州贝尔斯通科技有限公司
	集装式自动冲洗过滤装置	扬州金利机械有限公司
	智能式真空干燥机	扬州宝军苏北电子有限公司
	数控液压多功能双动拉伸机	扬州联扬汽车装饰有限公司
	智能总线式开关柜	扬州森源电气有限公司
	国脉办公文件管理软件V1.0	扬州国脉通信发展公司

续表 27-3-2

年份	产品名称	单位
2006	WFS 型免维护铅酸蓄电池	扬州阿波罗蓄电池公司
	高精度高耐磨耗粉末冶金压缩机连杆	扬州意得机械有限公司
	多孔减重节材粉末冶金螺旋齿轮	扬州意得机械有限公司
	塑封贴片式硅基双极性高频晶体管	扬州江新电子有限公司
	YRA18 型高效节能水泥工业用多风道煤粉燃烧器	扬州新建水泥技术装备有限公司
	YZ-084A 数控插槽机床	扬州金利机械有限公司
	新型数控链地面终端机	扬州万方电子技术有限公司
	LTMB 超限自动报警、停机模块	扬州路通电子元件有限公司
	新型高性能环氧树脂复合套管	扬州东源电力设备有限公司
	PDP 等离子电视精密后面板	扬州广菱电子有限公司
	固定式垃圾压缩处理设备	海沃机械（扬州）有限公司
	自卸式连输车货箱	扬州茂信冷弯型钢有限公司
2007	冷凝无压热水锅炉	扬州斯大锅炉有限公司
	ZFD 蓄电池智能放电装置	扬州一为自动化设备有限公司
	PDJ 智能型交流变电所用电屏	扬州一为自动化设备有限公司
	SMD 高温晶体谐振器	扬州江新电子有限公司
	高强度耐高低温铝箔液体包装袋	扬州科信印刷有限公司
	KFPV 型耐高温控制电缆	扬州联通线缆电器有限公司
	重型卡车全铝水箱	扬州嘉和散热器有限公司
	大直径圆钢坯蓄热式加热炉	扬州冶金机械有限公司
	超大直径圆盘造球机	扬州冶金机械有限公司
	LTXF 新型隔爆型火灾探测报警综合电缆	扬州联通线缆电器有限公司
	低功耗超高频贴片晶体管	扬州江新电子有限公司
	粉末冶金烧结焊汽车电控自动变速箱支架	扬州保来得科技实业有限公司
	粉末冶金农用机械差速齿轮	扬州保来得科技实业有限公司
	等离子显示屏精密背光板	扬州广菱电子有限公司
	LN 型立式冷凝器	扬州巨人机械有限公司
	JRC- 蒸发式冷凝器	扬州巨人机械有限公司
	RD 型纵向（横向）定型机	扬州鑫渔机械制造有限公司
	大型步进梁式板坯加热炉	中冶京诚（扬州）冶金科技产业有限公司
	宽幅倾斜式大应力铝箔轧机	扬州冶金机械有限公司
	蓄热式荒管再加热炉	扬州冶金机械有限公司
	QS-D 吸附式氢气去湿装置	江苏新中科技股份有限公司
	自动干粉压机	扬州金利机械有限公司
	SDN 固话网支付终端	江苏怡丰通信设备有限公司
	xyk-101 吊车无线电遥控系统	扬州银焰机械有限公司
	粉末冶金无油润滑轴承	扬州保来得科技实业有限公司

续表 27-3-2

年份	产品名称	单位
2007	多用户预付费电表	扬州万泰电器厂有限公司
	WF504A 综合电源管理系统	扬州万方电子技术有限公司
	新型数据链地面端机	扬州万方电子技术有限公司
	BSD2460B 型数字式全自动微波大功率计	扬州宝军苏北电子有限公司
	GGZK1 多板涡轮增压油循环低温真空干燥机	扬宝机械有限公司
2008	回波信号模拟应答机	扬州宝军苏北电子有限公司
	YZ485QB 小型高速直喷式柴油机	扬州柴油机有限责任公司
	SOF-143-T11 型硅 NPN 型环境额定高频放大晶体管	扬州江新电子有限公司
	JRL 型蒸发式冷凝器	扬州巨人机械有限公司
	综合航空型数据检测设备	扬州万方电子技术有限公司
	GYYB1 型板式熨平压花机	扬州欣宝机械有限公司
	JDY-IV 型继电保护试验电源装置	扬州一为自动化设备有限公司
	BD-2 号定时型用户机	中电科技扬州宝军电子有限公司

1989 ~ 2011 年广陵区获批省级高新技术产品一览表

表 27-3-3

年份	项目名称	承担单位
1989	汽轮机油系统大流量冲洗装置	扬州工具二厂
	GJB5 超宽自动液压去肉机	扬州皮革机械厂
1990	GLY-450A 型高精度滤油机	扬州工具二厂
	GLRZ13 新型宽幅通过式振荡拉软机	扬州皮革机械厂
	HQC5G 型钢托钣金自动混凝土砌头生产线	扬州机械厂
1991	YSF-100 型自动反冲油水分离净化装置	扬州工具二厂
	方坯连铸液压剪断机	扬州冶金机械厂
1992	低温型起动用免维护铅酸蓄电池	扬州皮革机械厂
	JS6971 型防抱死自润滑高速旅游客车	扬州客车制造厂
1993	GJST4 宽幅自动通过式挤水机	扬州皮革机械厂
	QF5 型分层布料式全自动混凝土砌块生产线	扬州机械厂
	因巴（INBA）法高炉水渣处理设备	扬州冶金机械厂
1994	GQR2-150 液压羊皮去肉机	扬州皮革机械厂
	2SA3 调节型电动执行机构	扬州电力设备修造厂
	高密度粉末冶金冲击棘轮	扬州保来得工业有限公司
1995	DZW 户外型阀门电动装置	扬州电力设备修造厂
	高精度粉末冶金含油轴承	扬州保来得工业有限公司
	富右旋丙炔菊酯	江苏扬农化工集团有限公司
1996	二氯菊酸甲酯	江苏扬农化工集团有限公司
	LQS 制冷式氢气去湿装置	扬州电力设备修造厂
	粉末冶金碎切切刀	扬州保来得工业有限公司

续表 27-3-3

年份	项目名称	承担单位
1997	高强度粉末冶金螺旋齿轮	扬州保来得工业有限公司
	YABB-015ZA 军用车载计算机	扬州万方电子技术有限公司
1998	皮革真空干燥机	扬州皮革机械厂
	SK131 食品搅拌机	扬州桅灯厂
	改进型超短波目标引导电台	扬州万方电子技术有限公司
	可控双降解农用地膜	扬州橡树实业有限公司
1999	多功能电能表箱	扬州低压电器厂
	冷冻、微博两用食品盒	扬州橡树实业有限公司
2000	KX23 食品烤箱	扬州桅灯厂
	水泥工业用多风道煤粉燃烧器	扬州新建水泥有限公司
	EQ-1092E 汽车气泵阀板	扬州粉末机械厂
	自动反冲洗滤水装置	扬州工具二厂
2001	HA8228（1）TDI（CID）型智能卡式公用电话机	扬州怡丰通信设备有限公司
	自卸车前顶举升高压油缸	海沃机械(扬州）有限公司
	电动跑步机马达驱动控制及显示系统	友邦电气(扬州）有限公司
2002	31 新型合金高性能全免维护铅酸蓄电池	扬州华扬(阿波罗）蓄电池有限公司
	320 超宽辊印涂饰机	扬州扬宝机械有限公司
	软皮除尘机	扬州扬宝机械有限公司
	高容量高起动超低温免维护铅酸蓄电池	扬州华扬(阿波罗）蓄电池有限公司
	超短波抗干扰双频段目标引导电台	扬州万方电子技术有限公司
2004	SYZ 型智能总线式成套开关设备	扬州森源电气有限公司
	超短波双频段电台	扬州万方电子技术有限公司
	高耐磨粉末冶金气门座	扬州保来得粉末冶金有限公司
2005	塑封贴片式硅基双极性超高频晶体管	扬州江新电子有限公司
	集装式自动反冲洗过滤装置	扬州金利机械有限公司
	恒力碟簧浮动支撑系统	扬州东方吊架有限公司
2006	粉末冶金中空含油轴承	扬州保来得粉末冶金有限公司
	冶金显示屏精密背光板	扬州广菱电子有限公司
	CDMA 移动电子商务系统	扬州怡丰通信设备有限公司
	粉末冶金无油润滑轴承	扬州保来得科技实业有限公司
	3DK43DNPN 型开关用双极型晶体管	扬州晶来电子有限公司
	RGD 高灵敏人体红外感应灯	扬州绿宇照明电器有限公司
	3DK51PTNPN 型双极型晶体管	扬州晶来电子有限公司
	KP2500 反向阻断三极晶闸管	扬州晶来电子有限公司
2007	YCR01 反向阻断三极闸流晶体管	扬州晶来电子有限公司
	2SA8 智能型电动执行机构	扬州电力设备修造厂
	超大直径圆盘造球机	扬州冶金机械有限公司

续表 27-3-3

年份	项目名称	承担单位
2007	多用户预付费用电计量装置	扬州市万泰电器厂有限公司
	YZT5160TSL 型扫路车	扬州盛达特种车有限公司
	4102 柴油机连杆	扬州银河汽车连杆有限公司
	粉末冶金汽车自动变速箱轮毂	扬州保来得科技实业有限公司
	多孔减重节材粉末冶金螺旋齿轮	扬州意得机械有限公司
	高精度耐磨耗粉末冶金压缩机连杆	扬州意得机械有限公司
	大直径圆钢杯蓄热式加热炉	扬州冶金机械有限公司
	智能型多风道煤粉燃烧器	扬州银焰机械有限公司
	新型隔爆型火灾探测报警综合电缆	扬州联通线缆电器有限公司
	AR 型潜水曝气机	上海川源机械工程有限公司扬州分公司
	粉末冶金烧结焊汽车自动变速箱支架	扬州保来得科技实业有限公司
	BTRD 型彩屏倒车雷达	扬州贝尔斯通科技有限公司
	低功耗贴片式塑封超高频贴片晶体管	扬州江新电子有限公司
	多通道录音录时设备	扬州万方电子技术有限公司
	宽幅倾斜式大应力铝铸轧机	扬州冶金机械有限公司
	大型步进梁式板坯加热炉	中冶京诚(扬州)冶金科技产业有限公司
	双手双脚式体脂秤	可瑞尔科技(扬州)有限公司
2008	塑封贴片超高频晶体管	扬州江新电子有限公司
	YZ4DA-30 柴油机	扬州柴油机有限责任公司
	DBL 型大型步进梁式板坯加热炉	中冶京诚(扬州)冶金科技产业有限公司
	宽幅倾斜式大应力铝铸轧机	扬州冶金机械有限公司
	北斗一号车载性用户机	中电科技扬州宝军电子有限公司
2009	模块化并联式大容量蓄电磁综合测试仪	扬州一为自动化设备有限公司
	粉末冶金螺旋伞齿轮	扬州保来得科技实业有限公司
	粉末冶金汽车刹车系统推止块	扬州保来得科技实业有限公司
	粉末冶金汽车后备箱传动齿轮	扬州保来得科技实业有限公司
	中厚板保护气氛辊底式热处理炉	中冶京诚(扬州)冶金科技产业有限公司
	液体环氧树脂	江苏扬农化工集团有限公司
	薄芝糖肽注射液	扬州制药有限公司
	YZT9190TCL 型车辆运输半挂车	扬州盛达特种车有限公司
	智能型混合燃料燃烧器	扬州银焰机械厂
	ZJ 型高效粘头柔性加压减震装置	扬州天业石油机械有限公司
	ZJ-T 型机械式高效防卡随站震击器	扬州天业石油机械有限公司
	新型 DB58TI 大功率柴油机连杆	扬州苏垦银河连杆有限公司
	联环笑定(非洛地平缓释胶囊)	江苏联环药业股份有限公司
	机载式导弹药密封测控机(QMFC-1/BSD)	扬州宝军苏北电子有限公司
	LED 液晶屏模组精密背光板	扬州广菱电子有限公司
	宽屏液晶电视主基板架	扬州广菱电子有限公司

续表 27-3-3

年份	项目名称	承担单位
2010	有线 POS 终端(支付终端)	江苏怡丰通信设备有限公司
	WF015 便携式信息终端	扬州万方电子技术有限公司
	W103 西方体制地面询问机	中电科技扬州宝军电子有限公司
	高效全铝平行流式冷凝器	扬州嘉和散热器有限公司
	平行流式全铝空调蒸发器	扬州嘉和散热器有限公司
	液晶投影仪光源屏蔽罩	扬州广菱电子有限公司
	QYJ004 重型沼泽牵引机	江苏省水利机械制造有限公司
	QHCK2X320KN 套闸专用卷扬式启闭机	江苏省水利机械制造有限公司
	重型单蓄热台车式加热炉	扬州冶金机械有限公司
	大直径单立柱悬臂式珩磨机	扬州冶金机械有限公司
	免维护铁合金气囊抱闸	江苏扬州合力橡胶制品有限公司
	XWQ-260 型旋挖式清淤机	江苏省水利机械制造有限公司
	XWYC-1300 型旋挖式盐池水采机	江苏省水利机械制造有限公司
	SGJ-20 型水上割草机	江苏省水利机械制造有限公司
	SLQY-40 型海龟式清淤机	江苏省水利机械制造有限公司
	二氯苯	江苏扬农化工集团有限公司
	硝基氯苯	江苏扬农化工集团有限公司
	无线支付手持终端	江苏怡丰通信设备有限公司
	WF103 超短波抗干扰电台	扬州万方电子技术有限公司
	氟啶胺原药	江苏扬农化工股份有限公司
	莱斯行政权力网上公开透明运行系统	扬州莱斯信息技术有限公司
	YZT5160GXS 型清洗洒水车	扬州盛达特种车有限公司
	智能化紧凑型预装式变电站	扬州森源电气有限公司
	智能型 12KV 环网柜	扬州森源电气有限公司
	高档铜铝复合水箱	扬州嘉和散热器有限公司
	热连轧超宽步进梁式加热炉	中冶京诚（扬州）冶金科技产业有限公司
	HM 固定式垃圾压缩设备	海沃机械(扬州)有限公司
	PDK 移动式泔水垃圾压缩设备	海沃机械(扬州)有限公司
	双斜线结构新型橡胶坝	江苏扬州合力橡胶制品有限公司
	水平力分散型橡胶隔震垫	江苏扬州合力橡胶制品有限公司
	GJST3 往复式厚度自适应液压去肉机	扬州扬宝机械有限公司
	GYYB1 大吨位组合式平板熨平压花机	扬州扬宝机械有限公司
	节能型高可靠全电脑控制乘客电梯	江苏通用电梯有限公司
	变频控制节能型多功能医用电梯	江苏通用电梯有限公司
	高档潜水服用 CR 发泡橡胶海绵	扬州动易运动用品有限公司
	互联网安全基础资源综合管理系统软件	江苏怡丰软件技术有限公司
	成本资源综合管理系统软件	江苏怡丰软件技术有限公司

续表 27-3-3

年份	项目名称	承担单位
2011	WF216 宽带图像传输系统	扬州万方电子技术有限公司
	集约型多系统电子监察系统	扬州莱斯信息技术有限公司
	小载荷大位移恒力弹簧支吊架	扬州东方吊架有限公司
	高效传热及节能型辊底式热处理炉	中冶京诚（扬州）冶金科技产业有限公司
	PDU729 地埋式垃圾压缩设备	海沃机械(扬州)有限公司
	纳米级耐强紫外线超耐磨橡胶坝袋	江苏扬州合力橡胶制品有限公司
	高阻尼弹性滑板支座	江苏扬州合力橡胶制品有限公司
	LED 液晶模组精密压框	扬州广菱电子有限公司
	南开之星国地税网络发票开具与管理信息系统软件	江苏南开之星软件技术有限公司
	数字党建管理系统软件	江苏怡丰软件技术有限公司
	增值电信业务基础信息管理系统软件	江苏怡丰软件技术有限公司
	神州数码市民卡卡片结构初始化管理系统软件	神州数码信息系统(扬州)有限公司
	神州数码基于 .net 的数字展厅场景智能中控系统软件	神州数码信息系统(扬州)有限公司
	混联式混合动力城市客车	扬州亚星客车股份有限公司
	JS6106GHC 型天然气城市客车	扬州亚星客车股份有限公司
	固网支付终端（银联 II 型）	江苏怡丰通信设备有限公司
	高效节能型燃气燃烧器	扬州银焰机械厂
	一体式冷凝水箱散热器	江苏嘉和热系统股份有限公司
	HRC15/16 后装垃圾车上装系统	海沃机械(扬州)有限公司
	高效能太阳能单晶硅片	江苏宝佳太阳能发展有限公司
	济南重汽 751.751 增压连杆	扬州苏垦银河连杆有限公司
	GJST4 通过式挤水机	扬州扬宝机械有限公司
	GMGT 通过式自动磨革机	扬州扬宝机械有限公司
	高可靠智能型无机房客梯	江苏通用电梯有限公司
	高效节能型曳引式货梯	江苏通用电梯有限公司
	神州数码基于 J2EE 和 ESB 的市民信息管理系统软件	神州数码信息系统(扬州)有限公司
	神州数码数字卫生健康档案互联网安全查询系统软件	神州数码信息系统(扬州)有限公司
	钢坝闸门弧形锁定装置	扬州楚门机电设备制造有限公司
	集成式液压启闭机	扬州楚门机电设备制造有限公司
	集成式液压启闭机控制阀块	扬州楚门机电设备制造有限公司
	用于铝塑水散热器的改进型铝板翅式油冷器 (2250H3)	扬州英谛车材实业有限公司
	大型重载垂直位移紧凑型恒力碟簧吊架	扬州华远石油装备有限公司
	光纤光栅温度传感器	江苏联通电缆有限公司
	城市轨道交通专用安防监控综合电缆	江苏联通电缆有限公司
	SW4027-1200 型电动万向攻丝机床	扬州市德科机电制造有限公司
	吡虫啉	江苏扬农化工集团有限公司
	JS6111SHA 双层城市客车	扬州亚星客车股份有限公司
	JS6985GB 型城市客车	扬州亚星客车股份有限公司

续表 27-3-3

年份	项目名称	承担单位
2011	YBL6125H1QJ 型客车	扬州亚星客车股份有限公司
	JS6101GC 型天然气城市客车	扬州亚星客车股份有限公司
	步进梁式正火 / 回火炉	扬州冶金机械有限公司
	大型直缝管线探伤铣边及预弯机	扬州冶金机械有限公司
	北斗一号手持型用户机	中电科技扬州宝军电子有限公司
	莱斯集约型数字化城市管理系统	扬州莱斯信息技术有限公司
	SY235C 平行流油散热器	扬州三叶散热器有限公司
	高性能平面涡卷弹簧	扬州东方吊架有限公司
	YZT5166TSLG 型扫路车	扬州盛达特种车有限公司
	节能高效多通道混合气体燃烧器	扬州银焰机械厂
	三相四线多功能载波电能表	扬州市万泰电器厂有限公司
	铝质封条式油水整合型散热器	江苏嘉和热系统股份有限公司
	锯齿型翅片铝制硬钎焊管式油冷器	江苏嘉和热系统股份有限公司
	自卸车前顶举升 3K 高压油缸	海沃机械（扬州）有限公司
	超高阻尼橡胶隔震支座	江苏扬州合力橡胶制品有限公司
	SJ-T 型钻柱双向减振器	扬州天业石油机械有限公司
	QCD-120 型多功能清淤船	江苏省水利机械制造有限公司
	HXSJM-II-23X230 型船闸弧形三角门	江苏省水利机械制造有限公司
	南开之星税务基础数据平台管理系统软件 V1.0	江苏南开之星软件技术有限公司
	神州数码基于 J2EE 和 ESB 的市民卡标准卡及衍生卡管理系统软件	神州数码信息系统（扬州）有限公司
	新型主辅式恒力弹簧支吊架	扬州华远石油装备有限公司
	自承式智能电表数据电缆	江苏联通电缆有限公司
	ZS4012-300 型台式滑臂钻攻两用机床	扬州市德科机电制造有限公司
	F-2SA 非侵入式阀门电动执行机构	扬州电力设备修造厂
	F-DZW 非侵入式阀门电动装置	扬州电力设备修造厂
	节能型冷阴极辉光放电管	扬州虹扬光电有限公司
	YRS22 型高效节能水泥工业用多风道煤粉燃烧器	扬州新建水泥技术装备有限公司
	JS6550T 型镇村通客车	扬州亚星客车股份有限公司
	JS6770GHC 型天然气城市客车	扬州亚星客车股份有限公司
	车载短波信息终端	扬州万方电子技术有限责任公司
	低噪声高精度运算放大器	扬州江新电子有限公司
	高效 TVS-SOP8 过压保护器件	扬州江新电子有限公司
	高效电容麦克风阻抗转换器	扬州江新电子有限公司
	无汞低氙荧光辉光灯	扬州虹扬光电有限公司
	冷凝余热回收蒸汽锅炉	扬州斯大锅炉有限公司
	易图土地出让比价系统软件	江苏易图地理信息工程有限公司
	智能无功补偿模块	扬州力智电气有限公司
	多网络接入增值业务交易终端	扬州怡丰科技有限公司

第三节科技计划项目

1989～2011年，广陵区承担的国家科技计划有国家火炬计划、创新基金、科技支撑计划（工业或社会）项目和重点攻关计划4种，省级科技计划有省科技指导性计划、火炬计划、星火计划、社会发展计划、工业攻关计划、重大科技成果转化项目、科技支撑工业（社会）、中小企业创新资金、自然科学基金和现代服务业10种。其间，全区企业（含驻区企业）被列入国家、省各级各类科技计划项目共98个，其中国家级31个、省级67个。

1989～2011年广陵区获批省级以上科技计划项目一览表

表27-3-4

年份	项目名称	承担单位	项目类别
1989	8818型双扣门锁	扬州五金一厂	省科技指导性计划
	GJIB4-150A羊皮去肉机	扬州皮革机械厂	
	立体彩色起绒印花浆料	扬州工艺童鞋厂	
	YHO·8-90/NHO·3-90型荧光、氖气辉光灯泡	扬州灯泡厂	
	QZ150型气溶胶灌装机	省机械研究设计院、扬州工具厂	
	R4B型.W-1锁紧钳	扬州五金二厂	
	LUJ-450型精细滤油机	扬州工具二厂	
	XOJ行星式光饰机	扬州五金机械厂	
1990	GJT85超宽自动液压去肉机	扬州皮革机械厂	国家火炬计划
	船用通讯电台配套件	扬州广陵无线电厂	省科技指导性计划
	半自动气溶胶灌装机	扬州工具厂	
	HDL-XII型荧光辉光灯泡	扬州灯泡厂	
	安全固体燃烧丸	扬州市塑料机械厂	
1991	带刀片皮机	扬州工具二厂	
	JD-350型射钉器	扬州工具厂	
	“东风－雪铁龙”轿车粉末冶金件	扬州粉末冶金厂	
1992	ZCT-1自动反冲洗滤油器	扬州工具二厂	省星火计划
1993	阿克拉霉素	扬州制药厂	省火炬计划
1994	自动反冲洗油净化机	扬州工具二厂	省火炬计划
	HWK防护式微动开关	扬州低压电器厂	省星火计划
	高强度聚酯切片	扬州高强聚酯厂	
1995	激光氧液＋钙治疗老年性骨质疏松症	扬州市广陵医院	省社会发展计划
1996	GJIBS液压去肉机	扬州皮革机械厂	国家火炬计划
	YZ4102QB高效、节能、低污染新型柴油机	扬州柴油机厂	
1997	自动反冲油水分离机	扬州工具二厂	国家火炬计划
1998	YSF型自动反冲油水分离机	扬州工具二厂	省火炬计划
	SDB技术用于4″片规模生产	扬州晶体管厂	国家重点攻关计划

续表 27-3-4

年份	项目名称	承担单位	项目类别
1999	冻干水痘减毒活疫苗的应用	区防疫站	省社会发展计划
	多功能光幅照理疗仪	广陵医院	
	GJIB5 超宽自动液压去肉机	扬州皮革机械厂	省火炬计划
2000	低温型起动用免维护铅酸蓄电池	扬州华扬蓄电池有限公司	省火炬计划
	高密度粉末冶金冲击棘轮	扬州保来得工业有限公司	
	可控双降解农用地膜	扬州橡树实业有限公司	
2001	LSQ 自动反冲滤水装置	扬州金利机械有限公司	省火炬计划
2002	高耐磨粉末冶金气门座	扬州保来得工业有限公司	国家火炬计划
	低温型起动用免维护铅酸蓄电池	扬州华扬蓄电池有限公司	省火炬计划
2003	无恭高压物性分析仪	扬州华宝石油仪器有限公司	国家创新基金
	VA-015ZA 军用车载计算机	扬州万方电子技术有限公司	省火炬计划
2004	高密度粉末冶金螺旋齿轮	扬州意得机械有限公司	省火炬计划
	高容量高起动超低温铅酸蓄电池	扬州阿波罗蓄电池有限公司	
	高耐磨粉末冶金气门座	扬州保来得工业有限公司	
	高温高压油层堵水分析装置	扬州华宝石油仪器有限公司	省工业攻关计划
	基于 TETRA 标准的特种数字集群移动通信	扬州万方电子技术有限公司	
	菊酯中间体及其下游新农药品种的产业化	江苏扬农化工股份有限公司	省重大成果转化
2005	高温高压油层堵水分析装置	扬州华宝石油仪器有限公司	国家创新基金
	液晶显示屏精密背光仪	扬州广菱电子有限公司	国家火炬计划
	RDG 高灵敏人体红外感应灯	扬州绿宝照明电器有限公司	省火炬计划
	国家一类新药爱普列特及片剂的产业化	江苏联环药业股份有限公司	省重大成果转化
2006	自卸车前顶举升高压油缸	海沃机械（扬州）有限公司	国家火炬计划
	31 新型合金高性能全免维护铅酸蓄电池	扬州阿波罗蓄电池有限公司	
2007	大功率塑封贴式硅基超高频双极性晶体管开发	扬州江新电子有限公司	省科技支撑（工业）
	高效节能水泥工业用多风道煤粉燃烧器	扬州新建水泥技术装备有限公司	省中小企业创新资金
	贲亭酸甲酯	扬农化工股份有限公司	省火炬计划
	扬州汽车产业集群－粉末冶金无油润滑轴承	扬州保来得科技实业有限公司	
2008	卡 e 通电子售卡（缴费）系统	江苏怡丰通信设备有限公司	国家火炬计划
	新型隔爆型火灾探测报警综合电缆	扬州联通线缆电器有限公司	
	智能型变频电动执行机构	扬州电力设备修造厂	
	YZ4DA-30 柴油机	扬州柴油机有限责任公司	
	大直径圆钢坯蓄热式加热炉	扬州冶金机械有限公司	
	含氟农药氟啶胺的开发	江苏扬农化工股份有限公司	省科技支撑（工业）
	高效氯氟氰菊酯原药国家标准	江苏扬农化工股份有限公司	
	北斗二号定时型用户机	中电科技扬州宝军电子有限公司	
	钛及钛合金板带炉卷轧制工艺及其热过程研究	扬州冶金机械有限公司	省自然科学基金
	基于无线传感器网络的船舶监控系统平台	扬州贝尔斯通科技有限公司	省中小企业创新资金
	模块化并联式大容量蓄电磁综合测试仪	扬州一为自动化设备有限公司	

续表 27-3-4

年份	项目名称	承担单位	项目类别
2009	6 万吨/年甘油法环氧氯丙烷	江苏扬农化工集团有限公司	国家火炬计划
	节能环保型 IV 柴油机的开发	扬州柴油机有限责任公司	省科技支撑(工业)
	以社区为主体的老年慢性病防治和干预管理	苏北人民医院及扬州市急救中心	省科技支撑(社发)
	500 吨/年贲亭酸甲酯及其下游创制创新品种产业化	扬农化工股份有限公司	省重大科技成果转化
	轨道交通接触网恒张力弹簧补偿装置研发及产业化	扬州东方吊架有限公司	
	并行端口交叉点缓存交换结构的关键算法研究及应用	扬州宝军苏北电子有限公司	省自然科学基金
	面向电子通讯领域的本体理论及智能 IETM 研究和应用	扬州贝尔斯通科技有限公司	
	轻型柴油车用选择性催化还原系统瞬态控制策略研究	扬州柴油机有限责任公司	
	垃圾填埋场空气净化消毒关键技术的研究及应用	扬州盛达特种车有限公司	
	基于表面等离子体共振效应的显示机理和应用研究	中电科技扬州宝军电子有限公司	
2010	基于无线传感器网络的光伏阵列监测与诊断系统	扬州贝尔斯通科技有限公司	国家创新基金
	新型水泥工业用高效节能煤粉燃烧器	扬州新建水泥技术装备有限公司	
	功率器件通用控制 SOC	扬州扬智电子科技有限公司	
	纳米级耐强紫外线橡胶坝袋	江苏扬州合力橡胶制品有限公司	国家火炬计划
	轨道交通接触网恒张力弹簧补偿装置	扬州东方吊架有限公司	
	大型平板显示终端金属部件高速高精成套冲压模具研发及产业化	扬州广菱电子有限公司	省重大成果转化
	PHEV 动力系统构型与控制技术的研究	扬州飞驰动力科技有限公司	省科技支撑(工业)
	基于弹性云服务的通用 Web 软件开发平台	江苏南开之星软件公司	
	基于物联网的低耗城域环境噪声无线监控系统	扬州大自然有限公司	省中小企业创新资金
	基于 IP 溯源技术的互联网用户快速定位系统研发	江苏怡丰软件技术有限公司	
	基于健康档案的区域卫生建设	神州数码信息系统(扬州)有限公司	省级现代服务业(软件产业)
	集约型多系统电子监察系统开发应用	扬州莱斯信息技术有限公司	
2011	高效杀虫剂氯氟醚菊酯的产业化开发	江苏扬农化工股份有限公司	国家科技支撑
	高效杀菌剂氟啶胺的清洁生产工艺	江苏扬农化工股份有限公司	
	北斗导航定位接收机宽波束圆极化高稳定相位中心天线	扬州宝军苏北电子有限公司	国家创新基金
	基于 IP 溯源技术的互联网快速定位系统	江苏怡丰软件技术有限公司	
	YZT 系列清洗洒水车	扬州盛达特种车有限公司	国家火炬计划
	轻型铝质车辆增压中冷器总成	扬州嘉和散热器有限公司	
	核级阀门驱动装置	扬州电力设备修造厂	
	GYYB1 大吨位组合式平板熨平压花机	扬州扬宝机械有限公司	
	电气化铁道接触网零部件:弹簧补偿装置	扬州东方吊架有限公司	省科技支撑(工业)
	基于 Web 的 3DGIS 城市三维公共服务信息系统	江苏易图地理信息工程有限公司	省中小企业创新资金
	扬州文昌花园智慧、平安、低碳生活科技示范社区建设	扬州曲江街道办事处	省科技支撑(社发)

第四节省“双密”型企业

1996～2006年，广陵区在培育高新技术企业的同时，注重培育技术密集型、知识密集型企业，区内共有省“双密”型企业5家：扬州保来得工业有限公司（1996年获批）、扬宝皮革机械有限公司（2001年获批）、扬州华扬蓄电池有限公司（2002年获批）、海沃机械（扬州）有限公司（2006年获批）和扬州意得机械有限公司（2006年获批）。

第五节特色产业基地

一、江苏信息服务产业基地（扬州）

图27-3-2　江苏信息服务产业基地（扬州）

位于广陵产业园。由市政府和原省信息产业厅联合共建，是中国最早专注以呼叫产业为核心的专业园区，涉及数据处理、应用软件研发、工厂培训咨询、移动互联网、电子商务等产业。

产业基地规划总面积2.52平方千米，计划总投资50亿元。至2011年，投资18亿元，共32万平方米物业全部建成并投入运营。基地形成集聚，入驻企业90家，其中软件研发类企业占50%。硕士以上高层次人才集聚100多人，海归博士团队15个，有中国电信、中国移动、中国联通、神州数码、易图数据、百度、易迅网、江苏汉云信息科技有限公司、江苏金鑫信息技术有限公司、江苏世杰光电有限公司、江苏智途科技有限公司、上海易迅电子商务发展有限公司扬州办事处、扬州迅博信息科技有限公司、今翌科技（扬州）有限公司、海店扬州呼叫中心等。重点商务园有3处：中国声谷文峰电子商务园，以金属电子交易为主，依托互联网，构造金属交易信息、网上物流配送、电子支付交易为一体的电子商务平台；中国声谷昌运电子商务园，以销售建材电子商务为主，构造金融贸易信息采集、网上物流配送、电子支付交易为一体的电子商务平台；江苏信息服务产业基地东关科技孵化园，以引进高科技人才、高新技术企业和具有创新能力及市场开发前景的企业孵化为主。2011年，园区品牌建设有宁时代服务外包等5家企业获得能力成熟度模型集成（CMMI3）认证，易图数据获测绘行业最高甲级资质，紫凌软件等7家企业通过ISO 27001信息安全管理认证，成功获批省级留学人员创业园、省级博士后创新实践基地、省级重点培育小企业创业基地三项品牌。

二、广陵船舶（重工）产业园

图27-3-3　中铁宝桥

位于李典镇，是扬州船舶产业“三园一基地”（即邗江船舶重工产业园、江都船舶工业园、仪征船舶工业园和太平洋船舶配套产业基地）重要组成部分。2010年，成为省级船舶配套产业特色园区。园内有大洋造船、环洲船用材料、中铁宝桥、船用管业、船用轴舵中心等一批大企业，还有恒润海工材料、一川镍业、一水重工、谷雨船舶资源再生等一批大项目入园建设。2011 年，园区产销规模 360 亿元，其中大洋造船、环洲船用材料产销先后突破 100 亿元。

大洋造船有限公司是太平洋造船集团旗下，以统筹优化理论为指导，应用成组技术为原理，中间产品为导向，按区域组织生产一体化的现代化总装造船厂。研发制造拥有自主知识产权的皇冠 58K、皇冠 63K、皇冠 118K 等节能环保型散装船系列以及大型 NPG 船系列产品。环洲船用材料有限公司的精密铸造、中厚板和废钢循环物流组合项目投产运行，2011 年，成为园区又一个 100 亿元产值企业。中铁宝桥（扬州）有限公司成为园区内第一家央企，先后承接浙江、江苏一系列地标性大桥的建造。

园区引导企业创新设计，促进产品特色创意升级换代。2010 年以后，大洋造船坚持产学研合作方针，与江苏科技大学等高校建立紧密合作关系，建成江苏省数字化船舶平台技术中心。植入绿色环保设计理念，运用先进的船舶三维设计软件，对所有结构设备、管系、舾装件 100% 建模，通过三维模拟仿真技术模拟船舶各生产阶段的过程和质量控制节点，实现船舶建造数字化。生产重心从普通散装轮向石油平台供应船、液化气运输船、环保新型船以及海洋工程船方向拓展。大洋造船以运载效率提升到极致为企业追求的目标。以皇冠 63K 散装船为例，在保持同样航速状态下，其载重增加 9%，燃油能耗却降低 13%。2008 年，该公司在国内率先采用交船码头临时监管点制度。2010 年，被评为国家级高新技术企业，并认定为江苏省船舶数字化设计与制造工程技术研究中心，获评省"两化融合"（两化即企业信息化与工业化）示范企业、全国一级 1 类钢质船舶生产企业。2011 年 5 月，获全国五一劳动奖状。大洋造船、环洲船用材料产品已陆续通过中国 CCS、德国 GL、挪威 DNV、美国 LR、美国 ABS、韩国 KR、意大利 RINA、日本 NK 和法国 BV 等船级社多项认证。中铁宝桥（扬州）也从日本、德国、瑞典、韩国引进钢梁数控机床加工中心、大型弧焊中心等国际一流的大型设备和先进技术，拓展城市轨道交通钢结构技术，全力筹建院士工作站。

三、医疗器械之乡（头桥镇）

头桥镇是"中国医疗器械之都"。2011 年，医疗器械产业有生产企业 82 家、卫生材料及敷料经营企业 52 家，产品逾 200 种，生产加工和市场营销人员超过万人，是全国有影响的医疗器械集散地。该镇企业十分重视企校产学研平台建设，自觉加强与科研院校的协作，联合开发研制科技含量高、附加值高、市场竞争力强的产品，分别与东南大学、中科院武汉研究所、上海硅酸研究所等科研院所联合研制开发植入性记忆合金骨科器械、微创手术冷热刀、静脉输液控制器、卤化银激光刀、空气采血器、输氧口罩和全自动排泄器等高新技术产品。又结盟省生物医疗工程学会，共建医疗器械研发中心和实验平台。规模较大的医械企业有江苏亚达科技集团、扬州华东医疗器械有限公司、扬州亚光医疗器械有限公司、扬州华夏医疗器械有限公司、江苏亚星医疗器械有限公司等。全镇坚持一业为主、多种经营的经济发展战略。有电器线缆产业企业 174 家、五金机械行业生产企业 60 家、木业制刷行业生产企业 24 家、鞋帽服装产业生产企业 35 家。2011 年，全镇实现工业总产值 107 亿元。

第四章创新创业服务

1989 ～ 2011 年，广陵区始终坚持加强科技合作与交流，与国内多所高等院校建立稳定的技术合作关系，以产学研为纽带，促进高新技术成果转化。同时积极构建全区科技公共服务平台，加快建设区域创新服务体系，为企业提供创新服务，为科技工作者提供良好的创业环境，催生高新技术企业。2004 ～ 2011 年，与高等院校签订产学研项目 156 个，建成 1 家国家级博士后工作站、2 家省级企业院士工作站、1 家市级企业院士工作站、10 家省级工程技术研究中心、46 家市级研究中心。

第一节　产学研结合

1989～2001年，产学研交流活动主要是加强对外联系，争取外援，组织企业参加各级各类科技成果展览交易会。先后组织参加3次中国国际高新技术成果交易会，5次省科技成果展览交易会、技术洽谈会，4次市科技成果交易洽谈会，为企业产学研平台建设奠定基础。2002年，鼓励企业直接与高等院校、科研院所开展技术合作，先后帮助保来得扬州科技实业有限公司、扬州万方电子技术有限公司、扬州灯泡集团等单位与清华大学、上海交通大学建立稳定的技术合作关系。同时，主动走访中科院系统，了解和获取最新科技信息，为企业开发新产品提供信息服务。2003年，扬州华扬（阿波罗）蓄电池有限公司、欣宝机械有限公司、华宝石油仪器有限公司等企业分别与清华大学、上海交通大学建立技术合作关系；组织企业参加中国南京国际信息技术博览会，中国科学院、中国工程院、清华大学、北京大学在南京举办的高新技术成果展示暨洽谈会。2004年，多次组织乡镇企业参加产学研活动，推动扬州万方电子技术有限公司、扬州银焰机械有限公司等与清华大学、上海交通大学和西安电子科技大学等高校建立合作关系。2005年，组织企业参加国内科技博览会和科技洽谈会，扬州万方电子技术有限公司与西安电子科技大学联合成立重点实验室，扬州银焰机械有限公司与西安电子科技大学联合开发煤粉燃烧器监控装备，怡丰通信有限公司与北京邮电大学联合开发卡e通电子售卡系统。2006年，组织企业先后参加重庆高新技术交易会、深圳科技博览会、南通军转民技术洽谈会、南京"十五"科技成果展、扬州科技成果洽谈会等，参加人数400人次。全年共征集企业技术难题23个，签订技术合作协议10项。通过"北京·中国扬州推介会"，万方电子、银焰机械、怡丰通信3家企业分别与中国机械科学技术研究院、中国石油勘探开发研究院、北京理工大学签订技术开发协议。2007年，深入开展产学研合作，邀请高校、科研院所专家进企业开展项目咨询、技术攻关等活动10多次，走访高校、院所4次，征集项目需求和技术难题40个，共签订项目合作协议15份。组织100多人次参加中国江苏产学研合作成果展示洽谈会、中国国际苏州专利及名牌博览会、中国江苏软件博览会等活动。2009年，通过项目联合开发、征集项目需求和技术攻关等形式，借助科技创新产业合作推介活动和成果展洽谈会等平台，加强与高校、科研院所的产学研结合，与50多家高校、科研院所建立合作关系，实施产学研合作项目24个，为申报各级各类科技计划项目、培养科技项目源和提高企业创新能力奠定良好基础。2010年，积极组织企业参加北京、上海等四地"科技创新、产业合作"推介活动，与20多家高校、科研院所进行产学研合作，正式签约项目35个，征集2010年度企业重大技术需求30项，向高校、院所寻求联合攻关。2011年，分别组织企业参加"2011中国扬州科技创新、产业合作"在杭州、长沙、大连、深圳举办的四场推介会、第三届中国江苏产学研合作成果展示洽谈会、中国科学院半导体产业科技成果对接会、扬州大学"苏中经济发展论坛——节能材料与环保材料专题"等多场推介活动，先后邀请一批国内著名高校、国家科研院所的专家、学者到区考察、洽谈，共征集企业技术需求23项，正式签订35个产学研合作项目。

图27-4-1　市民广场科技馆

第二节　高新技术创业服务

1998年8月，区建立高新技术创业服务中心，加强与驻扬高校、科研单位及大型企业的联系。2003年，制定企业进驻园区标准，在调整孵化企业结构、提高进驻企业档次、发展特色园区、完善创业服务体系方面进行探索。制定留学人员创业园企业优惠政策，明确在税收、科研经费、科技贷款、企业注册、办公生产用房等

图 27-4-2 企业院士工作站揭牌仪式

方面提供优惠和方便。2005 年，加快推进企业工程技术研究中心建设，根据企业核心技术、技术状态及技术队伍情况，分类指导企业建设工程技术研究中心，集中企业资源，加大投入。是年，新增市级工程技术研究中心 2 家，共建成市级工程技术研究中心 13 家，一般企业成立研发机构。2007 年，整合全区资源，动员 13 家骨干企业，以广陵产业园为载体，建立博士后科研工作站，下设 6 家企业分站。2008 年 10 月，江苏信息服务产业基地（扬州）留学生创业园区成立。2009 年，加快企业研发机构建设。积极引导企业建立研发机构和研发队伍，提高企业自主创新能力。中电科技扬州宝军公司创成省级企业院士工作站，信息服务产业基地获批江苏省（电子信息）科技创业园，获批 1 家省级、8 家市级工程技术研究中心。2010 年，加强对科技创新平台建设的政策支持，鼓励企业积极参与平台建设，增加对创新平台的投入，提高企业核心竞争力。是年，获批省级工程技术研究中心 7 家、市级工程技术研究中心 12 家；万方电子企业院士工作站获省科技厅批准设立并挂牌启动；扬农化工股份有限公司加入国家级农药产业技术创新战略联盟。广陵产业园获批省级液压装备产业园。2011 年，广陵区获批市级企业院士工作站 1 家，省级工程技术研究中心 2 家、市级 13 家，省级企业技术中心 3 家、市级 12 家；广陵产业园获批省级环保装备专业孵化器，信息产业基地获批省级留学人员创业园、省级博士后创新实践基地、省级重点培育小企业创业基地，汤汪乡、湾头镇获批省级小企业创业示范基地。

第五章科技管理

1989 ～ 2011 年，广陵区积极组织企业技术创新项目，共获省、市项目资金 4255 万元。2010 年，区政府设专项科技经费和科技进步奖。至 2011 年，两年配套和资助 1240 万元、奖励 435 万元。同年，区财政安排 6000 万元，设人才引进专项资金。2011 年设工业和创新型经济专项引导资金，奖励中小企业 211 万元。2003 ～ 2011 年，申请专利 4023 件，获省补助 133.5 万元。1989 ～ 2011 年投入科技三项经费 1 亿元。

第一节 科技政策

一、财政引导

1999 年 5 月，区通过对中小企业科技创新项目的支持，增强企业创新能力。至 2011 年，全区共有 9 家企业成功申报国家级中小企业技术创新基金项目，获批资金 510 万元。2007 年，区组织企业申报国家用于支持创业投资企业、初创型科技企业、具有中小企业投资服务功能的机构等项目资金。至 2011 年，全区 5 家企业获批项目资金 135 万元。

2008 年 10 月，省科技厅、省财政厅出台《省级科技创新与成果转化专项引导资金管理办法》，要求支持符合省八大重点发展的产业领域内开展的前沿技术、关键共性技术和公益性技术的研发。通过重大科技成果转化专项资金，采取拨款资助、有偿资助、贷款贴息、股权投资等方式，支持已取得科技成果、经中试并进入产业化、较快形成较大产业规模的项目。至 2011 年，全区 3 家企业成功申报省工业支撑项目，获批资金 110

万元;3 家企业获批省重大科技成果转化项目,获批资金 3000 万元。(参见表 27-3-4)

2009 年,省科技厅出台《江苏省科技成果转化风险补偿专项资金管理办法》,专门用于补偿协作银行在支持科技型中小企业科技成果产业化过程中所发生的贷款损失。2010 年,市出台《“八大产业”科技攻关与成果转化专项资金管理试行办法》,其中包括科技攻关、科技型中小企业创新资金、重大科技成果转化、高新技术产品、平台建设、产学研专项、科技进步奖等专项资助。至 2011 年,全区 24 家企业获批资金 500 万元。同时,重点推进企业研发费用税前加计扣除、高新技术企业所得税优惠、软件及集成电路企业税收优惠、创业投资企业抵扣应纳税所得额等税收优惠政策的落实工作,确保各类符合条件的企业充分享受税收优惠政策。

二、人才激励

2007 ~ 2011 年,根据省委组织部《江苏省高层次人才创新创业人才引进计划》,全区先后获批 11 项省“双创”计划,获批金额 800 万元。

2010 年,市出台《绿扬金凤引才计划》,主要资助到扬州投资创办科技型企业的创业者和企业、创新载体引进的高层次领军人才。2010 ~ 2011 年,全区共获批 31 个市“绿扬金凤”计划项目,获批资金 2193 万元,其中区财政配套资金 950 万元。

三、财政扶持

2010 年,区政府印发《广陵区科技攻关与成果转化专项资金管理试行办法》,设立专项科技经费,用于对列入国家、省、市各类科技计划项目经费的配套资助和区科技计划项目及平台建设项目。规定对列入市以上各类科技计划项目给予配套经费 3 万~ 20 万元;对区级科技计划项目,资助 2 万~ 15 万元;经国家、省、市评定的科技创新平台,给予资助 2 万~ 20 万元;对获批国家高新技术企业的给予资助 10 万元,对获批省高新技术产品的,按销售和新增缴纳增值税资助 2 万~ 4 万元。2010 ~ 2011 年,广陵区专项科技经费逐年上升,分别是 544 万、696 万元。

图 27-5-1　全区科技创新、高层次人才政策培训会

2010 年,区政府设立科技进步奖,奖励技术创新水平高、经济社会效益显著、科技进步带动明显的项目及作出突出贡献的企业和个人。按一、二、三等奖项,分别给予 15000 ~ 3000 元的奖励。2010 ~ 2011 年,全区共奖励科技进步奖 65 项,奖励资金 43.5 万元,奖励项目数和金额逐年递增。全区评选优秀项目推荐申报省、市科技进步奖。2010 ~ 2011 年,区企业获省科技进步奖二等奖 1 项、三等奖 4 项,获市科技进步一等奖 3 项、二等奖 7 项、三等奖 9 项,共获奖励资金 48.08 万元。

2010 ~ 2011 年广陵区科技进步奖一览表

表 27-5-1　　单位:项、万元

年份	2010 年	2011 年
一等奖	5	5
二等奖	12	12
三等奖	13	18
合计获奖数	30	35
合计金额	21	22.5

为推进全区工业和创新型经济发展步伐，2011年，区政府设立工业和创新型经济专项引导资金。区财政预算每年安排中小企业专项引导资金500万元，对成长型中小企业，按照科技创新能力、开票销售金额、小企业创业基地获上级称号等，给予2万～10万元不等的一次性资金补助。2011年，区拨付中小企业专项引导资金211万元。

四、人才集聚

2010年，区政府设立人才引进专项基金。区财政安排6000万元，用于对引进的各类高层次人才和创新创业项目的奖励和资助。对高层次人才创业项目，通过评审给予重大科技创新团队A类、B类、C类、D类资助，对重大科技创新团队，连续3年给予每年500万元的科技项目经费资助，对A～D类项目，分别给予300万～50万元项目资助。2011年，经评审，区财政共资助38个高层次领军人才创业项目、资金5700万元，其中重大科技创新团（1000万元）1个、A类项目（300万元）4个。同时，对企业引进的“两院”院士、重点专家、“双高人才”、专门人才，给予每月津补贴、购房补贴或租房补贴。

第二节 项目及经费管理

一、计划项目管理

1989～2011年，全区共安排和实施各类科技计划项目400多个。按照公平、公开、公正的原则，增加项目立项、评审等各个环节的透明度，择优立项，支持一批对经济社会发展起着重要带动作用的项目，促进整体科技水平提高。围绕产业结构、产品结构的调整，突出老产品改进、升级换代和新产品、创汇产品的开发。注重节能降耗，提高劳动生产率的技术攻关和工艺改进；组织和安排大中型企业的科技开发、产品开发、技术攻关项目，推动大中型企业产品、技术结构的调整优化；培育高新技术产业和技术含量高的产品，促其向高新技术产业集成。对已申报市级科技计划未予立项的项目，及时向申报单位说明原因，并反馈专家组意见。实行目标管理责任制，开展年度考核，确保项目按时完成。

二、科技经费管理

1990年后，对上级下达的科技专项费用指标，采取由区统一调度，与各单位经费管理使用、有偿回收等挂钩，实行浮动安排、择优支持，确保项目经费的合理使用和落实到位。2008年，区科技局制定《科技计划及其经费管理办法（试行）》，改革科技三项费用的使用方式，对科技计划立项、实施、验收及科技经费使用范围、科技经费开支审计等作出明确规定，建立专家咨询评审制度，保证科技三项费用集中高效使用。

1989～2011年广陵区科技三项费用一览表

表27-5-2　　　　单位：万元

年份	1989	1990	1991	1992	1993	1994	1995	1996	1997	1998	1999	2000
金额	7.8	18	12.5	13	30	33	46	55	60	45	50	54
年份	2001	2002	2003	2004	2005	2006	2007	2008	2009	2010	2011	合计
金额	58	82	112	99	264	231	445	954	1358	2523	3477	10027.3

第三节 知识产权管理

2001年，区科技局增设知识产权办公室，从制度建立、法律知识普及到专利信息收集利用，对开展技术创新和形成自主知识产权的企业给予指导、支持和服务。2001～2004年，杭集镇为省、市知识产权管理试点乡镇，扬州亚星客车股份有限公司等被列为省、市企事业专利试点单位。2004年，全区专利申请82件，其中发明申请2件。专利申请涉及电子、电器、科研机构、轻工机械、粉末冶金等行业。2005年通过宣传《中华人民共和国专利法》和《中华人民共和国知识产权保护法》，提高企业知识产权保护意识，引导和鼓励企业开发拥有自主知识产权的新产品、新技术、新工艺。对专有关键技术，通过专利申请依法实行知识产权保护，并给予扶持经费20多万元。全区专利申请182件，授权97件。2006年，专利申请183件，授权97件，扶持经费25多万元，对申请专利的企业和个人给予专利申请经费资助近5万元。2007年，专利申请316件，其中发明申请60件、国际专利1件、授权151件。给予申请经费资助6万元，用于专利实施项目资助近40万元。确定海沃机械（扬州）有限公司等5家企业作为省知识产权重点联系单位，怡丰通信和兴盛刷业为第二批“正版正货”承诺试点单位。2008年，专利申请364件，专利授权162件，其中发明申请63件。全区有8家企业及个人获省级专利专项资助37.5万元。2009年，广陵区被批准为省级知识产权区域试点区。区政府印发《广陵区知识产权工作意见》等文件，成立知识产权工作领导小组，设立知识产权管理科，加强组织机构和工作机制建设。全年专利申请664件，其中发明申请98件。东方吊架和扬农集团两件发明专利获省专利优秀奖。2011年开展知识产权创造、保护、运用工作。制定《广陵区知识产权战略纲要》，以企业为重点，以区域知识产权战略实施为核心，以培育拥有自主知识产权的产品群、企业群和产业群为目标，以知识产权队伍建设为保障，建立知识产权创造、运用、保护的管理机制和激励机制。专利申请1296件，发明申请242件，专利授权378件，其中发明授权24件。广陵区获批省知识产权战略示范区。2010年、2011年分别发放专利资助64万元和113万元。

2003～2011年广陵区专利申请授权情况一览表

表27-5-3　　　　单位：件

年份	专利申请	申请种类			专利授权	授权种类		
		发明申请	实用申请	外观申请		发明授权	实用授权	外观授权
2003	97	1	53	43	67	0	33	34
2004	82	2	42	38	67	1	28	38
2005	182	5	98	79	97	1	44	52
2006	183	15	88	80	97	2	55	40
2007	316	60	150	106	151	15	60	76
2008	364	63	120	181	162	26	87	49
2009	664	98	145	421	233	22	109	102
2010	849	157	212	480	323	19	185	119
2011	1296	242	263	791	378	24	185	169
合计	4033	643	1171	2219	1575	110	786	679

第二十八篇

教育

要　目

1989～2011年，区委、区政府贯彻落实《中国教育改革和发展纲要》《中华人民共和国教育法》（以下简称《教育法》）、《中华人民共和国教师法》（以下简称《教师法》）及中共中央《关于教育体制改革的决定》精神，实施科教兴区战略，广陵教育快速发展。2002年和2011年两次区划调整，区域面积增加，广陵教育进入新的发展时期。

1989年，区内有幼儿园10所，教职工231人；小学27所，教职工1125人。2011年，有幼儿园38所，班级399个，在园幼儿1.39万人，在职教职工1413人。小学28所，教学点1个，教学班781个，在校学生3.47万人，教职工3011人。小学生入学率、巩固率、毕业率均为100%。初中学校13所，其中九年一贯制学校7所；教学班180个，在校学生6026人，初中生入学率99%、毕业率99.6%、升学率95%；区属专任教师657人。高中2所，教学班57个，在校学生2208人，专任教师169人。特殊学校1所，教学班9个，专任教师15人。中等职业学校1所。2007～2008年，区少儿体重达标率65%，男女生身高达标率分别为74%和75%。

1989年，区内有高等院校9所、市直中学15所。扬州中学一直是全国普通中学名校之一。2011年，有驻区高校2所、市直普通中学7所。区内高校、中学的发展，对市、区教育互相融合、互相促进，对广陵区职业教育的发展，起着重要的促进作用。

2011年年底，共创成省优质幼儿园26所、省实验小学16所、省示范初中10所、省三星级高中1所。广陵区先后被评为全国特殊教育先进区、全国社区教育先进区、省教育现代化建设先进区、省全面实施素质教育先进区、省师资队伍建设先进区、省幼儿教育先进区、省规范教育收费示范区、省基础教育课程改革先进集体。2008年，广陵区被评为省县级人民政府教育工作省级督导评估考核先进单位。

第一章　基础教育

第一节 幼儿教育

一、幼儿园设置

1989～2011年，区幼儿教育在稳定中发展。1989年，区内有汶河幼儿园、市机关幼儿园、市伊斯兰幼儿园等10所幼儿园。2002年，明月幼儿园、金太阳幼儿园、扬州大学附属幼儿园、市机关第三幼儿园4所幼儿园划入维扬区。同时，湾头、汤汪等乡镇幼儿园划归广陵区。2003年，市政府《关于推进幼儿教育改革和发展的意见》提出，幼儿教育发展要形成以公办幼儿园为骨干和示范，以社会力量办幼儿园为主体，公办和民办相结合的多元化发展新格局。是年，区教育局与曙光厂合作创办育才实验幼儿园。2004年，创办汶河幼儿园沙口分园。同年，台湾吉德堡幼教连锁机构与市机关第二幼儿园联合，创办吉德堡双语艺术幼儿园。2006年，创办市育才幼儿园绿杨分园。2007年，区教育局注销工人新村幼儿园、冶金厂幼儿园注册登记证。市商业职工幼儿园、新城花园幼儿园、商业职工幼儿园东区幼儿园划归广陵区。2010年，停办武警医院幼儿园。2011年，新5镇（2011年，原属邗江区的头桥镇、李典镇、沙头镇、杭集镇、泰安镇划归广陵区）所属9所幼儿园划归广陵区。至2011年，全区有幼儿园38所，其中省优质幼儿园26所，市优质幼儿园9所，合格幼儿园3所。省、市级优质幼儿园占总园数92.11%。

2011年广陵区幼儿园情况一览表

表 28-1-1

幼儿园名称	园 址	性 质	级 别	备 注
江苏群发化工有限公司幼儿园	太平北路 1 号	其他部门办	合格幼儿园	—
江苏扬农化工集团幼儿园	文峰路 24 号	其他部门办	省优质幼儿园	—
扬州市电讯仪器厂幼儿园	江都路 366 号	其他部门办	合格幼儿园	—
东花园幼儿园	东花园小区 33 幢	集体办	省优质幼儿园	—
大地连运幼儿园	连运小区西大门内	民办	省优质幼儿园	—
东方名城幼儿园	京杭南路 60 号	民办	省优质幼儿园	—
金苹果鸿泰艺术幼儿园	文昌中路 88 号	民办	省优质幼儿园	—
金苹果艺术幼儿园	渡江南路 41 号	民办	市优质幼儿园	—
金鹰幼儿园	文昌中路 218 号	民办	省优质幼儿园	—
骏和大地幼儿园	安康路 8 号	民办	市优质幼儿园	—
七巧幼儿园	安康路曲江新苑 28 幢	集体办	市优质幼儿园	—
托阳幼儿园	施井小区 27 幢	民办	省优质幼儿园	—
湾头中心幼儿园	湾头镇健康路 9 号	民办	省优质幼儿园	—
小名人幼托中心	联谊路 15 号	其他部门办	市优质幼儿园	—
耶鲁联谊幼儿园	渡江南路联谊花园	其他部门办	市优质幼儿园	—
育才实验幼儿园	江阳中路 138 号	民办	省优质幼儿园	—
市机关第一幼儿园	北柳巷运司公廨 44 号	其他部门办	省优质幼儿园	省示范园
市机关第二幼儿园 （吉德堡幼儿园）	小三元巷 8 号	其他部门办	省优质幼儿园	省示范园
曲江中心幼儿园	曲江北路 12 号	集体办	市优质幼儿园	—
商业职工幼儿园	广陵路 139 号	教育部门办	省优质幼儿园	—
时代幼儿园	安康路顾庄新村 20 幢	集体办	省优质幼儿园	—
汤汪中心幼儿园	汤汪路 92 号	集体办	市优质幼儿园	—
天才艺术幼儿园	联谊干货批发市场	民办	合格幼儿园	—
汶河幼儿园	淮海路 126 号	教育部门办	省优质幼儿园	省示范园
汶河幼儿园贝贝分园	桑园北村 11 号	教育部门办	省优质幼儿园	—
汶河幼儿园沙口分园	江都南路 12 号	教育部门办	省优质幼儿园	—
新城花园幼儿园	维扬路 125 号	教育部门办	省优质幼儿园	省示范园
伊斯兰幼儿园	卸甲桥 1 号	集体办	省优质幼儿园	—
育才幼儿园	汶河南路 16 号	教育部门办	省优质幼儿园	省示范园
泰安幼儿园	泰安镇金桥西路 44 号	民办	市优质幼儿园	—
红桥镇中心幼儿园	头桥镇红星路	乡镇办	省优质幼儿园	—
杭集镇中心幼儿园	杭集镇富民街东侧	乡镇办	省优质幼儿园	—
杭集镇镇北幼儿园	杭集镇瘏庙村	乡镇办	省优质幼儿园	—
沙头幼儿园	沙头镇三兴东路 29 号	民办	省优质幼儿园	—
新坝幼儿园	李典镇扬港路 30 号	民办	市优质幼儿园	—

续表 28-1-1

幼儿园名称	园 址	性 质	级 别	备 注
头桥幼儿园	头桥镇朝阳路 48 号	乡镇办	省优质幼儿园	—
霍桥幼儿园	沙头镇文汇路 48 号	乡镇办	省优质幼儿园	—
李典幼儿园	李典镇花园北路 1 号	民办	省优质幼儿园	—

1989 ~ 2011 年广陵区幼儿教育情况一览表

表 28-1-2

年份	幼儿园(所)	班级(个)	在园幼儿(人)	教职工(人)	专任教师(人)
1989	10	91	3716	231	180
1990	10	93	3889	237	184
1991	10	99	4151	252	197
1992	10	100	4310	255	199
1993	10	104	4608	260	202
1994	10	105	4671	261	202
1995	10	110	4751	269	209
1996	13	121	5166	294	234
1997	13	122	5330	295	232
1998	14	140	5643	335	263
1999	14	145	5763	351	280
2000	15	147	6214	396	293
2001	15	163	6310	407	313
2002	15	164	6079	410	315
2003	15	167	6258	426	330
2004	18	196	7148	511	396
2005	20	295	7857	557	483
2006	21	230	8478	611	478
2007	24	256	9268	681	530
2008	26	280	10035	783	577
2009	26	294	10242	830	608
2010	26	302	10734	858	627
2011	38	399	13948	1413	817

2011 年新 5 镇幼儿园情况一览表

表 28-1-3

园 名	园 址	占地面积（平方米）	校舍面积（平方米）	在园幼儿（人）	班级（个）	教职工（人）	专任教师数（人）
泰安幼儿园	泰安镇	5387	2083	273	7	25	14
红桥镇中心幼儿园	头桥镇红桥社区	6603	2600	370	9	34	18
杭集镇中心幼儿园	杭集镇	12874	4847	534	12	50	27

续表 28-1-3

园　名	园　址	占地面积（平方米）	校舍面积（平方米）	在园幼儿（人）	班级（个）	教职工（人）	专任教师数（人）
杭集镇镇北幼儿园	杭集镇北	7400	3400	345	9	37	20
沙头幼儿园	沙头镇	5994	2963	381	9	37	18
新坝幼儿园	沙头镇新坝社区	2880	1780	381	9	28	17
头桥幼儿园	头桥镇	6236	2450	259	6	25	12
霍桥幼儿园	沙头镇霍桥社区	7946	3791	357	9	36	18
李典幼儿园	李典镇	5848	4000	327	9	34	17
合　计		61168	27914	3227	79	306	161

二、幼教科研成果

1999 年，各幼儿园结合教学科研课题研究，确定国家、省、市及区级研究课题。1999 ～ 2011 年，区内幼儿教育课题研究涵盖道德行为的训练养成、艺术教育渗透、幼儿大脑潜能开发、教育手段现代化探索游戏活动、激发幼儿身心健康发展等方面，经市级以上教育科研机构审批的课题共 26 个，其中国家级课题 1 个、省级课题 3 个、市级课题 22 个。获省级课题优秀奖 1 个、省二等奖 1 个，被评为市优秀课题 1 个。

1999 ～ 2011 年广陵区幼儿教育市级以上课题情况一览表

表 28-1-4

幼儿园名称	年份	课题名称	课题级别	审批单位	获奖情况	课题负责人
吉德堡幼儿园	1999	普及艺术教育　提高整体素质	市级	市教育科学研究所	—	高蕾
	2002	重视人的环境　创设良好的精神氛围	省级	省教育科学研究所	—	
	2008	幼儿英语与奥尔夫音乐艺术整合教育	国家级	中央教育科学研究所	—	
	2011	幼儿同情心培养的实践研究	省级	省教育科学研究所	—	
市机关第一幼儿园	2002	培养幼儿利他行为的实践与研究	市级	市教育科学研究所	—	陆薇
	2007	幼儿任务意识的培养研究	市级	市教育科学研究所	—	
	2010	立足本园多种形式开展幼儿体育活动的研究	市级	市教育科学研究所	—	
	2010	在科技活动中培养幼儿自主学习与探究能力的研究	市级	市教育科学研究所	—	
	2012	幼儿园科技活动的实践与研究	市级	市教育科学研究所	—	
湾头幼儿园	2005 ～ 2010	幼儿探索农村常见植物的研究	省级	省陈鹤琴思想研究会	优秀奖	贾冻冰
金鹰幼儿园	2002	幼儿布贴画实践研究	市级	市教育局	—	孙莉
	2003	儿童交通安全教育研究	市级	市教育局	—	
	2007 ～ 2011	趣味美术教育与幼儿创造力培养的研究	市级	市教育科学研究所	—	

续表 28-1-4

幼儿园名称	年份	课题名称	课题级别	审批单位	获奖情况	课题负责人
市机关第二幼儿园	2007～2011	推动托幼一体化，开展人文教育的研究	市级	市教育科学研究所	—	潘浩阳
金苹果、鸿泰鸿福幼儿园	2007～2011	家园、社区三位一体亲子园活动模式的研究	市级	市教育科学研究所	—	宋小萍
育才幼儿园	2008～2011	继承发扬优秀传统文化，培养幼儿良好美德的研究	市级	市教育科学研究所	—	赵明琨
	2009～2012	在圣贤经典的传承中，幼儿礼貌行为教育的实践研究	省级	省中小学教学研究室	—	黄群
东花园幼儿园	1999～2000	关于幼儿社会规范意识的培养研究	市级	市教育科学研究所	—	
	2000～2002	幼儿绘画活动中创新能力的培养	市级	市教育科学研究所	—	
	2002～2004	幼儿绘画活动中创新能力的培养第二轮研究	市级	市教育科学研究所	—	
	2002～2006	亲子共读对幼儿园早期阅读影响的研究	市级	市教育科学研究所	—	
汶河幼儿园	2001～2003	幼儿美术欣赏能力培养的研究	市级	市教育科学研究所	—	赵琴
	2002～2005	城市幼儿园生活综合活动实践与研究	市级	市教育科学研究所	—	
	2004～2006	幼儿美术教育中民间艺术资源挖掘与利用的研究	市级	市教育科学研究所	2007年省二等奖	
	2006～2009	多媒体对提高教学活动有效性的研究	市级	市教育科学研究所	—	
	2006～2009	幼儿园环境资源的开发研究	省级	市教育科学研究所	2008年市优秀课题	
	2006	幼儿安全防护教育研究	市级	市教育科学研究所	—	
	2008	培养幼儿诚信美德的实践研究	省级	市教育科学研究所	—	
育才实验幼儿园	2006～2009	幼儿园开展合作性美术活动的实践	市级	市教育科学研究所	—	殷小芳
大地连运幼儿园	2006～2011	幼儿装饰画教学的实践与研究	市级	市教育科学研究所	—	李玲
商业幼儿园	2008～2011	幼儿园体育艺术化的实践研究	市级	市教育科学研究所	—	周翠岚

三、幼儿园选介

图 28-1-1 育才幼儿园

图 28-1-2 汶河幼儿园

育才幼儿园

位于汶河南路 16 号。建于 1996 年。为区教育局直属幼儿园。2011 年,有班级 16 个,幼儿 595 人。教师 38 人,其中市区级骨干教师 11 人。为省示范性实验幼儿园和市示范幼儿园。先后获得“省优质幼儿园”“省文明单位”“省教科院基地幼儿园”“省和谐校园”“市教科研样本校”“市绿色校园”“市先进教工之家”称号。

汶河幼儿园

位于淮海路 126 号。建于 1938 年。为省示范性实验幼儿园和市示范幼儿园,有一所分园。先后获得“市依法治校示范校”“教育收费规范学校”“教育科研样本校”“和谐校园”“绿色学校”称号。幼儿园拥有设施配套、功能齐全的各种教学、生活、活动、办公用房和各类现代化教育教学设施设备,创设以幼儿工作室、科学工作室、美术工作室、图书阅览室为一体的综合活动室。

杭集镇中心幼儿园

位于杭集镇富民街东侧。创办于 1973 年,新建于 1999 年。园内环境优美,活动场地宽敞,教学设施齐全。2011 年,有班级 12 个,幼儿 534 人。教职工 50 人,其中专任教师 27 人。1997 年,通过扬州市二类园和卫生保健合格园验收。2000 年 6 月,通过扬州市一类园验收。获“江苏省优质幼儿园”称号。

第二节 小学教育

一、学校建置

1989 年,区内共有小学 26 所,教学班 458 个,在校生 2.04 万人;教职工 1125 人,其中专任教师 1075 人。2011 年,区内共有小学 28 所,其中民办学校 5 所;1 个办学点;教学班 781 个,在校生 3.47 万人;教职工 3011 人,其中专任教师 2787 人。

2011 年广陵区小学基本情况表(一)

表 28-1-5

校 名	类别	校 址	校 名	类别	校 址
汶河小学	完小	文昌中路 558 号	北京新东方扬州外国语学校	十二年一贯制	秦邮路 958 号
东关小学	完小	文昌中路 241 号	同心学校	完小	文峰街道渡江村联谊组
东花园小学	完小	东花园河南 60 幢	向往学校	完小	文峰街道渡江村高永组
工人新村小学	完小	江阳东路 364 号	湾头实验学校	九年一贯制	广陵新城健民路

续表 28-1-5

校　名	类别	校　址	校　名	类别	校　址
广陵小学	完小	广陵路 269 号	东关小学文昌分校	教学点	文昌中路 18 号
宦桥小学	完小	广陵产业园	新坝中心小学	完小	李典镇新坝社区沿河东路 60-1 号
解放桥小学	完小	桑园路 40 号	头桥镇中心小学	完小	头桥镇古桥路 50 号
沙口中心小学	完小	江都南路 12 号	红桥中心小学	完小	头桥镇红桥社区文化路 33 号
汤汪中心小学	完小	汤汪乡	杭集三笑小学	完小	杭集镇窑庙村
湾头中心小学	完小	湾头镇沙湾北路	杭集镇中心小学	完小	杭集镇九圩路 2 号
文峰小学	完小	文峰街道文峰村谈家组	沙头镇中心小学	完小	沙头镇
新星小学	完小	曲江街道五里庙路	泰安学校	九年一贯制	泰安镇
艺蕾小学	完小	史可法西路 13 号	霍桥学校	九年一贯制	沙头镇霍桥社区文汇路 44 号
育才小学	完小	南通西路 58 号	李典学校	九年一贯制	李典镇华阳路 2 号
育才实验学校	完小	南河下 178 号			

2011 年广陵区小学基本情况表（二）

表 28-1-6

学校	班级(个)	在校学生（人）	招生（人）	毕业生（人）	占地面积（平方米）	建筑面积（平方米）
育才小学	69	3895	750	267	24500	14062
工人新村小学	16	660	119	130	4700	2078
广陵小学	25	1084	220	219	11400	5754
东花园小学	23	974	165	171	8400	3547
东关小学	68	3131	625	450	21700	10435
解放桥小学	15	498	124	108	6700	1748
艺蕾小学	14	435	80	80	7400	5934
汶河小学	90	4830	860	726	26200	22958
育才实验学校	91	3895	558	736	13600	15306
湾头中心小学	14	589	113	69	19300	5878
汤汪中心小学	18	749	133	123	15400	3152
宦桥小学	10	356	78	67	9100	2056
沙口中心小学	36	1738	265	200	13400	7637
文峰小学	12	551	105	85	7300	2405
新星小学	10	317	0	86	16100	3283
湾头实验学校	6	202	26	61	19600	2846
北京新东方扬州外国语学校	60	2008	679	616	218200	127553
向往学校	12	450	146	199	8700	1730
同心学校	9	437	92	127	5100	2152
新坝镇中心小学	20	936	159	142	15900	2286

续表 28-1-6

学校	班级(个)	在校学生(人)	招生(人)	毕业生(人)	占地面积(平方米)	建筑面积(平方米)
头桥镇中心小学	16	654	102	144	17300	4315
红桥镇中心小学	18	793	135	130	21200	4278
杭集三笑小学	12	617	98	98	20700	3234
杭集镇中心小学	35	1658	321	217	29100	11579
沙头镇中心小学	18	815	162	125	27000	5387
泰安学校	18	774	260	330	32900	13101
霍桥学校	22	982	324	380	102600	17335
李典学校	18	687	213	234	39600	7252
合　计	781	34715	6912	6320	763100	309281

说明：艺蕾小学和育才实验、新东方、同心、向往学校为民办性质，其他学校为教育部门或集体办

二、教育教学

课程计划 1989～1994年，区内各小学执行1983年教育部颁发的《全日制六年制小学教学计划（草案）》。1995年，按国家教育委员会调整的《全日制中小学课程（教学）计划》安排教育教学工作。1997～2011年，执行省教育委员会调整后的《全日制中小学课程（教学）计划》。同时，大多数学校广泛进行校本课程的研究与探讨，将开设的校本课程列入学校课表之中，严格执行“三表”(课程表、作息时间表、课外活动表)。

教育 1989年开始，各小学按照《中共中央关于改革和加强中小学德育工作的通知》和《小学德育纲要》，组建学校德育工作领导小组，拟定《贯彻实施小学生行为规范的意见》，规范升国旗仪式；同时将集体主义教育、道德规范教育、社会主义民主法制教育、文明礼貌遵纪守法教育和热爱劳动艰苦奋斗教育列入学校德育工作的主要内容。1991年，执行国家教育委员会印发的《小学生日常行为规范》，区文教局印发《小学生日常行为规范“三字歌”》。2000年后，围绕学习江泽民给东关小学吴霜同学的回信和《公民道德建设纲要》，开展“小手牵大手”“新世纪我能行”等系列教育活动。2005年，区教育局印发《广陵区常规管理示范（达标）学校评比办法》，并进行优秀班主任、优秀班集体和常规管理示范校系列评比活动。是年3月18日，在湾头中心小学召开中小学生行为规范养成教育推进会。同年，汶河小学团总支获团省委授予的“省五四红旗标兵”称号。2007年，确定每年3月18日作为“思想道德教育宣传日”，并设定素质教育展示周。各小学以“六一”儿童节为契机，先后开展“感恩教育校园行”“四时八节话感恩”等系列教育活动。2009年5月12日，举办“汶川地震周年祭”“广陵九龙心相连”结对赠书仪式，共收到区内各学校捐赠的7000多册图书和8000多封寄往九龙学校的慰问信。2010年，举行以未成年人文明礼仪教育为主题的第6个“3·18”未成年人思想道德教育宣传日，举行文明礼仪先锋队活动出征仪式暨现场教育活动。2011年，确定“3·18”未成年人思想道德教育宣传日以“唱响文明新童谣，争当创建好少年”为主题。

教学 1989年，各小学入学率、巩固率、毕业率、普及率均达到省颁规定标准。1990年后，小学教学工作进一步趋于规范化。1992年，贯彻执行省教委《关于当前小学教育改革的意见》，将学校工作重点放在抓质量、促转轨（由应试教育向素质教育转轨）上，逐步向办好优质学校方面努力。1994年，组织各校教师学习新大纲，开展优化教学过程，提高课堂效率的专题实验，语文教学逐步形成以逻辑思维能力、阅读能力培养为主题的课题教学特色。1995年，小学生入学率99.99%，巩固率100%，毕业率99%，残疾儿童入学率94.3%。1997年，红桥中心小学为全科教研基地，新坝中心小学为数学学科教研基地。1999年，组织教师进行课堂教学攻关，推动课堂教学改革，写字教学和古诗文诵读在区内全面推广。2000年，大力推进创新教育，鼓励教师上“提高课”“特色课”；倡导“大信息、多媒体、全方位、高效益”教学模式。李典镇中心小学为课堂教学改革试点校。2003年，在全国活动课程综合实践活动经验交流会上，跃进桥小学、育才小学论文和活动方

案获三等奖。2005 年，以“增效减负”（增强课堂教学效率，减轻学生过重课业负担）为目标，深化课程改革。区教育局与各小学签订《学校教育教学质量及社会满意度责任状》，完善《中小学学科教学质量调研方案》，教育“普优”工作取得历史性突破。是年，全区小学适龄儿童入学率、巩固率、毕业率均为 100%。2007 年，广陵区被授予全省首批“江苏省全面实施素质教育先进区”称号。2008 年，开展“同一片蓝天”活动，关怀帮助农村留守儿童，降低义务教育入学门槛。2010 ～ 2011 年，全力推进以“教育率先发展，学校内涵发展，教师专业发展，学生个性发展”为主题的教学工作改革，组团办学迈出新步伐，名校跨区办学效益持续彰显。“智慧课堂”“方案导学”“引问式”“三步探究式”等先进教学方法成为全区小学课堂教学主体。2011 年 4 月，育才小学千兆光纤网投入使用。至 2011 年，共创成 16 所江苏省实验小学。

艺术教育一直是广陵教育的强项。1993 年后，各校艺术教育设施不断改善，艺术教育逐步走上规范化轨道。2004 年，艺蕾小学、东关小学通过省艺术教育特色学校验收。此外，还有扬州市少年宫等校外艺术教育活动阵地。2005 年，区教育局、区文化局共同组织“以艺术陶冶少儿情操，以乐园相伴少年成长”为主题的首届少儿艺术节。东关小学演出的《夕歌》在全国“少儿进社区”广陵分会场文艺展演中获中央文明办和文化部颁发的金奖。2006 年，艺蕾小学参加全省“五星工程奖”文化团体竞赛，少儿芭蕾舞《黑白键》、扬州清曲《芍药花儿开》双获金奖。北柳巷小学“祝福 2008 北京奥运会”的剪纸作品参加扬州市第四届剪纸艺术节展览。2007 年，市少年宫 2008 台古筝同奏市歌《茉莉花》，创吉尼斯纪录。2010 ～ 2011 年，区中小学艺术教育在普及基础上向精品化方向发展，学校艺术教育及成果成为区对外开放和文化交流的窗口。

图 28-1-3　艺蕾小学演出少儿芭蕾舞《黑白键》

1989~2011 年广陵区创成江苏省实验小学情况表

表 28-1-7

类别	序号	单位	创成年份
公办	1	育才小学	1991
	2	沙口小学	1997
	3	汶河小学	2003
	4	东关小学	2004
	5	湾头中心小学	2005
	6	杭集中心小学	2005
	7	广陵小学	2006
	8	红桥中心小学	2007
	9	东花园小学	2008
	10	汤汪中心小学	2008
	11	头桥中心小学	2008
	12	解放桥小学	2009
	13	新坝中心小学	2010

续表 28-1-7

类别	序号	单位	创成年份
公办	14	沙头中心小学	2010
	15	新星小学	2011
民 办	16	北京新东方扬州外国语学校小学部	2006

第三节 初中教育

一、学校建置

1983 年建区时，广陵区无区属中学。经 3 次区划调整，至 2011 年，区内共有初中学校 13 所，其中民办学校 3 所；教学班 180 个，学生数 6026 人；教职工 939 人，其中专任教师 657 人。

2005 年广陵区初中基本情况表

表 28-1-8

学 校	性质	班级（个）	学生（人）	学校面积	
				占地（平方米）	建筑（平方米）
北京新东方扬州外国语学校	民办	25	825（含高中）	156745	91832
汤汪中学	公办	18	768	22411	6436
湾头实验学校初中部	公办	10	419	30081	3974
湾头中学	公办	13	559	20010	6750
同心学校中学部	民办	6	280	7470	3600
向往学校	民办	9	418	5069	1534
合计	6	81	3269	241786	114126

2011 年广陵区初中基本情况表

表 28-1-9

学 校	性质	班级（个）	学生（人）	学校面积		专任教师（人）
				占地（平方米）	建筑（平方米）	
北京新东方扬州外国语学校	民办	57	1749	218233	127553	94
向往学校	民办	5	193	8710	1730	43
同心学校	民办	3	134	5062	2152	27
湾头实验学校	公办	6	202	19609	2846	10
湾头中学	公办	7	214	24530	6055	33
汤汪中学	公办	16	559	33866	6198	59
泰安学校	公办	12	415	32859	13101	49
霍桥学校	公办	12	419	102598	17335	75
头桥中学	公办	20	806	43088	12600	73
新坝中学	公办	12	394	38753	9198	43
杭集中学	公办	17	513	57599	21884	76

续表 28-1-9

学 校	性质	班级(个)	学生(人)	学校面积		专任教师（人）
				占地（平方米）	建筑（平方米）	
北洲中学	公办	10	339	33735	10655	42
李典学校	公办	9	291	39610	30133	33
合计	13	180	6026	658252	261440	657

说明：1.2011 年暑期起，湾头实验学校不再招生。2. 北京新东方扬州外国语学校专任教师中含小学教师

二、教育教学

教育　1989 ～ 1994 年，区内各初中学校依靠政治课及团、队活动与班会、校会等形式向学生进行坚持四项基本原则教育，认真贯彻执行《中学生守则》，开展“五讲四美三热爱”（讲文明、讲礼貌、讲卫生、讲秩序、讲道德；心灵美、语言美、行为美、环境美；热爱祖国、热爱社会主义、热爱中国共产党）主题教育。1995 ～ 2000 年，结合开展纪念中国人民抗日战争暨世界反法西斯战争胜利 50 周年庆祝活动，组织学生观看图片展览及爱国主义教育影片，瞻仰烈士陵园，开展以爱国主义教育为主题的征文竞赛活动。2001 ～ 2011 年，中学生的思想教育工作随着时代发展，不断注入新的内容，形式更为多样活跃，效果更为显著。

教学　1989 年始，初中学校执行教育部颁发的《全日制中学教学计划》。90 年代起，积极执行素质教育。在课堂教学中，倡导“以学生为主体，以教师为主导”“和谐、合作、探究、创新”的课堂教学模式。1994 年，根据教育现代化要求，进一步优化中学电化教育资源配置。是年，杭集镇通过省级教育现代化乡镇验收，新坝镇、泰安镇中心中学创建为市级合格初中，头桥镇中心中学创建为省级示范初中。2001 ～ 2004 年，继续强化信息技术与课程整合工程，推进素质教育。2005 年，各学校以“增效减负”为主要目标，科学构建学校教学质量管理体系。同时实行初中毕业改革，确定初中毕业考试由考试科目（思想品德、语文、数学、英语、物理、化学）、会考科目（历史、地理、生物、信息技术）和考查科目（音乐、美术、综合实践、理化生实验操作）三部分组成。2006 年，中学中考取得好成绩，6 所中学共 967 人参加中考，达到扬州中学录取分数线 32 人。2007 年，提出《广陵区推进义务教育均衡发展 18 条》，积极推进“学校结对互助共同体”。是年，广陵区获得“江苏省全面实施素质教育先进区”称号。2009 年，区教育局印发《广陵区中小学“科学减负，提质增效”12 条》，细化量化中小学规范办学、减负增效要求。是年，承办全国第 26 届“创新杯”教学艺术大赛，并创新开展教研组活动。广陵区被省政府授予“江苏省教育现代化建设先进区”称号。2011 年，举办第二十六届“育花奖”课堂教学展示活动。共创成省示范初中 10 所（汤汪中学、湾头中学、杭集中学、头桥中学、新坝中学、北洲中学、新东方中学及泰安、霍桥、李典 3 所九年一贯制学校）。

第四节　特殊教育

1989 年，区始办弱智辅读学校，后更名为扬州市培智学校，与仓巷小学一套班子、两块牌子，校长由仓巷小学校长兼任。同年，完成《全日制培智教育美工大纲》。1990 年，创办聋儿康复中心。当年开始，与普通班同步每年招收 1 个班 12 名学生。1992 年 8 月，该校搬迁至市区汶河南路 15-2 号。1995 年 10 月，学校搬迁至城南小学新教学楼内，为独立单位，场地与城南小学合用。1998 年，搬迁至北河下 67 号。至此，学校始有独立校园，成为扬州市唯一对智力障碍儿童实施九年义务教育的学校。

扬州市培智学校结合智障儿童实际，以“教医结合”“分层次教学”等为教研课题，进行智残儿童教育教学的研究。2001 年，被评为扬州市特殊教育合格学校。2004 年，被省教育厅命名为江苏省特殊教育现代化示范学校。2005 年，培智学校 10 名运动员参加全省“特奥会”，获 8 枚金牌、9 枚银牌、6 枚铜牌，游泳项目取得全市“零”的突破。2006 年，学校以课题研究为龙头，对智障儿童开展生活适应能力训练。编写的 18 册校本教材《适应生活》，为全省 30 多所同类学校借鉴使用，受到教育部、中央教研所、省教育厅专家好评。是年，

图 28-1-4　扬州培智学校学生合影

在全国第二届现代特殊教育论文大赛中，学校有 10 名教师论文获奖，其中二等奖 3 篇、三等奖 8 篇。2007 ～ 2010 年，学校重点开展对自闭症儿童探索性研究；学校改造操场，添置适合智障儿童康复训练的感统器材，先后建起电脑室、多媒体教室、图书阅览室、学生宿舍、浴室、食堂，为智障儿童创设环境优美的生活乐园。至 2011 年，全校有班级 9 个，其中小学 6 个班、初中 3 个班。在校学生 19 人，其中小学生 10 人、初中生 9 人。另有随班就读学生 62 人。专任教师 15 人。学校占地面积 5601 平方米，建筑面积 2204 平方米，拥有图书 3580 册，录像录音带 300 部。学生毕业后走上社会均具有独立生活能力，大多数毕业生能熟练从事家政、餐饮、销售、搬运等社会工作，成为自食其力的社会成员。

第五节 学校选介

一、育才小学

位于南通西路 58 号。1888 年，由美国传教士慕究理创办，最初校名为真理女学堂。1953 年，正式定名为扬州市育才小学。120 多年中，学校以出众的办学业绩成为扬州市小学教育的窗口学校，先后被评为江苏省现代教育技术实验学校、江苏省体育传统项目学校、江苏省和谐校园、二十一世纪中国学校体育发展研究实验学校、国家艺术体操后备人才培训基地、江苏省教育科研先进集体，是省首批实验小学、省模范学校。

图 28-1-5　育才小学新生入学

1989 年后，在课程设置、教学方式方面进行积极的改革和探索，先后推出“智慧数学”“主题阅读”“地道英语”“快乐体育”“多元美术”“情感音乐”等课程研究。学校有以“三次成长礼”为主体的品牌活动，以扬州地方文化为特色的社团活动，因地制宜、合理安排的体育大课间，有获得省基础教育成果奖的“233”（即两个改变：改变试卷样式，改变等级划分标准；三个融合：融合过程和结果，融合差异性和全面性，融合家庭和社会；三个实践成果：一套完整的素质教育评价方案，一本成熟的素质发展报告书，一套完备的素质教育操作系统）学生综合评价制度，以及富有本校特色的学生成长计划。在开展学生活动的过程中，学校积极探索管理方法，分层次开发读本，分级段主题推进，实施累积式评价，并注重家校联动，使活动的效益最大化，让每一个学生健康发展、全面发展。

2011 年，学校有班级 69 个，学生 3895 人，教职工 210 人，其中专任教师 198 人。学校以“仁爱求真”为校训，以“秉承仁爱求真精神，打造素质教育典范”为办学愿景，致力于校园文化的建设和创新，形成鲜明的办学特色。

二、汶河小学

位于文昌中路 558 号。创办于民国元年（1912），是辛亥革命后扬州首批新式学堂。学校现有石塔、西门街、北柳巷三个校区。2011 年，在校学生 4830 人，专任教师 247 人。

图 28-1-6　汶河小学鼓号队

学校秉承“正谊明道”的校训，本着“和而不同，各美其美”的办学理念，坚持“读国学经典，做有民族文化底蕴的世界公民”的特色办学思路。经典诵读活动、公民教育实践活动等专题活动均已实现常态化。1989 ～ 2011 年，学校先后被评为全国综合实践实验基地、全国教研工作先进单位、全国雏鹰红旗大队、全国少先队辅导员专业实验学校、全国首批语文教师专业化发展工程基地校、全国青少年道德培养实验基地、江苏省实验学校、江苏省文明学校、江苏省现代技术实验学校、江苏省公民教育实践学校、江苏省实施素质教育先进集体、江苏省基础教育改革先进集体、江苏省德育先进集体、江苏省体育工作先进学校、江苏省语言文字规范化示范校、江苏省中小学优秀网站、扬州市经典诵读示范学校、扬州市素质教育先进学校、扬州市“十二五”教育科研示范校。

三、东关小学

位于文昌中路 241 号。始建于清光绪二十八年（1902）4 月，原校址在琼花观街淮南书局（原琼花观街 111 号，现文昌中路 241 号），是古城扬州创立最早的公办学校。学校初名笃才学堂，后经多次更名，1979 年 11 月，正式定名为扬州市东关小学。2011 年，学校共有班级 44 个，在校学生 2229 人，专任教师 140 人。

100 多年的悠久历史，孕育出一大批杰出英才。原中共中央总书记、国家主席江泽民，原教育部副部长章新胜等，小学时代都曾在该校读书。多年来，学校不断拓展研究领域，开展教学实验，逐步形成个性化的办学路径。1995 年，被命名为扬州市实验学校；1996 年，被命名为江苏省科技教育特色学校；1999 年，被命名为江苏省写字特色学校；2004 年，通过江苏省实验学校的评估验收。多次被评为市级文明单位、国家重点实验课题实验学校，连续多年被评为全国双拥教育先进集体、创优红旗大队。

图 28-1-7　东关小学百年校庆

2005 年，在文昌中路 18 号兴办东关小学文昌分校。2011 年，有班级 24 个，学生 902 人。面向全区招收宏志生，对宏志生实行全员建档、全面帮扶、全程跟踪。

第二章　普通高中与中等职业教育

2011 年，有区属普通高中 2 所，班级 57 个，学生 2208 人，专任教师 169 人。北京新东方扬州外国语学校已成为中国基础教育与高等教育完美融合的教育品牌学校，红桥高级中学为区属唯一的一所三星级普通高级中学。区属 2 所职校为霍桥师范职业学校和民办天海职业技术学校。

第一节　普通高中教育

一、北京新东方扬州外国语学校

2003年，在英语培训领域获得巨大成功的北京新东方集团，投资3.2亿元，在广陵区秦邮路958号建成北京新东方扬州外国语学校。由教育专家俞敏洪任董事长，美国宾夕法尼亚州立大学教育管理学博士王修文任校长。学校有来自扬州及美国、加拿大、日本、新加坡等国家和中国香港地区的学生。2006年，创设国际高中班，打造中学生入读国外大学的直通车。至2011年，通过国际高中班直接到国外读书的学生有692人。

2011年，共有高中班级27个，学生794人，专任教师63人。学校拥有图书2.53万册、计算机1288台，其中教学用机843台、电子图书500部。学校实行小班化教学，全寄宿制管理，力行全方位教学改革。学校先后被命名为社会满意学校、教育部中教院首届百佳特色学校、扬州市现代化教育技术示范学校、扬州市素质教育先进学校和扬州市体育、卫生先进集体。

二、红桥高级中学

位于头桥镇文化路500号。创办于1958年8月。学校拥有计算机320台，多媒体教室座位1710个。1999年，创建成江苏省重点高中。2001年，被评定为省德育先进学校，中央教科所德育研究中心授牌该校为“九五”规划国家级重点课题——整体构建学校德育体系实验学校。是年，区教育委员会评定的100余名区内名教师中，该校占31名，其中27名教师为研究生课程班毕业。2003年，转为江苏省三星级高中。学校凭借向德育要质量的办学理念，取得跃进式发展。2011年，在校学生1414人，其中住宿生1026人；教职工120人，其中专任教师106人。

第二节　中等职业教育

一、霍桥幼儿师范职业学校

位于霍桥镇文汇路44号。1980年5月，霍桥中学开办幼儿师范班，当年招收38名应届高中毕业女生，学制1年。次年，招收40名应届初中毕业女生，学制2年。1981年8月，国务院幼托领导小组曾发简报向全国介绍该校办学经验。1982年以后，面向扬州市招收初中毕业女生，学制3年。1986年，市政府批准该校为区职业技术学校，与霍桥中学同校（两块牌子、一套班子）。学校占地面积6.6万平方米，建筑面积1.59万平方米。1987年，该校幼师专业升格为职业中专。1999年3月，为区职教集团成员校。2011年，划归广陵区。至2011年，霍桥幼儿师范职业学校已为市、区幼儿园培养千名以上合格的幼儿教育师资。

图28-2-1　霍桥幼儿师范职业学校

二、江苏省扬州旅游商贸学校

1989～2008年，江苏省扬州旅游商贸学校位于市区广陵路。2008年8月，搬迁到史可法西路15号（原扬州教育学院内）。

该校广陵路校址前身为明清时代扬州最高学府“梅花书院”。新中国成立后为扬州师范学校附属小学。1972年，改为扬州市第七中学。1980年，开设职业高中班。1985年，成为独立设置的扬州市职业技术学校。

1995年，经国家教委批准，定为江苏省扬州职业高级中学。1998年，增挂扬州市旅游职业学校牌子。2008年，更名为江苏省扬州旅游商贸学校。2011年，晋级为江苏省四星级中等职业学校。旅游商贸职业教育，主要有中国硬笔书法、计算机应用技术、国家紧缺人才（游戏人才）教育、高博微软技术、旅游职业现代化教育、省级导游与饭店服务专业基地实训、市级旅游行业人员培训等。旅游服务类专业毕业生供不应求，至2011年，向海内外输送中级技术人才1万多人，其中向国家有关部、局和国宾馆等机构或企业输送毕业生近5000人。

三、扬州市天海职业技术学校

位于渡江路苏唱街1号。是江苏老区开发促进会的人才培训中心和江苏扶贫开发协会职教扶贫基地。2002年创办后，始终坚持职教扶贫的办学宗旨，坚持吃苦、忍耐、诚信、自主的校训，通过全日制与半工半读制相结合的学习制度，教育在校学生学会做人、学到知识、掌握劳动技能。该校学生主要是农村困难家庭的初中毕业生，优先录取孤儿、生活能自理的残疾青年和父母残疾、低保、因灾因病致贫家庭子女。所有教育费用先由学校垫付，通过半工半读、工学交替，自己挣钱还学费。经学校安排，不少学生在上海、南京、苏州、无锡、扬州等大中城市实现稳定就业。时任教育部部长周济对此十分赞赏。

学校有机电、电子与电器、服装工艺与设计、酒店服务与管理、旅游服务与管理、通讯运行服务等专业。2005年，在国务院召开的全国职业教育工作会议上，被教育部、国家发改委等七部委评为全国职业教育先进单位。2007年教师节前夕，被教育部、人事部授予"全国教育系统先进集体"称号。2010年，被中国老区建设促进会评为支持老区建设发展贡献单位。至2011年，学校共培养出4500多名农村困难家庭初中毕业生。

第三章　教师队伍

1989年后，区委、区政府认真贯彻《教育法》和《教师法》，狠抓教师队伍德能、师能建设。2006年，广陵区被评为江苏省师资队伍建设先进区。至2011年，基本形成一支思想素质较为优秀、业务素质较为精湛的师资队伍。拥有特级教师7人、中学高级教师229人、享受国务院津贴的中青年专家4人。一批优秀教师被评为全国、省级教育先进个人、劳动模范、三八红旗手等。

第一节　队伍建设

一、师德建设

1989年，区教育局先后举办青年教师师德讲习班、演讲会、法制教育研讨班。第六个教师节，区内有1名教师被评为全国优秀教育工作者，3名教师被评为省级优秀教育工作者。1992年，在区中小学教师中，深化"学陶（优秀教育家陶行知先生）师陶"活动，弘扬敬业爱岗奉献精神。1993年，对1991年任命的校长、党支部书记进行考核，同时对区内11所小学82名学校领导及中层干部，从"德、能、勤、绩"四个方面进行民主测评。是年，梅岭小学教师陈薇和西门街小学教师李鸿德被国家教委、省教

图28-3-1　教师节庆祝活动

委表彰为优秀教师，育才小学教师李隆英被评为全省“学陶师陶”先进个人。《中国教育报》10月23日，以《为了明天更辉煌》为题，大篇幅报道育才小学坚持“明理、动情、导行”的青年教师队伍建设成果。是年，该校被省政府评为省级文明单位，被省教委命名为江苏省模范学校。1995年，召开千人教师大会，提出加强师德建设新要求。是年，教育局党委被省委宣传部评为“党的三基本教育”先进单位。西门街小学党支部被省陶行知教育思想研究会评为江苏省学陶典型单位，汶河小学校长马恩甲被评为全国先进工作者。1996年，区教育局印发《广陵区教职工师德规范“十要”“十不准”》，三元桥小学教师率先向社会承诺“不搞营业性家教”。1997年，开展“凝聚力工程”和“巾帼示范岗”活动。1998年，制定《学校干部队伍管理的意见》，在梅岭小学召开“凝聚力工程”现场会，在教师中开展“举旗、走路、做人、接班”大讨论。1999年，积极实施学校领导干部选任制、公示制。2000年，实行教师全员聘用合同制。2005年，教育系统机关党支部、16个基层党支部共485名党员参加保持共产党员先进性教育活动。2006年，区内各类各级学校，认真学习和贯彻落实中共中央《建立健全教育、制度、监督并重的惩治和预防腐败体系实施纲要》精神，广泛开展全方位、多层次、宽领域的廉洁文化建设。同年，在市教委举办的2006年扬州教育十大新闻人物评选活动中，36年如一日、致力于青少年科技创新教育的校外辅导员、湾头中学教师王志勤，热心社区“阳光学堂”、关爱未成年人成长的荷花池社区居委会主任伏正予，无怨无悔投身农村学校支教的东关小学教师张倩入围。2007年，10所学校被评为市依法治校示范校。2008年，在汶河小学举办“青年师德之星”风采演讲比赛暨“拒绝有偿家教”签字仪式；以东关小学为试点，组织编写《东关小学廉洁教育示例》，《江苏省教育纪检监察信息》对此进行报道。是年，制定《广陵区教育系统师德师风八条行为规范》。2009年，区教育局监察室获“全国教育纪检监察先进集体”称号。2010年，局党委组织各校党支部积极开展支部书记、党员教师以“亮身份、亮承诺”为主题的“双亮”教育活动。2011年，对区内中小学教师提出“创新创优，师本至上”要求，以“师德大家看”“师德大家讲”“师德大家评”三项活动为抓手，弘扬师德建设主旋律。

图28-3-2 区青年教师“育花奖”评课活动

二、师能建设

1989～1992年，多次举办教育理论和教学改革专题讲座，组织“育花奖”获得者为教师上示范课，组织区内退休特级教师和小学的中学高级教师到学校巡回听课，面对面进行业务指导。1993年，调阅小学121名学校党支部书记、校长、教导主任备课笔记3785本、听课笔记857本，从中挑选出优秀备课、听课笔记，在区内教育系统召开的有关会议上展示。1995年，选送6名青年教师赴苏州大学学习电化教学。1998年，举办区第十五届青年教师“育花奖”竞赛。2000年，围绕“课堂教学改革年”，分别在汶河小学、育才小学召开区教学工作会议，组织教师学习理论，转变教育理念，展示区内外优质课。组织第十六届“育花奖”竞赛、教案大赛、备课笔记交流现场会等活动。2005年，举办中小学骨干教师高级研修班，各校100多名学科带头人、中青年骨干教师、教坛新秀入班学习，华东师范大学派出15名教授讲课。2006年，启动新一轮“骨干教师支教工程”，在农村各学校设立“名师工作室”和“名师工作岗”，遴选30名骨干教师及名师、名校长到农村学校和市区一般学校支教。选派3名教师赴徐州邳州农村学校对口支教。新增有突出贡献中青年专家1人。2008年，新增省、市特级教师5人；赴四川绵竹九龙镇支教的育才小学教师朱有伟，获省教育厅嘉奖。2010年，新增省特级教师1人、市学科带头人17人、市中青年骨干18人、市教学能手31人、市名校长1人，区培骨干教师梯队基本形成。2011年，以“师能提升年”为主题，持续开展师能大比武、教学业务竞赛、“青蓝工程”（青年教师与老教师、骨干教师结对帮扶）等活动。

三、教师学历

1989～2011年，全区各类学校教师通过参加函授、自学考试及脱产进修等多种形式，提高学历层次与文化水平。1989年，广陵区专任教师1566人，其中大学专科毕业1人，中师、高中毕业27人。至2011年，按照"小学教师大专化、初中教师本科化、高中教师有一定研究生比例"的要求，大力加强在职教师学历档次和文化水平提高的培训。

1989～2011年广陵区中小学专任教师学历达标情况一览表

表28-3-1

年份	专任教师（人）	大学专科毕业（人）	中师、高中毕业（人）	高中毕业以下（人）	大学本科毕业及以上（人）
1989	1566	1	27	1538	—
1990	1572	1	72	1499	—
1991	1308	4	833	471	—
1992	1193	224	916	53	—
1993	1127	164	904	59	—
1996	1069	207	818	38	6
1997	1054	241	770	35	8
2000	1207	436	693	41	37
2001	1265	664	533	19	49
2002	1191	566	575	12	38
2003	1294	687	518	15	74
2004	1371	861	380	9	121
2005	1642	963	295	5	379
2006	1732	982	260	4	486
2007	1889	910	211	3	765（研究生1人）
2008	1791	867	154	5	765（研究生1人）
2009	1933	972	122	2	837（研究生1人）
2010	1879	605	115	—	1159（研究生11人）
2011	3599	1207	290	5	2097（研究生36人）

说明：2011年含头桥、李典、沙头、杭集、泰安5镇的数据

四、职称评定

1987年，区对中小学教师进行专业技术职称评定。2011年，广陵区小学专任教师2787人，其中中学高级职称88人、小学高级职称968人、小学一级职称780人、小学二级职称3人、未定职称948人。中学专任教师812人，其中中学高级职称139人、中学一级职称335人、中学二级职称302人、未定职称36人。

第二节　教师待遇

1989～2011年，教师在荣誉表彰、经济待遇、住房等方面均有显著提高和改善。

一、荣誉表彰

1989～2011年，全区有梅岭小学陈薇、汶河小学马恩甲等10人（次）受到省、部级表彰，市少年宫、育

才小学等 23 家单位受到厅、局级表彰。

2005 ~ 2008 年广陵区中小学特级教师名录一览表

表 28-3-2

姓 名	性别	级别	所在单位	授予年份
刘萍丽	女	省级	育才小学	2005
龚海平	男	省级	区教育局教研室	2005
陈士文	男	省级	育才小学	2008
葛敏芸	女	省级	东关小学	2008
蔡月珍	女	市级	育才小学	2008
丁文宏	男	市级	汤汪中学	2008
王树华	男	市级	北京新东方扬州外国语学校	2008

1994 ~ 2009 年广陵区中小学有突出贡献中青年专家名录一览表

表 28-3-3

姓 名	级别	工作单位	授予年份
马恩甲	市级	汶河小学	1994
龚海平	市级	区教育局教研室	2002
陈士文	市级	育才小学	2007
葛敏芸	市级	沙口小学	2009

1993 ~ 2007 年区教育系统受省部级以上表彰人员名录一览表

表 28-3-4

受表彰人员名单	授予称号	工作单位	授予部门	授予年份
陈 薇	全国优秀教师	梅岭小学	国家教委	1993
李鸿德	优秀教师	西门街小学	省教委	1993
张长贵	省教研系统先进个人	区教研室	省教委	1993
李隆英	江苏省“学陶师陶”先进个人	育才小学	省教委	1993
王志勤	全国教育系统先进工作者	湾头中学	国家教委	1995
马恩甲	全国教育系统先进工作者	汶河小学	国家教委	1995
王新勇	江苏省勤工俭学先进个人	区教育局	省教育厅	2001
丁传奇	全国“双有”主题教育先进个人	广陵小学	全国“双有”主题教育活动组委会	2007
郑 治	全国“双有”主题教育先进个人	广陵小学	全国“双有”主题教育活动组委会	2007
	全国少年消防教育先进个人	广陵小学	全国少工委	

1993～2011年区教育系统受厅局级以上表彰情况一览表

表28-3-5

被授予单位	授予称号	授予单位	授予年份
区教育学会	1993年江苏省教育学会系统先进集体	省教育学会	1993
育才小学	江苏省文明单位、江苏省模范学校	省教委	1993
区教育局党委	江苏省“党的三基本教育”先进单位	省委宣传部	1995
西门街小学	江苏省“学陶”典型单位	省陶行知教育思想研究会	1995
广陵区政府	全国特教先进区	教育部	1995
校办企业:扬州广菱电子有限公司	江苏省勤工俭学先进集体	省教育厅	2001
市少年宫	全国“双有”主题教育活动优秀组织奖	教育部 共青团中央 全国妇联	2007
广陵区政府	全国少先队辅导员专业化建设优秀实验基地	全国少工委	2007
育才小学 汶河小学	江苏省文明单位	省文明办	2007
区教育局	全国第二届中小学生才艺大赛优秀组织奖	教育部	2007
育才小学	江苏省文明小学	省教育厅	2007
育才小学	模范职工之家	省教育科技系统	2007
育才小学	全国青少年科普创新示范学校	中国少先队事业发展中心	2007
广陵区政府	督导评估考核先进单位	省委组织部 省人民政府 省教育厅	2008
区教育局	江苏省科技教育先进单位	省青少年科技教育协会	2008
区教育督导室	江苏省督导评估考核先进单位	省教育厅	2008
广陵区政府	江苏省规范教育收费示范区	省纪委 省财政厅 省教育厅	2009
广陵区政府	全国教育纪检监察先进集体	省委教育工委 省教育厅	2009
广陵区政府	江苏省教育现代化建设先进区	省人民政府	2009
区教育局监察室	全国教育纪检监察先进集体	教育部	2009
广陵区政府	江苏省规范教育收费示范区	省教育厅	2009
广陵区政府	全国社区教育先进区	国家教委	2009
市少年宫	“心中有祖国 心中有他人”优秀组织奖	教育部 全国妇联 共青团中央	2010
东关小学	全国中小学幼儿园基础教育课程改革先进集体	省教育厅	2010
扬州大学 附属小学	全国小学德育实验基地学校	中国教育学会小学教育专业委员会 全国小学德育指导中心	2010
市少年宫	全国美术教育先进单位	中国教育学会 中国教育电视协会	2010
广陵区政府	全国教育系统“祖国万岁”歌咏活动优秀组织奖	教育部	2010
市少年宫	2010年国际艺术启蒙教育优胜单位	世界和平书画展组委会	2010
市少年宫	江苏省校外教育先进集体	省教育学会	2010
区教育局	第三届全国亿万学生阳光体育冬季长跑活动优秀组织单位	教育部	2010
区教育局	2010年全民健身活动先进单位	教育部	2010
扬州中学	江苏省教育科研先进集体	省教育科学研究院	2011

二、经济待遇

1989年，区中学教职工年平均工资1258.6元，小学教师年平均工资1323.2元（以上数字不包括1989年10～12月普调增加工资额）。90年代后，教师工资多次调升，且幅度较大。2009年实行绩效工资后，中小学教师工资不低于市（区）机关公务员平均工资水平，中小学教师月平均工资4200元以上。

1989年后，教师住房条件不断改善。1990年，区文教局重点解决9户教师的拆迁安置，并维修教工宿舍区。1993年，为区内住房拆迁的部分教师发放拆迁补贴10.54万元，石榴巷1520平方米教工宿舍竣工。同年，解决区内60多户教师住房困难。1994年，凤凰桥北街教职工宿舍楼竣工，解决60多户教师住房。1995年，在城西新建教职工住宅3000平方米。1996年，修缮教职工宿舍900平方米。是年，启动教职工住房改革，出售公房120套。1997年，解放桥第二幢4000平方米教职工住宅楼交付使用。1998年，新建3000平方米教职工住宅。2002年后，区停止分配住房、代建、合建等教职工住房安置形式，改由教师自购商品房。

第四章　教育研究

1989年后，区教育教学研究室、站、组网络进一步健全，教育教学研究活动进一步活跃。90年代，广陵区多形式、多渠道筹措资金，建设具有广陵特色的教育信息化应用系统“校校通”“班班通”，建立区教育局网络资源中心，组建教育系统城域网，所有学校都接入宽带。区教育学会配合行政主管部门进行教育理论和实践的研究，推动教育改革，全面提高教育教学质量。在多次承办及协办国家和省、市各类教育教学活动和竞赛中成绩优良，奖项丰硕。2001～2005年，区师生获市级以上各类活动奖项500多个。至2011年，区教科研成果在国家、省、市评奖中获奖795人次，1500多篇教育教学论文在国家、省、市各级评比中获奖。

第一节　教研活动

一、教育教学研究

1989年，区教育局制定《校、片、区三级教育网工作暂行办法》。区教研室担负对区内中小学（幼儿园）教学业务工作的指导；片教学研究站，主要负责集中分析研究教材，组织片上教学观摩、交流课；校教研组主要担负校内学科教学研究、集体备课及组织公开课、观摩课等活动。

1989年，育才小学班级整体改革、梅岭小学注音识字 提前读写、广陵中心小学听读欣赏等实验项目取得较好成绩。年内，组织青年教师第七届“育花奖”评比课，36名教师参赛，获一等奖7人、二等奖11人、三等奖18人。1990年，开展第八届课堂教学“育花奖”评比，评出区级一等奖7人、二等奖17人、三等奖9人。1992年，召开优化数学教学过程教研专题汇报和座谈会；举办学校教研组长培训班，组织10年来教学“育花奖”一等奖获得者上示范课，开展与周边县市的教研双向交流活动。1993年，组织教师加强对新教材的分析，全年组织多次区内外教学观摩研讨。区教研室张长贵被评为江苏省教研系统先进个人。1994年，进一步健全局、片、

图 28-4-1　优质课比赛

校、学科组四级教研网络。在全国小学数学奥林匹克竞赛中，参赛学生2人获100分。在全国小学生作文教学竞赛中，教师送稿25篇，23篇获奖，获奖率在全国位于前列。参加全国奥林匹克自然科学知识竞赛，东关小学徐琦、育才小学徐洁云分获二、三等奖，教研室获组织奖。在省、市青年教师优秀课竞赛中，东花园小学管晓东获省小学自然课教学竞赛一等奖。1995年，在全国小学数学奥林匹克竞赛中，参赛学生8人获满分奖，8人获一等奖。市级以上语文、数学、自然、思想品德等学科竞赛中，43人次获奖。是年，广陵区被评为全国特教先进区。1998年，区教研室编印《广陵区素质教育探讨特辑》，筹建四个素质教育实验区。在东关小学举办写字教学实验现场观摩会。在省音乐教师优秀课竞赛中，1名教师获二等奖。在市教学投影制作和自然课教师基本功竞赛中，多名教师获一、二等奖。在全省《小学生数学报》组织的竞赛中，1人获一等奖、5人获三等奖。年内，举办第十五届青年教师"育花奖"竞赛。1999年，组织区内历届"育花奖"展评活动，46名语数"育花奖"一等奖获得者分8次集中上示范观摩课，3000人参与听课、评议。编辑教研专辑8期、简讯8期。是年，在省《小学生数学报》组织的竞赛中，4人获满分奖，10人获一等奖。在江苏省社会课教案评比中，7人获市一等奖，5篇论文被省教科研刊物选用，2人获省电教录像课和劳动课论文评比一等奖。2000年，承办苏教版教材培训会、小学数学创新教育研讨会等4项省、市级教研活动。组织第十六届"育花奖"竞赛、教案设计竞赛、备课笔记撰写现场会。开设小学英语学校从4所增加到8所。

2001～2005年，继续深化课程改革与课堂教学改革，共获市级以上奖项500多个，其中国家级奖项20个、省级奖项200个、市级奖项300多个。2006年，区中小学师生在国家级和省、市教育部门组织的各学科竞赛中，共获奖项1166人次，其中国家级奖项261人次、省级奖项321人次、市级奖项584人次。区教育局局长张贵联主编的《让世界成为学生的书本——综合实践活动课程的理念、探索和收获》一书正式出版，得到教育学家陶西平高度评价。是年4～5月，区28所中小学、3万多名学生，通过校园开放、课堂教学展示、走向社会、校园科技文化艺术节、综合实践活动等形式，进行全方位素质展示，2000名人大代表、政协委员、家长代表、社区代表等各界人士应邀走进校园。5月，在曲江公园举行"红领巾综合艺术素质"广场展示活动。在第二届市小学英语教学技能大赛中，获得5个单项一等奖。在市首届青年教师教学大比武活动中，获3个一等奖和小学英语组第一名。参加省第二届小学英语教学技能大赛，获二等奖。参加省教育学会小学英语优质课大赛，获二等奖。在市教育局首次组织的小升初学生水平摸底调研考试中，学生英语平均分、及格率、优秀率均位居全市第一。2007年，跃进桥小学老师梅琳代表扬州市参加全国综合实践课堂教学比赛，获一等奖。5月底，开展第二届素质教育展示周活动，共展示300多节优秀课，1万多名社会人士参加活动。是年，先后印发《关于加强全区中小学科技教育的实施意见》和《广陵区中小学科技教育奖励办法》，召开5次科技工作专题会，成立8所少年科技院。各中小学相继开展科技节、科技周、科技竞赛等系列活动。通过《广陵教育在线》专题栏目，对区2007年美术优质录像课、优秀美术课件及教学设计、美术教育教学论文、教师美术作品、学生获奖优秀美术作品及校园美化设计6个方面进行展示。2008年，省中小学国防教育"三进"（进课堂、进课表、进教材）现场会在东关小学举行。2009年，印发《广陵区中小学"科学减负　提质增效"12条》。年内，共18人获国家、省级奖项。4月，第二十六届"创新杯"全国教学艺术大赛（扬州会场）在北京新东方扬州外国语学校举办，20多个省、市送选70多名优秀青年教师参加比赛，育才小学教师严杰敏、北京新东方扬州外国语学校教师杨丽萍获上课比赛一等奖，东关小学教师李文新获上课比赛二等奖，北京新东方扬州外国语学校教师邹丹获说课比赛一等奖，石芳、孙冬梅、杨朝露、朱姝4名教师获说课比赛二等奖。2010年，共有32人次获国家、省、市课堂教学比赛奖项。两所学校被评为省名校俱乐部会员学校。区课改工作的实践总结材料在全省基础教育教学工作会议上作交流。广陵区被评为市义务教育素质教育优质均衡样板区和市义务教育队伍建设优质均衡样板区。

2011年，与英国伍斯特郡及国内7个城市的知名学校组团结对。科学实施中小学教学质量监测。育才小学"233""小学生综合素质评价体系"，得到香港《校长》杂志关注并推介。该评价体系获省首届基础教育研究成果二等奖。以"师能建设年"为主题，举办魏书生等名家名师教育思想报告会5场；创新开展"5151工程建设（即5大组团开展高效课堂教学模式展评活动，10名校长开展自主办学公开答辩活动；50名骨干教师开展课堂风采展示活动，100 名青年教师开展优秀教学设计评比活动)，全面提升各类学校各学科及各类教师业务素质。

二、教育学会

广陵区教育学会建于 1984 年，下有语文、数学等 9 个专业研究会，共有会员 133 人。1989 年，召开第四届年会，收到论文 89 篇。获奖论文中，一等奖 7 篇、二等奖 22 篇、三等奖 25 篇。是年，教育学会被评为省级先进集体。1993 年，召开第八届年会，评出获奖论文 63 篇。1994 年，全国特教研究会秘书长会议在扬州开展一日活动，组织参观市培智学校。省教育学会幼教研究会二届二次年会在扬州召开。同年，增设特教研究会。区教育学会再次被省教育学会授予“1993 年江苏省教育学会系统先进集体”称号。广陵小学张蓉参加录制的全国优秀教学片《一年级数学拼组图形》由国际卫星向全国转播。1996 年，承办市德育研究会举办的思想品德课实效性研究专题研讨会。在市幼教年会上，获二等奖 5 篇、三等奖 9 篇。1997 年，区教研刊物《小学生语数外丛书》创刊。1999 年，在省教育学会举办的优质课评比及小学英语比赛课活动中，东关小学方智伟、育才小学杨春燕、汶河小学刘莉、工人新村小学金阳分获一、二等奖。2005 年，由中国教育学会、扬州市人民政府主办，北京新东方扬州外国语学校承办 2005 年教育发展论坛，市、区领导及来自全国各地的 1000 余名教育界人士汇聚一堂，就中国民办教育、挑战与机遇、教育民营化制度设计、民办学校可持续性发展等问题进行探讨。2006 年，区各专业研究会承担的 16 项“十五”课题全部通过专家鉴定。2007 年，在全国教育学会和省教育学会举办的综合实践活动优秀观摩课展示及江苏省综合实践劳动与技术课优质录像课评比中，跃进桥小学梅琳、育才小学黄元虎获一等奖。2008 年，在省教育学会举办的优质课评比中，育才小学王菲、姜美红、杨俊和东关小学龚会山获一等奖。年内，增设后勤管理等专业研究会，学会下属专业研究会增加到 14 个。2009 年，承办第二十六届“创新杯”全国教学艺术大赛；区教育局承办全国综合实践教学观摩研讨暨学术年会。2010 年，组织有关教师参加教学竞赛，东关小学张文扬在全国语文课堂教学大赛中获特等奖；1 人在全国综合实践活动观摩课中获一等奖；32 人次获国家、省、市课堂教学比赛奖项。共 795 人次获教育教学论文、教学案例等教科研成果奖项，其中获省教育学会教育教学论文评比一等奖 10 篇。2011 年，获省教育学会省级优秀教育教学论文评比一等奖 24 篇、二等奖 50 篇。

图 28-4-2 广陵区教育学会年会

第二节 教科研立项课题

1989 年，区教科研工作围绕“减轻学生负担，提高课堂效益”主题，进行理论探讨及教学实践探索，在省级以上报刊发表教育教学课题论文 30 多篇，编写省级以上期刊的教育教学书籍 9 部。1990 年，梅岭小学完成第一轮“注音识字，提前读写”课题实验；培智学校进行“聋健合一”课题实验，并在省特教干部和培智学校校长会议上作介绍。1993 年，区教研室就“情景教学在思想品德课中的运用”“思想品德课与养成教育关系”“优化数学课堂教学”等重点课题与邻近市、县进行交流。在全国第 15 次小学语、数教研会上，刘燕春《阅读、观摩、表达》、梅岭小学《改革课堂结构，改进教学方法，提高教学效率》、区教研室《注意回答问题的语言质量》3 篇教科研专题论文在会上作交流发言。1994 年，对各校教科研课题项目实行申报立项制度，确定一批区级重点课题。1995 ～ 1996 年，各校申报市级以上课题 9 个，其中省级课题 3 个；举办 3 期学校管理专设课题培训班。1997 年，育才小学“引导学生自主学习”课题、梅岭小学“语文课外阅读以及小学生人际关系班级指导纲要”研究课题、东关中心小学“写字教学”以及区教研室组织的“计算机辅助教学”等实验课题全面实施，“21 世纪中国学校体育发展与研究”实验课题在育才、梅岭、广陵小学等校起步；东关小学、北柳巷小学分别被省教委、省科委列为国家教委“九五”重点课题“活动课程和提高中小学生科学素质”实验学校。1998 ～ 1999 年，教科研工作围绕“课堂教学改革”中心课题进行联合攻关，5 篇教学研究论文入选中央教科所组编的《中国教研论》。2000 年，承办苏教版教材培训会、小学数学创新教育研讨会等 4 项省、市级教科研活动。2001 年，成立广陵区教育局教科室。2002 ～ 2005 年，在省中小学教学研究第四期课题评奖活动中，区教育局教研室、东关小学合作课题“全面的数学教育研究”及育才小学“小学生自主能力的培养研究”实验课题均获二等奖，获奖比例占全市三分之一。在市“十五”教育研究课题评审活动中，育才小学“小学生自主能力的培养研究”、东关小学“‘资源化 + 个性化’备课策略”均获一等奖；汤汪中学“探究学生心理，激发写作激情”获二等奖；工人新村小学“小学生独立思考与交流合作能力的培养”、广陵小学“亲近母语课外阅读和语文实践活动的指导评价”获三等奖。在育才小学举行省重点课题“区域性推进综合实践活动课程实施的理论与实践研究”结题鉴定会。年内，区外语教学研究课题“小学英语教与学的评价体系的构建”成功申报，正式列入国家级外语教学研究项目，2006 年顺利结题。全国实施《少先队辅导员纲要》，推进辅导员专业建设现场研讨会在广陵区举行，广陵区成为全国首批三大课题实验基地之一。是年，由区教育局、育才小学、北京新东方扬州外国语学校承办的第二届全国儿童阅读论坛暨亲近母语教育研讨会，在北京新东方扬州外国语学校举行。由江苏教育出版社主办、区教育局承办的省第十八届“教海探航”征文颁奖会及名特教师教学观摩活动在广陵区举行，共收到教科研论文 6000 余篇，区内教师获 3 个一等奖，区教育局等 9 个单位获优秀组织奖。在全国第二届现代特殊教育论文大赛中，10 名教师论文获奖。区承担的省教研室第六期教研课题“沈峰小学英语教学艺术研究”取得重大进展，4 篇研究论文在国家核心期刊《中小学外语教学》发表。区教研室英语教研员牵头主编、市部分实验小学合作编写的小学英语校本教材《小学英语分级阅读》（Read More and Learn More）由上海教育出版社出版发行，为江苏省公开出版的第一套小学英语课外阅读教材。2007 年，区教育局申报的国家级课题“新课程科学教学改革操作体系的心理化实践研究”正式列入“十一五”科研规划课题。2008 年，江苏省杏仁杯中小学优质课评选活动在广陵区举办，全区 4 名教师参赛，获 3 个一等奖、1 个二等奖。汶河小学被评为市小学英语学科基地和省课改实验先进集体，湾头实验学校、湾头中学被评为省初中教育研究先进集体；汶河幼儿园等 5 所幼儿园、学校被评为市“十一五”校本研究示范园（校），东关小学等 5 所学校被评为市优秀教育科研样本校，沙口小学等 3 所学校被评为首批市义务教育新课程实施样本校。2010 年，承办省第八期重点教研课题培训研讨会暨课程与教学研究论坛现场活动，多所学校被评为中小学基础教育课程改革先进集体，2 人获省“基础教育课程改革先进个人”称号。2 所学校分别被评为全国课题研究先进单位和全国“十一五”课题研究先进单位，13 所学校被评为市课改先进校、“十一五”教育科研样板校。2011 年，区内先后出现“高效课堂”“智慧课堂”“学案导学”“合作探究”“任务型”“引问式”和“三步探究式”等课堂教学模式，成功承办省小学数学教学流派“数学是什么”专题研究会和“全国差异教学实验学校联盟”首届论坛。1 所学校被评为全国作文教学先进单位，2 所学校分别被评为市“十一五”优秀教科研样本校、省教育科研先进集体，8 人分别被评为市化学教学先进个人、省教育科研先进个人、全国“十一五”教育科研先进工作者。

图 28-4-3　汶河组团序列化主题教学研讨

2003～2011年广陵区教科研重点课题立项情况一览表

表 28-4-1

单　位	课题名称	级　别	主持人	研究时间	
				开题	结题
区教育局	新课程科学教学改革操作体系的心理化实践研究	中央教科所立项	张贵联	2007年	2009年
区教育局教研室	沈峰小学英语教学艺术的研究	省立项(教研)	龚海平	2005年	2008年
	小学英语教与学的评价体系的构建	中国教育学会立项	龚海平	2005年	2008年
	新课程背景下初中化学“问题情境”的创设研究	市立项	王国铮	2008年	2010年
	儿童声乐教学理论与实践研究	市立项	相　东	2008年	—
	扬州清曲在小学音乐教育中的传承研究	市立项	相　东	2008年	—
	小学语文教师提高教材解读及教学设计能力的研究	省立项(教研)	朱　彤	2008年	—
东花园小学教研室	小学语文教师教材解读及教学设计能力的研究	市立项	谭爱兰 朱　彤	2007年	2010年
解放桥小学	小学生生活作文的实践研究	市立项	焦建中	2007年	2009年
	小学课堂教学中理答行为有效性研究	市立项	李菊梅	2010年	—
艺蕾小学	小学习作教学发展性评价研究	市立项	孙　晶	2005年	2010年
育才小学	善待个性差异,促进自我发展	省立项(规划)	刘萍丽	2007年	2010年
	指导小学生进行可选择性学习的研究	中央教科所立项	刘萍丽	2007年	2010年
	“大语文教学观”指导下学生语文素养培养的实践研究	省立项	万晓霞	2007年	2009年
	仁爱求真的文化和校本课程建设的研究	省教研重点	陈士文	2010年	—
	小学数学课程智慧数学的研究与实践	全国教育规划	陈士文	2011年	—
文峰小学	校园文化创设的研究	市立项	郭静楠	2007年	2011年
	教材中练习题的选择与开发的研究	市规划	吕祝娟	2010年	—
东关小学	苏教版小语教材课后练习实效性研究	市立项	葛敏芸	2005年	2008年
	小学习作教学发展性评价研究	省立项(学会)	葛敏芸	2006年	2008年
	全方位、多层面提升新时期小学生学养的综合性研究	市立项	葛敏芸	2008年	2011年
	人本思想在小学管理中的运用研究	市教研	焦建中	2009年	—
沙口小学	新课程理念下的小学生作业设计	省立项(教研)	戴玉兰	2005年	2007年
	基于网络环境的教育资源建设与应用研究	市立项	戴玉兰	2008年	2011年
	新课程背景下小学课堂提问的有效设计与评价	省教研	葛敏芸	2010年	—
汤汪小学	小学数学学科错题成因分析及解决对策的研究	市立项	邵祖祥	2008年	2011年
板桥小学	小学数学单元评价的研究	区立项	周怀斌	2005年	2008年

续表 28-4-1

单　位	课题名称	级　别	主持人	研究时间	
				开题	结题
汶河小学	现代小学课堂学生学习方式有效性策略研究	省立项（教研）	潘　宁	2003 年	2007 年
	学生学习方法的研究与指导	省立项（学会）	潘　宁	2006 年	2009 年
	学校课堂教学从有效走向优质的评价研究	市立项	潘　宁	2007 年	2010 年
	品德课程中实施公民教育实践活动案例的研究	市立项	潘　宁	2008 年	2011 年
宦桥小学	小学语文课堂教学对话的研究	区立项	王　彦	2006 年	2010 年
	小学数学知识记忆方法的探究	区立项	胡宝军	2006 年	2010 年
培智学校	智障生生活适应课程有效教学的研究	省立项（教研）	高鹏凌	2008 年	2011 年
	对孤独症儿童实施有效训练的研究	省立项（学会）	高鹏凌	2008 年	2011 年
广陵小学	营造书香校园促进学校特色建设的研究	市立项	丁传奇	2007 年	2010 年
北京新东方扬州外国语学校	小学优化阅读自能习作研究	市立项	王树华 陈祥悦	2007 年	2011 年
湾头小学	激发阅读兴趣，培养学生良好的学习习惯	市立项	李治山	2005 年	2008 年
新星小学	加强口语交际训练，培养语言表达能力	市立项	刘正邦	2007 年	2009 年
	小学综合实践活动课程资源的开发研究	市规划	杨金珍	2010 年	—
汤汪中学	农村初中学生数学自主学习方式的研究	市立项	周启东	2008 年	2010 年
	让农村初中孩子在英语课堂上动起来	（子课题）	王秀珍	2008 年	2010 年
新坝小学	农村小学数学学习方法指导与研究	市立项	刘　艳	2009 年	—
杭集中心小学	新课程背景下课堂教学有效性研究	市立项	王一鹏 倪　俊	2007 年	—
李典学校	和谐师生关系的研究	市立项	曹　旭	2009 年	—
霍桥学校	古诗文启蒙教育活动化实践研究	市立项	孙　萍	2009 年	—
	校企文化的结合在职业教育中的功能	市立项	杨劲松	2009 年	—
头桥中学	多元文化背景下学生生活方式及价值观教育研究	市立项	佘军民	2007 年	—

1994 ~ 2009 年广陵区教师参加省级以上赛课获奖情况一览表

表 28-4-2

时间	获奖教师	奖次	比赛（活动）名称	组织单位	工作单位
1994 年	区教研室	组织奖	全国奥林匹克自然科学知识竞赛	国家教委	区教育局
1997 年	胡金凤	一等奖	省小语说课比赛	省教研室	育才小学
	王国君	三等奖	省小语说课比赛	省教研室	
2005 年	方智炜	一等奖	省优质课评比	省教育学会	东关小学
	杨春燕	二等奖	省优质课评比	省教育学会	育才小学
	陈雪菲	一等奖	多媒体音乐教学课件展评	省教育学会	北京新东方扬州外国语学校
	徐　倩	二等奖	小学英语优质课会课	省教研室	育才小学
	刘　莉	二等奖	小学英语赛课	省教研室	汶河小学
	金　阳	二等奖	小学英语赛课	省教育学	工人子弟小学

续表 28-4-2

时间	获奖教师	奖次	比赛（活动）名称	组织单位	工作单位
2006 年	杨金珍	一等奖	综合实践——劳动与技术教师基本功大赛	省教研室	跃进桥小学
	吴　伟	二等奖	省教学技能大赛（英语）	省教研室	育才小学
	石　萍	一等奖	省“杏坛杯”优质课评比	省教研室	沙口小学
2007 年	黄元虎	一等奖	省青年教师阅读教学观摩	省教育学会	育才小学
	郃晓霞	一等奖	省“杏坛杯”优质课评比	省教研室	东关小学
	梅　琳	一等奖	全国教师教育学会综合实践活动学科优秀观摩课展示	全国教师教育学会综合实践活动学科委员会	跃进桥小学
	杨金珍	一等奖	省综合实践劳动与技术优质录像课评比	省教研室	跃进桥小学
	魏　军	二等奖	省第四届中学体育教师教学能手比赛	省教研室	北京新东方扬州外国语学校
2008 年	曹文娟	三等奖	省小学教师优质课评比活动	省教研室	汶河小学
	朱　姝	二等奖	二十六届“创新杯”全国教学艺术大赛	市教研室	汶河小学
	吴　菲 姜梅红	一等奖	省优质课评比	省教育学会	育才小学
	杨　俊 王晓群	二等奖	省“杏坛杯”优质课比赛	省教研室	东关小学
	杨金珍	一等奖	全国综合实践课堂教学观摩活动	全国综合实践活动专业委员会	跃进桥小学
	梅　琳	一等奖	全国中小学劳动与技术教育教学观摩展示课	中央教育研究所	跃进桥小学
	龚会山	一等奖	省写字教学优质课比赛	省教育学会	东关小学
2009 年	王红美	一等奖	省综合实践优质课比赛	省教研室	汶河小学

第五章　教育管理

1989 年后，区中小学校园建设普遍得到加强，各类学校在改善办学条件和优化教育教学设施的同时，十分重视“优美校园”“书香校园”“平安校园”建设，取得突出成绩。至 2011 年，校园管理得到规范和强化，学校安全设施得到加强，共创建省、市级绿色学校 33 所，数字化校园 32 所；各学校传达室均配有专职保安负责学校警务工作。

第一节　校园创建

一、优美校园创建

1989 ～ 1991 年，将创建“优美校园”作为学校管理的一项系统工程，努力践行学校管理评价标准和小学基本常规管理的要求，做到教学、生活、活动、生产等区域布局合理、环境优美。按照绿化、美化、香化、净化要求，进一步提升学校绿化水准，育才、广陵、东关、梅岭、北柳巷、凤凰桥小学先后被评为区绿化合格单位。1992 年，分别在育才、汶河、凤凰桥小学召开办学条件标准化现场会，依据区教育局中小学校园管理暂行规定，制定学校校园建设及管理规划。1994 年，13 所小学被评为区绿化合格单位。1995 年，教育系统新增市级绿化合格单位 2 所。1997 年，梅岭小学通过省合格实验小学验收，明月幼儿园通过省示范幼儿园验收。积极开展创建市数字化校园活动，先后投入 160 万元，用于数字化校园建设。北京新东方扬州外国语学校、广陵小学、沙口小学成为区内首批创建市数字化校园学校。2008 年，对义务教育阶段学籍实行电子化、网络化管理。区教育局制定《广陵区关于贯彻实施“江苏省中小学管理规定”的意见》，开展“校园管理校校行”活动。2009 年 3 月，省教育厅副厅长、省电教馆馆长一行到沙口小学、北京新东方扬州外国语学校视察数字化校园特色建设。4 月，国家创建森林城市验收小组专家至汶河小学进行检查验收。是年，工人新村小学、艺蕾小学创成市数字化校园学校，育才实验学校、东花园小学、湾头小学 3 所学校分别通过市数字化校园复评。至此，共创成省、市级“绿色学校”33 所，其中省级 3 所、市级 30 所；市数字化校园 32 所。

图 28-5-1　省、市领导视察沙口小学

二、书香校园创建

1989 ～ 2000 年，将加强学生阅读兴趣的培养和倡导读好书，作为语文教学的课外延伸，并结合爱国主义教育，将读书活动作为学生课外活动的一项重要内容。2001 年后，各校认真贯彻《中小学生语文教学大纲》，增加学生阅读范围与阅读量，重点列出必读的古诗词篇目；向学生推荐选读书目。进一步完善图书室和阅览室硬件建设，选定学生阅读报刊；班级中加强 “图书角”建设，在学校、班级、家庭中创造浓郁的读书氛围。部分学校在学生中开展“文学沙龙”“文学社团”创建活动，鼓励学生为贫困学生献书，为学校图书室捐书和相互之间换书；鼓励学生在读书后写出心得体会、进行文艺创作。2011 年，学校读书活动已形成有组织、有交流、有评比、有考核的局面，涌现出越来越多的“书香校园”“书香家庭”。

图 28-5-2　经典诵读比赛

三、平安校园创建

1989 ～ 1994 年，在师生中普遍进行法治教育，要求师生学法、懂法、守法。1997 年，各校成立学校安全工作领导小组。1998 年后，各学校配备校外辅导员和法制副校长，聘请区公安、交警、法院等部门有关领导到学校开设安全工作专题讲座。节假日前，各学校均进行集中安全教育，发放告家长书，教育学生防火、防毒、防煤气泄漏、防触电、防溺水。2008 年四川汶川大地震后，区政府组织有关人员对校舍防震状况进行普查，并组织师生进行防震疏散演习。2010 年 5 月，印发《广陵区校园安全“四方联席，立体防护”工作实施意见》，

各校聘请法制副校长、城管副校长、社区副校长，加强学校与公安、城管、社区直线联系和提升应变突发事件的能力。

1989年，大多数学校门卫由退休人员及教师家属担任。1995年后，各学校传达室均配备专职门卫人员。2001年12月29日下午，东关小学发生一起偶发恶性刑事案件，导致学生一死一伤。区公安局、教育局当即组成联合处置小组，妥善处理善后事宜，并要求各学校采取更为严格的防范措施。2008年后，大多数学校均加强传达室及门卫工作，规模较大学校由公安部门安排专职保安。重视对校园周边环境管理和整治，增强白天与夜晚巡逻力度，对小学生坚持教师护送、家长接送。

2002～2011年，各学校严格执行“健康证”制度。学校食堂在区卫生防疫部门的指导下，实行规范化管理，严防病从口入。区所有学校食堂均被评为市级A级或B级食堂。

第二节　教育督导

图 28-5-3　区教育督导室对区内学校进行综合督导

一、行政督导

1990年，成立区教育局督导室，担负区各级各类学校行政督导和教育教学督导任务。1992年，区教育局督导室更名为区教育督导室。1993年，区教育督导室组织人员对区各校实施义务教育办学条件、德育工作、收费情况、体育工作进行专项督导，同时参与区人大对育才小学、梅岭小学等6所学校教师队伍建设和标准化办学情况的视察。1994年，专项督导评议西门街、宛虹桥、北柳巷、艺蕾小学教育教学工作开展情况；分组调研区内8所学校的办学情况；对梅岭、东花园小学规范办学及学校管理情况进行督查。1996年，对三元桥、东关小学等12所学校进行综合督导评估。1997年，加强对学校领导班子成员兼课情况及学校收费工作专项调研，对区内12所一类园进行复评。1998年，对凤凰桥、艺蕾小学等学校进行专项督导评估。1999年，强化对贯彻执行教育法、义务教育法等法律法规执行情况的督导。2004年，区教育督导室更名为扬州市广陵区人民政府教育督导室。2005年，对湾头实验学校、湾头中心小学进行综合督导评估；对各中小学在依法办学、师资队伍建设、学校管理、教育教学、办学条件及规范收费等方面进行综合督导评估；对艺蕾小学等民办学校进行综合督导评估，依法规范民办学校的办学行为。2006年，顺利通过扬州市委组成的联合督导组对区2005年度政府教育工作进行督导评估和考核，获优秀等级。2008年，教育督导室与区教育局合署办公，下设教育督导科。是年，区教育督导室获“省督导评估考核先进单位”称号。2009年，区政府首次聘请49名政府专职和特聘督学。2011年，教育督导科划归区教育局。市政府教育督导组对区“组团办学”“干部教师轮岗交流”“四个一批人才培养”“机关作风能力建设”等方面工作给予高度评价。

二、教学督导

区教育督导室相继制定《学校工作评估标准》《常规管理二十八条》，以全面指导和评估学校教育教学工作。1990年组织人员督查宛虹桥、康山、工人子弟小学等8所学校。1991～1992年，对各校教学工作进行专项督导，全面检查各校领导兼课、听课、评课情况，并对学生课业负担情况进行随机督查。教育督导室组织撰写的《分析城区特点，抓好督导工作》《发挥督导作用，促进教育方针的全面贯彻》等论文，在全省督导工作会议上交流，并获奖励。1993年，对各校贯彻执行教师法的情况进行督查；对育才、东花园、东关、西门街小学贯彻教育方针，减轻学生负担的情况进行督导视察。1996年，配合市人大、市政府、市政协组成的督查组，对区基础教育“五项内容”（备课、上课、作业、辅导、教研）执行情况进行督查，对23所学校的自然学科教学状况进行专项督导，并与162名专兼职教师进行交流。1998～1999年，重点对各校执行省教委《关于实施素质教育10条要求》情况进行调查。2001～2002年，围绕课堂教学改革年开展督导工作，对育才小学等学校进行全面督导评估。2004年，配合省政府教育督导团对区中小学公用经费和义务教育阶段控辍（控制义务教育阶段流失学生）工作进行专项督导检查。2010年，组织相关股室开展教育教学工作常规管理“校校行”活动，对区内各学校教学流程管理、学生常规“五好”及“减负”（减轻学生过重经济负担和学业负担）工作进行专项督导。

第三节 校外教育

一、校外教育阵地

1989年后，扬州市少年宫成为校外教育活动的主要基地，区内12个爱国主义教育基地成为校外教育的组成部分。区确立革命烈士陵园、唐城遗址博物馆、扬州中学树人堂、史可法纪念馆、朱自清故居、扬州“双博馆”、熊成基故居、江上青史料陈列馆、曹起溍故居等处为区爱国主义教育基地，区委、区政府定期组织机关干部、中小学生、工厂职工、社区青少年及部队战士等前往接受爱国主义教育。

图28-5-4 扬州市少年宫东部活动中心

扬州市少年宫位于南通西路60号。总部建于1982年。2005年，在解放北路建东部活动中心。市少年宫有教师18人，相继开设书法、美术、计算机、声乐、舞蹈、古筝、英语、小记者、数学思维训练等培训科目；学员来自各中小学校，利用下午课余时间、晚间和双休日开展培训活动。至2011年，培训学员近5万人次，成为全市青少年课外教育活动中心和素质教育基地。

少年宫培训科目中，书法、美术、声乐、舞蹈最具优势和特色，学员中多人获全国少儿书法大赛金奖和全国少儿绘画大赛一等奖。1990年，少年宫所办工厂生产的龙凤牌双弧古筝被评为市级优质产品，列入《中国科技大全》。2005年，区教育局与市妇联合作，建设市少年宫东部活动中心。中心累计投资300万元，占地面积7340平方米，建筑面积4000平方米。建有“五洲广场”“少年论坛”“太极港湾”等园林式景观和数十个功能场馆，为全市少儿提供集休闲、娱乐活动于一体的综合乐园。同年，市少年宫被评为市首届“十大优秀教育培训品牌”和市绿化模范单位。2010年，湾头镇、汤汪乡创办两所乡村少年宫。

图28-5-5 阳光学堂

二、阳光学堂

2004年，区内始办社区“阳光学堂”。“阳光学堂”主要承担中小学生“离校不离教”职能，组织开展中小学生校外活动及文化课辅导。2006年，区委宣传部、区教育局在市少年宫东部活动中心举办“七彩的夏日，多姿的少年，阳光学堂，阳光普照”活动，对由社区主办的51所“阳光学堂”，举行授牌及兼职副校长聘请仪式。至2011年,区“阳光学堂”总数达67所,覆盖所有社区和村镇。

2006年,区“阳光学堂”工作经验,被中央文明委《工作简报》专题报道,并应邀参加省社会教育工作年会。“阳光学堂”成为广陵区社区教育品牌。2007年,“社区培训学院”创建工作顺利通过“省考”,成为扬州首家、苏中首批建立的社区学院。中央文明委为此专题报道广陵“阳光学堂”经验并向全国推广。同年,在省社区教育工作研讨会上作经验交流,并参加第五届长三角社区教育发展论坛。2009年,广陵区获“全国社区教育先进区”称号。2011年,省教育厅副厅长等领导调研社区教育工作及“阳光学堂”运行情况,充分肯定区社区教育取得的成绩。同年,区政府办公室下发《广陵区社区教育考核办法》,进一步完善社区“阳光学堂”的管理与考核。

图28-5-6 国学教育

三、学校国学教育

1989~1999年,学校国学教育在教育教学活动中已有所体现。2000年开始,各校将弘扬国学“诗经进入中小学校园”作为实施素质教育、传承民族文化的重要部分。教育部在《中小学语文教学大纲》中列出学生必读的古诗词篇目,省、市出版部门相继发行古诗文诵读教材及读本。育才、汶河、东关、育才实验、艺蕾小学等校,在校本课程中相继开设国学经典课程。区教育局制定具体翔实的推进计划,通过现场会、研讨会、学习新大纲等多种形式,学习、宣传、推进国学教育。2001年,各校积极引导学生诵读《三字经》《百家姓》《弟子规》及《论语》等国学经典著作,要求学生“读其文,识其义,导其行”。一些学校还成立诗词会员小组,邀请诗词作家、特级教师到学校开设讲座;同时,注重营造国学教育外部环境,利用橱窗、黑板报、红领巾广播台、名人名言牌、班级学习园地等阵地开辟国学教育专栏,展示学生诗词作品和学习心得,举办国学经典作品诵读会、主题班队会。是年9月,省诗词协会会长凌启鸿一行至汶河、东关小学等校检查全国诗词之市创建工作,对区内学校开展的诵读国学经典予以充分肯定和高度评价。

2011年4月,市教育局在汶河小学召开国学经典诵读推广经验交流会,该校师生向与会专家作汇报展演,并作《读国学经典,做有民族文化底蕴的世界公民》的专题报告。

第四节 教育经费与教学设施

1989年后,广陵区逐年加大对教育的投入,努力拓宽教育经费来源与渠道,将教育经费用于员工工资和重点教育设备、设施开支上。坚持规范管理、经费透明、民主理财,加大规范收费力度,强化经费监督。1996年,区设立义务教育经费结算专户。至2011年,区财政对教育总投入11.30亿元,勤工俭学收入中投入教育的经费466万元,募集到捐资助学善款9297万元。各中小学都建有标准、现代化的教育设施。

一、经费与管理

(一)经费投入

1989年前,教育经费主要由政府财政下拨。1989年后,政府对教育事业的投入逐年增加。区教育经费主要由财政拨款及预算外的勤工俭学、杂费、城市教育费附加、社会捐助等构成。1989~2011年,区总计投入教育经费16.46亿元。2011年,区教育经费总收入2.43亿元。

地方财政拨款 1989年,广陵区进一步增加对教育的投入,做到“三增长一优先”(财政拨款逐年增长、教育经费所占比例逐步增加、生均教育费逐年增长，教育基建指标优先）。2008年，区农村义务教育阶段学校债务563万元全部化解。2009年，投入4464万元用于农村义务教育发展。2010年，同比增长51.83%。教育经费拨款占财政总支出比例为11.22%。2011年，改善办学条件投入2500万元。

杂费　区内各学校学生的杂费收取办法及金额，由区财政局、区物价局共同确定标准，并在学校显著位置公示或用“致家长书”形式向社会公布。1994年，市财政局印发《关于中小学学杂费收入中提取一部分用于师资培训经费的通知》，各学校按照文件要求，提取后集中汇集至区教育局。1989～2006年，区中小学学杂费收入3315万元。2007年起，按照国务院文件精神，对义务教育阶段学生免收学杂费，由区财政予以财政补贴。

勤工俭学　1989年，区勤工俭学工作由区教育局勤工俭学办公室负责。1990年，制定承包、考核、奖惩办法，新办两厂一店，恢复一厂一店，加强3个厂。区教育局被评为区安全生产先进集体。全年完成校办工业总产值1100万元，利税150万元；商业营业额412万元，利税22.93万元。1994年，校办工业总产值1300万元，利税180万元；商业营业额320万元，利税14万元。客车附件厂引进不锈钢雕塑项目。艺蕾小学创办的电子仪器厂与南京电子集团挂钩，实现产销两旺。春蕾食品厂糖产品获1994年全省食品展销会金奖。是年，校办工业租赁承包试点全面展开。1995年，实现工业产值2000万元，利税260万元；商业营业额400万元，利税12万元。1996年，完成渡江村校办工业小区基础设施建设和城区老厂搬迁，开发并投产系列散热器制动泵等一系列新产品。完成产值3000万元，利税340万元。1997年，深化企业内部各项改革，加快校办工业小区开发。开发系列散热器等5个新产品，工业总产值3038万元，利税总额394.2万元。1998年，协调育才小学客车配件厂、广陵小学长城模具厂、梅岭小学工业设备厂3家同类工厂合并；搬迁典雅包装厂，关停星辰服装厂。是年，成立广陵区小学生教育服务中心，开办在校学生午餐配送服务。1999年，校办工业改制面50%，完成客车配件厂等3个厂的资产重组，全年实现销售1850万元，利税170万元。2000年，企业改制面80%。2001年，校办企业扬州广菱电子有限公司和王新勇分别被评为江苏省勤工俭学先进集体和江苏省勤工俭学先进个人。2003年，企业改制全部结束。2009年，区教育局勤工俭学办公室更名为区教育装备与勤工俭学管理中心。

捐资助学　1992年1月，扬州缸套厂、扬州弹簧厂、省勘探总队、扬州商业专科学校等单位向工人子弟小学捐赠书款7940元。1993年4月，侨胞朱恩馀夫妇向梅岭小学捐赠5.51万元和1万册图书；向泰州路小学捐赠14.5万元用于加盖教学楼和改善校容校貌。同年，培智学校接待香港九龙扶轮社一行8人，该社向培智学校捐赠5万元；台胞黄炳源捐赠6万元作为教育基金。1989～2011年，全区捐资助学总额为9297万元。

1989～2011年广陵区教育经费收入情况表

表28-5-1　　单位：万元

年份	财政拨款	教育费附加	学杂费	勤工俭学	捐资助学	其他	合计
1989	370	37	24	12	—	7	450
1990	422	57	31	17	—	—	527
1991	460	102	43	9	—	—	614
1992	624	97	47	15	26	16	825
1993	761	152	68	48	80	31	1140
1994	1312	153	94	48	79	11	1697
1995	1278	185	136	61	46	513	2219
1996	1570	212	151	42	40	826	2841
1997	1786	190	205	74	102	2118	4475
1998	2053	201	212	53	140	1713	4372

续表 28-5-1

年份	财政拨款	教育费附加	学杂费	勤工俭学	捐资助学	其他	合计
1999	2286	208	210	66	148	1708	4626
2000	2576	224	289	17	317	2385	5808
2001	3236	224	293	3	296	3190	7242
2002	4096	284	359	1	120	2556	7416
2003	4272	208	363	—	96	2767	7706
2004	5354	249	317	—	500	1470	7879
2005	5899	250	348	—	600	1447	8544
2006	6859	360	330	—	533	1137	9219
2007	8939	525	—	—	706	1830	12000
2008	9590	900	—	—	1360	1669	13519
2009	11715	720	—	—	1370	1810	15615
2010	17787	670	—	—	1272	1866	21596
2011	19773	988	—	—	1466	2049	24276
合计	113018	7196	3315	466	9297	31119	164606

说明：2003 年后不再统计勤工俭学收入；2007 年始，中小学校不再收取学杂费

（二）经费使用与管理

经费使用 随着教育事业的发展，教育经费投入逐年增长，教育经费支出也逐年增加，但用于改善办学条件、增添教学设备等方面的经费依然不足。1989 年，区教育经费支出 447 万元。2011 年，区教育经费支出 2.17 亿元。1989～2011 年，区教育经费总支出 15.73 亿元。

1989～2011 年广陵区教育经费支出情况表

表 28-5-2

年份	总支出（万元）	人员经费（万元）	占总支出（%）	公用经费（万元）	占总支出（%）
1989	447	307	68.68	140	31.31
1990	530	372	70.19	158	30.00
1991	608	388	63.81	220	36.10
1992	823	508	61.73	315	38.27
1993	1089	719	66.02	370	34.00
1994	1654	1075	64.99	579	35.00
1995	2208	1416	64.13	792	36.00
1996	2840	1931	67.99	909	32.00
1997	3015	2098	69.59	917	30.00
1998	3505	2391	68.22	1114	31.78
1999	4583	2874	62.71	1709	37.00
2000	5529	3376	61.06	2153	38.94
2001	7387	4404	59.62	2983	40.38
2002	5776	3491	60.43	2285	40.98

续表 28-5-2

年份	总支出(万元)	人员经费(万元)	占总支出(%)	公用经费(万元)	占总支出(%)
2003	8116	5477	67.48	2639	32.52
2004	7459	5682	76.18	1777	23.82
2005	8607	6076	71.76	2531	29.40
2006	9193	7053	76.72	2140	23.28
2007	11740	8825	75.17	2915	24.83
2008	13431	10144	75.53	3287	24.47
2009	15534	11839	76.21	3695	23.79
2010	21491	18150	84.45	3341	15.55
2011	21703	16308	75.14	5395	24.68
合计	157268	114904	73.06	42364	26.94

经费管理　普通教育的经费管理与分配，由区政府及区教育局计划财务部门负责。各学校成立内审小组，负责教育经费预算、学校学杂费收入及预算外资金管理与督查，各校均设定收费举报电话，设置举报箱，接受员工与社会监督。各学校“教代会”亦负责对经费收支情况的监督。按照省、市要求，开展创建规范收费单位活动。2007 年，制定《广陵区中小学收费管理规程》(以下简称规程)，进一步规范、完善中小学收费行为。省教育厅全文转发规程，供全省中小学借鉴。2007 ～ 2008 年，每年组织区人大、区政府、区政协及督导部门成立区教育经费专项督查检查组，检查教育事业经费收入及支出情况。2009 年，广陵区被授予“江苏省规范教育收费示范区”称号。2010 ～ 2011 年，将此项工作列入学校年度考核主要内容之一。

二、教育教学设施

(一)改善办学条件

1989 年，将解决教学设施“一无两有”(学校无危房、班班有教室、学生人人有课桌凳)作为首要工作。小学原有危房 9064 平方米，先后实施“改危”(改造危险校舍)。是年，改建解放桥小学等 4 所小学教学用房。1991 ～ 1992 年，由区文教局、市天主教会、市宗教事务局共同筹资，帮助江都路小学完成从原天主教小楼搬迁至新建校舍。拆除城南中心小学部分危房，新建教学楼。1992 年，培智学校特教大楼竣工，同时实现学校迁址。幼幼小学建成区内小学第一个水冲式厕所。1996 年，解放桥小学第二幢 3260 平方米宿舍楼公开招标并开工。1998 年，完成育才小学道路、运动场、景点绿化等总体改造项目，确保该校顺利通过省教委合格实验小学评估验收。1999 年，完成原占据育才小学操场的居民拆迁，新建东关小学、解放桥小学运动场。2005 年，区累计投入 1664.77 万元，实施“六有”(有整洁校园、有卫生食堂、有冷热饮用水、有水冲式厕所、有安全宿舍、有必要生活措施)工程建设，完成校园绿化 8200 平方米，校园道路改造 9600 平方米，改建卫生食堂 9 所，新建改建水冲式厕所 8 处，“六有”工程以免检形式通过省级验收。2006 年，投资 80 余万元，对湾头中学、汤汪中学实施专用教室、必备场地、水电、器材等基础设施建设，完成农村合格中学创建工作。2007 年，湾头镇率先创建教育现代化乡镇。2009 年，广陵区被省政府授予“江苏省教育现代化建设先进区”称号。2010 年，被授予“扬州市义务教育队伍建设优质均衡样板区”称号，为全市唯一获此殊荣的县级单位。2011 年，育才小学东校区开工建设。

(二)优化教学设施

1989 年，重点完备 3 所小学图书室，至此，区内各校均建有图书室。同时，划拨资金，按班级拨给学校用于添置教学仪器装备。1990 年，投入 10 万元资金，用于购置图书、体育器材、教学仪器和电化教学设备。1992 年，投资 30 万元，购置体育器材、美术教具、图书。1993 年，香港侨胞朱恩馀先生捐资 20 万元。1995 年，按照九年制义务教育办学标准装备各学校图书室和自然实验室。新添图书 3 万册、教学仪器设备 300 多

图 28-5-7　工人新村小学阅览室

套，培养一批专、兼职图书馆管理人员和教学仪器保管人员。1996 年，育才小学、梅岭小学、扬州教育学院二附小、东关中心小学新添计算机 110 台，装备计算机教室；艺蕾小学开通校内闭路电视系统；育才、梅岭、四季园小学实现“三机一幕”（电视机、录放机、投影机、电视屏幕）进课堂。1997 年，启动育才小学标准化图书馆建设，建成梅岭电教中心。2001 ～ 2005 年，区教育局先后投资 60 万元全面更新沙口小学计算机，完善校园网络建设，实现“班班通”。2006 年，区农村中学“四项配套工程”全部通过市级考核。2007 年，东花园小学高分通过江苏省教育现代化学校评估验收。2011 年，开展创建市数字化校园活动，工人新村小学、艺蕾小学创成扬州市数字化校园。区属中学均建有标准的理化生实验室、计算机教室和语音室，各小学亦建有规范化的多功能教室，美术、音乐、体育、自然、卫生室及少先队队室等辅助用房。

第六章　驻区学校

1989 年，有驻区高等院校 9 所，其中普通高校 4 所、专科学校 3 所，职大、电大各 1 所；市区中学 15 所。2011 年，有驻区高校 2 所、市区中学 7 所。

第一节　扬州大学医学院

扬州大学医学院前身为创建于民国 18 年（1929）的上海市惠生高级助产职业学校，1950 年，迁址扬州淮海路校区，更名为苏北卫生学校。1958 年，升格为扬州医学专科学校。1984 年，经国家教委批准升格为本科院校，更名为扬州医学院。1992 年，江苏农学院、扬州师范学院、扬州工学院、扬州医学院、江苏水利工程专科学校、江苏商业专科学校 6 所高校合并组建成扬州大学，扬州医学院更名为扬州大学医学院。

医学院设临床医学、中医学、中西医临床医学、护理学、药学 5 个本科专业，临床医学专业设妇产科学、助产学、皮肤病性病防治三类辅修课程班。2006 年，经教育部批准，临床医学专业开始招收学制 6 年（含实习一年）的纯英语教学外国留学生。设有中西医结合一级学科博士点，基础医学、临床医学、公共卫生与预防医学、药学、中药学、中西医结合、护理学 7 个一级学科硕士点，以及临床医学（含全科医学、临床病理学、中西医结合）、中药学等硕士专业学位授予点。其中，中西医结合一级学科为省级重点学科，其他 15 个临床专科为省级重点临床专科。医学院设有临床医学一系、临床医学二系、妇产科学与生殖医学系、中西医结合系、护理学系、药学系和基础医学部，拥有省级基础医学实验教学示范中心、中央与地方共建临床医学教学实验中心和药学综合教学实验室。

第二节　扬州大学商学院

1952年，在私立镇江新华中学基础上建立苏南镇江商业学校。1953年，改称江苏省镇江商业学校。1955年，迁扬州，改称江苏省扬州商业学校。1956年，改名为江苏省商业学校。1958年，成立南京市财经学校，后停办。1979年复办后，改名为江苏省商业专科学校。1982年2月，迁扬州，与江苏省商业学校合并成立新的江苏商业专科学校，校址在盐阜东路1号。1992年，组建扬州大学后更名为扬州大学商学院。

2010年，扬州大学经济学院、管理学院合并组建现商学院。有14个本科专业，其中经济学、工商管理专业为江苏省特色专业建设点，工商管理为校品牌专业建设点，国际经济与贸易、会计学专业为校特色专业建设点。拥有应用经济学、工商管理两个一级学科硕士点，农林经济管理一个二级学科硕士点和公共管理硕士（MPA）、工商管理硕士（MBA）两个专业学位点及技术经济及管理中职教师在职攻读硕士学位项目；产业经济学、劳动经济学、区域经济学、企业管理、技术经济及管理、农林经济管理为校级重点建设学科。

学院拥有先进的教学辅助设施，建有国际贸易实验室、金融实验室和语音综合实验室、电子商务实验室、会计电算化实验室、ERP实验室以及一批教学科研实习基地。与德国、澳大利亚及中国澳门、中国台湾等多所高校有合作关系和学术联系。2011年，学院有全日制在校本科生3100多人，全日制在校研究生150多人，专业学位研究生近800人，继续教育学员2000多人。

2011年，有专业师资156人，其中教授17人，副教授71人，博士生导师4人，硕士生导师57人，另聘有院外和来自企业的硕士生导师3人；专业教师中高级职称88人，获得博士学位的教师38人，在读博士37人。

第三节　扬州中学

位于淮海路13号。创办于民国16年（1927）。1949年扬州解放，为市军事管制委员会接管，改名为苏皖边区第二行政区区立扬州中学。同年，私立慕究理中学并入该校。1953年，改名为江苏省扬州中学。第一任校长黄应韶。1956年，校长为张卓如，直到1968年，任职13年。1989年，省扬中先后与扬州大学联合成立语文课程教学研究中心，与中国科技大学共建创新人才培养实验基地。

1993年，被省教委命名为江苏省模范学校。1994年，围绕提高现代化教育水平，向省申报国家级课题2项。1997年，学校通过江苏省教育委员会组织的国家级示范高中首批评估验收。开始实施全国“九五”规划重点课题中学系统开展思维教育研究项目及中学全方位系统化实施美育的途径与方法研究项目。1999年，学校改为完全高中。成立扬州中学教育集团，兴办树人中学，进行公办民营改革试验。2003年，通过“四星级高中”评估验收。2005年，西区校开工建设。期间，连续四次被省政府命名为省级文明单位。2006年，被中共中央组织部评为全国先进基层党组织。2007年，实施全国“十一五”教育部规划课题“树人”教育传统文化中的学校自主发展研究项目。2009～2011年，实施全国“十一五”教育部规划课题科学与人文相融的办学历史与实践的研究项目。2011年，被江苏省教育科学研究院评为江苏省教育科研先进集体。

2011年，学校有教职工232人，其中专任教师201人，在职的正高级教师、省市特级教师、省市中青年专家、省级以上综合表彰者计18人。徐国英被推选为中共第十四次全国代表大会代表，章轶群被推选为中共十六大代表。

百余年中，扬州中学一直坚持“突出树人宗旨，努力服务社会”的办学理念，坚持“人格健全，学术健全，自治自动，体育并合”的办学思想，逐步形成“正直向上，热爱求知”的良好校风，“进德修业，教书育人”的严谨教风和“慎思明辨，格物致知”的优秀学风。扬州中学培养了数以万计的毕业生，其中许多人为国家和民族作出或正在作出重大贡献，更多的校友成为各级各行各业领导、技术骨干或素质较高的普通劳动者。

第四节 其他中学

1989 年，城区普通中学共 15 所，其中完中 7 所、初中 8 所，均由市教育局直接管辖（以下简称市直普通中学）。2011 年，区内共有市直普通中学 7 所，其中高中 4 所，即江苏省扬州中学、扬州市第一中学、扬州大学附属中学、扬州市树人中学（由原扬州市第二中学改民办）；初中 3 所，即扬州市文津中学（由原扬州市第三中学改名）、扬州市田家炳中学（由原扬州市第五中学改名）、扬州教育学院附属中学（由原扬州市第十二中学改名）。

1989 年驻区市直普通中学简况一览表

表 28-6-1　　　　单位：平方米

校 名	校 址	学校性质	创办年份	占地面积	校舍建筑面积
江苏省扬州中学	淮海路 13 号	完中	1927	136700	33246
扬州大学附属中学	淮海路 133 号	完中	1951	61300	15112
市新华中学	皇宫 33 号	完中	1950	28000	12800
市第一中学	琼花路 74 号	完中	1952	28700	15090
市第三中学	沙口巷 34 号	完中	1959	32680	9100
市第五中学	万寿街 26 号	完中	1968	30700	10863
市第二中学	禾稼巷 7 号	初中	1956	15300	8581
市第四中学	老虎山路 22 号	初中	1968	28700	6748
市第六中学	太平路 5 号	初中	1968	41350	7574
市第七中学	广陵路 248 号	初中	1972	7300	8482
市第八中学	苏唱街 24 号	初中	1958	5300	2951
市第九中学	永宁巷 38 号	初中	1958	4700	3478
市第十中学	旌忠巷 46 号	初中	1958	4000	4200
市第十二中学	文峰路 8 号	初中	1965	12700	4516

说明：市七中 1984 年增挂“扬州市职业技术学校”校牌；市十一中 1988 年改为梅岭中学后外迁

一、扬州大学附属中学

位于市区淮海路 133 号。成立于 1951 年，原名苏北扬州夜中学。1954 年，改为苏北师专附属初级中学。1956 年，增办高中班，后师专升级师院，即为扬州师范学院附属中学。1992 年，改称扬州大学附属中学。学校是首批江苏省四星级高级中学。先后被命名为江苏省文明单位、省德育先进学校、教育部现代教育技术实验学校、省 OEH 多媒体网络学校、省计算机多媒体实验基地、省教科研先进集体、省青少年科技教育特色学校。2005 年，该校重点课题子课题“运用网络技术构建心理健康教育平台的研究”获全国一等奖。

学校原校址为明嘉靖维扬书院，校园环境优美。建有设施齐全的教学楼、实验楼及设备先进的电教中心、图书馆、体育馆、体育中心，承办扬州教育信息网，开通心理教育咨询网站，现代化的教育网络及卫星信号地面站等教学设施，可供学生了解诸多信息并进行远程学习交流。

扬大附中师资力量雄厚，有专任教师 166 人。2004 年，学校与田家炳实验中学联合组建扬大附中教育集团，西部办成独立高中，同时在市区东部投资近 2 亿元，新建扬大附中东部分校（按民办机制运作），两校优势互补，资源共享。

二、扬州市第一中学

位于文昌中路358号。有110年建校历史。1952年，市政府在原校址正式建校，命名为扬州市第一中学，是扬州市区规模较大的完全中学之一。

学校在职教职工172人，离退休教师122人。现有40个教学班，在校学生2000人，其中宏志班22个班，规模全国领先。学校师资力量雄厚，有省、市特级教师4人，高级教师76人，中级教师53人。

2005年来，学校先后被命名为全国师德建设先进集体、江苏省德育先进学校、江苏省艺术教育特色学校、全国宏志教育研究中心校、扬州市先进学校、扬州市文明单位、扬州市和谐校园、扬州市教科研样本校、扬州市校本研修先进校、扬州市教育科学研究实验基地；学校党总支被中共扬州市委评为优秀基层党组织。

学校认真实践“激发潜能，振奋精神，彰显特色，奠基人生”的办学理念，秉持“质量转型发展，学校自主发展、教育科学发展”的思路，实现“环境盆景化、质量优质化、办学特色化”的目标，遵循“崇德、励志、笃学、尚美”的校训，加快发展。2008年，被省教育厅评为江苏省三星级高中。

三、扬州教育学院附属中学

位于文峰路8号。创办于1965年。2001年，市政府决定撤并原第十二中学和原第二中学，投资5000多万元在原第十二中学校址上兴建扬州教育学院附属中学。2002年5月，扬州教育学院附属中学正式投入使用。

学校坚持实行育人“五个一”工程（凡人小语、每日一句英语、每周一歌、每周一次电影、每学年一次艺术节活动），被《中国教育报》报道。初中团队一体化实验课题受到时任团中央书记张晓岚的肯定。时任教育部部长助理李连宁、教育部纪检组组长田淑兰、扬州市委书记孙志军等领导都曾到该校视察指导工作。2004年，学校首次接受市政府的教育督导，获得“新、高、好”的高度评价，随后成功创建江苏省实施现代化工程示范初中。学校教学质量不断提高，首批初中毕业学生参加扬州市中考，有13人考取扬州中学，18人考取扬州大学附属中学。

2005年，学校创立的“三全一精工作法”（全员、全程、全方位管理，精致管理）受到市总工会表彰，被评为扬州市十佳工作法。

学校办学经验引起省内外乃至国家级媒体的关注，《中国教育报》《教师报》《德育报》等对教院附中的办学成果给予报道；《江苏教育报》《扬州日报》《扬州时报》《扬州晚报》等省、市媒体也关注教院附中的发展动态，多角度、全方位报道学校教育教学的新成果。

第二十九篇 文化

要　目

广陵区文化事业繁荣，文化产业稳步发展。深厚的地方文化，为人民群众建设新广陵提供智力支撑、精神激励和思想保证。2002年起，随着广陵区行政区划两次调整，广陵文化影响力从城市扩大到乡镇，从运河延伸到长江，逐渐建立起公益化、公共化和系统化工作体系，推动广陵文化活动朝有序、健康的方向发展。文艺创作日臻繁盛，发表和演出讴歌改革开放成果、反映时代精神的作品不断涌现。相继推出扬剧《好民警陈先岩》《好人高仁林》，扬州清曲《芍药花儿开》《湾头好人多》，少儿舞蹈《琼花韵》《黑白键》等一批有影响力的作品。一些优秀节目和文艺作品，相继在江苏省乃至全国获奖。广陵文化艺术节、广陵邻里节、"5·2"市民日以及众多喜庆性的文艺演出等文化活动，经年不衰。扬剧、曲艺、歌舞等文艺工作，纷纷走进乡镇、社区、工厂、校园，为群众演出，深受群众喜爱。

群众文化活动欣欣向荣，文化艺术对外交流日益频繁。2001年11月，广陵区被省政府命名为省群众文化先进区。民族传统艺术和技艺得到重视、保护、挖掘和传承。2006年5月，扬州清曲等一批文化艺术、传统技艺被列入国家级非物质文化遗产名录。2007年11月，应联合国人居署邀请，琼花观社区的情景剧《文化里的新生活》赴菲律宾参加"世界城市联盟公共政策论坛"展演。

第一章　文　学

第一节　诗　词

一、诗词组织

1981年7月，绿杨诗社成立，是国内十大诗社之一，首任社长李亚如。1983年3月区划调整时，划归扬州市管理。2004年2月，绿杨诗社改为市诗词协会分支机构，更名为扬州市诗词协会绿杨诗社工作委员会，成员120多人。2011年，回归广陵区，更名为广陵区绿杨诗社。同年，还有头桥镇（1990年成立）、杭集镇（2003年成立）、李典镇（2009年成立）、沙头镇（2010年成立）、泰安镇（2010年成立）乡镇诗词协会5个，会员314人；虹桥诗社（2006年成立）、平山诗社（2010年成立）网络诗词组织2个及文昌花园诗词小组（成立于2011年）。

二、诗词活动

1983～2011年，诗社组织诗友先后赴仪征化纤股份有限公司、扬州灯泡集团、扬州大学后勤集团、市经济开发区、文昌花园社区、市交通局、市水利局、沙头镇等地采风，多次举办诗歌朗诵会。绿杨诗社定期对诗友进行创作理论和诗词曲知识培训，老诗人张家骞、张贞忠、李望苏、丁家讯等指导写诗门径，提高创作水平。

三、获奖作者

1991年，李望苏获"江南杯"诗词大奖赛三等奖。1999年，秦子卿获湖北"黄鹤杯"诗词楹联大赛三等奖。2008年，朱兆鹤、张家骞分获"中华赞·全国诗词歌赋创作大赛"三等奖、优秀奖。2009年，张贞忠、张家骞、马兴燧、王兆根、蔡克俭分获"中华赞·2009诗词歌赋创作大赛"一等奖，秦子卿、吴献中、秦玉林、李望苏、周冠钧等获二等奖。2010年，关水青、王兆根获省"洋河·天之蓝杯"首届十佳老年诗人作品大奖赛优秀奖。2011年，吴献中、秦玉林分获"扬州杯·纪念中国共产党成立90周年全国诗书画大赛"铜奖、优秀奖。

四、诗集出版

1981～2011年，绿杨诗社先后出版诗集《月观集》《扬州竹枝词》《风云集》《春华集》《百名诗人咏百年小平》《歌吹是扬州》《清心集》《金路银桥通世界》《江河大治润千秋》《诗咏沙头》《绿杨吟集（1～63）》以及论文集《诗学新探（1～2）》等，个人出版的诗集日渐增多。

1995～2011年广陵区绿杨诗社部分会员出版诗集一览表

表29-1-1

年份	诗集名	作者	年份	诗集名	作者
1995	《王璞诗词续集》	王　璞	1996	《丙子吟》	蒋桂同
1997	《徐晓白诗文集》	徐晓白	2001	《王鸿文选》(5—1诗歌卷)	王　鸿
2004	《古今扬州楹联选注》	曹永森	2005	《乙酉锁夏诗词钞》	张贞忠
2005	《梅也词稿》	吴岭梅	2005	《岁月留痕》	王宏升
2006	《夏友兰诗词联集》	夏友兰	2006	《湖山清吟集》	关水青
2006	《中山吟稿选辑》	王文岳	2008	《河边诗草》	王兆根
2008	《慕如诗词》	潘慕如	2010	《红桥晚唱》	李望苏
2010	《闲云吟稿》	朱士举	2011	《人民英杰》	李家寅

第二节　散文　报告文学

一、散文

1990年，王鸿散文《扬州散记》再版。1993年，丁家桐散文《烟花三月下扬州》和《桑梓笔记》出版。2002年，王虎华散文《千年追思》发表。2007年，曹永森散文《扬州街巷觅趣》出版。2009年，许凤仪散文《背影》获全国金奖。2010年，曹春阳散文《雨中酒气》发表。同年，丁家桐《放眼文昌商圈》、王兆根《徜徉在文昌商圈》、叶尚鼎《曲江潮涌逐浪高》等散文编入《精致扬州·魅力文昌》征文集。至2011年，刘伟红《故乡的原风景》、袁华《月亮很淡的晚上》、霍宝华《我和我追逐的梦》、阙雅萍《蓝色记忆的年代》及李敏《小园香径》等散文集先后出版。

二、报告文学

1989年、1990年，许凤仪报告文学《持续70年的笔墨官司》和《战国号，在凌晨起义》先后发表。2001年，王虎华报告文学《陈秀兰的风景》发表。2002年，张泽民报告文学《坐标》发表后，全省掀起学习高仁林的热潮。至2011年，丁曲报告文学《风流扬州人》、李道明和董文林合作报告文学《动地长歌》及夏雷等人《生命如歌》相继发表。

第三节　小说

80年代后期，小说创作渐入旺盛期，越来越多的作家出版长、中、短篇和微型小说。其间，丁家桐长篇小说《隋炀帝》(1992)，王虎华中篇小说《爱的挽颂》(1992)，申维长篇小说《活宝》(1993)和科幻小说《复活的头颅》(1998)，蒋亚林中篇小说《青烟》(1995)和长篇小说《大盐商》(2010)，许凤仪长篇小说《鉴真东渡》(2000)，王资鑫长篇小说《水荡双魔》(2008)、《大明狂儒》(1998)和《大清盐商》(2011)，徐得煊长篇小说《黄巢》，殷伯达长篇小说《青春塑像》，刘鹏春、朱捷合作的长篇小说《紫钗记》等先后出版。

第四节　戏剧影视文学

1989年，刘鹏春创作大型现代戏扬剧《皮九辣子》剧本并公演。1990年，《皮九辣子》剧本获第四届田汉戏剧奖剧本一等奖，在同年10月第五届全国优秀话剧、戏剧、歌剧剧本创作评奖中，被评为优秀剧本创作奖。2001年，《王鸿文选》(5－2戏剧卷、5－3影视卷)出版。1999年，胡小元、杨翔平扬剧剧本《布嫂》搬上舞台。

2001年，扬剧剧本《布嫂》获第十六届田汉戏剧奖剧本二等奖。刘葆元、汪琴夫妇联袂创作出一系列赞美扬州好人的扬剧剧本:《帕米尔赤子》(1999)、《好民警陈先岩》(2001)、《好人高仁林》(2002)、《地平线下的彩霞》(2005)和《徐少华》(2009)等。夫妇编演双臻，成为舞台美谈。

1989年，王鸿与汪复昌合作的电视剧文学剧本《哑女恨》发表，1991年，获全国第十一届电视剧“飞天奖”戏曲电视剧二等奖，在全国第六届戏曲电视剧“金鸡奖”评选中获二等奖。1995年，任光耀与吴晓桐联手创作的电视文学剧本《反贪疑案》发表并由长春电影制片厂摄制。

第五节 民间文学

灯谜 扬州灯谜学会成员创作活跃，在全国独树一帜。1989年，扬州职工灯谜协会编有谜刊《维扬灯虎》和《广陵灯虎》。1992年中秋节，在瘦西湖公园开展灯谜活动，谜人将唐代诗人张若虚《春江花月夜》中的36句诗全部编撰成谜。至2011年，不少灯谜佳作先后在北京、上海、扬州等地报刊发表。田式、李保华、余从海、龚庆根、陈楠、丁风等及其作品分别载入《当代民间文艺家大辞典》和《灯谜大辞典》。

民间文学 扬州民间文学底蕴丰厚，作品体裁日趋齐全，有神话、传说、故事、寓言、笑话、歌谣、谚语等。1989年曹永森主编的《扬州民间故事集》，汪复昌、王寿武主编的《扬州歌谣谚语集》，2001年王鸿的《老扬州》，曹永森的《扬州风俗》，车锡伦、蒋静芬合著的《中国传统儿歌辞典》《民间传说故事》《农谚集锦》，2004年叶尚鼎的《扬州风俗录》，2009年曹永森的《菖蒲飘香》等相继出版，充分展现扬州民间文学创作者的实力。

第二章 扬 剧

扬剧源于扬州，流行于江苏、安徽部分地区及上海一带。扬剧是以扬州花鼓戏和香火戏为基础，吸收扬州清曲音乐及本地一些民歌小调发展而成的。民国元年（1911），苏北香火戏由扬州进入上海，改称维扬大班，因用锣鼓伴奏为主，唱腔比较粗犷，俗称“大开口”。民国9年，扬州花鼓戏进入上海，因用丝弦伴奏为主，唱腔细腻，改称“维扬文戏”，俗称“小开口”。30年代初，大小开口合流形成维扬戏。新中国成立后，始定名为扬剧。1949年，扬州成立第一个联合扬剧共和班，在此基础上建立扬剧联合第一剧团。后来相继成立第二剧团和第三剧团。1950年，将联合一团改为苏北实验扬剧团，这是扬剧界出现的第一个国家举办的剧团。此后，一些小型班社陆续组建成联友、新艺、柳村、团结等扬剧团。1953年，苏北实验扬剧团调往南京，成立江苏省扬剧团。原扬剧联合第三剧团改称扬州市扬剧团。“文化大革命”中，扬剧受到重创。改革开放后，扬剧重生。1984年，扬州戏剧学校成立，着力培养新人。1989年后，一批专业扬剧团（民营）陆续成立，一大批由业余演员、票友组建的民间扬剧团体活跃在广陵区剧院、乡镇和社区。至2011年，有专业（民营）扬剧团3个、民间扬剧团体27个。

第一节 唱腔

一、唱腔板式

扬剧音乐属于联曲体。扬剧唱腔由“花鼓戏”“香火戏”“扬州清曲”的相关曲调组成，具有刚柔并济风韵，蕴含花鼓戏曲调的轻绵细腻、香火戏曲调的阳刚粗犷、民歌的隽永清新以及清曲唱腔优美、情感多变的特征。扬剧常用曲牌有【梳妆台】【补缸】【大陆板】【数板】【探青】【剪剪花】【鲜花调】【跌断桥】【银纽丝】等，其中以【梳妆台】最具代表性，用得最为广泛。扬剧音乐对曲牌的运用，大致有以下四种方式：一曲多唱，同一曲牌，在节奏、旋律上作适当变化，以表现多种感情；曲牌组合，采用扬州清曲的套曲格式，根据剧情需要，将调性相近的曲牌有规律地组合，多用于人物的大段叙事和抒情；摘句连接，根据唱词内容需要，摘取若干曲牌的乐句，组成新唱段，更好地体现词意，使词、曲结合得更为贴切；旧曲变体，对原曲牌进行翻新。扬剧板式主要有四种打法：一板三眼（相当于简谱中的4/4拍），一板一眼（相当于简谱中的2/4拍），流水板（相当于简谱中的1/4拍），散板，即无固定节奏，只在行腔顿挫时敲板。扬剧伴奏乐器分为文、武场。文场以高音二胡为主胡，中音二胡或四胡为辅胡，佐以琵琶、扬琴、三弦（阮）、月琴、竹笛、唢呐等。武场由板鼓指挥，佐以大锣、铙钹、堂鼓、堂锣等。扬剧韵律和节奏以大鼓、大锣等打击乐锣鼓经为主，另外，还吸收利用扬州清曲的吹奏曲牌。

二、艺术特征

扬剧具有鲜明的区域特色。扬州方言质朴、生动、表现力强，扬州人性情风趣、睿智、乐天知命，扬州风情淳朴、闲适、充满俚趣。因此贴近生活的扬剧以活泼、诙谐、夸张手法取胜，如《僧尼下山》《活捉张三郎》等，均以典型的喜剧风格表现出严肃的主题。扬剧还特别擅长表现中下层普通小人物的喜怒哀乐，在剧目中融入大量日常生活中的诙谐元素，使剧目和表演具备强烈的平民化倾向，俗中见雅，雅俗共赏。

扬剧角色行当有生、旦、净、丑区别，但在唱腔上仍只分男、女腔，各行当的表演艺术多从昆剧、京剧吸收而来，但始终保持花鼓戏朴素、活泼的特色和生活气息，丑角尤为突出。扬剧唱腔运用、人物表演，均因角色而异。少女唱腔温柔缠绵，秀丽灵巧。中年妇女以唱功为主，表演淳朴细腻，娴静庄重。武旦扮演擅长武艺的女性，唱腔刚劲挺拔，内含柔婉妩媚。男性青少年唱腔简朴柔和，动作儒雅、秀逸。中年以上男性一般都具有正直刚毅性格，唱腔柔和。老年人唱腔有苍老特点，表演讲究庄重、深沉。喜剧人物，具有欢乐、明快、幽默风格。

第二节　流派

在扬剧艺术长期的传承和发展中，高秀英、华素琴、金运贵等表演艺术家40年代起，分别开创了各自富有鲜明特色的声腔流派。

高派　为旦角演员高秀英创立。其演唱音域幅度大，吐字清晰，明朗亮丽，常从高处下行，具倾诉感。代表唱腔为【堆字大陆板】，著名唱段为扬剧《王宝钏》中的“武家坡·鸿雁传书”，其旋律由缓而急，高潮处异峰突起，艺术效果极其强烈。

图29-2-1　李开敏近照

金派　由生角女演员金运贵创立。其唱腔以音域幅度窄、字多腔短、似平非平、低沉水磨、明快如诉为特色，旋律创新性强。代表唱腔为【梳妆台】，被人称作“金派梳妆台”，著名唱段为扬剧《珍珠塔》中的“方卿羞姑·三年前”。

华派　为旦角演员华素琴所创。她的唱腔吸入众家（包括外剧种）之长，刚柔并济，跌宕有致，且表演细腻，唱腔华丽大方，戏路更为宽广。代表唱段为扬剧《白蛇传》中的“上金山·断桥会”。

除此，得到认可的流派还有四支：一为石玉芳之“石派”，原师承京剧大家周信芳，故有“扬剧麒派”之美誉，俗称水沙嗓子。代表唱腔为【大陆板】，代表唱段为扬剧《白毛女》中的“见喜儿沉沉睡”。二为周小培之“周派”，潇洒顺畅，音域宽广，高可响遏行云，低能浅吟轻唱。由于他能与女声同弦，故有“扬剧男高音”之称。代表作为《单下山》。三为李开敏之“李派”，师从高秀英，唱腔圆润甜美，清丽流畅，跌宕有致，刚柔相济，表演朴实细腻而大气。她在《秦香莲》和《杨开慧》中，分别塑造秦香莲和杨开慧的形象。四为汪琴之“汪派”，师从华素琴，将京剧、昆剧及话剧表演融为一体，擅长塑造各种不同类型的人物。她在《夺印》中，塑造烂菜花的形象。

第三节　团体

一、专业团体

1989 年以来，主要有 4 个专业扬剧团活跃在广陵区剧院、乡镇舞台。

扬州市扬剧团　1960 年成立。1983 年归现扬州市。现更名为扬州市扬剧研究所。先后创作《夺印》《县长与老板》和《青春树》等，紧随时代，贴近生活。

扬州市汪琴艺术团（民营）　1996 年秋成立。该剧团以全国优秀民警陈先岩、全国劳动模范高仁林为原型，先后创作扬剧《好民警陈先岩》《好人高仁林》，深受市民喜爱。

扬州市海派扬剧团（民营）　2002 年成立。挂靠在广陵区文化局，系由上海扬剧界知名老演员唐麟童、洪钧夫妇自筹资金，联合一批中青年艺友成立的团体。演员来自上海、姜堰、江浦、仪征等地扬剧专业团体。演出剧目主要有《活捉张三郎》《目莲救母》《武松杀嫂》《恩仇记》等。此剧团以外埠演出为主。

扬州扬子江王俊扬剧团（民营）　2003 年成立。由中青年演员嵇丽等领衔。以约戏、点戏的服务形式，活跃于广场、田头，送戏到家门口，走出一条用人机制灵活、劳动报酬合理、演戏而不养人的新路子。

图 29-2-2　扬剧折子戏专场

二、民间团体

大批业余演员、戏迷自发组建成民间扬剧小团体，活跃在社区乡镇，深受群众喜爱，成为当代广陵区扬剧特色文化。比较知名的扬剧小团体有：新仓巷小剧场（扬剧票友会），建立最早，剧场活跃着几代扬剧票友，化妆演出传统的连本戏或折子戏。东花园小剧场，剧场活跃着一批扬剧票友，化妆演出传统的连本戏或折子戏。薛锦莲票友会，也是早期扬剧沙龙。演员以清唱为主，所唱为传统戏片段或经典曲调。有时结合形势赞扬好人好事，如歌颂好民警陈先岩的先进事迹。杨桂红扬剧团，活动场所主要在公园、运河边、社区等。演员以清唱为主，所唱为传统戏片段或经典曲调，偶尔化妆演出。多次义演赈灾，扬州电视台均作报道。扬剧票友联谊会，演出场地主要是文化馆。起先演员以清唱为主，所唱为传统戏片段或经典曲调，后来以化妆为主，夹以清唱。在文化馆指导下，每年送戏到乡镇和社区。杨桂珍剧团，舞台主要设在文峰街道渡江村会堂，负责人是退休的扬州演员，以古装戏为主。朱松楼票友会，活动在东关古渡，多为化妆演出，热衷于公益事业，多次义演，扶贫济困。

2002 年起，扬剧的业余演出扩大到各个乡镇。民间还有部分松散型的扬剧“小班子”，以“小型、灵活、廉价”为演唱经营模式，能满足城乡祝寿、治丧的特殊需求。

民间业余团体有五大特点：

自发性质　自发组成，兴趣相投，自挂招牌自搭台，自敲锣鼓自唱戏。

戏迷演员　演员主要是扬剧戏迷、退休工人、乡村农民，也有部分退休的扬剧演员和极少数青年网友。他们不要报酬，不怕苦累，自掏腰包，愉悦自己，快乐他人。

流动演出　演员多半不固定，哪里需要往哪里去。有些“名角”和票友同时担任几个民间组织的演员。

扬剧曲牌　主要是常用的扬剧曲牌，如【梳妆台】【大陆板】【采莲调】等；也有创新的曲调，如扬剧《水红菱》中的【协音】。

片段演唱　多半是传统戏中的片段。如《珍珠塔》“方卿羞姑”、《玉蜻蜓》“劝娘娘”、《白蛇传》“断桥会”等，也有现代戏《杨开慧》《夺印》《白毛女》中经典唱段。与此同时，自编节目，为移风易俗、普及科学、倡导文明、构建和谐歌唱好人好事。

至2011年，全区共有扬剧票友团体27个。

2011年广陵区部分扬剧团体、票友会一览表

表29-2-1

名　称	所属单位	成立年份	名　称	所属单位	成立年份
新仓巷扬剧票友会	新仓巷社区	1985	运东扬剧票友小组	运东村	2005
文峰扬剧票友会小组	文峰村	1985	杨凤霞票友会	自由组织	2006
杨桂红扬剧团	广储门社区	1995	琼花扬剧票友小组	琼花社区	2006
薛锦玲票友会	八大家社区	1995	二畔铺扬剧票友小组	二畔铺社区	2006
三里桥扬剧票友小组	三里桥社区	1995	皮市街扬剧票友小组	皮市街社区	2006
联谊扬剧票友小组	联谊社区	1996	文昌花园扬剧票友小组	文昌花园社区	2007
何园扬剧票友小组	何园社区	1996	五里扬剧票友小组	五里社区	2007
荷花池扬剧票友小组	荷花池	1997	连福扬剧票友小组	连福社区	2008
头桥扬剧沙龙	头桥镇	1997	扬剧票友联谊会	扬州新兴金属材料公司赞助	2008
杭集扬剧票友会	杭集镇	1998	沙南扬剧票友小组	沙南社区	2008
泰安扬剧票友会	泰安镇	1998	山河扬剧票友小组	山河村	2008
宦桥扬剧票友小组	宦桥村	2000	夏桥扬剧票友小组	夏桥村	2008
杨桂珍扬剧团	渡江村	2002	朱松楼票友会	自由组织	2009
太平扬剧票友小组	太平村	2005			

第四节　剧目

一、《百岁挂帅》

1959年，省扬剧团根据传统幕表戏《十二寡妇征西》创作改编的大型历史古装戏扬剧《百岁挂帅》公演。这部戏阵容庞大，气势恢宏，集中扬剧界精英名流，同台会演，群英荟萃，精彩纷呈，同场出现12位巾帼英雄，可谓扬剧界一大盛事。同年，海燕电影制片厂将该剧摄制成电影，京剧据此移植改编为《杨门女将》，豫剧改编为《银发女帅》。《百岁挂帅》掀起的这股“扬飓（剧）风”，一时席卷全国。至2011年，演员换了几代，新人辈出，久演不衰。

图29-2-3　扬剧学员毕业汇报演出《百岁挂帅》

二、《夺印》

1961年，根据报告文学《老贺到了小耿家》改编的扬剧《夺印》公演。全国不少剧团都移植改编这出戏。上海出版社将扬剧《夺印》拍成连环画。此外，八一电影制片厂还将《夺印》拍成电影，主题歌《水乡三月风光好》唱响全国。

三、《皮九辣子》

1989年，刘鹏春创作的新编扬剧《皮九辣子》由市扬剧团公演。剧中描写普通农民皮九的几个人生片断。皮九从为私上访到为公上访的人生历程，给人们留下深深的思索。剧本先后获第四届田汉戏剧奖剧本一等奖，第五届全国优秀话剧、戏剧、歌剧剧本创作评奖优秀剧本创作奖。

四、《县长与老板》

2008年，市扬剧团精心打造的现代大戏新编扬剧《县长与老板》在扬州大剧院公演。戏里有睿智而年轻有为的县长，有年富力强而精明能干的老板，有聪敏、漂亮、八面玲珑而似乎玩世不恭的办公室主任，有历经沧桑、事业有成的企业家，有饱经生活磨难而坚韧挺立的女工等。这些人物个个有理想，爱憎分明，有情有义，但又各有个性，鲜活亮丽，组成一幅绚丽多彩的新时代群英图。

五、《青春树》

2011年演出的现代扬剧《青春树》，描绘大学生村官风采，着力刻画新时期年轻人奋发向上、积极进取的生活状态，将新农村建设的历程和大学生村官的精神风貌展现得淋漓尽致。《青春树》是一部青春戏，演员都是清一色的青年演员，中年演员只做绿叶，不当红花。整个舞台靓丽多姿，充满青春气息，呈现朝气蓬勃、奋发向上的精神。

第三章　曲　艺

第一节　扬州清曲

扬州清曲又称广陵清曲、维扬清曲、扬州小调、小唱、小曲等，以唱腔细腻、声线婉转、情感丰富、曲牌繁多、曲词优美而深受人们喜爱。扬州清曲是中国曲艺艺苑中历史较为悠久的曲种之一。元、明后的许多民间俗曲及原词在扬州清曲中得到很好的保存。脍炙人口的《好一朵茉莉花》的音乐元素即来自扬州清曲中的曲牌【鲜花调】。扬州清曲还对一些剧种的形成与发展，特别是对扬剧音乐的形成，产生过重要影响。2006年5月，扬州清曲被国务院列入首批国家级非物质文化遗产名录，激发起人们继承和保护传统艺术的意识和热情。

一、清曲起源

元代将唐宋大曲、宋词、宫调和北方民间曲调、金元民族音乐统称为元曲。扬州清曲系元曲的分支续流。元人夏庭芝撰《青楼集》载："李芝仪，维扬名妓也，工小唱，尤善慢词。"又有元人朱帘秀（珠帘秀），扬州才女，著名杂剧演员，主要活动在北京和扬州等地，与杂剧、散曲作家多有交往。如关汉卿【南吕·一枝花】《赠珠帘秀》、卢挚【双调·落梅风】《别珠帘秀》等。明人沈德符在《顾曲杂言》中记叙，嘉（靖）、隆（庆）间（1522～1573年），兴于"两淮以至江南"的"时尚小令"有"【闹五更】【寄生草】【罗江怨】【哭皇天】【干荷叶】【粉红莲】【桐城歌】【银钮丝】之属"，表明元曲仍在明代延续流传。《绣像前后玉蜻蜓》提到的【扬州寄生草】、《新编重辑曲调三笑姻缘》提到的【扬州剪靛花】，以及苏州著名艺人马如飞借用的【扬州满江红】，这些曲牌被贴上扬州标签。清人李斗《扬州画舫录》载："小唱以琵琶、弦子、月琴、檀板合动而歌。最先有【银钮丝】【四大景】【倒扳桨】【剪靛花】【吉祥草】【倒花篮】诸调，以【劈破玉】为最佳。……于小曲中加'引子''尾声'，如《王大娘》《乡里亲家母》诸曲"。如今扬州清曲的套曲，仍然保持着元曲套数的遗传基因，文学形态上依旧是元曲模样。

扬州清曲声腔与方言特色，"南北兼具"，刚柔相济，深雄秀美，彰显扬州清曲魅力。"两千年来音乐传承，始终靠民间艺术家'口传心授'的办法加以繁衍。正因为这种'口传'方法，往往使得传播者把自己的'感性'

图 29-3-1 清曲艺人王万青

经验强调到不适当的程度，要求接受者原封不动地再传下去”（乔建中先生《曲牌论》）。“老祖宗就是这样唱的”，成为扬州清曲艺人教传弟子的标尺。当代扬州清曲第四代、第五代名家，几乎都是清末民国初出生，那时学的唱腔，至少在清代就有。一些明清古谱陆续被挖掘出来，为扬州清曲的存在提供实据。如有400多年历史的【劈破玉】古谱，经戏曲音乐家武俊达先生译成简谱后，重新排练而成。【到春来】古谱，译成简谱后，配上新词《游春》，充满生机。现存扬州清曲中还有元曲音乐遗存：【南调】就是元曲【寄生草】，【波扬】就是元曲【山坡羊】，【格垛垛】就是元曲【骨朵朵】，【知心客】就是元曲【马头调】，【叠断桥】就是元曲【红绣鞋】等，尽管这些曲调产生嬗变，但难以摆脱“骨谱肉腔、谱简腔繁”的规律。

二、清曲艺术

（一）曲牌曲目

扬州清曲属于曲牌体，单支曲与联曲（套曲）共存。音乐资源丰厚，有清婉、典雅的宫曲，也有活泼、清新的民歌俗曲。

单曲代表作品 有【软平】《断桥会》、【叠调】《乡村处处气象新》、【鹂调】《三月三》、【南调】《青荷叶上》、【波扬】《一轮明月》、【劈破玉】《忆情人》、【黄莺儿】《风花雪月》、【鲜花调】《好一朵鲜花》、【增满江红】《春光明媚》、【减字满江红】《风儿呀》、【粉红莲】《八段景》、【虞美人】《四大景》等115支。

套曲代表作品 有三国系列、水浒系列、红楼系列、《白蛇传》系列、《西厢记》系列等。

新曲代表作品 有《和平签名运动》《和谐扬州》《蝴蝶梦》等。移植、改编曲目《夺印》《红灯记》《沙家浜》《江姐》《洪湖赤卫队》和《红色娘子军》等。

（二）声腔 流派

声腔 扬州方言语系，本土民歌小调之声腔，中州韵，属弋阳腔体系。唱腔优美，旋律变化跌宕，兼具南、北声腔之长。

流派 在近二百年中出现“黎派”（黎子云）、“钟派”（钟培贤）、“周派”（周锡侯）、“王派”（王万青）、“马派”（马福如）、“陈派”（陈金卿）等，名家辈出，流派纷呈。“王派”演唱特点是板眼精确，吐字清晰，运气自如，唱腔甜媚，声情并茂。“马派”演唱特点是中气充沛，嗓音洪亮，行腔丰满，声调高亢，吐字有力。“陈派”演唱特点是吐字清正，行腔婉转，收放自如，情感细腻。

图 29-3-2 扬州清曲艺人聂峰敲瓦碟

（三）艺术特征

表演形式 扬州清曲是坐唱艺术，一般情况下，每人手中操着乐器，边奏边唱，“手口”相应，人琴合一。演员不化妆，演唱时不说白、不表演，故事情节主要通过音乐、演唱和表情反映出来。演唱套曲时，演员自行转换曲牌，一般不须音乐过渡。通常单曲一人独唱，套曲二人（或多人）对唱，当代偶有领唱、伴唱、合唱。

演唱技巧 唱者在歌唱时掌握字重腔轻（重不砸夯，轻不飘浮），依字行腔，吐字清晰，字正腔圆，有板有眼，抑扬顿挫。声腔有高有低，有轻有重，有快有慢，有紧有松，有长有短，有连有分，有穿有闪，有抑有扬，有顿有挫，做到“气为音服务，音为腔服务，腔为字服务，字为词服务，词为意服务，意为情服务”。

咬字吐字 唱曲和道白中，准确运用口腔各个发音部位，将字的声母、韵母、字头、字腹、字尾清晰送出，近听不刺耳，远听不含混。

伴奏乐器 以民族弦乐为主，管乐、打击乐为辅。丝弦乐器通常用二胡、四胡、琵琶、三弦；打击乐器有檀板、瓷盘（亦称“瓦碟”）、酒杯、撞铃。过去曾用过洞箫、月琴、扬琴，今已不常用。所用乐器以演出琴师的多少以及曲牌、曲情的需要确定，总体上不需样样齐全，伴奏效果以清雅为主。

板眼运用 传统唱曲时强拍均击“板”，弱拍均击鼓，是为“眼”，这就形成“板眼”。同时“板眼”就起到约束歌唱时“吐字、行腔”的强弱和节奏。在实际运用中，还有一种“闪板”。

传艺方式 扬州清曲的传艺方式，主要依靠师徒之间口传心授，艺在领悟，精在实践。

（四）团体 演出

团体 1986年9月，扬州市广陵清曲之友社成立，组织清曲爱好者、研究者进行业余活动，是扬州市研究、创作、交流、演出清曲的社会团体。2005年，更名为扬州清曲艺术团，以演唱为主。

图29-3-3 清曲老艺人在文化馆演出

演出 1989年，参加扬州电视台录制演出，演唱曲目《秦琼卖马》《伯牙摔琴》等。1990年，省文化厅、市政府联合举办纪念王万青先生诞辰90周年暨扬州清曲研讨会。同年参加扬州电视台录制演出，演唱曲目《看灯》。1991年，参加“琼花艺术节”，举办纪念《在延安文艺座谈会上的讲话》发表50周年专场演出。1992年、1993年，分别在史可法纪念馆、瘦西湖演出。1999年12月，由省文化厅、市政府主办，市文化局、广陵区政府承办王万青先生诞辰100周年纪念会。与会代表、专家、学者对扬州清曲一代宗师王万青的演唱艺术进行研讨，提出扬州清曲挽救、挖掘、传承、发展的意见。2000年10月，国家主席江泽民陪同法国总统希拉克访问扬州，扬州清曲《板桥道情》赢得宾主好评。2003年10月，扬州清曲《茉莉情缘》获市第四届群众文艺新作调演节目三等奖。2004年，应中央电视台西部频道《魅力12》栏目组邀请，赴北京录制《茉莉花》专题。2006年，扬州清曲《芍药花儿开》获省第七届“五星工程奖”金奖。2008年5月，广陵区文化局组织扬州清曲艺人参加扬州市组织的踏街活动。2009年，在中央电视台科教频道大型直播节目《2009中国记忆》扬州直播点纪念文化遗产日主题活动中，清曲艺人一展清曲魅力。2010年，中国第五个文化遗产日，清曲艺人聂峰、陶美芳、钱明珠、朱美兰、黄敏等应邀赴徐州参加“江苏非物质文化遗产·徐州展演”。同年，扬州清曲《家在扬州》获市老年艺术节参与奖。2011年，在文昌广场演唱清曲《法治湾头好人多》。春节期间，扬州电视台播放清曲《欢欢喜喜迎兔年》。

（五）传承场所

扬州清曲研究室 2000年，经区政府和市文化局同意，成立扬州市扬州清曲研究室，地点设在区文化局5楼，每周集中教唱、排练，吸纳中老年爱好者参加。每年组织展示、展演及文化艺术交流活动。

扬州清曲传习所 2006年以来，区文化局与扬州文化艺术学校联合启动扬州清曲传习所建设，共同打造扬州清曲培训基地，购置学员练习的乐器，编印扬州清曲教学大纲、教材，做好课程设置，制订学习计划。至2011年，共培养学生500多人，多次参加市、区大型文艺活动，进行扬州清曲展示、演出。

三祝庵邻里中心传习所 2008年，在该中心150平方米小剧场设立“周末剧场”，作为扬州清曲传习、展演场所。扬州清曲传承人陶梅芳、厉智娟等人以师带徒的形式，定期在这里教授居民、学生敲击扬州清曲最具代表性的乐器酒盅、瓦碟，并举办扬州清曲专场演出，让居民接触、了解、学习扬州清曲。该邻里中心演唱的扬州清曲曾参加江苏综艺频道节目录制。

建设传承网络，形成梯形结构 将扬州清曲娃娃调《怀念》编入小学音乐教材和幼儿园园本教程，注重传承从少儿抓起。定期在瘦西湖、个园、何园等风景区举办雅集展演，形成老、中、青、少传承网络。组织扬州清曲进社区、学校巡演，传承、传播扬州清曲。

（六）著作与新词

著作 扬州清曲历史上没有一本扬州清曲专著，直到1957年，江苏人民出版社出版孙龙父等人的《扬州清曲选》，才弥补这一历史缺憾。1962年，根据清曲一代宗师王万青口述，整理出《扬州清曲唱念艺术经验》刊印本。1982年，上海文艺出版社出版韦人、韦明铧合著的《扬州清曲》。1991年11月，广陵文化中心举办首届扬州清曲艺术研讨会，编印《首届扬州清曲研讨会文集》。2006年4月，发行由扬州清曲专家韦人编著的《扬州清曲》，该书分上、中、下三卷，120万字，是扬州清曲600年发展史上第一部全面、系统地收集、整理扬州清曲史料、曲谱、曲目、曲论、艺人生平及艺人唱腔的集大成著作。2008年，由王兆根整理、编辑的《聂峰扬州清曲文集》出版。该书记录扬州清曲艺人聂峰的艺术生涯，是扬州市第一部民间艺人文集。2009年，《广陵区非物质文化遗产普查汇编》面世。该汇编涵盖区内包括扬州清曲在内的所有具有历史、文化和科学价值的非物质文化遗产，涉及17个门类近200个项目。

新词 1989～2004年，非物质文化遗产扬州清曲省级传承人聂峰创作《孔雀东南飞》《十杯酒人在画堂东》《红娘自叹》《刘备哭灵》《万岁，中国共产党》《访经理》《扬州最风流》《茉莉情缘》等。2005年，聂峰与王兆根合作创作《运河曲》，朱相远创作《十唱扬州》。2006年，杜海创作《扬州美景在个园》《扬州清曲唱个园》《个园四季山》等。2005～2011年，王兆根创作《和谐扬州》《运河两岸风光好》《歌吹月亮城》《半青阁内相思梦》《耕地就是生命线》《安全撑起艳阳天》《到春来·游春》《蝴蝶梦》等。

1956～2009年扬州清曲部分理论研究成果一览表

表29-3-1

时间	理论研究成果	作者
1956	《扬州清曲【南调】【满江红】》抄本	张振亚、曾宪洛
1957	《扬州清曲选》	孙龙父、周锡侯、黄河、尤庆乐
1960	《扬州清曲》全谱	江苏地方戏剧院
1961	《扬州清曲六题》	武俊达
1962	《扬州清曲采访报告》	章鸣
1962	《扬州清曲唱念艺术经验》（刊印）	王万青口述，张仲、王澄记录整理，武俊达校对
1964	《扬州清曲》（刊印）	曾宪洛
1982	《扬州清曲》	韦人、韦明铧
1987	《中国曲艺音乐集成·江苏卷·扬州分卷》（扬州清曲篇）	扬州市文化艺术研究室
1991	《首届扬州清曲研讨会论文集》	广陵文化中心
1995	《在继承传统上下功夫》	黄身寿
2002	《把栏杆拍遍·现代学人与扬州清曲》	韦明铧
2005	《扬州清曲音乐稳态特征研究》	王小龙
2006	《扬州清曲》（上、中、下）	韦人
2008	《聂峰扬州清曲文集》	王兆根
2009	《广陵区非物质文化遗产普查汇编》	集体创作

第二节 扬州评话

扬州评话是以扬州方言为主的说表艺术，流行于苏北地区和宁、沪等地。明末清初评话艺术家柳敬亭

(1587—1670)，被视为开山鼻祖。清代出现过被称为“绝技者”的吴天绪、王德山、浦天玉等著名艺人，近现代有龚午亭、王少堂、康重华、余又春、王丽堂、李信堂、惠兆龙、杨明坤等，在艺术上形成许多有影响的流派。

图 29-3-4 扬州评话艺人李信堂

一、艺术特征

扬州评话中的“说表”，有“方口”与“圆口”之分。方口语句整齐，富有节奏感；圆口近似生活语言，较灵活，一般方口、圆口兼用。扬州评话表演时，只需一张桌子和一把椅子即可。演员多为一人，只说不唱，以醒木、扇子、手帕为道具。醒木击桌，能够让书场安静下来，故称“止语”。在说表时醒木击桌也能渲染气氛。好的评话演员能够运用娴熟的口技，作绘声绘色的表演；同时，一人可以变身许多个角色，以手、眼、身、步、神与口头说表紧密配合，使观众如入其境、如见其人、如闻其声。艺人不仅对人物外表有传神、形象的描绘，对人物内心同样也有细致、生动的刻画，很有立体感。

二、主要流派

康派《三国》，曾有两个重要说书艺人：李国辉重在文说，文雅清秀、干净利索；蓝玉春擅长武说，净瓶倒水、一气呵成，形成对比鲜明的李派《三国》和蓝派《三国》。李派传徒康国华，再传至康又华、康重华。康重华又吸收蓝派“武三国”的长处，形成既注重文辞又讲究口锋的“文武兼绝”的康派《三国》。

图 29-3-5 王少堂说书《武松打虎》

扬州评话《水浒》，也有两个重要说书艺人：一个是邓光斗，以“跳打”出名，表演每一路拳法，每一个身段，都有交代。另一个是宋承章，则以“口风泼辣”见长，别具一套完整的表演程式。现代评话名家王少堂师承宋派《水浒》，其父王玉堂则是邓派《水浒》的第四代传人。王少堂融合了邓光斗与宋承章《水浒》的说表精髓，又向康又华学习，形成以说表为主，又十分注重动作演示的艺术风格，成为公认的“王派水浒”创始人。王筱堂、王丽堂直承王少堂书艺，“王派水浒”得以传承。王丽堂、李信堂、惠兆龙被认定为非物质文化遗产扬州评话项目国家级代表性传承人，惠兆龙获中国曲艺“牡丹奖”。

三、主要书目

传统书目有《水浒》《三国》《清风闸》《八窍珠》《绿牡丹》《平妖传》《岳传》《飞驼传》《英烈传》《杨家将》《封神榜》《万年青》《彭公案》《施公案》等。2002 ～ 2003 年，许风仪、朱福炷、夏耘等创作的《挺进苏北》在中央电视台连续播放，进一步扩大扬州评话的影响。至 2011 年，《红岩》《林海雪原》《小二黑结婚》等有影响的小说被评话艺人改编上演，《挺进苏北》《广陵禁烟记》等也成保留节目。此外，创新书目还有获得第四届中国曲艺牡丹奖文学奖的《一代儒将——陈毅》以及《烈火金刚》《月夜师生情》《回归的谈判》《京都奇案》《白衣圣人》《家庭紧急会议》《护航汪家窑》《六六大顺》《冷热病》《手莫伸》等。

第三节 扬州弹词

扬州弹词原名扬州弦词，是用扬州方言说唱的一种曲艺形式，是一门讲求表、弹、说、唱、演的综合艺术。弹词始于明末清初，早期一人说唱，自弹三弦伴奏，故名弦词。清代中叶盛行期间，发展为双挡演出，称为“对白弦词”，增添琵琶伴奏。扬州弹词特点是说多唱少，唱词只有叙述性的表唱。扬州弹词从古流传至今，具有独特的社会和文艺价值。在历史上，扬州弹词对扬剧和广东南音等产生过一定影响。

一、艺术特征

图 29-3-6 扬州弹词艺人张慧侬（左一）

扬州弹词是“说说唱唱，说中带唱，唱中夹说，说唱兼备”的一门最富有曲艺特征的说唱艺术。表演形式相对简朴，演员坐着说、唱、弹。双挡演出，二人合作，以不同人物的口吻、声调对话。上手演员侧重叙述，下手演员担任唱曲。说白除要求掌握一般节奏外，还有快工、慢工、绕口之分，其中以快工最为常用，也最难说。换气时不使人有停顿的感觉，须做到书断意不断，意断神不断，快而不乱，慢而不断。角色“表”和“说”变换自如，既有表演者的客观评述，又有角色的主观感受。扬州弹词艺术特色发展至今，可归纳为表（讲究说表）、肖（惟妙惟肖）、巧（别致细巧）、袅（余音袅绕）。唱腔曲调主要有【三七梨花】【沉水】【锁南枝】【海曲】【道情】等，以羽调和商调居多。曲调朴实典雅，古色古香。【三七梨花】为最主要、最基本的曲调，旋律优美，形态多姿，表现范围广，感情容量大，属上品曲牌，颇受观众欢迎。

二、主要流派

近代扬州弹词有三个流派，分别为孔派、周派、张派。弹词界有个不成文的规定，就是家传不外传。孔派、周派两家弹词，因为没有传人，逐渐湮灭。张派开山祖师为清代张敬轩，传到张慧侬、张慧祥这代，开始接受外姓徒弟，甚至是来自南京等外地的徒弟。正是有这样宽阔的心怀，才让张氏弹词走出家门。现代代表人物有张慧侬、李仁珍等。代表曲目有《双金锭》《珍珠塔》《落地扇》《刁刘氏》。经过 100 多年的加工和发展，至今这几个曲目的演唱技艺日臻成熟，或深厚风趣，或潇洒悠扬；或手口相应，腔意结合；或妙语诙谐，声情并茂，被称为“张氏四宝”。1990 年 2 月，在“长治杯”全国曲艺大赛中，李仁珍演出扬州弹词开篇《歌吹古扬州》获演唱一等奖。1995 年 10 月，在第二届中国曲艺节上，李仁珍表演的扬州弹词《望江楼》获全国曲艺界“牡丹奖”。张慧侬弟子包伟，2010 年，以扬州弹词《秀才遇见兵》获中国曲艺最高奖“牡丹奖”，两年后，以一部《盛世红伶》再次获“牡丹奖”。

图 29-3-7 扬州弹词艺人李仁珍

三、主要曲目

传统曲目有《西厢记》《珍珠塔》《落金扇》《审刁案》《玉蜻蜓》等。创新曲目有《江姐》《咏梅》《歌吹古扬州》《大路朝天任你走》等。2005 年，李仁珍演唱的弹词专辑《广陵绝唱》出版。该专辑有近 30 首曲目，长 4 个小时。这是扬州首次将扬州弹词用 DVD 光碟系统整理出版。

第四节 曲艺交流

一、国际曲艺交流

1989年，向到扬州的日本音乐家坂田进一先生展示扬州清曲。1992年，扬州弹词演员李仁珍随省艺术团赴朝鲜演出。1995年，丹麦汉学家易德波和罗爱德女士到扬州，对扬州评话艺术进行研究交流。1996年，李信堂、惠兆龙赴丹麦哥本哈根，参加中国口头文学国际研讨会。2000年5月，扬州清曲艺人与易德波女士交流扬州清曲。2001年3月，易德波女士在丹麦杂志上发表聂峰演唱的《武松打虎》。2004年，易德波女士出版《扬州评话四家艺人全书表演录像目录》，向世界推介扬州评话艺术家。2006年秋，接待易德波女士一行，对扬州清曲艺术进行研究探讨。清曲艺人与国际友人泛舟瘦西湖上，并演唱扬州清曲。同年12月，易德波女士出版专著《扬州评话探讨》，把扬州评话艺术推向世界。2007年5月，广陵区扬州清曲艺术团和市曲艺团、市扬剧团参加由中央音乐学院、北京国际音乐节艺术基金会联合主办的北京现代音乐节，奉献一台扬州清曲专场音乐会，这是扬州清曲首次以专场音乐会形式登上中国音乐的最高殿堂。扬州清曲传承曲牌【鲜花调】《好一朵鲜花》，引起国际艺术家、专家和学者的关注。6月，美国加州大学历史系研究生 Gathryn Fairlee（中文名范莉），到广陵与扬州清曲艺术团老艺人交流中国传统文化，观看扬州清曲艺人聂峰、陶美芳、钱明珠的表演。2009年9月，日本《读卖新闻》一行5人到扬州探访扬州清曲艺人，并与清曲老艺人探讨清曲唱腔词曲。2010年10月，市曲艺团青年评话演员马伟前往瑞典首都斯德哥尔摩，参加两年一度的福布拉故事节。接着又赴苏格兰参加“东方的声音——国际故事节”，首次以扬州评话为主题开启世界巡演。同年，应联合国邀请，东关街道琼花观社区的情景剧《文化里的新生活》赴菲律宾展演。

图 29-3-8 扬州曲艺家与日本音乐家进行艺术交流

图 29-3-9 北京现代音乐节扬州清曲专场

二、国内曲艺交流

1991年11月，与上海闸北区文化馆在扬州联合举办首届扬州清曲研讨会。2005年，参加省文物节绝技展演。2007年1月，赴上海黄浦区大剧院演出，并与曲友交流。4月，上海东方卫视专程到扬州摄制《扬州清曲》专题片。2008年9月，上海音乐学院作曲系50名师生到扬州了解扬州清曲现状和保护情况。2009年3月，省文化厅专家到扬州对扬州清曲艺人进行采访、交流和实景拍摄。2010年6月，清曲艺人参加“江苏省非物质文化遗产· 徐州展演”。

2001年10月，首届江苏曲会在扬州举行。来自京、津、沪、宁、苏、杭、扬等地20多家曲社的300余名代表欢聚一堂，切磋交流。浙江京昆剧院、江苏省昆剧院、苏州苏昆剧团代表到会祝贺，并举办专场祝贺演出。大会还安排两场唱曲交流和论文研讨会。一些日本、韩国、法国、澳大利亚籍的曲友也来助兴演唱。昆剧表演艺术家张继青助兴演唱。曲会期间，还举行全国曲社发展研讨会，各地曲社代表和部分昆曲界专家、学者近40人，围绕曲社的历史及现状深入研讨。

2009年5月，区政府、区文化局和扬州南风琴社举办“中国·扬州首届广陵古琴文化艺术论坛”。众多国内外知名古琴专家、学者及古琴艺术界人士齐聚广陵，研讨、交流、欣赏世界级非物质文化遗产——古琴。同时，在“2009广陵潮”中国古琴家音乐会上，众多古琴大师进行演奏。

第四章　书画　摄影　音乐　舞蹈

第一节　书画

扬州书画历史悠久，清代最盛，以“扬州八怪”为代表的“扬州画派”一直影响到当代。区内主要画家有李亚如、王板哉、何庵之、李圣和、吴砚耕、李竹邨、杨麟、郭荣、高顺康、鞠伏强、徐中、孔令威、唐雨堤、陈绍棣、顾扬、郑小珊、周雨花和郭明等。主要活动有：1990年，蒋永义、姜桂林等人参加在杭州西泠印社举办的全国印社篆刻联展，作品参展并编入由西泠印社出版的《全国印社篆刻联展作品展》。1993年，朱福烓、熊百之等人参加省文联、省书法家协会举办的纪念毛泽东诞辰100周年书画展。区老干部局组织区老年大学书法班学员及书画爱好者进行书画展示。1994～1997年，举办纪念郑板桥诞辰300周年书画展、金农逝世270周年书画展、市首届少年儿童书法现场比赛、迎香港回归书画展等活动。1998年1月，朱福烓书法作品《鹧鸪天·纪念周恩来诞辰100周年》入选省纪念周恩来百年诞辰领导小组主办的美术书法作品展，并收入《丰碑》专集。1999年5月，朱福烓、李昌集、蒋永义、熊百之等6人参加中国江苏省、日本福冈县联合举办的书法交流展，作品入选《第一回书法交流展作品集》。10月，区文化局与区政协联合举办庆祝新中国成立50周年书画展，展示书画作品102件。2001年1月，组织少年儿童参加全市少儿书法大赛。2003年，先后举办“抗非典·献爱心”书画展、纪念毛泽东诞辰110周年书画展。2005年，举办广陵区书法绘画展，区文化局组织送书画下乡。2007年10月，组织区老年书法绘画比赛，魏之祯、陈社旻、霍宝华等参展。区文化局主办的玄清雕刻艺术展在大明寺开展，共展出根雕作品近60件。2008年，举办广陵区老年大学成立15周年书画展。2010年11月，在琼花观举办人口计生与幸福扬州书画展。2011年6月，举办“童心向党”幼儿百米长卷绘画活动。7月，在“扬州杯”庆祝中国共产党成立90周年全国诗书画大赛中，绿杨诗社会员秦子卿获书法类入围奖，赵昌智获特邀作品奖。9月，举办庆祝建党90周年书画展，并汇编成精装画册《党旗颂》，区老干部局书画研究会部分会员书画入选。

第二节　摄　影

1989年以来，广陵区摄影爱好者不断增加，形成专业摄影和业余爱好者相互融合的局面。

人像摄影　1989年前，区内有中国、上海、友谊、英姿和镜中天5家照相馆。80年代中期，出现彩色照片，逐步替代传统黑白照片。90年代开始，出现婚纱摄影，实行从彩妆造型、婚纱服饰到摄影技术、后期制作等一条龙服务。随后，出现儿童专业照、全家福、孕妈妈照等系列摄影服务。至2011年，婚纱摄影讲究造型个性化、艺术化、服务精致化，根据客户需要，制作不同尺寸的相框、普通相册、电子相册、DVD视频相册等。

新闻摄影　90年代初，新闻摄影着重在报业，专职摄影记者有4人，大多是特约摄影记者和新闻摄影通讯员，通讯员作品约占60%。1991年以前，新闻图片为黑白照片。1994年后，新闻作品由黑白逐步转为彩色。新闻摄影除记录扬州新闻事件和英雄模范人物形象，还记录23年来扬州重大交通基础设施建设。如2000年10月20日，润扬长江公路大桥奠基，拍摄中共中央总书记江泽民为奠基石揭幕的场面。2004年5月1日，拍摄国家主席胡锦涛出席扬州火车站开通仪式的情景。2007 年 6 月 4 日，在扬州市润扬森林公园滨江广场举行润扬长江公路大桥通车庆典仪式，拍摄全国人大常委会委员长吴邦国参会的场景。2010 年 3 月 18 日，摄下扬州泰州机场隆重奠基的画面。1989 ～ 2011 年间，新闻工作者王金祥、程建平、颜德昌、常以仁等，获得省级以上新闻摄影奖 60 多项。

艺术摄影　1989 年，中国摄影家协会举办首届中国摄影艺术作品出国选拔大奖赛，摄影家茅永宽多幅作品入选并获奖。1991 年，市举办第四届摄影艺术展览，区入展作品达百幅。省举办第十三届摄影艺术展览、省第二届风光摄影展，市、区入展作品多达 40 幅。1992 年，部分摄影家参加中宣部举办的纪念毛泽东《在延安文艺座谈会上的讲话》发表 50 周年全国摄影展。1999 年，举办"庆国庆·迎回归"优秀摄影作品展。俞孝鹏的《生命》入选第十九届全国摄影艺术展览。王金祥专题摄影展"今日扬州"在何园举办。2004 年 10 月，广陵区举办老年书画、摄影作品展评。2005 年 8 月，"廉风化雨润扬州——扬州市廉政文化建设掠影"图片展巡回展出。2007 年 10 月，举办广陵区老年摄影比赛。2008 年 7 月，"1978 ～ 2008 新旧扬州纪实"图片展在工人之家开展，200 多幅作品以独特视角真实反映扬州 30 年城市发展的巨大变化。12 月，举办"长江与运河的交响——扬州市改革开放 30 周年"大型图片展。2010 年，中央及省级媒体联合采访团参观"大爱之城——扬州好人先进事迹"图片展。2011 年 8 月，举办"科学发展·辉煌五年"大型图片展。

第三节　音乐　舞蹈

1989 年后，扬州市、区成人与少儿音乐舞蹈都有长足进步，出现一批题材广泛，内容丰富，充满时代精神、青春活力、纯真童趣的新作品。1995 年 12 月，舞蹈《月下独酌》获省第三届音乐舞蹈节舞美设计奖。1998 年 6 月，《竹韵》获省第二届独舞、双人舞、三人舞比赛优秀节目奖。1999 年，音乐舞蹈诗《拔根芦柴花》获省第四届音乐舞蹈节剧目奖。2001 年，现代舞《嗨、嗨、嗨》获省第三届少儿艺术节金奖。7 月，舞蹈《琼花韵》获省第三届舞蹈比赛舞蹈创作奖和优秀表演奖。2002 年，歌曲《你是一棵树》获省群众歌咏系列活动合唱创作一等奖。2003 年，少儿芭蕾舞《雁归来》获全国第一届中小学艺术展演小学组一等奖。2005 年，少儿芭蕾舞《黑白键》获省第四届少儿节金奖，舞蹈《小小学堂乐》获银奖。2006 年，《黑白键》获省第七届"五星工程奖"金奖。2007 年，《黑白键》获全国群众文化政府最高奖"群星创作奖"。2008 年，儿童舞蹈《狮子王》获省第八届"五星工程奖"金奖。舞蹈《我为奥运喊加油》《我是小小解放军》获省第八届"五星工程奖"三等奖。2010 年，时装舞《扬州·美丽的月亮城》获中华俏夕阳首届全国舞林大会优秀组织、创编和群舞银奖。2011 年，市第三届"红舞献祖国"广场舞比赛中，广陵区分获老年艺术节、少儿艺术节组织奖。

第五章　群众文化

广陵区坚持中心活动与常规活动相结合、参与型群众活动与欣赏型展示活动相结合，开展丰富多彩的群众文化活动。至 2011 年，广陵区群众文化工作获国家级奖项 10 项、省级金奖 21 项，居全省城区之首。

第一节　重要纪念日文化

1997 年 6 月，举办迎接香港回归系列活动。区文化局举办电影招待会，各界人士 200 人观看大型历史片《鸦片战争》；区委宣传部和区文化局在市体育馆联合举办千人歌咏大会，区政法、教育、卫生、物资等系统和 4 个街道组成 12 个歌咏方阵；区委宣传部和区文化局在工人文化宫牵头承办举行迎香港回归广场文艺演出。

2005年9月，区委在文昌花园社区广场举办广陵区纪念抗日战争胜利60周年歌咏大会。2008年11月，广陵区纪念改革开放30周年暨建区25周年文艺演出在市体育馆举行。整场演出以歌舞、戏曲、小品、服饰表演等丰富多彩的形式，全面展现广陵区改革开放和现代化建设取得的各项成就。2009年10月，为纪念新中国60周年华诞，扬州市举办花车巡游和群众表演活动，12辆花车分成三大块在城区巡游展示。广陵区制作的“产业之路”花车位于第二方阵——“盛世扬州”，以鲜明的主题和瑰丽的造型，全方位展示汽车、造船、光伏、化工、机电、纺织等扬州市知名工业品牌产品。2011年6月，广陵区纪念建党90周年文艺演出在新东方扬州外国语学校拉开帷幕，整场节目分“红色记忆”“金色大道”“彩色生活”三篇章，以形式多样、精彩纷呈的文艺节目展现中国共产党建立、发展与辉煌的历程。

第二节 节庆文化

一、广陵文化艺术节

1997年，举办第一届广陵文化艺术节。此后，每年举办一次，演出场次逐年增加，居民参与人数相应增多，演出节目如扬州清曲《茉莉花》等越来越丰富。2001年，举办第五届广陵文化艺术节，23个系统、112家社区单位倾情演出上千个精彩节目。2002年，第六届广陵文化艺术节，由“暑期教育大舞台”“优秀电影进社区”“乡村音乐响起来”三大板块组成。2004年，以第八届广陵文化艺术节为载体，组织开展丰富多彩的群众性文化活动。全区共举办110多场文艺活动，成为展现名城风采的亮点。2007年8月，在南门遗址广场举办第十一届广陵文化艺术节文艺演出。各街道、乡镇、系统、部门和单位展演大型舞蹈、表演唱、配乐诗朗诵、木偶表演、抖空竹等节目。2009年，举办第十三届广陵文化艺术节，举办“实践科学发展观，推动广陵平安法治建设”文艺演出、“清歌廉曲·和美广陵”文化广场演出和社区舞蹈大赛“爱心涌动在沙北”等大型文化活动10多场。2011年，举办第十五届广陵文化艺术节演出等大型文化活动。

图29-5-1 清曲曲目《茉莉花》

二、“5·2”市民日

2005年5月2日，第一届“欢乐扬州·扬州市民日”（又称“5•2”市民日）大型歌会在曲江公园举行，参与人数近8000人。2006年，举办第二届“欢乐扬州·扬州市民日”曲江公园大型歌会。歌会分东、西两个表演区，东区是戏曲专场，西区是歌曲专场。戏曲专场由戏曲名角、票友表演扬剧、淮剧、京剧、扬州清曲等；歌曲专场由专业歌手和业余爱好者轮番上场，台上台下互动。2007年，第三届“欢乐扬州·扬州市民日”大型歌会和戏曲演唱会，分别在曲江公园和南门遗址广场同时举行。2008年5月2日上午，组织大型“踏街”活动表演，队伍长达1.5千米。艺人们踏街而歌，迎风起舞，举行扬州清曲、扬州弹词、湖船等表演，还有爆米花、吹糖人、敲麦芽糖和卖糖葫芦等扬州古风民俗演示。下午，第四届“欢乐扬州·扬州市民日”大型歌会在曲江公园举行。各乡镇、街道、产业园和专业团队等表演歌曲、戏曲及舞蹈。2009～2011年，先后在曲江公园参办第五、六、七届“欢乐扬州·扬州市民日”大型文艺歌会。

三、广陵区邻里节

2005年8月10日，广陵区首届邻里节在文峰街道宝塔社区举行启动仪式。由居民填词、用扬州民歌《杨柳青》配曲创作的《邻里歌》，成为每次活动必唱的歌曲。2006年，举办第二届邻里节，电视媒体进行现场直播。2007年，在南门遗址广场举办第三届邻里节开幕式文艺演出。演出从千人大合唱《邻里歌》开始，在大型歌舞《和谐家园》中结束。2008 年，举行第四届邻里节开幕式文艺演出。各街道、乡镇、系统、部门和单位展演大型舞蹈、摇滚说唱、配乐诗朗诵、小品、木偶等节目。2009 年，举办第五届邻里节，除民间艺人集中在社区广场进行演出外，还举办社区舞蹈大赛“爱心涌动在沙北”等大型文化活动 10 多场。2010 年，举办第六届邻里节文艺演出暨区志愿者协会成立大会。2011 年，在京杭会议中心举办第七届邻里节活动，20 个社区的优秀原创节目选送单位被表彰。

图 29-5-2　广陵邻里节活动

第三节　乡镇社区文化

一、周末剧场

2008 年 6 月始，区文化局分别在东关古渡、宝塔社区、运东社区等 20 个社区举办“桩基情——和谐广陵·周末喜相逢”周末剧场文艺演出，拉开广陵周末剧场巡演序幕。演出以戏曲、小品、歌舞等丰富多彩的形式呈现，让市民、村民在家门口享受精神文化大餐。2009 年 6 月，在曲江街道新农村礼堂举行“和谐广陵·周末剧场”巡回演出。2010 年，区文化局组织演艺人员到杉湾花园社区、东昇花园社区、百盛广场、东关古渡等处举行“幸福广陵· 周末剧场”巡回演出。2011 年，社区周末剧场充分发挥主城区人才荟萃的优势，在琼花观、个园、连福、旌忠寺、文昌花园等社区布点展开，为广大市民提供自娱自乐、交流提升的场所。各乡镇、街道以社区（村）为基本单位，开辟固定活动场所，举办周末剧场文艺展演月活动，表演歌舞、戏曲、音乐、小品、情景剧等，组织群众参加文娱活动和巡回表演。

2011 年广陵区周末剧场一览表

表 29-5-1

序号	周末剧场名称	所属街道	场次	主要活动形式	有影响的大型文艺活动
1	琼花观社区周末剧场	东关街道	20 场以上	以清曲、评话、弹词、越剧等展演为主	猜灯谜、闹元宵文艺演出等系列活动
2	文昌花园社区周末剧场	曲江街道	20 场以上	文艺会演	“庆中秋、迎国庆”广陵区周末剧场会演、广陵区大学生村官风采展示暨中共十八大代表郑翔报告会
3	荷花池社区周末剧场	汶河街道	20 场以上	评话、弹词、朗诵	迎接中共十八大，爱国歌曲大家唱；“迎中秋、庆国庆”大型文艺晚会
4	连福社区周末剧场	文峰街道	20 场以上	扬剧	“迎端午、庆七一”暨纪念建党 91 周年文艺汇演、“迎中秋，庆国庆”文艺会演
5	新仓巷社区周末剧场	东关街道	20 场以上	扬剧演出	—
6	旌忠寺社区周末剧场	汶河街道	20 场以上	越剧表演为主	首届广陵区越剧大奖赛
7	个园社区周末剧场	东关街道	20 场以上	综合文艺演出	在个园花局里舞台定期举办地方特色文艺演出
8	头桥镇周末剧场	头桥镇	20 场以上	扬剧专场	“舞动红色旋律，共唱幸福头桥”广场舞大赛、“激荡青春迎盛世，红歌献给党”大奖赛

续表 29-5-1

序号	周末剧场名称	所属街道	场次	主要活动形式	有影响的大型文艺活动
9	沙南社区周末剧场	曲江街道	20 场以上	文艺会演	—
10	四望亭社区周末剧场	汶河街道	20 场以上	昆曲雅集为主	—
11	宝塔社区周末剧场	文峰街道	20 场以上	综合文艺演出	《扬州晚报》社区红歌赛、“永远跟党走”文艺演出、《扬州晚报》欢乐社区行、喜迎中共十八大文艺会演
12	运东社区周末剧场	广陵产业园	20 场以上	文艺会演、小品	—
13	东昇花园社区周末剧场	汤汪乡	20 场以上	综合文艺演出	“缤纷夏日，可爱的家乡”广场演出
14	茱萸湾周末剧场	湾头镇	20 场以上	文艺演出	—

图 29-5-3　古琴演奏

二、广场演出

2007 年 9 月，在曲江公园举办“古韵今曲·清风广陵”廉政文化广场文艺演出，区机关部门、乡镇街道和产业园选送小品、评话、扬州清曲、相声、配乐诗朗诵等十多个精品节目参加演出。机关各部门和单位还将廉政文化活动成果以图板形式进行现场展示，并展演丰富多彩的特色文化活动。

2008 年 5 月，区文化局和扬州日报社主办的“众志成城，抗震救灾爱心义演”在荷花池公园拉开帷幕。整场演出涌动着感人至深的爱心暖潮，共收到爱心捐款 110 多万元。

2010 年重阳节前夕，在东关古渡举办“我们的节日——重阳”大型文艺演出。演出节目有舞蹈《红梅赞》《红珊瑚》，戏曲《十八相送》《古城新韵数扬州》，小品《老来罪》，新创扬州清曲《家住扬州》及笛子独奏等。

三、送戏送电影下乡

2004～2005 年，为满足广大群众日益增长的文化需求，区政府积极推进农村电影放映，组织电影放映队进社区、乡镇、村组，播放影片 50 多部，观众 2 万多人。2006 年 3 月，区文化局组织电影放映队到九龙村、横沟村、壁虎坝社区、联合社区等 10 个社区、乡村放映影片，历时一个月，受到村民欢迎。2007 年，举办“夏季戏曲纳凉晚会”，送电影到乡镇近 20 场次。2008～2010 年，送戏、送电影到农村 100 多场。2011 年，组织一系列群众喜闻乐见的戏剧、经典影片到乡镇，丰富乡镇业余文化生活。李典、头桥、沙头、杭集、泰安等镇，各自都有放映队，满足村镇居民、村民的文化需求。

第四节　企业文化

广陵区企业以“职工之家”为载体，促进企业文化发展。1989 年，19 家企业参加庆祝中华人民共和国成立 40 周年歌咏比赛。1994 年，组织区属企业参加全市企业文化月活动。2000 年后，扬农集团、亚星·奔驰客车厂、扬州制药厂和扬州橡胶厂等企业走出厂门，积极参加社区文化活动，实现“同住一方、资源共享”，为社区文化输入新鲜血液。2003 年，组织参加市总工会、市委宣传部、市委企业工作委员会举办的市首届企业文化艺术节。艺术节先后举办职工摄影、集邮、家庭才艺、太极拳、乒乓球、篮球比赛和广场文艺演出。2006

年，与广陵产业园共同举办“共建和谐园区”大型慰问演出。2008年，区文化局组织有关人员进企业、工厂，策划、指导、创作、编排各类文化活动和节目，推动机关、企业文化活动开展。2009年，区文化局与企业联办广陵区庆祝新中国成立60周年歌咏大会。2010年，区文化局协办庆祝“三八”国际妇女节100周年文艺会演，进一步推动企业文化活动开展。2011年，成功举办“4·17”广陵商机说明会招待会文艺演出。

第五节　老年文化

90年代初，东花园社区夕阳红艺术团成立。该团有团员70多人，他们自编自演各种节目，内容有健身的拳、剑、操，也有娱乐性的舞蹈和小品。1994年，城南街道三里桥居委会的居民——亚星客车厂50多名离退休职工，成立亚星锣鼓队，先后参加润扬大桥、扬州火车站奠基与通车等庆典活动。1996～2000年，相继成立常青艺术团、何园社区演出队、723所合唱队、舞蹈队等老年职工文艺团体。2004年5月，为庆祝扬州火车站开通，文峰、曲江等街道社区文艺骨干在车站广场进行威风锣鼓、腰鼓、莲湘方阵表演。同年10月，组织老年艺术人才参加市举办的“激情广场大家唱”“老年文艺节目巡回选评”“优秀节目汇报演出”等活动。2004年12月，区常青艺术团被省文化厅命名为“特色文化团队”。2005年10月，广陵区举办首届“夕阳红”文体艺术周，组织书法绘画展、剪纸展、晨练会操比赛和音乐、舞蹈、服饰展示专场演出等。2006年，“烟花三月”国际经贸旅游节期间，以中老年人为主的艺术大军在运河沿线摆下艺术方阵，成为展示广陵文化风采的亮点。2007年10月，在文昌广场举办广陵区热烈庆祝中共十七大胜利召开暨第二届“夕阳红”艺术周文艺演出。同月，在市第三届老年艺术节上，区文化局选送的节目、作品，获奖总数和一等奖数均名列全市第一名，并获老年艺术节优秀组织奖。2010年，在市老年艺术节上，区选送的小品《老来罪》获一等奖，扬州清曲《家在扬州》、越剧联唱《十八相送》等节目均获艺术节奖项。常青艺术团参加“中华俏夕阳首届全国舞林大会”，获优秀组织奖、创编奖和群舞银奖。2011年，广陵区老年舞迷为市民展演一场华美的广场舞蹈秀，并获得市第三届“红舞献祖国”广场舞比赛优秀组织奖。

图29-5-4　老来乐

全区有各类古筝艺术培训基地10多处，年培训1300多人，仅1997年，老年大学古筝班就有60多人通过南京艺术学院4～7级业余古筝考级。1998年，广陵区被省文化厅命名为“古筝艺术之乡”。

第六节　少儿文化

广陵区少儿文化艺术活动丰富多彩，有绘画、舞蹈、书法、钢琴、小提琴、二胡、古筝等。少年儿童艺术之星多次在国家、省、市演出中获奖。1990年，市少年宫（区属）编排的舞蹈《大海的礼物》、古筝独奏《春到草原》获市少儿艺术优秀演出奖和优秀创作奖，三重奏《听妈妈讲那过去的事情》、独唱《骄傲的公鸡》、扬琴独奏《牧童之歌》获演出奖和创作奖。市少年宫获优秀辅导奖。1991年3月，区儿童演唱团与日本厚木市毛利台合唱团在人民剧场同台演出。1996年7月，组织参加市首届少儿艺术节。1998年6月，组织参加市第二届少儿艺术节，参加器乐、声乐、舞蹈、故事演讲、小戏迷、美术、书法7项比赛。2000年10月1～3日，参加市第三届少儿艺术节，组织开展少儿踩街活动，1000名少儿组成杨柳琼花、少儿国标、锣鼓腰鼓、莲藕小鸭、卡通人物、戏曲脸谱、少年军校、鲜花队、藤圈艺术体操和走向未来10个艺术方阵。2002年，参加市第四届少

图 29-5-5　扬州清曲《芍药花儿开》

儿艺术节，举行广陵区专场文艺演出。2005 年 3 月，广陵区首届少儿艺术节开幕，历时两个月。2006 年，在省第七届“五星工程奖”决赛中，扬州清曲《芍药花儿开》和舞蹈《黑白键》获金奖。2007 年，舞蹈《黑白键》在全国第十四届“群星奖”舞蹈总决赛中，摘取全国群众文化最高奖“群星奖”创作奖。2008 年 9 月，区文化局和区体育局在市工人文化宫影剧院联合主办“我爱我家、我爱广陵”少儿舞蹈会演，小朋友们表演经典芭蕾舞剧《四小天鹅》、民族舞蹈《西域风情》和儿童舞蹈《洗涮涮》等。2010 年，在“欢庆六一”文艺活动中，伊斯兰幼儿园的儿童用扬州清曲配乐儿歌演唱。2011 年，广陵区少年儿童在市少儿艺术节上的精彩表演，均获组织奖。

第七节　群众文艺创作与竞赛

一、群众文艺创作

1990 年，戏剧小品《杀鸡》《敲开妈妈的门》参加泰州调演。2005 年，文峰街道八大家社区的女声独唱《社区民警之歌》，参加第四届全国“四进社区”文艺展演。2006 年，新作《静夜思》参加省少儿合唱节。方言喜剧小品《大水湾的老邻居》参加扬州市庆“七一”文艺演出。2008 年，琼花观社区市民自编自导自演的情景剧《文化里的新生活》随市政府代表团进京展示。2009 年，重点打造的《狮子王》《我长大后要当警察》《三秀探亲》等文艺精品参加省、市调演。2010 年，以农民工进城打工为题材的小品《三秀探亲》参加省专业大赛。2011 年 9 月 12 日晚，小品《三秀探亲》登上中央电视台第八届电视小品大赛（决赛）舞台，首开扬州文艺作品进入中央电视台直播的先河。

二、群众文艺竞赛

1996 年，在友好会馆举办纪念红军长征胜利 60 周年歌咏比赛，来自全区机关、厂校、商业、建安、卫生等系统和 4 个街道办事处的干部、职工、学生 720 多人参加演唱。1999 年，市文化局、区文化局、金韵古筝厂在区文化局大舞厅联合举办“金韵杯”古筝大赛。区内 105 位古筝选手参加角逐，年龄最大的近 70 岁，最小的仅 7 岁。2000 年，在区体育馆举办“金望杯”广陵区首届少儿国际标准拉丁舞大赛。2007 年，区总工会和区文化局在东部少年宫联合举办“东方杯”职工卡拉 OK 大赛。2008 年，组织老年人参加“仁林杯”广陵区社区广场舞蹈大赛。2000 年、2008 年，广陵区两次被文化部命名为“中国民间文化艺术之乡——古筝之乡”。2010 年，时装舞和小品《三秀探亲》分别在全国和省获奖。

1997 ~ 2010 年广陵区群众文化活动获奖作品情况一览表

表 29-5-2

年份	获奖作品	奖项	获奖单位／个人
1997	古筝二重奏《小苗青青》	省级金奖	市少年宫
1999	古筝二重奏《小苗青青》	全国群星奖铜奖	市少年宫
1999	小品《上岗》	省纪念三中全会二十周年文艺新作演出优秀节目奖	区文化馆　王婷
2000	小品《看戏》	“曹禺杯”全国小品大赛二等奖	区文化馆　王婷

续表 29-5-2

年份	获奖作品	奖项	获奖单位/个人
2001	表演唱《数鸭子》	省第三届少儿艺术节金奖	艺蕾小学
2001	现代舞《嗨、嗨、嗨》	省第三届少儿艺术节金奖	艺蕾小学
2001	合唱《夕歌》	省第三届少儿艺术节金奖	东关中心小学
2002	合唱《夕歌》	全国群众性歌咏比赛银奖	东关中心小学
2002	道情演唱《板桥道情》	省老年文艺调演金奖	聂　峰
2002	道情演唱《板桥道情》	全国老年艺术文艺调演铜奖	聂　峰
2002	大合唱《祖国颂》	全国群众歌咏比赛三等奖	区文化馆
2002	歌曲《你是一棵树》	省群众歌咏系列活动合唱创作一等奖	扬州灯泡集团
2003	少儿芭蕾舞《雁归来》	省“五星工程奖”金奖。	艺蕾小学
2003	少儿芭蕾舞《雁归来》	全国第一届中小学艺术展演一等奖(小学)	艺蕾小学
2004	昆曲《长生殿·酒楼》	省戏曲票友大奖赛金奖,演员被评为省“十佳”票友。	广陵昆曲曲会
2004	昆曲《荆钗记·见娘》	省戏曲票友大奖赛金奖,演员被评为省“十佳”票友。	广陵昆曲曲会
2004	昆曲《艳云亭·痴诉》	省戏曲票友大奖赛金奖,演员被评为省“十佳”票友。	广陵昆曲曲会
2004	昆曲《窦娥冤·斩娥》	省戏曲票友大奖赛银奖	广陵昆曲曲会
2005	少儿芭蕾舞《黑白键》	省第四届少儿节金奖	艺蕾小学
2005	舞蹈《水乡鸭丫》	省第四届少儿节银奖	金苹果艺术幼儿园
2005	舞蹈《小小学堂乐》	省第四届少儿节银奖	金苹果艺术幼儿园
2005	歌舞《夕歌朝唱》	中央文明办、国家文化部银奖	东关中心小学
2006	《社区民警之歌》	中央文明办、国家文化部银奖	区文化馆
2006	少儿芭蕾舞《黑白键》	省第七届“五星工程奖”金奖	艺蕾小学
2006	扬州清曲《芍药花儿开》	省第七届“五星工程奖”金奖	艺蕾小学
2007	扬剧《目莲救母》	首届省民营剧团文艺调演银奖	扬州海派扬剧团
2007	少儿芭蕾舞《黑白键》	全国群众文化政府最高奖“群星创作奖”	艺蕾小学
2008	少儿舞蹈《狮子王》	省第八届“五星工程奖”金奖	艺蕾小学
2008	舞蹈《我为奥运喊加油》	省第八届“五星工程奖”三等奖	金苹果艺术幼儿园
2008	舞蹈《我是小小解放军》	省第八届“五星工程奖”三等奖	金苹果艺术幼儿园
2010	小品《三秀探亲》	江苏戏剧奖优秀剧目、编剧和表演奖	区文化馆　王　婷
2010	时装舞《扬州·美丽的月亮城》	中华俏夕阳首届全国舞林大会优秀组织、创编和群舞金奖,艺术团成员分获“寿星奖”和“创作奖”	扬州常青艺术团

专记　群众文化先进区创建

2001年11月,广陵区被省政府命名为江苏省群众文化先进区。在创建群众文化先进区过程中,区政府采取五大措施,推进创建工作。

制订计划　1997年,召开全区文化工作会议,将文化事业作为一项重要内容列入“九五”规划和2010年远景规划,制定《关于进一步加快发展文化工作的意见》,把文化工作完成情况作为考量政府每年为民办实事项目之一。

建设网络　狠抓文化阵地建设,形成区、街、居三个层面文化设施网络,为创建群众文化先进区夯实基础。区文化大楼建成，标志着广陵区文化设施迈上一个新台阶。以开发群众喜爱的文化活动项目为主，围绕文化、娱乐、休闲来选向定位。积极筹集资金，开发文化活动项目。1998 年，共投入资金 100 多万元，开辟演歌厅、大舞厅、少儿艺术训练房、会堂等活动阵地，文化大楼内文化娱乐场所达到一定规模。1999 年，利用大楼内场地和外地客商合作开发 800 多平方米的电玩城。2000 年，针对娱乐市场不景气状况，将四楼大舞厅转向为健身中心，取得良好的社会效益和经济效益。与此同时，抓好街道文化站、居民文化室阵地建设，新增文化活动场所 5760 平方米。

图 29-5-6　文昌商圈首届文化艺术节开幕式

组织活动　狠抓群众文化活动和群众文艺创作。1997 年，围绕香港回归，举办千人歌咏大会、广场文艺演出、电影招待会、书画展等活动。1998 年，举办首届文艺新作调演、庆“六一”少儿文艺会演、赈灾义演、纪念改革开放二十周年文艺演出等活动。1999 年，围绕“双庆”，有组织地开展文艺进军营、进车间活动，举办纪念中华人民共和国成立五十周年大型文艺演出、大型书画展及全市“金韵杯”古筝大奖赛、“迎回归，庆千禧——万家福杯”卡拉 OK 大奖赛等。2000 年，举办全区舞蹈比赛、少儿故事大赛和“金望杯”少儿国际标准拉丁舞比赛。配合“烟花三月”旅游节、“二分明月”文化节，多次举办广场演出，先后举办大型活动 54 场。同时，开展“一二三”（即每个家庭建立一个书橱、两份报刊和三百本藏书）家庭读书活动和“四在家庭”（即学在家庭、美在家庭、乐在家庭、俭在家庭）活动，营造浓郁的家庭文化氛围，形成以“社区为载体、群众为主体、文化为媒体”的社区文化模式。区文化馆群众文化专业人员演出的小品《看戏》，在全国“曹禺杯”大赛中获二等奖。区政府从城区实际出发，组织专家学者，努力挖掘、整理、弘扬民间文化遗产。每季编发《扬州曲讯》《扬州曲艺之友》等交流资料，与省内同行进行理论交流。创编扬州清曲《敲瓦碟·碰酒杯》，在扬州电视台《中国扬州》中播放。组织创作新编现代昆剧《姹紫嫣红》。为扬州电视台《家园》电教片配制扬州地方曲艺音响资料，使地方民俗文化元素有新的拓展。

体现特色　从区情出发，利用自身优势，打造广陵文化特色。为配合宣传中国第六届艺术节，广陵区承办少儿踩街活动，组织以杨柳琼花、少儿国标、锣鼓腰鼓等为主题的 10 个艺术方阵，1000 名少儿参加表演。扬州历史上有古筝之乡的美誉，但一度濒临失传。1983 年建区以来，着眼于古筝艺术的挖掘、普及与提高，从“一老一小”入手，抓好普及工作，每年培训 1300 多人次。注重古筝曲目创作，先后创作有一定影响的曲目《小苗青青》《观灯》《瘦西湖之春》等。1991 年，中共中央总书记、国家主席江泽民陪同朝鲜领导人金日成观看小演员们的古筝演出。同年，市少年宫学员在中国古筝艺术交流会上进行百人古筝演奏，引起轰动。1997 年始，通过教育部门配合，把扬剧、扬州弹词等引进校园。在汶河小学试点，开办小扬剧、小评话训练班。1998 年，两名少儿带着扬剧和古筝曲目，赴澳大利亚进行艺术交流。同年，广陵区被命名为江苏省“古筝艺术之乡”。1999 年，广陵区选送一名少儿选手参加省文化厅、省电视台举办的扬剧名票大奖赛，获得十佳名票奖。是年，扬州清曲、扬州弹词专家、学者和演员，与日本民间音乐家坂田进行艺术交流。2000 年，中共中央总书记、国家主席江泽民陪同法国总统希拉克观看小演员古筝演出。同年，广陵区被文化部命名为中国“古筝之乡”。区内共建立“曲艺之友社”“昆曲之友社”等 14 个社团，定期开展活动。同年，与丹麦汉学家易德波和罗爱德女士，就扬州评话艺术进行研究、交流。与此同时，社区建有地方戏剧小组 5 个，每天活跃在小剧场，为群众义务演出，每年演出 1200 多场次。

第六章　档　案

广陵区除区建有档案馆外，区属各机关事业单位、各街道、乡镇（村）都建有规范的档案室，同时抓紧档案队伍建设和业务培训，确保档案管理工作步入标准化、规范化轨道。2009～2010年，曲江街道新农村、新星村，汤汪乡同心村同时被评为江苏省档案示范村和江苏省村级档案规范化示范村。全区54个社区83个行政村实现建档100%目标。至2011年，区档案馆馆藏档案2.12万卷、1.65万件，案宗级目录2500条，文件级目录6.5万条。

开发利用档案。1989～2008年，每年查阅档案人数300人次左右；2009年，986人次；2011年，3161人次。

第一节　档案馆（室）建设

一、机构

1984年10月，建立广陵区档案馆，隶属广陵区委办公室，对外行使档案管理行政职能。1990年3月，建立广陵区档案局，与区档案馆合署办公，行使档案行政管理和档案保管利用职能。2002年机构改革，区委党史办公室和区地方志办公室在档案局挂牌，与档案馆（局）合署办公。2005年7月，区档案馆定为信息公开场所，建立广陵区现行文件资料利用中心。同年，广陵区爱国主义教育基地在区档案馆挂牌，正式对外开放。

二、设施

区档案馆（局）是区永久保管档案资料的机构。1992年，新建一幢档案大楼，馆建筑面积由原来60多平方米增至630平方米，库房面积377　平方米。1999年，按档案保护要求，重新添置防霉、防虫档案柜。2000年，添置灭火器和档案密集架14列、专用铁制柜60组、抽湿机1台。2005年，按档案现代化管理要求，全年投资8万多元添置电脑6台、激光打印机2台、数码相机1台及“永乐文档一体化通用软件”一套。至2011年，适时更新、添置档案保管设施，保证档案资料保管、利用工作正常规范运行。

三、馆藏

1987～1994年，机关各单位立卷数5831卷，并建立起文书、科技、会计、城市改造建设、诉讼、婚姻、医疗卫生等多种门类档案。至1996年，馆藏机关单位档案案卷909卷，其中永久201卷、长期462卷、短期246卷。1999年，馆内收藏档案5500多卷。2004年，馆藏档案38个全宗，保管档案2.03万卷、500件，馆藏资料3200卷册。2005年，接收有关机关单位到期档案3076卷、资料405件。馆藏档案38个全宗，保管档案2.34万卷，馆藏资料3251卷（册）。“保持共产党员先进性教育活动”档案全部收集建档。档案馆（局）对有关报纸、杂志也完整收存并对外开放。2011年，馆藏全部档案38个全宗，馆藏档案总数2.12万卷、1.65万件，馆藏资料3890册，档案编目情况案卷级目录2500条、文件级目录6.5万条，实物档案2幅。

四、基层档案室

各机关事业单位、各企业都十分重视本单位档案收集、保管工作。1990年，区档案馆（局）协助五金一厂、华扬蓄电池厂、开关厂、铝制品厂等建立健全科技档案规章制度，进行规范化、制度化管理，分门别类整理科技档案中的产品记述、设备、基建等档案，完成年度计划内企业科技档案整理归档。同年，扬州鞋厂扩大和丰富档案藏量，增加库房面积，添置档案存放设备，改善保管条件，实现科技档案、文书档案、会计档案、实物档案一体化管理，被评为企业档案管理市级先进单位。扬州工具厂企业档案管理被评为企业档案管理升级先进单位。1991年，区工具二厂完成档案管理升级工作。1993年，城南街道办事处档案室被市档案升级评审组评为档案管理三级档案室。1996年，汶河小学、区住宅办、区危房办完成市级二级档案室先进管理验收工作。1991～1996年，区内8家单位取得省级二、三级档案管理先进证书。1998年，新的《扬州市机关档案管理达标省级考核评分标准》出台后，区档案馆（局）抓紧档案标准化、规范化管理建设工作，区内达一级目标管理的档案室有2家，达二级目标管理的1家，达三级目标管理的2家。2002年7月，广陵产业园管委会组建伊始就抓紧抓实档案工作，设置专用档案室，完整齐全地保存筹建规划、土地征用、公共设施建设、招商引资、会计档案等多门类的档案资料。2007年，区档案局（馆）指导帮助4家单位通过档案目标管理工作省级评定验收，其中广陵产业园档案室在全市开发园区中首家被评为省一级标准，区审计局、市国有土地管理局广陵分局、市培智学校等单位档案目标管理工作顺利通过省二级验收评定。至2007年11月，全区48个社区均已建档，其中80%社区档案整理较为规范。2008年12月中旬，曲江街道新农村、新星村，汤汪乡同心村档案管理达省二级标准，湾头镇沙联村、汤汪乡连运村档案管理达省三级标准。2009年，曲江街道新农村、汤汪乡同心村，被省档案局命名为江苏省档案示范村。扬州市欣宝机械有限公司被命名为扬州市民营企业档案规范建设企业。2010年，各社区、行政村建档率实现100%。同年，湾头镇建起专用档案库房，对多年积存的应归档材料分门别类整理归档。2011年，区档案馆（局）制定《广陵区档案局2011年业务指导工作计划》，积极推进创省星级、创示范村等工作。

第二节 档案收集与整理

一、机关事业单位文件立卷归档

1990年，档案馆（局）将50多家归档单位划分为7个归档协作组，分期分批，以“文书立卷”标准组织文件立卷归档。着重抓完整率和案卷分类组卷质量，强调文件收集的完整率，完成1989年度文书立卷归档工作。协助民政局整理1965～1989年离婚档案134卷，帮助区行政处整理人口普查档案75卷。配合区民政部门推动婚姻档案收集整理归档工作，对长期寄存的婚姻登记材料进行全面收集整理，确保区1000多卷婚姻档案管理规范化、标准化。根据国家档案局《机关档案业务建设规范、标准》，规定统一档案用品格式，健全档案各类表式，明确文件归档范围，规范立档单位全宗号，为促进档案管理工作上等级奠定基础。

1984～2011年，区内档案管理由单一文书档案管理逐步发展为科技档案、婚姻档案、会计档案、小学教育等多门类档案管理。1991年，65个部委办局整理案卷1390卷，文件归档率99%，案卷质量合格率97%。1993年，完成全区机关文件立卷归档工作。1996年，完成54家机关单位1995年度文书立卷归档工作，全机关单位共形成档案案卷909卷。1997年上半年，完成51家立档单位的文书立卷归档工作，形成卷宗1084卷，单位归档率87%，完成率89%；当年机关事业单位形成1560多卷档案，单位完成率98.5%，归档率97%以上。1999年，区内66家立档单位形成1327卷档案，单位完成率98%以上。2000年，区内66家立档单位进行文件材料立卷归档工作，归档率96%，新产生档案1150卷。2001年，区内66家立档单位，95%按时完成立卷归档，新增档案935卷。2003年，全面启动文书立卷改革工作，使机关单位形成档案的保管单位由“卷”改为“件”，简化、方便文件材料归档工作。机关事业单位2002～2004年共形成归档文件4万件，有些单位还配置档案管理配套软件，完成文件级目录输入工作。2007年，区应立档单位61家，符合立档规范的有57家，占全部单位的93%。至2011年，除个别单位外，全区机关事业单位立档工作均符合规范要求。

二、档案馆档案接收与整理

1997年，区档案馆对机关事业单位应该移交档案情况进行统计摸底，确定应向区馆移交档案计6118卷，其中永久2155卷、长期3110卷、短期853卷。1999年，在区民政局协助下，对各街办形成的婚姻登记档案进行逐年逐卷逐页清点核查，近2000卷档案全部按规定分批向档案馆办理移交手续。2000年，在原有档案检索工具基础上，抄写条目3.5万个，新建立《全引目录》72册，整理全年报刊8种近3000份，装订成80册。2001年，结合机关机构改革，加紧对应移交档案进行调整清核，核清1.3万卷应接收的档案。全年接收现行档案1015卷，撤销单位档案158卷。办理企业产权变更档案寄存4000多卷，收集区第五次党代会和庆"七一"情满社区广场晚会全套照片，分七个类别整理照片494张。2004年前，区机关各单位积累的档案基本分散在各单位自行保管。根据《江苏省档案馆档案接收规范》要求，区档案局制定《扬州市广陵区档案馆档案接收规范》，确立档案馆接收移交原则、档案处置具体办法和交接时间，召开档案接收移交动员大会，集中将1983～1996年度中形成的各种档案向区档案馆办理移交。至2004年，接收现行机关和撤销单位的全宗25个、档案7168卷。处理协调2002年区划调整后，划归广陵区管理的单位档案归属问题，与维扬区档案馆商定，将原属维扬区的湾头镇、城东乡、汤汪乡形成的989卷档案接收进馆。接收区属破产企业扬州鞋厂、电位器厂的全部档案8741卷。2005年12月31日，文化部将扬州清曲列入国家级非物质文化遗产公示名录。区档案馆及时将国家批准的扬州清曲文本收入进馆，予以保存。2007年，区档案馆（局）印发《关于进一步做好广陵区机关单位到期档案移交、接收进馆工作的通知》，要求各有关单位到期档案必须使用档案管理软件，将档案的文件级、案卷级目录全面输入计算机，形成机读目录，一并移交进馆。至2007年年底，已有三分之二的机关单位将到期档案移交进馆，馆藏档案达2.04万卷，其中三分之一的单位实行档案现代化管理。2008年，新接收入馆市民婚姻档案426卷。继续做好馆藏婚姻档案文件输入计算机工作，共输入文件级目录1.6万条。2005～2010年，先后将"保持共产党员先进性教育活动"材料收集归档；各单位有关支援汶川"5·12"大地震抗震救灾、项目建设等文件材料收集、整理、归档；接收进馆16家机关单位的有关纪念改革开放30周年暨建区25周年活动的文件材料及照片、光盘等档案资料；搞好学习践行科学发展观活动资料档案的收集整理和建档保管工作，并将700多条文件级目录输入电脑。2010年7月，区档案馆接收广陵新城移交的原中共中央总书记、国家主席江泽民2010年5月10日视察江苏信息服务产业基地时的亲笔题字（纸本长137厘米、宽85厘米），登记入库妥为保管。2011年，接收涉民单位移交进馆的林权制度改革、照顾生二胎等民生档案21卷、1500多件。区内第三批各类民生档案都按规范要求，整理归档。至11月底．馆藏档案输入文件级目录6.5万条、案卷级目录2500多条。

第三节　档案开发利用

2005年上半年，建立广陵区现行文件利用中心，制定《现行文件利用中心查阅制度》《现行文件利用中心服务承诺制度》。中心全年共接收53个区级机关单位报送的文件、资料共405件（册），顺利通过市纪委及上级有关部门关于电子政务信息公开工作的检查。2006年，广陵区爱国主义教育基地在区档案馆挂牌并对外开放。

区档案馆（局）努力开展档案利用服务工作，充分利用馆藏档案信息资源服务社会，服务广陵的经济建设和社会稳定。1987～1994年，在工资调整、职称评审、信访工作、编写《广陵区志》及住房制度改革等项工作中，提供档案1.2万卷次。1997年下半年，接待210人次查阅户粮、婚姻档案，调阅档案1775卷次。2000年，共计248人次查阅档案资料，提供档案资料2364卷次，接收电话查档咨询30多人次，档案资料查准率93%以上，基本满足档案利用者需求。2005年，接待单位和社会人员来馆查阅档案294人次，提供利用档案资料357卷（册）。2006年，接待机关、企事业单位、社会公民查阅档案280多人次，提供档案、资料约700卷（件、册）。同年，配合中央党校博士生社会实践活动，提供大量有关扬州市1949年解放初期党组织活动及领导建设新扬州等方面的珍贵历史资料。2007年，接待机关、社会查阅档案人员290人次，查阅档案340卷（册），为机关单位和社会群众提供可靠的历史资料和历史依据。2008年，接待查阅关系民生档案315人次，提供利用档案900余卷（册）。2009年，接待社会查阅档案986人次、机关单位27人次，提供利用馆藏档案1900余卷（册）。2010年，接待社会群众及部门单位查阅档案3161人次。2011年，共接待各类查阅档案人员380多人次．查阅档案2600多卷册。

2006年，按照市档案局关于在全市范围内开展珍贵档案文献评选活动的要求，认真开展馆藏珍贵档案申报工作。馆藏的1990年中共中央总书记江泽民为《广陵区志》题词手迹，被列入《扬州市珍贵档案文献》。

2008年8月，区档案馆根据上级要求，向中共中央办公厅提供一批珍贵的馆藏历史档案资料复印件，其中包括江泽民题写的《广陵区志》手迹复印件。是年，区档案局主动介入全区"全面小康村"创建活动。与区农业部门联合制定《关于加强村级档案工作规范化建设的实施意见》，以区农村工作领导小组名义下发；与区农业部门联合转发市社会主义新农村建设工作领导小组办公室、市档案局《关于档案工作为社会主义新农村建设服务的实施意见》，将村级档案规范化建设纳入"全面小康村"创建考核内容，推进各行政村档案建设、管理和利用工作。

2007年12月，区档案馆（局）开展送书下乡活动，将《新农村建设文件汇编》送到各乡镇、街道。

2011年，扬州市创建全国文明城市进入全面迎检阶段。区创建指挥部印发《关于做好创建全国文明城市档案资料收集、管理工作的通知》，督促有关部门单位在创建档案资料工作方面积极履行责任和义务，扎实推动创建材料的收集整理工作。同时，组织开展创建档案专项执法检查，保证创建材料收集的完整性、规范性，更好地服务文明城市创建工作。

第四节 业务培训指导

一、档案法治宣传

1987年，《中华人民共和国档案法》（以下简称档案法）颁布实施。其后，国家档案局《档案法实施办法》和《江苏省档案管理条例》等配套法规颁布实施，广陵区开始进入"以法治档"时期。区档案馆（局）将档案法及实施办法和管理条例的贯彻实施，全部列入《扬州市广陵区档案事业"九五"计划》。先后在1991年、1997年和1998年，举办形式多样的宣传活动，向社会广泛深入宣传，增强全社会档案意识和法治观念。2007年，档案法颁布20周年，区档案馆（局）组织开展各项活动，学习宣传档案法。2008年，省档案管理条例颁布实施10周年，区档案局组织有关单位参加省档案局开展的档案法知识竞赛活动，参加网上竞赛答题。11月，区档案局认真贯彻《扬州市行政处罚案件文件材料归档办法》，联合区政府法制部门印发文件，要求各行政许可及行政审批主体单位认真做好行政处罚案件有关文书材料的规范建档，加强行政处罚案件档案规范化管理。2011年，开展"依法治档年"活动，配合市局"送档案法规进社区"，在文昌花园社区及曲江街道施井村举办活动；在湾头镇、汤汪乡、食品工业园开展档案法及有关法律法规宣传。组织市民参加由市局及各区档案局联合在工人文化宫广场举行的档案法规大型宣传日活动，增强社会档案意识，宣传档案作用。

二、档案工作培训

档案馆（局）重视档案队伍建设，不断提高档案人员业务水平。1992年，在区司法局指导下，举办机关、企事业单位档案管理人员档案法培训班，向各单位发放档案法宣传册，积极宣传，扩大影响。

1984～1994年，举办5次档案人员培训班，320多人次参加培训。至1996年，区内有6人获得档案中级专业技术职称，52人获得初级专业技术职称。

2000年，对区内66家单位的档案员分期分批进行培训，发放《关于向全区档案员推荐学习业务文件目录提示》。

2005年，采取小规模、多批次的业务培训方式，宣传档案工作法律、法规，普及档案管理业务知识，并组织10名档案员参加市档案局举办的档案人员上岗证培训班学习。是年，广陵区有49名档案工作人员经上岗培训，取得由省人事局、省档案局联合颁发的档案员上岗证。

2006年，采用集中讲课与个别辅导相结合的方法，开展文书档案业务培训；协助市档案局举办社区档案业务培训班；组织区机关和企事业单位档案人员参加上级举办的各级档案人员持证上岗培训学习。全年共组织培训120多人次。至此，区内共有55名档案员取得省级上岗资格证书。区档案局还会同区教育部门，对区属学校执行《归档文件整理规则》新标准情况进行档案执法抽查，对11所重点小学、乡镇中心小学执行档案管理新标准情况进行现场指导。

2007年，为教育系统举办归档文件整理规则专题业务培训班。以街道、乡镇为单位，分批对区内48个社区（村）档案工作人员进行档案业务培训。深入各社区（村），直接帮助做好各门类档案整理、编目、归档等具体工作。多次深入广陵新城开发建设现场，指导有关单位按规范要求及时做好基建工程、招商引资、拆迁安置、文书会计、声像实物等各门类档案归集和管理利用工作。

2008年，分别举办贯彻国家档案局第8号令、机关单位新上岗档案员、行政村文书会计档案、园区经贸建设档案、居民低保档案等专项培训，共9期190人次。安排2名基层档案员参加市档案局档案员上岗资格学习，取得由省人事厅和省档案局颁发的上岗证书。6月，开展各乡镇（街道）、园区及行政村文书、会计档案业务培训，24个行政村55人次参加。

2010年，组织机关单位新档案员进行文书档案业务培训和档案信息化培训，参培47人。组织参加档案理论研讨，两篇论文在市档案学会年会交流。推广省指定"永乐"档案管理软件，区内有36家单位在日常工作中应用。

2011年，组织机关机构变动部门、行政村、乡镇有关事业单位新上岗档案员，分两期共19人进行文书档案业务培训。开展园区档案工作业务交流。开展入园企业档案业务专题培训，举办企业档案分类、组卷、编目等专题讲座。专题组织5个园区会计档案业务培训。

第七章　地方志

1988年7月，扬州市广陵区地方志编纂委员会和扬州市广陵区地方志办公室成立。同年9月，启动《广陵区志》编纂工作，1992年5月完成。2005年8月，成立扬州市广陵区年鉴编纂委员会，启动《广陵年鉴》编纂工作。至2011年，相继出版《广陵年鉴》7卷。同时，编印各种地情资料书，充分应用方志成果。

第一节　志书编纂

一、首轮《广陵区志》编纂

首轮《广陵区志》于1988年9月启动。朱立淦任编委会主任，唐宏开、程平、邵荣中、陈考来、杨杏芝任副主任。委员会下设地方志办公室，负责日常事务。办公室主任杨杏芝，副主任丁久均、王玉成、韩承芝。1991～1992年，增补吴瑞民、张锦堂为副主任。区志主编杨杏芝，副主编杨振基、丁久均、陈朝刚、王玉成、冯克。各系统、各街道办事处分别成立编纂工作领导小组。区级机关各部门、各基层单位都有领导分管并落实编写人员。编志过程中，先后征集文字资料1500多万字、口碑资料4万字、实物资料27件、图表770张、图片864幅，建资料卡片3万多张。组织100多人参加编写部门志54编。在部门志的基础上，编写专业志33编。1992年5月完稿，后又7易其稿，终于成书。

1990年2月21日，中共中央总书记、国家主席江泽民为首轮《广陵区志》题写书名。《扬州日报》《中国城市导报》《人民日报》(海外版)等，相继登载这一消息，日本《朝日新闻》记者专程来扬州采访。与此同时，《江苏地方志》《中国地方志》等都在首篇发布消息，刊登江泽民题写的墨迹。

1992年2月，全国政协副主席赵朴初为《广陵区志》题词："广陵幅幅画图中，芜城焕发新容。松韵莺声，天乐鸣空。欣闻史乘峥嵘，去来从。长留佳话，二分明月，千古英雄。——调寄《中兴乐》，扬州市广陵区修

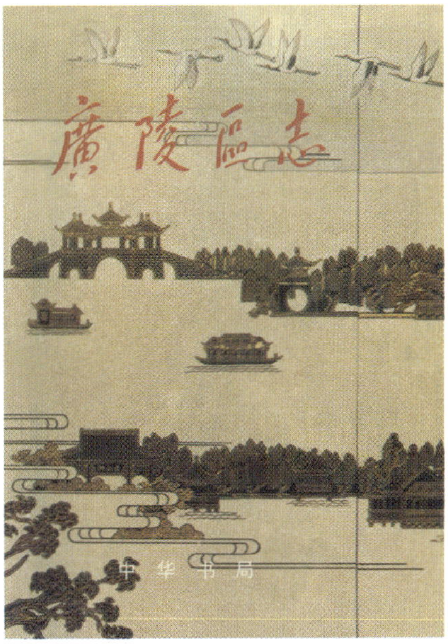

图29-7-1　广陵区志

志，喜拈小令一阕为贺。”全国政协副主席胡绳为《广陵区志》寄来亲笔题词：“广陵古郡，日新又新；发扬传统，启迪后人。”

1993年10月，一部具有地方特色、篇目设计合理、资料翔实、内容全面的《广陵区志》正式出版。1994年，《广陵区志》获全省地方志优秀成果一等奖。1997年6月，被省地方志评奖委员会作为优秀志书，推荐到全国地方志评奖委员会参加评奖。是年8月，在浙江省宁波市召开的全国地方志奖颁奖大会上，获全国地方志奖二等奖。

《广陵区志》编纂历经5年多，先后形成1000多万字文稿、评介、书信等资料。为存史、交流、宣传和借鉴，编者选其中价值较高的部分资料编辑成册，34万字，形成《广陵区志志余文集》。1991年9月，由中州古籍出版社出版，发行1000册。

区志出版发行后，很多专家学者本着“百家争鸣”的方针，各抒己见，对《广陵区志》进行评论。为全面系统总结编纂经验和教训，区志办将20多篇评论文章汇集成册，冠名《广陵区志评介》，30万字。1995年6月，由黄山书社出版。

图 29-7-2 广陵区二轮修志工作动员大会

二、二轮《广陵区志》编纂

2005年，江苏省地方志第四次工作会议提出新一轮修志工作目标任务，明确从2005年起，用10年左右时间，续修并基本完成省、市、县（市、区）三级志书，其中各市、县（市、区）志书的编纂出版任务要在2010年前基本完成。

区地方志办公室在回顾总结前轮修志基础上，梳理思路，精心筹划二轮修志的计划方案及步骤安排，6次邀请市方志办和周边县（市、区）方志办领导及有关专家举办研讨会、审稿会，重点征求对新志书框架中编、章、节、目设置的意见和建议，以“继承创新、反映全貌、突出重点、体现特色、符合志体、完善结构”为原则，对篇目设置进行反复修改、调整和补充。是年7月下旬，梳理完成《广陵区志（1989～2005）》篇目设置。二轮续修区志涵盖的时间跨度为上自1989年，下至2005年。全书门类结构拟采用中篇体式，共设31个分志编、100万字左右，计划于2010年年底前完成。体裁包括述、记、志、传、图、表、录等。全书注重体现广陵“文、古、商、新”区域特色，设置特色商业街区、名店名品名师、古城遗址保护、湾头古镇等专题；注重反映时代特征，设置产业园区、流动人口、知识产权保护、创建文明城市等章节。

2008年年初，区政府根据领导变动情况，对区地方志年鉴编纂委员会成员进行调整，区政府主要领导任主任委员，分管领导任副主任委员，区级机关各部门和乡镇、街道主要负责人任委员。6月18日，区方志办在区委党校举办为期一天的各承编单位修志主笔和执笔人培训活动，以此建立130多人的二轮修志骨干队伍。

2009年5～6月，广陵区组织开展二轮修志工作调研检查。73家承编单位分为7个组，围绕志稿编纂进展情况形成书面自查报告进行汇报交流。根据检查情况，区政府办公室发文进行通报，要求各承编单位进一步加强领导，强化质量意识，确保按时完成《广陵区志》续修任务。至2009年11月，承编单位报送初稿共25编、31万字。

2010年9月，共收集部门稿件38份，到稿率为总稿件数40%。

2012年，按照编纂精品良志目标，调整充实补充篇目，时间跨度由1989～2005年改变为1989～2011年；编目设计由31个分志编增加为37编。随着广陵区划第二次调整，新增篇目中突出广陵新城与园区建设、乡镇新农村建设、集镇建设等内容。11月中旬，召开全区推进二轮修志动员大会。各单位向区委、区政府递交承编责任书。会议印发二轮修志工作方案、区志篇目大纲及编纂进度规划。整个编纂工作有序进行。

三、部门志和地情书编纂

2005 年，区方志办对《广陵区卫生志》编写工作进行指导，形成 10 多万字的《广陵区卫生志》初稿。2009 年 11 月，编写《江苏省志》广陵区稿部分，收集资料 5 万余字，写成初稿 0.8 万字。2010 年 6 月，参与《广陵区军事志》初审评议活动，按照规范对 31 万字的初稿认真进行审读。11 月，扬州军分区牵头召开《广陵区军事志》评审会，在原则通过基础上提出修改意见，进一步补充完善。组织力量编纂“广陵风物”丛书，填补建区 33 年来官方未出过地情书的空白。该丛书已出样书，一套五册，图文并茂，分别为《水韵广陵》《清曲广陵》《民居广陵》《庭苑广陵》《书香广陵》，近期协调出版、发行事宜。

第二节　年鉴编纂

2005 年，广陵区委、区政府决定逐年编纂出版《广陵年鉴》。同年 8 月，《广陵年鉴（2005）》编纂工作正式启动。成立扬州市广陵区地方志年鉴编纂委员会，区委副书记、区长孔令俊任编委会主任，区委常委、副区长董德利任副主任，下设办公室。区政府召开区直各单位年鉴工作会议，提出总体要求。为保证《广陵年鉴（2005）》出版质量，首先编制年鉴篇目结构，努力突出年度特点、时代特色和地方特色，并印发《广陵年鉴（2005）》编辑说明及撰写任务分解表等。

2005 年下半年，将《广陵大事记》材料收编范围扩大至全区机关各部门。每月由区“四办”（区委办公室、区人大办公室、区政府办公室、区政协办公室）收集、汇总、编写、印发。建立区《广陵大事记》报送人员网络，明确每月报送材料的内容、时间等具体要求，编写内容和编印质量都有新的突破。

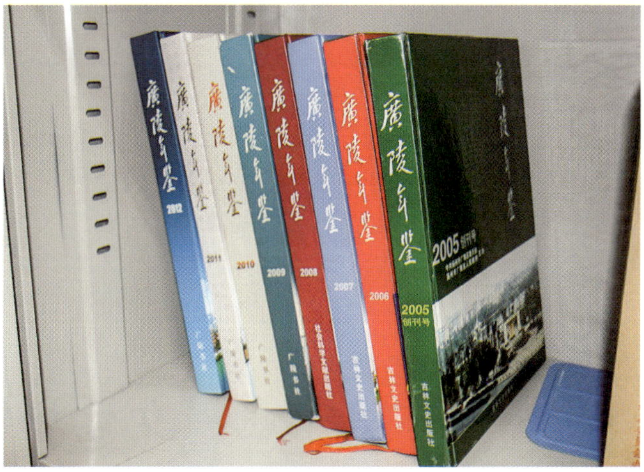

图 29-7-3　广陵年鉴

2005 年 12 月，《广陵年鉴》创刊号出版面世。该书采用分类编辑法，以类目为单位，下设栏目和条目。类目之首设综述栏目，栏目之首设概述条目。编纂过程中，对近 30 个类目、130 多个栏目进行组稿，撰写并审改稿件 100 多万字，最终成稿 72 万字，并编入珍贵照片 18 帧、图片 60 幅，系统、详实地记载 2004 年度广陵区全面情况，并追述 1983 年建立广陵区以来至 2003 年相关内容，真实反映广陵区经济建设和社会发展总体脉络，为各级领导和各界人士了解广陵、研究广陵提供综合信息和地情资料。区委书记王玉新为《广陵年鉴》创刊号书写：“广陵涌新潮，史册著春秋”题词，区长孔令俊为年鉴创刊号作序。

2006 年 5 月，启动《广陵年鉴》2006 卷组稿编辑工作。在勾画成书框架时，既全面考虑安排常规性内容，又注重充分显示 2005 年度工作重点和亮点，大视野、多角度展现广陵特点、特色和成就。全书 68 万字，图文并茂，装帧精美，新设置《和谐示范社区》《拆迁工作》等栏目，编成《报刊文章撷英》《广陵小巷的古风今韵》等专辑，同时引入现代技术，制作《广陵年鉴》2006 卷光盘，提供给广陵电子政务网站登载，方便各界利用查阅。

2008 年，区地方志办公室与区各有关部门通力协作，组稿、编辑完成《广陵年鉴》2007 卷，于年内正式出版。全书 73 万多字。资料严谨丰富，进一步充实环境资源、开发项目等方面信息数据，设置《全面小康村创建》《广陵新城》等栏目，编辑《报刊文章撷英》《历代名人（续）》等专辑，列入《扬州名人故居选介》，具有较强的时代气息、文化特色和地方韵味。同时制作数字光盘，方便各界查阅利用。2008 年年初和 2009 年，区政府根据领导变动情况对地方志年鉴编纂委员会进行调整，由时任区长担任主任委员，分管区长担任副主任委员，区级机关各部门和乡镇、街道的主要负责人担任委员，形成强有力的领导力量。

《广陵年鉴》2005卷、2006卷、2007卷连续出版后，引起国内同行关注。2008年，区地方志办公室在加强与扬州市所属各县（市、区）交流的同时，与省内外苏州、南通、北京、上海等地同行部门开展交流，扩大广陵地方志年鉴工作影响力，也发挥对外宣介广陵的作用。5月，区方志办受邀参加广东省深圳市罗湖区《罗湖区志》研讨会，是该区唯一省外受邀单位，在与广东省及深圳市有关专家的交流中得到高度评价。

2008年，区方志办认真筹划编纂《广陵年鉴》2008卷。确定以科学发展和关注民生为主线的篇目总体设计和编纂思路。增设《广陵古城保护和利用》篇章，选载《扬州日报》《广陵时政》专版上登载的反映广陵重大事件及成就的精品文章，以全面反映“两城三区”战略进程，并以此指导各部门单位收集资料、形成书稿。共收集文字材料190多万字、图片资料1200多份，还有部分凸现新理念、新风貌的《特载》《专记》。10月，完成总纂工作，经过五校审读，编制英文目录、索引等工作程序，于12月正式出版。全书由23篇117章426节组成，75万字。

2009年度年鉴组稿工作启动前，区方志办组织编辑人员在篇目总体设计和编纂脉络上认真把握、细致提炼，力求实现“特色要特，亮点要亮”的目标。创新设置专辑类目，客观全面地记载全区开展“强化‘三更’意识，推进科学发展”解放思想大讨论活动情况；“两城三区”类目增设《江苏信息服务产业基地（扬州）》《双东历史文化街区》《1912街区》等栏目，全面展现广陵新貌；增设民营经济类目。2010年年初出版。

2010年，省政府办公厅、省地方志办公室首次组织省内各级政府年鉴编纂机构开展年鉴综合质量评比，分设综合类、专业类奖项。《广陵年鉴》经过市级选拔，省级初评、复评、专家评审、评审领导小组终审等环节，在省内众多年鉴中脱颖而出，摘得含金量较高的“条目编写”奖项。9月下旬，省政府办公厅对此进行通报表彰。

2011年4月，区政府印发《广陵年鉴》2011卷组稿意见。12月，完成征稿及审改、编纂工作并付印，2012年1月，出版。区年鉴工作注重把握时代特色、年度特色和地方特色，明确主旨，理清脉络，提炼亮点，丰富内涵，规范与创新相结合，不断提高编纂水平、编校质量、装帧设计品位，使《广陵年鉴》成为社会认可的广陵特色文化品牌，在展示广陵、宣传广陵、服务发展中发挥积极作用。

第八章 文化场馆及市场管理

第一节 文化馆

图29-8-1 广陵区文化馆大楼

一、区文化馆

1988年3月，广陵区文化馆筹建，隶属区文化局，借驻区体育局办公。2011年12月，划归区文化新闻出版局。

1993年，区文化局在汶河北路筹建广陵区文化大楼，总投资1000多万元，1997年年底，全面竣工。同年12月，区文化局、区文化馆、文化市场稽查队等事业单位迁驻文化大楼办公。1998年起，文化大楼2～6层约4000平方米文化活动场地对外开放。2010～2011年，区文化馆新辟多功能厅、陈列室、展览厅、培训教室等活动场所，全面提升区文化馆档次，达到国家二级馆标准。

二、街道（乡镇）文化站

1983～1989年，广陵、汶河、东关、城南街道办事处分别建文化站。1993年，汶河街道办事处文化站分别被文化部、省文化厅命名为标准文化站、一级文化站。2002年，广陵街道与东关街道合并，广陵文化站撤销，城南文化站更名为文峰文化站；同时划进曲江街道文化站、汤汪乡文化站、湾头镇文化站。2008年年底，汤汪乡文化站和湾头镇文化站通过上级文化主管部门验收。

2011年，划进李典镇文化站、头桥镇文化站、杭集镇文化站、沙头镇文化站、泰安镇文化站。至此，广陵区共有11个街道（乡镇）文化站。

三、社区文化室

1989年，社区文化基础设施比较薄弱，只是在一些新建的住宅小区预留部分文化场所。1995年11月，区政府对文化室标准进行修改，明确“五有”，即有专人负责，有活动经费，有活动阵地，有活动器材，有活动安排。2000～2002年，广陵区重点推进文化基础设施建设，文化室或图书室、农家书屋遍及所有社区和行政村。2003年，建成以“社区为载体、群众为主体、文化为媒体”的社区文化模式。2005年，各街道、乡镇落实社区图书室用房，多途径筹集图书，强化社区图书室管理。全区文化活动场所总面积约2万平方米。2008年，进一步规划和建设社区文化中心或社区文化活动室，28个社区全面达标，通过市文化部门验收。2011年，实施文化信息资源共享工程，54个社区文化中心或社区文化活动室全部完成公益性配套建设，满足居民就近便捷享受公共文化服务的需求。

第二节　图书馆（室）书店

一、图书馆（室）

扬州市图书馆　前身为苏北图书馆，建于1950年3月。馆址位于国庆路永胜街40号。1953年，更名为江苏省扬州图书馆。1957年，改为现名，馆址迁至国庆路马神庙28号。扬州市图书馆是文化部命名的国家一级公共图书馆。曾被人事部、文化部授予全国文化先进集体。有藏书80万册，其中古籍11.38万册，列入《中国古籍善本书目》的有250部5531册，藏有《毛泽东评点二十四史》等大型文献资料。设有图书部、期刊部、古籍部、少儿部、培训中心等服务部门，还有地方文献、文汇阁藏书、石景宜赠书等专室。1998年10月，市图书馆迁至维扬路349号。2010年10月，迁至文昌西路466号新馆。新馆建筑面积16700平方米，设计藏书150万册，阅读座位800个，是一座融合计算技术、数字网络通信、无线覆盖、多媒体展示等高科技手段的数字化图书馆。

街道乡镇图书室　广陵区下属11个街道、乡镇都设有图书室，总面积1060平方米，图书60500册（不含部分社区阅览室和村组的农家书屋）。

农家书屋　2006年，建成农家书屋17个，覆盖率80%。2007年，农家书屋建成率100%。2008年2月，广陵区农家书屋工程通过扬州市文化局检查验收，至此，全区实现农家书屋全面达标。2009～2011年，深入实施文化惠民项目。在全区24个农家书屋点，建立农家工程信息管理系统。开展“双优诚信”书店评选活动。2011年区划调整后，相应增加63个农家书屋，区内农家书屋增至84个。

2011年广陵区街道乡镇图书室情况一览表

表29-8-1

名称	面积（平方米）	图书（册）	名称	面积（平方米）	图书（册）
曲江街道图书室	80	2000	李典镇图书室	80	15000
文峰街道图书室	40	1000	杭集镇图书室	150	15000
汶河街道图书室	30	1000	沙头镇图书室	55	6500

续表 29-8-1

名称	面积(平方米)	图书(册)	名称	面积(平方米)	图书(册)
东关街道图书室	30	2000	泰安镇图书室	80	5000
汤汪乡图书室	400	6000	湾头镇图书室	65	1000
头桥镇图书室	50	6000	合　计	1060	60500

二、书店

扬州市新华书店　原位于国庆路 43 号，现汶河南路 112 号。1949 年 1 月，由建国书店改建成新华书店。1952 年，改为新华书店扬州中心支店。1983 年 3 月，改现名。所辖国庆门市部、汶河门市部、科技外文书店，都是门类齐全、布局合理的综合性书店。1986 年 9 月，增设音像书店。陆续增添各种社会门点 100 多个。

扬州古籍书店　位于盐阜西路 10 号。1956 年 3 月，陈恒和书林等 9 家私营书店合并成立公私合营古旧书店，由新华书店扬州中心支店兼管。店址在国庆路 87 号。1962 年，附设扬州广陵古籍刻印社。"文化大革命"开始后关闭。1972 年 2 月，复业。1978 年 5 月，成立扬州古籍书店。1981 年，在盐阜西路现址建成营业用房 980 平方米，下设外文书店和扬州图书仪器公司。1996 年，江苏省新华书店成立新华发行集团，扬州市新华书店、扬州古籍书店划属该集团。集团为股份制企业，扬州市新华书店为其子公司。

其他书店　1989 年，区内有个体民营书店 6 家。90 年代，区内书店急剧增长，规模有大有小，环境有优有劣，经营有规范也有不规范。至 2011 年，广陵区有各类大小书店 65 家。

第三节　娱乐场所

1984 年，市文化馆开办首家舞厅。随后，广陵体育馆大舞厅、文化宫人防地下舞厅、大众歌舞厅、广陵区文化馆艺苑卡拉 OK、新扬歌舞厅、梦酒吧卡拉 OK、红玫瑰歌舞厅、金孔雀歌舞厅等相继开业。多家影视剧场、音像市场也应运而生。

1997 ~ 2001 年，根据省委、省政府决定，一段时期内原则上不再批准新建舞厅等娱乐服务场所，文化娱乐市场发展速度放慢。随着扬州市中心西移扩展，老城区文化娱乐场所有不少关闭或西移。2002 ~ 2005 年，金鹰国际自助卡拉 OK、体育馆舞厅和"浪漫之都"自助卡拉 OK 等项目，成为广陵区文化市场的"领头羊"。2006 年，鼓励发展集娱乐、休闲、旅游、健身为一体的综合性娱乐设施，引进大型综合性娱乐场所 13 个。2007 年，在文昌商圈、"双东"街区、教场街区和 1912 街区，引进大型文化产业项目，提高休闲娱乐档次。2008 ~ 2009 年，立足于发挥和利用文化部门优势，充分利用各类文化资源，挖掘、放大自身优势，促进文化产业建设。2010 年，整合广陵区文化艺术培训中心项目，投资近 20 万元，新辟器乐培训中心、百分百教育培训中心，开展多种类、多层次文化艺术教育培训，形成开放型的艺术教育产业。

2011 年，投资近 40 万元，在广陵新城信息产业基地新辟 150 平方米空间作为广陵区文化信息共享工程支中心，同时在各街道、乡镇建立信息基层服务点。年底，广陵区歌舞娱乐场所共有 30 家。

第四节　文化市场管理

机构队伍　1992 年 6 月，成立扬州市广陵区社会文化市场管理委员会，由分管区长负责，区文化、工商、公安等部门主要负责人参加，定期召开工作会议，研究文化市场管理工作。1994 年，成立广陵区文化市场稽查队，负责区内文化稽查工作。1999 年 9 月，成立扬州市广陵区文化娱乐场所行业协会，吸纳区属娱乐场所和音像市场经营单位 102 家。

1995 ~ 1997 年，制定《文化市场稽查队工作手册》《工作人员自律条例》，加强执法人员自身建设。

1998～1999年，坚持以人为本，强化文化执法队伍建设，制定《稽查队员八不准》。2000年5月，制定《广陵区文化局行政执法公示制》。2004～2005年，组织文化市场稽查管理工作人员，参加扬州市文化局举办的全市文化市场稽查人员业务岗位培训。2007年，执法卷宗检查评比获江苏省二等奖。2008年，积极推进“阳光工程”，在规范化、标准化管理方面进行探索，努力打造“双东”街区、1912街区休闲娱乐环境。2010年3月，召开区文化娱乐场所春季整治行动动员大会，成立“五老”义务监督员队伍，增聘社区监督员，构建社会监督防火墙。2011年，在文化市场管理中主动送服务上门，将服务由经营前、经营中向经营后延伸。

学习培训　组织音像、娱乐场所、书刊、印刷等经营户和个人，进行学习培训，受培人数达2000多人次，增强其识别盗版、非法出版物能力。2003年举办音像、书刊、娱乐场所经营人员培训班12次，突出学习《中华人民共和国未成年人保护法》，受培训人数1020人。2008～2009年，承办全市文化娱乐场所和网吧业主法律法规培训，加强对业主教育，实行堵疏结合。2011年，召开全区文化娱乐场所经营业主创建文明城市动员大会，集中开展“文明经营”宣誓行动，与业主签订守法经营责任书，组织业主学习创建文明城市知识，认真开展自查自纠，确保创建工作顺利开展。

建章立制　1989年春，组织区文化、工商、公安等部门联合查处少数营业性桌球（室）业主违法行为。1992年后，广陵区结合区情，相继制定《扬州市广陵区书报刊管理规定》《广陵区文化市场管理暂行办法》，并完善申请、立项等审批制度，从源头遏制不法行为发生。1993年10月，为落实《关于进一步加强社会文化市场管理工作的会议纪要》，建立区文化、公安、工商分管领导联合办公例会制度，组织人员对区内文化娱乐市场（重点是游戏机经营）和书报刊市场进行清理整顿。1995年，注重制度建设，加大管理力度，杜绝“三陪”（陪喝、陪唱、陪跳）等现象发生。1996年，认真执行《关于认真查处“拼盘”盗版录音制品的通知》，建章立制，依法清理整顿，较大程度地净化文化市场。1997～1999年，区委、区政府出台《依法治理工作意见》，把文化市场发展、管理工作，纳入法治轨道。2002年11月6日，对东方、成功两家书店进行突击检查，责令停业整顿3天，并处以行政罚款。2004～2009年，根据省、市统一部署，以整顿音像市场和书刊市场为重点，对校园周边环境进行专项整治。2010～2011年，组织文化娱乐场所所有经营业主进行文明经营宣誓，签订守法经营责任书。对文化娱乐场所特别是校园周边文化娱乐场所采用日常检查与突击检查相结合的工作方式，确保全覆盖、无盲点。

扫黄打非　1989年开始，在全区范围内开展“扫黄打非”工作。处理不法商贩2人，取缔违规游戏机娱乐点5家。此后，每年与区公安、工商部门配合，采取正常与突击检查相结合方法，清理整顿文化市场，保证市场正常发展。1997～1999年，全区集中行动，收缴非法书刊和黄色淫秽书刊864册、非法音像制品13万余盘（盒），并取缔一批无证经营摊店，提高正版音像制品市场占有率。2000～2005年，集中力量开展以打击盗版、淫秽音像制品、书刊为重点的专项斗争和查处以电脑屋进行电子游戏和赌博的活动，共收缴非法出版物9145册，黄色盗版碟片2万片、磁带3.6万盒，淫秽光盘7.8万张。2006～2008年，根据省、市文化部门部署，开展电子游戏场所百日整治行动，重点整治电子游戏场所对未成年人非法开放，确保青少年身心健康。共收缴非法音像制品和盗版软件7.13万张、非法出版书刊1325册、盗版音像制品6.15万盘。2011年，落实新闻出版管理职责，全面走访区属印刷企业，依法督查、严厉打击非法出版物，积极做好新闻出版行业示范店创建工作。全年共出动检查场所870人（次），收缴非法音像制品5万余张，依法取缔近20家非法文化经营场所。

第三十篇 文博 非遗

要　目

扬州，古称广陵。1983年，设广陵区，其主体区域即为扬州明清古城。这里历史悠久，人文荟萃，资源丰富，文化底蕴深厚。至2011年，全区有国家级重点文物保护单位7处，省文物保护单位23处，市、县（市、区）级文物保护单位144处，总计174处。

2007年，进行第三次全国文物普查。全区范围内72个社区（行政村），发现并登记文物普查点1178处，其中复查文物点171处、新发现文物点1007处。绘制图纸2255张，拍摄照片2303张，登记单体文物8372件。有文物点登录的行政村（社区）达到70%以上，其中不少是有价值的新发现。全区文物点大多分布在扬州明清古城范围内，也有部分文物点分布在南门外街、湾头镇老街一带，其中双东街区192处、南河下街区177处、仁丰里街区29处、湾子街街区189处、南门外街26处、湾头老街5处，总计618处。

2006年5月，市委、市政府决定实施扬州文化博览城建设工程，并于2007年1月通过《扬州市文化博览城建设规划纲要（2006—2020）》，决定通过三个五年计划的实施，在市区建成100个左右门类齐全、内容丰富、向社会开放的文化博览场所，形成扬州文化博览城的品牌。扬州明清古城是文博城建设重点区域。至2011年，广陵区建成开放文博城场馆20处。

在切实保护物质形态文化遗产的同时，非物质文化遗产保护与传承工作取得丰硕成果。至2011年，广陵区范围内拥有联合国教科文组织“人类非物质文化遗产代表作名录”项目3项，国家级、省级、市级非物质文化遗产项目分别为9项、15项、29项。

第一章 文 物

第一节 文物普查

一、第一、第二次文物普查

1956年，第一次全国文物普查开始，市文化、城建等部门，先后对所辖范围内的古建筑、古墓葬和古遗址开展多次文物摸底调查。1962年，公布扬州市第一批市级文物保护单位。1982年3月，广陵区域第二次文物普查开始，到1984年11月基本结束。1983年建区后，区文物普查领导小组组织各街道办事处及有关部门专业人员，先后普查汶河街道、东关街道、广陵街道、城南街道、汤汪乡、湾头乡6个普查单元，调查80多个居民区、7个生产队，发现并登记不可移动文物共57处，包含近现代史迹9处、古建筑与名人故居39处、石刻2处、古墓葬4处、古遗址3处。登记各类流散文物775件（处），其中砖石刻39处、古井25处、古砖7处、字画145件、陶瓷器378件、家具38件、革命文物30件、其他113件。1985年6月，将可移动文物与不可移动文物，按照“文物古迹调查表”“志书记载重要名人遗迹调查表”“文物古迹分类登记表”“史书记载名胜古迹现状调查表”“流散文物登记表”“群众寻报文物线索登记表”等，逐一编码登记，建立科学的档案系统，保存一大批文字、图纸、照片等相关资料。

二、第三次文物普查

2007年，开展第三次全国文物普查，涉及全区69平方千米范围内4个街道、1个镇、1个乡、48个社区、24个行政村的地上、地下、水下的不可移动文物。类别不仅包括古遗址、古墓葬、古建筑等传统项目，还包括乡土建筑、工业遗产、革命遗址、文化线路、文化景观、文化空间、老字号、20世纪遗产等过去被忽略的项目。普查内容以调查、登录新发现的不可移动文物为重点，同时对已登记公布的各级各类不可移动文物进行复查。至2009年12月，共调查、登录不可移动文物1178处，其中新发现文物点1007处、复查文物171处。利用文物普查登录软件，将这些文物点编码、登录，形成系统。2009年12月，全区实地调查阶段的工作成果通过省专家组的验收。行政村（社区）、自然村覆盖率和《普查数据校验软件》校验通过率，均为100%；有文物点登录的行政村(社区)达70%。2009年,市文物局会同市规划、城建部门,对辖区内普查的文物点进行调查,划定一批建设控保单位报市政府批准。2010年,市文物局会同市申遗办,对辖区内普查中新发现的运河遗产点进行集中梳理,建立档案。2010年,市政府对广陵辖区内复查的市级文物保护单位更新保护标志牌。2011年3月起,市文物局组织有关专家,对广陵区普查数据进行筛选,选择具有代表性的新发现文物点,逐一进行现场踏勘、评估,提出第五批市级文物保护单位推荐名单并上报市政府批准公布,同时择机公布文物普查名录,将新发现的文物遗迹纳入依法保护管理轨道。

第二节　重点文物

一、唐黄釉褐蓝彩云荷纹瓷罐

1973年,于石塔路(今文昌中路)中共扬州市委机关基建工地——唐扬州罗城遗址内出土。国宝级文物。长沙铜官窑烧造。高29.8厘米,口径16厘米,底径19.5厘米。大口,短直颈,直腹,平底。胎呈米黄色,通体施黄釉,釉下以褐、蓝两色的圆点相间排列组成连珠状涡纹,构成一幅云朵与莲花相对称的图案。器型较大,纹样美丽,是长沙铜官窑精品。现藏扬州博物馆。

二、唐黄釉褐绿彩双系罐

1978年,于石塔路"78·2"人防工地出土。高17厘米,口径8.8厘米,底径10厘米。圆唇口,高直颈,溜肩,筒状腹,平底内凹。颈与肩之间置对称圆条形双系。通体施米黄釉,肩腹部分别饰以褐、绿彩点组成对称的叶形和圆形纹饰。釉下彩发色鲜艳亮泽。现藏扬州博物馆。

图30-1-1　唐黄釉褐绿彩双系罐

三、唐伎乐飞天金栉

1983年,于三元路中国建设银行基建工地出土。国家一级文物。马蹄形,高12.5厘米,宽14.5厘米,净重65克。栉面上部满饰花纹,下部为梳齿,齿尖便于梳插。花纹共分两部分:中心部位的主纹由卷云式蔓草纹衬底,在底纹上錾刻着两位半裸相对腾飞奏乐的飞仙,其一吹笙,另一手执拍板。主纹中间饰祥云如意纹和蔓草纹。四周边纹呈条带式,共分5层,由内向外分别为单相莲瓣纹、弦纹夹联珠纹、镂空鱼鳞纹、弦纹夹联珠纹,最外层为镂空蝴蝶间隔缠枝梅花纹。花纹錾刻纤细,生动逼真,具立体感,与唐《捣练图》《执扇仕女图》以及《虢国夫人游春图》中的贵族妇女发髻上插的金栉相同。现藏扬州博物馆。

四、唐金丝嵌宝金耳坠

1983年,于三元路中国建设银行基建工地出土。重21.3克。由金环、金球和珠宝串饰组成。金球用金丝镂空编织而成,球面和球底均有连珠圈。球面分上下两层,饰以对称的莲瓣纹,莲瓣纹之间有6个嵌红宝石的连珠圈。球面一周又饰绿宝、珍珠、红宝串饰6个,与球底串饰相互呼应,精美瑰丽。现藏扬州博物馆。

五、唐嵌宝镶珠镂空錾花金戒指

1983年,于三元路中国建设银行基建工地出土。国家二级文物。戒面宽2.3厘米,指套宽2厘米,高2.3厘米,重9.5克。器形较大,汇集錾刻、镂空、镶嵌工艺,戒面呈微椭圆形,中央嵌宝石一粒,嵌巢内径1.1厘米。四周镶嵌10粒珍珠,使戒面呈花形,指套面宽0.7厘米,两边缘各錾刻两道扁形连珠纹,中间镂空连续纹饰带,两端与戒面连接处各錾刻一组凸出的三角形与连珠纹的组合图案,有西域风格。现藏扬州博物馆。

六、唐西亚翠绿釉大陶壶

1965年,于扬州汽车修配厂基建工地出土。通高38厘米,内口径9厘米,底径10厘米,唇口厚2厘米,长颈宽肩。颈与肩部连结着对称的双系,系高9.5厘米,宽4.5～7厘米不等。鼓腹,饼足凹底。颈与肩部刻有不规则的波浪纹两圈。两圈之间饰一道凸起的宽弦纹，紧靠波浪纹，又饰两道旋削弦纹。其釉色、胎釉成分和造型与中国唐代陶器迥然不同，是中国目前已发现的4件伊斯兰釉陶器中唯一保存完整的珍品。现藏扬州博物馆。

七、南唐白瓷钵盂

1964年，于湾头砖瓦厂南唐墓出土。通高7.5厘米，口径7.9厘米，腹径20厘米，底径10厘米。扁圆状，敞口，圆唇，唇边微侈。斜肩折腰，至腹部渐收敛。圈足底。薄胎，通体内外施白釉，釉色如雪。近底部有流釉现象，聚釉处釉色冷青，底部露白色护胎釉，底心无釉。器物造型优美，属河北邢窑产品。现藏扬州博物馆。

八、唐彩绘舞蹈女陶俑

1977年，于城东林庄唐墓出土。国家二级文物。高28.2厘米。俑灰陶质，面部丰满，头梳并立双高髻。腰身弯曲，低头侧目，作舞蹈姿态。面部施粉，唇涂朱红，着襦裙，披帔肩。短襦残存金彩，裙为鲜艳水绿色，云头履亦施金彩。女舞俑面目秀丽，舞姿优美，体现唐代优秀的雕塑艺术。现藏扬州博物馆。

九、元代霁蓝釉白龙纹梅瓶

元代景德镇出产。国宝级文物。高43.5厘米，口径5.5厘米，最大腹径25.3厘米，底径14厘米。梅瓶细颈小口，口沿平坦，肩丰渐滑，肩以下逐步收敛，至近底处微微外撇。梅瓶通体施霁蓝釉，釉质肥厚莹润，釉面匀净稳定，釉色蓝如深海。腹部刻画“赶珠龙纹”：一条龙追赶一颗火焰宝珠。白龙环绕瓶身一周，龙首上仰，颈部细长，长鬣飘拂，双角微微后翘；龙眼突起，张口吐舌，露出利齿，上、下颚唇边卷翘；四肢长而粗壮，呈大步行进状。巨龙周边的空间以四朵飘动的火焰形云纹，衬托出巨龙腾飞于万里长空的大气磅礴之势。云龙、宝珠施青白釉，两种釉色对比鲜明、强烈，以蓝釉点缀的眼珠，在青白釉的衬托下，收到画龙点睛的艺术效果，充分反映出元代景德镇窑高超的制瓷水准。为存世的3件元代霁蓝釉白龙纹梅瓶中器型最大、造型最好、保存最为完整的一个。现藏扬州博物馆国宝馆。另两件分别收藏于北京颐和园和巴黎吉美博物馆。

图30-1-2　元霁蓝釉白龙纹梅瓶

专记　18元转让价值连城“梅瓶”

扬州博物馆有一间国宝馆，在300平方米的展示空间内陈列着一件镇馆之宝——元代霁蓝釉白龙纹梅瓶。虽然被透明的玻璃外罩保护着，瓶在灯光照射下还是闪烁着华丽的光芒。瓶身通透的蓝色传递给人一种悠远而宁静的特质，似乎在告诉参观者，它的背后隐藏着众多鲜为人知的故事。

辛酸：无价之宝当年只卖18元

一件元代瓷器精品，在民间辗转600年能够保存得这么完整，真的算是一个奇迹。

梅瓶曾经的主人是扬州广陵区轻工机械厂的退休工人朱立恒。这件国宝本是他家祖传之物。1976年，地震震情紧张，因担心梅瓶在地震中遭到损坏，朱立恒瞒着妈妈和哥哥来到盐阜路扬州文物商店，当时收购人粗略验瓶后开价16元，最后以18元成交。

这个梅瓶传到他这一辈当是第六代。传说他祖上几代在朝廷做官，从宫中得到梅瓶后一直视其为家传之宝，每年只在年三十晚上才将梅瓶的画像挂在屋内瞻仰，事后又匆匆收封。他清楚记得，民国34年（1945）他家住江都时，曾有人以18石米作为交换向他母亲收购梅瓶，这在当时可是一笔不小的数目，但还是被他的母亲拒绝了。“文化大革命”时期，他的母亲为保护梅瓶不被抢夺破坏，还用黑墨汁把瓶上的白龙纹遮蔽起来，用棉布包裹着藏于床下。

冷落：被误定为清代瓷器

由于对元代瓷器缺乏研究，所以此瓶被误定为清代瓷器，长期置于文物商店内，并未得到重视。

一次，上海市外贸公司的沈胜利到扬州，见到蓝釉白龙纹梅瓶，对梅瓶的时代提出异议。由此，受到冷遇的蓝釉白龙纹梅瓶开始引起扬州文物商店及中国古陶瓷学术界的关注。

1978年在北京举办的“各省、市、自治区征集文物汇报展览”上，扬州的这件霁蓝釉白龙纹梅瓶首次亮相，引发国内众多博物馆极大关注。北京、上海、南京等地博物馆纷纷向扬州文物商店表示想收藏此瓶的愿望。扬州博物馆在当地政府支持下捷足先登，以3000元价格购得这只宝瓶。

辉煌：从3000元飙升至3.4亿～40亿元

扬州博物馆邀请北京故宫博物院冯先铭、南京博物院王志敏两位古陶瓷专家鉴定，一致确定此瓶为江西景德镇窑元代蓝釉瓷器精品。1992年，霁蓝釉白龙纹梅瓶最终经国家文物鉴定委员会评定为国宝级文物。直到2005年，“扬州双博馆”正式开馆，它才重见天日，陈列于国宝展厅。

香港一位收藏家欲以3.4亿元人民币收购，甚至巴黎有人出40亿元人民币、日本有人出3亿美元欲收购，但都未能如愿。

好多人谈论的是这件霁蓝釉白龙纹梅瓶当初转让得如此廉价，用今天的眼光来看是亏大了。记者在整理这篇文章的时候，却有一种异样的感觉：心中对朱立恒先生充满敬意。对他个人和家庭而言，经济上是亏的，但他将一只最完整的国宝留在扬州，成为这座城市的骄傲。如果在另外一个时间、另外一个地点出手，经济上完全可以多加几个零，但也许就不会陈列在扬州，也许就没有这么完整。

追问：为什么这么珍贵？

扬州博物馆副研究员周长源认为，霁蓝釉白龙纹梅瓶之美，在于其生活美、艺术美和技术美。

艺术美

霁蓝釉白龙纹梅瓶是典型的元代梅瓶样式。从造型上看，它将丰肩修腹的弧线斜收至胫部时，又以弧线外撇至底边。这样的梅瓶肩部显得更加丰满，而且整体感觉修长美丽，具有极强的艺术美。梅瓶最大腹径与高度的比值近似于黄金比，工匠们在长年累月的劳动实践中不断发现并创造着美，这种比例并不是他们刻意追求的结果，而是一种“技进乎道”的境界，单单欣赏如此比例的器型便是一种无与伦比的享受。

梅瓶瓶身之上描绘有神龙出水、驭云而行的壮美景象，线条流畅，色泽艳丽，诗意盎然，带给人们以优雅明净的审美享受。器身通体施钴蓝釉，釉面可见橘皮纹，釉色纯净明亮，晶莹通透，釉质肥厚莹润，匀净幽雅，闪耀着蓝宝石般的色泽，光可鉴人，精美异常。腹部刻画一条白色蛟龙飞舞其上，四肢奋力舞动追赶一颗游动的火焰宝珠，俗称赶珠龙纹。这件梅瓶上所刻画的龙纹，具有元代龙纹的典型特征，龙首微微上仰，张口吐舌，露出利齿。鼻似如意头，下颚飘扬一缕长髯，双角微微后翘。蓝釉点饰的龙眼，怒目穹张，炯炯有神，在白釉的衬托下，更显突出，起到画龙点睛的艺术效果。龙颈曲折细长，一绺长鬃翻飞舞动。

生活美

梅瓶出现于宋代，初名经瓶。后在民国时期，许之衡所撰《饮流斋说瓷》中称：“口径之小，仅与梅之瘦骨相称，故名梅瓶也”。此后约定俗成，便将这种小口、丰肩的瓷瓶称为梅瓶。随着人们审美意趣的变化，明清时期逐渐把梅瓶作为一种陈设瓷，有时也作花瓶用。至今，景德镇烧制的各式梅瓶，作为大众家居陈设品，仍不失为装点美化生活、平添生活情趣的常用艺术品。

技术美

霁蓝器是元代出现的新品种。霁蓝釉是一种添加了钴土矿料的高温石灰碱釉，生坯施釉，在1280～1300℃的温度下一次烧成。据文献记载，当时霁蓝器的废品率较高。烧制这种产品的时候，窑炉中必须是还原气氛，且窑温要控制得当。温度低了，釉色发黑，温度稍高就会出现流釉现象。烧制如此完美的大件梅瓶，需将瓷坯置于最好的窑位，不仅需要成熟的技术，也需要很好的运气。元代霁蓝釉白龙纹梅瓶代表了元代景德镇同类器物烧造的最高水准，令人惊叹。

第三节 不可移动文物

一、文物总量统计

广陵区普查登录文物点总量为1178处，其中新发现文物点1007处、复查文物点171处；经复查，现已消失的文物点20处。新发现文物点和复查文物点分别占登录的不可移动文物点总量的85.48%和14.52%。其中，古遗址4处、古墓葬2处、古建筑917处、石窟寺及石刻2处、近现代重要史迹及代表性建筑252处、其他类文物1处。

古遗址类别主要有城址和水利设施遗址，其中城址类新发现1处、复查2处，水利设施1处（新发现）。古墓葬只有名人或贵族墓和普通墓葬两类，其中名人或贵族墓1处（复查）、普通墓葬1处（新发现）。古建筑类有宅第民居674处、坛庙祠堂11处、衙署官邸2处、学堂书院2处、驿站会馆10处、店铺作坊14处、亭台楼阙3处、寺观塔幢57处、苑囿园林1处、桥涵码头9处、池塘井泉124处、其他古建筑10处。石窟寺及石刻6种类别中，主要为石雕类，共2处。近现代重要史迹及代表性建筑类，有重要历史事件和重要机构旧址2处、传统民居153处、宗教建筑16处、烈士墓及纪念设施1处、工业建筑及附属物4处、金融商贸建筑31处、中华老字号10处、水利设施及附属物2处、文化教育建筑及附属物6处、医疗卫生建筑4处、军事建筑及设施1处、交通道路设施1处、典型风格建筑构筑物3处、其他近现代重要史迹及代表性建筑18处。

古遗址、古墓葬、古建筑、石窟寺及石刻、近现代重要史迹及代表性建筑、其他文物的单体文物，合计8372件。其中古遗址类4件、古墓葬类68件、古建筑类6752件、石窟寺及石刻类4件、近现代重要史迹及代表性建筑类1532件、其他类文物12件。

按不可移动文物统计年代分，有汉1处、唐3处、五代3处、宋辽金12处、元3处、明27处、清935处、中华民国234处、新中国9处。其中清和中华民国两个时期较多，分别占总量的76.2%和19.07%。古遗址统计年代集中在唐至清，唐、五代、宋辽金和明、清代文物较多。古墓葬统计年代为宋辽金1处、元2处、明1处、清2处。古建筑统计年代为唐1处、宋辽金8处、元1处、明20处、清905处。石窟寺及石刻类不可移动文物点共2处，其中明1处、清1处。近现代重要史迹及代表性建筑统计年代为清22处、中华民国234处、新中国9处。其他类文物共有2处，分别为明、清各1处。

广陵区不可移动文物占地面积总计约65.23万平方米，其中古遗址占地面积1.33万平方米、古墓葬约1.05万平方米、古建筑约45.4万平方米、石窟寺及石刻21.76平方米、近现代重要史迹及代表性建筑约14.63万平方米、其他类2.82万平方米。古遗址中，城址1.3万平方米、水利设施295.3平方米。古墓葬中，名人或贵族墓1.05万平方米、普通墓葬40平方米。古建筑中，宅第民居33.32万平方米、坛庙祠堂1.07万平方米、衙署官邸1045平方米、学堂书院4170.5平方米、驿站会馆2.86万平方米、店铺作坊9438.36平方米、亭台楼阙930平方米、寺观塔幢5.5万平方米、苑囿园林178平方米、桥涵码头6264.2平方米、池塘井泉958.852平方米。近现代重要史迹及代表性建筑中，重要历史事件和重要机构旧址1363平方米、名人故居与旧居1591平方米、传统民居5670平方米、宗教建筑1163平方米、烈士墓及纪念设施81平方米、工业建筑及附属物1694平方米、金融商贸建筑6189平方米、中华老字号8818平方米、水利设施及附属物1302平方米、文化教育建筑及附属物5555平方米、医疗卫生建筑3759平方米、军事建筑及设施672平方米、交通道路设施32平方米、典型风格建筑物构筑物2118平方米，其他近现代重要史迹3461平方米。

不可移动文物附录资料分类统计中，图纸总量2255张，其中古遗址8张、古墓葬4张、古建筑1742张、石窟寺及石刻3张、近现代重要史迹及代表性建筑497张、其他1张。照片总量为2303张，其中古遗址8张、古墓葬13张、古建筑1774张、石窟寺及石刻8张、近现代重要史迹及代表性建筑498张、其他类2张。其他资料数量总量198件，其中古墓葬10件、古建筑159件、近现代重要史迹及代表性建筑29件。

二、文物保护单位

文物保护单位分为全国重点文物保护单位、省文物保护单位和市文物保护单位。2011年，全区有全国重点文物保护单位7处、省文物保护单位23处、市文物保护单位118处。

1988～2006年广陵区全国重点文物保护单位情况一览表

表30-1-1

序号	名称	时代	类别	地点	公布年份
1	个园	清	古建筑	盐阜东路10号	1988
2	何园	清	古建筑	徐凝门街77号	1988
3	扬州城遗址	隋／宋	古遗址	老城区及西北郊	1996
4	普哈丁墓	宋	古墓葬	文昌中路167号	2001
5	小盘谷	清	古建筑	丁家湾大树巷42号	2006
6	吴道台宅第	清	古建筑	泰州路45号	2006
7	朱自清故居	清	近现代重要史迹及代表性建筑	安乐巷27号	2006

1982～2011年广陵区省文物保护单位情况一览表

表30-1-2

序号	名称	时代	类别	地点	公布年份
1	西方寺	明	古建筑	驼铃巷18号	1982
2	仙鹤寺	宋始建，清重建	古建筑	南门街111号	1995
3	扬州天主教耶稣圣心堂	1864年	近现代重要史迹及代表性建筑	北河下街25号	1995
4	胡笔江故居	民国	古建筑	沙头镇胡家墩	2002
5	阮家祠堂	清	古建筑	毓贤街8号	2002
6	绿杨旅社	民国	近现代重要史迹及代表性建筑	新胜街23号	2002
7	汪氏盐商住宅	清	古建筑	南河下街170号	2002
8	汪氏小苑	清	古建筑	地官第14号	2002
9	逸圃	清	古建筑	东关街356号	2006
10	匏庐	民国	古建筑	甘泉路221号	2006
11	文峰塔	明	古建筑	宝塔路16号文峰寺内	2006
12	岭南会馆	清	古建筑	新仓巷4-1号至4-16号	2006
13	扬州盐商住宅（廖宅、周宅）	清	古建筑	南河下118号、青莲巷19号	2006
14	贾氏盐商住宅	清	古建筑	广陵路263号、大武城巷1-5号	2006
15	梅花书院	清	古建筑	广陵路248号	2011
16	罗聘故居	清	古建筑	弥陀巷42号	2011
17	冬荣园	清	古建筑	东关街98号	2011
18	武当行宫	明	古建筑	东关街300号	2011
19	准提寺	明	古建筑	盐阜东路10号	2011
20	文昌阁	明	古建筑	汶河路与文昌中路交汇处	2011

续表 30-1-2

序号	名称	时代	类别	地点	公布年份
21	树人堂	1930 年	近现代重要史迹及代表性建筑	淮海路 18 号扬州中学内	2011
22	华氏园	清	古建筑	斗鸡场 2、4 号	2011
23	蔚圃	清	古建筑	风箱巷 6 号	2011

1957～2008 年广陵区市文物保护单位情况一览表

表 30-1-3

序号	名 称	时代	批别	地点	公布年份
1	宋井	南宋	第一至第三批	文昌中路莲花街坊小区北侧	1957
2	厂盐会馆	清	第一至第三批	新大源 62 号	1962
3	浙绍会馆	清	第一至第三批	达士巷 54 号	1962
4	四岸公所	清	第一至第三批	丁家湾 118 号	1962
5	湖北会馆	清	第一至第三批	南河下 174-2 号	1962
6	刘庄	清末民国初	第一至第三批	广陵路 272 号	1962
7	八咏园	清	第一至第三批	大流芳巷 29 号	1962
8	平园	清	第一至第三批	南河下 26 号 723 所内	1962
9	珍园	清	第一至第三批	文昌中路 152 号	1962
10	小圃	清	第一至第三批	夹剪桥 10 号	1962
11	棣园	明	第一至第三批	南河下 26 号 723 所内	1962
12	刘氏庭园	清	第一至第三批	粉妆巷 19 号	1962
13	壶园	清	第一至第三批	东圈门 22 号	1962
14	朱氏园	清	第一至第三批	南柳巷 38 号	1962
15	诸氏盐商住宅	清末民国初	第一至第三批	国庆北路 342-346 号	1962
16	贾氏住宅（同福祥盐号）	清	第一至第三批	丁家湾 1 号	1962
17	方氏住宅	清	第一至第三批	引市街 33 号	1962
18	广陵路 250 号民居	清	第一至第三批	广陵路 250 号	1962
19	广陵路 252 号民居	清	第一至第三批	广陵路 252 号	1962
20	汶河路 24 号民居	明	第一至第三批	汶河路 25 号	1962
21	杨氏住宅	清	第一至第三批	彩衣街 30 号	1962
22	王氏住宅	清	第一至第三批	达士巷 12 号	1962
23	张联桂住宅	清	第一至第三批	广陵路 218 号、木香巷 5 号	1962
24	徐氏住宅	清	第一至第三批	南河下 88 号	1962
25	新仓巷 62 号民居	清	第一至第三批	新仓巷 62 号	1962
26	盐宗庙	清	第一至第三批	康山街 20 号	1962
27	董子祠	明	第一至第三批	北柳巷 99 号	1962
28	文公祠	清	第一至第三批	广陵路 119 号	1962

续表 30-1-3

序号	名称	时代	批别	地点	公布年份
29	旌忠寺	清	第一至第三批	仁丰里旌忠巷 2 号	1962
30	祗陀林	清	第一至第三批	引市街 84 号	1962
31	琼花观	清	第一至第三批	文昌中路 360 号	1962
32	万寿寺	宋始建,清重建	第一至第三批	万寿街 26 号	1962
33	古木兰院石塔、楠木楼	唐、明	第一至第三批	文昌中路与淮海路交汇处西侧	1962
34	四望亭	明	第一至第三批	四望亭路东端	1962
35	朱良钧烈士故居	民国	第一至第三批	文昌中路十巷 16 号北（故居系新增）	1962
36	怡庐	民国	第一至第三批	文昌广场嵇家湾 3-2 号	1962
37	邱氏园	民国	第一至第三批	广陵路 292 号	1962
38	赵氏住宅	民国	第一至第三批	正谊巷 17 号	1962
39	愿生寺	民国	第一至第三批	埂子街 146 号	1962
40	紫竹观音庵	民国	第一至第三批	槐树脚小井巷 5 号	1962
41	盐运使司衙署门厅	清	第一至第三批	国庆北路 251 号	1982
42	南河下 118 号民居	清	第一至第三批	南河下 116 号	1982
43	长生寺阁	清末	第一至第三批	跃进桥北侧古运河东岸	1982
44	杨氏小筑	民国	第一至第三批	风箱巷 22 号	1982
45	朱秀清烈士墓	近现代	第一批	李典镇李典村吴桥北	1986
46	茱萸湾古闸区	清	第一至第三批	湾头镇湾头老街西、北街交接处	1996
47	甘泉县衙署门厅	清	第一至第三批	甘泉路 194 号	1996
48	刘文淇、刘师培故居	清	第一至第三批	东圈门 14 号	1996
49	丁氏盐商住宅	清	第一至第三批	地官第 12 号	1996
50	马氏住宅	清	第一至第三批	地官第 10 号	1996
51	赵氏庭园	清	第一至第三批	赞化宫旌忠巷 33 号	1996
52	龙衣庵	清	第一至第三批	新河湾、与文峰塔隔河相望	1996
53	永宁宫古戏台	清	第一至第三批	永宁巷 23 号	1996
54	扬州教案旧址	清	第一至第三批	皮市街 147、149 号	1996
55	四眼井	清	第一至第三批	大实惠巷 23 号	1996
56	王柏龄故居	民国	第一至第三批	淮海路 159 号	1996
57	曹起溍故居	清	第一至第三批	东关街 338 号	1996
58	王少堂故居	清	第一至第三批	湾子街三多巷 10 号	1996
59	旌德会馆	清	第四批	弥陀巷 1、3、5、7 号	2008
60	山陕会馆	清	第四批	东关街 250 号	2008
61	盐务会馆	清	第四批	东关街 396、398、400 号	2008
62	魏源旧居	清	第四批	新城仓巷 37 号	2008
63	卞宝第故居	清	第四批	广陵路 219 号	2008
64	张亮基故居	清	第四批	丁家湾 20 号	2008

续表 30-1-3

序号	名 称	时代	批别	地点	公布年份
65	李长乐故居	清	第四批	东关街五谷巷 41 号	2008
66	陈六舟故居	清	第四批	糙米巷 6 号、8 号，东关街羊巷 23 号	2008
67	许氏盐商住宅	清	第四批	丁家湾 88、90、92、94、96、98、100 号	2008
68	魏氏盐商住宅	清	第四批	永胜街 40 号	2008
69	冯氏盐商住宅	清	第四批	东关街 292 号	2008
70	黄氏盐商住宅	清	第四批	石将军巷 2、4 号	2008
71	李氏住宅	清	第四批	石牌楼 14、16 号	2008
72	陈氏住宅	清末民国初	第四批	广陵路 306 号	2008
73	大芝麻巷民居群	清末民国初	第四批	大芝麻巷 18、20、34、36、36-1 号	2008
74	湾子街 210 号民居	清末民国初	第四批	湾子街 210 号	2008
75	景氏住宅	清	第四批	新胜街 28 号	2008
76	达士巷民居群	清末民国初	第四批	达士巷 20、22、24 号	2008
77	徐氏住宅	清	第四批	玉井巷 66 号	2008
78	玉井巷 11 号民居	清末民国初	第四批	玉井巷 11 号	2008
79	林氏住宅	清末民国初	第四批	石牌楼 24 号	2008
80	张氏住宅	清末民国初	第四批	彩衣街 24 号	2008
81	蒋氏住宅	清末民国初	第四批	风箱巷 2 号	2008
82	张氏住宅	清末民国初	第四批	沙锅井 2-1、2-2 号	2008
83	邹氏住宅	清末民国初	第四批	史巷 7 号	2008
84	史巷 9 号民居	清末民国初	第四批	史巷 9 号	2008
85	汉庐	清	第四批	石牌楼 7 号	2008
86	王氏民居	清	第四批	金鱼巷 26 号	2008
87	冯氏住宅	清	第四批	文昌中路九巷 9 号	2008
88	清真寺	清	第四批	马监巷东侧	2008
89	地藏庵	清	第四批	宛虹桥 34 号	2008
90	藏经院	清	第四批	宛虹桥 58 号	2008
91	浸会医院旧址	清	第四批	苏北人民医院内	2008
92	盐务稽核所	清	第四批	淮海路 33 号	2008
93	沙锅井	清	第四批	沙锅井巷 9 号	2008
94	如意井	清	第四批	如意巷西首、如意巷 13 号前	2008
95	玉井	清	第四批	玉井巷内、玉井巷 3 号大门北侧	2008
96	滚龙井	清	第四批	丁家湾滚龙井巷口	2008
97	板井	清	第四批	板井巷 8 — 2 号西侧	2008
98	大东门桥	明	第四批	小秦淮河上、彩衣街西首	2008
99	小虹桥	明	第四批	小秦淮河上	2008

续表 30-1-3

序号	名 称	时代	批别	地点	公布年份
100	如意桥	清	第四批	小秦淮河上、太平码头西侧	2008
101	迎薰桥	明	第四批	南门外街护城河上	2008
102	江都县文化界救亡协会旧址	民国	第四批	谢家巷 13 号	2008
103	许幸之故居	民国	第四批	板井巷 38、40 号	2008
104	刘氏盐商住宅	民国	第四批	饺肉巷 1 号	2008
105	基督教礼拜堂	1923 年	第四批	萃园路 2 号	2008
106	明庐	民国	第四批	广陵路 122 号	2008
107	凌氏住宅	民国	第四批	南柳巷 90 号	2008
108	参府街民居群	民国	第四批	参府街 70、72、74、76、78、80、82、90 号	2008
109	丁氏住宅	民国	第四批	广陵路 128 号	2008
110	赵氏住宅	民国	第四批	弥佗巷 10 号	2008
111	胡氏住宅	民国	第四批	东关街 306、312 号	2008
112	李氏住宅	民国	第四批	大实惠巷 4 号、小实惠巷 14 号	2008
113	金氏住宅	民国	第四批	苏唱街 17 号	2008
114	王氏住宅	民国	第四批	大羊肉巷 4 号	2008
115	公园桥	民国	第四批	小秦淮河上	2008
116	震旦中学礼堂	民国	第四批	广陵路 56 号	2008
117	大陆旅社	民国	第四批	新胜街 26 号	2008
118	卢氏盐商住宅	清	第四批	康山街 22 号	2008

三、古遗存选介

(一)唐代木桥

“78·2”人防工程施工中，在石塔寺和扬州市委之间的工地，发现一座唐代木桥遗址、驳岸和两艘唐代独木舟等。通过与敦煌壁画上的桥梁对照复原，可以认定这是一座五孔支梁式木桥，坐落在旧官河上。木桥呈东西走向，桥面全长 36 米，桥宽 7 米，中间第五孔为通航孔，宽 8 米，大型船只通过绰绰有余。最高残桩距地面约 3.5 米，桥桩排列有序，组合科学。整座桥规模宏大，桥两侧的栏杆以桥中微高向两侧稍微倾斜的样式排列桥上，构成优美的曲线。从桥的地层关系和伴出的瓷片、三彩、陶器、铜钱、残漆器等文物考证出这座桥建于唐代中、晚期，是研究唐代扬州通道、桥梁分布以及中国古代桥梁结构力学、桥梁建筑史的重要资料。

(二)县学 府学

原西门街小学（四望亭路 16 号）为当时江都县学旧址。县学即为供生员读书的公办学校，科举制度应童子试录取后准入县学读书，以备参加高一级考试，谓之“进学”“入学”或“入泮”，士子称“庠生”“生员”，俗称“秀才”。原县学大门前立有三座石牌坊，东、西院墙界限处，各有一座过街石牌坊，以这两座过街牌坊为界，行人从它下面穿过，“文官下轿，武官下马”。

文昌阁西侧的市政协大院，明清时代属于扬州府学。府学的范围很大，有两座楼，有殿、堂、廊、庑，还有池、亭、台、榭之类。府学的帆影亭是官河边的景色佳处，“孤亭瞰通津，侧见往来艇”。古代官办教育机构的体制是学校与祭祀机构一体，将学习儒家经典的学校与祭祀孔子的机构结合在一起，是学庙合一的府级官办教育机构。史载清代扬州府范围内在学生员的学额为 259 人，其中府学生员的学额为 20 人，其余学额在州、县学府。

（三）大东门街唐代木构排水沟

1997年10月至1998年5月，江苏扬州唐城考古队在配合市区大东门街西段南侧的农业资源开发大楼、皇宫花园建设工程中进行三次考古调查与发掘，发掘面积约150平方米，发现唐代中、晚期木构排水沟。排水沟断面呈倒梯形，宽1.8～2.1米，方向85度，西段宽度较大，向东渐小，两侧用4厘米厚的木板作为驳岸，并用木桩加固。发掘中出土大量唐代瓷器，其中长沙窑绿彩狮塑、褐绿彩埙、定窑白瓷褐彩人物、动物雕塑等较为精美。木构排水沟的发现，为研究唐代扬州城市布局和经济文化等提供重要的实物资料。

（四）砖雕石刻

扬州传统建筑中的园林、会馆书院、寺庙祠堂、古典名居等多采用砖雕石刻装饰，运用较多的为青砖雕饰。砖雕是传统住宅建筑装饰的主要形式之一，其数量之多，难以统计，而且主要集中在广陵区辖区内，以其精美的外在形式和丰富的内在意蕴，展现扬州传统建筑的艺术美。

彩衣街杨紫木住宅砖雕门楼 位于彩衣街30号。市级文物保护单位。原为晚清广东盐运使杨紫木住宅大门，南向，水磨砖砌。大门上的砖雕为扬州现存砖雕的精品之作。门楼檐下四周有回纹图案，正中有海棠形镂空人物故事砖雕，两边墙垛上均镂雕花球（东边一球已损）。门枕毁于1966年。

引市街方尔咸住宅砖雕门楼 位于引市街33号。市级文物保护单位。原系晚清探花方尔咸住宅。门楼上部雕丹凤，中雕梅、荷、菊和牡丹，下雕福、禄、寿三星人物。两边有磨砖砌八字墙。今墙上各开一小门，图案为泥灰覆盖。

正谊巷17号砖雕门楼 位于正谊巷17号。市级文物保护单位。原系民国银钱业商人住宅。仪门砖雕精致，上部四角雕有莲花，嵌白矾石，雕刻福、禄、寿三星人物，中部雕渔、樵、耕、读图案，下部有周文王访贤人物。檐下两角有狮子1对。现门楼基本完好，砖雕部分为石灰覆盖。

何园书法石刻颜真卿“三表三稿” 何园共有书法刻石三通21方、木刻68件。战乱、“文化大革命”中，散失损坏木刻22件。存者中包括颜鲁公“三表三稿”刻石8方，唐人双钩《十七帖》刻石6方，苏东坡《海市并叙》刻石7方；木刻有北宋名相韩琦的《墨竹图》、苏东坡的《风竹图》、唐伯虎的大幅写意花鸟、郑板桥的兰竹、尤水村（名阴）的花卉清供图、郑谷口（名簠）的逸笔隶书、刘墉的浓墨行书等。何园后花园复道回廊西侧，有一排表框的“黑底”刻石作品，正是颜真卿“三表三稿”，目前没有其他版本行世，所以该石刻就成为“三表三稿”的“人间孤本”，具有极高的历史文化价值。颜真卿“三表三稿”均为行草书，其中“三表”为《让宪部尚书表》《谢兼御史大夫表》和《谢曾祖观表》，“三稿”为《祭侄文稿》《争座位文稿》和《祭伯父文稿》。何园刻石系“三稿”的三幅文稿作品。

汪氏小苑砖雕 汪氏小苑位于地官第14号。小苑中精美雕刻随处可见，可分为砖雕、木雕、石雕三大类，其中砖雕装饰玲珑精巧。大门两边，一对深浮雕石鼓及铁皮包镶的厚实门扇钉“五福临门”花纹，仍隐约透露出昔日主人的富有。因汪氏小苑昔日主人汪竹铭是徽商，一对刻有“双钱”白矾石的石块，乃与安徽黟县宏村“承志堂”古民居东侧门厅形制做法一样。大门迎面倚壁而设的精美砖雕“福祠”（俗称土地祠），为早晚及婚丧喜庆烧香敬神所用。小苑花墙上有五扇砖雕漏窗，构图各不相同。中间一扇窗户内容尤为丰富：一只倒飞蝙蝠，意为“福到”；一头大象，寓意“吉祥”和万象更新。而蝙蝠对着门，意为“福气临门”。此窗与屋后面门楣上的凤凰牡丹相对应，喻示为“荣华富贵，必有后福”。天井四周墙下阴窗均有砖雕图案，或福、禄、寿、禧，或双钱、花卉，美好意愿隐含其中。

石塔砖雕 石塔立于石塔路（现文昌中路）街心绿地内。建于唐代，原在古木兰院。塔基座较低，四周围石栏，栏板雕有龙、凤、牛、马等图案。望柱上刻如意花纹，形象生动，线条流畅，为清高宗乾隆年间（1736～1795年）重修时所制。塔身为石制仿砖木结构楼阁式，五级六面，每级均作飞檐瓦顶，每级基部为砖块。除一、三、五级的南北两面辟为拱门外，余面嵌刻小龛，供浮雕佛像26尊。佛像体态丰腴，虽久经风剥雨蚀，轮廓模糊，但仍可见唐雕风格。

洪兰友住宅砖雕 位于地官第10号。大门楼砌筑考究，大门两旁侧立砖柱，门垛墙从下到上均为磨砖对缝砌筑，其踏脚线镶贴白矾石。大门上首砌磨砖额枋二道，再上为匾墙式，匾墙内樘为砖细六角锦，中嵌刻栀子花式。再上原有磨砖三飞式飞檐，后遭毁坏。大门楼两侧面墙均为青整砖、青灰丝缝，清水原色扁砌到顶。仪门门楼亦是磨砖对缝砌筑，与大门楼的砌筑比较，所不同之处有两点：一是砖柱细腻，二是上首砖额枋砖雕细密精致，图案似席纹式编织，中央四瓣式小花点缀，今仍保存完整。上匾墙框景与大门楼匾墙花式相似。

第二章 文化博览城

第一节 文化博览城建设

改革开放以来，历届市委、市政府高度重视文化扬州打造，在古城保护、文化遗产保护和文博场馆建设方面做了大量工作。扬州文化博览城建设工作进程大致分为三个阶段：

第一阶段：改革开放到2001年，起步阶段。根据城市总体规划和古城保护的要求，加快老城区和蜀岗—瘦西湖景区建设的规划控制，建成汉墓博物馆、扬州八怪纪念馆，挖掘展示宋大城西门遗址，重建大明寺栖灵塔，开通乾隆水上游览线等。

第二阶段：2001年下半年至2006年4月，加快推进阶段。加大对文化博览场馆建设的投入力度，建成“双博馆”，修复开放吴道台宅第、汪氏小苑，挖掘建成唐宋东门遗址公园，建成中医博物馆、民间收藏博物馆、淮扬菜博物馆，整治修建古运河风光带。

第三阶段：2006年5月至今，全面开展阶段。2006年5月，市委作出关于建设博览城的决定。2007年1月，印发《扬州市文化博览城建设规划纲要（2006—2020）》，决定通过三个五年计划的实施，在市区建成100个左右门类齐全、内容丰富、向社会开放的文化博览场所，打造出一批能充分体现扬州地方文化特色的精品项目，形成扬州文化博览城品牌。

扬州明清古城是文博城建设的重点区域。广陵辖区内的文博城场馆建设项目有63处。其中：

1. 主轴线：文昌路

突出古代文化与现代文明交相辉映的主题。推进吴氏宅第第四、第五轴线的后续工程，恢复其建筑原貌；挖掘琼花观的文化内涵，建设吴敬梓纪念馆；利用皮市街147号、149号的“扬州教案”旧址创办扬州教案史料陈列馆；在两淮盐运使司衙署旧址上建设两淮盐政史料陈列馆；利用董子祠（北柳巷小学内）建设董仲舒纪念馆；以阮家祠堂为依托，建设扬州学派纪念馆，恢复“隋文选楼”；利用古木兰院楠木楼，建古木兰院史料陈列馆。

2. 项目集聚区：双东、教场、南河下和广陵路

双东集聚区：突出古街道、古宅门保护主题。修复壶园；保护并适时开放东圈门16号；修缮和复建清经学家刘文淇故居青溪旧屋；将三祝庵改建为双忠祠；修缮与汪氏小苑相邻的马氏、丁氏住宅及洪兰友故居，形成大型古民居群落；以逸圃为馆址建设扬州钱币博物馆；利用胡氏宅第建设扬州邮票博物馆；利用东关街98号陆公馆古建筑群创办扬州火花博物馆；进一步完善个园南部住宅的整体布局及其内部陈设；利用武当行宫文物建筑群创办仪董学堂史料陈列馆；分别保留谢馥春和四美酱品厂原有的生产作坊，彰显传统商业文化品牌；完善宋城东门遗址主题广场；修复张玉良故居。

教场集聚区：突出民俗文化保护主题。建设扬州传统表演艺术演示广场（含扬州曲艺专题博物馆、扬州戏剧专题博物馆、扬州木偶专题博物馆）；新建扬州民俗博物馆。

南河下和广陵路集聚区：突出盐文化主题。恢复盐宗庙；完善康山文化园；提升完善扬州淮扬菜系博物馆；利用廖可亭盐商住宅、汪鲁门盐商住宅及湖北会馆等传统建筑，建设扬州建筑艺术博物馆和扬州盐文化博物

馆；修复钞关码头；维修周扶九、贾颂平等盐商及张联桂（广陵路 218 号）、卞宝第等历史名人住宅，将南河下和广陵路打造成扬州盐文化展示片；在絜园建魏源纪念馆；开放王少堂故居；利用岭南会馆建会馆博物馆；利用片石山房内楠木厅建石涛纪念馆；利用小盘谷及住宅创办周氏史料陈列馆；利用广陵路梅花书院建设扬州书院博物馆。

3. 特色文化线：古运河、国庆路、汶河路

古运河线：突出运河文化主题。依托扬州水环境博物馆建设扬州运河文化博物馆；新建张若虚纪念馆；扩建普哈丁墓园，办扬州伊斯兰教文化博物馆；迁建马可·波罗纪念馆；新建扬州海外交通史博物馆和中国漕运博物馆；复建邗沟大王庙，建大王庙广场；新建扬州名人纪念馆，打造运河文化公园；完善文峰寺和塔院建设；在南门外大街修复广陵驿；在香阜寺旧址建设扬州历代名人纪念馆。

国庆路线：突出名店、老字号传统商业文化主题。依托富春茶社、绿杨旅社、紫罗兰理发店、扬州浴室、亨得利钟表店、春生洗染店、共和春饺面店、九如分座、月明轩茶社、菜根香饭店、鸿兴清真饭店、小觉林素菜馆、大麒麟阁茶食店、四美酱品厂、三和酱菜公司、景吉泰茶庄等名店、老字号，建设国庆路名店、老字号一条街。

汶河路线：突出名寺名阁主题。建设南通西路南门遗址广场；强化仙鹤寺的旅游功能；再现文昌阁与文津桥桥上建阁、亭桥结合的独特建筑景观；扩建扬州八怪纪念馆（西方寺），建设扬州八怪真迹展厅。

除此，还在甘泉路 221 号匏庐创办陶瓷标本博物馆；调整完善王柏龄故居功能；修缮并开放胡笔江故居。

至 2011 年，区内建成和完善提升的文化博览项目有 20 个：扬州淮扬菜博物馆（康山街 22 号）、盐宗庙（康山街东）、壶园（东关街 22 号）、扬州盐文化博物馆（南河下 170 号）、扬州传统表演艺术演示广场（教场）、朱草诗林（弥陀巷 42 号）、邗沟大王庙广场（高桥）、中国漕运博物馆（古运河畔）、马可·波罗纪念馆（古运河畔）、南门遗址广场（南通西路）、宋大城北门遗址广场（漕河路）、中国扬州剪纸博物馆（马监巷）、扬州运河文化博物馆（古运河畔）、扬州学派纪念馆（毓贤街）、扬州八怪纪念馆（驼岭巷 18 号）、扬州邮票博物馆（东关街 306 号胡氏宅第）、扬州历代名人馆（香阜寺旧址）、两淮盐政史料陈列馆（运司衙门旧址）、扬州民俗博物馆（教场）、扬州钱币博物馆（逸圃）。

第二节　文博场馆选介

一、扬州八怪纪念馆

位于市区汶河北路和淮海路之间的驼岭巷 18 号内，属西方寺古建筑群。西方寺，据记载始建于唐，已有千余年历史。寺中大殿为明代建筑，坐北朝南，平面略成方形，面阔五间 15.67 米，进深五间 15.39 米，重檐歇山式。殿内主要的木构用材为珍贵的楠木，梁枋保存有较完整的缠枝花彩绘，为扬州所罕见。经过多方论证，扬州八怪纪念馆最终选定金农晚年寄居地西方寺为馆址。在各方支持下，区文化、文物部门用不到一年时间，完成 46 户居民动迁、主体建筑维修和筹办陈列展览的任务。1993 年 11 月 22 日郑板桥诞辰 300 周年纪念日，扬州八怪纪念馆正式挂牌，并试行对外开放。新建的扬州八怪纪念馆占地面积 5252 平方米，建筑面积 1604 平方米，辟 5 个展览厅室。2011 年，扬州八怪纪念馆完成老旧陈列厅的大规模改造，推出“扬州八怪纪念馆十景”，使扬州八怪纪念馆的书画陈列厅成为扬州迄今最受青睐的书画展厅。

二、中国剪纸博物馆

中国剪纸博物馆（也称扬州剪纸博物馆）位于马监巷 2 号、东圈门汪氏小苑后花园内。2007 年 4 月，建成并对外开放，是迄今国内唯一的剪纸专业博物馆。

中国剪纸为人类非物质文化遗产代表作，扬州剪纸是其重要组成部分。扬州剪纸，线条清秀流畅，构思精巧雅致，形象夸张简洁，技法求变求新，形成特有的“剪味纸感”和艺术魅力，为中国南方剪纸艺术的代表之一，2006 年 5 月 20 日，经国务院批准列入国家首批非物质文化遗产名录。全馆分为 4 部分：一是全国各种风格流派的剪纸精品展示厅；二是扬州剪纸及其一代宗师张永寿剪纸精品展示厅；三是艺术交流厅，定期或不定期举办全国剪纸获奖作品和相关文化活动；四是大师工作室，为大师从事传承和创作之所。中国剪纸博物馆开馆以

图 30-2-1 中国剪纸博物馆开馆

来，举办过影响较大的展览有:2007 年全国剪纸精品博览会、全国剪纸获奖作品展、扬州大师剪纸美术作品展及 2008 年英国、美国、法国、德国、日本、俄罗斯、瑞士、泰国、澳大利亚等国参加的 17 国剪纸作品特展等。该馆底层还设有剪纸艺术专卖厅和剪纸艺术大师演示观摩厅。

三、扬州中医博物馆

位于泰州路 45 号、吴道台宅第内。吴道台宅第为清光绪年间浙江宁绍道台吴引孙聘请浙江工匠在扬州修建的一座私人宅府，是扬州别具一格的浙派古住宅建筑群。占地面积 5600 平方米，建筑面积 2950 平方米。2005 年，吴道台宅第经修缮后对外开放，内有扬州中医博物馆、测海楼、金鱼池、爱日轩、观音堂等。2006 年 6 月，吴道台宅第公布为全国重点文物保护单位。

扬州中医博物馆分医史馆、名医馆、中医知识馆三部分，共 10 个展室。医史馆从最早有记载的汉代开始，按照滥觞期、发展期、成熟期、繁荣期、大成期，依次展示扬州中医药起源、发展和流派的脉络。名医馆重点介绍扬州中医药发展中江石溪等 50 多位有影响的人物。中医知识馆对传统中医的方剂、器皿、器械都作有详细介绍。

四、南门遗址展示馆

位于荷花池路与南通西路交叉口东南。南门遗址是全国重点文物保护单位扬州城遗址（隋—宋）的重要组成部分，被考古学界、史学界、建筑界誉为中国古代的城门通史。2007 年年初至 9 月，为配合扬州市南门遗址广场的建设工程，由中国社会科学院考古研究所和南京博物院、扬州市文物考古研究所联合组成的扬州唐城考古队，对遗址进行较为全面的抢救性考古发掘，发掘结果除弄清南门遗址演变历史，还出土一些铭文砖和瓦当等建筑构件、陶瓷片以及铜钱、石球等遗物。

2010 年 9 月，貌似北京“鸟巢”的南门遗址展示馆落成，作为当年运博会的主会场，迎接世界各地的嘉宾。展示馆包括保护建筑、广场、绿地等。保护建筑由钢结构骨架支撑，呈菱形交叉的编织结构。建筑主体大厅东西长约 76 米，南北跨度约 29 ～ 40 米，檐口高 5 ～ 6 米，最大高度 12 米，建筑总面积 2660 平方米，采用单层大跨度钢结构，外围护结构以铝质复合板和玻璃幕墙为主;局部地下层主要是多媒体演示厅和管理、辅助用房。展示馆外形独特，共有 17 个大面，均由若干个小面构成。展示馆在封闭式保护南门遗址的同时，兼顾展示功能，在内部合理布设包括多媒体演示厅在内的多种展示空间。在确保遗址本体安全的前提下，游客可以通过展示馆内的轻质木栈道进行参观。馆内布置有“不朽的年轮——扬州城遗址巡礼”专题展览，分为千年之邑、城市之光、通史之门三个部分，通过模型、图片、文献、光电显示等形式，向参观者传递扬州城的深厚文化底蕴。参观者手指触摸显示屏，就能了解古城扬州的前世今生。

五、水文化博物馆

位于南通东路 128 号 5 号楼 1 楼康山文化园内。2006 年“烟花三月”节期间建成开放。馆内陈列共四个部分:

（一）水的历史。展示春秋末年（前 486 年），吴王夫差开邗沟、筑邗城，西汉吴王刘濞开运盐河及隋炀帝开凿南北大运河（连通海河、黄河、淮河、长江、钱塘江五大水系），明清两代，大筑西堤，里运河形成，并有示意模型和图表介绍扬州目前水系和主要河道。

（二）水的文化。展示扬州因水而生的灿烂文化。有历代名人讴歌扬州，写下的大量诗文词赋，有扬州民歌、戏曲、曲艺等，还有隋炀帝三下江都，清康、乾南巡扬州以及扬州对外交往的历史，包括唐代鉴真东渡及韩国崔致远在扬州供职、南宋时阿拉伯人普哈丁到扬州传教、元代意大利人马可·波罗在扬州为官等。

（三）水的治理。主要展示古运河、古邗沟、漕河、小秦淮河等河道综合治理，瘦西湖水环境整治以及古运河和漕河风光带建设等。

（四）水的利用。展示利用水资源，发展漕运、盐运、航运，造船，建闸，建古今名桥和规模居全国之首的江都水利枢纽工程及乾隆水上游览线、古运河水上游览线等。布置有流淌的文明——大运河文化遗产图片展，展示从北京到杭州大运河沿线城市的主要文化遗产。

图 30-2-2　水文化博物馆

六、马可·波罗纪念馆

位于泰州路 99-1 号。2011 年 4 月 18 日对外展出。该馆是经外交部同意、国家文物局批准的国内唯一的马可·波罗纪念馆。扬州自 80 年代举办马可·波罗纪念馆（陈列室），曾三易其地：最初在瘦西湖桂花厅内，后移至天宁寺，目前设在东关古渡边。每次迁移都意味着马可·波罗宣传影响的扩大与提升。新建的马可·波罗纪念馆以“神奇的东方之旅”为主题，分传奇人生、旷世奇书、游历中国、为官扬州、深远影响五个部分。马可·波罗（1254—1324）出生于今克罗地亚共和国科尔丘拉岛，因科尔丘拉岛当时为威尼斯共和国的领地，所以说马可·波罗是克罗地亚人，也是意大利威尼斯人。马可·波罗在中国游历 17 年。1282 ～ 1285 年，马可·波罗在扬州为官 3 年。1295 年，马可·波罗回国。1298 年参与威尼斯同热那亚共和国的海战，战败后被俘入狱。纪念馆内不仅有马可·波罗骑马的塑像，还模拟再现了马可·波罗在监狱里向对面坐着的同狱作家鲁斯蒂谦绘声绘色地讲述自己亲眼所见神奇东方的场景。正是鲁斯蒂谦将记录下来的故事撰写成《马可·波罗行纪》。记述他在东方最富有的国家——中国的见闻，从而激起欧洲人对东方的热烈向往，对以后哥伦布等探险新航路的开辟发生巨大影响。《马可·波罗行纪》开启了中西方之间直接的政治、经济、文化交流的新时代，马可·波罗乃是这一新时代开始的象征。纪念馆对扬州以及马可·波罗足迹所到之处的风土人情作出较为翔实的介绍，逼真地再现元代扬州的市井生活。展馆门口南侧一匹带有双翼的意大利威尼斯广场铜狮，连同一面意大利威尼托区区旗，是 1987 年 10 月由威尼托区赠送扬州市政府的。狮身长 2.6 米，高 1.2 米，重 500 千克，其强悍的雄姿与凌空欲飞之势，象征着力量与和平，是以马可·波罗为桥梁的中意两国友谊源远流长的重要见证。

七、江上青烈士史料陈列馆

位于旌忠巷 33 号，平民中学旧址。2011 年 4 月 4 日清明节，江上青烈士史料陈列馆在家乡扬州建成并对外开放。陈列馆是一座中西合璧的青砖红窗小洋房，坐北朝南，上下两层，南山墙上嵌有“民国二十六年改建，平民中学建”字样的石碑。江上青 1911 年 4 月 10 日出生于扬州，1939 年 8 月牺牲于开辟皖东北抗日根据地的战场上，年仅 28 岁，是为新中国成立作出突出贡献的“双百英雄模范”人物。1935 年 7 月至 1937 年，江上青在平民中学担任国文教员，宣传进步思想，传播革命道理。此外，还创办《写作与阅读》杂志。江上青的杂文《卢沟晓月》，就是其中一篇代表性文章。史料馆分为七个展厅，分别是“探索真理年代，爱国民主家庭”“投身革命，矢志不渝”“教书育人，播撒火种”“千里救亡，唤起民众”“开辟革命根据地，血洒皖东北”“多才多艺，才华横溢”“浩气长存，缅怀永远”。2011 年 4 月 10 日，市政府在这里隆重举办江上青烈士诞辰

图 30-2-3　江上青纪念馆开馆

100 周年纪念活动。

八、扬州书院博物馆

位于广陵路 248 号梅花书院内。梅花书院是扬州古老书院之一。明嘉靖六年（1527），尚书湛若水在扬州考绩讲学，扬州贡生葛涧为其师在广储门外建“甘泉行窝”作讲道之所。后巡盐御史朱廷立改建为“甘泉山书馆”，嘉靖三十七年（1558）废圮。明万历二十年（1592），扬州太守吴秀浚城河，积土为岭，树以梅，因名梅花岭。万历三十三年（1605），巡按御史牛应元改立崇雅书院，明崇祯间（1628 ～ 1644 年）又废。清雍正十二年（1734），郡丞刘重选与大盐商马曰琯在原址建梅花书院，著名桐城派文学家姚鼐应聘到此任掌院，盐运史朱孝纯亦任教于此。清嘉庆年间（1795 ～ 1820 年），著名皖派学者洪桐也曾经任掌院。乾隆、嘉庆、道光时期的梅花书院与扬州另一大书院安定书院互用学师，人才得以交流，影响日益扩大。梅花、安定两书院的诸生中有不少学有成就者，如扬州学派知名学者刘台拱、任大椿、汪中、段玉裁、王念孙、孙星衍等名流便是。清咸丰年间（1851 ～ 1861 年），梅花书院毁于兵火。清同治五年（1866），盐运史丁日昌在东关街疏理道巷口重建书院。同治七年（1868），该处让位于安定书院，梅花书院迁至左卫街官房，即今址。清光绪二十八年（1902），梅花书院改为尊古学堂。光绪三十四年（1908），改为两淮师范学堂。1912 年，改为江苏省立第五师范学校。1914 年，五师迁大汪边，原址办小学。新中国成立初，为扬州师范附属小学。1972 年，改为扬州市七中。1980 年，改办扬州职业技术学校。梅花书院现存楠木厅一座、书楼两座及东边的长廊。1990 年，梅花书院的房屋、长廊原貌翻新，并在校门口砌磨砖门楼一座，上嵌同治五年（1866）仲春吴让之书“梅花书院”额。

2010 年年底，修缮一新的梅花书院开始扬州书院博物馆的内部装潢和布展工作。书院博物馆布展内容包括六个部分：

（一）书院碑廊。即在书院楠木大厅两侧布置扬州书院（主要是扬州盐业所办的安定书院、梅花书院和乐仪书院）的六块碑记（碑文拓片），展示扬州盐业兴学创建书院的历史。

（二）史料展厅。在书院楠木厅布展扬州境内历代书院分布、发展变化概况，书院管理和教学，书院人物等内容，以及相关匾额、楹联等。

（三）书院讲堂（授课馆）。主要布置书院授课的师生桌椅、书院学规、书院教学图片等，重点突出扬州书院传承儒家文化，确定以“仁”为核心的教育内容和理念，展现扬州梅花书院“入礼门、树仁心、走义路”的教育特色。

（四）状元厅（也称孝廉堂，孝廉是明清时代对举人的雅称）。主要展出扬州历史上 8 个状元的图像和文字介绍，以及明、清两代扬州府属各州县 553 名金榜题名的进士名录，突出扬州梅花书院首设孝廉堂专给举人上课的创举和“扬州府科甲冠全国”的骄人业绩。

（五）藏书楼（尊经阁）。主要布置书院藏书所用的橱柜和书院师生阅览群书的桌椅，同时展示书院博物馆建成纪念的相关书画。

（六）祭祀厅（崇圣祠）。除设先圣孔子的主祭坛外，根据扬州书院创建的历史，还附设扬州安定和梅花书院的先贤太师胡安定和尚书湛若水的木主和祭坛。

九、中国淮扬菜博物馆

位于南通东路 128 号。2010 年 1 月 15 日，经中国烹饪协会批准并授牌建立，是扬州继中国雕版印刷博物馆、中国剪纸博物馆后的第三座国字号、专业性博物馆。该馆建筑面积 7048 平方米，由主馆展示区和副馆体验区两部分组成。主馆通过以图画场景说史、以文字典籍论史，反映扬州是淮扬菜的发源地，是淮扬菜集聚区的核心区。副馆以体验盐商文化为补充，“看历史，品文化，吃风味”，两馆合璧，双区辉映，融为一体，是淮扬菜研究、交流、创新的平台，也是观众参与、体验、互动的平台。展示区有三个板块，以食物、文字、图片等方式向世人展示从“先秦淮扬熟食遍列”到“开国第一宴”的美食传承史。第一板块为“饮食德和，根在扬州”，第二板块为“玉盘珍馐，惠风和畅”，第三板块为“挹古扬今，再展辉煌”，重点展示淮扬菜在当代发展取得的一系列成果，包括教育、比赛、研究，以及淮扬菜在国内外的分布等。淮扬菜始于春秋，兴于隋唐，盛于明清，素有“东南第一佳味，天下之至美”之称，与鲁菜、川菜、粤菜并称为中国四大菜系。新中国成立后，许多重要的宴会都是淮扬菜唱主角：1949年中华人民共和国开国大典盛宴、1999年中华人民共和国成立50周年宴会、2002年中共中央总书记江泽民款待美国总统乔治·布什的礼宾宴等，都是以淮扬菜为主。展示区内，上至帝王的情操、学养、宴饮活动，甚至当年供奉康熙和乾隆两位皇帝的菜单，下至盐商、文人墨客的饮食记载、传说，以及扬州老百姓的餐饮活动、老城区的特色小吃，都一一展现在眼前。其中最受人关注的当属该馆的镇馆之宝、国家二级文物乾隆铜胎葵口内珐琅外雕漆山水人物碗。2001年，扬州荣获中国烹饪协会授予的“淮扬菜之乡”称号。

十、个园盐商生活展览馆

位于盐阜东路10号、个园南部住宅。原建筑有5条轴线，今存东、中、西三路，前后各为3进。中路中进为园主次子、辑录古佚书大家黄奭（shì）所居，堂屋正中上悬阮元题“勤博”横匾，后进为黄家四子居室。西路为园主与内眷居住及活动之场所。前进有高敞的“清颂堂”，后有绣楼两进。2010年布置的盐商生活展览馆，恢复个园主人黄至筠的生活起居场所、黄家小姐绣楼、黄家四公子书房和卧室，以及厨房的陈展布置和生活场景。个园主人黄至筠的生活起居场所格局为明三暗五，东边是书房，房中摆放着一张书桌，桌案上放置有笔筒、书架、砚台、笔洗、镇纸等文房四宝。楼上是卧室，多为清朝中期家具。西边房间摆放书架、八仙桌、太师椅、棋桌等物，是主人与文友相互切磋、啜茗弈棋、看书弹琴的地方。后一座是小姐绣楼，完整保存着小姐闺房、会客厅和小姐练习琴棋书画的书房。

十一、大运河史料陈列馆

位于扬州东区、世界运河名城博览会永久性会址三楼。会址北倚文昌大桥，西濒京杭大运河，南依京杭之心。2011年9月开放。展厅面积900多平方米，由“历史”“航运”“交流”“城市”“遗产”“申遗”等篇章组成。“历史篇”通过可透光石材和实景水流及雕塑场景，展现大运河的源远流长，还原了吴王夫差开邗沟的壮举；“航运篇”通过实物场景、展馆水纹灯等，把运河的漕运、货运、盐运的历史功能逐一展现，让人有身临其境之感；“交流篇”以触控屏的互动方式，重点介绍鉴真、马可·波罗，以体现运河文化的博大精深；“城市篇”以运河贯穿其流经的省份城市，通过图片一一展示运河城市的名胜古迹、乡土风情；“遗产篇”以古典和现代化的对比，展现大运河物质遗产和非物质文化遗产的全貌；“申遗篇”通过环形全方位的视频，展现运博会五洲同庆的场景，表达人们对运河精神的传承和发扬。

十二、中国牙刷博物馆

位于中国牙刷之都杭集镇。2011年5月，建成开放，总面积1000多平方米，总投资近1000万元。中国近代牙刷制造业起源于杭集镇，并薪火相传，绵延至今。据史料记载，清道光六年（1826），杭集乡民刘万兴参照旧时女子出嫁时梳理发髻、涂抹桐木刨花黏液水、定型发式用的木柄头刷，改用牛骨制作刷柄，手工穿植白马尾毛，制成牙刷，标注“三星牌”，为当年首创。日后逐步衍生为朝廷贡品，其技术扩展到近代中国有关牙刷知名企业。博物馆馆藏牙刷历史文物40余件，其中有极具历史和考古价值的唐代牙刷2支、辽代牙刷2支及各个历史时期的牙刷文物。展馆以传承、保护特色传统牙刷生产技艺和现代牙刷生产流程为主旨，分历史演变、制作过程、生产场面等五个部分，完整介绍中外牙刷的发展历程，展现中国牙刷的千年演变史和杭集牙刷的百年发展史，并采用蜡像造型再现原始骨柄牙刷的制作流程和现代牙刷工艺制作流程。馆内还陈展杭集特色牙刷产业的数百个知名品牌及代表当今牙刷业最高水平的杭集系列牙刷产品，展示荣获“中国牙刷之都”

图30-2-4　牙刷博物馆

称号的原始文件等实物，再现杭集特色牙刷产业历经风雨走向辉煌的历史演变过程。

十三、盐宗庙

位于康山街20号。市级文物保护单位。清同治十二年（1873），扬州盐商为期盼盐业兴旺，由两淮众盐商在古运河畔捐建一处祭祀礼仪的场所，即今盐宗庙。扬州盐宗庙供奉的神共有三位：第一位是上古炎帝时代的诸侯夙沙氏，相传他善于煮海为盐，是中国人工制盐的创始者；第二位是商代的胶鬲（音隔），据传是最早的盐商；第三位是春秋时代齐国的政治家管仲，他用官府力量发展盐铁业，使国力大振，是最早的盐官。

2007年4月，盐宗庙对外开放。庙宇坐北朝南，大门为水磨砖雕门楼，上嵌浅刻楷书“盐宗庙”石额。入门过照厅，即为庙堂，正中为奉祀的三尊盐宗塑像，两侧墙上布置有彩绘描金壁画——《两淮煮海为盐图说》。盐宗庙门厅北面悬有“曾公祠”横匾，东西两间布置有“曾国藩与扬州”图片展览。曾国藩在两江总督兼两淮盐政的任上，曾六下扬州，讨究文书，点窜批牍，手定章程，检阅兵勇，兴修河道。他推出的一些政策，不仅对扬州盐业的复兴起到重要作用，还带动扬州经济的发展，后人为纪念曾国藩亦称此为“曾公祠”。

第三章　非物质文化遗产

扬州为中国古代的重要港口和商业、文化、戏剧中心。勤劳智慧的扬州先民，创造出辉煌的古代文明，给后代留下丰厚的精神财富、物质遗产。扬州的非物质文化遗产见证扬州历史辉煌，挽救、保护、传承、利用非物质文化遗产，是当代扬州人不可漠视的历史使命。广陵区对非物质文化遗产保护和传承工作开展得较早，2002年8月，启动扬州清曲申报人类口头和非物质遗产代表作工作。至2011年，广陵区范围内已拥有联合国教科文组织人类口头和非物质遗产代表作3项，国家级、省级、市级、区级非物质文化遗产项目分别为9项、15项、29项、42项。

第一节　世界级非物质文化遗产

一、古琴艺术（广陵琴派）

古琴艺术历史久远。广陵派古琴艺术是中国古琴艺术的重要流派之一，春秋战国时期便风行九州，至唐、宋，渐显地域风格与流派特征。至明末清初，一代宗师徐常遇编著《澄鉴堂琴谱》，广陵琴派日臻成熟。广陵琴派以“轻松脆滑、高洁清虚、幽奇古淡、中和疾徐”为美学标准，在崇尚“清微淡远”的同时，追求“洒脱、畅扬”情趣。演奏中“重而不虚，轻而不鄙，疾而不促，缓而不弛。若吟若揉，圆而无碍；以绰以注，定而或伸。行迴曲折，疏而实密；抑扬起伏，断而复联”，形成“音随意走，意与妙和”的风格。民国21年（1932），广陵琴家孙绍陶、张子谦、刘绍椿、胡滋甫等人创建广陵琴社。

图30-3-1　古琴演奏

2003年11月，古琴艺术（广陵琴派）被联合国教科文组织列入第二批世界人类口头和非物质遗产代表作名录。2006年5月，古琴艺术经国务院批准列入第一批国家级非物质文化遗产名录。刘扬、马维衡被认定为非物质文化遗产古琴艺术（广陵琴派）项目省级代表性传承人。

二、中国剪纸(扬州剪纸)

图 30-3-2　扬州剪纸

扬州是中国剪纸流行最早的地区之一。扬州剪纸线条清秀流畅，构图精巧雅致，形象夸张简洁，技法求变创新，形成特有的“剪味纸感”的艺术魅力。

扬州剪纸使用的纸张以安徽手宣为主，要求质地平整、厚薄适中、柔韧性好。扬州剪纸技艺十分精细，圆如秋月，线如胡须，尖似麦芒，缺如锯齿，方如青砖，富有神韵。多用镂空技法，其结构千刻不落、万剪不断。扬州剪纸以张永寿（1907—1989）为杰出代表。他毕生创作数千幅剪纸作品。1959 年，张永寿出版的《百花齐放》剪纸集，配合郭沫若的《百花齐放》诗集，时称双璧。

2006 年 5 月，扬州剪纸经国务院批准列入第一批国家级非物质文化遗产名录。2009 年 10 月，列入联合国教科文组织第四批世界人类口头和非物质遗产代表作名录。张秀芳被认定为非物质文化遗产扬州剪纸项目国家级代表性传承人。

三、中国雕版印刷技艺(扬州雕版印刷技艺)

雕版印刷技艺始于隋，行于唐，扩于五代，精于宋，盛于明清。扬州雕版印刷技艺发展中，有一支世代相承的“杭集扬帮”雕版印刷技艺精湛艺人。他们的技艺具有全面、精湛、细腻、古朴、典雅的特征，技艺传承稳定有序，脉络清晰。

雕版印刷为传统手工技艺，所需相关器具，如雕版用材、印刷用纸、印刷用墨均十分考究，大致可分为备料、雕版、刷印、装帧几个环节。雕版分为写板（写样）、校正、上板、雕刻。扬州广陵古籍刻印社，是全国唯一保存下来运用雕版工艺印刷传统线装书籍的企业，收集全国几乎所有雕版版片，其中明清古籍版片近 30 万片。广陵古籍刻印社保存着全套古籍雕版印刷、活字制作、线装书装订工艺流程，被誉为“江苏一宝”“中华一绝”“人类文明活化石”。杭集古籍印刷厂先后印行雕版古籍“四明丛书”“畿辅丛书”、线装古籍《毛泽东点评二十四史》和《四库全书》等。

图 30-3-3　雕版印刷

2006 年 5 月，扬州雕版印刷技艺经国务院批准列入第一批国家级非物质文化遗产名录。2009 年 10 月，中国雕版印刷技艺成功入选世界人类口头和非物质遗产代表作名录。陈义时被认定为非物质文化遗产雕版印刷技艺项目国家级代表性传承人。芮名扬被认定为非物质文化遗产雕版印刷技艺项目省级代表性传承人。

第二节 国家级非物质文化遗产

图 30-3-4 扬剧《县长与老板》

一、扬剧

扬剧是扬州文化的重要载体，承载着扬州地方由古至今多方面的历史文化信息。思想内涵丰富，文化积淀深厚，能表达出扬州人民的情感、愿望、生活态度及审美趣味，在中国地方戏曲中具有一定的代表性。扬剧音乐属于曲牌体，由花鼓戏音乐、香火戏音乐和扬州清曲三部分组成。角色有生、旦、净、丑之分，但演员却无严格的行当分工。表演受京、昆影响较大，始终保持着花鼓戏、香火戏质朴、活泼的特点，生活气息浓郁。百年扬剧拥有一批有特色、有影响的演员，老一辈的有高秀英、金运贵、华素琴、石玉芳、周小培等，中年一辈的有李开敏、汪琴、姜峻峰等，青年一辈的有梅花奖得主徐秀芳、李政成等。

2006 年 5 月，扬剧经国务院批准列入第一批国家级非物质文化遗产名录。李开敏、汪琴被认定为非物质文化遗产扬剧项目国家级代表性传承人。姜峻峰、李政成被认定为非物质文化遗产扬剧项目省级代表性传承人。

二、扬州评话

扬州评话是用扬州方言讲述故事的曲艺形式，形成于明代晚期，流行于扬州、南京、镇江、上海等地。当代扬州评话艺术家有王少堂、王筱堂、康重华、余又春、王丽堂、李信堂、惠兆龙、杨明坤等。传统节目分为三类：一是讲史演义类的《三国》《隋唐》等，二是公案侠义类的《清风闸》《八窍珠》等，三是神话灵怪类的《西游记》《济公传》等。此外，还新创《烈火金刚》《挺近苏北》《一代儒将—陈毅》等新书目。

2006 年 5 月，扬州评话经国务院批准列入第一批国家级非物质文化遗产名录。王丽堂、李信堂、惠兆龙被认定为非物质文化遗产扬州评话项目国家级代表性传承人。杨明坤、沈荫彭被认定为非物质文化遗产扬州评话项目省级代表性传承人。

三、扬州清曲

扬州清曲又称广陵清曲、扬州小调、扬州小唱、扬州小曲等，起源于元代的“小唱”，至今有600 多年，是历史最为悠久的传统曲种之一。扬州清曲曲牌丰富，迄今统计有 100 多种，有宫调、商调、徵调、羽调等调式。扬州清曲一般以坐唱形式演唱，人数从一二人至八九人不等，演唱者每人操一种乐器。表演风格雍容雅致，受到群众普遍喜爱，具有很高的艺术审美价值。

2006 年 5 月，扬州清曲经国务院批准列入第一批国家级非物质文化遗产名录。聂峰、陶梅芳被认定为非物质文化遗产扬州清曲项目省级代表性传承人。

图 30-3-5 扬州清曲表演

四、扬州漆器髹饰技艺

扬州漆器历史悠久，早在 2300 多年前，扬州漆器就已发端，而且在造型、髹饰技法等方面有较高水平。

两汉时期，扬州漆器获得高度发展。清乾隆时期，扬州成为全国漆器生产制作中心之一，民间作坊林立，盛极一时。新中国成立后，扬州漆器步入一个崭新的发展时期。

图 30-3-6　扬州漆器

一般漆器家具的用材与其他木器家具用材基本相同，高档漆器产品的框架则采用楠木、红木、紫檀等名贵材种。扬州漆器制作技艺主要有九大工艺门类，即点螺工艺、雕漆工艺、雕漆嵌玉工艺、刻漆工艺、平磨螺钿工艺、彩绘（雕填）工艺、骨石镶嵌工艺、楠木雕漆砂砚工艺、磨漆画制作工艺。漆器主要作品有各类漆艺屏风、家具、艺术陈列品、装饰品、各类礼品、旅游纪念品、文房用品和装饰壁画等。史上以各类饰盒、容器、耳杯、花瓶和屏风、挂屏等为主，当代则更多制作漆艺装饰壁画、礼品和一些富有收藏价值的精品大件作品。雕漆《石壁溪水》《云壑松风》《搏击长空》等具有较高艺术价值与欣赏价值。点螺楠木雕是扬州漆器近年来尝试成功的高档新品之一，代表作有《桃花源记》《苍龙戏珠》《醉翁亭》以及古金丝楠木雕《山水》、纯雕漆《江山神韵》等。

2006 年 5 月，扬州漆器髹饰技艺经国务院批准列入第一批国家级非物质文化遗产名录。张宇、赵如柏被认定为非物质文化遗产扬州漆器髹饰技艺项目国家级代表性传承人。张来喜、池家俊、吕永林被认定为非物质文化遗产扬州漆器髹饰技艺项目省级代表性传承人。

五、扬州玉雕

扬州是中国玉器主要产地之一，琢玉工艺源远流长。当代扬州玉器全面继承和发展传统优良工艺，将阴线刻、深浅浮雕、立体圆雕、镂空雕等多种技法融于一体，逐步形成浑厚、圆润、儒雅、灵秀、精巧的基本特征，兼有南秀北雄的风格和典雅秀美、玲珑剔透的艺术特色。

扬州玉雕使用的玉料有新疆的白玉、青玉、碧玉，辽宁的岫玉、玛瑙、黄玉，江苏的水晶，湖北的绿苗、松耳石，广东的南方玉等，此外还有巴西、缅甸、阿富汗、加拿大、日本的玉石原料。古代代表作有东汉《宜子孙》、西汉《白玉蝉》、宋《玲珑玉塔》、明《六角莲花玉壶》、清《白玉如意》和《大禹治水图》等，近现代代表作有翡翠《龙王出游图》、白玉《献寿》《戏鹦鹉》、碧玉《聚珍图》等。

图 30-3-7　扬州玉雕翡翠螳螂白菜

2006 年 5 月，扬州玉雕经国务院批准列入第一批国家级非物质文化遗产名录。江春源、顾永骏被认定为非物质文化遗产扬州玉雕项目国家级代表性传承人。高毅进、薛春梅被认定为非物质文化遗产扬州玉雕项目省级代表性传承人。

六、扬州弹词

扬州弹词形成于明末，兴盛于清初，具有历史的悠久性、传承的有序性、书目的社会性。其艺术特色可概括为“表”“肖”“巧”“袅”四字，即讲究说表、惟妙惟肖、别致巧妙、余音袅绕。扬州弹词表演分单档、双档两种形式。单档为一人表演，双档为两人表演。说表多用扬州方言，起角色时也用外地“码头话”，以区别和刻画人物。

2008 年 6 月，扬州弹词经国务院批准列入第二批国家级非物质文化遗产名录。李仁珍被认定为非物质文化遗产扬州弹词项目国家级代表性传承人。沈志风被认定为非物质文化遗产扬州弹词项目省级代表性传承人。

图 30-3-8　木偶剧《琼花仙子》

七、杖头木偶戏

扬州有“木偶之乡”之誉。扬州木偶戏“兴于唐、行于宋、盛于明清”。木偶极具浪漫色彩，夸张而富有美感，“不是真人，胜似真人”，“能人之所能，亦能人之所不能”，方寸之地，演绎万千气象，生动活泼，给观众拓展出无限想象空间。扬州杖头木偶表演极具亲和力，以精湛的演技、华美的阵容、诙谐的气氛，感染、倾倒观众。杖头木偶戏“刚柔并济、细腻传神”的艺术风格，在中国乃至国际偶坛独树一帜。扬州杖头木偶与泉州提线木偶、漳州布袋木偶齐名于世。

2008 年 6 月，杖头木偶戏经国务院批准列入第一批国家级非物质文化遗产扩展项目名录。殷大宁、华美霞被认定为非物质文化遗产杖头木偶戏项目国家级代表性传承人。颜育、封保义被认定为非物质文化遗产杖头木偶戏项目省级代表性传承人。

八、扬派盆景技艺

中国盆景起源于汉晋，形成于唐，发展于宋元，兴盛于明清。扬州是中国盆景重镇。扬派盆景融入扬州文化，集“诗、书、画、技”为一体，追求细腻精致，崇尚雄秀兼备，堪称中国盆景艺术的代表作。“清秀、古雅、飘逸、写意”的风格和“一寸三弯”的剪扎技艺，至今仍然是扬派盆景区别于其他各派盆景的显著特征。扬派盆景分树桩盆景、山水盆景和水旱盆景等。扬派盆景受扬州明清时期画风熏陶，并受古城造园、养花传统的影响，形成独特风格。

图 30-3-9　扬派盆景《腾云》

扬派盆景创作时首先确立主体（主干、主枝、主景等），突出主体景物，其他景物都服从主体，做到主次分明。扬派盆景造型上最为显著的特点是“云片”。云片是用棕丝将枝叶剪扎成平整的薄片。扬派水旱盆景的制作程序主要根据构思选择所需的树木、山石、盆器等材料；对树木进行剪扎加工，对石料进行切割加工；在整体布局的基础上，栽种树木，胶合石头。主要作品有圆柏盆景《铁骨峥嵘》，黄杨盆景《腾云》《行云》《巧云》，榔榆水旱盆景《饮马图》《古木清池》，六月雪盆景《八骏图》等。

2008 年 6 月，扬派盆景技艺经国务院批准列入第二批国家级非物质文化遗产名录。赵庆泉被认定为非物质文化遗产扬派盆景技艺项目国家级代表性传承人。林凤书、万瑞铭被认定为非物质文化遗产扬派盆景技艺项目省级代表性传承人。

九、富春茶点制作技艺

扬州富春茶社创建于清光绪十一年（1885），是一座以花局起家的别具特色的茶馆。它以食品“花、茶、点、菜”互融，肴馔“色、香、味、形”俱佳，环境“闲、静、雅、适”合宜的特色以及优质的服务，受到好评。富春“魁龙珠”茶，色泽清澈，清香四溢，味醇绵和，解渴去腻，堪称茶中珍品。富春点心造型雅致，品种繁多，味不雷同，被誉为“中国名点”“天下一品”。

2008 年 6 月，富春茶点制作技艺经国务院批准列入第二批国家级非物质文化遗产名录。徐永珍被认定为非物质文化遗产富春茶点制作技艺项目国家级代表性传承人。

第三节　省级非物质文化遗产

一、扬州刺绣技艺

扬州刺绣源于汉，兴于唐，精于宋，盛于明清。扬州刺绣多用扬州八怪的书画作品为绣稿，潜心研究中国画的文化内涵和笔墨情趣，总结前人水墨绣的经验，从传统美术与传统技艺中汲取营养，具有格调高雅、丰神飘逸的写意绣风格，在绣坛别具一格。扬州刺绣素以劈丝精细、针法缜密、色彩典雅、工整光洁、表现力强而著称。扬绣精品浓淡适宜，活而不乱，灵秀古雅。

图 30-3-10　扬州刺绣省级代表性传承人吴晓平

2006 年，扬州刺绣被列为省级非物质文化遗产保护项目。陆树娴、吴晓平被认定为非物质文化遗产扬州刺绣技艺项目省级代表性传承人。

二、扬州通草花制作技艺

清初，扬州首创“通草花”。扬州通草花是一种象形花，虽与真花有所差异，但一直深受民众喜爱。扬州通草花是以通草为原料，经漂白、裱草片、染色、捏瓣、做叶子、挎干子、栽盆、装镜框（挂屏产品）、整理等多道工艺流程制作而成的一种特色工艺品，被誉为永不凋谢的艺术之花。通草花因品种单调仅限于头戴花，到民国时衰落，甚至一度中断。1953 年，通草花艺人钱宏才受剪纸大师张永寿的启发，在传统头饰花的基础上首创通草菊花盆景，开拓了通草花生产新领域。

图 30-3-11　扬州通草花艺人钱宏才

2006 年，扬州通草花制作技艺被列为省级非物质文化遗产保护项目。戴春富、钱宏仁被认定为非物质文化遗产扬州通草花制作技艺项目省级代表性传承人。

三、扬州灯彩

隋唐后，扬州即盛产灯彩。元宵佳节扎灯、观灯，成为民间千百年来的传统习俗。明清时期，扬州灯彩达到鼎盛期。扬州灯彩融彩扎、裱糊、剪纸、刺绣、雕刻、书画和诗文于一体，具有灵活、精细、优美、活泼等特点，具有较高的艺术价值。扬州琉璃灯、宫灯、走马灯等为扬州民间灯彩技艺经典。

2006 年，扬州灯彩列入省级非物质文化遗产保护项目。徐福林被认定为非物质文化遗产扬州灯彩项目省级代表性传承人。

四、扬州“三把刀”

扬州“三把刀”是厨刀、剃头刀和修脚刀为代表的扬州饮食文化、美发文化、沐浴文化以及技艺、民俗等相关文化形态的综合。它历史悠久，源远流长，世代传承，因适应民众需求而产生，融入民风习俗而衍化，依伴社会进步而升华，追随科技发展而创新。扬州“三把刀”是传承文明的活态文化。它倡导文明、健康、精致、和谐的生活方式，引领时代潮流，提升人民大众生活质量，具有珍贵的历史、文化、经济价值。2007 年 3 月，扬州“三把刀”列入省级非物质文化遗产保护项目。陈恩德、潘继凌、薛泉生、陆琴、朱才林、王邦龙被认定为非物质文化遗产扬州“三把刀”项目省级代表性传承人。

五、传统建筑营造技艺(扬派叠石)

中国园林叠石是世界造园史上的璀璨奇葩。明代后,扬州造园之风盛行,推动以叠石山技艺的发展。清康熙、乾隆皇帝均曾六次南巡驻跸扬州,扬州盐商以其雄厚财力,竞相叠石造园,争奇斗艳,以邀圣宠。扬派叠石在布局上讲究“外实而内空”,造型上讲究“进山能入腹”,拼叠上讲究“形体的空灵”,形成山体“中空外奇”的艺术效果。主要代表作有何园片石山房、个园四季假山、小盘谷“九狮图山”等。2009 年,扬派叠石被列入省级非物质文化遗产保护项目。方惠被认定为非物质文化遗产传统建筑营造技艺（扬派叠石）项目省级代表性传承人。

六、扬州牙刻

扬州牙刻是以刀为主要工具,采用浅刻、微刻技法将书画镌刻于象牙之上的一种技艺。清代扬州画家吴熙载开创中国象牙浅刻艺术;扬州于啸轩创造微刻技艺;牙刻传人黄汉侯开创扬州浅刻缩临技艺。现代浅刻传人陈苏平在象牙上微刻 55 万字的《三国演义》,历时 5 年多,作品获吉尼斯世界纪录。其后还有吴南愚、吴南敏多有传世作品。扬州牙刻作品小中见大,以刀痕再现笔墨意趣,神韵超出方寸之外。牙刻作品原料稀少,题材广泛,精雕细刻,精美绝伦,形成独特艺术风格。2009 年 7 月,扬州牙刻列入省级非物质文化遗产保护项目。吴吉太被认定为非物质文化遗产扬州牙刻项目省级代表性传承人。

七、扬州道情

道情源于道教音乐,后衍化为民间曲艺的一个种类。明时,“道曲”“道歌”传入扬州,迅即流行,至清代与扬州方言结合,独立于道教歌曲之外而形成扬州地方曲种——扬州道情。其表演形式古老而简朴,艺人手持渔鼓、简板,不紧不慢地拍打节奏,时而高亢,时而委婉,亦说亦唱,声情并茂,清新典雅,古意盎然。郑板桥曾为扬州道情填词 10 首,以通俗、精炼语言,分叙渔、樵、耕、读、僧、道、丐、艺各行人物生活。2009 年 7 月,扬州道情列入省级非物质文化遗产保护项目。

八、扬州民歌

扬州民歌产生于民间。它起源于人民群众的劳动、生活,于长期的传承发展中由劳动号子和民间小调结合而成。扬州民歌善于运用润腔与衬词衬腔,演唱时“夹说夹唱”,歌曲生动活泼,表现出欢快、流利、活泼的风格。其代表作《茉莉花》《杨柳青》等享誉世界。受扬州地区自然环境、风土人情、地域方言、文化底蕴和民间风俗影响,扬州民歌形成“融汇南北、兼济刚柔”的音乐风格,表现出极大艺术魅力;其融入民众生产生活的创作手法和“以情带声,声情并茂”的演唱特征,使扬州民歌充满旺盛生命力。2009 年 7 月,扬州民歌列入省级非物质文化遗产保护项目。

九、扬州炒饭制作技艺

扬州炒饭是淮扬菜系中饭菜合一的特色品种,发源于扬州。相传,吴王夫差开邗沟沟通江淮,船娘制作蛋炒饭。隋代,越国公杨素创制碎金饭（鸡蛋炒饭）。清嘉庆年间,扬州太守伊秉绶借鉴扬州“面有浇头”的做法,改进扬州炒饭。后传至扬州士绅、盐商家厨乃至酒楼饭店厨师。鸦片战争后,传遍世界各地,是世界知名的中式快餐。扬州炒饭饭粒颗颗分清,诸味融和精炼,光润鲜香爽口。扬州炒饭是中国唯一标准化菜肴,规定其原料、配料、炒制方法。扬州炒饭为系列炒饭。狭义的扬州炒饭指扬州什锦饭。广义的扬州炒饭还有野鸭炒饭、虾仁炒饭、雪笋肉末炒饭、玛瑙银杏炒饭、蛋炒饭等。2009 年 7 月,扬州炒饭制作技艺列入省级非物质文化遗产保护项目。

十、“三和四美”酱菜制作技艺

扬州酱菜源于汉代。扬州酱菜选料严格,制作精细,讲究色、香、味、形,具有鲜、甜、脆、嫩四大特点。“三和四美”(“三和牌”“四美牌”系列酱菜,是久负盛名的传统名特产品,“三和”含义为色香味皆佳,“四美”含义为鲜甜脆嫩)保存制曲、选料、腌制、切制、初酱、复酱、配卤等一套传统制作技艺,讲究制曲天然,腌制适时,拔水到位,酱制有序,卤汁纯净。创制出酱乳黄瓜、酱萝卜头、酱生姜、酱宝塔菜、酱香菜、什锦菜等经典酱菜。

图 30-3-12　四美酱园

1915 年，“四美”酱菜获美国旧金山巴拿马万国博览会金奖。2009 年 7 月，“三和四美”酱菜制作技艺列入省级非物质文化遗产保护项目。

十一、扬州竹刻

扬州竹刻艺术起源于西汉早期。扬州早期竹刻以皮雕为主，属于写意类作品。清咸丰以后，吴让之以刀代笔，参与竹刻艺术，并将金石、书法和绘画等多种艺术技巧熔铸于刻竹之中，创造新刀具、新刻法，开创扬州竹刻特定的浅刻技艺。竹刻技艺分雕、刻两种，雕有皮雕、根雕；刻有浅刻、深刻之分。刻竹时用笔抑扬顿挫，徐急快慢，意随刀至，一刻而就，深浅浓淡，虚实主次，别有一番笔墨意趣。2009 年 7 月，扬州竹刻列入省级非物质文化遗产保护项目。

十二、扬州装裱技艺

扬州自古人文荟萃，大批书画家集中于此。书画艺术兴旺促进装裱艺术的繁荣与发展。明末清初，扬州装裱逐步形成独特风格，与苏派、京派并称。扬派装裱用糊如水，轻浆重排；镶缝平正，挺直牢实；拼花相应，宽窄统一，转边整齐。扬派装裱中裱旧工艺，更是将传统装裱技艺发挥到极致，能使古旧破损之画恢复原貌，堪称扬帮裱画师的绝技。2009 年 7 月，扬州装裱技艺列入省级非物质文化遗产保护项目。任芳贵被认定为非物质文化遗产扬州装裱技艺项目省级代表性传承人。

十三、隋炀帝传说

扬州是隋炀帝传说的发源地。隋炀帝曾任扬州总管十年，当皇帝后又曾三下扬州，最后死在扬州、葬在扬州。围绕着隋炀帝与扬州的关系，衍生出一系列传说。隋炀帝传说大体包括隋炀帝开运河、看琼花、葬雷塘三个系列，内容丰富，历代传承，版本众多，故事完整，形象丰满，刻画生动，传奇性、艺术性、地域性比较强，是扬州文化中不可缺少的部分，也是研究扬州历史、文化、社会形态、民风民俗的宝贵资料。2009 年 7 月，隋炀帝传说列入第二批省级非物质文化遗产保护名录。

十四、绒花制作技艺

扬州是中国著名的工艺花产地。唐代，扬州绒花作为“宫花”贡品进入宫廷。清初，扬州形成以绒花为主的工艺花生产，占据中国制花业的半壁江山。2011 年，扬州绒花制作技艺被列为省级非物质文化遗产保护项目。杨家惠被认定为非物质文化遗产绒花制作技艺项目省级代表性传承人。

十五、扬州木雕

扬州木雕始于汉代，发展于唐宋，明清达到巅峰，经历由简到繁、由装饰性到艺术性的清晰的衍化过程。扬州木雕有鲜明的地域文化特征。雕刻刀法主要有平雕、浮雕、镂空雕、立体圆雕等，具体运用时虚实结合，深浅有度，线条清晰，层次分明，形成浑厚、古朴、圆润、纤巧的艺术风格，尤以楠木雕的雍容华贵、凝重大气独树一帜。2011 年 6 月，扬州木雕列入省级非物质文化遗产保护项目。

十六、谢馥春“香、粉、油”制作技艺

谢馥春香粉铺开业于清道光十年（1830），其制作技艺一脉相承于戴春林、张元书，并在此基础上有新发展。谢馥春“香、粉、油”制作技艺是一种从鲜花中采撷香气，注入原料、油料，辅以中药材等材料，制成香粉、梳头油、香件的特殊技艺。其工艺流程有“鲜花熏染”“冰麝定香”“先露后窨”三个阶段。一些调配、搓捏、压制、脱膜、烧炼等关键技艺，全凭手上功夫和用心观察、揣摩、感悟。其香粉 1915 年获美国旧金山巴拿马万国博览会银奖。2011 年 6 月，谢馥春“香、粉、油”制作技艺列入省级非物质文化遗产保护项目。

第四节 市级非物质文化遗产

2011 年广陵区市级非物质文化遗产项目一览表

表 30-3-1

编号	项目名称	类别	编号	项目名称	类别
1	扬州八怪传奇故事	民间文学	15	淮扬菜制作技艺	传统手工技艺
2	南柯一梦传说	民间文学	16	扬州修脚技艺	传统手工技艺
3	扬州琼花与琼花观传说	民间文学	17	扬州理发技艺	传统手工技艺
4	扬州古街巷传说	民间文学	18	扬式糕点制作技艺	传统手工技艺
5	船村故事	民间文学	19	扬州面点制作技艺	传统手工技艺
6	阮元传说	民间文学	20	扬州豆食品制作技艺	传统手工技艺
7	扬州盐商故事	民间文学	21	扬州食品雕刻艺术	传统手工技艺
8	古筝艺术	民间音乐	22	杭集牙刷传统技艺	传统手工技艺
9	扬州昆曲	戏剧	23	活字印刷技艺	传统手工技艺
10	扬州篆刻	民间美术	24	新坝河豚烹制技艺	传统手工技艺
11	扬州瓷刻	民间美术	25	共和春小吃制作技艺	传统手工技艺
12	扬州面塑	民间美术	26	扬州茶经	民俗
13	扬州乱针绣	民间美术	27	清代扬州画派	其他
14	扬州园林营造技艺	民间美术	28	扬州学派	其他

第五节 区级非物质文化遗产

2009 年，广陵区完成《广陵区非物质文化遗产普查汇编》。该汇编 2 册 40 万字，涵盖广陵区内所有具有历史、文化和科学价值的非物质文化遗产，涉及 17 个门类 200 个项目。

同年，建立区级名录，收录第一批广陵区非物质文化遗产项目共 30 个。包括：民间文学类 17 个——八怪的传说、帝王的传说——乾隆、帝王的传说——隋炀帝、帝王的传说——吴王夫差刘濞、帝王的传说——朱元璋、扬州古街巷传说、琼花的故事、芍药的故事、柳树的故事、盐商的故事、学派人物——焦循的故事、学派人物——阮元的故事、学派人物——汪中的故事、大德生和同松药店的故事、冶春的故事、扬州学派、扬州盐商文化；传统艺术类 2 个——扬州清曲、狮子舞；传统技艺类 6 个——扬州纸扎制作技艺、扬州药膳技艺、满汉全席制作技艺、擦背技艺、捏糖人、扬州砖雕；传统习俗类 5 个——大德生德正药真、教场风情、扬州酒令文化、九如分座“吃讲茶”、同松参号蜡壳丸和饮片。

2010 年，收录第二批广陵区非物质文化遗产项目共 12 个。包括：民间文学类 1 个——歌谣、谜语、商贸哨语；民间美术类 3 个——扬州剪纸、雕塑、扬州玉雕；民间手工技艺类 1 个——扬州素菜制作技艺；民间传统技艺类 1 个——“共和春小吃制作技艺”；生产商贸习俗类 2 个——市声、市肆、市招风俗，商店禁忌风俗；民俗活动类 2 个——人生礼俗（满月、百日、周岁、嫁娶、寿诞），岁时节令（汉族节日、传统节日）；传统体育与竞技类 2 个——击鼓传花，拔河。同年，阮元传说和“共和春小吃制作技艺”项目，被列入扬州市非物质文化遗产名录。

2006～2011年广陵区部分区级非物质文化遗产项目一览表

30-3-2

编号	项目名称	类别	编号	项目名称	类别
1	八怪的传说	民间文学	17	擦背技艺	传统技艺
2	帝王的传说—乾隆	民间文学	18	捏糖人	传统技艺
3	帝王的传说—吴王夫差刘濞	民间文学	19	扬州砖雕	传统技艺
4	帝王的传说—朱元璋	民间文学	20	大德生德正药真	传统习俗
5	琼花的故事	民间文学	21	教场风情	传统习俗
6	芍药的故事	民间文学	22	扬州酒令文化	传统习俗
7	柳树的故事	民间文学	23	九如分座“吃讲茶”	传统习俗
8	学派人物—焦循的故事	民间文学	24	同松参号蜡壳丸和饮片	传统技艺
9	学派人物—汪中的故事	民间文学	25	歌谣、谜语、商贸哨语	民间文学
10	大德生和同松药店的故事	民间文学	26	扬州素菜制作技艺	民间手工技艺
11	冶春的故事	民间文学	27	市声、市肆、市招风俗	生产商贸习俗
12	扬州盐商文化	民间文学	28	商店禁忌风俗	生产商贸习俗
13	狮子舞	传统艺术	29	人生礼俗(满月、百日、周岁、嫁娶、寿诞)	民俗活动
14	扬州纸扎制作技艺	传统技艺	30	岁时节令	民俗活动
15	扬州药膳技艺	传统技艺	31	击鼓传花	传统体育与竞技
16	满汉全席制作技艺	传统技艺	32	拔河	传统体育与竞技

说明：表中不含世界级、国家级、省级、市级非物质文化遗产项目

第三十一篇

卫生

要 目

1989～2011年，广陵区卫生事业不断发展。区卫生系统通过多途径接纳、吸收、培养医务人员，组织机构增扩，医疗条件改善，医疗技术和设备更新。医院走"小综合、大专科"发展之路，开设家庭病床和社区卫生服务中心，拓展医疗服务新路，医技检查、疾病防控及突发公共卫生事件应急处置能力增强。麻疹、流脑、白喉、脊髓灰质炎、麻风病等多种急性传染病和寄生虫病基本消灭；恶性肿瘤、心脑血管和肺结核病、病毒性肝炎等疾病的发病率、死亡率有所降低；艾滋病综合防治能力增强。

1989年起，区卫生系统改革医疗卫生单位人事和分配制度。城镇职工公费医疗制度彻底改革，农村新型合作医疗全面实施，少投入、广覆盖的初级卫生保健制度逐步完善。国家财政对卫生事业的投入逐年增加，至2011年，中央、省、市财政下拨区属医院专项经费2000万元，广陵区政府投入资金2500万元，区内基本实现卫生医疗机构标准化建设目标。

1989年后，广陵区全面启动妇幼保健、防疫免疫接种和农村改水改厕工作，深入开展"除四害"活动、爱国卫生运动和创建卫生城市活动。1990年9月，通过国家卫生城市检查团江苏分团的现场检查。1991年1月，省爱卫会命名扬州市为江苏省卫生城市。是年11月，通过省卫生城市复查。1993年1月和1995年9月，全国爱卫会先后两次授予扬州市"全国卫生城市"称号。2003年，湾头镇、汤汪乡先后通过省级卫生乡（镇）考核验收。2010年1月，广陵区被省政府授予"江苏省社区卫生服务先进区"称号。至2011年底，广陵区所有乡镇全部创建成卫生乡、镇。

2011年，区内有市级以上医疗机构8所。这些医疗机构医疗科研水平较高，有的在全省享有较高声誉，为广陵区市民就诊、治疗危重病人和疑难杂症提供高水平服务。

第一章　机构队伍

1989年，区内有区级医疗卫生机构6个，街道卫生院2所，厂、校医务室26个，医务人员611人。1989年后，广陵区先后经过三次区划调整，区域范围不断扩大，至2011年年底，区属医疗卫生机构增加到19个。其中，区疾病预防控制中心1个、区卫生监督所1所、区妇幼保健所1所、专科医院3所、社区卫生服务中心8个、中心卫生院1所、街道卫生院2所、乡镇卫生院2所，共有医务人员928人。各街道、乡镇均设有卫生管理机构。区内有社区卫生服务站19个、医疗门诊部26个，医务人员48人。有村卫生室22个，医务人员65人；厂、校医务室8个，医务人员18人；个体诊所27个，医务人员54人。驻区省、市医疗卫生机构8个，医务人员5917人，病床位5217张，设备先进，规模较大，功能齐全，技术力量雄厚。

第一节　区属医疗卫生机构

一、区属卫生行政机构

（一）区卫生局

位于便益门大街103号。2011年，内设办公室、医政防保科、社区卫生科、爱卫科、新型农村合作医疗管理科、疾病预防控制与卫生监督科、中医科等，并承担爱国卫生综合协调职责。

（二）区爱国卫生运动委员会

位于便益门大街103号。由区政府办、区宣传、计经、卫生、城建、公安等相关部门参加组成，副区长兼主任。设办事机构负责组织开展爱国卫生运动、创建卫生城市（镇、村）、农村改水改厕、城乡社会公共卫生管理、健康教育等。

（三）区"血、地、寄"防治办公室

位于便益门大街 103 号。主要负责全区血吸虫病、地方病、寄生虫病防治工作。

二、区属防疫保健机构

（一）区卫生监督所、疾病预防控制中心

位于便益门大街 103 号。原为扬州市广陵区卫生防疫站。2002 年 12 月，成立扬州市广陵区卫生监督所、疾病预防控制中心，两块牌子，一套班子。2011 年，有工作人员 44 人，其中高级职称 4 人、中级职称 24 人。设办公室、法制稽查科、应急办、餐饮服务监督科、公共场所监督科、医疗机构监督科、学校卫生科、健康教育科等科室和综合服务大厅。

（二）扬州市广陵区妇幼保健所

1998年1月成立，设于区红十字医院内。2010年9月，明确为区卫生局下属全额拨款事业单位，编制3人。承担妇女孕产期保健和儿童保健管理，掌握辖区内母婴健康状况，承担辖区内医疗保健机构儿童保健工作的技术指导、业务培训、信息统计和监督管理，推广儿童保健适宜技术，负责辖区内重大妇幼卫生项目的业务管理、技术培训、考核和信息统计等工作。

三、街道卫生管理机构

1988 年 11 月，街道卫生科更名为卫生管理科。街办卫生管理科人员由专业卫生人员担任，属区卫生局管理，工作及党团组织关系由街道办事处管理，乡镇文卫科人员由乡镇管理。2003 年，4 个街办卫生管理科与一乡一镇文卫科，共有工作人员 6 人。2003 年后，乡镇、街道撤销卫生科，设文卫科，共有工作人员 20 人。

街办卫生管理科负责辖区爱国卫生、预防接种、健康教育、卫生防疫、食堂卫生、除“四害”、门前“三包”、公共场所卫生、公共场所绿化等工作。

四、区属医疗卫生机构

（一）扬州市广陵区中医院

位于广陵路 71 号。1995 年，被批准为国家二级乙等中医院。1999 年，扬州市家庭医疗保健服务中心（即广陵医院家床科）划归职防院领导。2003 年，该院开始实施转换经营管理的体制改革，全面实行人事代理、竞争上岗、全员聘用制，建立新型劳动聘用关系。坚持按劳分配、生产要素参与分配、效率优先、兼顾公平的原则，逐步建立重实绩、重贡献，向优秀人才和关键岗位倾斜，拉开分配档次，灵活自主的分配机制，全面推行院务公开，健全约束监督机制。2011 年，有工作人员 103 人，其中医务人员 97 人（副高级职称 2 人、中级职称 3 人、初级职称 62 人）。

（二）扬州市口腔医院

位于汶河南路 94 号。1999 年 12 月，由扬州市汶河医院与扬州市城南医院部分科室合并而成，2000 年 6 月开业。该院为扬州市唯一的牙科专科医院。2002 年 3 月，口腔医院与成都康新医疗集团合作，开设扬州康新医疗妇科中心。2011 年，有工作人员 143 人，其中医务人员 118 人（副高职称 5 人、中级职称 56 人、初级职称 52 人）。设预防保健科、口腔科、口腔内科、口腔外科、正畸科、修复科、医学检验科、医学美容科、家庭病床科等科室 16 个。

（三）扬州市职业病防治院

位于旧城 6 巷 7 号。1989 年 12 月，被区计生委指定为病残体检鉴定医院。1994 年 12 月，被批准为一级甲等卫生院。1998 年 2 月，该院加入中国防治高血压联盟。1999 年，增挂“广陵护理医院”院牌。是年，扬州市家庭医疗保健服务中心划归职业病防治院领导（2003 年划出）。2003 年 3 月，增挂“扬州市老年康复中心”院牌。2011 年，有工作人员 43 人，其中高级职称 3 人、中级职称 19 人、初级职称及以下 21 人。中心设康复科、诊治疗室、心电图室、B 超室、放射科、检验科、全科诊室等科室。

（四）东关街道社区卫生服务中心

位于渡江路 67 号。前身是城南医院。2011 年，有工作人员 48 人，其中高级职称 1 人、中级职称 16 人、初级职称 31 人。中心设全科诊室、中医科、康复室、口腔科、妇科、急诊（抢救）室、免疫接种室、妇女保健室、儿童保健室、计划生育室等科室和康复病区（22 张床位）。配备直接数字化摄像（DR）成像设备、彩超、全自

动生化分析仪、牵引床等诊疗设备。

（五）曲江街道社区卫生服务中心

位于运河西路156号。原为城东卫生院。2011年，有工作人员75人，其中医务人员65人（中级职称32人、初级职称33人）。中心以痔外科、中医科、白癜风专科、康复科等为特色科室。建有高标准的门诊楼、住院楼、防保楼和硬件档次较高的中医馆、中心供应室等。拥有脉动蒸汽高压灭菌机、全自动尿液分析仪、半自动生化分析仪、洗胃机、呼吸机、500MAX光机、麻醉机、中央供氧系统设备、高频电刀、彩色B超等大型医疗设备。中心建成省社区卫生服务示范中心。

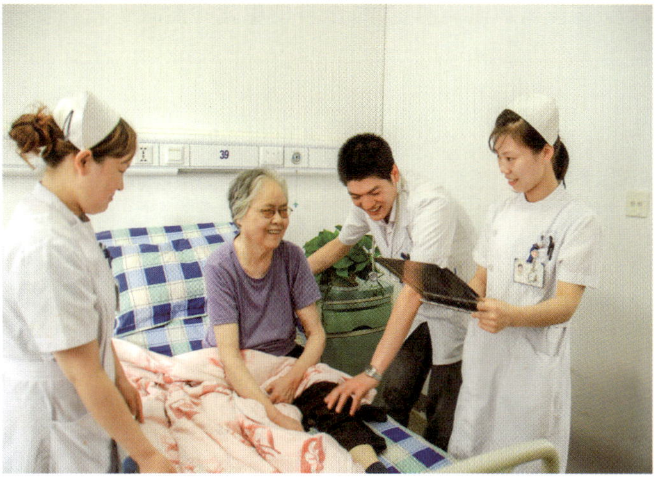

图31-1-1 医护人员与患者沟通交流

（六）湾头镇社区卫生服务中心

位于湾头镇。原为湾头医院，2002年，划归广陵区管理。中心设内科、外科、妇科、儿科、中医科、口腔科等临床科室，辅助科室齐全。2011年，有工作人员66人，其中中级以上职称23人、大专以上学历37人，医护人员全部参加省全科医师岗位培训。中心开放床位30张。拥有300MAX光机、彩色B超、血球分析仪、心电图机、微波治疗仪、半自动生化分析仪、口腔综合治疗仪等设备。2011年，中心投入20多万元改造装修中医诊疗区域，购置自动煎药机和包装机，方便群众服用中药。

（七）汤汪乡社区卫生服务中心

位于汤汪镇。1991年6月，设立宦桥门诊部。2002年，采用股份制形式成立不孕不育治疗中心。2011年，有工作人员48人，其中医务人员40人（高级职称1人、中级职称16人、初级职称23人）。中心设预防保健科、西医内科、西医外科、妇产科、儿科、口腔科、皮肤科、麻醉科、针灸科、中医不孕病专科等科室13个。有病床20张、社区卫生服务网点6个。

（八）文峰街道社区卫生服务中心

位于东花园河南桥南11号。2008年成立。2011年，有工作人员47人，其中医务人员39人（高级职称2人、中级职称8人、初级职称29人）。设全科、中医科、口腔科、计免科、儿保科、妇保科、康复室、康复病房、家床科等科室。建有高标准的门诊楼、住院楼。拥有半自动生化分析仪、洗胃机、呼吸机、DR数字X光机、中央供氧系统、彩色B超等医疗设备。中心以家床科为主要特色。2011年，中心创成全国首批、苏中唯一的全国社区卫生服务示范中心。

图31-1-2 皮坊街社区举办居民健康知识讲座

（九）沙头镇社区卫生服务中心

位于沙头镇三兴东路11号。2011年9月，由沙头社区卫生服务中心和沙头镇卫生院合并而成。有工作人员57人，其中高级职称1人、中级职称10人。设预防保健部和医疗康复部两大部。有内科、儿科、外科、中医科、妇产科、肠道门诊、护理部、手术室、妇幼卫生科等科室。有直接数字化摄像（DR）成像设备、彩色B超、12通道心电图机、电子胃镜、全自动生化分析仪、中心供氧等设备和救护车。

（十）头桥镇社区卫生服务中心

位于头桥镇镇中路。原为头桥镇卫生院，成立于1951年8月。2011年，有工作人员43人，其中中级职称8人。设预防保健科、全科医疗科、妇女保健科、儿童保健科、中医科、眼科、康复医学科、医学检验科、医学影像科、计划生育服务科等科室。有病床36张。

（十一）杭集镇社区卫生服务中心

位于杭集镇富民街79号。2011年，有工作人员82人，其中中级职称21人、初级职称29人。设检验科、五官科、口腔科、康复科、针灸科、中医科、儿科、妇产科、外科、内科、影像科等科室和镇北分院、预防保健部。配有500mA和300mAX光机、计算机数字放射成像系统（CR）、进口汤姆逊电视透视系统、彩色B超和进口阿洛卡多功能黑白B超、全数字12导联心电图机、胃镜、多普勒脑血流测定仪、全自动生化检测仪等仪器检查设备。

（十二）李典镇中心卫生院

位于李典镇兴丰路4号。成立于1958年。2011年，有工作人员38人，其中中级职称 22人。设内科、外科、中医科、口腔科、五官科、妇产科、儿科、放射科、检验科、病房、针灸理疗科、预防保健部、腔肠科等科室。

（十三）李典镇新坝卫生院

位于李典镇新坝社区新兴路11号。成立于1958年1月。2011年，有工作人员42人，其中中级职称 5人、助级职称20人、员级职称10人。设内科、外科、妇产科、中医科、放射科、检验科、护理组等科室。

（十四）头桥镇红桥卫生院

位于头桥镇红星路38号。成立于1958年。占地面积1000平方米，建筑面积900平方米，其中业务用房870平方米。2011年，有工作人员43人，其中中级职称7人、初级积称34人。设内科、外科、妇产科、中医科、放射科、中西药房、收费室、护理组等。

五、街道卫生院

（一）扬州市渡江卫生院

位于新仓巷59号。由街道合作医疗站更名为扬州市渡江卫生院，1987年，上升为街道大集体。1989年，引进“章光101”新技术，设立脱发病专科，成立脱发病专科医院，邀请赵章光为专科医院名誉院长。1996年，设立徐凝门社区卫生服务站。1997年，开设“10元门诊服务”。2011年，有工作人员42人，设内科、外科、妇科、中西医结合科、皮肤科、医学检验科等科室12个。

（二）扬州市城中卫生院

位于甘泉路128号。1987年，设住院部，有病床18张。1993年10月，医院门诊楼开诊。1997年1月，先后开设社区医务服务站（门诊部）2个。2011年，有工作人员22人。设预防保健科、内科、外科、妇科、口腔科、皮肤科、中医科、医学检验科、医学影像科等科室，并提供计划生育技术服务。

图31-1-3 汶河卫生服务中心

六、社区卫生服务站和门诊部

1996年7月，市红十字医院在治淮新村租借房屋开办治淮新村社区卫生服务站。之后，各医疗机构先后开办社区卫生服务站和门诊部计40个。这些卫生服务站由医院负责人任法人代表，由医院派出卫技人员承包服务，受医院指导，领有医疗执业许可证，由在职、退离休的卫技人员参与服务。这是一种既不同于医院，又不同于个体私人诊所的新事物，受到卫生部时任部长张文康的肯定。2003年，广陵区有社区卫生服务站、社区门诊部47个。2011年，有城市社区卫生服务站13个、农村社区卫生服务站6个、门诊部26个。

2011 年广陵区城市社区卫生服务站一览表

表 31-1-1

序号	机构名称	地址	诊疗科目
1	东关街道皮市街社区卫生服务站	万寿街 23 号	全科医疗、中医科
2	东关街道徐凝门社区卫生服务站（渡江卫生院）	徐凝门路 1 号	预防保健、全科医疗、中医科
3	曲江街道施井社区卫生服务站	施井小区 27 幢 107 室	全科医疗
4	曲江街道沙南社区卫生服务站	城东路 98 号	全科医疗、中医科
5	曲江街道五里庙社区卫生服务站	曲江街道太平村太平路 98 号	预防保健、全科医疗
6	曲江街道跃进桥社区卫生服务站	江阳东路 63-5 号	全科医疗、口腔科、中医科
7	曲江街道文昌花园社区卫生服务站	文昌花园中心广场一楼	预防保健科、全科医疗
8	曲江街道太平村社区卫生服务站	太平村太平路 81 号	全科医疗、预防保健
9	文峰街道连运中心花园社区卫生服务站	连运小区中心花园 1-121 号	全科医疗
10	文峰街道化工社区卫生服务站	文峰南路 7 号	预防保健科、全科医疗
11	广陵区汶河街道石塔社区卫生服务站	文昌中路 578 号	预防保健科、全科医疗
12	广陵区产业园翠月嘉苑社区卫生服务站	广陵产业园翠月嘉苑南苑 37 幢 101-1	全科医疗、预防保健科、中医科
13	广陵新城天顺花园社区卫生服务站	万福路 1009 号	全科医疗、预防保健科、中医科

2011 年广陵区农村社区卫生服务站一览表

表 31-1-2

序号	机构名称	地 址	诊疗科目
1	汤汪乡高桥村社区卫生服务站	汤汪乡运河人家小区(南区)商铺 18-22 号	全科医疗、预防保健
2	汤汪乡大众村社区卫生服务站	汤汪乡大众村吴家组 29 号	全科医疗、预防保健
3	文峰街道文峰村社区卫生服务站	文峰村吴巷西路 6 号	全科医疗、预防保健
4	湾头镇二桥村社区卫生服务站	湾头镇二桥村村部	全科医疗、预防保健
5	汤汪乡九龙村社区卫生服务站	汤汪乡九龙村村部	全科医疗、预防保健

2011 年广陵区部分门诊部一览表

表 31-1-3

序号	机构名称	地 址	诊疗科目
1	江阳路中山门诊部	江阳中路 3 号	内科、外科(不开展手术)、妇科、中医科、医学检验科
2	扬州广陵利康门诊部	联谊路 35 号	内科、儿科、医学检验科、影像科（心电图）、口腔科
3	扬州广陵建宏口腔门诊部	文昌中路 46 号	口腔科
4	扬州广陵曲江新苑门诊部	曲江新苑 9 号	内科、外科、急诊科、口腔科、妇科、医学影像科(B 超、心电图)、医学检验科
5	扬州广陵嘉洁口腔门诊部	东花园路 147 号	口腔科
6	扬州微笑口腔门诊部	文昌中路 143 号	口腔科

续表 31-1-3

序号	机构名称	地 址	诊疗科目
7	扬州广陵廖设口腔门诊部	文昌中路 57 号	口腔科
8	扬州广陵名城口腔门诊部	纬一路 112 ～ 113 号	口腔科
9	扬州广陵怡安口腔门诊部	江阳东路 63-4 号	口腔科
10	扬州市广陵爱牙口腔门诊部	解放北路 2-52	口腔科
11	广陵区东关街道琼花观社区门诊部	文昌中路 346 号	内科、中医科、妇科、口腔科、医学影像科(超声诊断专业)
12	扬州慈缘堂门诊部	江阳东路 129 号 4-106	内科、外科(不开展手术)、妇科、医学检验科
13	扬州广陵连运口腔门诊部	联谊花园 D05 栋 116 号	口腔科
14	扬州荷花池门诊部	荷花池路 72 号	内科、外科、妇科、儿科、眼科、口腔科、耳鼻咽喉科、中医科、医学检科验、影像科
15	扬州蓝天门诊部	汶河北路 61 号	内科、普外、泌尿外科、妇科科、口腔科、皮肤病专业、中医科、检验科、影像科
16	扬州广陵爱民门诊部	广陵路 72 号	内科、外科、妇产科妇科专业、皮肤科皮肤病专业、中医科、急诊室、检验科、影像科(B 超、心电图专业)
17	扬州施井内科门诊部	施井路施井西苑 204 栋 17、18 号	内科、中医科、检验科、影像科(B 超、心电图)
18	扬州沙北二村内科门诊部	沙北二村	内科
19	扬州博爱门诊部	南通西路 6 号	内科、外科(不开展手术)、妇科、医学影像科(B 超、心电图) 、医学检验科

七、村卫生室

1989 年，城东乡 8 个村，有村卫生室 7 个、乡村保健医生 19 人；湾头乡 13 个村，4 个村参加合作医疗，有村卫生室 13 个、乡村保健医生 25 人；汤汪乡 14 个村，4 个村参加合作医疗，有村卫生室 12 个、乡村保健医生 13 人。1992 年，各乡重新建立合作医疗管理委员会，重新制订章程和办法，农民每人每年交费 10 元，乡、村各补贴 5 元，小病在村卫生室诊治，常见病、多发病在乡卫生院诊治，大病由乡卫生院出具证明转诊，逐级转诊，凭发票按规定报销。由于村、乡两级组织经济基础薄弱，医药费用大幅攀升，各乡合作医疗几陷瘫痪。2002 年，扬州市区划调整，广陵区有行政村 21 个。2002 年，现场指导和评审村卫生室 24 个，发放整顿通知书 18 份，清退非医务人员 9 人，颁发执业许可证 9 份。2003 年开始实施新的合作医疗保健制度。广陵区有村卫生室 25 个，承担全科医疗和预防保健任务。据曲江街办、文峰街办统计，共有村卫生室 8 个、从业人员 27 人，以西医为主。医务人员中具有中专水平的 1 人，经培训合格的医务人员 21 人。2011 年，广陵区有村卫生室 22 个。

2011 年广陵区村卫生室一览表

表 31-1-4

序号	医疗机构名称	地 址	诊疗科目
1	曲江街道新农村卫生室	新农村村委会	内科、预防保健
2	曲江街道施井村卫生室	施井路 38 号	内科、预防保健
3	曲江街道新星村卫生室	曲江街道新星村	全科医疗、预防保健
4	曲江街道沙口村卫生室	曲江北路 8 号	内科、预防保健
5	文峰街道渡江村卫生室	联谊路 22 号	内科、预防保健

续表 31-1-4

序号	医疗机构名称	地 址	诊疗科目
6	湾头镇沙联村卫生室	湾头镇沙联村刘方组	内科、预防保健
7	广陵产业园严安村卫生室(严桥)	沙联村东方吊架厂	内科、预防保健
8	湾头镇夏桥村卫生室	湾头镇夏桥村村部	内科、预防保健
9	湾头镇联合村卫生室	湾头镇联合村新庄组	内科、预防保健
10	湾头镇联合村周家卫生室	湾头镇联合村七里组	内科、预防保健
11	湾头镇万福村湾头卫生室	湾头镇健康路	口腔科
12	湾头镇万福村卫生室	万福家具厂	内科、预防保健
13	湾头镇田庄村卫生室	湾头镇田庄村村部	内科、预防保健
14	湾头镇万寿村南刘卫生室	湾头镇万寿村村部	内科、预防保健
15	广陵产业园严安片区安林卫生室	副食品城综合楼场外 26 号	内科、预防保健
16	广陵产业园万寿村板桥卫生室	湾头镇万寿村板桥三组	内科、预防保健
17	广陵产业园龙泉村董庄卫生室	汤汪乡龙泉村村部	内科、预防保健
18	广陵产业园龙泉村肖家卫生室	汤汪乡龙泉村村部	内科、预防保健
19	汤汪乡连运村角里卫生室	汤汪乡连运村角里敬老院内	内科(不得开展输液治疗)、预防保健
20	汤汪乡连运村汤汪卫生室	汤汪乡连运村村部	内科(不得开展输液治疗)、预防保健
21	汤汪乡连运村严家卫生室	汤汪乡连运村董庄组	内科、预防保健
22	汤汪乡横沟村卫生室	汤汪乡横沟村村部	内科、预防保健

八、厂、校医务室

为方便企业员工、学校师生就医,各企业、学校设立厂、校医务室。1988 年,广陵区有厂、校医务室 26 个,医务人员 55 人。随着市场经济的发展,企业合并、重组,学校裁并,广陵区属厂、校医务室逐渐减少。2011 年,尚有 8 个。

2011 年广陵区厂、校医务室一览表

表 31-1-5

序号	医疗机构名称	地点	诊疗科目
1	正大桅灯有限公司卫生室	渡江路 57 号	全科医疗
2	大力工具有限责任公司卫生室	施井路 11 号	全科医疗
3	华扬蓄电池有限公司卫生室	渡江南路 106 号	全科医疗
4	扬州市化工机械厂医务室	沙湾路 1 号	内科
5	广陵小学卫生室	广陵路	全科医疗
6	育才小学卫生保健所	南通西路 58 号	全科医疗
7	教育学院第二附属小学卫生室	四望亭路 16 号	全科医疗
8	汶河小学卫生保健所	文昌中路 214 号	全科医疗

九、个体诊所

1986 年,广陵区制定《扬州市城区游医药贩暂行管理规定》,对游医申请资格、程序、广告宣传等作出明

确规定。1988 年，有游医 10 人。经广陵区卫生局业务考核，合格者发给个体开业执照，按个体医药人员方式管理。1990 年，区卫生局发放社会医疗机构合格证明 13 份，个体医药人员开业执照 20 份，印发《扬州市个体医生守则》《扬州市社会医疗机构统一收费标准》。2011 年，广陵区有个体诊所 27 个。

2011 年广陵区个体诊所一览表

表 31-1-6

序号	医疗机构名称	地点	诊疗科目
1	广陵区刘先春牙科诊所	盐阜东路 12 号 -108	口腔科
2	广陵区张俊口腔诊所	泰州路 22 号	口腔科
3	广陵区殷阿琴口腔诊所	江扬东路 418 号	口腔科
4	广陵区黄婵医学美容诊所	运河西路 588 号 -590	美容外科
5	广陵区朱松盛牙科诊所	迎新路 16 号 22 幢 101 室	牙科
6	湾头徐庆林牙科诊所	湾头镇茱萸路 10 号	口腔科
7	广陵区陈林内科诊所	南柳巷 37 号	内科
8	广陵区杨晴洲内科诊所	粉桩巷 24 号	内科
9	广陵区李骏内科诊所	便益门大街 109 号	内科
10	广陵区陈玉华内科诊所	淮海路朝阳苑北 3-1 号	内科
11	汤汪乡连运村丁德宏内科诊所	汤汪乡连运村新村组	内科
12	广陵区岑春辉内科诊所	莲花街坊 14 幢 108 号	内科
13	广陵区周正荣内科诊所	彩衣街 71 号	内科、中医科
14	广陵区王兆凤中西医结合眼科诊所	旧城六巷 16 号	中西医结合眼科
15	广陵区郑俊谦中医儿科门诊部	皇宫花园 4 幢 201 室	中医儿科
16	广陵区徐芳延内科诊所	东关街 317 号	内科
17	广陵区李忠内科诊所	扬沙路 259 号	内科
18	广陵区李惠仁中医诊所	广陵路 356 号二楼	中医科（不开展输液治疗）
19	广陵区李飞中医诊所	汤汪乡东盛花园商铺 1-9 号	中医科
20	广陵区张剑内科诊所	汤汪乡连运一村谊康苑	内科
21	广陵区李玉翠内科诊所	联谊花园宜福苑 63 幢 106 室	内科
22	广陵区高德富内科诊所	新坝集镇	内科
23	广陵区叶善鸿诊所	沙头镇	内科
24	广陵区李贵生内科诊所	霍桥集镇	内科
25	广陵区魏荣俊中医诊所	头桥镇	中医科
26	广陵区陈敏诊所	头桥镇	内科
27	洼子街诊所	解放北路 22-4 号	内科

第二节　驻区医疗卫生机构

区内有省属医疗机构5所、市属医疗机构2所和疾病预防控制机构1个。

一、江苏省苏北人民医院

图 31-1-4　苏北人民医院

位于南通西路98号。前身为清光绪二十六年（1900）创办的扬州浸会医院，扬州解放后定名为苏北人民医院，是扬州地区乃至苏北的医、教、研中心。该院设备功能齐全，2011年，有单台（套）价格10万元以上医疗设备709台（套），其中100万元以上设备65台（套），包括PET-CT、宝石CT、大孔径CT、64排螺旋CT、3.0T磁共振、旋转容积调强直线加速器、康复机器人、数字化乳腺钼靶X光机等大型检测器械。有博士92人、硕士389人，10人享受政府特殊津贴，21人被评为省、市有突出贡献中青年专家，200多名专家在全国或省、市级学术团体中任职。医院有省级临床重点专科14个、市级临床重点专科15个、国家级药物临床试验科室（专业）9个、国家级内镜诊疗技术培训基地6个。有医学博士、硕士培养点31个，博士、硕士研究生导师101人，是人社部国家级博士后工作站、中南大学湘雅医学研究生培养基地和大连医科大学研究生联合培养单位。医院妇产科、普通外科、骨科、消化内科为省临床重点专科，心血管内科临床、教学、科研全面协调发展，是江苏省首批确认能开展全部心脏介入诊疗技术的准入单位、知名专科。

医院对外交流活跃，先后与美国、德国、韩国、以色列、澳大利亚等国的知名大学和医院建立友好合作关系，学术交流频繁。医院与北京大学、中南大学等国内著名医科院校及其医院有广泛联系和合作。2006～2011年，开办国家级和省级医学继续教育项目187个。

二、中国人民武装警察部队江苏省总队医院

位于江都路36号。承担全省武警部队指战员的医疗保健任务，也承担驻地地方病员的部分诊治任务。2011年，医院有医务人员550人、临床科室11个、床位500张。医院骨科、B超室、消化内科、肝胆外科是重点科室，肛肠科、普外科、超声影像科、传染科等专科技术实力较强，创伤救治、微创治疗、超声介入、人工肝、体外碎石、钬激光、TST专利、多普勒等技术在本地区领先。

三、江苏省复员退伍军人精神病院

位于五台山路2号，隶属省民政厅。2011年，有医务人员418人、临床医技科室20个、住院床位530张。1987年，增挂江苏省扬州五台山医院院牌。主要收治全省在乡复员军人中的严重精神病人和部分社会精神病人。该院还开设残疾人精神和智力检测、精神病司法鉴定等特色服务科室。曾获“全国民政系统十佳医院”“全省‘二五’普法先进单位”称号。1993年，被市政府授予“文明单位”称号。1996年，被江苏省民政厅授予“优抚事业单位管理工作先进单位”称号。2000年，被市委、市政府授予“社会治安综合治理先进单位”和“扬州市规范服务十佳单位”称号。

四、扬州华东惠康医院

位于运河西路143号，原为华东石油医院。1991年，从万福闸搬迁至现址，与华东石油局扬州办事处合署办公，主要承担华东石油局在苏北进行石油勘探开采的石油工人的体检与疾病防治任务。2011年，有医务人员183人，其中主任医师、副主任医师10余人，病床101张。设内科、外科、肿瘤科、推拿科、妇科、泌尿外科、耳鼻喉科、中医科、体检中心等科室。有日本东芝500AM自动遥控X光机、德国西门子高分辨率B超、超

声波多普勒、意大利全自动生化分析仪、ICU监护系统、纤维内窥镜、自动牵引床、牙科综合治疗台等大、中型设备。先后成立类风湿病治疗联合体、口腔病防治中心、介入放射治疗中心。医院开展类风湿病治疗、肿瘤介入治疗、腰椎间盘突出旋切治疗、椎间盘突出症的手术治疗、烧烫伤治疗、无痛肩周炎推拿等业务。

五、江苏省水利建设总公司职工医院

位于扬州市大运河畔江苏省水利机械厂内，隶属江苏省水利建筑工程公司。是为水利施工人员服务的一所综合性职工医院，建筑面积2268平方米。2011年，医务人员中有高级职称2人、中级职称5人，有病床91张。拥有XG501-型500毫安X光机、心电监护仪、HPM300AB超、胎儿监护仪、超声波多普勒胎心监测仪、半自动生化分析仪等医疗设备。2000年，通过市级爱婴医院评审，并被批准为非营利性医疗机构和社会医疗保险定点医疗机构。

六、扬州市第一人民医院

图 31-1-5 扬州市第一人民医院

位于泰州路45号。2011年，医院有高级技术职称专家366人，其中医学博士36人，博士、硕士生导师30人，省“135医学重点人才”2人，“333工程”学术带头人6人，有省、市突出贡献中青年专家14人，享受政府特殊津贴的专家4人。医院实际开放床位1550张，开放病区36个、临床医技科室50个，年门诊量108万人次，收治住院病人5.02万人次。有固定资产12.1亿元，各种先进诊疗设备3000余台（套)，包括国内首台德国西门子128层螺旋CT、3.0T短磁体核磁共振和SPECT、美国GE1.5T高场磁共振、美国惠普彩色多普勒超声诊断仪、德国西门子大平板数字减影血管照影机、美国瓦里安直线加速器、奥林巴斯超细内镜、超声内镜、第三代肾镜、输尿管镜气压弹道碎石（EMS）系统等。

医院先后成立心血管病急救中心、儿童医学中心等10余个专科诊疗技术中心。心血管内科、消化内科、影像科为江苏省临床重点专科，神经内科、呼吸内科、普外科、骨科、妇产科、儿内科、麻醉科、口腔科、耳鼻咽喉科、医学检验科为扬州市临床重点专科。2010年，先后承担国家级和部、省、市级科技攻关课题225项，开展新技术新项目926个，发表科技学术论文2178篇，SCI（美国《科学引文索引》）收录论文15篇，获得国家专利和国家发明专利20项，有256项科研成果获得各级各类科技进步奖和新技术引进奖。2009年，获国家、省自然科学基金立项课题各1项。2010年，获国家自然科学基金项目资助课题2项、省自然科学基金立项课题1项。

七、扬州市妇幼保健院

位于国庆路395号。2002年12月，市妇幼保健院与市红十字医院实行资产重组。2009年，成为扬州大学医学院附属医院，是一所集保健、医疗、教学、科研、社区服务于一体的三级甲等妇幼保健机构。有一级科室41个、二级科室33个、床位445张。2011年，在职职工741人，其中高级专业技术人员109人、研究生22人。年门诊总诊疗50余万人次，住出院1.5万余人次。医院设新生儿疾病筛查中心、产前疾病筛查（诊断）中心、产科重症监护中心（MICU)、新生儿重症监护中心（NICU)、妇女保健中心、儿童保健中心、围产保健中心、宫颈疾病诊疗中心和生殖医学中心。医院先后获“市用户满意服务明星单位”“市双拥模范医院”“省卫生行风先进集体”“市首批规范收费医院”“市院务公开先进单位”“全省卫生工作先进集体”等称号。2009年，医院产科获“全国巾帼文明岗”称号，连续11年获全市卫生系统“白求恩杯竞赛优胜单位”称号，连续9年获省、市级“文明单位”称号。

八、扬州市疾病预防控制中心

位于盐阜东路36号。组建于2003年1月，同时挂“扬州市卫生检测中心”牌子。负责全市疾病预防与控制、突发公共卫生事件应急处置、疫情及健康相关因素信息管理、健康危害因素监测与控制、实验室检测分析与评价、健康教育与健康促进、技术指导与应用研究，是科学研究的技术服务中心。中心设急性传染病防治科、职业病防治科（健康监护科）、艾滋病防治科、综合卫生监测科、预防医学门诊部等业务科室13个。2011年，有卫技人员112人，其中高级职称占32%以上，中级职称占50%；有5人次获得国家级荣誉，28人次获得省级荣誉，22人次获得市级荣誉。中心拥有气质联用仪、全自动荧光酶标免疫测试系统、全自动生化分析仪等仪器设备，建有千级微生物检验净化室、二级生物安全实验室、艾滋病筛查中心实验室、生物测试室、基因自动分析实验室（PCR）。2006年，获市卫生局临床重点专科实验室建设贡献奖。中心是江苏省疾控系统唯一的中国科协工程学联合会室内空气质量专业委员会委员单位，是国家认可实验室，也是市属单位唯一具有职业卫生技术服务资质的单位。中心承担全市各类传染病、慢性非传染疾病及有关常见病的防治、消毒及病媒生物防治，食品、化妆品、涉水产品、一次性医疗卫生用品等与百姓健康密切相关的生活用品的卫生学检测、评价，劳动卫生和职业病防治、放射防护、从业人员预防性健康体检、建设项目预防性卫生学评价等预防医学领域工作，全市重大活动的公共卫生保障工作，承担对全市传染病疫情、污染、中毒等卫生突发事件的调查处理、应急控制和救灾防病工作。

第二章 医 疗

第一节 西 医

1989～2011年，广陵区各区属医疗卫生机构坚持走“小综合、大专科”发展之路，加强特色专科建设，增添各类专业医疗设备，派医卫人员赴上海、南京等地医院学习医疗技术，西医临床医疗技术水平得到显著提高。2003年，形成8个区重点医疗专科。至2011年，区属医院有正高级医师2人、副高级医师20余人。全区拥有省、市中青年专家50余人。有25个医疗项目获得不同级别的奖励，147篇论文在市以上学术刊物上发表，42篇论文在市以上学术会议上交流。在治疗小儿麻痹后遗症、老年股骨头置换、低能量激光氧液治疗缺血缺氧性疾病的研究等项目上都有所创新。

扬州市口腔医院专业科室设置完备，医务人员医技水平较高，为全市唯一的牙科专科医院。扬州市职业病防治院突出康复护理特色，成为扬州市老年康复中心。各街道社区卫生服务中心和卫生院，立足于为社区基层群众服务，在开展内科、外科、妇科、儿科等诊疗服务的同时，通过引进人才、岗位培训、添置设备、投入力量、完善管理等举措，着力在预防保健、康复护理、医学检验、全科医疗、家床服务等方面加强建设，形成自身特色和服务优势。湾头镇、杭集镇、头桥镇社区卫生服务中心，有一定规模，并配备较多先进的仪器检查设备，通过与大医院实行横向联系和技术挂钩等措施，不断增强自身发展能力，提高医疗水平。

第二节 中 医

广陵区中医历史悠久，人才辈出。1989～2011年，广陵区中医在传承与发展中，不断提高医技水平，逐渐形成自身特色。广陵区中医院骨伤科、针灸科、中医外科、老年病治疗与康复科等重点专科，享誉城乡。各街道社区卫生服务中心和卫生院都有中医科室，多个社区卫生服务中心建成中医特色诊疗区。

一、中医中药

骨伤科。广陵区中医院利用中医传统手法对四肢骨折，软组织损伤，颈、肩、腰、腿痛，骨质增生等疾病进行保守治疗，疗效显著。骨伤科王宇昌医师大胆引进技术，开展四肢骨折内固定术、全髋关节置换术、肩关节置换术、髓核摘除术、脊柱内固定术等手术，他研制的"下肢皮肤牵引带"及"骨盆牵引固定带"在1998年获国家颁发的实用型专利证书。1999年3月，骨伤科被确定为市中医重点发展临床专科。

针灸科。广陵区中医院运用传统的经络穴位针刺法，结合各种理疗方法治疗各种关节炎、肩周炎、腰腿痛等。钱士金主任医师独创的"钱氏竖横针刺法"，观察治疗500例，四肢瘫痪患者治愈率64%，总有效率93.60%。此法对治疗各种运动系统功能障碍性疾病、软组织损伤以及小儿脑瘫等具有良好疗效。钱士金医师获扬州市科技进步二等奖、"扬州市名中医"及市"有突出贡献的中青年专家"等称号。

中医外科。广陵区中医院主要收治皮肤病、外伤性疾病与周围血管病等，由扬州耿传庭门派许玉庭老中医的后代许霞庭主诊。她擅长运用祖传秘方，内服中药加外敷中药治疗疔疮、痈、乳腺炎、乳腺小叶增生、褥疮、搭背、带状疱疹等疾病。市汶河医院中医外科也具有特色。中医外科副主任医师张景山系祖传中医，擅长自制膏药和外用药治疗疮疡疔肿，对红斑狼疮、腮瘘、骨髓炎等症有独特治疗方法，颇有声望。张景山之后，由其女张文芝继承应诊。

痔科。市红十字医院1970年建立痔科。该科医师谢登英获省、市"先进个人"和"区劳动模范"称号。1997年4月，市卫生局组织规范服务达标竞赛活动标兵窗口观摩团共50人，在扬州市红十字医院观看痔科现场，谢登英向与会者作介绍。

2008年，将中医药融入社区卫生服务"六位一体"范畴，大力发展中医药。区中医科、中药房标准化建设均达100%。2008年，湾头镇社区卫生服务中心被国家中医药管理局定为第二批"治未病"预防保健服务试点单位。2009年，曲江街道社区卫生服务中心被省卫生厅评为省社区卫生服务示范中心。2010年，湾头镇社区卫生服务中心被市卫生局授予"扬州市中医药特色社区卫生服务中心"称号。2011年5月，德国萨克森州社会事务和消费者保护部部长克里斯丁·克劳茨一行25人，考察观摩广陵区中医药事业发展情况。2011年，区卫生局获得"扬州市中医药参与城乡社区卫生服务项目工作先进单位"称号。

二、中西医结合

广陵区卫生系统在中西医结合领域有不少成功的尝试。市红十字医院痔科医生陈惠生是西医学中医成功的代表。他在应用西医治疗方法和手段的同时，使用中医方剂，如"生肌散""锡类散""云南白药"等配合治疗，给患者坐浴和外洗，取得良好效果。广陵区中医院骨伤科在继承扬州名老中医王海峰推拿整骨经验的基础上，不断学习和运用现代先进技术，有所创新，如使用中药蒸汽自控治疗器治疗痹症，使用"金黄散"中药粉剂外敷，有很好的活血化瘀、消肿止痛作用。广陵区中医院B超室应用中药显像液检查胃病的新技术，使胃的层次显像更清晰，1993年，获区科技进步二等奖。

区属医院各家庭病床科，在上门为患者服务中，不仅用西医西药方法，而且大量使用中医中药及针灸、推拿手法，为患者治病，并把配好的中药方剂送上门，深受广大患者欢迎。

第三节 医疗设施

1989～2011年，各医疗机构不断提高医疗设施自给率。

1994年，广陵区中医院投资41万元，购置500毫安摇缆遥控X线诊断机和进口血球计数仪。1999年后，先后添置电脑网络管理系统和进口CT机，扩大业务范围。

1989年，市职业病防治院购置B超机、纤维胃镜各1台，改装500毫安X线机1台。2003年，开设老年康复中心，增添微循环检测仪、骨密度检测仪、激光氧治疗仪等设备和全套康复治疗设施。

1990年，汶河医院购进救护车1辆。1994年，购置奥林巴斯胃镜1台。1991年，城南医院添置卧式油泵椅2台、CS-16A综合治疗机1台、YK2-3B牙科综合治疗机1台及一批临床实用医疗器械。2000年，口腔医院成立时，增加牙椅19张、美国进口气泵1台、口腔曲面断层X光机1台、牙片机1台、光固化机5台、打磨机3台、种植牙机1台。2002年购置500毫安X光机、心电监护仪各1台。

1991年，区疾病预防控制中心先后添置原子吸收仪、气相色谱仪、甲醛分析仪、噪音测定仪、公共场所检

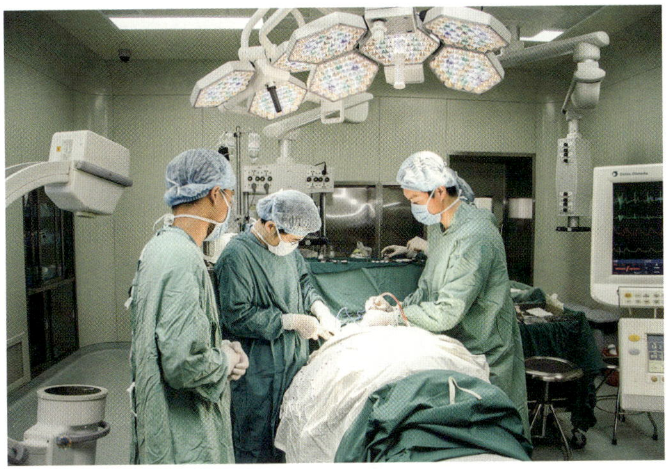
图 31-2-1 与国际接轨的一流手术室

测系统、洗板机、大气采样器、射线检测仪等设备。1998 年 7 月，首次通过省质量技术检验检测机构计量认证现场评审，并获得资质证书。2003 年 6 月、2008 年 5 月、2011 年 4 月，分别通过续评审。2006 年 11 月，首次通过省职业卫生技术服务机构资质认定现场评审，获得资质证书，2010 年 11 月，通过续评审。2010 年 10 月，建成艾滋病初筛实验室。2012 年 3 月，首次通过省食品检验检测机构资质认定现场评审，获得资质证书。

2011 年，区卫生系统固定资产总额 1.3 亿元，其中医疗卫生设备总额 3482.34 万元。拥有乙类以上大型医用设备 41 台（套）。医疗业务用房是 1989 年的 2.92 倍，医疗病床是 1989 年的 3.08 倍。

第四节 医学教育与科研

一、医学教育

1989～2011 年，全区医务人员参加在职学历教育 310 人，毕业 298 人；参加自学考试 128 人，毕业 126 人。其中，护理人员参加自学考试 82 人，毕业 78 人。2011 年，区内共有在编在岗医务人员 648 人，编外聘用 308 人。其中，大专及以上学历有 577 人，占 89%，比 1989 年提高 30 个百分点。

90 年代，普遍建立大中专毕业生轮流进修制度。内科、外科、妇科、B 超、放射科进修一般选择在苏北人民医院、市第一人民医院和省武警医院。痔科、骨伤科、口腔科等特色专科一般选择在全国或全省知名度较高的医院，如天津骨伤科医院、江苏省人民医院、江苏省中医院、南京口腔医院。市汶河医院与苏北人民医院放疗科、市职业病防治院与苏北人民医院神经内科建立横向技术联合体，以合作病区为纽带，苏北人民医院专家一周两次到院查房带教。医务人员不出院门可以达到与在外进修学习一样的效果。1989 ～ 2011 年，全系统先后选派 288 名医务人员到上级医院进修学习。

广陵区从全科医生规范化培训入手，通过省市培训班、对口支援、“名医论坛”、市级医院农工党专家为期 3 年的无偿服务、拜师学艺、外出脱产进修、竞赛等不同途径的训练方式，提高培训覆盖面，加大培训频率，为基层医务人员提供学习机会。

2010 年 11 月，区卫生局与市人民医院联合组织开展为期三年的全科培训计划：第一年全科培训，次年转向实践阶段培训，第三年专家分组到基层医疗卫生机构查房带教，较好地达到理论与实践相结合的效果。

二、医学科研

1989 年开始，通过与市属医疗卫生机构联合开发病区和专科，迅速提高基层医务人员业务水平，科研活动也相应得到开展。至 2011 年，共开展临床项目 50 个，撰写科研论文 188 篇。共获市政府科技进步奖 8 个，其中三等奖 3 个、四等奖 5 个；获市自然科学优秀学术论文三等奖 1 个；获广陵区政府科技进步奖 28 个；其中，红十字医院骨科“矫治小儿麻痹后遗症，使膝关节严重屈曲畸形 90° 以上伸直至零度正常”获区科技进步奖一等奖，“高龄股骨头坏死置换术”获区科技进步奖二等奖，“颈腰疾病微机专家诊断系统”软件获市政府科技进步奖三等奖；区中医院 B 超室开展的“胃超声显像使用中草药作超声介质使胃壁层次结构显示清晰”获市科技进步奖三等奖，“低能量氮氖激光氧液延续细胞衰老的临床效果”获区科技进步奖三等奖，城南医院口腔科“神经撕脱术治疗三叉神经痛研究”获区科技进步奖三等奖。区中医院针灸科“横竖针刺法治疗四肢瘫痪共同模式及个异性方法”获市科技进步奖三等奖，区中医院的“下肢皮肤牵引”和“骨盆牵引固定带”获国家专利局颁发的实用新型专利证书。

第五节　社区卫生服务

广陵区各医疗机构为方便市民就医，特别是为便于行动不便的患者就医、治疗，先后设立家床科 5 个，并逐步完善家床管理制度。1989 年，借鉴天津有关家床的经验，各医疗机构家床科先后开展上门输液、滴注业务。1991 年，广陵医疗保健服务中心（原广陵医院家床科对外名称）由单纯治疗型转为治疗保健型。1999 年，开始实行网络化服务，即城区市民，一年交 30 元，只要在家打一个电话，医生就会上门为病员服务。

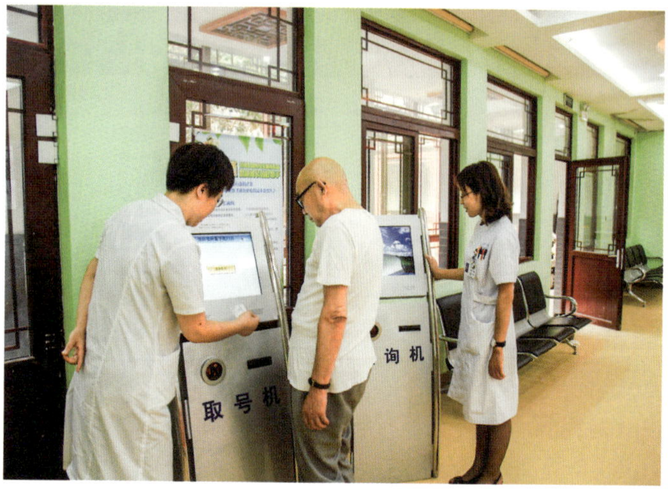

图 31-2-2　汶河卫生服务中心为老人检查身体

市红十字医院家床科设内科、骨伤科、中医科、针灸科等，分别由各科派 1 名医生担任管床医生，同时医院派 2 名专职护士进行护理。医务人员轮流担任管床医生，每半年轮一次。制订《市红十字医院家床管理制度》《市红十字医院家庭病床质量考核标准》等规定，要求按住院病人的病历格式书写家床病人病历。管床医生每周去病员家中查房 2 ~ 3 次。危重病人要视病情随时告知医生，医生随叫随到，或直接送医院诊治。1989 ~ 1999 年，区家庭病房由广陵医院管理。1999 ~ 2003 年，由市职业病防治院管理。2003 年后，区家庭病房成为扬州市广陵区卫生服务中心的一部分。

第三章　预防保健

预防保健主要对象是新生儿、入托儿童、中小学生和妇女，由区属社区卫生服务中心和驻区医院承担。接种疫苗的种类有乙肝疫苗、卡介苗、水痘疫苗、乙脑疫苗、流行性脊髓灰质炎疫苗、腮腺炎疫苗、麻腮风疫苗、无细胞百白破疫苗等。1989 ~ 2005 年，按照街道设立接种点。2006 年以后，由社区卫生服务中心负责接种，接种范围覆盖 11 个乡镇、街道，接种人数近 50 万人。

执行《中华人民共和国传染病防治法》，开展甲、乙类传染病防治工作。至 2011 年，区内白喉、乙脑、百日咳、狂犬病病例及其他传染病发病率大大下降，死亡率为零。

2003 年抗击“非典”期间，区委、区政府和各乡镇、街道，均成立防治“非典”领导小组，组建应急小分队，完成“防非”“抗非”任务。

在保护妇女健康方面，广陵区孕产妇保健率达 100%，同时开展“爱婴”活动，确保母婴健康。在保护儿童健康方面，各社区居委会和各幼托机构密切配合，定期对儿童进行保健检查，儿童的近视、龋齿、肥胖和营养不良等疾病得到有效控制。

第一节　免疫接种

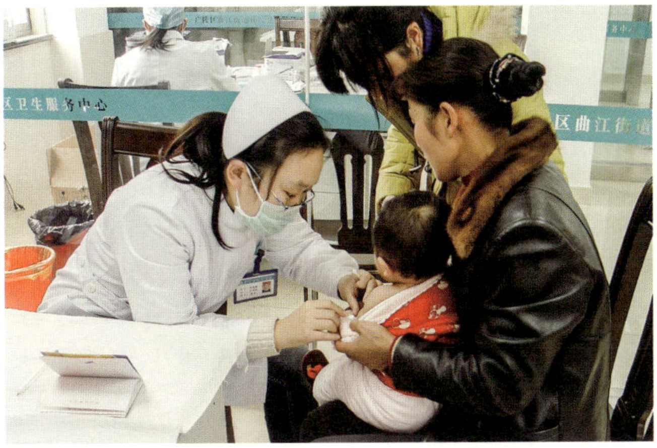

图 31-3-1　社区医生为儿童接种

1985 年，实行各学校、幼托机构儿童凭预防接种证入托入学，实行江苏省儿童预防接种程序（比全国儿童免疫程序多接种乙脑灭活疫苗、流行性脑脊髓膜炎多糖疫苗两种疫苗）。1989 年，逐步引进多种Ⅱ类疫苗接种。1989 年起，开始承担新生儿乙肝疫苗、卡介苗接种，每年接种 7500 人。

1993 年，区卫生局牵头将 4 个预防接种门诊（原东关、汶河、广陵、城南 4 个街道医院）合并组建扬州市预防保健服务中心。1994 年，预防保健服务中心与计算机公司合作开发儿童预防接种信息管理系统并成功运用。1997 年，推广腮腺炎疫苗接种。1999 年与上海生物制品研究所合作进行国产、进口水痘减毒活疫苗安全性和免疫原性对比研究，结果显示国产水痘疫苗接种后具有良好的安全性和免疫性；2001 年年底率先推广接种；同年引进推广麻腮风疫苗、无细胞百白破疫苗（均为Ⅱ类疫苗）接种。2002 年 6 月，引进 HIB 疫苗（B 型流感嗜血杆菌疫苗）推广接种。2003 年 7 月，新生儿乙肝疫苗接种纳入免疫规划；辖区新生儿接种单位有市妇幼保健院、市第一人民医院、苏北人民医院 3 所医院。2003 年，引进流脑 AC 群多糖疫苗推广接种。2004 年，引进轮状病毒疫苗接种。2005 年，全国统一实行儿童入托入学查验预防接种证制度。2006 年，市卫生局组织预防接种规范化门诊创建和申报评审，广陵区 4 个预防接种门诊均通过甲级门诊验收。2006 年，拆分扬州市预防保健服务中心门诊点，门诊分别归并到东关、汶河、文峰 3 个社区卫生服务中心。2007 年起，连续 4 年开展乙肝疫苗查漏补种活动和麻疹疫苗强化免疫活动，对象为 8 个月～ 14 周岁儿童。2008 年，开展免疫规划资料规范化建设，扩大免疫规划，Ⅰ类疫苗品种增加甲肝疫苗、麻腮风疫苗、流脑 AC 群疫苗。是年 10 月，率先建立预防接种信息系统在册儿童疫苗到期未接种随访追踪制度。2009 年 3 ～ 4 月，对 8 个月～ 14 周岁儿童开展麻疹疫苗强化免疫接种活动。2010 年 9 月，对 8 个月～ 4 周岁儿童开展麻疹疫苗强化免疫接种活动。2009 年 1 月起，《扬州市生物制品管理信息系统》试运行；2011 年 9 月 1 日起正式运行。

2011 年 11 月，原邗江头桥、李典、沙头、杭集、泰安 5 个镇划归广陵区后，转入预防接种门诊室 7 个。至此，广陵区儿童预防接种服务覆盖 11 个乡镇（街道），有预防接种门诊室 13 个，覆盖人口约 50 万人，每年新建预防接种账户 5200 个。

第二节　传染病预防与控制

1989 ～ 2011 年，广陵区贯彻对传染病“预防为主”的工作方针，落实各项防治措施。区内连续 20 多年未发现甲、乙类传染病的爆发流行；传染病总发病率逐年下降，从 1989 年的 521.76/10 万降至 2011 年的 138.65/10 万；肠道传染病的暴发疫情大幅下降，霍乱、伤寒、肝炎等肠道传染病被基本控制；计划免疫相关传染病的发病率也随着计划免疫的规范化实行而逐年降低。1986 年～ 2011 年，未发现乙脑病例。1989 年～ 2003 年，未发现脊髓灰质炎野毒株病例报告。1989 ～ 2011 年，未发现白喉病例。1990 年后，未发现百日咳病例。1992 年后，未发现狂犬病病例。1994 年后，未发现疟疾病例。1999 年，检出首例 0139 霍乱，调查处理 1 例出血热。2000 年，加强 0157 肠出血性大肠杆菌防治工作。2001 年，加强炭疽防治工作。2003 年，开展防治非典型肺炎工作，为 11340 人次外来外归人员免费进行体检，对 5 起接触疑似病例 13 人及时进行隔离观察，有效预防境内“非典”发生。2006 年 2 月 22 日始，区内中小学和托幼机构陆续发生流感样病例。3 月 2 日，经省疾控中心检测，确定为乙型流感疫情。至 3 月 9 日，全区有 15 所学校（幼儿园）报告因病缺课病例 1529 例，经流行病学调查符合临床诊断流感病例 528 例。汶河小学、东关小学、育才小学发生的疫情，按有关要求，进行突发公共卫生事件网络报告。2007 年，网络直报汤汪中学和宦桥小学的腮腺炎疫情 2 例。2008 年，调查处理 1 例不明原因肺炎，完成上级下达的 100 份手足口病急性期患者调查采样、20 对感染危险因素的配对调查和 11 例恢复期血清采集任务。2009 年，开展甲流防治工作，组织开展食物中毒事故、甲型 H1N1 流感防控演练。2010 年，开展手足口病防治工作。2011 年，调整传染病防治管理模式。

2011 年，区内有传染病哨点医疗机构 21 个，每季度督查传染病报告工作。2009 年甲型 H1N1 流感流行期间，督查区属 13 家一级医疗机构的甲型 H1N1 流感防控工作，重点检查各单位的组织领导、制度落实、消毒隔离、人员设备及相关设施等情况。专项检查和监督检测区属各医疗机构的消毒隔离工作。1989 ~ 2011 年，监测 377 户次，抽检 3558 项次，年合格率均在 85%以上。每年专项督查各医疗机构的医疗废物处置工作，实现全区医疗机构医疗废物集中处置率 100%的目标。区卫生局每年联合区教育局专项督查区属学校及托幼机构的传染病防治工作 2 次。

1989 ~ 2011 年广陵区甲、乙类传染病发病率表

表 31-3-1

年份	总发病数(例)	总发病率(/10万)	备注
1989	1493	521.76	—
1990	1013	343.45	—
1991	1146	380.13	—
1992	918	298.62	—
1993	780	246.23	—
1994	655	200.78	—
1995	502	143.40	—
1996	456	129.58	—
1997	618	176.57	加入肺结核
1998	534	148.33	—
1999	1452	403.30	加入淋病、梅毒
2000	1852	571.41	—
2001	1021	313.31	—
2002	536	164.48	—
2003	463	153.04	—
2004	703	229.13	—
2005	748	243.80	—
2006	638	209.04	—
2007	659	142.28	—
2008	507	106.54	—
2009	706	147.99	加入甲流
2010	458	99.63	—
2011	661	138.65	—

第三节　妇幼保健

一、妇女保健

1989年，女工法定产期延长为3个月。国家鼓励晚婚、晚育，只生一个孩子。广陵区胎位性难产率，从1989年的3.62%下降为2011年的1.88%；孕产妇死亡率，从1989年的20/10万下降为2001年的10.34/10万，2011年为8.18/10万。孕产妇保健覆盖率，1989年为90%，2000年为97%，2011年达100%。

1997年8月，市红十字医院受广陵区婚姻服务中心委托进行婚前医学检查，检查率100%，婚前保健知识普及率达98%以上。1998年，广陵区成立区妇幼保健所，推行社区妇幼保健保偿责任制。2003年10月实行新《中华人民共和国婚姻法》，婚前检查由依法强制变为双方自由选择，婚前医学检查数量下降。

二、儿童保健

1989年，广陵区实行对部分儿童健康保健的系统管理。婴儿从出生到7周岁，由医务人员进行定期健康监测和卫生指导。广陵区儿童保健协作组协调区属医疗保健单位，由广陵区妇幼保健所指导，对68个居民区、77个托幼机构的1800多名儿童进行保健检查。区妇幼保健所完善儿童健康检查工作责任制，加强对近视、龋齿、肥胖和营养不良等疾病的监测与控制。

1997年，开展创建“爱婴市”活动。广陵区属医院、4个街道办事处、154个居委会都设宣传员、开辟宣传栏，宣传《中华人民共和国母婴保护法》、“母乳喂养好”和《母乳代用品销售管理办法》。是年6月，省卫生厅副厅长张晓敏率创建“爱婴市”检查组到广陵区检查，在城南街办南河下居委会一产妇家，详细了解母乳喂养情况，检查扬州商场宣传“母乳喂养好”及《母乳代用品销售管理办法》执行情况。检查组认为，广陵区对创建“爱婴市”组织工作是有成效的，卫生服务支持体系是完整的。1999年，广陵区母乳喂养率92.79%，2011年为99.8%。

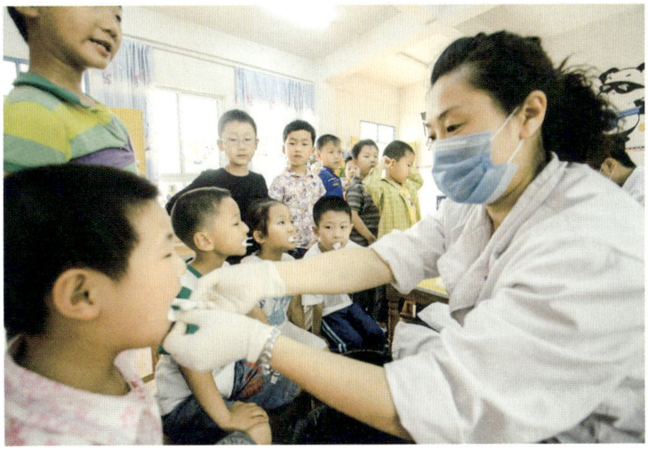

图31-3-2　儿童龋齿防治

第四章　卫生监督

第一节　食品卫生

广陵区卫生监督所负责食品生产企业、批发零售业、饮食行业、集体食堂、街头摊贩及其他所有食品生产经营单位发放（复核）食品卫生许可证的工作（1989年至2002年12月，由广陵区卫生防疫站负责）。1990年，新办卫生许可证429份，复核卫生许可证1399份；食品从业人员体检5040人，体检不合格88人；行政处罚41户次。1994年，体检食品从业人员5130人，发现“六病”（指痢疾、伤寒、病毒性肝炎、活动性肺结核、化脓性或渗出性皮肤病以及其他有碍食品卫生的疾病）患者71人，全部调离食品卫生岗位。1995年10月《中华人民共和国食品卫生法》颁布实施后，结合省、市有关规定，修订和完善食品卫生许可证的发放管理办法、

图 31-4-1 检疫员巡查家禽批发市场

标准。建成美食街、嵇家湾两条食品示范街。全年复核 1865 户卫生许可证，食品从业人员体检 4696 人，查处“六病”患者 71 人。1996 年 10 月，广陵区将建设项目预防性卫生监督列为卫生许可证发放的前置条件，提高食品卫生许可证的发放质量。1999 年 4 月，办证登记机构迁至到区经济服务大厅内（渡江南路广贸大厦）。

在日常食品卫生监督管理中，开展经常性卫生监督检查，不定期随机监督抽查。结合重大节日和中心活动开展市场卫生监督工作。2002 年 3 月底、5 月中旬、6 月初，为迎接国家卫生城考核检查组到扬州考核，广陵区卫生防疫站检查小饮食店、小副食店、理发店、小作坊、小旅社“五小店”的经营行为，共检查 1.13 万户次。2002 年 12 月，撤销广陵区卫生防疫站，成立广陵区疾病预防控制中心和广陵区卫生监督所。广陵区卫生监督所受区卫生局委托履行卫生行政许可、卫生监管职能。2003 ～ 2011 年，新发食品行业卫生许可证 3593 户，核证 1.88 万户。

第二节 学校卫生

1991 年，对区内 24 所小学 2.5 万名小学生，开展学生近视、沙眼、贫血等常见病多发病和传染病的防治，定期体检，开展生长发育调查。全部建立学校卫生档案。1998 年，区内小学 21 所，在校生 23809 人，有校医 7 人，专、兼职保健老师 30 人。2011 年，广陵区有各类学校 34 所，在校生 39882 人，每所学校配备专（兼）职保健老师 1 人。

一、常见病和传染病监测与防治

1994 年，抽样监测小学生视力 6127 人，男生、女生视力不良率分别为 20.56%、23.70%。2000 年，抽样监测学生 1.89 万人，男生、女生视力不良率分别为 19.90%、23.19%。2003 年，抽样监测学生 1.24 万人，男生、女生视力不良率分别为 24.67%、27.68%。学生总体视力呈不良率上升趋势。

1996 年 9 月 20 日是全国第八个“爱牙日”，广陵区牙病防治指导小组组织扬州市口腔病防治院口腔科医师对全区小学生进行窝沟封闭和龋齿填充。第一轮处理牙齿 5.43 万颗。此后连续进行质量跟踪，轮番进行窝沟封闭和龋齿填充，有效降低小学生龋齿患病率。1997 年，对全区 24 所小学 2.4 万名小学生免费进行口腔病普查。对育才小学等 9 所小学 6700 名学生实施六龄牙窝沟防龋处理 2.51 万颗，学生参查率 64.37%；为 162 名有特殊情况的学生进行免费预防手术。跟踪抽查 30 个班级 1009 人，脱落率 4.98%，低于国家牙防指导组规定的 15%的脱落率标准。

随着各项传染病防控措施的落实，学生肠道传染病发病率逐步下降。1994 年，肠道寄生虫病患病率为 2.0%。2002 年未发生肠道寄生虫病。

二、学校卫生监督监测

1998 年 3 ～ 4 月和 9 ～ 10 月，区卫生防疫站监测区辖 16 所小学 101 间教室，综合评价全部合格。具体结果为：教室采光系数大于 1.5%的教室占 90.1%，玻地比（教室门窗玻璃与教室地面面积之比）达到 1 ∶ 6 的教室占 66.3%；教室照明照度达到 150Lx 的占 98.0%，有 51.5%的教室日光灯管与黑板垂直，有黑板、灯管的教室占 35.6%；有 68.3%的教室使用水泥预制的黑板。2002 年 10 月和 2003 年 6 月，区疾病预防控制中心抽样监测城区 9 所、乡镇 15 所学校共 89 间教室，城区 8 所、乡镇 15 所学校经累计单项得分综合评价均为采光合格学校，城区 1 所中心小学因有超学额班而判为不合格。监测城区 9 所学校厕所中，有 5 所学校男生大于 50 人 / 蹲位、小便池大于 50 人 / 米，有 6 所学校女生厕所大于 25 人 / 蹲位，两单项不合格学校分别占监测总数的 55.6%、66.7%。乡镇各有 3 所学校男厕蹲位数、小便池和女厕蹲位数不合格，分别占监测总数的 20.0%、20.0%。乡镇学校中有 3 所学校使用旱厕。所有监测的学校中生活饮用水、传染病管理单项均合格。建有食堂的学校食品卫生均合格。

三、学校食品卫生

1989 ～ 2011 年，每年检查全区小学食堂和学生副餐供应卫生情况，共查处未办理卫生许可证的学校 6 所、未取得健康证的从业人员 36 人，要求流水洗手设施不足的学校落实整改。1998 年，结合食品卫生宣传周，以“防止学生食物中毒”为主题，检查区属 17 所小学及 11 所幼儿园的学生集体用餐卫生情况。2000 年，区卫生局印发有关整顿学校周边“小饭桌”的通知，区卫生防疫站制定《扬州市广陵区“小饭桌”基本卫生要求》，会同教育部门和社区，有重点地宣传发动，并上门检查指导。切实整顿学生饮用奶市场，要求各校必须取得供奶方的卫生许可证，送奶及分奶人员必须取得健康证后方可上岗。

第三节　公共场所卫生

1989 年，根据《公共场所卫生管理条例》要求，开展公共场所经营户从业人员学习培训活动 4 期，考核 560 人。全年发放公共场所卫生许可证 64 份，公共场所从业人员体检 785 人，查处“六病”患者 8 人。监测 25 家旅社、2 家舞厅、1 家商场和 1 家理发店的细菌、二氧化碳和噪声等 7 个项目。设监测点 212 个，合格率 96%。1990 年，发放卫生许可证 62 份；公共场所经营户从业人员体检 1440 人，检出并处理“六病”患者 49 人；监测浴室、理发店、旅社 3 个行业的服务用具消毒效果，采样 85 份，合格 71 份，合格率 83.53%。对华联百货大楼、东泉浴室、三星浴室进行预防性卫生审查。每年开展全区公共场所经营户核证工作，正常开展公共场所的监督监测。1990 年，经全国爱卫会江苏省卫生城市检查团检查，扬州市区旅店业、浴室业、理发业 3 个行业各项卫生标准获得满分。1995 年，监督区属公共场所经营户 123 户，核证 79 户，体检 1352 人，未发现“六病”患者。甘泉路、汶河路新建为公共场所示范街。1998 年，监督区属公共场所经营户 1336 户次，监测公共场所经营户 82 户，监测指标合格率 93.1%；体检 2171 人次，检出并调离“六病”患者 2 人；实施行政处罚 175 户次，罚款 8 户计 1450 元，取缔无证户 8 户。2000 ～ 2011 年，监测公共场所经营户 3372 户，合格率 82%。

第四节　劳动卫生

1990 年，复核工业卫生基础档案企业 14 家，测定有尘毒作业的企业 10 家，设监测点 69 个，采集样品 201 个。健康监护接触尘毒作业的职工 360 人，5 人尿铅超标，10 名接触苯作业的工人观察复查。对 3 家技术改造的企业进行“三同时”验收。测定区属 5 家医疗单位 9 台 X 光机，并发放卫生许可证。1991 年，广陵区职业卫生建档企业 41 家，建档率 100%。接触有尘毒危害的人数 1313 人。1994 年，监测区属 10 家企业 6 种尘毒物，设监测点 58 个，采集样品 146 个，其中 30 个监测点超标，62 个样品超标。完成全区 12 家区属、9 家街办企业的工业卫生档案的复核；治疗 10 例铅吸收人员，健康监护放射人员 15 人；对扬州玻璃仪器厂“双弦全保温玻璃窑炉技改项目”和扬州华扬蓄电池厂《噪声污染治理方案》进行劳动卫生方面的技术论证；对 19 家单位的 62 人进行劳动能力鉴定。1995 年，复核工业卫生基础档案企业 11 家，预防性卫生监督 5 家；测定有尘毒作业企业 7 家，健康监护接触尘毒作业的职工 238 人。在区劳动能力鉴定委员会主持下，对全区 51 家单位、158 人进行劳动能力鉴定。2000 年，经常性卫生监测区属 6 家企业的粉尘、噪声、高频、三氯乙烯、一氧化碳、铅等情况，设检测点 42 个，采集样品 108 个；对扬州保来得工业有限公司扩建工程项目进行“三同时”审查验收；协助市职业病防治院健康监护接触尘毒作业的职工 392 人，职工健康档案建档率 100%；复核工业卫生基础档案企业 17 家，核档率 44.7%；复核测定区属 6 家医疗单位 X 光机，对 11 名放射工作人员进行职业体检。1991～2001年，广陵区被诊断为尘肺病的有2人，被诊断为铅中毒的有10人。

2002年，建档企业24家，建档率100%。接触有尘毒危害的人数701人。2003年，区内职业危害申报企业52家，开展经常性卫生监督110次；对扬州意得机械有限公司开展"三同时"审查、验收；对18家企业开展职业危害因素监测，设监测点125个，其中78个监测点合格，合格率62.4%。协助扬州市职业病防治院职业健康监护642人。开展职业卫生知识培训，召集区属35家企业负责人参加贯彻职业病防治法会议，培训39人。2003～2011年，每年对区内医疗机构放射工作人员进行体检和个人剂量监测，并监测医院X线机。

第五章 爱国卫生运动

1989～1990年，广陵区爱国卫生委员会（以下简称区爱卫会）工作以创建文明单位和评选表彰文明单位、卫生先进单位为主。1999～2003年，以创建卫生城、表彰卫生模范单位为主。在除"四害"、灭臭虫运动中，经省爱卫会多次复查，均达到先进城市标准；群众健康教育工作也全面达标。至2011年，广陵区所有乡镇均创建成市级以上卫生乡镇。

第一节 卫生先进单位创建

1989年，组织开展创建卫生模范单位活动，将城区卫生单位分为卫生模范单位、卫生先进单位、卫生合格单位三个档次。每年年初，单位向所在街办申报创建卫生模范单位计划。各街办定期检查申报单位爱卫组织、健康教育、除"四害"、食品卫生、环境卫生、绿化美化等项工作，区爱卫办组织有关职能部门检查验收，报区政府命名。以后每年评比1次。1991年起，每年结合4月份全国爱国卫生月活动，组织城区卫生模范单位参加卫生知识板报宣传一条街活动。每年适时组织卫生模范单位到国家卫生城市参观学习。至2001年，区政府共命名城区卫生模范单位186家。2002年区划调整后，当年命名卫生模范单位140家。

1989～2011年，农村开展争创省级爱国卫生先进单位活动。全区共创成省爱国卫生村33个：李典镇秀清村、曲江街道沙口村（1999年）；杭集镇新生村、曲江街道新民村（2000年）；汤汪乡连运村、湾头镇万福村（2003年）；沙头镇陈祠村（2005年）；杭集镇裔庙村、杭集村、龙王村、双隆村、八圩村（2007年）；汤汪乡同心村（2008年）；头桥镇九圣村、李典镇田桥村、小乾村、新坝村，沙头镇邱卜村、三星村、人民滩村，汤汪乡九龙村（2009年）；头桥镇南华村、迎新村、西城村、红平村，李典镇长生村，杭集镇王集村、新联村、夏庄村、王桥村，湾头镇夏桥村（2010年）；头桥镇大同村、沙头镇潮龙村（2011年）。创成市级卫生村4个：广陵产业园高桥村、湾头镇联合村、李典镇沿江村、泰安镇勤俭村。

创成市卫生镇1个：泰安镇；省卫生镇5个：湾头镇、李典镇、头桥镇、沙头镇、汤汪乡；国家卫生镇1个：杭集镇。

第二节 卫生城市创建

1987年，广陵街办新胜居委会试行保洁员卫生责任制，责任人牌子上墙公开接受监督。在创建国家卫生城时，这一责任制在全区推广，后发展为"三牌一净"责任制，即街巷有卫生知识宣传牌、清洁卫生保洁牌、街巷简介牌，地面干净。1988年，全区以4个街道办事处为竞赛单位，以环境卫生、市容卫生、家庭卫生、卫生防疫为主要内容，定期开展"广陵区市容环卫杯"竞赛活动。优胜者授予"广陵区市容环卫杯"（流动杯）。汶河街办自1987～1989年连续3年获该奖杯，并获永久性奖杯，获奖金1万元。1991年，被评为全国爱国卫生先进单位。1997年后，实施市容环卫统一收费，定额划拨给区爱卫办，区爱卫办定期发放给各街办使用。

图 31-5-1 1997年卫生城市保证书递交大会

1989年，广陵区委、区政府先后制定《广陵区进一步开展“五讲四美”活动意见》《广陵区理发、旅社、浴室卫生要求（试行）》《扬州市城区街巷综合管理暂行办法》《扬州市各行业文明卫生标准》《扬州市市容和环境卫生场所管理细则》《扬州城区“四旁三包”管理办法》（四旁指单位四周，三包指包卫生、包绿化、包秩序）等规定。区内广陵路、三元路、国庆北路、汶河路、盐阜路建成文明路，沿路单位有50%建成市、区级文明单位。此后，又把这种包干制发展成路段包干制、路段创建卫生城市承包包干制，把城区干道划成83个路段，每个路段都建立创建办，除承包卫生保洁外，还承包市容市貌管理、河道整治、冬季扫雪、主干道两侧垃圾箱及痰盂的购置、摆放等。

1990年是创建卫生城市的第一年。7月，市委、市政府召开动员大会，广陵区政府、街办、居委会1000多人参加会议。会后，广陵区成立区创建卫生城市领导小组办公室，区委书记，正、副区长任正、副组长，下设办公室，分11个组，选调40名干部参加工作。创建领导小组与市委签订责任书。区创建办将卫生城市120个子项目130分进行任务分解，落实到单位和责任人，分别与创建办各小组、各街办局（委）负责人签订责任书，按目标任务要求保证达标不失分。9月，通过全国城市卫生检查团江苏分团的检查。1991年1月，省爱卫会命名扬州市为江苏省卫生城市。是年11月，通过省卫生城市复查。1993年1月，全国爱卫会授予扬州市“全国卫生城市”称号。1995年9月，扬州市继续被命名为“全国卫生城市”。

1996年，市委、市政府加强基础建设，争创国家卫生城市。市政府从市直企业抽调154名干部充实到居委会工作，两年轮换一次，强化居委会创建力量。以《江苏省干部、职工、居民“创建”健康知识和健康行为问答》为读本，年年狠抓干部、职工、居民健康知识和健康行为的培训、自学、考核。筹集资金6亿元用于城市基础建设和卫生事业建设。1997年，在城区住宅小区设置垃圾箱2850只，实现居民垃圾袋装化、扎口化，指定地点集中投放率达90%以上。同年，广陵区各小学送发《致学生家长的一封公开信》，千余名小学生走上街头，在市区设立12个宣传台，向路人散发《致居民的一封公开信》，宣传城市创建和健康教育知识。1999年，新建和改造垃圾中转站8座，装配13座机吊集装箱式垃圾中转站，建成七里甸标准填埋场和茅山多元化垃圾处理厂。城区管道煤气、液化气使用率92.51%，城区自来水日供水能力30.5万吨，城区自来水使用率99%以上。共建成水冲式公共厕所390座、无害化粪场6座。2001年，实现工业废水处理率100%。2003年，日处理生活污水能力13.2万吨。

1999年6月，扬州国家卫生城市创建通过全面检查考核。2002年10月，扬州市成为全国第48家、江苏省省辖市中第三家“国家卫生城市”。

2003年，湾头镇、汤汪乡先后通过省级卫生乡（镇）的考核验收。至2011年，广陵区7个乡镇、2个涉农街办全部创成卫生乡（镇）。

第三节 除“四害”

一、灭鼠

1989年，广陵区开始全面创建卫生城市活动，灭鼠达标工作进入一个新高潮期。是年3月，区政府与各系统（局）、街办、企事业单位、各驻区单位签订灭鼠工作责任书，232个单位上报分管负责人和专、兼职灭鼠员名单，培训灭鼠员3000多人次。4月1～3日，城区统一投药，做到“五不漏”（不漏单位、不漏户、不漏洞、不漏环境、不漏死角），投药率达95%以上。经过这次灭杀，鼠密度下降到3.36%（按鼠迹法测），达到国家标准。5月，聘请外地灭鼠专家为灭鼠工作总顾问。8月24～25日，城区统一投鼠药，计投药8吨、毒饵2500只、鼠夹3000只。1990年9月3～4日，经省爱卫会检查组检查，城区达到国家规定的灭鼠先进地区标准。以后，年年强化灭鼠工作。1991年9月，省爱卫会命名扬州市为灭鼠先进城市。1995年、1998年、2001年、2004年、2007年、2010年，省爱卫会复查组先后6次复查城区灭鼠工作，广陵区均通过灭鼠工作先进城市复查。

二、灭蝇

1990年，开展全民灭蝇工作。1995年3月，区成立创建灭蝇先进城市领导小组和技术指导组，先后召开灭蝇动员大会3次，与各系统（局）、街办、居委会签订创建灭蝇先进城市责任书。城区维修、改造公厕136座，掩埋露天粪坑40座，推行垃圾袋装化，共用敌敌畏灭蝇药6吨。1995年8月，省考核组考核灭蝇效果，检查重点单位及一般居民房屋2100间，未发现成蝇及幼虫；检查农贸市场5个，发现成蝇1只；检查公厕23座，发现成蝇1只。考核认定，城区蝇密度的控制达到国家规定的灭蝇地区标准。1996年10月，扬州市被省命名为“灭蝇先进城市”。1999年、2002年、2005年、2008年、2011年，广陵区均通过省灭蝇复核检查。

三、灭蚊

1989年后，广陵区采取清除积水，填平污水沟塘，翻缸倒罐，打扫室内外卫生，对防空洞、地下室、下水道投药、烟熏，控制蚊子孳生繁殖，在城区河道投放BS10—球型芽孢杆菌等措施，控制蚊蚴密度。至2011年，连续23年达到国家灭蚊要求。

四、灭蟑

1990年前，灭蟑螂多为群众自发行动。1990年后，广陵区把灭蟑作为创建卫生城、除四害的重要工程。1992年4月，广陵区制定《灭蟑螂达标技术方案》。8月，召开灭蟑达标动员大会，层层签订灭蟑达标责任书。市政府财政补贴10.5万元，广陵区投放“洁利33”长效灭蟑剂15万瓶。投药做到“五统一”（统一指挥、统一行动、统一时间、统一药物、统一方法）、“五不漏”（不漏单位、不漏居民、不漏洞、不漏户、不漏缝隙）。省爱卫会考核组考核城区灭蟑效果，检查20家单位、120户居民、579间房间，未发现蟑螂和卵荚，认定广陵区灭蟑工作达到国家规定的先进地区要求。9月，省爱卫会授予扬州市“灭蟑先进城市”称号。1995年、1998年、2001年、2004年、2007年、2010年的灭蟑先进城市复查中，广陵区均通过省爱卫会组织的灭蟑先进城市复查。

五、灭臭虫

1990年起，广陵区发动群众，对墙壁、床铺、座椅、桌凳、床头柜、衣橱、鞋柜、沙发、书架（橱）进行喷药、水烫，全面彻底灭杀臭虫。1992年7月，市爱卫会检查广陵区消灭臭虫达标情况，共查居民560户、墙面积5000平方米，未发现臭虫及其虫卵、血迹、粪迹。7月，市爱卫会确认广陵区消灭臭虫工作达标。

第四节 健康教育

1995年，根据创建国家卫生城市工作要求，广陵区成立健康教育领导小组，区卫生局、区卫生防疫站为区健康教育工作的业务指导部门。同年，成立区健康教育所，隶属区卫生局，全民事业编制1人，落实区健康教育领导小组决定的各项工作。各街道、系统（局）、企事业单位均建立健康教育组织，明确专人负责，形成完整的健康教育组织网络。

1996年，区健康教育所制定健康教育规范，明确工作标准和细则，在全区实施条包块管。

教育系统按照《学校卫生工作条例》及教育部颁发的《学校健康教育评价方案 》中关于设置健康教育课程的要求，落实“五有”（有课本、有教案、有课时、有考分、有评价）及“两周一节课”的规定。1991年，全区各小学以黑板报、眼保健操比赛、大队（中队）主题班会、健康教育公开讲座等多种方式开展健康教育活动。

1994年，小学健康教育工作正常开展，基本完成教育计划，开课率100%。1996年起，每学期定期对学校保健老师进行业务知识培训，发放健康教育资料。结合创建国家卫生城工作的开展，区卫生防疫站与区教育局每年联合抽查学生健康知识知晓率、健康行为形成率，知晓率、形成率分别均达85%、80%以上。2003～2011年，先后召开全区学校保健老师培训会议81次。

图 31-5-2　食品安全知识讲座进社区

街道把健康教育工作作为社区精神文明建设的重要内容，列入社区工作议事日程，并在社区健康教育工作中突出示范点、示范社区建设。至2002年，各街道办事处均设有健康教育示范点。

1996年10月，全区各医院按照《关于医疗单位实施统编健康教育处方的通知》要求，在强化候诊、病室健康知识宣传的基础上开具健康教育处方。同年12月，区各机关、企事业单位以省编《江苏省干部、职工、居民"创建"健康知识和健康行为问答》和《工人健康教育读本》为基本教材，开展宣传教育和培训。参考人数约12万人，参考率70%，考试合格率94%。市民健康知识知晓率和健康行为形成率逐年提高。2001年，广陵区健康教育工作达到国家卫生城市的要求。

2002年，划入广陵区的汤汪乡、湾头镇结合创建省级卫生镇、村工作，开展全国亿万农民健康促进行动，《农村居民健康教育知识读本》及有关宣传资料入户率达95%以上。2011年，划归广陵区的头桥镇、李典镇、沙头镇、杭集镇、泰安镇，在省级卫生镇、村考核中，村民的健康知识知晓率和健康行为形成率均达到要求。

第六章　卫生管理

第一节　医政管理

一、医疗市场管理

（一）监督机制建设

2005年10月，区卫生监督所组建医疗机构监督科，履行监督管理医疗机构职能，推行"一线＋一片"的监管法。赋予哨点单位巡查、核查和报告的协管监测职能。至2011年，全区共建医疗服务监督哨点12个、村（社区）级协管哨点63个，聘请乡级卫生监督协管员26人、村（社区）级卫生监督协管员82人，初步建立起医疗服务监督监测及协管网络。同时，加强内部培训，强化监督员履职能力建设。

2009年，广陵区卫生监督所组织卫生监督员参加扬州市"恒瑞杯"医疗监督法规知识竞赛，获卫生监督组团体二等奖；医疗服务行政处罚案卷评比多次获奖，其中获省级二等奖1次。

（二）打击非法行医

2005～2011年，区卫生局多次开展"蓝盾二号"专项行动，打击无证行医和非法采供血行为。至2011年，共查处取缔无证行医的黑诊所92户，收缴药品53箱、各类医疗器械134件。强化非法行医查处网上比对制度，对符合移送条件的2家非法行医案件，及时按规定移送公安机关。共实施医疗服务行政处罚127起，警告22户次，罚款113户次，罚款26.78万元，没收7户次违法所得4.16万元。接待医疗服务"三访"案件84起，及时调查并回复。

（三）规范医疗机构执业行为

2005年起，区卫生局每年清理区属医疗机构“院中院”问题。依据上级工作部署，先后开展“飓风一号”“飓风二号”“飓风四号”“卫监四号”等专项行动，严厉打击医疗机构各类违法、违规执业行为。推行医疗机构诚信评价工作，促进各单位自律执业。开展医疗机构执业信息调查，建立医疗机构监管基础档案。推进医疗机构不良执业行为记分工作，规范医疗机构执业行为。

（四）打击非法开展医疗美容服务行为

2005～2011年，开展“飓风三号”“蓝盾四号”专项行动，共查处6个非法开展医疗美容服务的生活美容机构。

（五）打击非法发布医疗广告行为

根据《扬州市对违规发布医疗广告进行监测、公示方案》的要求，定期监测报纸、电视及网络所发布的医疗广告，及时调查相关问题。2005～2011年，共查处各类违规发布医疗广告的医疗机构14户次。

（六）打击非法开展计划生育技术服务行为

每年组织打击非法开展计划生育技术服务及“两非”行为（非医学需要的胎儿性别鉴定和非医学需要的人工终止妊娠行为）的专项行动。至2011年，共查处非法开展计划生育技术服务案件2起，配合上级查处非法开展“两非”行为2起。

二、医疗机构管理

广陵区医疗机构管理分为区属医院管理、街道卫生院管理和个体诊所及其他医疗机构管理。

（一）区属医院管理

1990年，区卫生局确定市红十字医院痔科、骨伤科，市职业病防治院职业病科，区中医院骨伤科、中医外科、针灸科，城南医院口腔科，汶河医院中医外科等8个临床科室为区属医院的重点临床科室。1992年，区卫生局制定重点专科建设三年发展规划，派卫技人员赴上海、南京、北京学习，形成技术优势；增加业务用房，形成规模优势；大力购置先进医疗设备，形成设备优势。投入200万元为市口腔医院购买设备。1999年3月，区中医院骨伤科被确定为市中医重点发展临床专科。2003年，区卫生系统有专科医院1所、市重点发展临床专科1个、区重点临床专科8个。

1993年，区属医院相继成立创建等级医院领导小组。按照等级医院标准，细化创建设施方案，建立健全规章制度；购买医疗设备，提高技术水平；实施首院、首诊、首问负责制，开展医生挂牌服务、病人选医生、出院后跟踪调查等系列服务。1994年12月，市职业病防治院、城南医院、汶河医院分别被评为一级甲等医院。区中医院、市红十字医院分别于1995年12月和1996年12月被评为二级乙等医院。区属5家医院均为非营利性医疗机构。

（二）街道卫生院管理

1985年6月，城中卫生所更名为扬州市城中卫生院。1987年9月，城南卫生所更名为扬州市渡江卫生院。区卫生局不定期检查街道卫生院，实行业务指导和监督。在2000年医院分类登记中，街道卫生院登记为非营利性医疗卫生机构。

（三）个体诊所管理

2000年，个体诊所被登记为营利性医疗机构。2002年，区卫生局重申个体诊所未经医师注册取得执业证书不得从事医师执业活动。

（四）社区卫生服务站管理

1996年后，各医院相继在城区设立社区卫生服务站。区卫生局规定社区人口在4000～6000人之间设社区卫生服务站1个。除人口密集的新建小区外，原则上500米之内不重复设同类社区卫生服务站。1999年，各社区卫生服务站全部通过市卫生局复查、登记。是年6月、8月，分两批对城区16个社区卫生服务站颁发医疗机构执业许可证。各医院对开设的社区卫生服务站在技术上加以指导，在政策上加以引导。至2003年，广陵区有社区卫生服务站47个。社区卫生服务机构被定为非营利性医疗卫生机构。

1999年7月，区卫生局组织区属厂、校医务室负责人学习《医疗机构管理条例》，对厂、校医务室医务人员进行业务指导。厂、校医务室被定为非营利性医疗卫生机构。

2002年，区卫生局评审湾头镇、汤汪乡村卫生室24个，颁发执业许可证9份。村卫生室被定为非营利性医疗卫生机构。

三、医疗质量管理

90年代始，区属各医院逐步实行信息化管理，将医疗质量管理与医疗行政管理、医院感染管理等结合起来，推动医疗质量管理向现代化、信息化方向发展。

广陵区中医院在争创文明单位和等级医院过程中，通过改革，制定医疗质量中的效率指标和质量指标，加强门诊、急诊和病区的医疗质量管理。实行院、科两级负责制，健全总值班、大查房制度，科主任、主治医师轮流上门诊。医疗护理工作坚持“三查七对照”制度（“三查”，即操作前查，操作中查，操作后查；“七对照”，即对床号、对姓名、对药名、对剂量、对浓度、对方法、对时间），防止因查对不严造成医疗差错事故。完善病历书写制度，要求门诊和住院医师、家床医师及时、准确记录诊断情况及治疗方案，做好病程记录、手术记录和护理记录。严格执行值班交接班制度、手术审批制度、病案讨论制度、急诊抢救制度、疑案病例讨论制度、会诊制度等。

区卫生局贯彻落实各项规章制度，对医务人员进行基本理论、基本技术、基本操作教育，不定期组织病历书写、肠道传染病防治、磷中毒防治、常见病防治等培训和检查，组织传染病急救演练、护理操作比赛和考核，请上级医院专家作学术报告。1989～2011年，广陵区卫生系统培训医务人员274人，其中不少人通过自学、培训、函授教育、网络远程教育等途径获得大专、本科毕业证书，同时引进本科及以上高层次专业人才26人。

第二节　药政管理

1988年起，区政府聘请区卫生局相关工作人员（1至3人）为区兼职药品监督员，任期4年，届时调整。

1989年2月，广陵区卫生系统建立中心药库。1990年，区卫生局重申非医疗性商品不得进入医院出售，严禁“三无”（无批准文号、无生产日期、无厂名厂址）药品进入医院。1994年，区卫生局组织《中华人民共和国药品管理法》执法检查。检查覆盖全区药品使用、销售单位66家，其中医院、卫生院7所，厂、校医务室28个，社会医疗机构30个，医药公司1家。检查中发现过期失效药品38种，不合格中成药2种。1997年5月，查出不合格药品18种。同月，区卫生局要求区属医疗机构发挥各单位药事管理委员会作用，健全规章制度，坚持主渠道进药，实行规范化管理，确保药品质量。1999年3月，中心药库更名为广陵区卫生局药械采购管理办公室。2001年，实行竞价招标采购。2009年，江苏省以市为单位实行药品网上集中采购。作为全省首批37个试点地区之一，广陵区于2010年实行基本药物零差率销售。区政府召开常务会议专门研究实施国家基本药物制度，明确中医药在基本药物制度实施中的互补作用。由于从体制机制上切断基层医疗机构“以药养医”与药品销售之间的利益链，医生开大处方、滥用抗生素、滥输液等现象得到有效遏制。

第三十二篇 体育

要　目

1989～2011年，广陵区强化体育工作领导，开展多种形式的体育活动，体育设施建设投入逐渐加大，群众体育蓬勃开展，学校体育健康发展，社会体育基础扎实，业余体育成果丰硕。1996年，在全省率先实行社会体育指导员制度。至2008年，培养社会体育指导员479人。开辟晨（晚）练点117个、全民健身工程点120个，每天参加有组织的体育活动人数3万人。2004年起，开展体育下乡活动。各乡镇体育协会经常组织跳绳、踢毽子、乒乓球等群众喜闻乐见的竞赛活动和秧歌、腰鼓、少儿体育舞蹈等项目表演。社会体育活动蓬勃开展，群众参加体育活动热情高涨。2007年，湾头镇、文峰街道、汶河街道、东关街道被评为扬州市全民健身体系"八个一工程"先进单位。1993年、2005年和2008年，广陵区被国家体育总局授予"全国群众体育先进单位"称号。

学校体育工作逐步加强。1988年，向社会招聘专职体育教师28人。利用拆迁空隙地，拓宽学校体育活动场地，调拨经费添置体育设备和器材。每年举行中小学生田径运动会，田径运动记录不断被刷新。

区业余体校为全省、全市的特色体校。1989年后，因地制宜抓项目，重点抓小、巧、灵的艺术体操、跳水和乒乓球3个项目；科学选材，健全选材、输送、奖励等一系列制度；提升教练水平；整合训练资源，市场化模式搞比赛，保证训练时间和训练场地设施。2004年，在江苏省各市、县、区输送体育人才贡献奖排位中，广陵区列第二位。2004年和2008年，在扬州市第十届和第十一届运动会中，广陵区代表队获金牌数和团体总分"双第一"。2005年10月，区业余体校被国家体育总局授予"全国优秀青少年体育俱乐部"称号。2007年1月，市政府给广陵区颁发突出贡献奖。2009年1月，广陵区业余体校被国家体育总局命名为（2009～2012年）国家高水平体育后备人才基地。2010年12月，市政府再次给广陵区颁发突出贡献奖。区业余体校先后向国家、省级专业队输送运动员90多人，向高等院校输送优秀运动员30多人。其中，入选国家队13人，获国际级运动健将称号7人，获全运会冠军16人（次）。

第一章　民间体育

1989年后，群众喜爱的传统体育项目更为活跃，除棋类、锣鼓、空竹、举石担、甩石锁、钓鱼、舞龙等传统项目外，大众化的体育项目如门球、风筝、信鸽、腰鼓、秧歌、莲湘、体育舞蹈等项目逐渐兴盛。民间体育社团蓬勃兴起，各种体育运动水平都有提高。至2011年，广陵区有棋类协会、体育保健协会、武术协会、体育舞蹈协会、体育文化交流协会、信鸽协会、老年体育协会、八怪球迷协会、乒乓球俱乐部、益友篮球俱乐部、青少年体育俱乐部、暴走人户外俱乐部、琼花观社区篮球俱乐部等民间体育组织13个。

第一节　体育项目

一、棋类

广陵区围棋、中国象棋普及程度较高，棋类比赛常见。1987年12月，市民姜伟在北矢巷6号自办起棋友之家。1991年，扬州市棋类活动中心在汶河路区体育局综合体训楼开办。2005年，李典镇成立日月棋社。同年，区内开设经营性围棋教室20家，先后培训少年儿童近1万人。2008年8月，韩斌围棋教室、莫玉树围棋训练基地和扬州市广陵区青少年体育俱乐部围棋训练基地举行授牌仪式。2010年，区棋类协会成立。7所小学和10所幼儿园开设围棋教育课堂，3000多名学生受到围棋教育。

区棋类协会和有关企事业单位经常举办围棋和中国象棋比赛。2007年12月，在育才小学举行首届中、小学生围、象棋比赛。全区23所中、小学及两个棋室的202名选手进行角逐，湾头中学和汶河小学分获中、小学团体冠军。2008年5月，江苏省第五届少儿围、象棋公开赛在镇江举行，区儿童业余体校韩斌围棋训练基地派出7名小棋手参赛，获1金3银；陈慕凡以全胜成绩获女子儿童甲组冠军。乡镇农民运动会也把棋类列入比赛内容。

扬州棋类高手辈出。60年代后，区内杨兆宏、郝宝华、杭承义、樊文光等人，先后代表扬州中国象棋的最高水平。围棋实行段位制以后，姚伟鼎是第一个取得业余六段的高手，他曾12次夺得全国老干部围棋赛冠军。90年代后，韩斌和莫玉树两名青年棋手崭露头角，成为扬州新一代业余围棋界领军人物。2000年，在有3000多名职业和业余棋手参加的全国联众网络围棋赛中，韩斌以预赛连胜9盘的成绩打进16强，最终获得第五名。2003年8月，莫玉树代表江苏参加全国业余围棋棋王争霸赛，获第十名，晋升为业余六段。2004年8月，韩斌、莫玉树二人组成扬州围棋队，参加在无锡举行的省全民健身运动会围棋比赛获得团体亚军，韩斌获个人第四名。

二、武术

广陵武术运动历史久远，参加者甚众。1993年，先后成立区武术协会和健康体疗协会；各晨练点均有爱好者参加练习。

每年"烟花三月"经贸旅游节，区体育保健协会都举办武术演示大会，有20多个节目参演。2005年9月，区体育保健协会和区武术协会在友谊广场联合举办武术汇报表演，节目有30多个。11月，江苏城乡工作会议在扬州召开，区武术协会会员在五台山吉祥广场表演太极拳和舞蹈。2006年6月，参加扬州市"富丽康城杯"第五届全民健身节武术比赛，区体育保健协会取得好名次。9月，在曲江公园举办"庆国庆迎中秋"武术健身演示大会，表演节目30个。2007年6月，在市体育中心举办"和美第杯"第六届全民健身节武术比赛，唐维林、吕世琴等人组团参加，获第一名。2008年6月，参加市武术协会在京华城中城举办的第七届全民健身节"京华杯"武术比赛，派出8个代表队参赛，10人参加单项个人赛。10月，在湖北省十堰市举办的第三届世界传统武术节武术大赛中，协会会长刘乃椿等3人参赛，获得铜牌4枚。2009年6月，组队参加扬州市第八届全民健身武术比赛。8月，组织500人的队伍参加区全民健身节，表演24式太极拳。2011年4月，在五台山吉祥广场举办创文明树新风、迎"4·18"文艺武术演示大会。6月，组队到镇江参加"中华艺环球"武术交流比赛，箫剑获（集体8人）银牌，7人获金牌，4人获银牌，2人获铜牌，2人获第四名，1人获第五名。

武术协会、体育保健协会通过讲座、集训、演示、比赛、交流，推进武术活动开展，培养一批武术新人，涌现出一代武术名家。陈洪涛、陈静父女两人，在各大奖项上斩获金牌数分别为77枚与16枚，并一同入选由亚太联合文化传媒出版发行的《国家非物质文化遗产传承人名录（武术卷）》第一集。区体育保健协会会长刘乃椿被省体育局授予"江苏省优秀社会体育指导员"称号，被国家体育总局授予"全国群众喜爱的社会体育指导员"和"全国优秀社会体育指导员"称号。陈红被评为省级"群众喜爱的社会体育指导员"，先后被有关部门授予"先进工作者""优秀教练员"称号。

三、信鸽

扬州市（县级）信鸽协会成立于1960年10月，会员近100人。1985年，信鸽被国家体委列为体育比赛项目。1989年11月，广陵区信鸽协会成立。

区信鸽协会每年都举办信鸽比赛。2009年，会员薛庆华参加第十届全国信鸽比赛，获省第6名、全国第12名。2011年，举办"华德杯"500千米竞翔比赛。同时，协会组织会员参加市、省及全国比赛。

四、空竹

空竹运动向来是人们喜爱的运动项目。2003年3月，成立扬州空竹协会，广陵区成立分会，下属4个空竹队，队员按照自觉自愿、就地就近的原则设点锻炼。

五、体育舞蹈

80年代开始，体育舞蹈在市民中形成热潮。1988年起，市体育馆开办数期体育舞蹈培训班，聘请市区体育舞蹈高手任教。90年代以后，市区相继开设大小舞厅近100家。体育舞蹈比赛频繁，市区少年儿童体育舞蹈培训班逐渐增多。1994年5月，省跳水队退役运动员李丽等创办广陵区少儿体育舞蹈队，培训少儿体

图 32-1-1　广陵区“全民健身与奥运同行”健身活动月启动仪式

育舞蹈学员数千人，还多次组队代表扬州市参加全国、全省性的一些体育舞蹈竞赛活动。2003 年 10 月，以卞舜模为主教练的扬州体育舞蹈桩基训练中心（原广陵区少儿体育舞蹈队），组队代表扬州参加在淮安举办的省第七届体育舞蹈锦标赛小学生组拉丁舞 9 个组别的比赛，获金牌 4 枚、银牌 6 枚。此后，市区中老年人参加体育舞蹈的人数逐渐减少。部分早、晚锻炼的中老年人在室外广场进行广场体育舞蹈活动。至 2005 年，市区舞厅减少到 10 多家。

第二节　体育组织

1989 年起，广陵区先后成立单项体育协会和体育俱乐部 10 多个。这些单项体育协会和体育俱乐部，常年带领群众参加锻炼，组织群众参加各项竞赛，推动群众体育活动开展。

一、棋类协会

2010 年 4 月，广陵区棋类协会成立。协会总部围棋教室对社区公众开放，困难家庭孩子减免学习围棋学费。协会开展围棋培训与比赛，鼓励关心、爱护、愿意投资棋类的企业或个人开展棋类活动；引进高水平围棋培训模式，加盟全国连锁聂卫平围棋教育；与扬州市求知专修学校合作，推广普及围棋教育，寻求合作办学。协会成立后，在 7 所小学、10 所幼儿园开设围棋教育课堂，每周一次围棋教育课，使 3000 多名学生受到围棋教育。

二、体育保健协会

1993 年，广陵区健康体疗协会成立。协会注册会员 62 人，设晨练点 8 个。2001 年，区健康体疗协会更名为区体育保健协会。至 2011 年，协会注册会员 385 人，晨练点 20 个。协会有国家级社会体育指导员 8 人、一级社会体育指导员 9 人、二级社会体育指导员 32 人、三级社会体育指导员 16 人；一线社会体育指导员 33 人；国家武术段位制六段 8 人、五段 1 人；一级教练 87 人。

三、武术协会

1993 年，广陵区武术协会成立。1995 年，协会变更为法人负责制。协会会员由城区武术界知名人士推荐加入，城区 11 个晨练点负责人担任理事。协会以各晨练点和培训点活动为主，开展各种形式的武术比赛、交流活动。至 2011 年，协会有国家武术段位六段 3 人、五段 3 人，国家级社会体育指导员 3 人、一级社会体育指导员 2 人，国家级气功教练 1 人。

四、体育舞蹈协会

1987 年，以区体育馆为基地成立广陵区交谊舞协会。2006 年 6 月，改为广陵区体育舞蹈协会，下设 8 个部、室，会员 270 多人。协会走体企联合路子，市桩基公司从资金上支持协会工作，推动体育舞蹈的普及。

五、体育文化交流协会

2008 年 4 月，广陵区体育文化交流协会成立。是年，协会受江苏省武术协会委托，组织 20 名运动员（其中 6 名少儿运动员）参加在湖北十堰市举办的第三届世界传统武术节，获金牌 1 枚、银牌

图 32-1-2　快乐舞蹈

6枚、铜牌16枚，并获“自编太极拳推手套路”集体项目第三名。2009年，协会10名少儿运动员出访韩国，第一次将扬州武术带出国门。2010年，协会带领16名少儿运动员参加在浙江省举办的第十七届国际传统武术比赛，获金牌26枚。2011年，协会少儿部代表扬州市参加在南通举办的江苏省传统武术大赛，获金牌10枚。

六、信鸽协会

1989年11月，广陵区信鸽协会成立，注册会员110人。协会精心组织会员开展活动，并参加省、市信鸽协会举办的各项赛事。2006年4月，举办扬州市城区信鸽放飞开封东500千米竞翔活动，集信鸽500多羽。5月，举办扬州市城区信鸽放飞临潼1000千米超远程竞翔比赛，集信鸽250羽。2011年，会员徐元惠参加全国第十三届信鸽比赛，获江苏省总冠军。

七、老年体育协会

2011年12月，广陵区老年体育协会成立，下设分会12个。除个人会员外，有团体会员2个：区体育保健协会、区武术协会。参加协会活动的老年体育爱好者有500多人。活动形式多样：如组成老年人长跑队，参加元旦长跑；举办太极系列活动知识讲座，培训社会体育指导员；在李典镇举办老年人围棋、象棋比赛；在工业园区举办老年人掼蛋比赛；重阳节组织“新广陵杯”健身走大型活动，300多人参加；组织老年人乒乓球赛等。

八、八怪球迷协会

2003年10月，八怪球迷协会成立。协会活动主要是组织会员外出观看比赛，提供相关服务，接受有关单位、团体、个人对主、客队提供的赞助，对会员进行业务培训，组织联谊活动，为球迷提供最新足球动态，接受有关业务咨询。

九、扬州汉盛乒乓球俱乐部暨扬州市儿童业余体校乒乓球训练中心

2006年12月，扬州汉胜乒乓球俱乐部成立。俱乐部先后向国家队、省队及省体校输送林晨、余龙飞、孙梦婷、沈竹雅、刘斐、汪玥、田琦、朱诚等一批优秀乒乓球后备人才。参加各类比赛获全国少儿冠军6人（次）。在省第十五届运动会上获金牌3枚，实现扬州乒乓球项目历史性突破。在省第十六届运动会上，俱乐部获金牌4枚、银牌3枚、铜牌1枚。俱乐部先后承办市第十一届运动会乒乓球比赛、市第十届全民健身体育节乒乓球比赛、市首届“直横大战”乒乓球比赛、市少儿乒乓球比赛等各类乒乓球赛事数十次。

十、扬州益友篮球俱乐部

1989年4月，益友篮球队成立。2001年4月，组建扬州益友篮球俱乐部，下辖老年、中年、青年、教工、女子等不同年龄段男、女篮球队5支。球队每周定期活动，经常深入工厂、学校、农村进行友谊比赛，推动基层篮球运动开展。俱乐部重视与国内外球队比赛与交流，连续12年参加江苏省“篮球杯”赛和2005年、2006年“恩来杯”比赛；先后接待美国、马来西亚、中国台湾、中国澳门以及上海、安徽、湖北等海内外篮球队到扬州访问和比赛。2002年11月，益友篮球俱乐部在市有关部门支持与配合下，举办第十八届全球华人篮球邀请赛。国家体育总局发来贺信。共有海内外男、女篮球队153支运动员2341人参赛，益友老年队取得第三名。2003年9月，举办“金阳光房产杯”男子篮球邀请赛，益友队取得第二名。2005年9月，举办海内外30多个城市参加的篮球邀请赛，益友队取得冠军。1996～2005年，益友篮球队连续参加在美国洛杉矶、泰国合艾、中国北京、马来西亚槟城和中国台湾等地举办的全球华人篮球邀请赛。

十一、青少年体育俱乐部

2001年11月，广陵区青少年体育俱乐部成立。俱乐部拥有田径场1个、篮球场2个、体育馆1座和近8000平方米训练房等体育设施；有团体会员6个，个人会员750人；专兼职教练员11人；社会体育指导员22人，其中2名教练员具有高级教练员职称。设有艺术体操、乒乓球、跳水、武术、体育舞蹈等项目。俱乐部坚持创新机制，培育市场，拓宽渠道，积极推动“教体结合，体企联合”模式，区内几所优质重点学校成为俱乐部的成员单位，并向俱乐部提供必要的训练场地。

十二、暴走人户外俱乐部

2010 年 10 月，暴走人户外俱乐部成立。俱乐部立足于群众基础户外健身活动的推广，组织和开展群众性徒步、爬山、骑车、游泳等活动，成员遍布各行各业，正常参加活动人数 50 ～ 150 人。每年组织大小不等几十次群众性活动，有春、秋季市民徒步大会，宁、镇、扬三地户外联动活动，镇江、扬州帐篷节，镇江南山越野赛，每月定向户外穿越活动等，参与人员上万人次。

十三、琼花观社区篮球俱乐部

2003 年，琼花观社区篮球俱乐部成立。俱乐部连续三年参加扬州市篮球超级联赛，均获得冠军。俱乐部每年组织队员赴外地交流学习，先后组织队员赴中国台湾、美国等地参加全球华人篮球赛。参与社区的公益活动，每年帮扶社区困难户 6 户，为社区捐款 5 万元。

第二章　群众体育

1983 年建区起，各单项体育活动和组织相继成立。体育社团评比、活动载体丰富多彩，逐渐成为推动城区乃至全市群众性体育活动的强大力量。职工体育、社区体育、老年人体育和残疾人体育蓬勃开展，在省、市、区组织的各级体育表演和比赛中，都取得较为满意的成绩。1993 年 9 月，广陵区被授予“全国群众体育先进单位”称号。每年元旦，区委、区政府都组织迎新年元旦长跑活动。2011 年元旦，安排 80 名省、市劳动模范和先进工作者在第一方阵领跑。

图 32-2-1　扬州马拉松

第一节　职工体育

1989 年，广陵区开展金秋 9 月全国体育活动月活动，举办 20 多个项目的体育活动与比赛，1 万名职工参加。1990 年 5 ～ 8 月，响应全国总工会和国家体委在全国职工中开展百日锻炼迎亚运活动的号召，组织篮球、乒乓球、羽毛球、钓鱼、广播体操等职工比赛。

扬州制药厂 1988 ～ 2002 年，每两年举办一次职工运动会，每次近千名职工参加。扬州客车制造厂有 16 支篮球队常年活动，厂足球队是广陵区一支足球劲旅。厂工会每年组织开展田径、游泳、球类、棋类、钓鱼、风筝等项目比赛。1993 年 5 月，厂体协组织钓鱼爱好者与来访的台湾台北新庄市钓鱼协会代表团进行友谊比赛。

图 32-2-2　职工拔河比赛

广陵区区级机关体育活动有良好传统，坚持做广播操并开展棋类、球类比赛。

1995 年起，三笑集团、桩基公司、国联制衣、东方吊架公司等企业注重与体育部门联姻,出资协办体育赛事,创办体育俱乐部和训练中心。1997 年,三笑集团出资 200 万元赞助扬州市承办亚洲举重锦标赛,组队参加杭集镇举办的历届运动会。桩基公司出资资助建立省体育舞蹈运动协会扬州(桩基)训练中心,每年举行"桩基杯"体育舞蹈比赛,并鼓励职工参赛。国联制衣公司组建汉胜乒乓球俱乐部,吸引职工和乒乓球爱好者参加训练和比赛。五环体育商城从 1999 年始,每年资助广陵区小学生足球比赛。

区总工会经常举办各类体育赛事。2008 年 6 月,举办迎奥运"东方吊架杯"职工趣味运动会,全区 13 支职工代表队参赛。7 月,组织职工代表队参加由市总工会和市体育局联合举办的"与奥运同行"大型广播操比赛,广陵代表队获二等奖。2010 年 10 月,区职工代表队参加在常州市举行的省第十七届运动会职工全民健身排舞比赛,获单人第四名、双人第五名、团体第六名。2011 年元旦,组织 80 名劳模、先进工作者参加区委、区政府举办的迎新年元旦健身长跑活动。2011 年 5 月,区总工会、区体育局联合举办 2011 年"幸福扬州·活力广陵"全民健身系列活动暨"巨人杯"职工拔河比赛,14 支代表队参加比赛。

第二节 乡村体育

广陵区所属各乡镇党委、政府以体育强镇为指导思想,重视农民体育工作,建立完备的体育组织机构。同时,加大资金投入,完善体育设施,健全群众体育组织。各乡镇和大多数行政村先后建起市(居)民文化健身广场和晨(晚)健身点,开展乡镇群众喜闻乐见的体育运动。各乡镇每年都组织赛事,提高农民群众参加运动的积极性。杭集镇、头桥镇、沙头镇、李典镇先后被评为省体育强镇。

一、头桥镇

图 32-2-3 头桥镇老年文体中心成立五周年会演

头桥镇重视群众体育组织和特色体育团队建设。2006 年 5 月,镇老年文体活动中心成立。2009 年 9 月,镇乒乓球俱乐部成立。2010 年,相继成立太极拳队、太极剑队、莲湘队、腰鼓队、锣鼓队、女子健身队、广场舞队等特色队伍。2011 年,相继成立 16 个村级体育健身俱乐部,下设乒乓球、广场舞、拔河、羽毛球、篮球等协会。

2008 年,15 个行政村均配备室外乒乓球桌、篮球架等体育设施。每个村都设立村级文体活动室。全镇有晨(晚)健身点 22 个。同年 10 月,改建完成镇文体中心,内设健身房和少儿活动室、图书室、教育培训室、乒乓球室、舞蹈房等。2011 年 4 月,总投资 1500 万元、占地面积 3.73 公顷的镇市民广场建成。广场集休闲、健身、娱乐为一体,有运动健身区 4000 平方米、绿化面积 2.8 万平方米,成为居民交流、休闲、健身的好去处。2009 年,迎新村健身广场、福成村健身点建成。2010 年,红平村莲园广场、九圣村健身广场、国玉村健身点建成。2011 年,安帖村健身广场、安阜村健身广场、九圣村两个健身点、大同村健身点建成。

2008 年 4 月,举办镇第一届农民运动会,全镇 27 支代表队 400 多名运动员参加中国象棋、乒乓球、篮球、拔河等比赛。2009 年 8 月,举办"文明新风头桥行"广场健身大赛,17 支代表队参赛。2010 年 4 月,举办镇第二届农民运动会,37 支代表队 1062 名运动员参赛。

2010 年,头桥镇被省体育局命名为江苏省体育强镇,被邗江区政府命名为全民健身活动先进单位。九圣村被邗江区政府评为 2009 年度文化体育工作先进村。红平村被邗江区政府评为 2010 年度文化体育工作先进村。

二、李典镇

2003 年 10 月,李典镇与新坝乡合并成新的李典镇。镇党委、政府明确体育强镇思路,做到每村建有 1 座篮球场、1个乒乓球室、1套健身路径。2005年，体育活动志愿者李松明用自有资金创立日月棋社，向象棋爱好者免费开放。2008年，包括篮球场、排球场、羽毛球场在内的镇体育健身中心建成。

2008年5月，镇首届农民运动会在李典中学举行，机关、企事业单位、村等43支代表队参赛，参赛运动员近1000人。2011年9月，举办镇第二届体育运动会，比赛项目不仅有田径、球类、棋牌类、趣味类和拔河等，还增加残疾人组项目，参赛代表队38支、运动员1000多人。2008年12月，李典镇获“江苏省体育强镇”和“江苏省全民健身先进单位”称号。

2009年，全镇社区均有体育健身俱乐部。各机关、学校、企事业单位建有乒乓球室、健身房、棋牌室、健身广场等。全镇室外体育场地面积5500平方米、活动场所面积1500平方米；有室内乒乓球桌25张、篮球场15座、羽毛球场15座、室内健身房2个、400平方米以上的文体广场22处、健身点14个。建成李典镇滨江市民广场，总投入800多万元，占地面积8.67公顷，设施完善。新坝村投入5万多元购置室内健身器材，并组织篮球队和乒乓球队，投入50多万元新建农民公园。

2009年、2010年，新坝村、联桥村分别被评为区文化体育工作先进村。2011年，李典镇被评为区体育工作先进单位。

三、沙头镇

沙头镇注重经费投入，推进文化体育设施建设，做到村村建有农民健身娱乐场所。从2003年合并建镇起，每年安排文体经费50万元左右，纳入政府财政预算。2007年，投入30多万元，为沙头中心小学建成7000多平方米的操场、篮球场。2008年，投入150多万元，建成镇文化体育中心。中心建筑面积1200平方米，成为集教育培训、读书看报、文化娱乐、体育健身为一体的综合活动场所。12个行政村相继建成体育活动室、篮球场和室内乒乓球室。至2010年，所有行政村都建成文化健身广场。

图32-2-4 沙头镇广场舞

沙头民间传统体育历史久远。80年代末，建立篮球队5支，经常举办篮球比赛。2000年，省体委授予原霍桥镇省“体育先进乡镇”称号。2005年，沙头镇参加区“建设杯”千人健身操大赛，获第一名。2008年5月，成立镇农民体协，培训三级社会体育指导员30人。2009年5月，沙头镇举办镇首届农民运动会暨全民健身体育节，各村、企事业单位800多名运动员参加球类、田径、棋牌、趣味四大类28个项目比赛。2011年5月，举办第二届沙头镇运动会，有八大项15个小项比赛项目，共23支代表队850名运动员参赛。每年8月8日是镇全民健身日，农民健身协会的300多名会员分别参加篮球、乒乓球、中国象棋、女子健身等活动，并进行国民体质测试。经常参加体育活动的人数5万多人，占全镇人口的55%。

四、杭集镇

杭集镇重视对体育骨干的培训，分别举办集体舞、健美操、体育舞蹈、瑜伽等文体项目培训班，多次聘请扬大体育学院教师到培训班讲课。全镇有社会体育指导员50多人，每天参加健身锻炼的人数1000～1500人次。

镇体育基础经费列入财政预算，活动经费实报实销。2008年4月，投资3000万元、占地面积4公顷，集休闲健身、宣传教育、演出演示等多功能为一体的镇中心广场建成。2010年1月，投资4000万元、占地面积1公顷的镇文体中心大楼投入使用。在居民集中居住区配备2000平方米的3套50件健身路径。辖区内建有村级文体中心1个，内有文体广场、篮球场、乒乓球室等。建成休闲游园27座、体育健身路径16套100多件，配备乒乓球桌20张、篮球架12副。杭集中心小学、杭集中学体育场地和体育设施在假期和公休日免费对外开放，为全镇居民提供良好的健身娱乐场所。

镇内成立腰鼓队、锣鼓队、太极剑队、太极拳队、农民体育健身队、交谊舞队、扇子舞队和秧歌队，经常参加市、区的各项活动和比赛。2004年，腰鼓队参加扬州火车站通车庆典、润扬大桥通车典礼和鉴真学院奠基仪式。2008年，参加扬州改革开放30周年特色团队表演。在2008年区妇联组赛和2009年全区特色团队团体赛中获一等奖。太极拳、太极剑队连续两年参加市"8·8"太极表演。锣鼓队多次受到市、区政府邀请，参加重大活动表演。

1998～2011年，先后举办六届镇运动会。2008年，邗江区首届农民运动会上，杭集镇获团体第一名。2009年，市第二届社区运动会上，获团体第一名。2010年，邗江区第十届全民健身体育节上，获得多个单项比赛第一名。杭集镇先后获"江苏省体育强镇""江苏省农民体育运动先进乡镇"称号，被评为省级体育俱乐部、省体育健身示范工程。

五、泰安镇

泰安镇重视体育基础设施建设。2007年，镇文体中心建成并通过市级验收。2010年，改造镇文体中心，按照六室配置，达到一星级文体中心的要求。新建文体广场，建成全套健身路径。各村都配置简易健身路径，引导村民参加跳夏夜健身舞，举办各种趣味体育活动。镇文体中心组织舞蹈队，有120多名队员常年参加活动。至2011年，舞蹈队发展到9支队伍200多人。除此，还有腰鼓队、军鼓队、舞龙队、花船队等。

2001～2011年，先后举办第一、二、三、四届镇农民运动会，各行政村参加比赛。每个村居委会和部分企事业单位都派出特色团队进行文体会演和比赛。

2004年，镇文体工作被邗江区评为三等奖。2008年，镇文体中心获区综合考核一等奖。2010年10月，参加邗江区首届运动会，获团体第八名和体育道德风尚奖。同年，参加邗江区举办的广场舞大赛，获第六名。

六、湾头镇

2003～2011年，湾头镇相继建成健身广场和6个村的12个健身点。培训社会体育指导员61人。镇内成立秧歌、腰鼓、太极剑、广场舞、军鼓、健身气功等多支健身队伍，参加人员近1000人。组织开展广场舞展演和乒乓球、象棋、健身舞比赛等。

镇每年举办多项体育比赛。2002年10月，在湾头中学举办湾头镇健身周"锅炉杯"拔河比赛。2003年，在湾头健身广场举办趣味运动会。2004～2010年，每年举办中、小学生冬季运动会。2005～2007年，获广陵区中、小学生跳绳、踢毽子比赛第一名。2008年8月，联合村举办全民健身交谊舞活动。2009年10月，茱萸湾社区老年健身队参加国庆60周年文艺会演。2010年6月，广陵区拔河比赛在湾头中学举行，各乡镇16支运动队200多人参赛。

七、汤汪乡

2007年，汤汪乡成立汤汪乡群众体育工作领导小组，组长由乡长担任。2008年4～7月，各村、社区群众体育组织相继成立。同心村成立秧歌队，九龙村成立文体队，横沟村成立中老年人艺术队，连运村成立夕阳红艺术团等，群众文体活动活跃。

2008～2011年，乡、村集体先后投入2070万元用于全乡体育基础设施建设。至2011年，全乡4个村、3个社区建有健身房6个，总面积790平方米；室外场地13处，总面积1.2万平方米；乡级场地健身点3个，总面积4.4万平方米；乡级室内健身点3个，总面积480平方米。全乡（学校除外）拥有篮球场15座，健身路径13套计100件，网球场1座，乒乓球桌6张。全乡在册的晨（晚）练点8处，每天参加锻炼人数500人以上。蓝海电气公司每年举办职工乒乓球赛，联扬汽车装饰公司举办拔河比赛，乡机关组织定点投篮比赛、擒拿格斗和拔河比赛。众多社会热心人士连年提供资金赞助各项体育比赛，部门、企业、村、社区联动的群众性体育活动经久不衰。2008年，汤汪乡女子拔河队在市第二届社区运动会上取得拔河比赛第一名。

第三节　社区体育

1986年，广陵街道、城南街道、东关街道和汶河街道相继成立街道体育协会，推动全区街道体育的开展。1989年9月6日至10月12日，在广陵体育馆和扬州教育学院举办区首届街道运动会。比赛分青年组和老年组，4个街道办事处全部组团参赛。

“九厂一所”锻炼队成员来自东郊及相邻的9家工厂和南空干休所。锻炼队分为若干个分队，在队委会组织下进行锻炼。这是最早出现的社区体育形式。1993年，江苏卫视体育频道报道“九厂一所”锻炼队现象。

90年代初，在原街道体协基础上，组织动员辖区内企、事业单位不分隶属关系，打破围墙界限，开展社区群众体育活动。1993年4月，省首届社区体育工作现场会在广陵区召开。参会代表观摩晨练会操表演和广陵区街道社区运动会。运动会有辖区内各行各业10多家单位参加，如邮电职工的自行车慢骑、消防战士的现场演练、武警官兵的格斗操、幼儿园小朋友的韵律操等。

1996年，国家开始实行社会体育指导员制度。同年4月，区体委在全省率先进行社会体育指导员培训试点工作，开办扬州市城区首届社会体育指导员（三级）培训班，选拔80名长期在一线晨练的优秀辅导员进行培训。省体委向全省体育部门推广广陵区实施社会体育指导员培训的方法和经验。

1999年，广陵区根据《全民健身计划纲要》工作目标和省体育局有关要求，开展全民健身服务体系“八个一工程”（建立一个全民健身网络，每年举办一次全民健身周活动，建设一个全民健身工程点，建设一批晨晚练点，建设一支社会体育指导员队伍，建立一个国民体质测试点，每年举办一期体育健身科普系列讲座，形成一个特色体育项目），选定文峰街道、曲江街道、东花园社区居委会作为精品工程放样试点单位，汶河和东关2个街道各选1个社区居委会为试点单位。2001年9月，市体育局在广陵区东花园社区召开推进全民健身服务体系“八个一工程”现场会。全区6个街道、乡镇都成立全民健身领导小组，配备专（兼）职干部负责，先后在曲江、文峰、东关街道、湾头镇建立全民健身指导站、体育协会、体育健身俱乐部等基层体育组织。2004年，广陵区曲江街道被国家体育局命名为江苏省“四进社区”活动体育先进社区实验街道。2005年，全区有晨练点117个、全民健身工程（点）27个；培训三级社会体育指导员286人、二级社会体育指导员95人、一级社会体育指导员12人。区体育局丁卫社、陶孝志被国家体育总局批准为国家级社会体育指导员。按照国家体委的有关要求，区体委给街道、乡镇配备社会体育指导员，同时在社区、街道、乡镇、村开办基层体育骨干培训班。当年，广陵区建立国民体质测试站，按照《中国国民体质测定标准》培训测试人员，为群众开展测试活动，被省体育局评为江苏省国民体质监测工作先进地区。2008年，全区开展江苏省百万老年人健步走向北京奥运会活动，被省老年体育协会评为先进地区。

32-2-5　文昌花园全民健身启动仪式

第四节　老年人体育

1989年，主城区离退休人员近3万人，老年群体健身强体需求随之发展。1992年，组织一批拳、功、操辅导员，在城区20多个晨练点进行活动指导。1993年，扬州市举办首届老年人运动会，设门球、钓鱼、桥牌、棋类、乒乓球等6个项目。1995年4月，举办第二届老年人运动会。1989～1996年，在市老年人体协帮助指

图 32-2-6 老年健身

导下，市区老年人长跑队、乒乓球队、篮球队、门球队、网球队陆续成立。广陵区中老年人体育活动呈现多样化态势，项目包括体育舞蹈、呼啦圈、健身气功、老年迪斯科、保龄球、健身操等，尤以太极健身球运动普及面广，参加人数3000人。2011年12月，成立广陵区老年体育协会，各相关单位相继成立老年体育协会分会。区老年体协举办太极系列活动知识讲座，培训一批太极拳系列活动社会体育指导员。组织老年人长跑队参加元旦长跑活动和老年人围棋、象棋、扑克牌、乒乓球比赛及健身走活动。

第五节 残疾人体育

1991年，扬州市举办首届特殊奥林匹克运动会（以下简称特奥会）。在田径、乒乓球比赛中，区残联夺得金牌7枚、银牌7枚、铜牌8枚，获总分第二名。1999年，省第五届残运会上，获金牌3枚、银牌5枚、铜牌6枚。同年，省特奥会上，获金牌2枚、银牌3枚、铜牌5枚。2001年10月，市首届残疾人运动会上，区25名残疾人运动员共获得金牌22枚、银牌12枚、铜牌7枚，并获团体总分第三名。2002年5月，省六届残运会上，区9名残疾人运动员勇夺金牌2枚、银牌1枚、铜牌2枚；谢荣贵被中国残联及国家体育总局授予1998～2002年“全国残疾人体育先进个人”称号。2003年，全国第六届残运会（扬州赛区）上，区残联被评为爱心明星单位。至2004年，全区登记在册的视残、肢残、智残等各类残疾人5102人，占区总人口的1.7%。2005年9月，由培智学校10名运动员组成的扬州市代表团，参加省第四届特奥会田径、游泳、乒乓球3个项目中的22个小项角逐，夺得金牌8枚、银牌9枚、铜牌6枚，总成绩列全省第五名，游泳项目实现扬州市零的突破。2008年，省青少年残疾人游泳锦标赛上，年仅17岁的李汶沁和21岁的顾李扬，分别获第四名和第五名。

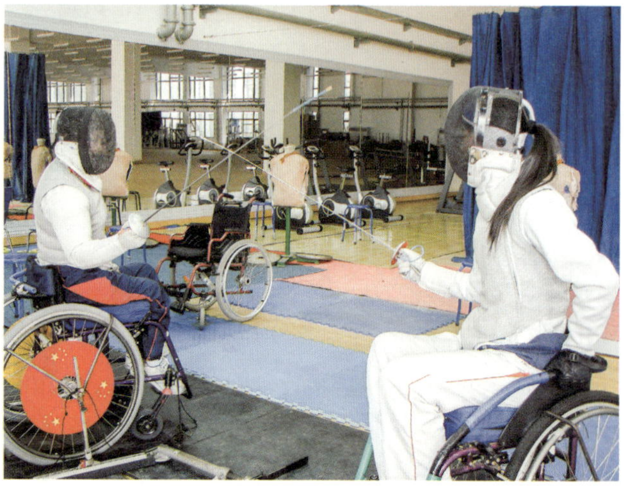
图 32-2-7 残疾人击剑

第三章 学校体育

1989年，广陵区施行国务院《学校体育工作条例》，执行国家体育锻炼标准和体育合格标准，提高体育课及学校体育工作质量，保证中小学生每人每天一小时体育活动。1993年起，各学校完善体育教育师资和教学用房、教学设备建设。1997年5月，商业职工幼儿园、伊斯兰幼儿园与育才小学、梅岭小学、广陵小学同时被国家体育科学会确定为21世纪中国学校体育发展实验研究学校。2000年，各学校贯彻《中小学体育工作暂行规定（试行草案）》《国家体育锻炼标准》。2005年，印发《广陵区学校体育工作评价标准》，学校体育设置逐步完善，师资建设不断强化。至 2011 年，全区各学校体育教育条件基本达标，学生体质整体增强，中小学生田径运动会中，先后有 39 人次打破区记录。

第一节 幼儿体育

1989 年后，全区各幼儿园师资质量、园舍环境、体育活动设施等普遍有较大提高和改善。随着国家教委《幼儿园管理条例》和《幼儿园工作规程》两个规章的颁布、施行，幼儿园教育在体、智、德、美全面发展中，不仅将体育列为教育的首要任务，而且更加注重科学化、规范化。

1991 年 5 月，明月幼儿园、商业职工幼儿园入选全省幼儿体育先进集体。商业职工幼儿园体育教育成为办园特色，多次获得省、市体育部门表彰，成为市幼儿园体育工作的先进典型。该园开展多种形式的幼儿体育活动，教学中灵活采用讲解示范教学法、游戏教学法、练习教学法、口头指导与具体帮助教学法、完整与具体分解相结合教学法等多种教学方法，使幼儿在符合其年龄特征的各项体育活动中，始终保持积极兴趣并达到如期效果。在园内 6 名高级教师带领下，教师们发挥才能，自编红旗舞、棍棒操、游戏操、铃鼓操、韵律操等各种体操，深受幼儿喜爱，收到良好锻炼效果。2001 年，全国幼儿园系统课题总结现场经验交流会在商业职工幼儿园召开。2003 年 11 月，扬州市举办体育舞蹈比赛，商业职工幼儿园获幼儿组团体亚军。

1998 年后，商业职工幼儿园长期配合儿童业余体校开展体操、跳水等项目基础训练，提供 100 平方米的地板训练房，成立体操班，平均每年有 20 多名幼儿参加训练。经过训练，体操班走出多名跳水、艺术体操优秀专业运动员。90 年代后期至 21 世纪初，市区伊斯兰幼儿园、明月幼儿园、扬州大学附属幼儿园，都是体育教育有特色、活动开展较好的幼儿园。

第二节 中小学体育教学

1988 年，广陵区面向社会招聘体育教师 28 人，同时录用体育院校毕业生到学校任教。全区校校都有专职体育教师，学校班级与体育教师的比例达 8 ∶ 1，基本满足体育教学需求。加强在职体育教师培训，通过多种形式提高体育教师学历层次及教学水平。建立体育教研站，加强体育教学工作研究，促进体育课堂教学效率提高。区教育学会体育专业委员会每年都进行体育专题论文评比，奖励优秀体育论文，提高体育教师学术素质。

1992 ～ 1996 年，区体育教研站和学校体育教研组广泛开展听课、评课、"育花奖"评比。1997 ～ 2006 年，各学校在加强体育课堂教学的基础上，重视对"两课"（体育课、课外活动课）、"两操"（广播操、眼保健操）的检查与指导。育才小学被命名为田径、艺术体操项目省级体育传统学校，梅岭小学、北柳巷小学分别被命名为小篮球、小排球省级体育传统项目学校。2007 年，区教育局印发《阳光体育运动设施方案》，各中小学开展以"阳光·奥运·健康"为主题的阳光体育活动。加强对"三操一活动"（课间操、眼保健操、自编操和课外活动）的落实，推广《第一套全国中小学校园集体舞》，做到"生生有体育项目、班班有体育活动、校校有体育特色"。同年，举行全区中小学生跳绳、踢毽比赛，教育学院第二附属小学囊括两项冠军。2008 年后，各校"快乐体育""终身体育理念""阳光体育"和"体艺 2+1"（学生选择掌握可以终身进行体育锻炼的技能 2 项，艺术特长 1 项）工作得到提升与强化，一

图 32-3-1 中学生篮球赛

些学校自编棍棒操、韵律操、铃鼓操和游戏操，梅岭小学的“快乐体育在小学阶段应用性研究”被定为国家级研究课题。2009～2011年，全区学校体育课堂教学工作在教学内容及形式上不断深化，涌现出一批优质课和体育教学能手。体育教研站定期安排体育教师上公开课，促进体育课质量提高。市区部分学校开展合班分组、电化教学、情境教学实验研究，分阶段完成实验报告，推进实验深入。

第三节　课外体育活动

图 32-3-2　学生进行足球比赛

全区学校坚持每天早晨做广播操，课间做眼保健操，每周上两节体育课，下午课后安排课外体育活动，学校体育呈现更加规范、丰富多彩的生动局面。

1991年，国务院批准颁布新的《国家体育锻炼标准》，区教育局与区体委联合培训中小学体育教师，将抽测与奖励工作制度化。1993～1995年，汶河小学、梅岭小学、东花园小学先后有5名同学，在全国“雏鹰起飞”小学生体育活动中，获“全国体育小能手”称号。

1996年，国家体委、国家教委授予扬州中学、梅岭小学“全国施行《国家体育锻炼标准》工作先进单位”称号。1999年，达标率94.2%，优秀率12.2%，合格率100%。2005年后，广陵区进行体育与艺术“2+1”项目推广。

第四节　体育竞赛

图 32-3-3　小学生田径比赛

1989年起，各学校除进行广播操比赛和冬季三项运动（跳绳、踢毽、长跑）竞赛外，每年均举行春、秋季校运动会。1992年后，由区内学校选拔的运动员在全国性比赛的跳水、艺术体操、花剑、男子女子蹦床、乒乓球等项目中，共获冠军65项；在省级组织的跳水、艺术体操、乒乓球、蹦床等项目比赛中，共获冠军140项。此外，还向省体校、省专业队输送优秀运动员50人。2006年，3人获全国少儿跳水锦标赛6项冠军（5项个人、1项团体）。8月，组队参加在韩国举办的中、日、韩少儿足球交流活动。2007年，在区中小学生田径运动会上，1800名中小学生进行校园集体舞——“阳光校园”、自编操——搏击操两个大型集体演出。4月1日，中国（广陵、邗江）、日本、韩国共4支队伍在北京新东方扬州外国语学校举行足球交流比赛。1998～2011年，每年举办一次区中小学生田径运动会，共破区纪录39人次，其中中学组破区纪录15人次，小学组破区纪录24人次。

第五节　传统项目学校

70年代始，扬州体育传统项目学校在推动学校体育活动普及、提高运动技术水平和发现、培养体育后备人才方面发挥作用。1988年，育才小学参加省体育传统校田径比赛获团体第一名。12月，育才小学被国家体委、国家教委表彰为全国先进体育传统校。

1991年，省体委印发《江苏省关于全国体育传统校评估标准的实施细则》，市一中和育才小学通过省体委检查组审验。7月，省在海门县举办小学排球传统校比赛，北柳巷小学获总分第三名，是扬州三大球项目的最好成绩。1993年，省举办小学田径传统校通讯赛，梅岭小学、育才小学分别获得男、女团体总分第一名。1993年9月，梅岭小学被授予“全国群众体育先进单位”称号。

1996年，扬州中学、梅岭小学、育才小学、北柳巷小学经省体委、省教委验收合格，被重新命名为省级体育传统项目学校。2001年，市教育局、市体育局批准工人子弟小学为市级体育传统校。

2004年，梅岭小学、育才小学被省教育厅、省体育局命名为省级田径传统校，育才小学为省级艺术体操项目传统校。2005年，市儿童业余体校被省确定为艺术体操高水平体育后备人才基地，广陵小学被省确定为跳水高水平后备人才基地。2008年，经省体育局复查，育才小学（艺术体操、田径）再次被定为省级传统项目学校。2009年，市儿童业余体校艺术体操队再次被省体育局确定为艺术体操高水平后备人才基地。

2009年，市儿童业余体校有教练员4人，其中本科生3人、中专生1人，高级教练2人、中级教练1人、初级教练1人。学校将艺术体操、跳水、乒乓球等小、灵、巧项目作为业余训练的主攻方向，坚持质量效益型办学特色，培养出一批优秀少年运动员，向国家、省级专业队输送运动员90多人，其中入选国家队13人次，达到国际级运动健将6人，获全运会冠军16人次。该校被国家体育总局确定为国家高水平体育后备人才基地。

2011年广陵区小学生田径纪录一览表

表32-3-1

项目＼组别	类别	A组		B组	
		创造者	成绩	创造者	成绩
60米	男子	张流旋	7″96	王　澄	8″46
	女子	任格格	8″16	黄辛未	8″32
100米	男子	孙晨曦	12″88	刘思语	13″80
	女子	黄　鑫	12″90	黄　鑫	13″55
200米	男子	王　欣	26″81	朱建飞	28″50
	女子	王　璐	27″40	吴　姮	28″90
400米	男子	金　鑫	1′00″40	刘雨林	1′05″13
	女子	吴　婧	1′02″91	崔　璨	1′05″55
800米	男子	梁惠春	2′34	周　兵	2′37″1
	女子	全　洁	2′30″64	韩　燕	2′45″1
1500米	男子	姚　华	5′02″17	—	—
跳　高	男子	徐　明	1.50米	薛　磊	1.36米
	女子	杨超凡	1.46米	邓　婷	1.33米
跳　远	男子	徐　明	4.87米	陈嘉男	4.42米
	女子	王　琳	4.77米	侯笑笑	4.37米
垒　球	男子	徐　鹏	70.30米	薛伟钢	50.64米
	女子	谢媛媛	49.30米	李　佳	47.95米
铅　球	男子	孙可天	12.42米	—	—
	女子	任丹丹	9.67米	—	—

2011 年广陵区中学生田径纪录一览表

表 32-3-2

项目 \ 组别	男子		女子	
	创造者	成绩	创造者	成绩
100 米	刘顺龙	11″96	蒋维靖	13″89
200 米	许 诺	24″79	陈启欢	29″55
400 米	潘 荣	57″82	徐佩云	1′06″32
800 米	—	—	徐佩云	2′41″62
1500 米	金传正	4′50″72		
跳 高	王文帅	1.63 米	陆 慧	1.40 米
跳 远	朱 旭	5.87 米	孙 悦	4.77 米
铅 球	朱一龙	11.01 米	王 培	7.63 米
标 枪	郭 磊	43.21 米	王飘平	28 米

第四章 竞技体育

广陵区竞技体育从娃娃抓起，建立儿童业余体校。从幼儿园、小学中挑选有天赋的苗子进行系统训练，先后培养出一批优秀运动员输送到市、省和国家队。他们在全国运动会和国际比赛中，夺得多项全国及世界冠军，实现了广陵区竞技体育人才从无到有、从有到强的转变。2009 年 1 月，国家体育总局确定广陵区为国家高水平体育后备人才基地。

第一节 体育训练

1988 年 9 月，广陵区将黄家园小学更名为扬州市儿童业余体校，作为体育训练基地。1993 年，区政府明确体校的上级主管单位为区体委，为县（区）级儿童业余体校，着重开展艺术体操、乒乓球、跳水、蹦床、武术等项目的培训工作，拥有专、兼职教练员 10 人。1992 年、1997 年、2000 年，儿童业余体校分别被国家体委授予“全国业余训练先进单位”和“全国青少年体育工作先进集体”称号。1996 年，受市政府表彰，并连续被市体委评为扬州市业余训练先进单位。吴晔等 3 人被国家体委授予“全国业余训练先进个人”称号。2000 年，丁卫社被国家教委、国家体委授予“全国青少年体育先进工作者”称号。多年来，学校坚持办学特色，取得良好的办学效益和社会声誉，先后向省以上运动队输送优秀运动员 90 人，涌现出许冕、赵杰、吕伟等世界冠军及蔡颖颖、钟莉、王岫云、徐菁、张伟、张磊等一批体坛名将。

2005 年，育才小学被命名为国家艺术体操后备人才培训基地，这不仅是市内第一个国家级体育后备人才培训基地，也是全国第一家设在小学的艺术体操人才培训基地。

为保持体校训练项目在全省的优势地位，扩大接受业余训练的选材面，体校分别在育才小学、汶河小学、广陵小学、西门街小学 4 所小学和商业幼儿园、伊斯兰幼儿园、新城花园幼儿园、东花园幼儿园 4 所幼儿园建立训练点，在每个点开办一个培训班，形成体校、小学训练点、幼儿园基础训练班的三级训练网络。

儿童业余体校重点开展的体育运动训练项目有：

一、乒乓球

1988 年起，体校聘请徐建中担任兼职教练员，在梅岭小学开展乒乓球项目少儿培训。1989 年，陈勃被儿童业余体校录用，专职从事乒乓球教练工作。1992 年，广陵区体育训练综合楼落成，四楼部分场地作为乒乓球训练房，设置 6 张乒乓球台。至此，乒乓球项目由梅岭小学移至体训综合楼训练。

2002 年在第十五届省运动会上获 2 枚金牌的广陵区运动员林晨，2004 年入选国家队，并代表国家二队参加世界少年乒乓球锦标赛，获团体冠军。2005 年，参加亚洲青少年乒乓球锦标赛，获男子单打冠军。同年在第十五届省运动会上获女子少年乙组单打冠军的俞龙飞，当年进入省队，2005 年入选国家二队。2003 年，陈勃获得高级教练员职称，多次被抽调至省少体校负责省少体校乒乓球集训，并多次随队参赛。

二、艺术体操

80 年代初，市儿童业余体校开设艺术体操项目训练。教练员徐维秋利用汶河路体育馆比较简单的设施，在城区各小学、幼儿园中选苗，探索一条基础训练和提高竞技水平的途径，很快培养出一批优秀人才。

1984 年，9 岁的王岫云入选省少儿体校艺术体操队，1989 年进入国家队。当年，在有 33 个国家 90 多名运动员参赛的法国“埃松杯”艺术体操比赛中，王岫云成为亚洲地区唯一进入决赛的选手。1989 年，获亚洲艺术体操锦标赛团体冠军。1993 年，获第七届全运会个人全能冠军。

图 32-4-1　艺术体操

1990 年，江苏省首次把艺术体操列为省运动会比赛项目，后因全省只有南京市和扬州市两地报名参赛而变更为表演项目。1992 年，艺术体操项目移至新落成的体训综合楼训练。

教练员吴晔因训练工作优秀，多次被评为省、市和国家级业余训练优秀教练员，2000 年，被批准为扬州市最年轻的高级教练员。2004 年，南京体院运动系毕业、曾获得第九届全国运动会艺术体操团体冠军的李圆圆，担任市儿童业余体校艺术体操教练员。2001 年，肖一鸣、郑舒雯、程博、徐婕入选省艺术体操队。2004 年 4 月，经国家体育总局体操运动管理中心批准，由少年宫、育才小学、儿童业余体校体操队组建成的业余训练基地被命名为国家艺术体操后备人才培训基地。

三、跳水

1985 年，广陵区设立跳水项目。初期，运动员训练以体操为基础，向省跳水队陆续输送过杨宁、吕伟、杨祝梁、姚福玲等优秀运动员。扬州没有跳水池，长期借用广陵小学一间约 100 平方米的楠木厅作为训练场地，主要设施仅有一些体操垫和教练员自制的蹦床，教练员每年均需带队到省体校进行集训。教练员汪宜顺从 80 年代到 1995 年调离扬州，先后培养并输送张灵枫、张磊、许冕、戚薇等 11 名运动员进入省体校、省队、国家队。

1991 ~ 2010 年广陵区输送入省体校、省队运动员一览表

表 32-4-1

姓名	性别	出生年份	项目	输送年份	输送类别
林　晨	男	1987	乒乓球	2000	省体校
林　晨	男	1987	乒乓球	2001	省　队
俞龙飞	女	1989	乒乓球	2001	省体校
孙梦婷	女	1989	乒乓球	2001	省体校
俞龙飞	女	1989	乒乓球	2002	省　队

续表 32-4-1

姓名	性别	出生年份	项目	输送年份	输送类别
严聪聪	男	1990	乒乓球	2002	省体校
孙梦婷	女	1989	乒乓球	2003	省 队
沈竹雅	女	1989	乒乓球	2003	省体校
汪 玥	女	1993	乒乓球	2003	省体校
刘 斐	女	1994	乒乓球	2005	省体校
汪 玥	女	1993	乒乓球	2007	省 队
刘 斐	女	1994	乒乓球	2007	省 队
田 琦	男	1995	乒乓球	2008	省 队
石 磊	男	1982	跳 水	1991	省 队
张 磊	女	1982	跳 水	1991	省 队
洪丹丹	女	1983	跳 水	1991	省体校
张灵枫	男	1981	跳 水	1991	省体校
张 磊	女	1982	跳 水	1992	省 队
刘海一	男	1985	跳 水	1992	省体校
杨大勇	男	1984	跳 水	1992	省体校
戚 薇	女	1984	跳 水	1992	省体校
张灵枫	男	1981	跳 水	1993	省 队
洪丹丹	女	1983	跳 水	1993	省 队
许 冕	女	1987	跳 水	1994	省体校
赵迟梅	女	1984	花 游	1996	省 队
戚 薇	女	1984	跳 水	1997	省 队
刘海一	男	1985	跳 水	1997	省 队
许 冕	女	1987	跳 水	1997	省 队
鲍捷特	男	1987	跳 水	1999	省 队
金丽丽	女	1990	跳 水	1999	省体校
陈 雨	男	1992	跳 水	2000	省体校
王雪倩	女	1991	跳 水	2001	省体校
金丽丽	女	1990	跳 水	2002	省 队
刘雨轩	男	1993	跳 水	2002	省体校
陈 雨	男	1992	跳 水	2003	省体校
吴宇清	男	1995	跳 水	2003	省体校
张 禹	男	1996	跳 水	2004	省体校
陈 雨	男	1992	跳 水	2004	省 队
王韦洁	女	1998	跳 水	2005	省体校
王 速	男	1998	跳 水	2005	省体校
吴宇清	男	1995	跳 水	2007	省 队
杨雨婷	女	1998	跳 水	2007	省体校

续表 32-4-1

姓名	性别	出生年份	项目	输送年份	输送类别
王韦洁	女	1998	跳　水	2008	省　队
王　速	男	1998	跳　水	2010	省　队
蔡颖颖	女	1978	艺术体操	1991	省　队
钟　莉	女	1976	艺术体操	1991	省　队
徐　菁	女	1981	艺术体操	1995	省　队
李圆圆	女	1982	艺术体操	1995	省　队
邵　媛	女	1985	艺术体操	1996	省　队
夏　翀	女	1987	艺术体操	1997	省体校
孙　璇	女	1985	艺术体操	1997	省体校
肖一鸣	女	1987	艺术体操	1997	省体校
江涔涔	女	1986	艺术体操	1997	省体校
严　薇	女	1987	艺术体操	1997	省体校
江涔涔	女	1986	艺术体操	1998	省　队
孙　璇	女	1985	艺术体操	1998	省　队
夏　翀	女	1987	艺术体操	1999	省　队
肖一鸣	女	1987	艺术体操	2001	省　队
程　博	女	1988	艺术体操	2001	省　队
郑舒雯	女	1988	艺术体操	2001	省　队
徐　婕	女	1989	花样游泳	2001	省　队
李陶然	女	1990	蹦　床	2001	省体校
俞静秋	女	1991	艺术体操	2001	省体校
李陶然	女	1990	蹦　床	2002	省　队
杨晓柏	女	1989	蹦　床	2002	省体校
俞静秋	女	1991	艺术体操	2003	省　队
梁　爽	女	1988	艺术体操	2003	省　队
杨晓柏	女	1989	蹦　床	2003	省　队
钱晓蕾	女	1992	艺术体操	2003	省体校
夏颖慧子	女	1992	艺术体操	2003	省体校
钱晓蕾	女	1992	艺术体操	2005	省　队
夏颖慧子	女	1992	艺术体操	2005	省　队
潘邵媛	女	1995	艺术体操	2005	省体校
杜雪琪	女	1995	艺术体操	2007	省　队
赵冰晶	女	1995	艺术体操	2007	省　队
祝岚艳	女	1997	艺术体操	2007	省体校
金珂冰	女	1999	艺术体操	2008	省体校
姜斯玥	女	1999	艺术体操	2008	省体校
王若琦	女	1999	艺术体操	2008	省体校

第二节 体育赛事

江苏省第十三至十七届运动会中，广陵区运动员成绩均列全市第一，多次受到省、市政府的表彰与奖励。2004年市第十届运动会上，广陵区代表团获金牌34.5枚，团体总分823.5分。第十一届市运会上，获金牌51.5枚（含省运动会带入金牌14.5枚），总分950分。连续两届取得市运会比赛金牌数和团体总分“双第一”。

一、乒乓球

由于江苏省乒乓球项目水平较高，训练普及面广，各市竞争颇为激烈。第十三、十四届省运动会上，扬州处于主力运动员青黄不接、扬泰两市刚刚分开的状况，扬州乒乓球项目未能取得任何名次。2002年，第十五届省运动会乒乓球比赛在扬州举行，以广陵区儿童业余体校乒乓球队为主组队的扬州市乒乓球队，在比赛中获团体总分第四，并获单打金牌2枚、双打金牌1枚，金牌数与南京市并列第一。

2005年，广陵区乒乓球小将刘斐在全国少儿乒乓球总决赛中获女子乙组冠军，和队友沈琦（邗江区）、郭若愚（高邮市）一道，夺得团体冠军。2006年，第十六届省运会乒乓球比赛中，由汪玥、刘斐、徐榕和沈琦组成的代表队获女子乙组冠军。2010年，第十七届省运动会在溧阳市举行，朱诚获乒乓球男子乙组双打和单打两枚金牌。

二、艺术体操

1994～2002年，在第十三至十五届省运动会上，由广陵区艺术体操运动员组成的市艺术体操队共获金牌5枚。1988～2005年，艺术体操项目共向省队输送运动员23人，其中5人入选国家队，2人获得“国际级运动健将”称号，11人获“国家级运动健将”称号。王岫云、钟莉、蔡颖颖、徐菁、李圆圆等12名艺术体操运动员代表江苏省队、国家队参赛，获亚洲锦标赛冠军3个、全运会冠军3个、全国锦标赛冠军15个。1996年，国际级运动健将钟莉、蔡颖颖在第二十六届奥运会上获集体全能第五名，这是中国在奥运会艺术体操集体项目中的最好成绩。

2005年，省青少年艺术体操比赛在无锡市举行，市代表队获金牌3枚、银牌7枚、铜牌8枚，团体总分列第二。2006年，第十六届省运会艺术体操比赛，市代表队以129.95分获女子乙组团体冠军，乔亚青在儿童丙组个人全能比赛中获金牌1枚。

2010年，第十七届省运动会艺术体操比赛在常州市举行。市艺术体操队派出11名选手参加比赛，以金牌4枚、银牌2枚、总分81分的成绩获得比赛金牌榜和总分的“双料冠军”，这是广陵区艺术体操项目参加省运会以来获得的最好成绩。

三、跳水

1995年，跳水项目由教练员徐熠接任。1998年起，向省以上运动队输送金丽丽、陈雨、吴宇清、王速、王韦洁等人，其中金丽丽、吴宇清成为省队骨干力量。1994年，第十三届省运动会上，扬州跳水队获金牌3枚，列团体总分第二。2001年7月，许冕在日本福冈第九届世界游泳锦标赛上，夺得女子10米跳台冠军。

2005年7月，全国少儿跳水锦标赛在广西南宁举行。广陵区运动员代表江苏队参赛，夺得金牌4枚、银牌1枚、铜牌1枚。其中，陈雨获男子少年组10米台和全能两项冠军，吴宇清获男乙A组跳台和全能两项冠军。1998年，第十四届省运动会上，扬州许冕获女子甲组跳台金牌1枚。2002年，第十五届省运动会上，金丽丽获银牌2枚。2006年，第十六届省运动会跳水比赛中，获金牌4枚、银牌6枚、铜牌3枚，总分90分，这是在历届省运会跳水比赛中获得的最好成绩。2010年，第十七届省运动会跳水比赛在常州奥体中心新城游泳跳水馆举行，扬州市4名运动员参加比赛，获金牌3枚、银牌1枚、铜牌1枚。

1992 ~ 2011 年广陵籍运动员参加全国比赛部分获冠军项目一览表

表 32-4-2

时间	地 点	名称	项目	姓名
1992 年	自贡	全国少年跳水比赛	女子乙组团体	洪丹丹 张 磊
			女子乙组跳台	洪丹丹
			男子乙组团体	张灵枫
1993 年	南昌	全国少年跳水比赛	女子乙组团体	戚 薇
1993 年 9 月	北京	第七届全国运动会	艺术体操个人全能	王岫云
1994 年 4 月	桂林	全国艺术体操锦标赛	A 组个人全能	王岫云
1995 年 10 月	北京	全国少儿跳水比赛	少儿男子跳板	刘海一
			少儿女子跳板	戚 薇
1996 年 8 月	北京	全国少儿跳水比赛	少儿女子跳台	许 冕
			少儿女子团体	许 冕
			少儿男子团体	鲍捷特
1997 年 10 月	上海	第八届全国运动会	艺术体操集体全能	蔡颖颖 徐 菁 钟 莉
1999 年	沧州	全国艺术体操锦标赛	个人团体	李圆圆
2000 年	南宁	全国艺术体操锦标赛	团体总分	孙 璇
2001 年	南京	全国艺术体操锦标赛	团体总分	李圆圆
2001 年 11 月	广东	第九届全国运动会	女子 10 米跳台团体	许 冕
			女子花剑团体	张 蕾
			艺术体操个人团体	邵 媛 孙 璇 李圆圆
			男子蹦床团体	张灵枫
2002 年 7 月	昆明	全国少儿跳水锦标赛	儿童甲组女子双人跳台	金丽丽
2002 年 7 月	四川	全国业余体校乒乓球比赛(南方)	女子团体	俞龙飞
2002 年 8 月	海口	全国花样游泳青少年比赛	青年组集体自由自选	徐 婕
2002 年 10 月	上海	全国花样游泳锦标赛	集体组合	赵迟梅
2002 年 10 月	辽宁	全国业余体校乒乓球总决赛	少年男子乙组团体	严聪聪
2003 年 9 月	宁波	全国艺术体操锦标赛	个人团体	邵 媛
			团体总分	邵 媛 肖一鸣 夏 翀
			个人团体	肖一鸣
2004 年	江阴	全国艺术体操锦标赛	团体总分	程 博 梁 爽 肖一鸣
			个人团体	肖一鸣
2004 年 8 月	长沙	全国少年儿童跳水锦标赛	儿童乙组男子团体	吴宇清

续表 32-4-2

<table>
<tr><th>时间</th><th>地 点</th><th>名称</th><th>项目</th><th>姓名</th></tr>
<tr><td rowspan="5">2005 年 1 月</td><td rowspan="5">合肥</td><td rowspan="5">全国少儿跳水分区赛</td><td>男子少年组十米台</td><td>陈　雨</td></tr>
<tr><td>男子少年组三米板</td><td>陈　雨</td></tr>
<tr><td>男子乙 A 组一米板</td><td>吴宇清</td></tr>
<tr><td>女子乙 C 组跳台</td><td>王韦洁</td></tr>
<tr><td>女子乙 C 组一米板</td><td>王韦洁</td></tr>
<tr><td rowspan="5">2005 年 8 月</td><td rowspan="5">南宁</td><td rowspan="5">全国少儿跳水锦标赛</td><td>男子少年组十米台</td><td>陈　雨</td></tr>
<tr><td>男子少年组个人全能</td><td>陈　雨</td></tr>
<tr><td>男子乙 A 组跳台</td><td>吴宇清</td></tr>
<tr><td>男子乙 A 组个人全能</td><td>吴宇清</td></tr>
<tr><td>总团体</td><td>吴宇清
王韦洁
张　禹</td></tr>
<tr><td rowspan="2">2005 年 9 月</td><td rowspan="2">乐山</td><td rowspan="2">全国青少年艺术体操锦标赛</td><td>大团体</td><td>杜雪琪
夏颖慧子
钱晓蕾</td></tr>
<tr><td>A 组个人团体</td><td>钱晓蕾</td></tr>
<tr><td rowspan="6">2005 年 10 月</td><td rowspan="6">南京</td><td rowspan="6">第十届全国运动会</td><td>艺术体操团体</td><td>肖一鸣
余静秋
程　博</td></tr>
<tr><td>花样游泳集体</td><td>赵迟梅</td></tr>
<tr><td>女子跳水团体</td><td rowspan="2">张　磊</td></tr>
<tr><td>女子儿童乙 C 组跳台</td></tr>
<tr><td>男子儿童乙 C 组一米板</td><td rowspan="2">王　速</td></tr>
<tr><td>男子儿童乙 C 组跳台</td></tr>
<tr><td rowspan="2">2006 年 4 月</td><td rowspan="2">沈阳</td><td rowspan="2">全国集体艺术体操锦标赛</td><td>少年集体球</td><td rowspan="2">夏颖慧子</td></tr>
<tr><td>少年集体全能</td></tr>
<tr><td>2006 年 5 月</td><td>徐州</td><td>全国蹦床锦标赛</td><td>女子团体</td><td>李陶然</td></tr>
<tr><td rowspan="6">2006 年 8 月</td><td rowspan="6">珠海</td><td rowspan="6">全国少年儿童跳水锦标赛</td><td>男子儿童甲 B 组跳台</td><td rowspan="3">吴宇清</td></tr>
<tr><td>男子儿童甲 B 组双人跳台</td></tr>
<tr><td>男子甲组团体</td></tr>
<tr><td>女子儿童乙 C 组一米板</td><td>王韦洁</td></tr>
<tr><td>男子儿童乙 C 组跳台</td><td rowspan="2">王　速</td></tr>
<tr><td>男子儿童乙 C 组全能</td></tr>
<tr><td rowspan="2">2006 年 8 月</td><td rowspan="2">珠海</td><td rowspan="2">全国青少年锦标赛</td><td>乙组个人团体</td><td>杜雪琪</td></tr>
<tr><td>丙组单项绳</td><td>乔亚青</td></tr>
<tr><td rowspan="4">2006 年 9 月</td><td rowspan="4">扬州</td><td rowspan="4">全国艺术体操锦标赛</td><td>团体总分</td><td rowspan="3">肖一鸣</td></tr>
<tr><td>单项球</td></tr>
<tr><td>个人团体</td></tr>
<tr><td>少年集体绳</td><td>夏颖慧子</td></tr>
</table>

续表 32-4-2

时间	地 点	名称	项目	姓名
2006 年 11 月	峨眉	全国业余体校总决赛	少乙组女子打单	刘　斐
			团体	田　琦
			少年集体全能	
2007 年 1 月	上海	全国儿童跳水冠军赛	儿甲组双人 5 米台	吴宇清
			甲 A 组男子 5 米台	
			乙组跳板	王　速
			女子乙组跳板	王韦洁
			女子乙组跳台	
2007 年 8 月	西安	全国少年儿童跳水比赛	男子甲 A 跳台	吴宇清
			全能	
			男子乙组跳板	王　速
			男子乙组全能	
			女子乙组双人跳台	王韦洁
2007 年 8 月	余姚	全国业余体校总决赛(南方赛区)	团体	刘　斐
2008 年	上海	全国艺术体操锦标赛	集体全能	杜雪琪 赵冰晶
2008 年 4 月	合肥	全国少儿跳水冠军赛(分赛区)	男子甲组一米板	王　速
			男子甲组双人跳台	
			女子甲组一米板	王韦洁
2008 年 7 月	上海	“东亚杯”全国少儿跳水锦标赛	男子甲 B 组三米板	王　速
			五米跳台	
			个人全能	
2009 年 1 月	南京	全国少儿跳水冠军赛	女子甲 B 组三米板	王韦洁
			女子甲 B 组五米台双人	
2009 年 7 月	苏州	全国业余体校乒乓球比赛（南区）	男子团体	朱　诚
2009 年 7 月	北京	第十三届全国少儿乒乓球比赛	男子甲组单打	朱　诚
2009 年 8 月	长沙	第十届全国中学生运动会	男子单打	田　琦
2010 年 7 月	合肥	全国业余体校乒乓球比赛（南区）	男子单打	朱　诚
2011 年 7 月	常熟	全国艺术体操冠军赛	成年集体全能	钱晓蕾
			成年集体单项三带二圈	
			成年集体单项五球	

1991～2011年广陵籍运动员参加省级比赛部分获冠军项目一览表

表32-4-3

时间	地点	名称	项目	姓名
1991年7月	南京	省跳水比赛	儿童丙组女子全能	戚 薇
			儿童女子甲乙组跳板	张 磊
			儿童女子甲乙组跳台	张 磊
1992年7月	南京	省少年儿童跳水比赛	儿童乙组女子跳板	洪丹丹
			儿童乙组女子跳台	洪丹丹
1992年	高淳	省少儿艺术体操比赛	儿童组全能	徐 菁
			儿童组三级徒手操	徐 菁
1993年8月	高淳	省少儿艺术体操比赛	儿童组球操	李圆圆
			儿童组徒手操	李圆圆
1994年7月	南京	省第十三届运动会跳水比赛	儿童乙组男子跳板	刘海一
			儿童乙组男子跳台	刘海一
			儿童甲组男子跳板	杨大勇
1994年8月	扬州	省第十三届运动会艺术体操比赛	儿童全能	李圆圆
			儿童球操	李圆圆
			儿童圈操	李圆圆
1995年7月	南京	省跳水比赛	儿童男子乙组跳板	刘海一
1995年8月	南京	省少儿艺术体操比赛	儿童组个人全能	邵 媛
			儿童组徒手	邵 媛
			儿童组圈操	邵 媛
			儿童组球操	邵 媛
1996年7月	南京	省跳水比赛	女子乙组跳板	许 冕
			男子乙组跳台	鲍捷特
1996年8月	扬州	省少儿艺术体操比赛	儿童乙组个人全能	孙 璇
			儿童乙组徒手	孙 璇
			儿童乙组圈操	孙 璇
			儿童丙组徒手	徐枢雅
1997年7月	扬州	省少儿艺术体操比赛	儿童乙组徒手	严 薇
			儿童丙组徒手	徐枢雅
1998年7月	南京	省第十四届运动会跳水比赛	少年甲组女子跳台	许 冕
1998年7月	南京	省第十四届运动会艺术体操比赛	儿童乙组全能	严 薇
1999年7月	无锡	省少儿乒乓球团体赛	儿童男子组团体	林 晨 胡元君 李 响 何 炬

续表 32-4-3

时间	地点	名称	项目	姓名
1999年8月	扬州	省少儿艺术体操比赛	儿童乙组全能	徐枢雅
			儿童乙组徒手	徐枢雅
			儿童乙组绳操	徐枢雅
			儿童乙组圈操	徐枢雅
2000年5月	镇江	省少儿乒乓球单项比赛	男子儿童组单打	林　晨
			男子儿童组双打	林　晨 年　陈
2000年8月	南京	省少儿艺术体操比赛	儿童甲组棒操	肖一鸣
			儿童甲组全能	肖一鸣
			儿童甲组徒手	肖一鸣
			儿童甲组圈操	肖一鸣
			儿童甲组球操	肖一鸣
2001年5月	南京	省少儿乒乓球单项比赛	男子少儿乙组单打	林　晨
			男子儿童组双打	严聪聪 窦月超
			女子儿童组双打	俞龙飞 孙梦婷
2001年7月	常州	省少儿蹦技比赛	女子甲组蹦床个人全能	李陶然
2001年8月	扬州	省少儿艺术体操比赛	儿童甲组徒手	李　露
			儿童乙组绳操	俞静秋
2002年7月	扬州	省第十五届运动会乒乓球比赛	男子少年乙组单打	林　晨
			女子少年乙组单打	俞龙飞
			男子少年乙组双打	林　晨 严聪聪
2002年7月	南京	省第十五届运动会艺术体操比赛	儿童乙组全能	钱晓蕾
2002年10月	常熟	省第十五届运动会蹦床比赛	女子儿童甲组个人全能	杨晓珀
2003年7月	扬州	省艺术体操比赛	A组圈操	俞静秋
			A组球操	俞静秋
			C组绳操	朱思琪
2004年5月	镇江	省青少年体育俱乐部乒乓球比赛	94组女子单打	刘　斐
			94、95组女子双打	刘　斐 郭若愚
2004年7月	南京	省青少年乒乓球单项比赛	女子双打	刘　斐 汪　玥 卞　倩 张　文
2004年7月	常州	省少儿跳水比赛	男子丙组跳台	张　禹
			男子丙组一米板	张　禹
			男子丙组个人全能	张　禹

续表 32-4-3

时 间	地点	名称	项 目	姓名
2004 年 7 月	扬州	省少儿艺术体操比赛	儿童 B 组单项球操	钱晓蕾
			儿童 C 组单项球操	潘邵媛
2005 年 7 月	南通	省少儿跳水比赛	儿童男子丙 B 组跳台	王　速
			儿童男子丙 B 组一米板	王　速
			儿童男子丙 B 组个人全能	王　速
			儿童女子丙 B 组一米板	王韦洁
			儿童女子丙 B 组个人全能	王韦洁
2005 年 7 月	淮安	省少儿乒乓球单项比赛	儿童女子单打	郭若愚
			儿童混合双打	郭若愚 田　琦
2005 年 8 月	无锡	省青少儿艺术体操比赛	A 组单项圈	钱晓蕾
			A 组单项棒	钱晓蕾
			C 组单项球	杜雪琪
2006 年 7 月	南通	省第十六届运动会跳水比赛	儿童丙组女子一米板	王韦洁
			儿童丙组个人全能	
			儿童乙组男子一米板	张　禹
			儿童乙组个人全能	
2006 年 9 月	南通	省第十六届运动会蹦床比赛	儿童甲组网上个人全能	朱思琪
2006 年 10 月	南通	省第十六届运动会艺术体操比赛	少年乙组团体	杜雪琪 潘邵媛 赵冰晶
			少年丙组个人全能	乔亚青
2006 年 10 月	南通	省第十六届运动会乒乓球比赛	少年乙组女子团体	汪　玥 徐　榕 刘　斐
			儿童混合双打	田　琦 郭若愚
			少年乙组女子双打	汪　玥 刘　斐
			少年乙组女子单打	汪　玥
2007 年 5 月	高邮	省乒乓球团体赛	少乙组女子团体	苗　爽 刘　斐 沈　琦
2007 年 7 月	徐州	省乒乓球单项赛	少年乙组女子单打	刘　斐
			少乙组女子双打	郭若愚 刘　斐
			少年甲组女子单打	汪　玥

续表 32-4-3

时间	地点	名称	项目	姓名
2007 年 7 月	常州	“江苏网通”杯儿童跳水比赛	儿童男子乙组个人全能	王　速
			一米板	
			跳台	
			儿童女子乙组个人全能	王韦洁
			一米板	
			儿童男子甲组个人全能	吴宇清
			一米板	
			跳台	
2007 年 8 月	南通	省艺术体操比赛	单项圈	赵冰晶
			单项球	杜雪琪
			单项棒	
			单项带	
			个人全能	
			单项棒	祝岚艳
			C 组单项绳	金珂冰
			单项球	
			优秀身材个人全能	
			个人全能	王若琦
			团体	金珂冰 杜雪琪 姜斯玥 王若琦 韦晨曦 汤明悦 赵冰晶
2008 年 7 月	常州	省少儿跳水比赛	儿童男子甲组个人全能	王　速
			一米板	
			跳台	
			儿童女子乙组个人全能	王韦洁
			五米台	
			双人五米台	
			双人五米台	杨雨婷
2008 年 8 月	如东	省年度比赛	乙组单项棒	祝岚滟
			丙组个人全能	金珂冰
			身材优秀组全能	
			丙组单项绳	
			丙组单项球	姜斯玥
			丙组团体总分	金珂冰 姜斯玥 王若琪 陈诗文 朱雨佳

续表 32-4-3

时间	地点	名称	项目	姓名
2009 年 7 月	常州	省少儿跳水比赛	儿童女子甲组个人全能	王韦洁
			一米板	
			三米板	
			女子跳台	
2009 年 7 月	扬州	省年度比赛	乙组单项球	姜斯玥
			乙组单项带	王若琪
			乙组个人全能	金珂冰
			身材优秀组全能	
			乙组单项操	
			丙组身材优秀全能	陈雨嫣
2009 年 7 月	苏州	省年度比赛	少年乙组男子单打	田 琦
2010 年 8 月	常州	省第十七届运动会跳水比赛	女子甲组跳台	王韦洁
			女子甲组一米板	
			女子甲组全能	
2010 年 9 月	常州	省第十七届运动会艺术体操比赛	乙组团体	王若琦 姜斯玥 金珂冰 陈晓文
			乙组个人全能	姜斯玥
			乙组身材优秀全能	金珂冰
			丙组团体	杨欣瑶 王雅文 陈雨嫣 吴思嘉 孙 彦
2010 年 10 月	常州	省第十七届运动会乒乓球比赛	少年乙组男子单打	朱 诚
			少年乙组男子双打	黄富天 朱 诚
2011 年 7 月	常州	省跳水比赛	女子乙组三米板	李天慧
2011 年 8 月	徐州	省乒乓球比赛	青年组男子单打	田 琦
			青年组男子双打	陈雨均 田 琦
			青年组女子团体	郭若愚 卞 倩
2011 年 8 月	大丰	省艺术体操比赛	乙组单项绳	陈雨嫣
			乙组个人团体	王雅文 陈雨嫣
			乙组单项徒手	孙 彦
			丙组个人全能	孙佳阳
			丙组个人单项球	
			丙组个人团体	卢 薏 翟雨涵 孙佳阳

2004 ~ 2008 年广陵籍运动员参加市运动会比赛获冠军一览表

表 32-4-4

时间	地点	名称	项目	姓名
2004	仪征	市第十届运动会乒乓球比赛	少儿男子团体	陈思凡 秦　邺 徐梦丹 刘　鑫
			儿童甲组男子单打	刘　鑫
			少年乙组男子单打	李凌鑫
			儿童丙组男子单打	朱　诚
			少儿女子团体	顾梦远 卞　倩 张　文 刘　斐
			少年乙组女子单打	沈竹雅
			儿童甲组女子单打	汪　玥
2004	市区	市第十届运动会围棋比赛	儿童甲组	王佩璇
			儿童乙组	周　翌
2004	市区	市第十届运动会象棋比赛	少年乙组	刘任静
2004	市区	市第十届运动会游泳比赛	女甲 100 米自由泳	翁嘉穗
			女甲 50 米自由泳	龙　易
			女甲 50 米蛙泳	龙　易
			男乙 50 米蛙泳	管　超
			女乙 50 米蛙泳	房轶凡
2004	市区	市第十届运动会田径比赛	小学生组垒球	李　佳
			小学生组铅球	薛思源
			初中组 110 米栏	张文汉
2004	市区	市第十届运动会武术比赛	少乙女子拳术	王　淼
			儿童女子个人全能	张雪慧
			儿童女子剑术	张雪慧
			儿童女子规定拳	张雪慧
2004	市区	市第十届运动会	团体总分	广陵区代表队
			团体金牌	
2008	市区	市第十一届运动会乒乓球比赛	少年乙组	田　琦 刘　斐
			儿童甲组	朱　诚 李新月
			儿童乙组	陈子潇 王玮玉

续表 32-4-4

时间	地点	名称	项目	姓名
2008	市区	市第十一届运动会围棋比赛	少年乙组	刘康达
			儿童甲组	陈慕凡
			儿童乙组	梁明昊 汤 问
2008	市区	市第十一届运动会武术比赛	少年乙组长拳	吴智涵
			少年乙组枪	吴智涵
			少年乙组规定拳	张克非
			少年乙组刀	潘 磊
2008	市区	市第十一届运动会游泳比赛	少年组 200 米混合泳	赵榕婷
			少年组 100 米蛙泳	高 雅
			少年组 100 米仰泳	朱芷娆
			少年组 100 米蛙泳	管 超
			少年组 200 米混合泳	管 超
			儿童组 50 米自由泳	吕陶思源
2008	市区	市第十一届运动会田径比赛	少年组标枪	李 治
			少年组 800 米	孙 吴
			少年组 1500 米	卜 文
			少年组 5000 米	卜 文
			少年组 1500 米	徐立宏
			儿童组 100 米	丁 元
			儿童组铅球	孙可天
			儿童组跳高	杨超凡
2008	市区	市第十一届运动会足球比赛	男子少年组	团 体
2008	市区	市第十一届运动会	团体总分	广陵区代表队
			团体金牌	

第三十三篇

人力资源和社会保障

要　目

90年代起，区人事、劳动管理工作由计划经济向社会主义市场经济转变，由传统模式向人力资源开发和社会保障模式转变，由单一行政管理方式向寓管理于服务方式转变。1992年，区人事局为区政府序列一级局（科级）建制。1997年，区委、区政府明确区机构编制委员会办公室（以下简称区编办）与区人事局合署办公，区编办为副局级。2002年，区委明确区编办列区委工作机构序列，正局级建制，与区人事局合署办公。2005年，设区劳动和社会保障局。2011年，成立区人力资源和社会保障局。

1997年，实施党政机构改革和街道乡镇机构改革。根据精简、高效、政事公开原则，合理设置党政机构和人员职数；实行事业单位法人登记和年检制度，严格控制事业单位和人员编制；推行和建立国家公务员制度，加强公务员培训和考核奖惩，完善干部选拔任用和激励竞争机制，建立健全全员聘用和岗位聘任相结合的事业单位合同化管理体系，实行行政机关职务工资制、事业单位岗位绩效工资制；制定人才规划，设立人才引进专项基金，引进高层次人才，完善专业技术职务聘任制。

1989～2011年，围绕企业改革和经济结构调整，深化劳动工资等各项制度改革，培育和发展劳动力市场，劳动就业按照以市场配置劳动力资源、以劳动合同建立劳动关系原则，加强劳动力市场和公共就业服务体系建设，推进城乡统筹就业。实施再就业工程，实现农村劳动力跨区域有序转移；建立政府促进就业目标责任体系；对企业工资总额加强宏观调控指导，限高保底；建立劳动力市场职位工资指导价位制度和企业工资集体协商制度；加强职业培训，建立各类职业培训基地；依法加强劳动保障行政监察，维护企业和职工合法权益，维护社会稳定。

第一章 人 事

区人事工作重心从干部管理向人才管理转移，人才开发、人才管理逐步成为中心工作。组织实施机构改革，推行国家公务员制度，推进事业单位综合配套改革，初步形成适应社会主义市场经济的人事工作体制。人事工作职能不断调整充实，完善规范，区人事部门成为人才开发、公务员管理、专业技术人员管理的综合管理部门，为社会经济发展提供重要的人事人才支撑。1989～2001年，广陵区共接收大中专毕业生（含不包分配）2271人。1990～2011年，共引进各类人才7205人。2009年，区财政设置人才工作专项基金3000万元。

第一节 党政机构改革

1997年，广陵区启动党政机构改革。根据精简、高效、政事分开原则，全区设置党政工作机构25个（其中党委工作机构5个、政府工作机构20个），另设部门管理机构5个，区级党、政、群机关及街道办事处行政编制400人。乡镇机构改革重点为落实区下放权力，合理设置乡镇机关内部机构，加强和完善乡镇政府行政管理功能，建立健全农业社会化服务体系。一、二类乡镇一般设置4～5个综合性办公室和1～2个专业办公室，三类乡设置2～4个综合性办公室。

2001年，广陵区实施党政机构改革。2002年1月，区划调整后，全区共设置党政工作机构22个（其中党委工作机构5个、政府工作机构17个），部门管理机构2个，事业机构2个，群团机构7个，乡镇街道6个，产业园1个。区党政机关行政编制数为区机关319人（其中街道办事处132人）、乡镇107人。乡镇机构改革重点为各乡镇党委政府实行委员、助理制，设置职位25个左右。一般一个职位配1名专职人员，乡镇机关行政编制精简25%。2004年，采取“增挂牌子、不增机构、不添人员”和设置归口管理机构等形式，成立广陵区契税征收管理所、广陵产业园财政所；设立乡镇、街道统战委员和民宗事务助理岗位。调整人事争议仲裁委员会及其办公室，建立人事争议仲裁工作组织体系。

2005年，广陵区实施政府机构改革。此次机构改革不增加人员编制，新设和加强机构所需人员编制，在所涉及的职责调整的人员编制中调剂。政府工作部门从17个调整为18个，挂牌机构11个，合署办公机构2个，直属事业单位1家。2005～2007年，调整充实区发展计划和经济贸易委员会、区财政局、区劳动和社会保障局、区卫生局工作职能，明确区财政局由区政府授权履行出资人职责，承担国有资产监督管理职责；将区发展计划与经济局改组为区发展改革和经济贸易委员会，将区经济体制改革委员会办公室职责划入区发展改革和经济贸易委员会；将区安全生产监督管理局调整为区政府工作部门；将区计划生育局更名为区人口和计划生育委员会。调整依法治区领导小组办公室内部机构设置；将区检察院渎职侵权科更名为"反渎职侵权局"，副局级建制，内设侦查科和综合科；在区教育局增设社会教育科，与基础教育科合署办公；在区招商局内设办公室和招商科；在区法院增设审判管理办公室，在区司法局增设社区矫正工作科；调整城管执法分局机构设置，将直属大队数量由5个增至8个，中队由14个增至22个。区科技局增挂区知识产权局牌子，对区政协秘书处进行更名。

2011年2月，广陵区启动区政府机构改革，组建区发展改革和经济信息化委员会、区人力资源和社会保障局、区商务局、区文化新闻出版局、区服务业发展局5个工作部门，新增区政府工作部门区食品药品监督管理局，新增区政府金融工作办公室、区中小企业局、区地震局、区旅游局等区政府工作部门挂牌机构，区建设局更名为区住房和城乡建设局、区国有资产管理局更名为区政府国有资产管理办公室，不再保留区政府教育督导室、区拥军优属拥政爱民工作领导小组办公室、区老龄工作委员会办公室、区绿化委员会办公室、区爱国卫生运动委员会办公室5个挂牌机构。区政府工作部门从18个调整为21个。同年11月，区划调整，邗江区头桥、李典、沙头、杭集、泰安5个镇划入广陵，经市机构编制部门同意，重新设置广陵区政府工作部门（区党群机关机构保持不变），将区发展改革和经济信息化委员会、区住房和城乡建设局职能拆分，重新设置区发展和改革委员会、区城乡建设局，增设区经济和信息化委员会、区交通运输局、区住房保障和房产管理局、区水利局4个区政府工作部门，将区政府外事侨务办公室由区政府工作部门调整为区政府办公室挂牌机构，新增区农业资源开发局、区农业机械管理局、区口岸办公室等区政府工作部门挂牌机构，区政府工作部门由21个增加到24个。2011年11月区划调整后，全区党、政、群机关行政编制数393人（其中街道办事处89人），乡镇261人，政法专项编制228人。

第二节　事业单位改革

一、事业单位改制

1989年，全区有事业单位71家。从严控制各部门内设机构和人员编制，除落实中小学九年制义务教育政策增加财政事业编制10人外，其余均为自筹。1990年，控制外地和企业单位人员调入机关和全民事业单位。1993年，全区开展事业单位法人登记和赋码标识工作。7月，区政府印发《广陵区关于实行事业法人登记制度的通知》，为70家事业单位办理登记、发证工作。1993年，区机关增设全民事业单位7家，增加基层全民事业单位60家、区集体事业单位3家；增加事业编制11人（其中区财政负担的1人），收回机关事业编制1人。1994年，完成区事业单位初始登记工作，为全区事业单位发放事业单位法人登记证、事业单位登记证。1994年4月，开展机构改革调研。会同劳动部门为区住宅办等10家全民事业单位在职混岗集体工102人办理改制手续。2005～2011年，严格执行"编制部门统一承办、编制部门领导一支笔审批、编制部门一个文件下达"规定。凡涉及机关、事业单位职能、机构设置、人员编制、领导职数等机构编制事宜，各部门先报编制部门，经编制部门审核后，提交编委会集体审定。发挥编制部门把关、协调和监督职能，定期分析研究机构编制现状，加强编制使用计划和人员入口管理，控制机构编制和财政供养人员增长。制定《广陵区机关、事业单位机构编制实名制管理实施办法》，推广实施机构编制实名制管理，将机关、事业单位编制管理与人员管理紧密结合，实行定编到人。加大机构编制监管力度，控制区机关、事业单位机构设置、职能配置与职能行使、职数与人员编制使用，清理"吃空饷"情况。开展中小学教职工核编工作，核准中小学现有在校学生人数及教职工人员情况，重新核定全区教师编制1179人。2010年，严格机构编制监管，完善机构编制实名制管理，更新数据库，定期组织年检，形成组织、人事、财政等部门相互配合的协调机制。

1999～2006年，根据事业单位承担的社会功能重新分类。先行改革生产经营型事业单位，撤销扬州市大众影剧院、扬州市广陵区文化发展中心、广陵装潢经营部、扬州市越剧团、扬州市广陵区少儿文化艺术业余学校、扬州市广陵区机关文印服务部、契税征收管理所7家事业单位，推进事业单位产权制度改革；撤销房地产开发公司等10多家事业单位，成建制改为企业；指导督促10家事业单位全员聘用制试点工作，引入竞争机制，实行“逢进必考”；对新调进人员和应届毕业生实行合同化管理，为全区实行全员聘用制创造条件；合理设置专业技术岗位，严格聘用管理。加快事业单位社会保险制度改革，会计事务所、审计事务所改制为中介机构。合理设置专业技术职务岗位，建立专业技术职务聘任制度，“评聘分开、竞争上岗、职数控制、聘约管理”。2009年，增设区新闻中心、区节能监察中心等事业机构。区卫生、教育系统推行以全员聘用制为核心的人事制度改革。卫生系统在区属部分医院实行综合目标责任制，把分配与工作业绩结合起来，使职工档案工资与工资收入相分离，浮动工资与职工业绩、工作效益挂钩。2011年，卫生系统按每万人配备13名医务人员标准，重新核定社区卫生服务中心编制。教育系统实行评聘分开、竞争上岗。发挥分配杠杆作用，试行校内结构工资制，教师工资由基本工资、职务岗位津贴、浮动工资三部分组成。幼儿园等自筹自支事业单位做到按劳分配，拉开收入档次。2007年，撤销城南小学、泰州路小学和艺蕾小学（公办）。2009年，撤销二桥小学、和平小学。2010年，撤销广陵区成人教育培训中心等事业机构。

针对机构改革过程中部分系统和单位放宽工龄计算口径和自行更改工龄现象，2003年，集中清查全区机关、事业单位工作人员工龄，印发《关于加强机关、事业单位工作人员工龄管理的通知》《机关、事业单位工作人员工龄情况登记表》，按照人事部、省人事厅制定的工龄计算政策和口径，根据干部管理权限，组织专门力量严查未经人事部门认可、认定的工龄，更改工作人员工龄和另行制定工龄计算方法等违规行为，清查出违规者20人次，并及时纠正。

二、事业单位登记和年检

1993年，广陵区实施事业单位法人登记制度，启动事业单位法人登记和赋码标识工作。1997年，99家事业单位（其中78家法人事业单位）通过年检。1998年，115家事业单位办理法人登记年检。2001年2月起，实施全国统一的事业单位初始登记工作。至6月底，全区有45家事业单位办理法人登记手续。2002～2003年，按照机构编制权限，拉网式整理全区初始登记单位上报材料，96家事业单位进行年检登记，年检率和年检合格率均为100%。

2005年，事业单位开始网上登记管理工作，网上新设立法人事业单位5家，变更登记22家，年检90家，年检率100%。2007年，审核全区事业单位名称、地址、业务、资金等变化情况，年检97家，新设立6家，变更15家，证书补领1家。2008年，分批培训事业单位法人代表，实行事业单位法定代表人持证上岗制度。当年，网上新设立事业单位15家，变更14家，年检102家，证书补领2家。2010年，年检113家，变更22家；在建有网站事业单位推行中文域名注册工作，审核通过23家。

2011年，启动事业单位规范清理工作，继续开展事业单位网上登记年检工作，全年共年检113家，变更36家，设立登记2家。全面启动岗位设置管理工作。对湾头镇、东关街道、汶河街道、科技局等部门进行机构编制年审。深化实名制管理，实行动态管理，形成机构编制与组织、人社、财政等部门相互配合的协调机制。

第三节　机构编制管理

1989年，从严控制企事业单位人员调进党、政、群机关，清退机关、事业单位计划外用工，从严控制各部门内设机构和人员编制，对区卫生局及所属各医院和区文教局及所属学校以及对区住宅办、绿化办等单位明确编制数和编制控制数。1990年，控制外地和企业单位人员调入机关和全民事业单位。1991年，增加人员编制21人（含集体15人），收回人员编制6人，完成编制1992～1993年人事滚动计划。1991～1994年，全区机关行政编制人员353人，增加7人；政法机关行政编制人员512人，增加21人，整建制移交减少320人。实有机关事业编制人员165人，其中国家机关事业编制56人、区机关事业编制48人、自筹机关事业编制61人。1995年，对全区财政全额拨款事业单位人员调配从严控制，差额拨款事业单位从紧控制，自收自支事业单位适当控制。

2008年，制定《广陵区机关、事业单位机构编制实名制管理实施办法》，清理“吃空饷”情况。2009年，启动清理和规范非正式用工。2010年，全区党、政、群机关共有行政编制290人，街道办事处90人，乡镇60人，政法专项编制210人，机关自定编制50人，参照《中华人民共和国公务员法》（以下简称《公务员法》）管理事业编制132人；事业单位实有编制2766人，其中全额拨款1288人、差额892人、自筹586人。事业单位实有在职人员2629人，其中全额1561人、差额650人、自筹418人。2011年，全区党、政、群机关共有行政编制393人，街道办事处89人，乡镇261人，政法专项编制228人，机关自定编制166人，参照《公务员法》管理事业编制118人；事业单位实有编制2812人，其中全额拨款1344人、差额907人、自筹561人。

第四节　人事管理

一、计划管理

1989年，广陵区开始实施干部计划管理。1990年，区人事部门增设计划管理科。1993年起，机关实行公务员制度，招录公务员计划取代干部计划管理；不再下达企业单位干部增长计划，逐步取消大中专毕业生国家统一分配计划。1995年，贯彻“控制总量、调整结构、保证重点、充实基层”指导思想，从紧安排人事计划。1997年，不再下达民办教师转公办教师计划。对机关、事业单位职工人数计划管理，主要下达国家统一分配的人员，如大中专毕业生和技校生（1993年前）、军队转业干部、退伍军人计划；社会招收人员，如招干、招工计划；调入人员计划以及其他增加人员计划。

二、录用、聘用

1988年，事业单位新进人员，除国家政策性安置、按干部人事管理权限由上级任命及涉密岗位等确需使用其他方法选拔任用人员外，都实行公开招聘。1989年，区内事业单位进人途径主要为人员调配、毕业生分配和公开招聘录用。1992年，组织用人单位参加人才智力交流大会、人才集市。毕业生就业面向基层，向区重点骨干企业和重点工程、项目倾斜。坚持“机关不进、事业从严、企业放开”指导思想，向用人单位推荐不包分配毕业生。1993年，在全民事业单位推行干部聘用制。1994年，深化毕业生就业制度改革，推行“双向择业”，推进企事业单位干部人事制度改革，逐步建立能上能下、能工能干用人机制，推行企事业单位干部聘任制。全年办理非国家干部身份的管理专业技术人员聘用手续521人。1998年，在广陵街道、卫生系统、扬州商场、扬州大酒店等部门进行中层干部以及副院长、副总经理竞聘上岗试点。1999年，规范调进人员基本条件、程序，对新进教师签约上岗，实行合同化管理。选择不同类型10家事业单位进行全员聘用制试点。在教育、卫生系统率先推开严格聘约管理，打破“一聘定终身”状况。加强事业单位津贴（活工资）实施方案核定管理工作，鼓励建立在按劳分配基础上合理、多样的分配形式。率先在教育、卫生等事业单位试行大中专毕业生见习期试聘制度，全年实行试聘就业大中专毕业生94人，占总数49%。1989～1998年，广陵区共接收大中专各类毕业生1930人。

2000年，开展事业单位全员聘用制工作，建立健全以全员聘用制和岗位聘任制相结合的“双聘”合同化管理体系，实现事业单位人事管理由单纯行政依附关系向多元化聘用关系转变，由身份管理向岗位管理转变。至2004年，事业单位基本实行全员聘用制。按照“有能则上，无绩则让”原则，在文峰、东关等乡镇（街道）以及教育、卫生、民政等单位推行领导干部竞聘上岗，采取直接聘用、选举聘用、业绩考核聘用等多种形式确定领导人选；完善专业技术职务聘任制，除教育系统外，采取“评聘分开、竞争上岗、职数控制、聘约管理”模式，强化岗位聘任，落实企事业单位用人自主权，全部实行评聘分开；改革事业单位分配制度，强化工资总量调控，引入竞争激励机制，逐步建立重实绩、重贡献形式多样分配激励机制。2005年，区人事部门公开招录教师28人，区信息中心招录工作人员1人。2007年，以教育、卫生和安全生产监督系统（单位）为试点，公开招录大专及本科毕业生55人；产业园、广陵新城等单位公开招聘人才17人。2008年，启动事业单位岗位设置，完善合同，明确岗位规范。坚持四级联考，实行考录计划、招考条件、考试成绩、录取结果“四公开”，领导、舆论、社会、纪监“四监督”，为区教育、卫生系统招聘各类人才50人；到南京大学、东南大学招聘优秀大学毕业生4人。2009～2011年，事业单位招聘工作人员138人。2011年，会同相关部门，调研公共卫生与基层医疗事业单位基本情况，探索绩效工资实施办法（讨论稿）。

三、调配

1988～1994年，区人事部门根据区内干部状况，特别是基层单位干部余缺情况，逐年编制计划，推荐、挖掘、引进人才，使管理干部和专业技术干部紧缺状况逐年缓解。其间，共调配724人，其中调进465人、调出259人。1995年以后，招录公务员计划和管理进入正常化，人事调配主要为区内调配、选调优秀大学生工作人员和为机关选调优秀毕业生等。

1988～1994年广陵区干部调配情况统计表

表33-1-1　　单位：人

	调进							调出					
	省外	省内	市内	其中				省外	省内	市内	其中		
				工作需要	照顾安排	落实政策	小计				工作需要	照顾安排	小计
1988	26	9	120	100	50	5	155	2	6	37	30	15	45
1989	9	11	48	68	—	—	68	4	1	18	23	—	23
1990	8	5	46	59	—	—	59	1	5	12	18	—	18
1991	8	4	29	41	—	—	41	2	2	14	18	—	18
1992	5	7	36	48	—	—	48	3	4	26	33	—	33
1993	3	5	38	46	—	—	46	1	3	80	84	—	84
1994	4	3	41	48	—	—	48	3	1	34	38	—	38
合计	63	44	358	410	50	5	465	16	22	221	244	15	259

四、实施公务员制度

1997年，广陵区部署实施公务员制度。1998年，制定《广陵区国家公务员制度实施方案》《广陵区国家行政机关现有工作人员向国家公务员过渡实施办法》和《关于做好广陵区国家公务员职位分类工作的意见》；根据1996年、1997年两年考核结果，遵循“严格、公开、稳妥”原则，对不具备国家干部身份人员暂缓过渡。执行奖励、纪律、培训、交流、惩戒、考核、回避、退休、轮岗等单项法规。2008年，实施《行政机关公务员奖励条例》和《行政机关公务员处分条例》。

（一）招考录用

1997年，公务员制度全面入轨运行，公务员招录考试开始统一推行结构化面试。2000年起，新招录公务员实行“凡进必考”，逐步取消户籍、地域、身份等限制。2005年，公务员招录开始实行招考对象不限做法，在更大范围内选人、用人，体现公平原则。1997～2011年，招录公务员和工作人员87人。

（二）公务员登记

2006年，全区实施公务员登记工作，参加登记机关工作人员795人，其中予以登记566人、暂缓登记64人、分开登记84人、不予登记81人。2007年，完成公务员登记信息更新工作，全年新增29人（其中调进7人、调任6人、见习期公务员转正5人、新进军转干部11人），减少59人（其中调出9人、退休50人）。

（三）培训

图 33-1-1　2004 年，广陵区公务员法律知识培训班考试现场

1995 年，组织机关干部学习公务员制度，参加国家公务员制度知识竞赛，获扬州赛区组织奖。1997 年，672 名机关（含法院、检察院）工作人员参加省、市组织的过渡培训考试。2000 年，举办初级公务员任职培训班，45 名公务员参加培训并考核合格。区人事局与区委组织部共同组织更新知识培训，600 名工作人员参加培训并考核合格。2003 年，举办初级公务员任职培训班，72 名公务员参加培训并通过考试。2004 年，开办以“跳出广陵、跨越广陵”为主题的双月论坛 3 期，邀请知名专家教授举办专题报告会；举办《中华人民共和国行政许可法》等法律知识培训班 5 期。2005 年，举办专题讲座 7 期，学习《公务员法》，选派 2 名公务员到乡镇、26 名公务员到拆迁一线、5 名公务员到招商一线参加工作；引导公务员参加在职学历教育，鼓励推荐公务员攻读公共管理硕士专业（MPA）学位。

2006 年，对相关人员进行计算机网上办公实务培训；举行“5+X”公务员能力培训工程，开通公务员培训网上视频，通过网上培训和网下自学方式，满足公务员学习需求。2010 年，组织 9 名新招录公务员参加初任培训，15 名副局级干部参加任职培训，举办双月论坛 5 期。2011 年，启动新一轮“5+X”公务员能力培训工程，组织 3 名乡镇、街道工作者参加以社区建设为主题的苏南苏北公务员对口培训班，组织 12 名新录用公务员参加初任培训，举办双月论坛 6 期。

五、考核评定

1993 年前，区行政考核奖励种类单一。年度考核基本以个人述职、组织评定为主。1994 年，开展公务员年度考核和目标管理考评。年度考核内容为德、能、勤、绩四个方面，考核结果分为优秀、称职、不称职三个等次，作为增资调级、表彰奖励、晋升职务、降职辞退等工作依据。是年，设立目标完成奖和优质服务奖，推行年度考核制度。1995 年起，机关工作人员考核进入正常化轨道，并扩大到事业单位。1997 年 12 月，规定凡一次被确定为“不称职”等次的，除按规定予以降职或降级外，不得发放目标管理奖和考核奖；连续两年考核被确定为“不称职”等次的，予以辞退。2001 年起，年度考核从三个档次，增加基本称职（基本合格）档次。2004 年起，实施“日记式”日常考核，量化考核内容，建立实绩考核为主体，融岗位目标管理、工作实绩考核及日常考核为一体的考核机制。2011 年，对考核优秀的 76 名机关工作人员给予嘉奖，对 2009 ～ 2011 年连续三年考核优秀的 11 名机关工作人员给予记三等功。

1994 年，开始对事业单位工作人员进行年度考核。至 1995 年 4 月底，有 2539 名工作人员参加考核，确定优秀 286 人、合格 2252 人、不合格 1 人。1997 年，事业单位专业技术人员考核，将职务评聘考核与事业单位工作人员年度考核实行并轨，统一执行考核标准与等次。2002 ～ 2003 年，有 3056 人参加考核，其中优秀 346 人、合格 2704 人、基本合格 5 人、不合格 1 人。2011 年，广陵区事业单位有 2682 人参加考核，其中优秀 381 人、合格 2260 人、未定等次 41 人。

1994 ~ 2011 年广陵区公务员考核情况统计表

表 33-1-2　　单位：人

年份	考核人数	其中							
		优秀	称职	基本称职	不称职	未定级	告诫	记三等功	嘉奖
1994	638	68	569	—	1	—	—	—	—
1995	658	70	561	—	—	24	3	—	—
1996	675	75	594	—	6	—	—	—	—
1997	672	73	599	—	—	—	—	—	—
1998	669	85	578	—	1	5	—	—	—
1999	668	85	581	—	—	2	—	—	—
2000	647	73	572	—	—	1	1	—	—
2001	668	69	596	2	—	1	—	—	—
2002	650	61	589	—	—	—	—	—	—
2003	753	76	677	—	—	—	—	—	—
2004	722	64	646	—	2	10	—	15	13
2005	759	71	669	1	—	18	—	6	25
2006	801	72	711	3	—	15	—	16	11
2007	793	66	716	1	1	9	—	4	60
2008	813	66	730	1	1	15	—	9	53
2009	804	69	724	—	—	11	—	5	62
2010	826	93	713	—	4	16	—	8	54
2011	1051	56	985	—	3	7	—	11	76

说明：1. 未定级的为应届大中专毕业生；2. 连续 2 年优秀嘉奖，连续 3 年优秀记三等功

六、机关、事业单位工人技术培训

1995 年，广陵区开始实施首轮机关、事业单位工人技术等级培训考核。1995 年，区机关、事业单位有技术工人 221 人、技术工种 26 个。21 名技术工人参加市直培训，其中 8 人取得技术等级证书，兑现工资待遇。1996 年，58 名技术工人参加市直培训。1997 年，计算机录入、驾驶员、服务员、殡葬工等 9 个工种 94 名工人参加培训。同时对非明确系列的技术工种和本人不申报参加技术等级培训考核的 20 名工人调整工种，其中 14 人调为普工；对在行政管理岗位执行工人工资标准的 42 人调整岗位，其中 26 人调为科（办事）员工资标准，6 人调为专业技术职务工资标准，靠工种参加培训 10 人。至年底，首轮等级培训考核工作基本结束，参加培训 180 人，占应培人数 98%，合格率 100%。

1998 ～ 1999 年，对符合条件的技术工人进行工人技术等级升级、培训与考核，实施第二轮和第三轮培训。2000 ～ 2005 年，逐步推进机关、事业单位各个工种工人技师考评选送和升级培训考核，建立技术工人信息库，核减调整退休、调出、不参加培训、转换岗位技术工人，对取得合格证的技术工人调增工资。2008 年，推行机关、事业单位技术工人继续教育证书制度。

第五节　人才工作

一、人才规划

1995 年，区委、区政府制定《广陵区“九五”人才规划》，明确 “九五”期间，每年新增人才 300 人，到“九五”期末，区人才绝对数达 6000 人。1996 年，举荐企业“一把手”人才、技术人才、外贸人才和其他急需人才；举荐后备人才 261 人，其中中共党员 97 人、具有大专以上学历者 136 人。2000 年、2005 年，先后制定“十五”“十一五”人才规划。2008 年，把握人才需求发展趋势，改进人才统计标准，完善人才人事统计制度。2011 年，研究制定《广陵区“十二五”人才发展规划》《高层次人才和创新创业项目资助扶持评审规划》。

二、人才政策

1991 年，制定《关于大中专毕业生到街办企业工作的管理办法》，为街办企业吸引人才提供优惠政策。当年，街办小集体企业第一次接收统配生 3 人。1999 年，制定《广陵区引进优秀人才实施办法》。2000 年，推行大中专毕业生试聘制度。大中专毕业生在一年见习期内均实行人事代理，人事关系和档案由区人才流动服务中心保管，非市区生源毕业生，其户粮关系同时挂靠人才中心。毕业生见习试聘期满，考核合格的，办理就业手续；考核不合格的，终止合同或延长见习期。是年，实行试聘就业大中专毕业生 156 人，占总数 95.1%。

2003 年，对专业技术人员职务职称采取 “评聘分开、竞争上岗、职数控制、聘约管理”。扩大职称工作业务范围，推进个体、私营、合资、独资等非公经济组织职称评定工作。2005 年，为 5 家单位 42 人办理人才租赁手续。推行新进事业单位人员列编管理，签订聘用合同并实行人事代理。2009 年，开展“人才服务基层行”、招商引资推介会及专题培训班等活动，用足用好 2000 万元专项基金，举办首次人才奖励资助暨人才工作推进大会，对 2007 ～ 2008 年引进的 15 名高层次人才兑现奖励资助 68.2 万元。

2010 年，对 2007 年后引进的 24 名高层次人才兑现奖励资助 69.6 万元。推进国外智力引进，委托招才引智团赴美、英、德、法等国招揽海外人才。借助中电宝军、万方电子院士工作站，邀请张光义、杨士中等专家参加“专家院士广陵行”活动。加强与科研院所、高校、专业咨询机构合作，引导企业搭建“产学研”柔性合作平台。征集清华大学、浙江大学、上海交通大学、华东理工大学、合肥工业大学研究生社会实践项目，推动校地合作。晶和公司俞昌博士团队获项目扶助 300 万元。2011 年，打造独具广陵特色的“三位一体”（人才奖励、项目扶持、信托投资）政策体系，将 2000 万元人才专项基金追加至 3000 万元，资助总额达 1700 万元；募集 1 亿元“紫金成长 1 号——运河帆影”科技创新型企业集合信托债权基金，支持嘉和散热器等 8 家科技型中小企业；开展 2009 年度高层次人才引进奖励工作，奖励资助总额 69.6 万元。申报专项人才计划，争取上级资助资金，为卢寿福等 2 名省“双创人才”争取 100 万元资助，王立军等 5 名“省企业博士集聚计划”人才争取 75 万元资助；另有 22 名人才入选市“绿扬金凤计划”，获市级资助 1263 万元。其中 8 名创新创业领军人才总计获得 1200 万元奖励资助，14 名优秀博士获 63 万元奖励资助。扬州宝军电子系统工程有限公司“北斗系列卫星定位导航设备研发及产业化”、扬州奥泰光电生物技术有限公司“新型激光人体组织血氧仪”项目获“六大人才高峰”6 万元资助；扬州东方吊架有限公司等 3 家企业申报引进国外智力项目，列国家、省、市引智项目计划，获取项目资助 12.2 万元。

三、人才市场

1990 年，做好大中专毕业生接收分配工作。参加毕业生供需见面洽谈会，向各高校、中专校发布毕业生需求信息，做好毕业生择业咨询服务和不包分配毕业生推荐聘用工作。1991 年，组织参加高校毕业生供需见面洽谈会；参加国家教委、机电部、化工部、西安交通大学等举办的毕业生供需洽谈会；做好上门咨询择业毕业生工作。1993 年，根据企业需求，对高校毕业生专业、人数等登记造册，引进专业对口急需人才，向用人单位推荐不包分配大中专毕业生 39 人。1996 ～ 2009 年，每年先后多次组织区用人企业参加省、市举办的人才市场，省、市组织的人才交流洽谈会，毕业生专场招聘会和外资、民营企业人才专场等招聘会。2008 年，加强人才信息网络化管理，丰富网上招聘活动；开展人才帮扶活动，加大对困难家庭子女就业政策倾斜；坚持人才市场公益性发展方向，逐步实行人才服务“零收费”。2009年，与扬州大学签署毕业生就业实习基地协议，遴选10家单位成功申报扬州市高校毕业生就业见习基地，先期提供近100个见习岗位，提供每人每月500元见习生活补贴，为区内企业储备一批大中专毕业生人才。2010年，组织企业赴北京、西安、上海、武汉、成都等地参加“招才引智高校行”等系列活动。全年举办人才招聘会8场。

图33-1-2 大中专毕业生参加人才市场举办的供需见面洽谈会

四、人才引进

1990年，优先解决区属骨干企业、合资企业急需的科技人才，全年引进专业技术人员41人，扬州灯泡厂、扬州华扬蓄电池有限公司、扬州鞋厂、扬州桅灯厂、扬州工具厂引进18人。1991年，引进科技和管理干部44人（含整建制划拨给市直单位24人），办理聘用干部鉴证手续27人，录用应届不包分配大专毕业生为国家干部14人。1993年，以“五优先”（缺编单位优先、急需单位优先、短缺单位优先、选调干部优先、大中专毕业生优先）作为引进人才准则，协商调进区外干部38人（含中级职称7人）。

1995年，取消学历、户口、人员性质限制，兑现住房、家属就业、子女入学（托）等优惠政策，引进各类科技、管理人才49人，其中高级职称1人、中级职称12人，大专以上学历21人。1996～2006年，引进各类人才1401人。

2007年，搭建引智、引才、引项目公共服务平台。通过省高层次创业人才引进项目考察的王海涛，成为市唯一获省百万资助的创业人才。征集引智引技项目，扬州东方吊架有限公司、扬州欣宝机械有限公司申报的3项引智项目获国家立项。2008年，引进高层次领军人才9人、支柱产业发展急需的专业技术人才85人、各行业发展需要的储备性人才830人。组织实施2009年度人才引进集聚计划，引进高层次领军人才35人、专业技术人才143人、储备性人才1291人。超额完成市、区两级5人、50人、500人目标，高层次领军人才指标考评全市第一，专业技术人才考评得分名列前茅。2009年，东方吊架电气化铁道接触网恒张力弹簧补偿装置项目获国家级资助，欣宝机械FLARMA型皮革削匀机生产技术项目获省级资助，畅博园林建成省级国外智力引进示范基地。征集海外博士意向项目50个，重点跟进12个，引进海外留学人员创业项目（团体）12个。2010年，引进高层次领军人才43人，博士团队10个，支柱产业发展急需的专业人才180人，各行各业需要的储备性人才773人。推进“广陵区人才引进聚集行动”，引进“千人计划”人才1人，省“双创人才计划”3个，省“企业博士聚集计划”5人，市“绿扬金凤计划”创业创新领军人才4人。获批省“双创”人才项目3个、市“绿扬金凤”计划4个，入围省企业博士集聚计划项目6个。2010年，完善引才载体。做好博士后工作站和高等院校科研流动站有效对接，赴西安、重庆、武汉等地招揽2名博士后进站工作，组织5家企业分站参加江苏省博士后项目洽谈会，江苏联环药业股份有限公司申报国家级企业博士后科研工作站，开展广陵产业园博士后工作站调

图33-1-3 2011年，第三届“春晖杯”中国留学人员创新创业项目（扬州）视频对接洽谈会

图 33-1-4　2009 年，广陵产业园博士后科研工作站揭牌

研，健全管理体系。全区建有院士工作站 2 家、博士后工作站 3 家及企业分站 11 家、市级创业园 1 家。2011 年 4 月，由广陵区委、区政府承办的“春晖杯”中国留学人员创新创业项目（扬州）视频对接洽谈会举行。通过视频方式，扬州主会场现场连线英国分会场，与远在海外的学子进行沟通交流。

2011 年，专设人才和高层次人才服务中心，各园区、乡镇（街道）成立人才工作领导小组及专门工作机构；聚焦主导产业、前沿产业，梳理出急需的七大类 41 项专业人才。组织国家“千人计划”入围者、国家特聘专家高层次人才座谈会；借助清华启迪品牌，完善科技创业园配套建设，累计孵化面积 22.5 万平方米；在孵企业 55 家，留学人员创业园建成面积 2 万平方米；发挥广陵区企业院士工作站、博士后科研工作站和留学生创业园人才承载能力，形成“两站一园”人才载体体系。组织 3 家企业博士后流动站参加江苏省博士后项目洽谈会。2009 ～ 2011 年，高校毕业生就业见习工作综合评选中，江苏扬农化工集团有限公司、扬州声谷信息产业发展有限公司 2 家单位被授予“高校毕业生就业见习工作优秀基地”，区人社局殷慧梅被评为高校毕业生就业见习工作先进工作者。全年引进高层次领军人才 45 人，其中博士团队 10 个、教育部“长江学者”1 人、“国务院特殊津贴专家”1 人、“北京海聚计划”1 人、省“双创人才”2 人、省“博士集聚计划”5 人；支柱产业发展急需专业技术人才 189 人，储备性人才等三类人才 2164 人，分别完成全年目标的 133%、137% 和 216%。全年有 4 人获省“双创计划”资助，5 人获省“企业博士集聚计划”资助，19 人获市“绿扬金凤计划”资助。至 2011 年，区内共有国家“千人计划”人才 7 人，获省“双创”计划资助人才 11 人，获省“企业博士集聚计划”人才资助 11 人，获市“绿扬金凤计划”资助人才 32 人。1990 ～ 2011 年，区引进各类专业人才 7205 人。

五、人才服务

1996 年，开展人事代理工作。至 2000 年，有 165 名流动人员办理人事代理手续。2001 年，人事代理项目由单纯档案管理发展到 9 项，代理对象由非公有制企业向国有企业延伸，由流动人员向在职人员延伸。2003 年，新办档案、组织关系等人事代理项目 189 人，其中试聘代理毕业生 109 人。与区劳动和社会保障部门、民政部门及公安部门沟通协调，提供人才养老保险、户籍登记管理等服务。2004 年，完善人事代理业务，开通代办医疗保险业务，社保中心开设医疗保险户头，提供代办医疗保险服务 1062 人。2005 年，对新进事业单位人员实行列编管理，签订聘用合同并实施人事代理；成立区人才流动服务中心卫生人才分中心；45 名毕业生办理“双选”协议鉴证，实行见习期试聘用制。2006 ～ 2007 年，办理人事代理 253 人，在区人才中心挂靠集体户口 120 人，毕业生办理“双选”协议鉴证 200 人；办理事业代理人员事业调资 140 人，代理养老、医保保费收缴，退休人员退休费发放，办理辞职辞退手续 27 人。2008 年，将新进人员和其他人员纳入人事代理范畴。

2005 年，试行人才租赁业务。2005 ～ 2007 年，办理人才租赁手续 157 人，并为他们代办社保、代发工资、代为税务申报。

六、专业技术人员管理

（一）职称评聘

1997 年，完善专业技术职务聘任制。1998 年，换届组建区工程技术、建筑工程、卫生技术、档案专业、乡镇会计专业 5 个初级评委会。向省、市审核推荐高中级职称材料，确定区内初级职称资格，办理技术职称任职资格证书。2003 年，推进职称社会化评审。

1997～2011年广陵区专业技术职称评聘情况统计表

表 33-1-3 单位：人

年份	向省市审核推荐		确认初聘手续	区中初级职称评委会评出		
	高级	中级		高级	中级	初级
1997	5	37	70	—	17	112
1998	2	24	80	—	—	—
1999	4	60	100	3	105	176
2000	21	56	55	—	90	231
2001	7	12	70	—	—	—
2003	7	120	456	—	—	—
2004	23	160	31	—	109	828
2005	20	53	90	—	90	359
2006	22	80	80	—	12	467
2007	36	111	260	—	150	495
2008	38	110	—	48	92	750
2009	18	26	—	—	—	—
2010	36	110	260	—	54	714
2011	69	114	421	—	74	33

（二）专家选拔

1996年，周秀兰等5名人才入选扬州市青年拔尖人才，王学智、戴定中及其科研项目被确定为扬州市首批跨世纪青年科技人才与项目。1997年，考核区内2名有突出贡献专家。1998年，开展政府特殊津贴和国家、省、市有突出贡献专家选拔工作，推荐1名专家为省有突出贡献中青年专家，推荐4名专家为市有突出贡献中青年专家。至2004年，高仁林、钱士金、王家宽、龚海平被评为省、市中青年专家，乔闯享受政府特殊津贴。

2005～2011年，推荐高级专业技术人员申报省、市级有突出贡献的中青年专家及"市工艺美术大师"称号评审，多名人才入选。

第六节 工资福利

一、工资

（一）工资制度改革

1985年7月，国家进行第三次工资制度改革。国家机关行政人员、专业技术人员废除等级工资制，实行以职务工资为主要内容的结构工资制，简化工资标准，实现企业工资制度与机关、事业单位工资制度脱钩，解决职级不符矛盾，使机关、事业单位工作人员工资纳入新工资制度轨道。改革后，工资由基础工资、职务工资、工龄津贴、奖励工资四部分组成。1993年10月，国家进行第四次工资制度改革，实行机关和事业单位不同的工资制度，行政机关建立职务级别工资制（包含基础工资、职务工资、级别工资、工龄津贴、综合补贴和职岗津贴六个部分），事业单位建立体现不同类型不同行业特点的工资制度，包含职务工资、活工资、综合补贴、职岗津贴四个部分，建立正常的考核增资办法。2006年7月，进行第五次工资制度改革。公务员实行国家统一的职务与级别相结合的工资制度，机关工人继续实行岗位等级制，简化基本工资结构。公务员基本工资由职务工资、级别工资两项构成，取消了基础工资、工龄工资，将公务员对应级别数由15个增加到27个；机关技术工人基本工资由岗位工资和技术等级工资两项构成，普通工人基本工资由岗位工资一项构成。事业单位建立岗位绩效工资制度，岗位绩效工资包括岗位工资、薪级工资、绩效工资和津贴补贴四部分，其中岗位工资和薪级工资为基本工资。岗位工资实行“一岗一薪 ，岗变薪变”，薪级工资实行“一级一薪，每年升级”，专业技术人员和管理人员设置薪级65个，工人设置薪级40个。通过这次工资改革，机关、事业单位工资运行机制彻底脱钩。

（二）工资调整依据

晋升工资档次。1993～2006年，机关、事业单位工作人员凡年度考核合格及以上等级的，每两年晋升一个职务工资档次，机关工人奖金、事业工作人员津贴按规定比例相应提高。广陵区分别于1995年10月、1997年10月、1999年10月、2001年10月、2003年10月、2005年10月，对符合晋升条件的人员正常晋升职务工资档次，另有部分工作人员因年度考核、职务晋升增资超档差等原因，于1994年、1996年、1998年、2000年、2002年、2004年“偶数年”晋升职务工资档次。

调整工资标准。1997年7月，机关工作人员调整基础工资标准。1999年7月、2001年1月，机关工作人员调整基础工资、级别工资标准。2001年10月、2003年7月，机关工作人员调整职务工资标准。事业单位工作人员职务工资标准也同时调整，津贴按规定比例相应提高。这5次工资标准调整，机关、事业单位工作人员人均月增资分别为22元、129元、112元、80元、51元。

此外，对晋升职务（技术等级）的工作人员，从晋升职务（技术等级）的下月起相应增加工资；对执行机关职级工资制人员，凡年度考核称职及以上并达到上一级别工作年限的，年度考核连续五年称职或连续三年优秀的，在本职务对应级别内晋升一级级别工资，并于2000年对机关事业单位30年以上工龄的科员，从1999年10月起，工资待遇比照副主任科员执行（只适用于工资待遇，不涉及职务问题）。

（三）津贴补贴及奖金调整

1993年，工资制度改革，在建立新工资制度同时，对津贴补贴进行调整，冲销部分津贴补贴，将部分津贴补贴纳入新工资标准。此后，按省、市规定，又新设立一些津贴补贴项目，并调整津贴补贴标准。

综合补贴。1993年10月，全省统一规定保留66元，扬州市统一规定保留65元。1995年4月、1997年7月、1998年7月，分别增加30元、73元、5元。2006年6月，机关及全额拨款事业单位工作人员综合补贴标准为每人每月239元，差额拨款及自收自支事业单位为每人每月234元。

职务（岗位）津贴。1993年，工改后保留的职务（岗位）津贴（原奖励工资），根据省统一规定，分别于1995年11月、1996年10月、1998年10月、2000年10月调整标准，这5次调标，人均月增资分别为42元、54元、54元、50元、76元。

节编奖。广陵区机关1999年6月起实施节编奖。实施范围和对象是党、政、群机关，比照国家公务员制度管理的事业单位在册正式工作人员。发放标准为每人每月50元。2005年1月提高到每人每月150元。

下乡补贴。为贯彻落实区委、区政府关于加强预算外资金“收支两条线”管理的有关规定，结合行政区划调整后出现的一些新情况，切实解决区机关单位之间补贴标准不一的问题，调动干部职工的积极性，推动干部交流，强化反腐倡廉，出台区下乡补贴标准，其中综合补贴180元；岗位津贴法院、检察院、司法局、纪委每人每月250元，政法委每人每月320元，其他机关单位每人每月150元，退休人员每人每月160元。

地方岗位补贴。2003年7月，广陵区对实施、参照、依照公务员管理的党、政、群机关在职及离退休人员发放地方岗位补贴。机关工作人员按其职级，按月兑现地方岗位补贴，具体标准为：正处级300元、副处级280元、正科级260元、副科级240元、科员级220元、办事员200元、见习期公务员120元；技师240元、高级工220元、中级工200元、初级工180元、普通工160元、见习期工人100元。考虑到事业单位与机关实行不同的工资和津贴分配制度，未统一制定事业单位地方岗位补贴标准，由各单位按每人每月不超过220元标准自行制定。

出差伙食补助。2003年7月，对区实施、参照、依照公务员管理的党、政、群机关在职工作人员实行出差伙食补助定额包干，每人每月120元。2005年1月，调整到每人每月220元。2006年6月，调整到每人每月

300元。包干后，机关工作人员到扬州市所属县（市）区出差，不再报销出差伙食补贴。

考勤奖。2003年7月，对区实施、参照、依照公务员管理的党、政、群机关在职人员严格执行考勤制度并兑现考勤奖，每人每月130元，考核发放。2005年4月，区委、区政府决定对在职人员发放区级机关考勤奖。根据在职人员所任职务对应的职级，实行三类标准：县处级每人每月300元，科级每人每月250元，科员级及以下每人每月200元。

奖金。2002年起，根据国家、省有关规定，对机关、事业单位工作人员发放年终一次性奖金。发放对象为本年度考核等次为优秀、称职（合格）的在职人员。计发基数按本人当年度12月国家规定的标准工资加66元综合补贴。警衔津贴、教龄津贴和护龄津贴等可列入计发离退休费基数的项目，也纳入年终一次性奖金的基数。其中年度考核优秀的，其年终一次性奖金按规定标准的150%发放。

（四）工资调整

1989年10月，为机关、事业单位调整工资。升级人数4261人，占总人数93.6%，月净增资额5.48万元。其中国家机关升级人数979人，占总人数86.07%，月净增资额1.52万元；事业单位升级人数3028人，占总人数88.74%，月净增资额3.96万元。办理增资862人，审批并兑现工、教、护龄津贴。办理大中专毕业生和招聘人员转正定级84人，套改为机关、事业单位工资标准77人，超龄离退休人员补调工资46人，457名1987年8月前离退休人员实行生活补贴等。1990年，机关、事业单位在职人员和退休人员办理普调、复调升级手续，月增资8.57万元，一次性补发70.16万元。兑现55名受聘专业技术人员职称工资，月增资526元。全区卫生事业单位127名护士提高10%的工资标准，248名退休教师增加退休补贴费，审批工、教、护龄补贴4311人；95名大中专毕业生转正定级；办理72名调入机关、事业单位人员的工资套改和108人次因工作调动转移工资关系等手续。区机关、事业单位109人办理调资升级审批手续。审批工、教、护龄补贴4430人；大中专毕业生办理转正定级110人；企业调进人员进行工资测算套改66人。1992年3月，机关、事业单位调整工资。升级人数4308人，占总人数100%，月净增资额12.1万元。其中，国家机关升级人数1019人，月净增资额2.97万元；事业单位升级人数3289人，月净增资额9.13万元。1993年，实行机关、事业单位工资改革，57个机关部门和97家事业单位3563名人员参加，工改前月工资额142.61万元，工改后月工资额178.26万元。

1994年6月，启动机关、事业单位工资制度改革。9月，根据工、教、护龄津贴每年自然增长规定，增加“三龄”津贴3689人。对机关、事业单位工作人员工作满5年、10年、20年及满30年以上，按照职务职级和职务变动后，自然调整职务岗位津贴（奖励工资）标准953人，月增奖励工资1.04万元。435名聘任为专业技术职务和任命为行政职务的人员调升工资，月增资5145元。

1995～2004年，共实施9次工资调整。其中，1995年11月、1996年10月、1998年10月、2000年10月，调整职务岗位津贴；1997年7月，增加综合补贴，调整基础、职务工资标准；1999年7月、2001年1月，调整基础、级别、职务工资；2001年，调整机关、事业单位工资标准及岗位津贴，为机关、事业单位离退休人员1162人增加离退休费，月增离退休费12.27万元；2004年，完成职务工资提高标准及两年一次工资晋升工作，增加地方各类津贴。

2007年，对区机关、事业单位2979人进行工资改革，1531名离退休人员调整待遇。晋升职务（职称）调整工资172人，调增工、教、护龄津贴183人，正常调整职岗津贴200多人。根据新工资制度，区110多名符合滚动升级条件人员级别工资进行相应升级，累计增资3000多万元。2008年，实施机关、事业单位工资收入分配制度改革，做好区机关公务员级别工资滚动升级和两年一次级别工资档次晋升工作。完善机关、事业单位人员工资信息库，规范区直机关工作人员和离退休人员津补贴。2009年，实行新工资制度，机关、事业单位调整工资、变动津贴2748人；35名机关行政人员关系调整办理工资关系转移手续。落实义务教育学校2222名在职及离退休教师绩效工资发放工作。2010年，实施义务教育学校教职工绩效工资。全年调整工资档次、变动津贴标准2900人。2011年，检查公务员规范津贴执行情况，形成广陵区规范津贴补贴工作长效机制。

二、善后补助

1989年，审批发放遗属困难补助41人。1991～2009年，审批发放遗属补助费等善后补助639人次，核发死亡抚恤金150人。

第二章　劳　动

执行国务院国营企业改革劳动制度的规定和贯彻扬州市搞活固定工制度的暂行办法，劳资关系实行双轨制，即老职工劳资关系不变，新招职工一律实行合同制；所有职工与所在企事业单位签订劳动合同，确定新型劳动关系；推行由行政、工会和职工代表三方协商签订集体合同制，建立整体性权利义务关系。推进劳动工资等各项制度配套改革。以培育和发展劳动力市场为中心，推动劳动工资保险三项制度改革，探索劳动工资宏观调控路径。在加强就业和再就业、社会保险、企业工资、劳动监察、劳动仲裁、职业技能以及安全生产综合治理等方面不断进行探索。

第一节　劳动制度改革

1990年，劳动部门召开就业指导宣传大会，全区参加会议2000人。政府引导转变择业观念，消除重全民、轻集体、鄙视个体的偏见。清退计划外用工，挖掘企业潜力，腾位接纳待业青年。1992年，区委、区政府在5家企业率先进行全员劳动合同制、岗位技能工资、商业“四放开”和股份制改革试点，下放用工自主权、职工调动权、职工收益自主分配权。1993年，制定“发展劳动经济兴办劳服企业的工作意见”。至年底，创办捷达工艺等劳服企业5家，仅7个月实现工业产值130万元，税利16.27万元，安置待业人员11人、企业富余人员13人。1994年，对已创办的劳服企业，抓运行、抓管理、抓制度完善。扩大劳服企业创办范围，全年创办劳服企业5家，完成生产（经营）总值550万元，实现利税50万元。区劳动服务公司新办（挂靠）集体企业参加在北京举办的首届全国城镇集体企业成果展，被国家经贸委、中国贸促会、劳动部评为优秀奖。

1995年，全区全面实施劳动合同制，成立区劳动制度改革工作领导小组；确定华联股份有限公司、扬州皮革机械厂、扬州商场等16家企业为改革试点单位。至年底，区内有98.3%的企业职工共1.56万人与企业依法确立劳动关系，企业职工劳动合同制改制率95.6%。抓好自办劳服企业管理，指定火箭工具有限公司为劳服企业，适时安置企业富余人员。同年，劳服企业相继建立健全经营承包、安全生产、质量检验、内部分配等规章制度。1996年，辖区4348名失业人员办理就业登记证。1997年，对下岗职工实行待岗证管理制度。依靠国家优惠政策，新办立苑装饰装潢公司和丽人服装公司2家劳服企业，吸纳下岗失业职工20多人。1998年，研究制定解困资金筹集和分配方案。通过发展劳动服务企业安置下岗失业人员，对资金确有困难的劳动服务企业、私营企业给予贷款扶持。1999年，随着经济环境好转，挂靠企业逐步脱钩，成为独立法人。至此，结束劳动服务公司（管理处）兴办（挂靠）企业的历史。

2001年，实行下岗与失业并轨制。改制企业富余人员和破产企业职工解除劳动关系，直接分流出企业，进入失业保险。严格按规定程序和条件审核发放再就业优惠证，做好再就业优惠政策宣传、咨询工作，重点做好持证人员自谋职业、从事非正规组织就业、通过政府购买就业岗位就业等宣传。

2005～2009年，加强对非正规就业劳动组织和政府购买就业岗位的扎口管理，对达到退休年龄人员、自谋职业人员办理手续，实行“单行道管理”。多渠道挖掘就业岗位。发展园区劳动密集型企业和原国有集体中小企业，增加就业容量；乡镇、街道一级建立劳动保障所；村、社区一级建立劳动保障管理服务所（站）。各街道、社区工作所（站）以城镇困难就业群体为重点，挖掘社区就业岗位，采集辖区内低门槛岗位。完善就业再就业优惠制度，畅通“4050”（女40岁以上、男50岁以上，本人就业愿望迫切、但因自身就业条件较差、技能单一等原因，难以在劳动力市场竞争就业的劳动者）人员、零就业家庭和被征地农民等困难群体就业绿色通道。扎口管理政府购岗与非正规就业劳动组织，严格实行单行道制度。落实再就业安置政策和社会保险费补贴政策，组织实施零就业家庭援助活动。开展劳动保障法律法规宣传，探索劳动关系矛盾预防机制。深入湾头镇夏桥村，针对个私企业上门专访宣传，开办培训班；走访企业，现场解答解决企业在实施劳动合同中的疑难问题；帮助120多家各类欠规范管理企业建章立制、规范用工，从源头上化解劳动关系矛盾。对部分社区工作站新进人员统一组织进行招聘录用考试，择优录取。发挥信息系统在就业工作中的重要作用，对社区劳动保障平台工作人员共78人，分别就就业失业登记、社保补贴、就业援助、招聘求职、零就业家庭管理、农村劳动力管理、农村劳动力培训等内容进行系统培训。2011年，落实社保补贴、岗位补贴等扶持政策，强化技能培训，鼓励劳动者自谋职业、自主创业和灵活就业，实现“户户有就业”目标。

第二节　劳动力市场

图33-2-1　广陵区人才市场举办青年就业招聘活动

1989～2005年，广陵区劳务市场共集中开放363次，为企业招收新工人及招用临时用工人员1.84万人次。2006年，结合零就业家庭再就业援助工作，依托乡镇劳动所和街道劳动保障事务所、工作站，先后对城镇失业人员、特困群体人员和农村劳动力资源开展摸底调查。2008年，举办数十场专项招聘会，共发放就业服务联系表5000多份；针对不同就业需求对象，每月28日，市、区联动举办一次大型招聘洽谈会；各街道、乡镇、社区累计开发就业岗位2400多个。11月，市区三轮车专项整治行动涉及从业人员2000多人，举办再就业援助活动，共组织招聘会3场，提供就业岗位860个，办理社保补贴86人，协助办理低保330人。2009年，组织参与和举办大型及专项劳动力招聘会23次，推荐就业4820人。2010年，针对失业人员就业意向、培训愿望、技能水平等，组织开展公共就业服务专项活动15次。2011年，区人社局组织专场招聘活动3次，力促企业吸纳农村劳动者就业1403人。举办2011年广陵区（中国声谷）春季大型人力资源招聘会，参会企业涵盖机械制造、IT电子、餐饮娱乐等多个产业，成功签约1200多人。

第三节　劳动就业

一、劳动力资源普查

1989～2004年，针对待业青年多，居住地分散，企业零星招工批量小、次数多、要求高等特点，建立健全待业人员各类台账。区劳动部门组织力量深入街道居民区调查和审核待业证，摸清待业人员状况，为决策提供依据。劳动部门发挥街道、社区优势，排查区内双失业下岗或单亲离异特困家庭就业状况、就业意向、隐性就业情况、家庭困难情况。2008年，组成3个工作组深入6个街道、乡镇和50个社区工作站，按照“单位数量清、职工人数清、劳动关系清、社会保险清”要求，了解区内各类用人单位劳动用工基本信息，摸清企业用工和社会保险参保底数实情。2011年，建立健全失业困难人员台账和数据库，实施失业人员“八清”管理，即失业人员家庭状况清、失业原因清、失业金领取清、失业人员性质清、技能特长清、培训愿望清、择业意愿清、就业去向清。

二、城镇劳动和失业登记

1989年，对失业人员进行登记，区内待业职工2600人，其中新增待业职工200人。1991年，针对市区受洪涝灾害影响而迁移住址的特殊情况，采取登门调查、登报、电视播放、电台广播等办法，如期办理4038名待业人员登记手续。1992～1993年，开展待业人员登记核实工作，审核登记应届高初中毕业生1293人、小年龄待业青年307人，市区待业人员分类换发待业证1187人；在132个居民区建立各类管理台账145本。年底，对进城劳动者进行登记发证，实行流动就业凭证制度。1994～1996年，劳动登记向街道和农村延伸，办理农民工务工证。对市区2000多名刚出校门青年进行待业登记，建立档案台账。1997年东南亚金融风暴后，区内形成下岗人员、失业职工和待业青年三股合一的激流。广陵区通过截流，抑制企业无节制裁员；通过引流，引导发展第三产业吸收下岗人员；通过导流，扩大就业面。至年底，广陵区有下岗职工2544人。1998年，对双下岗职工、特困失业职工的求职登记，实施承诺就业，下岗职工只要不讲过多条件，48小时内可推荐上岗。指导企业搞好减员增效、下岗分流，规范企业下岗行为，控制下岗职工总量，全年下岗职工总数2009人。1999年，建成就业服务大厅，开展就业登记、职业介绍、档案管理、培训教育“一条龙”服务，服务登记工作延伸到街道组织。

2004年，发放再就业优惠证3297本，持证人员实现多形式、多渠道再就业1800多人。2004～2005年，城镇登记失业人员2.73万人，失业率3.66%。2006年、2007年、2008年、2009年，城镇登记失业率分别为3.07%、3.42%、3.2%、2.99%。2008年，免费为1043名新增下岗失业人员提供档案代管理。

2010年，试行失业人员分类管理，做到对失业人员家庭状况、失业原因、失业金领取、人员性质、技能特长、培训愿望登记清楚，动态消除“零就业”家庭。城镇登记失业率控制在3.16%，基本实现“户户有就业，人人有保障”目标。全年，共帮助830名就业困难人员实现就近就业，帮助12名困难家庭大中专毕业生实现就业。

三、农村劳动力转移

图33-2-2 “六一”关爱进城务工人员子女捐赠仪式

1990年，安置征地农民11人。1995年，为农村劳动力进城或外出做工发放证卡2033份，安置征地工21人。1996～1997年，控制农村劳动力盲目流入城镇，清退企业计划外民工，腾出就业岗位安排下岗失业人员。对企业使用农村劳动力实行扎口管理。2004年，组织乡镇劳动所调查农村劳动力资源总量、人员构成、就业分布、劳务输出等情况，协调开展农村劳务输出工作，建立区农村劳务输出工作协调小组。

2005～2008年，农村劳动力转移输出5906人。2009年，全年培训在岗农民工1408人，农村劳动力转移前培训1102人，新增农村劳动力转移就业728人，分别完成全年目标的141%、110%、112%。辖区内登记失业的被征地农民就业率75.3%，超额完成市下达目标5.3个百分点。2010年，新增农村劳动力转移就业780人，转移输出农村劳动力355人，帮助123名失地农民实现就地就近就业。2011年，新增农村劳动力转移就业650人，辖区内登记失业被征地农民就业率75%，跨地区有组织劳务输出310人。并对进城务工人员子女给予关爱。

四、就业、再就业和创业工程

1989年，区政府发挥行政调控功能，鼓励企业在招工招生时放宽年龄、性别等条件限制，向大龄待业人员倾斜，当年安排临时就业2505人次，扶持开办商业网点36个。区劳动部门举办就业前培训和定向培训，考试合格后录用为合同制工人 960 人。

1991 ～ 1995 年，配合企业做好合同制工人珍惜岗位的宣传教育工作，减少待业人数；多渠道安置待业人员就业 5722 人；招用临时工 2954 人次；发放待业职工救济金 16.74 万元。1996 年，创办市区第一家家政服务中心，开展“钟点工”服务。1996 ～ 2005 年，分流安置下岗职工和市区失业人员 9663 人。累计发放下岗职工基本生活费、解困资金、代交社会保险费等共 301 万元。

2001 年，在汶河、广陵街办设立职业介绍所。落实“政府购买岗位”和“政府购买培训成果”制度，以社区服务为载体，发展社区就业。

2010 ～ 2011 年，构建创业就业辅导载体，培育创业孵化基地 2 个、培训基地 6 个，培育创业典型 2 人，推介创业项目 25 个，发放政府购买岗位补贴 1408 人 804.4 万元，灵活就业人员社保补贴 6111 人 1080.9 万元，调剂补贴就业再就业培训费用 189.7 万元，职业技能培训补贴 144 万元和职业介绍补贴 117 万元，退伍士兵就业培训 140 多万元，帮助困难企业减轻负担 35.8 万元。加强创业带动就业工作，全年扶持实现自主创业 317 人，带动就业 2522 人；协助发放小额担保贷款 175 万元；筹集再就业资金 325.4 万元。

五、就业服务

区劳动部门定期召开待业人员会议和家长会议，及时核实和发放待业救济金，做好招工、报名、考试、体检、报工等服务工作。1990 年，华联百货大楼开业前急需一批业务骨干和熟练工，区劳动局打破定期研究调进人员惯例，先后为其引进业务人员 17 人。解决职工夫妻分居和职工身边无子女职工调动 45 人。1991 ～ 1993 年，企业引进各类技术人才和技术工人 319 人，市区安排临时就业 1254 人次；招工安置 1555 人（其中区属企业招工 355 人），安置征地工 74 人。1996 ～ 2000 年，将失业职工生活救济与就业指导相结合，举办再就业指导学习班和转岗培训班，宣传再就业先进典型，促使下岗失业职工转变择业观念。聘请企业劳资干部兼职劳务信息员 36 人，建立广陵区劳务信息网络。1997 年，建立家政服务中心，在城南街办成立“华南分中心”，中心服务项目增加到六大类 30 多个，吸纳安置下岗失业职工 210 多人。

2000 ～ 2005 年，为用人单位劳务代理 32 家，为个人劳务代理 6500 人次，为劳动者代缴纳社会保险费 11.2 万元。2005 年，成立连运社区、文昌花园社区、壁虎坝社区劳动保障工作站。2009 年 5 月，在连运社区港沪商业广场举行“扬州市创业带动就业民本工程示范点”授牌仪式。年内，进场开店经营服装销售、风味小吃、网吧、小型超市、美容店等共 98 家，参与自主创业 108 人，带动就业 200 多人。全年累计落实扶持政策 9339 人，落实政策补贴资金 1839.7 万元（其中社保补贴 1699.3 万元，公益性岗位补贴 140.4 万元），发放小额担保贷款 171.1 万元。2011 年，全区共有人力资源和社会保障公共服务机构 151 个，其中直管 7 个、街道 4 个、乡镇 7 个、社区 51 个、村级 82 个；核定编制 75 人，实有工作人员 262 人；使用场所 161 个，总建筑面积 6434 平方米；自有产权场所 35 个，场所面积 2151 平方米。是年，支出 797.22 万元，其中财政预算拨款 208.90 万元、专项补助 66.81 万元。

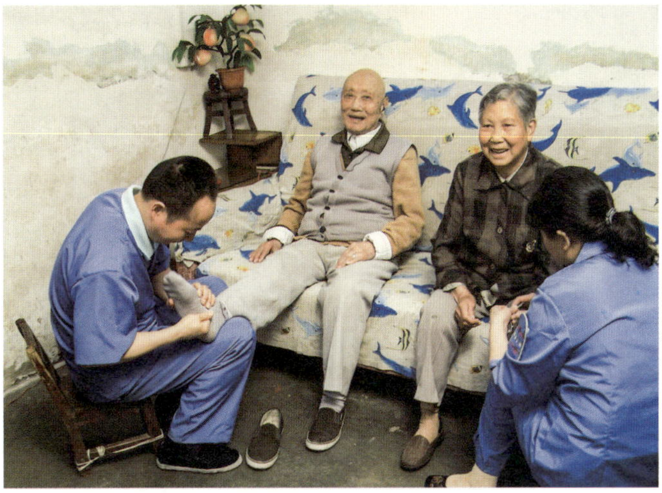

图 33-2-3 家政服务人员为空巢老人上门服务

第四节　劳动工资福利

一、工资

（一）工资分配制度改革

1989年，广陵区开展企业内部工资改革。改革采取多种模式，实施推选承包经营责任制的有扬州大酒店等2家，实行“全挂”（包括奖金）和“分挂”（不含奖金）的有扬州鞋厂等企业13家，实行工资总额包干的有中建家具厂等单位3家，实行超总额联利浮动的有服装公司等单位5家，实行全额提成工资制的有第二服务公司等单位2家，实行百元产值工资含量挂钩的有基础公司。是年，继续推行工效挂钩，挂钩企业47家，其中全民11家、集体36家，占企业总数的60%。挂钩企业职工8681人，占企业职工总数70%。全区有9496名职工实行计件工资制，占职工总数80%。

1990年，完善改进工效挂钩办法。在对上年挂钩的47家企业进行决算基础上，又审批20家企业，共67家企业实行工效挂钩，推行计件工资和定额工资等多种内部分配形式。增资职工1.51万人，月增资18.32万元，人均月增资12.13元。

1991年，扩大工效挂钩范围，工挂单位由67家增加到76家，占区属企业的80%。同时，对小集体企业，如糖果二厂推行工挂办法。在原工挂考核办法基础上，增加复合指标考核：工业企业增加生产率指标挂钩、商业企业增加劳效指标挂钩、提成工资增加与实现税利挂钩。相应提高企业工资标准，受益职工人数1.24万人，人均月增资8.34元。1993年，加强工资基金审核，控制企业工资总量过快增长。对长期亏损又缺乏自我约束的企业，下达工资总额计划。坚持季度审核工资基金制度，要求“两个低于”（工资总额增长低于经济效益增长，职工平均工资增长低于劳动生产率增长）企业控制基金总量。对全区117家单位1.19万名职工办理工资升级手续，增资额33.35万元，人均28.10元。1994年，全区实行档案工资封存，以档案工资作为职工离退休时养老金计发基数。依据经济效益增长幅度，下达弹性工资计划。对长期处于亏损状态的企业和新建企业，仍下达工资总额计划，使企业在规定工资总额内自主分配。1996年，优化工效挂钩办法，指导企业内部分配模拟市场核算，实现成本否决工资做法；加大活工资分配比重；在职工工资收入中适当融入市场风险机制。集中审批93家企业工资增长方案，增资职工9210人，人均月增资55元。制定《广陵区1997年企业工资指导线实施意见》。1998年，帮助企业合理确定销售大承包，实行联产、联质、联耗、联销计件工资等形式的岗位工资制，加大活工资分配比重和技术分配含量，对实行股份制和股份合作制改制企业，要求按劳分配与按资分配合理均衡，搞好企业经营者年薪制，适当兼顾职工与股东双方合法权益。控制部分企业少报、漏报、瞒报工资总额现象。开展企业工资内外大检查，重点检查房地产企业、改制企业和外商投资企业，对严重违反工资政策的企业，予以处罚和纠正。

2001年，工资分配执行“限高保低”政策，企业工资宏观调控重点逐步转变为“保低”为主。2002年，推行岗位工资制度，扬州灯泡厂、东方房屋、嘉金房产、糖果二厂等企业，选择合理的内部分配办法，逐步形成贡献决定报酬的工资分配激励机制。2004年，根据工资指导平均工资线，调整企业最低工资标准和最低工资规定。2006年，落实企业工资调控机制，分别与11名系统行政负责人签订工资分配目标责任书。2010年，执行市区统一标准的企业工资指导线，开展企业工资集体协商联合大检查行动，签订工资集体协商企业117家，审查工资集体合同65家，集体合同审查数93份，涉及职工约6000人。

（二）最低工资标准与工资指导线

1995年，广陵区建立最低工资保障制度，用人单位支付劳动者工资不得低于当年向社会发布的最低工资标准。1999年，提高起点工资标准，套改新的技能工资标准，增加综合补贴，月增资总额105.3万元。1997～2005年，全区最低工资标准逐年提高。2005年，上升到550元/月。2006年10月起，广陵区执行江苏省二类地区标准620元/月，每小时最低标准从4.6元提高到5.2元。2007年10月起，按二类地区标准调整到700元，每小时最低工资标准也相应调整为5.9元。2010年2月，按二类地区标准调整为每月790

元。职工患病或非因工负伤医疗期间，在规定的医疗期内，由企业按有关规定支付其病假工资或疾病救济费，可以低于当地最低工资标准，但不能低于标准的80%，每月工资至少为632元，较以前涨72元。2011年2月，广陵区按二类地区标准调整为930元/月，每小时最低工资标准由原6.4元调整为7.5元。

1995 ~ 2011 年广陵区企业最低工资标准情况一览表

表 33-2-1　　单位：元

年份	月最低工资标准	年份	月最低工资标准
1995	210	2004	500
1996	240	2005	550
1997	250	2006	620
1998	250	2007	700
1999	290	2008	700
2000	340	2009	700
2001	360	2010	790
2002	370	2011	930
2003	450		

1995年起，广陵区建立工资增长指导线制度，形成工资宏观调控指导体系。每年通过制定发布工资增长指导线，调控企业工资分配，引导职工工资合理增长。1997年，区政府成立企业工资内外收入监督检查小组，坚持“效率优先，兼顾公平”原则，具体确定效益不同企业增资标准。1998年，按工资指导线要求，审批95家企业工资增长方案，增资职工6700人。1999～2011年，凡生产经营正常企业都能按照企业工资增长指导线，在经济效益增长基础上，给职工适当增加工资。

1996 ~ 2011 年广陵区企业工资增长指导线情况表

表 33-2-2

年份	工资增长基准线	工资增长预警线	工资增长下线
1996	18%以内	24%以内	不低于当地最低工资标准
1999	7%～10%	14%～16%	实际工资零增长
2002	9%～11%	16%～18%	3%
2005	8%～14%	16%～20%	4%～5%
2008	12%	18%	5%
2011	14%	（首次未设）	6%

1998年，建立劳动力市场工资指导价位制度。是年，首次发布四大类共81个职位工资指导价位，最高位数为厂长（经理）11.96万元/年，最低位数为纺织业初级工4100元/年。此后每年发布一次。2005年，发布不同学历、专业技术等级、行业、隶属关系、登记注册类型、年龄段和工龄段的工资指导价位共705个。2005年后，未设工资指导价位。

2001 ~ 2005 年广陵区部分职位工资最高、最低指导价位表

表 33-2-3　　单位：元 / 年

年份	厂长(经理)		电切削工	
	最高	最低	最高	最低
2001	113882	10925	14867	6368
2002	114000	11876	13970	7368
2004	167860	14560	13480	6968
2005	169400	14694	13604	7053

1989 ~ 2011 年广陵区在岗职工工资水平表

表 33-2-4　　单位：元

年份	人年平均工资	年份	人年平均工资
1989	1757	2001	10763
1990	1976	2002	12006
1991	2188	2003	13801
1992	2681	2004	15735
1993	3486	2005	18165
1994	4065	2006	19396
1995	5945	2007	23041
1996	6441	2008	26913
1997	6826	2009	30988
1998	7093	2010	34738
1999	8637	2011	39549
2000	9732		

（三）企业工资集体协商

1996 年，建立企业工资集体协商制度，试行以集体协商形式确定企业工资水平和增长速度。1998 年，在外商投资企业、私营企业，推行集体协商确定工资制度，在股份合作制及其他改制企业试行集体协商确定工资制度。1999 年，建立企业内部分配决定机制，在广陵工业经营公司、万家福商城、扬州灯泡厂总结探索工资集体协商制度的经验。2000 年，根据省工资集体协商实行办法，与区总工会联合指导企业工会或职工大会，推选代表与企业经营者就企业内部工资分配制度、分配形式、支付办法、收入水平及增长幅度等问题进行平等协商。光明电器有限公司和大力工具有限公司率先依法签订工资集体协商协议。2001 年，指导企业建立适应市场经济体制的工资分配决定机制。红旗印刷厂、金利工具有限公司、铝制品公司等企业与职工进行协商谈判。2002 ～ 2005 年，有 66 家企业签订工资集体协商协议书。2009 年，开展以工资集体协商为重点的行业性、区域性集体协商。2010 年，签订工资集体协商企业累计达 117 家，审查工资集体合同 65 家，涉及职工约 6000 多人。

二、福利

广陵区工业基础薄弱，企业规模较小，为摆脱沉重的带有社会功能的福利设施，鼓励企业发展第三产业，成立面向社会、有偿服务的劳动服务公司，并逐渐与原单位脱钩。1992 年年初，区委、区政府在工具厂、扬州

商场进行股份制改革试点，推动福利制度改革，如职工食堂、浴室通过招标，进行承包经营，实行市场化运作；有的拍卖给个人，与企业脱钩；有的随企业破产而自然解散，如扬州鞋厂的幼儿园。个别企业考虑实际需要，仍保留应急性医务室。1989 年后，企业职工享受年休、婚嫁、妇女产假、探亲假等休假待遇，广陵区执行 1962 年国家制定标准，按工资总额 11%提取，并直接记入成本。1992 年，财政部发布《关于提高国营企业职工福利基金提取比例，调整职工福利基金和职工教育经费计划基数的通知》，按规定列入成本的职工福利费，按职工工资总额扣除各种奖金后的 14%从成本中提取。

第五节 劳动关系与维权

一、劳动合同和集体合同

（一）劳动合同

80 年代后半期，广陵区逐步实施劳动合同制度。全民企业单位从社会上招聘职工，以劳动合同形式确立和调整与劳动者的劳动关系。1989 年，区属企业合同到期 323 人，续订 241 人。1990 年，在完成清退工作基础上，发放务工许可证2671份，签订计划外用工合同2800多份，劳动合同制工人合同鉴证320人。1991年起，扩大合同鉴证范围，对私营企业用工、城镇小集体企业计划外用工和三资企业用工实施用工合同鉴证。在扬州铝制品厂、扬州工具厂等企业实施全员劳动合同制。1995 年，全面实施全员劳动合同制。全区 95.3%的企业中，1.56 万名职工与企业确立新型劳动关系，劳动合同制职工达 95.6%。1996 年，80%以上区属小集体企业开始实施劳动合同制。1998 年起，居办企业、私营企业和个体工商户均实行劳动合同制。2001 年，加强对改制企业改革过程中劳动关系的指导与服务，帮助扬州商场、扬州鞋厂等企业和职工解决劳动合同关系。2002 年，开展集体合同和劳动合同管理年活动，建立目标考核机制，强化对劳动合同签订、续订、变更、解除、终止各个环节管理。2006 年，全区劳动合同签订率（抽样）95.2%。坚持劳动合同与集体合同三方协调小组制度，明确职能定位，落实工作职责。2007 年，劳动合同签订率（抽样）95.1%。其中：国有及国有控股企业 100%，集体企业、港澳台企业 95%，私营、其他企业 92%，有雇工的个体工商户 70%。2009 年，规范裁员行为，建立企业减员报告制度，签订劳动合同备案人数 1.95 万人，签订率 98%以上。

（二）集体合同

1995 年，扬州大酒店集体合同试点工作正式实施。1996 年，31 家企业签订集体合同。1997 年，在非公有企业和现代企业制度试点的国有企业推行集体协商和集体合同制度，即由企业工会牵头代表职工利益，与厂长、经理协商签订合同，保证双方利益。2002 年，劳动部门联合区总工会与各行业主管部门、各街道办事处、各乡镇签订集体合同和劳动合同管理年目标管理责任状。2004 ～ 2005 年，各系统局、乡镇、街道完成新签订集体合同和工资集体协商合同 36 家。区劳动部门将集体合同工作向社区实体延伸，琼花观、荷花池等社区相继开展集体合同签订工作。2006 ～ 2010 年，重点做好已建工会单位集体合同与工资集体协商工作，归口做好集体合同审查。

二、劳动保障服务

1989 年，区劳动部门为街办小集体企业招收新工人 122 人。此次招工采用小集体单位招收大集体人员和小集体人员实行统筹保险办法，既解决小集体企业人员招不进、留不住、素质低困难，又解决部分待业人员就业困难。

1993 年，做好征地工安置，按照谁征地、谁安置原则，企业接收 134 名征地工。9 月，汶河街办工业企业亏损，富余职工难以安置，区劳动局派专人帮助企业分流，安置富余人员 68 人。1999 年，各主管部门和街道办事处建立托管中心（即再就业服务中心），重点解决国有企业（集体企业参照执行）和停产、半停产、破产企业职工基本生活，资金来源于企业、政府和社会；鼓励下岗职工与企业解除或终止劳动关系，自谋出路。凡进入托管中心满 3 年者，应离开中心。离开后，男性 55 岁以上、女性 45 岁以上，由企业供养；如企业破产，资不抵债，则由托管中心统筹解决。

2000 年，扬州市基础公司、扬州苏北印铁制罐厂、扬州市食品工业制罐厂"三企联动，土地变现"（用土地置换成货币，解决失业职工补偿、安置和相关保险费用），宣告破产。同年，扬州电位器厂等企业破产，扬州开关厂等企业破产改制。破产或改制出现富余职工的企业，除距退休不足 5 年的人员外，一般直接解除劳动关系流出企业，进入失业保障。2001 ～ 2003 年，扬州商场等企业资产出让、改制、破产。这些企业与富余人员解除劳动关系，均依法给予经济补偿，进入失业保险。落实劳动关系政策，化解群访、集访事件。2004 年，区政府对各乡镇、街道劳动保障工作实行目标管理。加强信息网络建设，与市职业介绍服务中心联网，为 6 个街道（乡镇）劳动所和 48 个社区（居委会）工作站配备电脑，实现街道与市劳动部门电脑联网。2008 年，实施劳动监察网格化管理，探索劳动监察协理员制度，先行在宝塔社区试点。建立健全劳动保障诚信体系，综合评选出年度劳动保障诚信示范单位。严格执行书面审查制度，完成对区企事业单位劳动保障书面审查 538 家。2009 年，重点开展"工资规范发放"和"清理整顿人力资源市场秩序"专项行动，累计巡查企业 462 家，受理举报案件 191 起，补签劳动合同 1607 份，帮助追讨工资 50.2 万元，督促 55 家用人单位为 2347 名职工补缴社会保险 105.6 万元；评选 2008 年度广陵区劳动保障诚信单位 89 家，并报市劳动保障局批准授牌予以表彰。

2010 年，开展创建劳动关系和谐园区（街道、乡镇）活动，创建和谐劳动关系工业园区、乡镇（街道）5 个，劳动关系协调进社区覆盖率 100%，劳动合同签订率 98%，劳动合同备案 2.25 万人。开展用人单位劳动保障诚信评价工作，评定 A 级诚信企业 139 家，并予以授牌表彰。2011 年，构建村（社区、企业）、乡镇（街道、园区）、区三级调处网络，将劳动争议化解在萌芽状态、化解在基层。

三、劳动保障监察

1995 年，广陵区建立由劳动部门、各主管局和企业劳资干部组成的专（兼）职监察（联络）员队伍和网络，开展实施劳动法大检查。1996 年，成立广陵区劳动监察委员会，聘请劳动监察协理员 14 人、劳动监察联络员 95 人，建立三级劳动监察网络；开展劳动执法检查。1997 年，开展以"劳动监察执法月"为重点的宣传活动；开展巡视监察和专项监察，重点检查企业劳动关系规范化、工时和休息制度、工资支付及交纳保险费等情况，督促企业补签劳动合同 342 份，追缴养老保险金 30 多万元，查处非法劳务中介机构 12 个；清退违反规定挤占就业岗位的农民工 412 人。1998 年，成立广陵区劳动监察大队。1999 年，成立私营个体劳动管理督查办公室，依法对 1650 户私营个体经济组织的劳动用工管理进行检查，规范私营个体经济组织劳动用工行为。

2000 年，区劳动监察大队分设 4 个执法中队，督促用人单位补缴社会保险费 30 万元。2001 ～ 2003 年，开展专项治理及"维权年""百日维权扩面征缴"活动，签发询问通知书 1719 份，下达整改指令书 734 份，督促 60 家企业参加养老保险，接待咨询 300 多人，追讨工资 11.7 万元。

2005 ～ 2011 年，开展"劳动保障维权在扬州"主题系列活动，包括"追薪突击月""清理整顿劳动力市场秩序""社会保险扩面""禁止使用童工"以及"农民工维权春风行动""物业管理公司劳动用工""房地产行业劳动用工"等专项执法检查。下发询问通知书，在 10 个社区成立劳动保障维权投诉举报点，每个点由监察大队工作人员挂包对接，接待、协调、处理上访、群访，为职工追讨工资、加班费、保证金等共 232.8 万元。下发限期改正通知书 339 份，发放执法服务联系卡 1200 份。书面审查全区用人单位 1255 家。

四、劳动争议与仲裁

1989 年，全区建立劳动争议基层调解组织 41 个，经验收合格 34 个，其中全民 8 个、集体 26 个。1990 年，劳动争议基层调解委员会增加到 44 个，成员增加到 231 人，受理案件 8 起，经过调解均达成协议。1991 年，全年受理劳动争议案件 7 起 23 人，均在立案前调解成功。1992 年，依照《扬州市劳动争议仲裁庭（员）试行办法》，新建基层劳动争议调委会 9 个；受理劳动争议案件 6 起，结案率 100%。1993 年，贯彻《劳动争议处理条例》，指导企业完善厂规厂纪，处理劳动争议案 10 起 10 人次，其中在立案前调解处理 9 起，通过仲裁庭形式审理结案 1 起。

1995 ～ 2003 年，制定企业仲裁调解报告制度，受理劳动争议案件 132 起，案外调解 226 起。1999 年，成立广陵区人事争议仲裁委员会。

2004～2006年，调整和完善人事争议仲裁委员会及其办公室，建立人事争议仲裁工作组织体系，健全劳动关系三方协调组织网络体系，在11个系统局、乡镇、街道建立劳动关系三方协调小组，组织网络成员50人。先后参与处理琼花幼儿园改制、木器厂破产人员分流安置、文峰街道光明电气安装公司因社会保险关系引发的问题。对金鼎公司、曲江小商品市场等5家改制企业职工安置费按政策规定逐项审核，保证企业改制工作有序进行。依法对欣宝机械、正大桅灯、邦邦家政3家单位集体合同进行审核备案。调解和处理汤汪乡五星皮革机械公司206名人员集体劳动争议案件，在琼花观、四望亭社区成立社区劳动争议调解委员会。协调处理涉韩企业斯大锅炉有限公司、改制企业绿叶食品公司和大桥旅游用品有限公司等单位的劳资关系问题。2007～2010年，受理劳动争议案件536起；先后增聘8名律师充实兼职仲裁员队伍，兼职仲裁员12人。

2011年，区成立劳动人事争议仲裁委员会、劳动人事争议仲裁院，分别在曲江街办、四望亭社区、琼花观社区成立劳动人事争议基层调解组织观察站、广陵区劳动人事争议仲裁人民调解室、广陵区人民法院劳动人事争议仲裁巡回法庭。全年共审理各类劳动争议案件139起，立案处理92起，其他方式处理47起，按期结案率100%。

第六节 职业技能培训与鉴定

一、职业技能培训

1989～2011年，全区共举办各类技能培训班529个，2.14万名在职职工和新进工人接受技能培训。1989年，在扬州灯泡厂、扬州五金机械厂和扬州工具二厂推行优化劳动组合扩大试点，3家试点企业510名职工进行考工考核，460名职工择优上岗。1992年，重视初级工考核定级，新招工人须按照有关技术等级标准进行考核，合格者予以定级。举办电工等特殊工种培训班38期，参加培训2938人。1994年，抓好企业富余人员转岗培训，举办社会不定向培训班2个。1995年，举办计算机培训班，27名培训人员取得合格证书。1996年，举办广陵区电工技术考核比武大赛。1997年，对辖区美容美发从业人员持证上岗情况进行执法检查，205家美容美发店从业人员按规定持证上岗。2009年，规模以上企业30%以上一线职工接受一次培训。

1993年4月，原就业培训指导站改为劳动就业训练中心。坚持每月举办就业指导，及时对区属单位招收的培训生和征地工进行培训；对小年龄待业人员和应届高、初中毕业生举办就业指导培训。对从事各技术工种人员实施就业、上岗前准入控制，劳动者接受职业技能培训。1997年起，先后实施职业资格证书制度、劳动预备制度和考工晋级试点工作。对城镇新生劳动力即普通中学初、高中毕业生，未能升入高一级学校学习且有就业愿望的青年，实行追加半年至三年职业培训和教育，取得相应职业资格后实现就业。1999年，912名失业人员参加就业前培训，合格率98.1%。培训下岗失业职工4248人次，再就业培训率100%。

对失业人员进行登记、建档、教育，选择家政服务、电脑操作、裁剪、厨工、美容、美发等易自谋出路专业，为下岗职工提供免费培训，下岗职工培训率80%。抓好失业人员就业前培训，举办就业指导培训。2002年，广陵区实施“三年一万”（三年培训1万人左右）再就业培训工程。2004年，落实政府购买培训成果制度，做好就业再就业培训。针对下岗失业人员年龄大、无技能、就业难状况，设置足底按摩培训；针对美容师紧缺现状，开办美容美发培训班；提高社区“三保”岗位政府购买就业岗位人员就业稳定性，开展以家政服务、保洁、保绿为主要内容的社区培训；针对下岗失业人员，开展以创业、工商、税务知识为主要内容的创业培训。全年共培训下岗失业人员2886人次，举办就业指导培训班12期、转岗转业培训班60期；农村劳动力开发培训班6期1115人次；开办企业转岗培训班60期，经过再就业技能培训2886人，走上新岗位2324人。2005年，灵活开展职业技能培训，提供“培训—展示—扶持—就业”一条龙服务。开办创业者培训班。全年接受市、区两级劳动部门开办的各类培训1047人，如组织下岗失业人员参加艺术插花培训班；市、区两级劳动部门和汶河街道联合举办再就业家政服务员厨艺大赛，组织私营个体、非正规就业劳动组织、家政服务组织等经济单位内实现再就业的下岗失业人员参赛，优胜者获得初级职业资格证书；组织30多名双失业双下岗足底按摩结业人员为老人提供免费足底按摩。2006年，举办双东街区人力三轮车夫旅游创业培训和曲江、汤汪等乡镇失地农民创业培训班5期，试点华南家政服务公司医院护理培训110人。全年共为5300多名下岗失业工人和被征地农民举办培训班75期，培训后就业率89.8%。2008年，共为5300多名下岗失业人员和被征地农民举办75期计算机、玉器加工、美容美发、艺术插花、足底按摩、月子护理、客房服务、营业员、家政服务等职业资格和岗位技能培训班，培训合格率98.5%，培训后就业率89.8%。培训城乡新成长劳动力987人。以企业在岗职工技能培训、在岗农民工培训、就业再就业培训、农村劳动力培训和创业培训为重点，开展扬州"三把刀"、文昌商圈商业营销、物业管理、客房餐饮服务、社区保洁等免费职业资格培训和岗位技能培训。2011年，将再就业和职业技能培训作为增强就业创业技能突破口，举办插花、修脚等各类培训。全年职业技能培训6859人，完成全年目标191%。

二、职业技能鉴定

1990年，选择扬州工具厂、扬州服装公司和扬州大酒店3家单位作为考核工人技师试点，参加技师考核培训后通过高级工考核12人，为企业引进技术工人72人。1991年，建立广陵区工人考核委员会办公室，对初级工进行考核发证定级，开展技师评审工作。1993年，对商业、饮食系统培训生组织考核定级，对培训合格取得"双证"（技术等级证书、职业资格培训证书）人员，发放技术等级证书。1996年，经考核领到结业证2122人，领到初、中级技术等级证书350人。1996年，成立美发美容职业技能鉴定所，有28名从业人员经过培训通过美发美容职业技能鉴定。1997年，成立电工、钳工、机械加工、按摩等8个专业培训考核小组，举办美容、美发培训班8期，培训并鉴定从业人员355人；开展技术比武活动，全区80名车工技术尖子参加大赛，取得六级技术等级证书7人，五级技术等级证书25人，享受晋升一级工资待遇13人。1998年，加强职业技能鉴定考评员队伍建设和从业人员培训管理，组织车工、电工、营业员、收银员、美发师、美容师等专业工种培训鉴定，核发初、中级技术等级证书33本。1999年，举办城区首届私营餐饮企业烹调师和餐厅服务员青工技能操作大赛。2002～2003年，对2456名餐厅服务员、浴池服务员、保健按摩师、美容师、修脚师、计算机操作等人员进行培训考核，2234人取得职业资格证书。2003年2月，成立国家技能鉴定所。2005年，东关街道琼花观社区和汶河街道四望亭社区成立全市首批社区职业技能工作站。2004年，从热点工种抓起，实行就业准入制；重视特殊工种培训，坚持持双证上岗制度；举办"东方杯"金工加工技能大赛；强化美容、美发、按摩、修脚等工种职业道德和技能教育，规范从业人员行为；抓住新兴行业和信息技术发展机遇，开办电脑培训中心，投入80台先进电脑及教学设备，建立人数近50人、覆盖工种近30个的考评员队伍，实现考评员由能人型向资格型转变；督办技能培训班1618人次；办理技术等级证书1664人。2007年，抓好区属工业企业金工高技能人才培养，在扬州大力工具厂、扬州桅灯厂等老工业企业设立培训基地，组织金工技能培训与竞赛。承办全市餐饮服务、宾馆服务技能大赛；组织开展商品流通领域营业员培训，拟定千人培训计划，集中7～9月三个月，对文昌商圈营业员进行全面培训。结合园区企业发展，开展以汽配、物流为重点的多工种培训鉴定工作。全年培训鉴定技师68人、高级工151人；培训发证3381人，职业技能鉴定4415人。开展全区事业单位技术工人等级晋升工作。2008年，举办扬州市"业红足艺杯"修脚、足底按摩职业技能竞赛；举办全市职工数控专业人才职业技能大赛和企业内技师鉴定工作；主办广陵区校企合作专业技能人才供需双方洽谈会，联系市科技学院、高等职业技术学校等多所院校与东方吊架、景泰车材、嘉禾散热器、广菱电子有限公司等21家企业，开展校企合作岗位对接活动，为园区企业打造人才高地。全年职业技能鉴定4200人，鉴定发证3500人。培训鉴定电子、焊工、钣金工等3500人。2009年，与市科技学院、陆琴脚艺中心等单位合作共建就业职业技能培训基地，联合陆琴足艺培训中心举办"广陵杯"修脚足摩技艺大赛2次，在产业园中冶京诚及扬州柴油机厂等企业开展企业内技师鉴定和技能大赛活动5次。组织职业技能鉴定5100人，取证人数4050人。2009～2011年，新增技师402人、高级技工533人。

三、农村劳动力培训

2002年，对有意从事餐厅、理发、浴池、修脚等工作的农村劳动者进行培训，1511名培训者取得职业证书资格。2003年，根据乡镇特色产业，开办建筑安装、无公害蔬菜及小商品市场从业人员培训班。2004年，以实用技术为主，开办农村劳动力开发培训班60期，培训1115人。2005～2009年，开办农村劳动力开发培训班 147 期，培训 1.46 万人。2007 年，建立全市首家被征地农民培训基地——曲江农民培训基地，开办艺术插花等培训班。2011 年，在社区举办多期失地农民就业创业培训班。针对沙头镇园林产业发展瓶颈和缺乏育苗技术人员现状，邀请园林育苗专家对沙头镇 80 多名农民进行培训。全年农村劳动力受训 986 人，完成全年目标 164.3%。

第七节　退休管理

1989 年后，企业离退休人员社会化管理水平不断完善和提高，资金收缴、出纳工作由市社会保险基金管理中心统筹操作。1990 年，区政府将广陵区退休职工管理委员会划转区劳动局代管。1992 年，提高离退休人员退休费，全区共 2864 人，人均月提高退休费 27.30 元；广陵区退休职工凭公园优待证，免费游览市区景点，优惠开放扬州至镇江一日游和古运河水上游览线。1993 年，组织创办以退休职工为主的经济实体 4 个。建立退管网络，支持离退休人员兴办经济实体。1995 年，退管会与利民医院联合实行对退休职工凭证免费挂号就诊，医药费让利 5%。集中调整 17 家企业 47 名离休人员离休金。

1997 年，调整有关企业缴费比例和退休人员待遇，小集体企业缴费基数不变，退休人员退休费、生活费正常调整数由原来低于大集体调整视为大集体水平。7 月起，所有企业离休干部养老金由银行代发。调整企业 400 名退休人员养老金，人均月增资 23.70 元。1999 年，企业退休人员养老金标准从人均 450 元。提高到 520 元，人均增资 66.7 元。2000 年，全区有 99 家企业 4856 名离退休人员实现养老金发放社会化，发放率 99%。

2002 年，广陵区退休职工管理委员会办公室更名为广陵区退休人员管理服务中心，对企业离退休人员实行社会化管理服务。劳动保障服务工作前移，在乡镇、街道建立劳动保障所，在村、社区建立劳动保障管理服务站，强化企业离退休人员社会化管理服务职能。指导各社区按楼宇或区域组建自治自管组织，建立退管工作特色社区 10 个；指导社区团员、青年志愿者服务队伍和党员志愿者队伍，帮扶社区老、弱、病、残人员。与社区卫生服务站联系建立退休人员健康档案。抓好社区老年人文艺队伍和活动队伍建设，根据老人实际需要，组建图书室、棋牌室、戏曲沙龙、晨练队，开展会操表演、健康知识讲座。2004 年 4 月，举办首届“春之声”社区老年艺术大奖赛。

2005 ～ 2007 年，实行离退休审批与进社区审批捆绑办理，一次性缴纳进社区代办费，一条龙办理退休证、养老金领取卡和社会化公开审批表。2005 年，纳入社区管理的离退休人员 3.26 万人，占总数 98%。探索推进老年护理社会服务计划，启动爱心家庭敬老院活动，实施鳏寡孤独退休人员关爱帮扶。举办广陵区首届退休人员健身运动会、广陵区第二届退休人员文化艺术节和“奥运在心中”曲江退休人员运动会等大型活动。2009 年，5.3 万名企业退休人员纳入 54 个社区工作站进行社会化管理，确保退休送健康、服务在社区、游园有贴花、高寿送祝福、活动有场所、年老入公寓。2010 年，协助市社保中心为全区 7000 名企业退休人员提高养老金标准，人均月增资近 120 元。至 2011 年，全区共接收企业退休职工 5.56 万人，年底区划调整后，接管新划入 5 个镇退休职工 2200 人。是年，广陵区曲江街道文昌花园社区劳动和社会保障工作站被评为江苏省第一批企业退休人员社会化管理服务示范点，东关街道琼花观社区劳动和社会保障工作站被评为省第二批企业退休人员社会化管理服务示范点。年底，完成 1996 ～ 2008 年退休企业职工计划生育一次性奖励金发放工作。

第三章 社会保障

广陵区社会保障工作本着城乡居民待遇水平与经济发展相适应、公平与效率相结合、权利与业务相对应、让人员享受经济社会发展成果的原则，坚持“低水平、广覆盖、多层次”的基本方针，关注民意，重视民生，逐步由全部包揽向国家、单位、个人三方负担转变，由企业自保向社会救济转变，由福利包揽向基本保障转变，由现收现付向部分积累转变，由政策调整向法律规范发展，逐步建立适应区情的社会保障制度。至2011年，区内城乡社会养老保险（农村新农保）、医疗保险（农村新型合作医保）、失业保险、被征地农民基本生活保障实现全覆盖。

第一节 社会保障制度

1989年，广陵区按照市、区属企业推行退休职工劳动保险统筹暂行办法，建立完善社会统筹和个人账户相结合的城镇职工基本养老保险制度，形成国家、集体、个人三方合理负担基本养老保险费的机制。实施失业保险制度保障失业人员基本生活与促进再就业相结合，完善失业保险基金筹集管理机制，提高失业保险基金承受能力。区属企业待业职工救济金实行统筹保险。7月，市区集体以上企业实行退休费统筹结算，即按在册职工工资总额统筹提取。全民企业平均提取18%，集体企业平均提取23%，分五个档次进行提取缴纳：全民最低不少于12%，最高不超过25%；集体最低不少于15%，最高不超过30%，然后按退休职工实际人数统一划拨由企业发放。

1996年，扩大社会保险覆盖面，成立市社会劳动保险管理处广陵办事处。在区属全民、集体企业和外资企业全面实施失业保险制度基础上，在区属小集体企业中实施失业保险制度，扩大私营企业和个体工商企业养老保险覆盖面。1997年，全区养老、生育、工伤保险基金收缴率90%以上，失业保险基金收缴率95%以上。加强财务管理和会计核算，强化基金收缴。完成社会保险清欠工作，对名存实亡企业办理注销社会保险登记手续，对停产整顿企业办理缓缴手续，要求破产企业按规定将欠费列入资金清偿第一顺序。1999年，共清理养老保险欠费170万元，清理失业保险欠费47.7万元。当年养老保险费收缴率92%，失业保险费收缴率87%。

2000年起，确保下岗职工基本生活费和离退休人员养老金按时足额发放，稳妥推进下岗保障与失业保险并轨。2001年，改革城镇职工医疗保险制度，实行城镇职工和离退休人员基本医疗保险统筹，建立“个人账户看门诊、统筹基金管住院、大病医疗有救助、特殊群体保住院”的城镇职工基本医疗保险制度。2003～2004年，企业失业保险费征收实行社会保险五保（养老、失业、医疗、工伤、生育）合一，一单申报，一单征收。区劳动和社会保障局负责社会保险扩面征缴工作。开展社会保险宣传周活动，组织人员深入社区进行社会保险各项政策宣传，发放社会保险宣传材料近1000份；湾头镇召开社会保险现场会，表彰2003年度社保诚信单位；每季度在《扬州日报》上对未参保单位进行公告，督促其依法参保。加强街道小集体企业社会保险征收，将无理欠缴单位列入“黑名单”。

2005年，共向41家企业发放社保参保限期整改通知书，向12家拒绝办理参保手续的企业送达预征缴通知。每月18日参加市社保中心统一申报工作，杜绝瞒报、漏报。全区城镇企业职工基本养老保险参保1.64万人，离退休人员6300人，离退休人员社会化管理人数6000人。被征地农民基本生活保障养老保险参保200人，基金收入6370万元，支出6370万元；机关、事业单位养老保险参保1265人，离退休人员401人，基金征收5351万元，支出3485万元。至2005年年底，全区参加失业保险的城镇职工1.9万人，失业保险收入累计 2804.81 万元。向各类失业人员 14.97 万人（次）发放失业保险费累计 2973.28 万元。2009 年，养老、医疗、失业三大保险达到江苏省全面建设小康社会主要指标要求，养老、失业保险参保人数分别为 2.3 万人、2.2 万人，分别完成全年目标的 149%、141%。全区有 49 家企业享受阶段性减负优惠政策，稳定职工就业 1.15 万人。完善被征地农民基本生活保障，严格落实“即征即保”措施，被征地农民基本生活保障参保人数 1.42 万人，新增参保 3950 人，征收基金 8615 万元，参保率 95%以上。是年，将 58 名原乡镇（村）退伍军人和 374 名赤脚医生、村干部、城镇集体企业临聘人员纳入养老保险参保范围，解决一批历史遗留问题。

2011 年，全年参加养老、医疗、失业保险、被征地农民基本生活保障、新农保分别为 2.5 万人、3.4 万人、2.2 万人、2.3 万人、1.3 万人，均超额完成年度目标。企事业单位养老、失业保险金按时足额发放率均达 100%。符合条件的农村老年居民基础养老金领取率 100%。

第二节 养老保险

一、城镇职工社会劳动（养老）保险

1991 年，广陵区扩大养老保险覆盖面，对城市户口计划外用工实行养老保险制度。区属 35 家企业全部参加统筹，全区 70 家单位全部参加养老保险。1992 年，全民、大集体企业全部参加社会统筹和养老保险。城镇集体企业养老保险覆盖面 26.5%。1993 年，区属企业全面实行由国家、集体、个人三方负担基本养老金办法，所有福利企业均参加社会养老保险。43 家城镇集体企业 1050 名在职职工和 318 名退休人员参加养老保险，解决广陵印刷厂、友谊彩印厂等企业在上升大集体之前退休人员的统筹遗留问题。

1996 年，扶助和鼓励失业职工、下岗人员自谋职业和到私营、个体企业就业，区政府为其代缴养老保险。增强私营个体参保意识，各类参保企业增加到 200 家。调查和催缴 81 家欠缴企业。1998 ～ 1999 年，新增参保人数 1465 人。企业建立缴纳养老保险基金目标责任制。基本养老保险基金实行收支两条线，由差额缴拨改为全额征收。

2000 年，基本养老保险基金由社会保险部门征收改为地税部门征收，建立社保、财政、地税三方共管机制。2001 年，全区个体、私营工商企业实行养老保险。全年新增养老保险人数 2950 人。2002 年，提高辖区城镇个体工商户和自由职业人员缴纳基本养老保险比例，由 18%提高到 20%。2009 年，全区养老保险覆盖率大于 95%，养老保险参保人数 2.3 万人，养老保险净增缴费 1550 人。2010 年，实现养老保险基金征收 1.37 亿元。2011 年，广陵区接收民政部门的“三无老人”（城镇居民中无劳动能力、无生活来源、无赡养人和扶养人，或者其赡养人和扶养人确无赡养或扶养能力的 60 周岁及以上老年人）基础数据。1 月，首先向 3712 名“三无老人”发放上年 7 ～ 12 月基础养老金，累计 147 万元。4 月，召开乡镇、街道、产业园劳动所所长工作会议，审核“三无老人”身份，向 2777 名“三无老人”累计发放基础养老金 105 万元。6 月，实现“三无老人”基础养老金社会化发放。

二、农村社会养老保险

2005 年 3 月，制定《广陵区被征地农民基本生活保障实施暂行办法》。12 月，成立广陵区被征地农民基本生活保障服务中心。当月，举办被征地农民基本生活保障卡首发仪式，首批 200 名农民领取被征地农民基本生活保障卡，享受生活费补助和养老金，同时开始调查全区人均耕地 66.7 平方米以下失地农民情况。

图 33-3-1 2011 年，全面推开被征地农民社会养老保险

2006 年，建立被征地农民基本生活保障制度，发放被征地农民基本生活保障卡 2508 份，领取养老金 510 人，生活补助金 80 人。2007 年，

被征地农民基本生活保障实现当期即征即保，确定对新征地项目增加每公顷15万元的被征地农民保障资金。全年新增发放被征地农民基本生活保障卡3428份，累计纳入保障5936人；失地农民发放养老金补助19万元，累计发放2295人次。2008年，全年共办理4242名被征地农民参保手续，参保覆盖率95%，总参保人数1.05万人。2009年，征收被征地农民基本生活保障基金8800万元，参保覆盖率100%。被征地农民退休养老金标准逐年调整，其中“全部保障”“分保结合”方式分别提高至每月230元和180元。2010年9月，广陵区新型农村社会养老保险实施试点工作。10月底，完成参保人员信息输入和养老证卡制作。参保人数1.21万人，其中参保农民7700人、老年居民4400人，新型农村养老保险基金征收232.7万元，农村居民基础养老金发放4700人。2011年，区政府全面推开被征地农民社会养老保险，提升被征地农民、失地农民社会养老保险层次，将参加新农保的7200人和60岁以上的4920名老年农民并入城乡居民社会养老保险。被征地农民参保人数2.47万人，参保率96%，其中1.03万人完成转保缴费，3200多人领取“即保即退”养老金，基金结余4.37亿元，全部实行财政专户存储。8月，区政府划拨3亿元资金启动实施被征地农民养老保险工作，失地农民领到养老保险凭证。被征地农民社会保障覆盖率列市区第一。

三、机关、事业单位职工社会养老保险

1995年4月，试行机关、事业单位职工养老保险制度改革，参加养老保险对象为自收自支事业单位职工，机关、事业单位劳动合同制工人和经人事、劳动部门批准使用的临时工。投保单位76家，投保人数878人，其中自收自支事业单位765人、机关、事业单位劳动合同制工人113人。养老保险基金专户存储，实行委托收款，确保养老保险基金增值与滚动积累。建立广陵区机关、事业单位社会保险管理处和广陵区机关、事业单位职工养老保险管理委员会。建立机关、事业单位在职人员、离退休人员托收、结算和会计凭证等台账。1998年，对87家投保单位、924名参保人员个人手册逐一年审、核对。1998年，区机关、事业单位养老保险制度改革全部实施到位。1999～2005年，机关、事业单位养老基金收入5351万元，支出为3485万元，当期结余1866万元，累计结余1864万元。

2002年，机关、事业单位养老保险纳入财政预算管理。全区参加机关、事业单位养老保险共180家，1480名人员参加保险。2004年，已参加机关、事业单位养老保险的编外人员，全部转为城镇企业职工社会保险。全年征缴机关、事业单位养老保险费698万元。

2005年，机关、事业单位养老保险1265人，离退休人员401人，平均养老金缴费基数每人每月1350元，征缴机关、事业单位养老保险费672万元。公务员转入企业工作的，执行企业职工基本养老保险制度；企业职工调入机关的，执行机关基本养老保险制度。7月，养老保险个人缴费比例由3%调整为5%。2009年，卫生系统10家事业单位试点养老保险结算办法改革，由差额结算过渡为全额结算。2011年，机关、事业单位养老保险参保率100%。

第三节　医疗保险

1989年，改革劳保医疗制度，实行费用分担，控制职工医疗费用上涨过快势头。1992年，重点转向控制医院，加强对医疗服务供方约束，解决看病贵问题。1998年，执行《扬州市市区职工大病医疗保险社会统筹办法》。2000年，成立广陵区医疗保险改革领导小组，实施城镇职工基本医疗保险制度。在扬州市社会保险基金结算中心设立广陵区医疗办事处，区医疗补助费由银行代发。2002年，广陵区实施城镇职工基本医疗保险试点工作，全年实收医疗保险基金500多万元，征缴率95%以上，共支付医疗保险金350万元，结余150万元。2003年，全区参保人数1.13万人（其中新增参保人数3235人），参保单位169家（新增51家）。医保基金收入890万元，征缴率100%。医疗经费列入当年各财政拨款单位预算计划并拨付到位。2005年，困难企业可以选择参加住院医疗保险（含大病救助）或参加大病统筹。区启动“关爱在社区，共创文明城”医疗关爱活动，向需要帮扶的下岗失业人员、残疾人员、低保家庭人员发放“医疗服务优惠卡”5000份，征缴医疗保险金1465.3万元。2006年，医疗参保2.08万人，净增参保2045人。强化医疗保险监控，审批家庭病床申请45人，配合市社保中心对市区20多家定点医疗机构及药店进行医疗保险专项检查。

2007年，启动城市居民医疗保险。至年底，城市居民医疗参保5.95万人，其他各类人员基本医疗参保2.32万人，覆盖率85.6%。2008年，区属和市属单位居民医保参保7.37万人，区属学校参保2.92万人。2009年，城镇居民基本医疗保险参保8.27万人。农民工医疗保险新增1260人，清理欠费款180万元。2010年，全区医疗保险基金征收4709.3万元。完成9.8万名各类人员参保任务，其中城市居民0.76万人、农村居民1.14万人、在校学生7.9万人（含市直中学、职技校学生）。2011年，全年居民医疗保险各类人员参保10.5万人。

1992年、1994年，湾头镇、汤汪乡分别启动合作医疗工作，经费筹集标准为每人每年13元，其中个人集资10元，村、组负担2元，政府补贴1元，而政府实际每人每年补贴0.5元，村、组实际负担每人每年1元。由于经费不能及时足额到位，造成农民药费报销困难，湾头镇的合作医疗很快搁浅。此后4年，汤汪乡探索3种合作医疗模式，由于同样原因，均未成功。

2001年，广陵区参加合作医疗人数共1542人，街办拨款9万元，全年筹集基金21.34万元，全年报销总额16.11万元。2002年，参加合作医疗人数1742人（原城东乡在城区区划变动中分为曲江街道办事处和文峰街道办事处），街办拨款6万元，全年筹集基金13.94万元，全年报销总额13.82万元。

2003年，广陵区各乡镇、街道农村参加重大疾病保险和大病统筹合作医疗的农民1.58万人，其中湾头镇9412人、汤汪乡4821人、文峰街道1147人、曲江街道441人。2009年，新农合政策进行调整，将筹资标准提高到每人每年120元，将起付线降为1500元，将即看即报比例提高到10%；对首次住院分娩的产妇给予300～500元的补助；对60岁以上参合农民在上年未享受医疗补助的安排免费体检。2009年，实际参合农民4.14万人，参合率99.6%，村覆盖率100%，住院最高补偿6万元。共筹集资金496.8万元，得到省专项补助15万元，各级配套经费到位率100%，所有资金全部缴入区财政结算中心专户管理。2010年，新农合方案再进行调整，筹资标准提高到每人每年160元，即看即报比例提高到15%，报销起付线下调为1000元，个人最高医药费用补助提高至10万元，对各级医疗机构报销比例也相应调整和提高，新增对妇幼保健项目给予一定报销和补助。广陵区参合农民3.8万人，参合率99.6%，个人筹集资金150.90万元全部上缴到区财政结算中心专户统一管理。2011年，新农合筹资标准每人每年250元，其中个人50元，政府财政补助200元。全区农民参合率99.9%，基本做到应保尽保，为农民构筑一道坚实的健康屏障。争取到中央和省奖补资金22万元和28万元，筹集所得的资金全部上缴到区财政结算中心专户统一管理。为加强管理，投入30多万元新建新农合信息数据管理中心，装载新型农村合作医疗运行管理系统，运行管理系统与定点医疗机构、省级平台联网，做到新农合就医“一卡通”，实现参合农民像城镇职工一样“持卡就医”，基本实现“平台设在区、队伍建到乡、网络联到村、IC卡发到户”。

第四节 失业保险

1990年，区内不少企业相继宣告破产，大量失业工人进入托管中心，生活困难。政府及时发放待业救济金。资金主要来自企业，不足部分由托管中心统筹。1991年，为区属企业339名待业职工发放救济金1.62万元。1992年，发放救济金3.11万元，为市区企业代发待业职工救济金27.77万元。1993年，在市区132个居民委员会内建立待业职工台账，发放待业救济金13.47万元。

1996年，区内176家企业1.53万名职工参加失业保险，失业保险金筹集率94%；发放市区失业救济金5863人次共78.85万元。1998年，按规定将失业保险收缴比例由1%调整为3%，全年发放失业救济金78万元，668名失业职工得到失业救济。有20名失业职工一次性领取失业救济金，自谋职业从事个体经营。根据市《关于提高失业保险基金征缴比例和实行个人缴费的实施意见》，按照财政预算安排三分之一、企业负担三分之一、社会筹集三分之一原则筹集资金。1999年，城镇事业单位全面实施失业保险，当年增加参保人员2953人。

2000年，推行下岗保障与失业保障并轨。失业救济金由银行代发，并建立企业职工基本生活保障资金银行专户制度。6月，在个体、私营工商企业中实行失业保险。2001年，企业新的裁员由企业依法与其解除劳动关系，凡所在单位参加失业保险并依法足额缴费的，按规定享受失业保险。全年征收失业保险费285.3万元，征收率90%。2002年，建立失业保险预警制度，采用年审、送档控制等办法清理企业欠费。全年失业保险参保1.11万人，参保率92%，征缴失业保险费277.77万元，征缴率98%；为3027名符合享受失业保险待遇的失业人员核发失业保险金。2004年，失业保险金由税务部门代征（事业单位仍然直接缴纳或由银行托收）。2005年，依托街道社区劳动保障工作平台，向失业职工发放社会保险续缴通知书9986份。全年失业保险基金收入445.53万元，支出348.38万元，结余97.15万元，扭转全区失业保险基金连续6年收不抵支的局面。

2008年，调整筹集年度解困与再就业资金筹集办法，全年共筹集再就业资金272万元，完成任务计划85%。10月起，提高全区失业保险金标准下限，按失业人员前12个月月平均缴费基数的40%确定，最低不低于当地城镇居民最低生活标准的1.3倍。为下岗失业人员累计发放6318人次失业保险金计256.5万元。失业保险参保人数2.2万人，扩面人数2000人，失业保险基金征缴收入863万元，分别完成考核目标的104.8%、200%、134.8%。2011年，企事业单位失业保险金按时足额发放率均100%。

第五节　生育保险与工伤保险

1989年起，广陵区调整女职工生育待遇，不得在女职工怀孕期、产期、哺乳期降低基本工资或者解除劳动合同，正常产假由原来56天延长到90天。1992年，规定扬州市女职工生育补偿费用为1600元，由男女双方单位共同承担。1994年，《扬州市生育社会保险暂行办法》实施。生育保险基金实行财政专户、收支两条线管理，区财政、审计部门依法监督生育保险基金收支情况。1998年，规定下岗、失业后女职工在领取失业金期间生育的，均可享受生育保险待遇。2004年，对男职工参加生育保险，其配偶未列入生育保险范围，符合计划生育规定的，按照扬州市区生育补偿标准的50%，由生育保险基金给予一次性补偿。2006年，生育保险净增参保2398人。2010年，生育保险基金征收470.9万元。2011年，区在职女职工生育保险待遇（含生育医疗费、产假期间的医疗费和一次性营养补助费等）标准上调。其中，生育医疗费报销分为顺产和难产，顺产按基数8%计算，报销费用1668元，比原来提高215元；难产按基数12%计算，报销费用2502元。产假期间，医药费和营养补助按基数2%和1%计算。对符合享受国家规定90天及90天以上产假的生育女职工，产假期间按本人原工资照发，生育保险基金将以生育津贴的形式补偿给参保单位。

1996年，贯彻劳动部《企业职工工伤保险试行办法》和《关于扬州市区城镇企业职工工伤社会保险实施细则》，加强社会劳动保险体系建设，扩大社会保险内容，确定区内工伤保险基本框架。1997～1998年，全面实施工伤保险制度改革，贯彻《扬州市企业职工工伤认定工作程序（试行）》，规范企业职工工伤认定程序。2001年，完善社会保险制度，全年医疗、工伤、生育保险费征缴2010万元，其中工伤保险基金收缴率92%以上。2002年，明确湾头、汤汪、城东3个乡镇在区划调整之前由广陵区劳动和社会保障局受理。2004～2005年，工伤保险实行全区统筹。工伤保险基金实行财政专户、收支两条线管理，区财政、审计部门依法对工伤保险基金收支情况进行监督。2005年，城镇企业职工参保1.75万人。2006年，工伤保险净增参保2398人。2009年，农民工工伤保险参保新增1250人。2011年，工伤保险基金征收376.7万元。

第三十四篇 民政

要　目

1989年，广陵区下辖4个街道办事处。2011年，下辖4个街道、7个乡镇、1个园区（广陵产业园）。民政工作职能由单一的城市民政工作转为城乡并重；民政服务对象从优抚济贫拓展到“五最”群体：最弱势的人（困难对象）、最无助的人（孤残人员、流浪乞讨人员、精神病患者）、最可爱的人（军人）、最尊敬的人（老人）和最幸福的人（结婚新人），基本涵盖全体居民，涉及生老病死。广陵区在全市率先试点建立城市居民最低生活保障制度。按照城乡低保增幅不低于城乡居民收入增幅，农村低保增幅不低于城市低保增幅的要求，逐年提高保障标准，全面拓宽保障范围，实现城乡居民应保尽保。落实抚恤优待政策，实现补贴提标常态化，不断改善“三属”（革命烈士、因公牺牲军人、病故军人家属）、优抚对象待遇。协调有关部门依法落实维护老年人权益保障工作，开展利于老年人身心健康的各项活动。创新社会管理，开展文明小区建设，社区经费纳入财政预算，面向社会公开招聘社区工作者，打造特色社区，全面提升社区管理服务水平。以深化网格化管理服务为创新点，营造“党委领导、政府负责、社会协同、公众参与、法治保障”的社会治理新格局。增进福利普惠，降低社会公益类、社会服务类组织登记门槛，推进区划地名公共管理、婚姻登记、社团登记、殡葬服务，深化社会管理。

2003年9月、2005年1月，省老龄工作委员会表彰广陵区为2002～2003年度、2003～2004年度江苏省老龄工作先进区。2006年，文峰街道“天天乐”社区特色慈善超市被民政部中国社会工作协会授予全国和谐社区建设自主创新奖。2006年11月，区民政局被省民政厅、省财政厅表彰为全省城乡最低生活保障工作先进集体。2008年，广陵区获“全国社区建设自主创新先进城区”称号，伏正予、李华、郑翔、张顺惠4位社区主任获“全国小巷总理之星”称号。2009年，广陵区被民政部命名为全国和谐社区建设示范区。2011年2月，广陵区民政局被评为全市社会组织管理创新先进单位。

1991年，广陵区开始创双拥模范区，4年为一个周期。驻区部队也积极开展形式多样、丰富多彩的军民共建活动。1991～2011年，广陵区连续四次获得江苏省“双拥模范区”称号。

第一章　基层自治组织

第一节　社区居委会

一、社区建设

1988年，区政府将居委会工作系统地归纳为思想政治、社会治安、民事调解、城管卫生、居办经济、优抚救济、计划生育、妇女老龄、移风易俗、群众文化、基础建设11个方面。1989年，全区组织开展居委会达标升级竞赛活动。仓巷、辕门桥、琼花观、探花巷、萃园桥5个居委会为模范居委会，北河下等23个居委会为先进居委会，大庆路等67个居委会为合格居委会。全区有57个居委会达到省二级模范居委会标准，29个达到省一级模范居委会标准。1990年起，围绕城市管理与服务，全区重点发展以服务业为主的居办经济建设，先后兴办区级福利院、老年公寓、残疾人活动中心、军人服务中心、婚姻服务中心、培智学校及老年大学等一批基础设施。街道、居委会先后建起各类服务设施2450个，其中老年公寓5所、青少年活动室145个、幼儿园（托儿所）122所、便民利民服务网点920个。1992年，区委、区政府抓文明小区建设，1999年抓星级社区建设。1997年，全省创建文明小区现场会议在广陵区召开，东关街道治淮新村被中共中央宣传部列为全国100个创建文明城市活动示范点之一。

2001年，区委成立广陵区社区建设领导小组，区委副书记任组长，区委常委、宣传部部长和副区长任副组长，成员有区各委、办、局及街道办事处负责人23人。明确社区建设以“政府主管、民政牵头、部门配合、社会参与”为主，建立健全社区建设工作机制，着重抓好社区服务、社区卫生、社区文化、社区环境、社区治安工作。社区居民委员会是居民自我管理、自我教育、自我服务的基层群众性自治组织。领导成员由 5 ～ 9 人组成，分别为主任、副主任和委员，每届任期三年。社区居委会设人民调解、治安保卫、公共卫生等委员会，下设若干居民小组。小组长由居民通过选举产生。工作经费由上级政府拨付。决定问题，采取少数服从多数原则。

图 34-1-1 湾头镇新社区鸟瞰

2004 年，围绕建设“管理有序、文明祥和的新型社区”要求，以创建全国社区建设示范区为抓手，构建以社区党组织为核心的社区领导机制，以社区居委会为主题的社区自治机制，以社会化管理为重点的社区管理机制和以满足居民需求为目标的社区服务机制。组织实施以完善服务功能为主体的民心工程，以关心困难群众为重点的帮扶工程，以信息网络为手段的数字工程，以安全稳定为目标的平安工程和以人财物为支撑的基础工程，加快建立健全与社会主义市场经济相适应的社区管理机制、运行机制和服务体系。针对社区居委会面临的工作经费匮乏、办公活动用房紧缺的发展瓶颈，区政府大幅提高财政对社区工作的投入。累计投入 800 多万元，社区硬件设施全面达标，每个社区都配有电脑、打印机、电视机、照相机。至 2005 年，各社区办公活动经费增至 8 万元，社区主任月工资 1000 元，副主任 850 元，工作人员 600 元以上，并由政府购买养老、医疗保险。6 月，东关街道琼花观社区成立全省首个公推直选党委班子。7 月，成立广陵区社区工作者协会，这是江苏省首家社区工作者协会。加强社区工作者培训、交流和管理。按照老城区 400 平方米、其他区域 600 平方米的要求，全区新、改、扩建社区居委会办公和党建室、医务室、活动室、服务站、市民学校等活动用房 7000 平方米。2005 年，全区 46 个社区因地制宜，培植亮点，涌现出琼花观、荷花池“文明示范社区”、个园“文化社区”、八大家“平安社区”、宝塔“爱心社区”、连运“绿色社区”等一批特色社区，形成一社区、一特色，一社区、一品牌。2006 年，继续加强基础设施建设，80％的社区办公和活动用房面积达到省级标准。创建四星级以上文明社区 42 个，琼花观社区被评为全国文明社区建设示范点，广陵区被评为省级社区建设示范城区。2008 年，扬州市首家社区邻里中心在曲江街道文昌花园社区建成。2009 年，广陵区被民政部命名为首批全国和谐社区建设示范区，文昌花园社区被表彰为全国和谐社区建设示范社区。2011 年，东关街道被表彰为省和谐社区建设示范街道；全区 56 个社区中，文昌花园、琼花观、皮市街、荷花池、四望亭、八大家、宝塔 7 个社区被表彰为省和谐社区建设示范社区；东花园等 29 个社区被表彰为市和谐社区建设示范社区。

图 34-1-2 广陵区和谐社区建设文艺演出

2011 年广陵区社区居民委员会基本情况一览表

表 34-1-1

街道（乡镇）	社区居委会	地址	辖区面积（平方千米）
曲江街道	文昌花园	文昌中路 18 号文昌花园中心会所一楼	1.28
	东花园	东花园路 111 号万马滨河城 20 幢楼下	0.70
	施井	城东路 104 号	0.70
	沙南	施井路 38 号	0.90
	跃进桥	城东路 34 号	0.40
	解放桥	立新路 2 号	0.80
	沙口	沙北三村 25-1	0.30
	沙北	观潮路 399 号 -5	0.85
	洼字街	江都北路 228 号	0.76
	二畔铺	二畔铺路东 14 号	0.45
	顾庄	顾庄新村 1 号楼	0.85
	新星	安康路曲江新苑 27 幢	1.50
	五里庙	观潮路 214 号古运北苑 25 幢	1.76
东关街道	琼花观	三祝庵街 28 号	0.31
	彩衣街	弥陀巷 8 号	0.26
	东关街	广储门街	0.17
	渡江路	埂子街 132 号	0.25
	个园	盐阜东路 6 号	0.30
	宋都	二郎庙北巷 15 号	0.27
	皮市街	文昌中路 187 号	0.42
	古旗亭	永胜街 40 号	0.44
	教场	达士巷 57 号	0.46
	新仓巷	新仓巷 57 号	0.30
	何园	南河下 27 号	0.30
	徐凝门	羊胡巷 55-1 号	0.40
汶河街道	荷花池	江阳中路 56 号荷花池小区 16 幢	0.65
	四望亭	螃蟹巷 9 号	0.25
	龙头关	旧城堂子巷 15 号	0.28
	常府	张甲桥 18 号	0.15
	旌忠寺	旧城三巷 7 号	0.26
	通泗	古巷 2 号	0.22
	树人苑	石塔桥南 1 号	0.30
	石塔	淮海路大梅家巷幼 -11 号	0.25
	皇宫	皇宫广场 7 号楼	0.26
	南门街	馆驿前后街 39 号	0.15
	小码头	嘉禾苑小区物业大楼 3 楼	0.33

续表 34-1-1

街道（乡镇）	社区居委会	地址	辖区面积（平方千米）
文峰街道	化工	文峰路 26 号	0.40
	宝塔	文峰路 8-8 号	0.67
	八大家	东花园河南 94 幢 1-107（100 幢北侧）	0.16
	联谊路	联谊路 20 号	0.46
	皮坊街	皮坊街 38-1 号	0.52
	渡江南	渡江南路 115 号	0.40
	三里桥	渡江南路 90 号	0.81
	连运	连运小区祥运苑 7 号楼	0.37
	连福	联谊路 588 号中心花园	0.30
广陵产业园	运东	东方名城中心会所社区邻里中心	4.00
汤汪乡	九龙湾	东昇花园 16-101 室	0.38
	东昇花园	九龙花园飞龙苑 5-105 室	1.97
湾头镇	壁虎坝	湾头镇湾头镇区	4.33
	茱萸湾	湾头镇长安路 220 号	4.80
头桥镇	头桥	头桥镇古桥路 40 号	4.20
李典镇	李典	李典镇兴丰路	5.20
沙头镇	沙头	沙头镇三星路与人民路交界处	1.27
	霍桥	霍桥文汇路	0.70
杭集镇	杭集	杭集镇九圩路杭集社区便民服务中心	2.50
泰安镇	泰安	泰安镇金桥西路 13 号泰安社区居委会	1.20

二、换届选举

2002～2011 年，全区社区居民委员会先后依法进行 4 次换届选举。

2002 年 7 月，第一届社区居委会换届选举。区委、区政府印发《社区党支部和社区居委会选举工作实施意见》和《社区居委会干部管理暂行办法》。依法选举产生 56 个社区居委会、154 名社区居委会干部（原居委会干部留任 88 人、街道下派 43 人、社会公开招聘 23 人），平均年龄 39.7 岁，比原居委会干部年龄下降 13 岁；其中高中以上学历占 95%，提高 31 个百分点，党员占 37%。此次选举中，为推进社区工作者职业化、年轻化，正副主任职位首次在全市向社会公开招聘，通过层层筛选，从 210 名应聘者中选拔 23 人，平均年龄 32 岁，大专以上学历占 70%，为社区工作者队伍注入新鲜血液。

图 34-1-3 2005 年，琼花观社区直选社区工作者

2005 年 9 月，第二届社区居委会换届选举。全区 46 个社区居委会中，荷花池社区和琼花观社区于 2004 年提前进行直选试点，直选投票率 92.4%。连运、壁虎坝、文昌花园社区居委会未届满，其余社区居委会依法进行换届选举，其中有 19 个社区进行直选。共选出社区工作者 309

人。其中，主任 44 人、副主任 87 人，专职副书记 30 人；社区居委会班子平均年龄 38.6 岁，比上届下降 1.1 岁；大专以上学历 134 人，占 43.4%，比上届上升 7.7 个百分点；党员 106 人，占 34.3%，面向社会公开招聘社区工作者 18 人。

2008 年 11 月，第三届社区居委会换届选举。全区 48 个社区中，25 个社区进行直选，直选率 52.1%，选举产生社区居委会正、副主任 129 人，平均年龄 38.5 岁，大专以上学历 50%，党员 35%。面向社会公开招聘社区工作者 8 人。这次社区居委会换届选举显著变化是社区党建得到加强，各社区均配备 1 名专职副书记或党务工作者，92%的社区党政领导"一肩挑"；社区工作者通过在职优选、公开招聘，聘用人员均具大专以上学历（应届本科生 1 人，且为社会学专业），平均年龄 32.4 岁。

2010 年 11 月，第四届社区居委会换届选举。全区 50 个社区居委会，一次选举成功率 100%，其中 40 个社区进行直选，占社区总数的 80%。共产生社区居委会成员 344 人。其中，党政"一肩挑"41 人，副职 83 人，委员（兼职）211 人；社区专职工作者平均年龄 37.7 岁，比上届下降 0.8 岁，最小的 20 岁；最高学历为硕士研究生，大专以上学历 285 人，占 82.8%，比上届增加 32.8 个百分点；党员（含预备党员）197 人，占 57.3%，比上届增加 22.3 个百分点。全区社区专职工作者队伍呈现政治素质强、文化水平高、年龄较轻的状况。

三、邻里中心建设

2008 年 8 月，广陵区建成全区首家邻里中心——文昌花园社区邻里服务中心。邻里中心作为集商业、文化、体育、卫生、教育等于一体的居住区商业中心，集合了多种生活服务设施，立足于"大社区、大组团"进行功能定位和开发建设，为百姓提供"一站式"的服务。此后，按照老城区不少于 400 平方米，其他区域不少于 600 平方米的标准，通过新、改、扩建和调剂等方法，大力推进社区邻里中心建设。2009 年，建成琼花观、新星、东花园、联谊路、宝塔、旌忠寺、运东 14 个社区邻里中心。2010 年，建成彩衣街、荷花池、沙南、八大家、杉湾花园 12 个社区邻里中心。2011 年，建成四望亭、树人苑、古旗亭、渡江路、连福、五里庙、施井、杭集、头桥 9 个社区邻里中心及区划调整后并入广陵区的泰安、沙头、霍桥、李典 4 个社区邻里中心。2011 年年底，全区共建成 56 个社区邻里中心，建成率 100%，邻里中心总面积 2.97 万平方米。

图 34-1-4　2010 年，琼花观社区邻里中心欢乐祥和的古城居民生活

四、网格化管理服务

2005 年，广陵区在全市率先提出社区网格化社会管理理念，并作初步探索。以社区为一个"棋盘"，根据党员分布情况，按楼宇、街巷、驻区单位、非公组织等划分出以地缘型、单元型、单位型为主要形态构成若干网格，分别建立党组织，使其成为有领导机构、党员队伍、工作制度和活动场所的社区党建工作基地。各类党员置于不同的"网格支部"进行管理，形成由街道党工委、社区党委（总支、支部）、网格支部和党小组四级组织构成的社区党建网络，形成以社区全体党员为主体，辖区单位党组织广泛

图 34-1-5　宝塔社区文峰路小区改造听证会

参与、双向互动的社区党建新格局，不断扩大党组织在城市基层工作的覆盖面。

2011 年，全面推行社区网格化管理服务，根据区情实际，依托庭院、楼栋、巷道等，按照每 300 户左右规模划分一个网格，全区 56 个社区划分为 518 个网格，实现社区之间、网格之间的无缝对接，不留盲区空白点。吸纳 649 名居民小组长和 1243 名居民志愿者参与，构建“网格长 + 居民小组长 + 志愿者”的管理服务网络，此做法在全市得到推广。此外，还在各个社区设置网格化管理宣传栏，在楼道、街巷显著位置张贴网格服务表，让居民知晓社区网格的划分、网格长的信息、网格管理的责任和要求。编发《社区网格化管理工作指南》，编写网格化管理口诀，社区工作者走门进户，了解社情民意，回应群众需求，得到居民群众普遍认可。

第二节 村民委员会

一、村民委员会、村民小组

2002 年前，广陵区为扬州市主城区，辖区内无农村村民。2002 年起，几次区划调整，部分乡镇划入广陵区管辖，始有村民委员会这一组织。村民委员会为农村村民自我管理、自我教育、自我服务的基层群众性自治组织，实行民主选举、民主决策、民主管理、民主监督。村民委员会由主任、副主任和委员 3 ～ 7 人组成，依据《中华人民共和国村民委员会组织法》，由村民直接选举产生，每 3 年选举一次。2011 年，广陵区辖 4 个街道、7 个乡镇、1 个园区，共有行政村 83 个，全部依法建立村民委员会。设村民小组 1734 个，其中头桥镇 15 个村 342 个村民小组，李典镇 13 个村 352 个村民小组，沙头镇 12 个村 298 个村民小组，杭集镇 10 个村 231 个村民小组，泰安镇 9 个村 156 个村民小组，湾头镇 6 个村 85 个村民小组，汤汪乡 4 个村 69 个村民小组，曲江街道 6 个村 53 个村民小组，文峰街道 2 个村 22 个村民小组，广陵产业园 6 个村 126 个村民小组。

图 34-1-6 汤汪乡横沟村村民投票选举村委会

2011 年广陵区村民委员会基本情况一览表

表 34-1-2

乡镇（街道）	村名	辖区面积（平方千米）	常住人口		村民小组数（个）	村委会成员数（人）
			户数（户）	人数（人）		
曲江街道	新星村	1.2	626	1527	6	8
	施井村	1.2	931	3694	14	7
	太平村	2.1	779	1748	8	6
	新民村	0.56	298	1850	7	5
	新农村	1.5	946	2980	10	5
	沙口村	4	229	753	8	6
文峰街道	文峰村	2.8	500	1100	13	5
	渡江村	2	454	1315	9	5

续表 34-1-2

乡镇（街道）	村名	辖区面积（平方千米）	常住人口		村民小组数（个）	村委会成员数（人）
			户数（户）	人数（人）		
头桥镇	红平村	4.76	1087	3216	28	5
	国玉村	5.04	1102	1151	26	5
	安帖村	5	940	3082	31	5
	九圣村	5.5	1026	2853	27	5
	新桥村	2.78	878	2578	22	5
	头桥村	2.71	796	2308	21	5
	南华村	3.25	839	2335	23	5
	大同村	1.2	350	1160	13	5
	二桥村	6.1	772	2515	22	5
	西城村	2.2	521	1972	18	5
	福成村	3.79	792	2379	17	5
	安阜村	3.35	806	2589	24	5
	庆丰村	5.54	1226	3656	26	4
	迎新村	4.63	1054	3249	28	6
	新华村	3.52	748	2554	16	5
李典镇	伏固村	3.78	772	2459	25	5
	李典村	5.76	1053	3895	35	7
	田桥村	4.93	970	3158	28	7
	黄桥村	4.41	2198	27	27	5
	伏业村	5.21	1025	3174	31	5
	联桥村	5.16	918	2956	33	5
	新坝村	4.5	1120	2578	34	4
	新滩村	3.6	647	1890	22	5
	长生村	3.75	853	2975	23	5
	小乾村	4.07	851	3216	21	4
	秀清村	4.8	1291	3989	36	6
	恩余村	3.77	888	2627	26	5
	沿江村	1.44	520	1507	11	7
沙头镇	人民滩村	3.9	584	1974	14	5
	陈祠村	3.2	781	2765	26	5
	晨兴村	3.4	636	2148	20	5
	潮龙村	3.5	903	2816	29	6
	强民村	6	689	2399	27	4
	邱卜村	3.5	951	3157	29	6
	三星村	3.89	848	2502	21	5
	沙头村	5.28	892	2810	21	5

续表 34-1-2

乡镇（街道）	村名	辖区面积（平方千米）	常住人口		村民小组数（个）	村委会成员数（人）
			户数（户）	人数（人）		
沙头镇	五星村	5.96	1030	3181	28	6
	小虹桥村	5.6	1027	3586	27	7
	育新村	5.04	872	2610	25	5
	中兴村	4.2	966	3182	31	5
杭集镇	杭集村	1.87	991	3337	17	5
	裔庙村	4.12	1272	4938	16	4
	新生村	2.33	1180	4323	28	5
	新联村	3.5	632	1757	25	5
	王桥村	2.7	632	2163	22	5
	王集村	2.2	976	3913	16	5
	夏庄村	2.55	643	2175	23	5
	龙王村	4.01	1442	5153	31	5
	八圩村	3.6	772	2504	23	5
	双隆村	0.71	1158	4002	30	4
泰安镇	南江村	3.35	726	2519	16	3
	七里村	2.025	412	1243	12	5
	芒稻村	1.8	412	1190	15	5
	勤俭村	2.99	586	1980	14	5
	金泰村	2.7	1206	3712	29	7
	金湾村	5.11	817	2901	21	5
	华丰村	3.95	442	1394	12	5
	凤凰村	4.32	722	2285	25	5
	山河村	4.1	697	1807	12	6
湾头镇	万福村	2.78	1332	3987	18	5
	二桥村	1.71	661	2067	13	4
	联合村	2.99	1688	5395	22	4
	田庄村	3.75	852	2208	4	5
	夏桥村	4	969	3169	17	3
	沙联村	2.11	756	2749	11	3
汤汪乡	横沟村	1.4	468	1683	9	6
	九龙村	1.46	1155	3883	20	6
	连运村	4.5	1988	6380	27	6
	同心村	1.5	576	2072	13	3

续表 34-1-2

乡镇（街道）	村名	辖区面积（平方千米）	常住人口		村民小组数（个）	村委会成员数（人）
			户数（户）	人数（人）		
产业园	大众村	4.6	1070	3700	28	3
	高桥村	4.6	1115	3068	31	5
	宦桥村	0.69	390	1983	11	5
	龙泉村	3	1112	3829	24	7
	万寿村	3.5	1213	4520	18	4
	严安村	2.1	1026	3348	14	5

二、换届选举

2002～2010年，村委会先后依法进行3次换届选举。通过普法宣传、动员登记、民主推荐、依法选举等程序，选民参选意识增强，登记参选率稳步提高，村领导班子结构不断优化，综合素质明显提高。

2004年10月，区第七届村委会换届选举。20个村经过建立组织、宣传发动、选民登记、酝酿候选人、依法投票选举和建章立制6个阶段，共登记选民4.05万人，参加投票选举4万人，参选率98.87%。共选出村委会主任20人、副主任36人、委员58人，计114人。其中女性24人，占21.1%；党员（含预备党员）103人，占90.4%；平均年龄41.2岁，最大的60岁，最小的23岁；大专以上学历18人，占15.8%，高中（中专）学历61人，占53.5%，初中学历35人，占30.7%。

2007年12月，区第八届村委会换届选举。全区20个村一次性选举产生第八届村委会班子。共登记选民3.67万人，参加投票选举3.66万人，参选率99.7%。选出村委会主任20人、副主任41人、委员49人，计110人。其中女性24人，占21.8%；党员106人，占96.4%；平均年龄40.8岁，最大的54岁，最小的26岁；大专以上学历54人，占49.1%，高中（中专）学历46人，占41.8%。

2010年11月，区第九届村委会换届选举。22个村共登记选民4.84万人，参加投票选举4.78万人，参选率98.7%。共选出村委会主任22人、副主任44人、委员50人，计116人。其中“一肩挑”即村委会主任兼书记的7人，占31.9%；女性30人，占25.9%，比上届提高4.1个百分点；党员（含预备党员）107人，占92.24%；平均年龄40.5岁，最大的53岁，最小的22岁；大专以上学历86人，占74.1%，比上届提高25个百分点。

第二章 优抚 安置

1989～2011年，对辖区内现役、退伍、复员、残疾军人及烈军属给予抚恤和优待。对因公伤残人员、因公牺牲及病故人员家属的物质抚慰方式，包括伤残抚恤和死亡抚恤，从政治上和物质上给予优待对象良好的待遇、优先照顾和专项服务；对领取定期抚恤金或者定期定量补助的退出现役的残疾军人、烈士遗属、因公牺牲军人遗属、病故军人遗属、复员军人、带病回乡退伍军人、参战退役人员给予生活补助。至2011年，全区合计发放优抚金3358.76万元。2001～2011年，接受退伍士兵2057人，城镇岗位安置392人，发放自谋职业经济补偿金3061.54万元，安置期间发放生活补助费231.79万元；拨付培训费566.4万元。

第一节 抚恤和优待

一、“三属”抚恤

“三属”指烈士遗属、因公牺牲军人遗属、病故军人遗属。区民政部门每月发给定期抚恤金(其中在职“三属”只享受政治待遇,在乡“三属”每月享受定期抚恤金)。1989年,全区共有“三属”130人,其中在职“三属”95人,在乡“三属”35人。在乡烈属计25人年发放抚恤金1780元,人均71.2元;病故军人遗属计10人年发放抚恤金735元,人均73.5元。2002年区划调整,全区共有“三属”137人,其中在职“三属”105人(烈属86人、因公牺牲军人遗属1人、病故军人遗属18人),在乡“三属”32人(烈属14人、因公牺牲军人遗属4人、病故军人遗属14人)。烈属全年抚恤金5.5万元,人均3928元;因公牺牲军人遗属全年抚恤金1.5万元,人均3750元;病故军人遗属4.7万元,人均3360元。为妥善解决部分优抚对象年老体弱、丧失劳动能力、社会竞争力弱、实际生活水平与普通百姓有一定差距的问题,国家不断提高抚恤标准。广陵区列出专项资金,确保抚恤到位,及时足额发放。至2011年7月,市区经14次调整,提高“三属”抚恤标准,城镇户口的烈属、因公牺牲军人遗属、病故军人遗属新标准分别为15944元/年、14172元/年、12400元/年,农村户口的烈属、因公牺牲军人遗属、病故军人遗属新标准分别为14171元/年、12400元/年、10630元/年。2011年,全区共有“三属”116人,其中在职“三属”100人、在乡“三属”16人。其中烈属6人,抚恤金9.57万元;因公牺牲军人遗属5人,抚恤金7.45万元;病故军人遗属6人,抚恤金7.09万元。1989～2011年,在乡“三属”抚恤金发放共224.76万元。

二、伤残抚恤

伤残抚恤对象为因战、因公负伤致残的革命军人、人民警察、国家机关工作人员、民兵、民工等。1989年,全区共有伤残抚恤对象456人,年发放抚恤金9.65万元。2002年,区划调整,划出154名伤残军人,划入21名伤残军人(其中在职9人、在乡12人)。是年,共有伤残人员355人,其中在职伤残人员332人、在乡伤残人员23人,年发放抚恤金74.63万元。2004年,新的《军人抚恤优待条例》颁布实施后,伤残证件内容有所改变。民政部换发新式革命军人残疾证,同时对伤残等级作对应调整和套改,由原来的特等、一等、二等、三等4个等级制套改为新的1～10级制。原特等甲级套改为一级,特等乙级套改为二级,一等甲级套改为三级,一等乙级套改为四级,二等甲级套改为五级,二等乙级套改为六级,三等甲级套改为七级,三等乙级套改八级,以后新评或补评者,视其残情状况也可评定为九级和十级。全区332名伤残军人换领新证。2011年,共有伤残抚恤对象268人。1989～2011年,全区共发放伤残抚恤金1164.42万元。

1989～2011年广陵区残疾抚恤金发放情况表

表34-2-1

年份	合计		在乡		在职	
	人数(人)	金额(万元)	人数(人)	金额(万元)	人数(人)	金额(万元)
1989	456	9.65	2	0.45	454	9.20
1990	456	9.95	2	0.45	454	9.50
1991	454	9.83	2	0.45	452	9.38
1992	452	9.71	2	0.45	450	9.26
1993	455	9.93	2	0.45	453	9.48
1994	484	13.22	18	1.02	466	12.20
1995	484	15.93	18	1.23	466	14.70
1996	473	14.00	18	1.50	455	12.50

续表 34-2-1

年份	合计		在乡		在职	
	人数(人)	金额(万元)	人数(人)	金额(万元)	人数(人)	金额(万元)
1997	473	15.39	18	1.59	455	13.80
1998	482	15.85	18	1.65	464	14.20
1999	483	17.00	18	1.70	465	15.30
2000	454	56.18	18	3.26	436	52.92
2001	448	60.20	13	5.40	435	54.80
2002	355	74.63	23	9.23	332	65.40
2003	366	81.60	21	9.10	345	72.50
2004	332	96.90	23	10.2	309	86.70
2005	291	98.23	12	6.8	279	91.43
2006	265	117.90	12	7.5	253	110.40
2007	275	139.23	18	18.03	257	121.20
2008	270	154.97	14	12.67	256	142.30
2009	270	188.92	14	13.42	256	175.50
2010	279	223.90	21	22.30	258	201.60
2011	268	231.30	23	24.10	245	207.20

三、义务兵优待

(一)义务兵优待金

1989 年,义务兵家属优待金统一由义务兵父母所在单位负责发放。1993 年,改由区民政部门集中统一发放优待金,经费由市区各单位(包括机关、企事业单位)按定额进行筹集,发放方法为义务兵服役期满后累计一次性发给义务兵家属。1998 年,义务兵服役期由原来三年改为两年,经费筹集和发放方法与原来一致。1989 ~ 2001 年,共筹集发放义务兵家属优待金 512.87 万元,优待义务兵家属共 2389 户。2002 年,取消单位筹集优待金老办法,改由地方政府纳入财政预算支出。城镇义务兵家属优待金统一纳入地方财政支出范围,通过财政预算予以安排和保障。1989 年,全区义务兵优待金发放 130 人 17.95 万元。2002 年,发放 324 人 68.04 万元。2011 年,发放 232 人 256.24 万元。1989 ~ 2011 年,累计发放 2070.68 万元。

1989 ~ 2011 年广陵区义务兵优待金发放情况表

表 34-2-2

年份	优待金标准(元/人)	优待人数(人)	发放优待金总额(万元)	年份	优待金标准(元/人)	优待人数(人)	发放优待金总额(万元)
1989	1380	130	17.95	2001	2100	179	37.59
1990	1410	152	21.43	2002	2100	324	68.04
1991	1460	287	41.90	2003	2100	318	66.78
1992	1500	152	22.80	2004	2100	298	62.58
1993	1535	182	27.94	2005	4134	276	114.10
1994	1560	195	30.42	2006	5308	273	144.91

续表 34-2-2

年份	优待金标准（元/人）	优待人数（人）	发放优待金总额（万元）	年份	优待金标准（元/人）	优待人数（人）	发放优待金总额（万元）
1995	1595	167	26.64	2007	6082	260	158.13
1996	2135	122	26.05	2008	7755	224	173.71
1997	2675	183	48.95	2009	9738	264	257.08
1998	3300	198	65.34	2010	11045	232	256.24
1999	3300	260	85.80	2011	11045	232	256.24
2000	3300	182	60.06				

（二）高原（进藏）义务兵优待

2006 年，广陵区开始安置进藏援建义务兵。市政府规定，对高原（进藏）义务兵，其优待金标准按义务兵标准的 3 倍发放，城镇兵由户籍所在地区级政府发放，农村兵由户籍所在地乡镇发放。2006 年，广陵区有西藏兵 8 人，发放义务兵优待金 10.85 万元。2007 年 7 人，发放优待金 10.96 万元。2008 年 5 人，发放优待金 8.8 万元。2009 年 7 人，发放优待金 12.24 万元。2010 年 10 人，发放优待金 19.6 万元。2011 年 1 人，发放优待金 3.35 万元。2006 ～ 2011 年，累计发放高原义务兵优待金 65.8 万元。

（三）军人立功奖励

广陵区对在部队立功的义务兵战士实行奖励优待措施，立三等功的奖励当年义务兵家属优待金的 20%，立二等功的奖励当年义务兵家属优待金的 40%，立一等功的奖励当年义务兵家属优待金的 50%。凡当年被评为优秀士兵的，增发当年义务兵家属优待金的 5% 作为奖励金。1989 年，全区立功义务兵 15 人，优待金奖励 4140 元。2002 年，立功义务兵 27 人，优待金奖励 1.13 万元。2011 年，立功义务兵 25 人，优待金奖励 5.52 万元。1989 ～ 2011 年，全区共计发放义务兵立功奖励 33.17 万元。

1989 ~ 2011 年广陵区义务兵立功奖励发放情况表

表 34-2-3

年份	优待金标准（元）	立功人数（人）	立功奖励发放总数（元）	年份	优待金标准（元）	立功人数（人）	立功奖励发放总数（元）
1989	1380	15	4140	2001	2100	15	6300
1990	1410	16	4512	2002	2100	27	11340
1991	1460	21	6132	2003	2100	25	10500
1992	1500	13	3900	2004	2100	23	9660
1993	1535	18	5526	2005	4134	19	15701
1994	1560	17	5304	2006	5308	20	21232
1995	1595	12	3828	2007	6082	16	19462
1996	2135	8	3416	2008	7755	15	23265
1997	2675	15	8025	2009	9738	18	35056
1998	3300	16	10560	2010	11045	20	44180
1999	3300	20	13200	2011	11045	25	55225
2000	3300	17	11220				

第二节 退役安置

一、接收退役安置士兵

1989～2001年，区复员退伍军人接收安置工作由市复员退伍军人、军队离退休干部接收安置办公室负责。2002年，成立广陵区退伍军人安置办公室（以下简称区安置办），办公室设在区民政局。2002年起，区内接收的安置退役士兵，实行“按系统分配任务，包干安置”的指令性分配办法。入伍前是企事业单位职工的，原则上退役后仍回原单位复工复职。同时引进市场机制，扩大“供需见面、双向选择”范围。探索与实践货币化安置方法，引导和鼓励退役士兵自谋职业，对自谋职业退役士兵发放自谋职业补偿金。是年，共接收退役士兵168人，城镇兵安置64人，自谋职业75人。

2003年，根据《扬州市退役士兵安置暂行办法》规定，退役士兵安置必须坚持“从哪里来回哪里去”原则。对城镇退役士兵安置，实行“自谋职业、安置就业、扶持就业”相结合的安置办法，以自谋职业和安置就业并重。重点做好转业士官、城镇复员士官、立功人员、伤病残士兵和在艰苦地区（特指西藏）服满现役的以及女性退役士兵的安置工作。推行“供需见面、双向选择”安置办法。鼓励城镇退役士兵自谋职业，城镇退役士兵从事个体经营和创办私营企业的，可享受下岗失业职工再就业的优惠政策，并在办理证照时简化手续，优先办理等。城镇退役士兵在待分配期间，由政府按照不低于当地最低生活水平的原则发给生活补助费。2008年，广陵区农村退役士兵安置暂行办法规定，对农村退役士兵采取货币化安置办法，安置补偿标准参照现行城镇退役士兵自谋职业补偿标准的50%发放。2011年，为规范退役士兵安置工作，保障退役士兵合法权益，对服役满12年的士官（含三期期满直招士官），服役期间获二等功以上奖励或战时获三等功以上奖励的士兵，因战致残被评定为5级至8级残疾等级的士兵、烈士子女，由政府优先安置，采取积分选岗方式，其中烈士子女根据部队表现优先选岗。2011年11月1日以前入伍的，退役时未选择自主就业安置的，对平时立三等功的士兵、伤残士兵、在艰苦边远地区服役的退役士兵采取双向选择或自谋职业方式安置。区全面实行城乡一体化安置，引导退役士兵转变传统就业观念，鼓励退役士兵自主就业、自主创业。

2001～2011年，区安置办共接收退役士兵2057人，其中城镇退役士兵1720人、农村退役士兵337人。

2001～2011年广陵区接收安置退役士兵统计表

表34-2-4 单位：人

年份	接收总人数	农村	城镇	岗位安置	自谋职业
2001	171	29	142	91	51
2002	168	29	139	64	75
2003	188	27	161	68	93
2004	205	23	182	75	107
2005	212	20	192	29	163
2006	159	18	141	11	130
2007	187	24	163	8	155
2008	161	22	139	7	132
2009	194	36	158	9	149
2010	166	24	142	10	132
2011	246	85	161	20	226
合计	2057	337	1720	392	1413

二、自谋职业和自主就业补偿安置

1989～2002年，退伍的城镇兵由市民政局统一进行岗位安置，农村兵按照“从哪里来回哪里去”原则进行安置。2003年，开始执行市政府规定，退役士兵自谋职业安置补偿金标准为：义务兵2万元、一级士官2.5万元、二级士官3万元、转业士官4万元。2001～2010年，区内选择自谋职业退役士兵1187人，发放自谋职业经济补偿金3061.54万元。2011年，选择自主就业退役士兵226人，发放自主就业一次性经济补助690.66万元。

2010～2011年，冬季退役士兵由当地人民政府按照当地上年度城镇居民人均可支配收入1.5倍的标准，发放自谋职业一次性经济补助。

三、待安置期间生活补助

2001～2011年，广陵区发放退役士兵待安置期间（按6个月算）生活补助共1579人，补助金额231.79万元。

2001～2011年广陵区退役士兵安置期间生活补助表

表34-2-5

年份	补助标准（元/人月）	人数（人）	补助金额（万元）
2001	140	142	11.93
2002	160	139	13.34
2003	180	161	17.39
2004	200	182	21.84
2005	220	192	25.34
2006	240	141	20.30
2007	270	163	26.41
2008	320	139	26.69
2009	340	158	32.23
2010	370	142	31.52
2011	400	20	4.80
合　计		1579	231.79

四、职业技能培训

2008年起，为深化退役士兵安置改革，提高退役士兵职业技能，促进城乡退役士兵自谋职业、自主就业，开展退役士兵职业技能培训工作。培训形式分为中高级职业技能培训（培训时间为两年）、全日制成人高等学历教育、普通高等学历教育和短期职业技能培训（培训时间为3～6个月）三类。

退役士兵参加中、高级职业技能培训的，按每人每年7500元安排资金，其中学杂费、住宿费4000元，生活补助费3500元。参加全日制成人高等学历教育、普通高等学历教育的，按每人每年9000元安排资金，其中学杂费、住宿费5500元，生活补助费3500元。参加短期职业技能培训的，按每人每月750元安排资金，其中学杂费、住宿费400元，生活补助费350元。

2008～2011年，全区参加退役士兵职业技能培训共609人，其中短期培训人数313人、中高级培训人数91人、复学1人。共拨付退役士兵职业技能培训经费566.4万元，其中中高级培训经费443.4万元、短期培训经费123万元。

第三节 军转安置

1989年，军队转业干部安置计划为指令性计划。全年接收安置军转干部5人。1990～1996年，接收安置军转干部34人、随军家属3人。1997～2001年，接收安置军转干部21人。2001年，推行军转干部自主择业。2002～2003年，完善自主择业军转干部管理服务体系，做好自主择业军转干部医疗保障等政策落实，接收安置军转干部4人、随军家属1人。2004～2007年，接收安置军转干部33人。2008～2010年，实施军转干部"积分制"安置办法。通过"谈心议岗、积分选岗、考试定岗"方式，共接收安置军转干部18人、随军家属7人，推荐5名军转干部转市渠道安置。2011年，接收安置军转干部5人、随军家属2人。同年，首次对随军家属进行货币化安置。

做好军队离退休干部和无军籍职工接收安置工作。1989年前，广陵区共接收安置分散居住的军队离退休干部6人、军队无军籍职工7人。至2011年，广陵区共接收安置军队无军籍职工24人。1989年后，接收安置的军队离退休干部全部进入军队干休所。

2011年，完成6名军队离退休干部住房货币补差和住房补贴核算工作。通过调查摸底，分别对辖区内军队离退休干部进行数据录入、核查，共计发放住房货币补差费用46.41万元。

做好企业军转干部基本生活保障、基本医疗保障、养老保险、再就业等解困工作。至2003年，军队转业干部在企业工作的38人。2004年，全市调整企业军转稳定管理体制，区企业军转干部管理范围扩大至785人，其中区直39人。9月，广陵区成立处理企业军转干部问题工作小组，专人负责企业军转干部解困维稳、安置落实工作，组建军转稳定工作联系网络，建立企业军转干部个人情况登记台账，做好军转干部身份确认、职级确认，完成企业军转干部生活困难补贴调查测算及标准调整落实工作。2005年，贯彻中央和省有关文件精神，按时、足额发放企业军转干部补助费，建立企业军转干部数据库。2006年，完善企业军转干部数据库，形成企业军转干部解困、稳控长效机制。2011年，推进企业退休军转干部解困维稳工作，确保企业军转干部总体稳定。

第四节 烈士褒扬

1982年，省民政厅出版《江苏省革命烈士英名录》，收录广陵区革命烈士112人。区委、区政府加强对广大党员、干部的革命传统教育，每年清明节期间，组织机关、企事业单位群众和在校师生开展纪念革命烈士活动，引导人们特别是青少年正确认识和理解中华民族优良传统和革命传统，加强思想道德建设、社会主义核心价值体系建设。经省政府批准，1994年7月、1998年6月、2008年6月，邱世毅、聂闻远、许强分别被追认或批准为革命烈士。2009年9月，根据省"慰烈工程"要求，区政府将散葬在郊外的金为民、何方、唐德勤、陈志定、张正明5名烈士统一安葬到扬州市革命烈士陵园。

第三章 社会救助

1992年始，广陵区逐年增加1965年6月后退职职工的经济补助。1997年，建立城乡居民最低生活保障制度，做到应保尽保。至2011年，发放城乡低保保障金7541.72万元。2005年，实施医疗救助，7年共发放大病医疗救助金101.44万元。对突发性灾难，通过社会临时救济，1993～2011年发放132.8万元。2008～2011年，对无固定收入重度残疾人进行救助，4年共发放救助金378万元。

2001 年，成立区慈善总会。至 2011 年，募集款物 2333.5 万元。每年开展“5 · 19”慈善一日捐活动。至 2011 年，共接受捐赠 639.12 万元。至 2011 年，区慈善总会建社区慈善超市 24 家，实现救助网络全覆盖。

第一节　扶贫救助

一、城乡最低生活保障救助

图 34-3-1　汶河街道春节前慰问社会困难户

1989 ～ 1993 年，区社会救济工作主要以对孤老残幼及社会困难户救济为主。1993 ～ 1996 年，全区救济孤老残幼 230 人次，发放救济金 79.16 万元；救济社会困难户 738 人次，发放救济金 32.06 万元。

1997 年 1 月，广陵区在全市率先实施城市居民最低生活保障制度，并将原孤老残幼及社会困难户全部纳入低保范围之内。1997 年，全区城市低保月保障标准 120 元，有 869 户 2435 人领取保障金 60 万元。此后，标准不断提高，范围不断扩大。2002 年区划调整后，全区城乡居民低保范围延伸到农村。2004 年，建立广陵区低保服务中心，建立以低保服务中心为核心的区、街道、社区三级城市低保管理网络，完善以低保申请、核查、审批为主要环节的动态管理机制。2005 年，制定广陵区最低生活保障操作规程，低保工作制度化，管理动态化，资金预算正常化，实现应保尽保、应退尽退。2006 年，建立城市居民最低生活保障待遇自然增长机制。2002 ～ 2011 年，全区发放城乡低保保障金 6999.79 万元，其中城市居民发放 6227.99 万元，农村居民发放 771.80 万元。

区城市居民低保资金，1997 ～ 1999 年，由市财政承担。2000 ～ 2006 年，市、区两级财政按 7 : 3 比例分担承担。2007 年后，全部由区财政承担。农村最低生活保障救助资金，2002 年开始，按区、镇、村 2 : 4 : 4 分别承担。2004 年，调整为区、镇按 4 : 6 分别承担，取消村级负担。2007 ～ 2011 年，调整为区、镇按 7 : 3 分别承担。

1997 ～ 2011 年广陵区城市居民最低生活保障救助情况一览表

表 34-3-1

年份	月保障标准（元）	保障对象		发放低保资金（万元）		
		户数（户）	人数（人）	市财政	区财政	合计
1997	120	869	2435	60.00	—	60.00
1998	120	350	470	20.00	—	20.00
1999	156	779	1146	83.78	—	83.78
2000	156	983	1573	109.74	47.02	156.76
2001	156	1168	2337	154.97	66.42	221.39
2002	156	1453	3015	266.00	114.00	380.00
2003	180	1871	3933	249.16	106.74	355.90
2004	180	2277	4273	330.55	141.65	472.20
2005	200	2375	4358	360.15	154.35	514.50

续表 34-3-1

年份	月保障标准（元）	保障对象		发放低保资金（万元）		
		户数(户)	人数(人)	市财政	区财政	合计
2006	220	2345	4250	508.80	218.06	726.86
2007	240	1948	3858	—	550.00	550.00
2008	270	1975	3803	—	624.00	624.00
2009	320	2093	4001	—	960.63	960.63
2010	340	1910	3613	—	796.20	796.20
2011	370	1803	3279	—	847.70	847.70

2002 ~ 2011 年广陵区农村居民最低生活保障救助情况一览表

表 34-3-2

年份	保障标准（元/年）	保障对象		发放低保资金（万元）			
		户数(户)	人数(人)	区财政	乡镇财政	村财政	合计
2002	1200	104	186	2.70	5.40	5.40	13.50
2003	1200	134	242	3.12	6.24	6.24	15.60
2004	1200	239	472	10.34	15.52	—	25.86
2005	1200	242	475	13.73	20.60	—	34.33
2006	1200	296	593	22.9	34.35	—	57.25
2007	1200	329	637	27.79	11.91	—	39.70
2008	1800	352	716	46.44	19.90	—	66.34
2009	3600	431	862	105.12	45.05	—	150.17
2010	4080	431	859	124.18	53.22	—	177.40
2011	4440	404	793	134.15	57.50	—	191.65

二、大病医疗救助

2004 年，对城市低保对象的诊疗费给予部分减免和优惠。广陵区结合区情，在低保对象中首先开始特困扶贫医疗救助工作。全年救助患重、特疾病低保对象 80 人次，减免核保医疗费用 92 万元。2005 年 7 月，广陵区制定特困居民重大疾病医疗救助暂行办法，全区医前救助和医后补助的救助形式基本形成。全年共救助农村重大疾病患者 5 人，救助金额 0.94 万元。2006 年，救助城乡重大疾病患者 34 人，救助金额 9.52 万元。同时资助农村低保、五保等困难对象参加新农合 631 人 1.26 万元。2007 年，城乡医疗救助制度进一步健全，突出医前救助，重点帮助大病困难家庭解决无力看病难题，同时以医后救助方式对城乡患重大疾病的困难家庭实施及时救助。2007 ～ 2011 年，救助重大疾病患病对象 281 人，支出医疗救助金 76.58 万元；同时资助 3981 人参加新农合，资助金额 13.14 万元。

2005 ~ 2011 年广陵区城乡居民大病医疗救助情况统计表

表 34-3-3

年份	农村大病救助		城市大病救助		资助新农合		合计（万元）
	人数（人）	金额（万元）	人数（人）	金额（万元）	人数（人）	金额（万元）	
2005	5	0.94	—	—	—	—	0.94
2006	12	1.86	22	7.66	631	1.26	10.78
2007	21	3.35	28	10.81	690	1.38	15.54
2008	23	3.58	43	16.74	691	1.38	21.70
2009	33	5.41	25	7.94	849	2.55	15.90
2010	44	7.75	17	5.35	926	3.7	16.80
2011	35	11	12	4.65	825	4.13	19.78

三、临时救助

为解决因突患疾病、自然灾害、人身伤害等所致的城乡居民暂时性困难，广陵区每年通过社会临时救济途径，对困难居民发放救济金，以解群众燃眉之急。1993 ～ 2006 年，全区共救济特殊困难居民 9638 人，发放救济金 73.5 万元。

2007 年，区政府制定《扬州市广陵区城乡居民临时救助实施细则》，当年救助特殊困难群众 37 户，发放临时救助金 3.75 万元。2009 年，进一步修订完善实施细则，对低保边缘家庭、人均收入低于保障标准 150% 的城乡重大疾病患者、重度残疾人、遭遇突发灾害的家庭和个人实施临时救助。1993 ～ 2011 年，全区共发放临时救助金 132.8 万元。

四、无固定收入重度残疾人救助

2008 年，印发《广陵区无固定收入重度残疾人员生活救助实施细则》。文件规定，凡具有广陵区常住户籍，年满 18 周岁，无固定收入、不符合享受城乡最低生活保障待遇、生活靠亲属供养的重度残疾人，参照同年城乡低保待遇标准纳入重残救助范围，并将所需资金纳入财政预算。2008 ～ 2011 年，共救助无固定收入重度残疾人 1051 人次，总额 378 万元。

第二节 赈灾救济

一、防灾减灾建设

2002 年后，广陵区把社区的防灾减灾工作作为重点来抓，注重加强综合减灾示范社区创建工作，指导街道和社区加强防灾减灾，夯实防灾减灾基础设施建设，投入近 10 万多元，购置灭火器、安全绳等设施，在各小区配备消防栓，实行保安 24 小时值班巡逻。至 2011 年，共创成防灾减灾示范社区 3 家，其中曲江街道文昌花园社区于 2008 年创成全国防灾减灾示范社区，文峰街道联谊路社区、东关街道琼花观社区先后于 2010 年、2011 年创成江苏省防灾减灾示范社区。

2011 年，全区建立助老、助幼、助残、个体援助分队及 80 多名志愿者组成的救援队伍，协助社区开展各项防灾减灾工作，并组成严密的志愿服务救援网络。各街道、社区还通过多种形式拓展宣传教育渠道，完善避难场所提示牌和宣传标语，宣传防灾减灾知识，提升居民的防范意识和自救能力。

二、灾害对口支援

1998 年夏季，长江、嫩江、松花江地区发生全流域性特大洪涝灾害。扬州等地以“扶贫济困、支援灾区”

图 34-3-2　2008 年，东关街办服务中心的党员缴纳特殊党费

为主题，开展募集衣被等活动。广陵区要求募集衣被 7 万件，实际募集衣被 12.5 万件，完成任务指标的 178.5%。此次募集活动从动员、募集、整理到最终包装发送，历时两个月时间。

2001 年 7 月，省政府下达扬州市募集 55 万件寒衣被对口支援陕西延安地区的任务。根据市委、市政府分解的任务要求，广陵区成立扶贫济困送温暖捐助活动领导小组，形成募集捐助方案，责任到人，保质、保量、按时完成 10 万件寒衣被募集任务，其中城南街道募集 2.35 万件，广陵街道募集 2.35 万件，东关街道募集 2.3 万件，汶河街道募集 3 万件。

2008 年 5 月 12 日，四川汶川县发生 8 级强烈地震。5 月 14 日，广陵区根据省市抗震救灾总体部署要求，迅速组织全区抗震救灾捐赠工作，募集善款 485.66 万元，由市政府统一援助灾区重建。

2009 年 4 月 14 日，青海玉树藏族自治州发生 7.1 级地震。全区迅速组织开展向青海玉树地震灾区捐赠活动，截至当年 4 月 30 日，向灾区募集捐款 44.9 万元。

第三节　慈善捐助

一、慈善捐赠与救助

2001 年 12 月，区慈善总会成立，遵循“政府推动、民间举办、社会参与、科学运作”的发展模式，通过设置乡镇、街道捐助接受站和公共场所捐赠箱，开展社会捐助活动。2002 ～ 2006 年，区慈善总会共接受社会捐赠资金 673.88 万元，其中社会日常捐赠 103.44 万元、扶贫帮困捐赠 425.75 万元。2004 年，组织开展安老、扶幼、助学、助医、济困等各种社会救助活动，组织开展“春节扶贫济困送温暖”活动。全区慰问城乡低保户、五保人员、三老功臣、临时困难对象 3500 多户。2005 年，开展助困、助医、助学、助残四项慈善救助。其中，“六一”儿童节资助培智、向往、同心三所特殊学校 10 万元教学用品和资金；对 52 名低保家庭本科新生及在读困难大学生资助 10 万元；端午、中秋、重阳等节日，对患有白血病、尿毒症的低保对象、“三无”老人、孤寡老人送去慰问品和慰问金。

图 34-3-3　“5·19 慈善一日捐”活动现场

2006 年，资助困难大学生 58 人。2008 年，资助学校 4 所，发放助学款 6 万元；资助残疾困难家庭 100 户，发放药物慈济卡 100 张，共计 2.4 万元；资助慈善超市 14 家，发放资助款 7 万元；资助托老所 2 家，发放资助款 1 万元。2010 年，在全区开展四大慈善救助行动，即未来助学行动、夕阳红助老行动、慈善超市物资救助行动、低保边缘药品救助行动。至 2011 年，区慈善总会募集款物 2333.5 万元，救助款物支出 2037.36 万元，在扶老、助残、救孤、济困、救灾、助学、助医等方面开展多种形式的慈善救助工作。2002 ～ 2011 年，区每年开展“5·19 慈善一日捐”活动，共接受捐赠 639.12 万元。

二、慈善超市

2003 年，东关街道琼花观社区成立广陵区第一家社区慈善超市。以慈善超市为载体，在创新社会捐赠和

图 34-3-4 2004 年，文峰街道宝塔社区建立爱心慈善超市

图 34-3-5 2006 年，广陵区慈善超市救助模式被市委、市政府评为“十大创新奖”之一

救助方式上进行有益尝试，推动社区居民间的济贫互助。动员辖区企事业单位、社区居民捐助，春节期间，向社区内 48 户低保和特困家庭免费发放粮油等生活必需品。本着“取之于民，用之于民”原则，采取“政府推动、社区运作、社会参与、百姓受益”的新型帮困运作模式，在全区推广琼花观社区慈善超市经验，先后建起宝塔、龙头关、文昌花园等社区慈善超市，共募集捐款捐物折合人民币 25 万元，救助困难居民 500 人次以上。

2006 年，区慈善总会与扬州市众成堂大药房合作，拓展慈善超市救助内容，在汶河街道四望亭社区成立首家药品慈善超市。为患有慢性疾病的困难群众减轻医疗负担，填补困难群众日常用药救助空白。慈善总会每年向区特困群众发放慈善药品救助卡，药品慈善超市逐渐成为广陵社会救助工作的特色。

2006 年，慈善超市救助模式被市委、市政府评为当年“十大创新奖”之一。2007 年，被评为全国社区服务优秀项目，并得到到扬州考察的联合国副秘书长安娜·贝蒂琼卡的高度赞扬。至 2011 年，全区建立起社区慈善超市 24 家，形成覆盖全区的慈善超市救助网络。

2003 ~ 2011 年广陵区慈善超市情况一览表

表 34-3-4

乡镇街道	超市名称	地址	成立时间
东关	琼花观社区慈善超市	三祝庵街 28 号	2003 年 8 月
	何园社区慈善超市	南河下 76 号	2006 年 12 月
	彩衣街社区慈善超市	弥陀巷 8 号	2009 年 10 月
	宋都社区慈善超市	二郎庙北巷 15 号	2009 年 10 月
	古旗亭社区慈善超市	永胜街 40 号	2011 年 12 月
汶河	龙头关社区慈善超市	旧城堂子巷 15 号	2004 年 12 月
	四望亭社区慈善超市	螃蟹巷 9 号	2006 年 7 月
	荷花池社区慈善超市	江阳中路 56 号 16 幢	2008 年
曲江	文昌花园社区慈善超市	文昌花园社区中心会所	2005 年 8 月
	沙北社区慈善超市	沙中一村 44 幢	2006 年
	新星社区慈善超市	安康路 52 号曲江新苑 27 幢	2008 年 12 月
	东花园社区慈善超市	万马滨河城 20 幢西侧	2010 年 5 月
	沙南社区慈善超市	曲江南路 74 号	2010 年 12 月

续表 34-3-4

乡镇街道	超市名称	地址	成立时间
文峰	宝塔社区爱心慈善超市	文峰路 8-8 号	2004 年 12 月
	连运连心慈善超市	渡江南路 199 号	2005 年 6 月
	渡江南路社区慈善超市	渡江桥南西后街 115 号	2006 年 5 月
	联谊路慈善超市	联谊路 20 号	2006 年 11 月
	八大家社区慈善超市	东花园河南 100 幢北侧	2010 年 12 月
产业园	运东社区慈善超市	京杭南路 60 号 287-201	2008 年 5 月
湾头	湾头镇慈善超市	沙湾北路 108 号	2007 年 10 月
	联合村慈善超市	联合村委会	2008 年 5 月
汤汪	同心慈善超市	汤汪乡连心路 18 号	2008 年 5 月
	连运慈善超市	连运中路 88 号	2009 年 9 月
	九龙湾社区慈善超市	杉湾花园 12-106	2011 年 1 月

第四章　社会福利

第一节　“五保”供养

农村“五保”(保吃、保住、保穿、保医、保葬)供养对象是指农村老年、残疾或者未满 16 周岁的村民,无劳动能力、无生活来源又无法定赡养、扶养义务人,或者其法定赡养、扶养义务人无赡养、扶养能力的村民。其供养经费的筹措,主要有村提留、乡镇政府统筹、亲属供养等来源。“五保”供养待遇申请由村民本人向村民委员会提出申请,经民主评议、核实后报送乡、镇政府审核,提出意见,报区政府民政部门审批,民政部门限期做出决定。对获准者发给农村“五保”供养证书;对不符合条件不予批准的,书面说明理由。农村供养形式有集中和分散两种可自主选择,即农村“五保”供养对象可以在当地农村“五保”供养服务机构集中供养,由供养服务机构提供供养服务;也可以在家分散供养,由村民委员会提供照料,由农村“五保”供养服务机构提供有关供养服务。

1989～2001 年,广陵辖区内无农业人口亦无“五保”供养对象。2002 年后,新增农业人口 5.1 万人,新增“五保”对象 82 人,其中集中供养 31 人,集中供养率 38%。湾头镇敬老院集中供养 17 人,标准每人每年 4000 元;汤汪乡敬老院集中供养 14 人,标准每人每年 3000 元。分散供养,曲江街道按照每人每年 3500 元统筹发放;其他则按每人每年 1200 元纳入农村低保。2004 年,全区农村“五保”户集中供养率 45%以上。2007 年,“五保”供养经费直接纳入区财政预算,并建立“五保”供养经费自然增长机制。年初,开始资助农村“五保”对象参加新型合作医疗,切实解决农村困难家庭看病难问题。2009 年,增加“五保”对象 48 人。2011 年,全面落实“五保”供养自然增长机制,集中供养标准从每人每年 6840 元提高到 7200 元,分散供养标准从每人每年 5440 元提高到 5800 元。

2005～2011年广陵区"五保"供养情况一览表

表34-4-1

年份	总人数(人)	集中供养人数(人)	标准(元/人·年)	分散供养人数(人)	标准(元/人·年)
2005	53	28	3000	25	1800
2006	39	26	4000	13	2400
2007	43	41	4000	2	2400
2008	39	37	4000	2	2400
2009	48	32	6000	16	4600
2010	48	34	6840	14	5440
2011	39	24	7200	15	5800

第二节　敬老院　福利院　老年公寓

图34-4-1　杭集老年公寓

1990年9月26日，区第一家老年公寓在友谊新村建成。同年，区政府决定投资65万元，让出南柳巷15号原区政府招待所建广陵区福利院（广陵区老年公寓）。1991年6月建成，设床位26张。1997年，区福利院租住于江苏省工人扬州疗养院。是年，广陵街道幼儿园改为福寿老年公寓，设床位36张。2002年，新增湾头镇敬老院与汤汪乡敬老院。2003年，针对湾头镇、汤汪乡两所敬老院设施老化、房屋破旧状况，区下拨福利基金12万元（含市财政资金5万元）进行改造。为湾头镇敬老院添置彩色电视机、太阳能热水器，改造供电线路，新购置开水炉，整治居住环境。2004年，区有敬老院2所、老年公寓7所，设床位299张，入住率70%。2006年，区福利院（区老年公寓）搬至湾头镇。2007年，湾头镇敬老院并入区福利院（区老年公寓）。是年，落实"民办公助""国有民营"政策，鼓励社会力量兴办社会福利事业，兴办民营老年公寓6所，总床位280多张。2008年10月，广陵区民生"八项工程"之一的区福利院改扩建工程竣工。工程投入260多万元，床位100张。是年，汤汪乡敬老院并入区福利院（区老年公寓）。全区有老年服务机构8所，床位400张，其中区福利院（老年公寓）1所、乡镇敬老院2所、街道办老年公寓3所、民办老年公寓2所。老年公寓入住率85%。已满足全区五保户和三无孤老的供养需求。2011年，全区有敬老服务机构9家、床位764张。

2011年广陵区部分养老服务机构一览表

表34-4-2

单位	地址	床位数(张)	性质
广陵区社会福利院	湾头镇沙湾北路1011号	100	区公办
福寿老年公寓	东营小五巷1号	60	街道公办
湾子老年公寓	永胜街罗甸巷	28	街道公办

续表 34-4-2

单位	地址	床位数(张)	性质
广陵区沙头镇敬老院	霍桥迎春路 10 号	100	乡镇公办
广陵区李典镇敬老院	李典镇田桥村黄一组	90	乡镇公办
广陵区头桥镇敬老院	头桥镇花园路 1 号	80	乡镇公办
广陵区杭集镇敬老院	杭集镇中学东侧	64	乡镇公办
广陵区泰安镇敬老院	泰安镇七里村毛院组	150	乡镇公办
广陵区杭集敬老院	杭集敬老院内	92	乡镇公办

第三节　福利企业

为缓解残疾人就业难问题，保障残疾人就业权利，从 80 年代起，广陵区充分利用国家福利企业减免税等优惠政策，兴办福利企业，集中安置残疾人就业。福利企业主要生产电子、灯泡、玩具等产品。1989 年，全区有社会福利企业 10 家，年创产值 800 万元，利税 150 万元，安置残疾人 500 人。1991 年，共有社会福利企业 15 家，职工 1200 人，其中残疾职工 560 人，占职工总数的 46.7%。2006 年，有福利企业 17 家，职工 800 人，其中残疾职工 350 人，占总数的 43.8%，年产值 1.1 亿元，利税 650 万元。2011 年，全区有福利企业 19 家，职工 1100 人，其中残疾职工 300 人，占总数的 27.3%，年产值 1.85 亿元，利税 760 万元。

图 34-4-2　福利企业——扬州灯泡集团

1989～2011 年广陵区福利企业情况统计表

表 34-4-3

年份	福利企业(家)	职工总数(人)	残疾职工数(人)	占职工总数比例(%)	总产值(万元)	利税(万元)
1989	10	900	500	55.6	800	150
1990	13	1000	550	55.0	1000	200
1991	15	1200	560	46.7	1500	300
1992	15	1100	560	50.9	2000	400
1993	15	1300	600	46.2	2800	500
1994	15	1250	600	48.0	3200	550
1995	15	1500	700	46.7	4000	620
1996	15	1500	700	46.7	5000	600
1997	15	1600	700	43.8	5500	650
1998	15	1400	650	46.4	6000	630
1999	15	1300	600	46.2	7000	650
2000	15	1200	550	45.8	7500	680

续表 34-4-3

年份	福利企业(家)	职工总数(人)	残疾职工数(人)	占职工总数比例(%)	总产值(万元)	利税(万元)
2001	15	1200	550	45.8	8000	620
2002	16	1300	580	44.6	8500	750
2003	15	1100	500	45.5	7000	600
2004	16	1150	510	44.3	7200	620
2005	16	1150	510	44.3	9000	620
2006	17	800	350	43.8	11000	650
2007	19	900	300	33.3	13000	700
2008	19	986	309	31.3	17000	750
2009	19	1000	309	30.9	18000	750
2010	19	1100	300	27.3	16000	680
2011	19	1100	300	27.3	18500	760

2011 年广陵区福利企业一览表

表 34-4-4

序号	企 业 名 称	序号	企 业 名 称
1	扬州月城电气控制设备有限公司	11	扬州汤汪塑胶制品有限公司
2	扬州琼花玩具厂	12	扬州飞驰动力科技有限公司
3	扬州天和汽车配件厂	13	扬州市福利达制衣有限公司
4	扬州第三轻工机械厂	14	扬州弘扬无纺布织造有限公司
5	扬州灯泡有限公司	15	扬州市广陵区茂林五金机械厂
6	扬州兴源电器有限公司	16	扬州市永曾超恒食品有限公司
7	扬州河源机械有限公司	17	扬州金源旅游用品有限公司
8	扬州城东能源工具厂	18	扬州红旗印务有限公司
9	扬州吉星汽车部件有限公司	19	扬州申扬轮胎有限公司
10	扬州万泰电器厂有限公司		

第四节 福利彩票

1989～2011 年，全区福利彩票发行销售实现行政推动到市场化的转变，由“即开票”单一票种向“即开票”“电脑票”“中福在线”并举的转变。累计发行销售福利彩票 7391 万元，筹集公益金 839.6 万元。

1989 年，市区发行 10 万元面值为 1 元的即开型福利奖券，提取公益金 1 万元。1990～1992 年，开展实物兑奖销售募捐活动，销售彩票 250 万元，筹集公益金 25 万元。1993～2001 年，未组织彩票销售活动。2003～2005 年，市民政局及市募集办未安排广陵区发行销售福利彩票计划。2000 年 6 月，“江苏风采”电脑型福利彩票在扬州市正式开始销售，全市建立“江苏风采”电脑彩票投注站 201 个，发行电脑福利彩票 71 期、3285 万元，其中市区销售 1331 万元，总量占全省第五位。2006 年 10 月，市社会福利有奖募捐委员会会同区政府联合举办“千万元即开型福利彩票”销售活动，计划发行福利彩票 2000 万元，面值 2 元，50 万元彩票为一组，共设 6 个奖项。中奖面 24%，返奖率 65%，为历次最高。此次彩票实际发行销售仅 200 万元，区筹集公益金全部用于区内社会福利事业。

2006年下半年，广陵区首批开设电脑型福利彩票投注站5个，全年实现电脑福利彩票销售7万元。是年，新增电脑福利彩票投注点10个，年实现销售155万元。2007～2008年，新增电脑福利彩票投注点12个，实现销售740万元。2008～2011年，区福利彩票发行销售在巩固城市市场的同时，拓展农村市场，每年春节等重要节假日，组织机关人员在文昌广场开展"刮刮乐"销售活动，以现金兑奖。湾头等乡镇利用庙会时机，开展"即开票"销售活动，实现销售即开奖彩票共150万元。2009～2011年，设立电脑福彩投注点19个，实现销售2724万元。

第五章　社会事务管理

1989年8月，区民政局设立社会团体登记管理股，与社会事务科合署办公。2010年，社会组织管理科单独设置。广陵区对社会组织的管理主要是负责民办非企业单位和社会团体的成立、变更、注销登记或者备案，实施年度检查，对社会组织违反登记管理条例进行监督检查，对违反登记管理条例的行为给予行政处罚。强化服务意识，实行婚姻登记条例，办理公民收养登记。贯彻殡葬改革精神，全力推行火化。进行地名普查、地名标准化处理，完善地名标志牌设置。

第一节　民间组织管理

一、社会团体登记管理

1989年12月，根据国务院《社会团体登记管理条例》，按照申请、登记、审批、成立程序，对辖区内社团集中进行登记清理，并做好区级社团注册、变更、注销、撤销登记工作。

1990年10月，全面开展清理整顿社团，对以营利为目的、从事与本社团宗旨无关的经营活动，或者从事违反本团体章程活动的社团，视情延缓登记或予以撤销；对于不符合社会需要、重复设置、相同相似、不具备基本活动条件的社团，予以撤并；对未经批准擅自成立的社团，命令解散，如确属社会需要，并符合条件，按条例重新登记。至12月底，区民政局批复5个区级社团核准登记发证，撤销和合并11个社团。

1991～2011年，全区登记社团55个，注销社团5个。至2011年，全区有社团55个，其中协会42个、学会2个、联合会1个、联谊会3个、研究会2个、其他类5个。广陵区建筑业协会、广陵区特种行业治安管理协会、广陵区电器行业协会、广陵区慈善总会等连续五年被评为扬州市优秀社会组织。

2011年广陵区社会团体核准登记一览表

表34-5-1

序号	社会团体名称	业务主管单位	办公地址	成立年月
1	广陵区计划生育协会	区计生委	文昌中路548号	1991年10月
2	广陵区教育学会	区教育局	南通西路60号	1991年12月
3	广陵区职工技术协会	区总工会	文昌中路548号	1991年12月
4	广陵区个体私营经济协会	区工商局	渡江南路17号	1991年12月
5	广陵区人大工作研究会	区人大	文昌中路548号	1993年5月
6	广陵区审计协会	区审计局	文昌中路548号	1995年12月

续表 34-5-1

序号	社会团体名称	业务主管单位	办公地址	成立年月
7	广陵区驾驶员协会	区民政局	南通东路 98-3 号	1998 年 4 月
8	广陵区文化娱乐场所行业协会	区文化局	汶河北路 26 号	1999 年 9 月
9	广陵区武术协会	区体育局	驼铃巷 4 号	1999 年 10 月
10	广陵区特种行业治安管理协会	公安广陵分局	江都路 52 号	1999 年 10 月
11	广陵区信鸽协会	区体育局	广陵路 316 号	2000 年 1 月
12	红桥银杏协会	头桥镇政府	红桥成人教育中心校内	2000 年 3 月
13	头桥镇诗词协会	头桥镇政府	头桥镇文化站内	2000 年 3 月
14	电器行业协会	区经信委	头桥镇红星路 29 号	2000 年 7 月
15	广陵区体育保健协会	区体育局	永宁巷 12 号	2001 年 3 月
16	广陵区慈善总会	区民政局	文昌中路 548 号	2001 年 12 月
17	牙刷行业协会	区经信委	杭集镇人民政府 509 室	2001 年 3 月
18	沙头镇老区扶贫开发协会	沙头镇政府	沙头镇政府大院内	2003 年 1 月
19	头桥老区扶贫开发协会	头桥镇政府	头桥镇政府大院内	2003 年 4 月
20	广陵区经纪人协会	区工商局	渡江南路 17 号	2003 年 6 月
21	广陵区消费者协会	区工商局	渡江南路 17 号	2003 年 6 月
22	广陵区双拥协会	区双拥办	文昌中路 548 号	2003 年 7 月
23	广陵区公共场所治安联合会	公安广陵分局	江都路 52 号	2003 年 7 月
24	广陵区社区工作者协会	区民政局	文昌中路 548 号	2004 年 4 月
25	广陵区福利企业管理协会	区民政局	文昌中路 548 号	2006 年 1 月
26	广陵区台属联谊会	区统战部	文昌中路 548 号	2006 年 1 月
27	广陵区体育舞蹈协会	区体育局	广陵区体育局	2006 年 1 月
28	广陵区扬州清曲传承发展研究会	区文化局	汶河北路 53 号	2006 年 7 月
29	广陵区建筑业协会	区建筑局	广陵路 334 号	2006 年 8 月
30	太阳能协会	区经信委	华扬太阳能有限公司	2007 年 3 月
31	广陵区平安协会	区政法委	江都北路 1 号	2007 年 7 月
32	广陵区义工协会	团区委	王巷新村 20-105	2007 年 9 月
33	服装行业协会	区经信委	沙头镇人民路	2008 年 3 月
34	广陵区体育文化交流协会	区体育局	汶河北路 53 号	2008 年 4 月
35	广陵区职工生活管理协会	区总工会	文昌中路 548 号	2008 年 5 月
36	广陵区香雅花木协会	湾头镇政府	秦邮路 362 号	2008 年 8 月
37	广陵区无党派知识分子联谊会	区委统战部	文昌中路 548 号	2008 年 9 月
38	电器线缆行业协会	区经信委	沙头镇	2009 年 2 月
39	广陵区见义勇为协会	公安广陵分局	淮海路 209 号	2009 年 6 月
40	扬州市华商协会广陵分会	区侨办	文昌中路 548 号	2009 年 6 月
41	杭集镇扬剧票友联谊会	杭集镇政府	杭集镇文化站内	2009 年 8 月

续表 34-5-1

序号	社会团体名称	业务主管单位	办公地址	成立年月
42	广陵区反邪教协会	公安广陵分局	淮海路 209 号	2009 年 11 月
43	广陵区棋类协会	区体育局	埂子街 22 号	2010 年 3 月
44	船舶商会	区工商联	杭集镇王集村	2010 年 4 月
45	广陵古琴学会	区文化局	解放南路 69 号	2010 年 9 月
46	广陵区志愿者协会	区文明办	北河下 27 号	2010 年 11 月
47	广陵区体育总会	区体育局	汶河路 41 号	2011 年 1 月
48	广陵区液压协会	区科技局	创业路 7 号	2011 年 3 月
49	广陵区老科技工作者协会	区科技协会	解放北路 3 号	2011 年 5 月
50	广陵区大学生村官体育健身协会	区体育局	曲江新苑 27 幢新星社区	2011 年 6 月
51	广陵区文昌收藏协会	区体育局	毓贤街 18-1-101 号	2011 年 6 月
52	广陵区湾头镇沙联村和谐协会	湾头镇政府	湾头镇沙联村嘉和路	2011 年 7 月
53	广陵区食品安全自律协会	区工商局	渡江南路 17 号	2011 年 7 月
54	广陵区老年体育协会	区体育局	汶河路 41 号	2011 年 11 月
55	广陵区绿杨诗社	区文化局	北柳巷小学南教学楼	2011 年 12 月

二、民办非企业单位登记管理

2000 年 4 月，区政府开展民办非企业单位复查登记工作，对复查对象、范围、原则、要求，复查登记步骤和时间安排，复查登记的组织领导等提出具体明确要求。5 月，区政府召开全区民间组织管理工作会议，统一部署全区民办非企业单位复查登记工作。先后经过民办非企业单位自查，提交成立登记申请资料，业务主管单位审查并提出意见，登记管理机关审查、核准登记，登记管理机关与业务主管单位检查验收等阶段工作。2001 年起，正常受理民办非企业单位登记。

2011 年 12 月，区内经登记注册民办非企业单位 229 家，其中卫生系统 47 家、教育系统 41 家、文化系统 1 家、科技系统 2 家、体育系统 11 家、劳动系统 5 家、民政系统 118 家、中介服务类和其他类 4 家，注销、合并民办非企业单位 3 家。

2000 ~ 2011 年广陵区核准登记的民办非企业单位一览表

表 34-5-2

名称	登记年月	名称	登记年月
霍桥镇卫生院	2000 年 9 月	同心慈善超市	2008 年 5 月
沙头镇卫生院	2000 年 10 月	东升花园劳动服务部	2008 年 6 月
头桥镇卫生院	2000 年 11 月	同心夕阳红文体队	2008 年 7 月
新坝卫生院	2000 年 12 月	湾头镇劳动和社会保障中心	2008 年 8 月
红桥卫生院	2000 年 12 月	联合慈善超市	2008 年 8 月
泰安镇卫生院	2000 年 12 月	广陵区骏和大地幼儿园	2008 年 9 月
李典幼儿园	2001 年 4 月	广陵东区医院	2008 年 11 月
新坝幼儿园	2001 年 4 月	文昌花园社区体育俱乐部	2008 年 12 月

续表 34-5-2

名称	登记年月	名称	登记年月
沙头幼儿园	2001 年 4 月	湾头镇慈善超市	2008 年 12 月
广陵区自强盲人推拿按摩康复站	2002 年 4 月	广陵区文化艺术中心	2008 年 12 月
广陵区向往学校	2002 年 8 月	广陵区文昌花园卫生服务站	2009 年 1 月
广陵区同心学校	2002 年 11 月	广陵区居家养老服务中心	2009 年 2 月
广陵区建隆社区康复站	2002 年 12 月	汶河街道居家养老服务中心	2009 年 4 月
广陵区青少年体育俱乐部	2002 年 12 月	昌盛劳动服务中心	2009 年 4 月
北京新东方扬州外国语学校	2003 年 1 月	文峰街道居家养老服务中心	2009 年 5 月
霍桥社区老年活动中心	2003 年 1 月	汤汪乡敬老院	2009 年 5 月
新知源培训中心	2003 年 3 月	曲江街道居家养老服务中心	2009 年 5 月
广陵区育才实验幼儿园	2003 年 5 月	施井社区卫生服务站	2009 年 5 月
广陵区金苹果舞蹈艺术培训中心	2003 年 6 月	连运中心花园社区卫生服务站	2009 年 5 月
广陵区新力劳动就业服务中心	2003 年 7 月	沙南社区卫生服务站	2009 年 7 月
广陵区仁爱门诊部	2003 年 9 月	化工社区卫生服务站	2009 年 7 月
广陵区新浪潮人才管理信息咨询中心	2004 年 4 月	徐凝门社区卫生服务站	2009 年 7 月
广陵区残疾人服务中心	2004 年 4 月	广陵区奥星青少年奥林匹克体育俱乐部	2009 年 7 月
广陵区恒源新技术服务中心	2004 年 6 月	鑫盛劳动服务中心	2009 年 7 月
扬州育才实验学校	2004 年 6 月	连运慈善超市	2009 年 8 月
广陵区金苹果艺术幼儿园	2004 年 7 月	皮市街社区卫生服务站	2009 年 9 月
广陵区金鹰幼儿园	2004 年 8 月	琼花观阳光青少年体育俱乐部	2009 年 10 月
广陵区文昌教育培训中心	2004 年 10 月	广陵区智力劳动俱乐部	2009 年 10 月
广陵区东方英才幼儿园	2005 年 1 月	宝塔社区工作站	2009 年 11 月
广陵区倍佳教育培训中心	2005 年 4 月	家门口饭碗服务社	2010 年 3 月
东关街道劳动和社会保障中心	2005 年 5 月	八大家社区工作站	2010 年 3 月
广陵区华桥英语培训中心	2005 年 6 月	联谊路社区工作站	2010 年 3 月
广陵区翰文苑书画培训中心	2005 年 6 月	荷花池社区正予工作室	2010 年 4 月
广陵区英才艺术培训中心	2005 年 6 月	新星社区慈善超市	2010 年 5 月
广陵区新为劳动就业服务中心	2005 年 7 月	宋都社区慈善超市	2010 年 5 月
头桥镇中心幼儿园	2005 年 8 月	琼花观社区工作站	2010 年 5 月
广陵区湾头镇沙联幼儿园	2005 年 10 月	宋都社区工作站	2010 年 5 月
广陵区金苹果鸿泰艺术幼儿园	2005 年 12 月	个园社区工作站	2010 年 5 月
广陵区湾头中心幼儿园	2006 年 3 月	教场社区工作站	2010 年 5 月
广陵区蓓蕾艺术培训中心	2006 年 4 月	彩衣街社区工作站	2010 年 5 月
广陵区金音钢琴艺术培训中心	2006 年 4 月	古旗亭社区工作站	2010 年 5 月
广陵区湾头镇康佳幼儿园	2006 年 4 月	渡江路社区工作站	2010 年 5 月
广陵区大吉门老年公寓	2006 年 4 月	新仓巷社区工作站	2010 年 5 月
扬州广陵新城中医医院	2006 年 5 月	何园社区工作站	2010 年 5 月
广陵区沙北社区慈善超市	2006 年 5 月	东关街社区工作站	2010 年 5 月

续表 34-5-2

名称	登记年月	名称	登记年月
广陵区文昌花园社区慈善超市	2006 年 5 月	皮市街社区工作站	2010 年 5 月
广陵区渡江南路社区互助慈善超市	2006 年 5 月	徐凝门社区工作站	2010 年 5 月
广陵区宝塔社区爱心慈善超市	2006 年 6 月	荷花池社区工作站	2010 年 5 月
广陵区连运社区连心慈善超市	2006 年 6 月	荷花池社区慈善超市	2010 年 5 月
广陵区琼花篮球俱乐部	2006 年 6 月	东花园社区慈善超市	2010 年 5 月
广陵区龙头关社区慈善超市	2006 年 6 月	化工社区慈善超市	2010 年 5 月
广陵区琼花观社区阳光慈善超市	2006 年 6 月	湾头镇居家养老服务中心	2010 年 5 月
广陵区儒田教育培训中心	2006 年 6 月	文昌花园社区工作站	2010 年 5 月
广陵区天音艺术中心	2006 年 6 月	汤汪乡居家养老服务中心	2010 年 5 月
扬州育才教育集团广陵区国际文化交流中心	2006 年 8 月	广陵产业园居家养老服务中心	2010 年 5 月
广陵区成才教育培训中心	2006 年 8 月	常府社区工作站	2010 年 5 月
广陵区东方实验幼儿园	2006 年 8 月	皇宫社区工作站	2010 年 5 月
沙头镇沙头社区卫生服务站	2006 年 8 月	树人苑社区工作站	2010 年 5 月
沙头镇二圩头社区卫生服务站	2006 年 8 月	通泗社区工作站	2010 年 5 月
沙头镇人民滩社区卫生服务站	2006 年 8 月	旌忠寺社区工作站	2010 年 5 月
沙头镇育新社区卫生服务站	2006 年 8 月	南门街社区工作站	2010 年 5 月
沙头镇强民社区卫生服务站	2006 年 8 月	龙头关社区工作站	2010 年 5 月
沙头镇潮龙社区卫生服务站	2006 年 8 月	四望亭社区工作站	2010 年 5 月
沙头镇小虹桥社区卫生服务站	2006 年 8 月	石塔社区工作站	2010 年 5 月
沙头镇五星社区卫生服务站	2006 年 8 月	东升花园社区工作站	2010 年 5 月
沙头镇邱卜社区卫生服务站	2006 年 8 月	九龙湾社区工作站	2010 年 5 月
头桥镇安阜社区卫生服务站	2006 年 8 月	壁虎坝社区工作站	2010 年 5 月
头桥镇安帖桥社区卫生服务站	2006 年 8 月	三里桥社区工作站	2010 年 5 月
头桥镇立新桥社区卫生服务站	2006 年 8 月	渡江南路社区工作站	2010 年 5 月
头桥镇新桥社区卫生服务站	2006 年 8 月	运东社区工作站	2010 年 5 月
头桥镇二桥社区卫生服务站	2006 年 8 月	茱萸湾社区工作站	2010 年 5 月
头桥镇头桥社区卫生服务站	2006 年 8 月	沙南社区慈善超市	2010 年 5 月
头桥镇仁义桥社区卫生服务站	2006 年 8 月	东花园社区工作站	2010 年 5 月
头桥镇福成社区卫生服务站	2006 年 8 月	广济医院	2010 年 6 月
头桥镇振泰社区卫生服务站	2006 年 8 月	广陵区暴走人俱乐部	2010 年 9 月
头桥镇迎新社区卫生服务站	2006 年 8 月	杭集镇体育健身俱乐部	2010 年 10 月
头桥镇庆丰社区卫生服务站	2006 年 8 月	二畔铺社区工作站	2010 年 11 月
李典镇田桥社区卫生服务站	2006 年 8 月	五里庙社区工作站	2010 年 11 月
李典镇伏业社区卫生服务站	2006 年 8 月	新星社区工作站	2010 年 11 月
李典镇李典社区卫生服务站	2006 年 8 月	沙南社区工作站	2010 年 11 月
李典镇伏固社区卫生服务站	2006 年 8 月	解放桥社区工作站	2010 年 11 月
李典镇联桥社区卫生服务站	2006 年 8 月	跃进桥社区工作站	2010 年 11 月

续表 34-5-2

名称	登记年月	名称	登记年月
李典镇恩余社区卫生服务站	2006 年 8 月	施井社区工作站	2010 年 11 月
李典镇新滩社区卫生服务站	2006 年 8 月	沙北社区工作站	2010 年 11 月
沙头镇中兴社区卫生服务站	2006 年 8 月	沙口社区工作站	2010 年 11 月
广陵区连运老年公寓	2006 年 9 月	洼字街社区工作站	2010 年 11 月
泰安幼儿园	2006 年 11 月	顾庄社区工作站	2010 年 11 月
广陵区户外定向俱乐部	2006 年 11 月	沙头镇霍桥社区居家养老服务站	2010 年 12 月
广陵区汉胜乒乓球俱乐部	2006 年 12 月	沙头镇霍桥社区工作站	2010 年 12 月
广陵区何园社区慈善超市	2006 年 12 月	广陵区八大家社区慈善超市	2011 年 1 月
艺蕾小学	2007 年 1 月	广陵区连福社区工作站	2011 年 1 月
广陵区汶河街道社区服务指导中心	2007 年 4 月	广陵区连运社区工作站	2011 年 1 月
广陵区文昌花园体育舞蹈培训中心	2007 年 4 月	广陵区皮坊街社区工作站	2011 年 1 月
广陵区联谊慈善超市	2007 年 4 月	扬州曜阳琼花观社区托老所	2011 年 1 月
广陵慈康养老院	2007 年 7 月	广陵区九龙湾社区慈善超市	2011 年 1 月
广陵区三湾老年公寓	2007 年 7 月	广陵区化工社区工作站	2011 年 1 月
广陵区大地连运幼儿园	2007 年 8 月	广陵区睿德教育培训中心	2011 年 1 月
广陵区吉星语言培训中心	2007 年 9 月	广陵区文昌花园社区居家养老服务站	2011 年 1 月
广陵区电广文化教育培训中心	2007 年 9 月	广陵区沙南社区居家养老服务站	2011 年 1 月
广陵区荷花池社区老年快乐驿站	2007 年 9 月	广陵区彩衣街社区慈善超市	2011 年 1 月
广陵区石塔社区爱心养老院	2007 年 9 月	广陵区彩衣街社区托老所	2011 年 1 月
广陵区宝塔社区爱心家庭敬老院	2007 年 9 月	广陵区东关物业服务中心	2011 年 3 月
广陵区耶鲁联谊幼儿园	2007 年 11 月	广陵区汶河物业服务中心	2011 年 3 月
广陵区四望亭慈善超市	2007 年 11 月	广陵区东关街道琼花观社区门诊部	2011 年 4 月
广陵区爱心阳光庇护中心	2007 年 12 月	广陵区曲江物业服务中心	2011 年 4 月
广陵区七巧幼儿园	2007 年 12 月	文峰街办物业服务	2011 年 6 月
广陵区琼花观社区草根物业中心	2007 年 12 月	广陵区琼花观社区居家养老服务站	2011 年 6 月
广陵区夏恩培训中心	2008 年 1 月	广陵区博奥青少年奥林匹克体育俱乐部	2011 年 7 月
广陵区雏鹰儿童发展中心	2008 年 1 月	泰安镇泰安社区工作站	2011 年 8 月
广陵区四望亭社区艺术活动中心	2008 年 1 月	沙头镇沙头社区工作站	2011 年 8 月
广陵区文峰街道劳动和社会保障所	2008 年 1 月	头桥镇头桥社区工作站	2011 年 8 月
东花苑医院	2008 年 4 月	杭集镇杭集社区工作站	2011 年 8 月
永安职业培训中心	2008 年 5 月	李典镇李典社区工作站	2011 年 8 月
琼花观社区卫生服务站	2008 年 5 月	文昌花园老年公寓	2011 年 10 月
运东社区慈善超市	2008 年 5 月		

三、服务型社会组织选介

（一）琼花观社区居家养老服务站

2009年，开始工作，2011年6月，正式登记注册。主要为社区孤寡、独居、困难、高龄等居家老人提供日间照料、家政、康复护理和精神慰藉等多样化服务。服务站拥有净资产（流动资产、固定资产）约150万元，主要来源于社区投入、项目资金及企业赞助。服务站聘用8名工作人员和志愿者20多人，为社区上百名居家老人提供上门服务，为社区养老事业做贡献，受到社区及社会好评。

（二）家门口饭碗服务社

2007年，成立于文昌花园社区。主要业务是服装、玩具、小部件等手工加工，如服装缝纫，为羊毛衫、棉袄钉纽扣，扎花，为宾馆做鞋垫等。服务社先后为300多名社区失地农民、有劳动能力和就业愿望的“零就业家庭”人员、“4050”下岗失业人员安排零散就业，业务范围逐步拓展至法律服务、心理咨询、精神慰藉、康复训练、婚姻家庭、社会工作等方面，发展成具有综合服务功能的区域化、枢纽型社区社会组织。在促进基层社会管理和社会和谐稳定方面发挥积极作用。

（三）荷花池社区正予工作室

荷花池社区是一个老小区，构成复杂，邻里家庭矛盾较多。2010年，社区主任伏正予运用自身多年从事群众工作积累的经验和在群众中的影响力，建立起社区个人工作室。工作室成立以来，吸收一些专业的心理咨询师、法律顾问定期进驻，走近居民家庭，在热情关爱弱势群体、耐心化解邻里纠纷、妥善解决家庭矛盾、畅通百姓诉求、疏导群众心理等方面发挥积极作用，业务覆盖范围走出社区，走进扬州城乡居民家中，成为扬州城乡居民家喻户晓的民间心理咨询平台。

第二节　婚姻登记

1993年前，婚姻登记由区属4个街道办事处负责办理，离婚登记由区民政局负责办理。涉外婚姻登记，1991年起，统一由市婚姻登记处办理。1993年，按照民政部要求，将原分散在各街道办事处的结婚登记工作集中管理，成立区民政局婚姻登记处，有婚姻登记员4人。

图34-5-1　婚姻登记时婚前宣传教育

1994年，区民政局婚姻登记处实现计算机出证、存档和统计管理，同时定期进行软件升级，保证婚姻登记的正确率和婚姻档案查询的出证率。2003年10月，实施婚姻登记条例。弱化政府及单位对当事人的行政管理，简化结婚手续，取消单位出具结婚证明、婚前体检等要求，方便当事人结婚登记。婚前体检采取自愿原则。广陵区针对新婚当事人提供免费孕前检查服务。2008年4月，婚姻登记实现全省联网。2011年12月，实现全国联网。

2003年，进一步简化手续，弱化政府对离婚类民事行为的行政管理，强化服务意识，方便离婚登记办理。男女双方自愿离婚的当事人，在财产分割、子女抚养及债权债务等问题上达成一致意见，可直接到民政部门婚姻登记处办理离婚。广陵区离婚的几大原因包括感情不和、家庭纠纷、第三者插足、两地分居、婚前缺乏了解等。其中感情不和的占89%，家庭纠纷占3%，婚外情占2.9%，两地分居占2.6%，其他占2.5%。1993年起，广陵区离婚登记数逐年递增。2010年后，每年离婚登记数达1000对以上。

1989～2011年广陵区婚姻登记情况统计表

表34-5-3　　单位：对

年份	结婚登记					离婚登记	合计
	小计	初婚	再婚	复婚	补办登记		
1989	3271	3167	94	10	—	58	3329
1990	3019	2909	102	8	—	78	3097
1991	3128	3000	119	9	—	92	3220
1992	3303	3155	138	10	—	136	3439
1993	3545	3385	150	10	—	176	3721
1994	3476	3238	217	21	—	201	3677
1995	3400	3128	231	41	—	217	3617
1996	3419	3130	274	15	—	260	3679
1997	3212	2910	287	15	—	345	3557
1998	3327	3018	285	24	—	404	3731
1999	3694	3305	365	24	—	389	4083
2000	3306	2976	308	22	—	393	3699
2001	3520	3133	358	29	—	450	3970
2002	3155	2783	351	21	—	406	3561
2003	3922	3470	414	38	—	546	4468
2004	3607	3391	152	64	—	736	4343
2005	3445	2672	475	87	211	767	4212
2006	4582	3697	582	106	197	817	5399
2007	3486	2532	572	135	247	835	4321
2008	4084	3100	542	124	318	844	4928
2009	5505	4014	591	158	742	904	6409
2010	4127	3114	394	154	465	1024	5151
2011	4864	3640	607	150	467	1032	5896

说明：2005年后系统对补办（登记）进行分类，此前都在结婚登记里面

第三节　收养登记

2002年前，广陵区辖区内公民在市民政局办理收养登记。2002年起，区民政局负责办理全区公民收养登记。2008年9月起，根据民政部《关于解决国内公民私自收养子女有关问题的通知》规定，公民捡拾弃婴的，一律到当地公安部门报案，查找不到生父母和其他监护人的，一律由公安部门送交当地社会福利机构或者民政部门指定的抚养机构抚养。公民申请收养子女的，应到民政部门申请办理收养登记。2002～2011年，区内共办理婴儿收养登记171例，均为弃婴。2011年，办理解除收养关系1例。

第四节　殡葬管理

1988年前，广陵区殡葬管理服务范围包括扬州市广陵区、郊区和江都、邗江、高邮等县市的部分地区。宣

传贯彻国家关于实行殡葬改革的精神，全力推行火化。1988 年，火化率已达到 100%。2001 年，广陵区代管的扬州市殡仪馆、扬州市小茅山火葬场划归郊区管辖，广陵区除保留殡葬管理所外，不再设殡仪馆和火葬场。2011 年，广陵区有公益性公墓 14 处，占地面积 18.4 公顷，土地性质为集体，安放骨灰墓穴 3.02 万座。

2011 年广陵区公益性公墓设施情况一览表

表 34-5-4

名称	地址	管理人员（人）	占地面积（公顷）	安放穴位数（座）
产业园宦桥公益性公墓	产业园宦桥村	2	2.67	5500
湾头镇阳关公益性公墓	湾头镇夏桥村	1	0.33	125
湾头镇二桥公益性公墓	湾头镇二桥村	1	0.67	500
湾头镇田庄公益性公墓	湾头镇田庄村	2	1.33	3000
汤汪乡九龙公益性墓园	汤汪乡九龙村	2	0.67	2200
汤汪乡连运村安息堂	汤汪乡连运村	1	0.13	50
杭集镇公益性公墓	杭集镇	1	1.67	5500
杭集镇公益性公墓	杭集镇	1	1.33	2000
沙头镇公益性公墓	沙头镇	1	2.00	2800
沙头镇公益性公墓	沙头镇	1	0.67	260
头桥镇大同村公益性公墓	头桥镇	1	2.33	3200
头桥镇迎新村公益性公墓	头桥镇	1	2.20	4500
李典镇公益性公墓	李典镇	1	1.07	300
李典镇秀清公益性公墓	李典镇	1	1.33	300

第五节　界线勘查

一、界线勘定

2002 ～ 2011 年，广陵区结合区划调整，先后 2 次开展地名普查工作，共勘界界线 2 条，普查地名条目 2773 条，经过反复调查、考核、审核，核定目录共计 2379 条。截至 2011 年年底，完成全区万条地名 GPS 动态数据包括数据保护系统信息采集、标注、校对工作，并签约委托省测绘局地理信息中心标注边界线。完善区地名标志牌，提高设置率和完好率。

2002 年 1 月，完成广陵区与维扬区边界线勘定任务。边界线全长 20.12 千米，由西南向北走向，折东再折向东南。双方接壤的地区有 3 个乡镇、6 个村、6 个街道办事处：湾头镇万寿村和沙联村、城北乡瓦窑村和黄金村、梅岭街办、双桥街办、汤汪乡龙泉村和宦桥村，东关街办、曲江街办、汶河街办、文峰街办。两区边界均以河流为界。

同年，完成广陵区与邗江区的联合勘定界线工作。两区边界线涉及汤汪乡九龙村、横沟村、同心村、龙泉村、耿管营村、孙集村和汉河镇新河湾村、刘家村。边界线由西向东，全长 13.53 千米。

2011 年，根据省政府《关于调整扬州市部分行政区划的通知》和市政府《关于调整部分行政区划的通知》，广陵区与邗江区陆地边界发生变更，此段边界线原为 2001 年 12 月勘定的邗江区与江都市行政区域界线转换而来。广陵区和邗江区此段界线共涉及 13 个乡镇（街道），分别是广陵区泰安镇、沙头镇、汤汪乡、曲江街道、东关街道、汶河街道、文峰街道，邗江区槐泗镇、城北乡、梅岭街道、双桥乡（文汇街道）、扬子津街办、施桥镇。经两区协商，此段边界线不设界桩。

二、界线检查与界桩设定

2011 年 11 月，根据国务院《行政区域界线管理条例》，广陵区分别与江都区、邗江区共同完成行政区域界线联合界线检查工作，共有边界线 2 条。其中广邗边界线长 36.6 千米，江广边界线长 42.8 千米，北起邵伯湖，沿高水河向南，至横河西折进入金湾河，沿金湾河向南，东折进入芒稻河，沿芒稻河向南，进入夹江，沿夹江向东南直至长江。共埋设界桩 5 个。分别是：6870002A 号界桩，位于泰安镇芒稻村运盐河西堤；6870003A 号界桩，位于泰安镇南江村南海组高水河西堤；6870004A 号界桩，位于杭集镇王集村民丰组芒稻河西堤；6870005A 号界桩，位于李典镇黄桥村公二组夹江南堤；6870006A 号界桩，位于头桥镇九圣村五丰组夹江西堤。

2011 年，广陵区以“边界和谐走廊”创建活动为抓手，坚持做到“三到位”，即领导到位、责任到位、措施到位。采取“四动并举”措施，即舆论鼓动、典型带动、措施推动、考评牵动，变被动管理为主动管理，建立区、乡（镇）、村界管理网络，形成上下共同管界的工作格局，推进界线有效管理。推进平安边界建设，组织平安边界建设自查，全区平安边界建设工作通过省民政厅抽查。

第六节　区划地名管理

1988 年 6 月，广陵区成立地名普查领导小组，下设办公室，负责全区的地名管理，组织调查、整理、编辑地名资料，进行地名标准化处理，建立地名档案。1988 ～ 1992 年，全区新查出地名 298 处。

1992 年，开展地名更名、命名工作。区成立地名补查领导小组，办公室设于区民政局。各街道相继成立补查小组，各社区居委会派员参与补查工作，更新全部资料。1992 ～ 2011 年，新命名、更名地名 176 处。全区共设置、安装各类地名标志牌 1.35 万块，参与修订、编印各类地名志 10 多部。2006 ～ 2011 年，参与编写《江苏省政区通典——广陵部分》《中国政区大典》。调查统计区内名胜古迹。至 2011 年，区民政局连续三次被评为市地名工作先进单位。

1988 ~ 2011 年广陵区部分地名新命名、更名情况一览表

表 34-5-5

地点	地名新命名	命名年份	地名更名	更名年份
头桥	新阜路、渡江路、古桥路、长宁路、通达路，大同街、小西街，爱国巷	1993	新阜村（原伏二村）	1994
	振兴路、弘扬路、同兴路、花园路、文化路、红星路、红星东路、红星西路，招商街、建新街、朝阳街，东升巷，双桥新村、东升新村	1994	—	—
李典	兴丰路、振兴路、大桥路、交通路、褚坝路、沿河北路、沿河南路，老街，小营盘巷、东营门巷	1988	悦来路（原迎新路）典前街（原镇南路）	1992
	三圣路、江州路、花园路，大新巷，健安新村	1992		
	花园南路、花园北路、花园东路、花园西路	1999		
	新兴路、镇扬港路、田甜路、老坝路、新河路、东苑路、嘶马路、川江路、沿河路、滨江路，富民东街、富民西街，新一巷、新二巷、新三巷、新洲巷、健康巷、前进巷、王小巷、李小巷、顺河巷	1995	江扬路（原新兴路段）	1999
沙头	通港路、北洲路、三兴路、人民南路、人民北路、健康路、花园路、迎宾路，堂前街，花园新村	1993	—	—
	迎春东路、迎春西路、富民东路、富民西路、中兴路、文汇路、迎宾路、通达路、华昌路、明星路、强民路，大达巷、大通巷、沙河巷、河南一巷、河南二巷、双桥巷，迎春新村一村、迎春新村二村、迎春新村三村、迎春新村四村	1994		

续表 34-5-5

地点	地名新命名	命名年份	地名更名	更名年份
杭集	曙光路、利民路、育才路、九圩路、下街路、园丁路，杭府街、富民街，吉发富巷、后街巷、陈家巷、王家巷、兰家祠堂巷、舒园巷	1993	—	—
杭集	城南路、城北路、城西路、城东路、城中路，友谊街、琼花街、三笑街，南街巷、北街巷、青竹巷、双沟头巷、陈家祠堂巷，杭东住宅区、杭西住宅区、吉发富新村	1996	—	—
泰安	金泰南路、金泰北路、嵇家路、万福路、通安路，蒋庄巷、育才巷、三陈巷	1995	—	—
产业园	海沃路、银焰路、板桥路、南刘路、元辰路、创业路、桃园路、金苑路、董庄路、安林路、东盛路	2005	—	—
城区	江都北路	1990	—	—
城区	吴家西路、谈薛西路	1992	汶河南路(原汶河路南段)、汶河北路(原汶河路北段)、石塔东路、石塔西路	1992
城区	—	—	徐凝门路(原徐凝门街)、西门大街(原县学街、西门街)	1993
城区	大梅家巷、集贤巷	1996	—	—
城区	运河东路、施井南巷、太平路	1998	运河西路(原江都路)、江阳东路(原通扬路)、江阳中路(原迎新路)、四望亭路(原西门大街)、江都路(原江都北路)、贮草坡(原猪草坡)、文昌东路(原解放东路)、文昌中路(原琼花路、三元桥、石塔东路)	1998
城区	安康路	1999	—	—
城区	福缘北巷、福缘南巷、万福路、秦邮路、茱萸湾路、凤凰岛路、廖家沟路、伟业路、曙光路、兴园路、通洲路、九龙路、江淮路、嘉园路、锦园路、明园路、竹园路、熙园路	2004	—	—
城区	沙湾南路、桃园路、龙泉路、金苑路、肖家路、南泉路、安林路、宦桥路、京杭南路、扬霍路、袁巷路、七里河路、万寿路、嘉苑路、创业路、董庄路、渡江南路、安康路、鸿泰路、东花园路、江都南路、连运东路、连运中路、连运西路、新星路、运河北路、思民路、安居北路、安居南路、联谊路、同心路、民心路、大梅家巷、芦刮刮巷、健民路	2005	—	—
城区	佳园路	2006	—	—
城区	解放北路	2007	—	—
城区	花园路、花园北路、新民路、联谊路、京杭北路、京杭中路	2009	—	—
城区	秦邮路、沙湾北路、沙湾中路、沙湾南路、施井路	2010	—	—
城区	万福路、连云路	2011	—	—

说明：2011 年，广陵产业园园区地名情况参见第十二篇开发园区

第六章　双拥共建

1991年，广陵区成立双拥工作领导小组，下设办公室，具体负责全区双拥工作。区双拥工作坚持以不断巩固新型军政、军民关系为总体目标，全面落实优抚安置政策，持续开展扶贫帮困、捐资助学、捐款救灾、安保执勤、学生军训、以劳养武等活动，切实解决双拥工作中出现的新问题、新情况，加强驻区部队建设，促进社会和谐稳定，为扬州市争创全国双拥模范城作出积极贡献。1989～2011年，广陵区四次被评为江苏省双拥模范区。

第一节　拥军优属

一、拥军优属政策

1998年6月，区政府制定《拥军优属工作若干规定实施细则》。2006年12月，制定《开展科技拥军活动的实施方案》。1997年，优抚对象抚恤、定补标准自然增长机制实现制度化，全面落实优抚对象医疗优惠政策。对各项优待政策的落实、军队和军人与优抚对象合法权益的维护等方面做出具体规定。2004年，结合区情实际，印发《广陵区农村退役士兵安置暂行办法》，实现退役士兵安置城乡一体化。

二、国防教育

1993年2月，广陵区组织5万军民参加扬州市举办的“双拥杯”国防知识竞赛，获得优秀奖。1995年7月，为纪念世界反法西斯战争暨抗日战争胜利50周年，举办摄影、书法、演讲、卡拉OK演唱会、文艺演出等多种纪念活动；区双拥办邀请18名军嫂参加军嫂回娘家座谈会。1996年10月8日，为纪念红军长征胜利60周年，区政府组织140名民兵应急分队队员参加火炬长跑活动。1997年6月，组织2.5万名辖区军民参加全国国防知识竞赛活动。1999年4～8月，区双拥办组织辖区大、中、小学生参加迎国庆千校国防教育活动。2004年9月，广陵区四套班子及各乡镇街道领导在邗江七里甸进行国防一日军训。2005年10月，区双拥办组织辖区单位、部队和学校开展国防教育征文活动，收到征文1000多篇。2007年，区双拥办和区妇联联合举办“筑起我们新的长城——‘国防教育进家庭’宣传普及”活动；举办书画摄影艺术展活动，军地5000多人参观书画展。2008年7月，区双拥办在市少年宫主办迎“八一”建军81周年军地卡拉OK大赛。2009年，区教育局将9月13～19日定为国防日宣传周，各校园广播站、电视台、橱窗、各班黑板报中开辟国防教育专栏。2010年7月，举办庆祝中国人民解放军建军83周年军地书画展。每年“八一”前夕，街道组织辖地军民参加爱国主义影视戏剧展映（演）、走进国防教育基地、关注国防等活动。2011年，东关街道邀请老红军给青少年讲革命故事，组织青少年参观朱自清故居。5月，为纪念《中华人民共和国国防教育法》公布施行10周年，在辖区各乡镇街道、驻区单位及部队，组织开展国防教育征文和国防法规网络知识竞赛活动。是年7月，文昌花园社区举办晒晒我家的军功章等活动。

三、拥军活动

1992年，扬州汽车运输总公司776分公司开通“双拥号”客车，为往返扬州与驻青岛官兵和优抚对象提供优质服务，在车厢里设立双拥监督电话，备有旅客意见簿，张贴双拥服务条约。至2005年，“双拥号”客车安全行驶253.2万千米，为优抚对象、现役军人做好事1000多件，收到感谢信120多封。他们的事迹先后被《解放军报》《新华日报》《江苏工人报》《东海民兵报》等进行宣传报道。1992年后，每年3月5日都组织开展学雷锋双拥军地双向服务日活动。20年来，该活动成为全区双拥工作品牌和亮点。

1995年1月，驻扬州部队，驻区市直单位，区计经委、物资、建委、卫生系统以及4个街道约5000名军警民服务大军，在汶河南路开展双拥一条街服务活动。1999年，区人武部和区双拥办根据民政部、解放军总政治部关于开展"爱心献功臣"活动通知，组织46个部门和企业人武部，帮助烈士家属、伤残军人和老复员军人解决生活难、住房难、医疗难问题。各单位开展"五个一"活动：即对本单位功臣进行一次上门慰问，进行一次上门服务，进行一次身体检查，组织一次看扬州西部新城区建设活动，为干部、工人和青少年进行一次革命传统教育。6月，组织100多名革命功臣游扬州西部新城区，观看新电视台、南绕城公路建设、润扬大桥北引桥建设等。是年，广陵区被民政部、解放军总政治部授予"爱心献功臣活动先进单位"称号。2000年8月，全区组织开展科技拥军活动，为部队官兵进行专业技能培训。区双拥办组织辖区单位为部队赠送电脑19台、各类科技书籍2000多册，价值70多万元。各大中院校、企业为部队官兵举办电工、电脑操作及维修等专业培训，经劳动部门考核，参加培训人员均取得职业资格证书。2003年7月，成立广陵区国防教育学校。2010年，结合"九一八"事变纪念日，开展系列教育活动。聘请军队老干部做国防教育为主题的专题报告，参加国防教育网络知识竞赛。

第二节　拥政爱民

一、助民惠民活动

1989年春节前夕，区人武部领导带着慰问金和慰问品走访慰问10户特困户。1997年，区人武部出资10多万元，援建仪征市陈集乡沙集八一希望小学，并为八一希望小学与扬州市广陵中心小学结对共建"穿针引线"。2002～2003年，区人武部每年捐资助学50人，每年捐资上万元。

2002年，区人武部成立"双带双扶"领导小组。区人武部干部职工和民兵扶贫帮困100户；出动民兵500多人次，为优抚对象排忧解难180多人次。2003年，区人武部下发"双带双扶"指导意见，明确各级帮扶任务。区人武部帮扶1个经济薄弱社区，各乡（镇）人武部帮扶1个经济薄弱村，街道办事处人武部帮扶1个困难较多的社区，每个村（社区）民兵营（连）帮扶1个困难户，各企事业单位人武部因地制宜，参与挂包本社区帮扶工作。区人武部机关结对帮扶解放桥社区，资助扶贫资金1万元，并协调有关单位支持改善其办公环境和设施。是年，帮助解决下岗人员再就业120多人；投入扶贫资金13万元，协调区政府解决老旧社区改造建设资金56万元；结对帮扶特困户61户、五保户5户、残疾人7人。2003年12月，区人武部"双带双扶"工作受到省军区表彰。2005年，区人武部政委陆裕彪被省军区评为"双带双扶"工作先进个人，湾头镇人武部部长尤传学被评为"双带"先进典型。同年，区人武部获扬州市希望工程贡献奖。

2007年，区人武部协调有关单位，筹资2万多元，帮助沙北一村安装路灯，解决该小区30多年来没有路灯的难题。2008年"5·12"四川汶川特大地震发生后，区人武部干部职工通过捐款和交纳特殊党费等形式，向灾区人民捐款1.68万元，每人向灾区人民捐赠新棉被1条。2008年5月，区领导对广陵区47户赴汶川抗震救灾本籍现役军人家庭进行慰问。2011年1月，区双拥办组织武警医院官兵到湾头镇敬老院为老人们进行体检，并带去水果等慰问品。7月，组织湾头医院和武警医院在田庄村开展免费义诊活动，为村民提供咨询、体检等服务。

二、参与地方抢险

1991年7月10～11日，扬州市普降暴雨，形成内涝。区人武部担负漕河筑坝拦洪任务，组织民兵300多人、车辆20多部奔赴现场，1万多条装满土的编织袋先后填入河中，经一昼夜奋战，终于截断漕河，堵住内泄洪水。7月15日，位于市区东南部的京杭运河通运闸崩塌，汤汪、城东2个乡13个村被淹，大片农田进水，水深1米左右。城乡4154户居民被迫撤离，市区5个居民区、85家工厂企业和97座仓库进水。区人武部先后投入基干民兵、民兵应急分队和普通民兵1.1万人次，承担筑坝中手工作业的大部分工作量，为抗洪抢险、保卫城市作出贡献。

1993年7月3日晚长江边六圩湾丁字坝发生局部坍塌，1996年2月18日南门街居民楼煤气爆炸抢险救灾，1998年6月中旬抗击历史罕见的洪涝灾害，区人武部接到灾情通报后，均立即启动抢险救灾预案，组织民兵应急分队和民兵、预备役人员奔赴现场抢险，受到市政府、军分区和预备役师的表彰。

2003 年 7 月 16 日，区人武部奉命率队奔赴高邮菱塘三叉港抢险救灾，加固堤坝 3200 多米，筑围堰 640 米，清障 8000 平方米，筑堤坝 1600 米，大堤堵漏 30 多处，巡堤 45 千米，抢修危房 250 多处，抢救、转移群众 1300 多人。当日，区人武部先后参加抗洪救灾的有现役军人 11 人、专武干部 40 人、民兵 2.8 万人次。2007 年 7 月 14 日，广陵产业园高泸河闸渗漏，区人武部组织民兵 120 人抢险。7 月 16 日，汤汪乡甪里闸发生渗漏，区人武部组织民兵 100 人抢险。2008 年 1 月下旬，扬州市多次普降暴雪，积雪 400 多毫米。区人武部组织现役官兵和民兵、预备役人员 535 人次，清扫市区桥梁和主干道积雪，组织人员慰问受灾群众 150 多户（人），为群众送去捐款和食油、大米等生活必需品。2010 年，玉树地震发生后，区人武部干部职工捐款 5200 元，为灾区重建奉献爱心。

三、协助地方维稳

领导人安保执勤 1991 年 9 月，时任朝鲜劳动党总书记、朝鲜民主主义人民共和国主席金日成由中共中央总书记、国家主席江泽民陪同到访扬州，以及 2004 年 4 月，时任中共中央总书记、国家主席、中央军委主席胡锦涛参加扬州火车站启动仪式剪彩期间，广陵区组织民兵参加安保工作，区人武部机关全体干部职工昼夜值班，以确保重大活动安全。

节庆安保执勤 1989 ～ 2011 年，每年元旦、春节，区人武部都组织基干民兵 100 多人，到车站、码头维护秩序、安保执勤。每年“烟花三月”国际经贸旅游节期间，区人武部都组织 100 ～ 640 名民兵承担维护秩序、安保执勤、应对突发事件等任务。2007 ～ 2011 年，每年 9 月召开“中国扬州运河名城博览会”期间，区人武部奉命组织上百名民兵，配合地方公安部门维持秩序。

大事件安保执勤 1998 年 4 月，市区发生出租车司机停运事件，区人武部组织民兵应急分队迅速集结，配合公安部门，维护交通和社会秩序。

2003 年春，“非典”流行期间，区人武部成立“防非”指挥部，建立“防非”应急分队 1500 人，制定“防非”预案，组织“防非”演练；指导乡镇、街办人武部对在外打工的民兵进行专人定点联系，定期寄发“防非”资料；成立民兵突击队，帮助外出务工人员困难家庭做农活。

第三节 军民共建

一、结对共建

区双拥办组织辖区各单位和驻区部队开展共建活动。曲江街办跃进桥社区与辖区武警医院多年共建结对，每逢“八一”或传统节日，都举办军民联谊会，组织社区志愿者走进营区，与官兵一起裹粽子、包饺子、拉家常。1993 年 1 月，区双拥办、区妇联组织百名妇女组成“拥军洗衣队”，为市武警支队新兵集训队洗衣服、洗被子。1995 年 2 月，区双拥办组织市少年宫小琼花艺术团一行 30 多人，到武警扬州支队新兵连进行慰问演出。

图 34-6-1 社区元宵节军民联谊活动

1994 年，区人武部与扬州商场举行军民共建签约仪式。2001 年 8 月，与广陵区法院、宁通公路蒋王收费站结对共建。2005 年，与曲江街道新星社区等单位建立共建关系，军地互动，齐心协力，共建文明单位，共创双拥模范区。在文昌商业区、曲江小商品市场等有影响的地段设置民兵示范岗，与团区委、区妇联、区政法委共同开展“青年民兵志愿者”“巾帼示范岗”“创建平安广陵”等活动。

二、组织军地双向服务活动

1994 年 3 月，区人武部组织辖区 20 个系统（局）及街道办事处民兵、872 名预备役人员，参加汶河路军地双向服务活动。为群众修理自行车 542 辆，义务理发 372 人，裁剪衣料 201 件，修鞋 702 双，配钥匙 102 把，修理家电用品 78 件。

2001 年 2 月，市自来水厂供水管道爆裂，消防官兵出动水罐车 10 辆，连夜为居民送水，为地方供水 300 多立方米。在当年的双拥月期间，消防官兵为地方整改火险隐患 1200 多处，扑救各类火灾 47 次，挽回经济损失 65.7 万元。2003 年 3 月，区双拥办组织地方和军地 60 多个单位在湾头开展“每人种植一棵树，我为家乡作贡献”活动，共同参与种植并管护廖家沟双拥世纪林 33.33 公顷。2007 年 6 月，为纪念中国人民解放军建军 80 周年，区双拥办组织部分双拥模范单位和部队官兵赴南昌和井冈山参观学习建军历史。2008 年 4 月，区双拥办组织江苏省预备役高炮二师政治部协助近百名官兵深入个园、东关、琼花观社区，清扫垃圾和冲洗路面，用整洁优美的环境迎接扬州“烟花三月”国际经贸旅游节。2009 年 7 月，区双拥办人员带着慰问品和慰问金，对辖区参加国庆 60 周年阅兵的现役军人家庭进行慰问。2011 年 7 月，广陵消防大队广陵路中队与汤汪乡东昇花园社区、诚兴汇金物业公司，在汇金广场开展主题为“夏季消防安全演练，掌握消防安全知识”的消防演练。

第四节　双拥模范城

一、组织领导

1991 年，广陵区双拥和国防教育领导小组成立，先后由区委书记或副书记、区长任组长。区委、区政府始终坚持把双拥工作摆在重要位置，每年定期召开议军会议，及时研讨解决双拥和国防后备力量建设的重大问题，并将双拥和国防教育工作纳入全区经济社会发展的总体规划，制定工作制度、创建规划和实施方案。健全责任分工制度，及时调整充实双拥和国防教育工作领导小组成员单位。区各系统、单位、乡镇、街办都成立双拥工作领导小组，专人负责，制定规划，落实措施，把拥军优属工作纳入干部任期目标和领导实绩的重要内容。各成员单位建立相应组织，明确专、兼职人员，形成常态化开展的工作机制，保证双拥活动蓬勃开展。

二、创建活动及成果

1991～2011 年，区双拥办及辖区各单位认真对照双拥模范城检查验收标准，对目标任务量化、细化、具体化，确保创建工作有条不紊地展开。每年清明、国防教育日期间，组织机关干部、群众祭扫扬州革命烈士陵园、万福闸纪念碑等国防教育基地，熊成基故居、朱自清纪念馆、江上青史料陈列馆每年接待参观者 3 万多人。推进国防教育“三进”（进机关、进单位、进学校）工作，中小学校将国防教育渗透到教学设计中。帮助驻区部队建立图书阅览中心、官兵文化活动中心、综合训练场地、网络科技图书室，向武警支队赠送电脑、图书等科技文化用品，集中开展“为军营捐好书”活动。结合旧城改造，投入 50 万元建立“拥军路标”。

1994 年起，银河电子城等单位将双拥和国防教育纳入责任书，为军人及军属提供优质服务；区属医院建立优抚门诊和优抚病房，对重点优抚对象发放医疗咨询服务卡；对退役士兵进行职业技能培训；坚持落实军车免费通行和停车，实现“四军一嫂”（现役军人、残疾军人、离休军人、退休军人，军嫂）免费游览旅游景点；驻区部队军人、随军家属在公办医院就诊享受优先优待政策。区人武部投资在曲江街道文昌社区设立国防教育阅览室。省武警总队医院与区卫生局签订“双向转诊”服务协议，通过定期派专家会诊、坐诊等形式，为群众做好事、办实事、解难事。广陵消防大队设立公安民警优抚基金，对因工伤残和生活困难的民警予以救助。在交通要道口设立大型永久性双拥公益性广告牌 8 块，各乡镇、街道、驻区部队在醒目地段竖立双拥宣传牌 80 多块。

2009 年，开展慰烈工程，筹集资金对散葬烈士墓、零散烈士纪念设施进行修缮和维护；落实优抚对象和义务兵家属优待金等各类抚恤、定补标准自然增长机制；实施重点双拥优抚对象解难行动；开展爱心巡回义诊活动，为孤老烈属、残疾军人提供免费治疗；开展安心工程，对重点优抚对象实行危房改造；各乡镇、街道为吸收退伍军人就业广开渠道，以“政府保姆”为载体，选聘军属担任居家养老服务员，为低保群体、优抚对象等提供免费服务；曲江商品城设立万元以上双拥基金，对进场经营的退役军人实行优惠政策。

在创建双拥模范区的过程中，区内涌现出许多先进单位和个人，如艰苦创业的“省十佳好军嫂”、省“三八”红旗手标兵孙梅香，勤劳孝顺的海南省首届“十佳边防警嫂”曹学娟，制作日军侵华暴行系列组雕和民族英雄人物组图进行国防和爱国主义教育宣传的李律老人等一批双拥典型。东关街道琼花观社区依托社区门诊，常年为重病优抚对象开设家庭病床，免费提供出诊、打针、床位和成本价药品等服务。1995年7月，辖区交通局、广陵小学被省委、省政府、省军区表彰为双拥工作先进单位，广陵街道办事处、扬州消防支队三中队等被市委、市政府、军分区命名为双拥模范单位。1997年6月，区委、区政府、区人武部召开城区双拥工作总结表彰大会，表彰双拥工作模范单位23家、双拥工作先进单位42家、双拥工作先进个人39人。2007年6月，区召开2004～2006年度双拥表彰工作大会，对模范单位23家、先进单位34家、先进个人51人进行表彰。2009年1月，湾头镇、汤汪乡、文昌花园社区、东关小学、跃进桥社区等被市委、市政府、军分区授予“双拥模范单位”称号。

图 34-6-2　消防官兵和拥军妈妈包粽子

专记：军嫂孙梅香

孙梅香，扬州市鑫源印刷物资有限公司董事长兼总经理。孙梅香的丈夫丁松扬是一名副团职飞行员。从当年广陵百货公司体文商店的一名普通营业员到如今成长为有一定规模印刷公司的老总，孙梅香用她的坚强毅力和执着精神，不断书写着她的创业故事，描绘着一个好军嫂缤纷绚烂的五彩传奇。

1995年年初，体文商店破产，孙梅香变成一名下岗职工。看着1岁大的儿子，想着远在西安的丈夫，她流下辛酸的眼泪。但是，她并没有被生活重担压倒，为省钱，她搬到汤汪乡婆婆家居住，看到婆婆仍住在低矮漏雨的平房里，她的心里酸酸的，她紧紧握住婆婆的手说：“以后，我们一定要盖新楼房。”她暗暗地激励自己：“要自己给自己打工，要创业！”

“万事开头难，自己该做什么？”孙梅香苦苦思索着。基于自己在体文商店的工作经验，她决定创办印刷物资批发中心。于是，她拿出自己仅有的积蓄，开始走上创业之路。为找到好货源，孙梅香特意赶去南京进货。尽管中央门和火车站运货卡车比较多，但运费都比较高。为节省费用，她在周边反复寻找，终于一辆回江都的车主愿意以80元的价格将货拉回扬州。那一次，她真正学到如何节约成本。她有一本厚厚的大笔记本，里面贴着各种各样简报，一旦有客户信息，她就主动登门谈业务。在创业初期，孙梅香每天靠着吃方便面啃馒头度日，用她的话来说：“我既是营业员，又是装卸工，还是会计，所以更要努力。”经过1年多的打拼，她在扬州的印刷市场上已经小有名气，终于渡过创业艰难时期。

1997年，为兑现对婆婆的诺言，孙梅香开始筹备建新房。在她的眼里，几毛钱都要靠几倍的辛苦销售才能得到，小到钉子、铅丝，她都要讨价还价，不乱花一分钱。经过3个月的努力，她终于把200平方米的3层别墅盖好，看着婆婆喜得合不拢嘴，孙梅香脸上也露出欣慰的笑容。经过十多年不懈奋斗，批发中心经济效益逐年提高。为进一步扩大经营规模，孙梅香创办扬州市鑫源印刷物资有限公司。2011年，公司年销售额400万元左右。

在公司效益不断提升的同时，孙梅香时刻牢记社会责任。汶川地震后，她积极号召员工为灾区捐款，并个人一次性捐助5000元；玉树地震后，她主动资助一名白血病患者，帮助其恢复治疗。同时，她积极帮助军嫂、退伍军人安排工作，渡过难关。孙梅香说：“希望每个姐妹（军嫂）都能为自己打工，把命运掌握在自己手上。”她鼓励军嫂们看准现在劳动部门提供的工作岗位，多多学习，不断丰富自己的技能，争做创业先锋。

在孙梅香创业之路取得一个个成绩的同时，各种荣誉也接踵而来。2007年，她被评为江苏省十佳好军嫂，同时被授予“省‘三八’红旗手标兵”称号。2008年，她被评选为扬州电视台“八一”新闻人物。面对种种荣誉，孙梅香深知，创业的路在脚下，只有攻克种种艰难，不断努力奋斗，才能最终取得成功。

第三十五篇 社会生活

要　目

1989～2011年，随着改革开放的逐步深入，广陵区经济建设快速发展，综合实力明显增强，城乡居民生活水平大幅度提高，吃、穿、住、行、用诸方面都发生巨大变化，物质生活和文化生活丰富多彩。全区居民生活经历生存型向温饱型转变，并已于2008年全面实现小康社会生活目标。城市和农村均建立和完善最低生活保障制度、最低工资制度、新型农村社会养老保险制度、新型城市和农村居民合作医疗制度。老年人生活得到保障，城镇居民退休职工养老制度和农村养老保障制度均已建立和不断完善，各级政府认真执行和维护老干部、老职工、老居民的合法权益，热心为老年人做好服务工作，实现“老有所养、老有所依、老有所教、老有所学、老有所为、老有所乐”目标。

文明健康、积极向上的新风尚得到倡导，传统的、旧时的生活、礼仪、岁时、行业、游艺等习俗随之改变，庸俗低下的繁文缛节、迷信陋习不断淡化和消除。新习俗应运而生。少数民族政策进一步得到落实，宗教信仰得到保护。人民生活在安定团结、爱国敬业、诚信友善的社会氛围中。随着行政区划的几次调整，“洲上话”“邵伯话”和“其他方言”区域不断扩大，方言已不单纯是老城区的“扬州话”。本篇选录的方言俗语和歇后语是广陵群众口语中至今仍经常使用的较定型的语句，其中部分方言俗语注有释义。

第一章　人民生活

1989～2011年，坚持以经济建设为中心，坚持改革开放，全区居民收入不断增长，消费水平逐年提高。1989年，城镇居民人均可支配收入1604元。2011年，城镇人均可支配收入24780元，比1989年增长14.4倍，年平均递增13.1%。2002年，农村居民人均可支配收入5250元。2011年，农村居民人均可支配收入15250元，年平均递增13.8%。城乡居民年人均消费支出同样成倍、十几倍地增长。2011年，城市居民年人均消费支出是1989年的12.4倍，农村居民年人均消费支出是2002年的3.35倍。新型成套家具、灶具、电冰箱、洗衣机、空调，自行车、摩托车、电动自行车、电脑、电话、手机等，每个家庭一应俱全。城乡居民住房面积不断扩大。家庭各种耐用生活品从无到有，从少到多，有20%的家庭购买汽车。人民生活丰衣足食，幸福美满。

第一节　城市居民生活

一、家庭收入

1989～2011年，全区城市居民收入水平稳步提高。随着市场化程度提高以及劳动用工制度、企业改革的深化，居民就业多元化结构逐步形成，居民收入结构日趋多样化。至90年代中后期，不同收入阶层的收入差距逐步拉大。

（一）居民收入水平

1989～2011年，千方百计拓宽富民渠道，多次出台增资政策，不断提高在职职工最低工资标准和城市低保标准，采取措施确保退休职工养老金按时足额发放。居民人均可支配收入持续增长，平均每年增长13.1%。23年中，居民收入增长经历“快速增长、缓慢增长、稳步增长”三个阶段。

1989～1995年，居民收入快速增长。1989年，居民可支配收入大幅度提高，但由于物价急剧上涨，使得居民收入增加的绝大部分被物价上涨“吞吃”。为有效遏制经济增长过热，国家出台一系列政策措施进行治理整顿。消费基金得到压缩，物价涨幅回落，市场供求矛盾趋缓，国民经济步入良性发展轨道。90年代初期，特别是邓小平南方谈话后，中国经济发展进入快车道，城市居民收入水平也水涨船高。与此同时，这一时期政府出台的增资措施也拉动居民可支配收入快速提高，居民收入增长速度超出历史上增长最快时期。1995

年,居民家庭人均可支配收入5378元,比1988年增长2.8倍,平均每年增长20.9%。这一阶段,居民收入快速增长主要因素是工薪收入增长。是年,全区居民人均工薪收入4312元,比1988年增加3195元,对居民家庭收入贡献率81%。

1996～2000年,居民收入增速放缓。这一时期,国际、国内宏观经济环境发生较大变化,国企改革力度不断加大,各项体制改革相继出台,一些企业在激烈的市场竞争中,因管理不善、技术落后、产品不适应市场需求等原因,生产经营难以维持,导致企业关、停、并、转,产生大量下岗失业职工,较大影响居民收入的提高。城市住户调查资料显示:2000年,全区居民家庭人均可支配收入6734元,比1996年增长21.7%,平均每年增长4.6%。这一时期,可支配收入增长最快的年份是1997年,增长6.4%,可支配收入增长最慢的年份是1996年,增长2.9%。

2001～2011年,居民收入稳步增长。这期间,全区居民生活水平发生根本性变化。在加快经济发展和改革开放步伐的同时,为努力做好"富民"新文章,政府相继出台增资政策,提高企业最低工资标准,制定个体、民营企业发展的优惠政策等多项富民措施,市民的"钱袋"逐渐鼓起来。城市住户调查资料显示:2011年,全区居民家庭人均可支配收入24780元,比2001年增长2.4倍。居民收入始终保持稳定增长态势。

1989～2011年广陵区居民人均可支配收入增长情况一览表

表35-1-1

年份	可支配收入(元)	环比增幅(%)	年份	可支配收入(元)	环比增幅(%)
1989	1604	12.7	2001	7205	7.0
1990	1750	9.1	2002	7833	8.7
1991	2012	15.0	2003	8705	11.1
1992	2562	27.3	2004	8332	15.8
1993	3294	28.6	2005	10477	18.5
1994	4423	34.3	2006	12153	16.0
1995	5378	21.6	2007	15056	16.3
1996	5535	2.9	2008	17500	16.0
1997	5892	6.4	2009	19416	11.6
1998	6101	3.5	2010	21766	12.1
1999	6389	4.7	2011	24780	13.8
2000	6734	5.4			

(二)居民收入结构

居民家庭收入主要包括工薪收入、经营净收入、财产性收入和转移性收入。工薪收入是构成居民家庭收入的主体。1989～2011年,全区居民人均工薪收入占家庭收入的比重一直在50%以上。1989～1999年,占73%以上。进入21世纪,随着居民就业观念改变、金融意识增强、政府转移支付力度加大,经营净收入、财产性收入、转移性收入成为居民收入新的增长点,工薪收入占家庭收入的比重呈下降趋势,经营净收入、财产性收入、转移性收入占家庭收入的比重呈上升趋势,居民收入结构日趋多样化。

非公经济快速发展,经营净收入成倍增长。非公经济的发展给劳动力就业提供更多的就业岗位,从事个体经营的人数增加,收入增长。2011年,居民家庭人均经营净收入1262元,比2005年133元增长8.5倍。

城市居民投资意识增强,财产性收入稳步增加。作为收入增长的必然结果,居民家庭财产积累也日渐增多,运用家庭拥有的动产(如银行存款、有价证券)、不动产(如房屋、车辆、土地、收藏品等)获得收入的家庭越来越多。2011 年，城市居民家庭人均财产性收入 153 元，比 2005 年 118 元增长 29.7%，年均增长 4.2%。

转移性收入稳步增长。为提高离退休人员、困难家庭的收入水平，政府加大对居民家庭转移支付的力度，不断提高最低生活保障标准、最低工资标准和其他相关标准，提高离退休人员的收入水平，给低收入家庭和离退休人员带来实惠。2011 年，全区居民家庭人均转移性收入 9995 元，比 2005 年 5384 元增长 85.6%。

二、家庭消费

1989 ~ 2011 年，随着居民收入水平逐年提高，消费环境不断改善，居民家庭的消费水平稳步增长，消费结构日趋优化。

（一）消费水平

2011 年，居民家庭人均消费支出 17498 元，比 1989 年增加 16084 元，增长 11.37 倍。1989 ~ 2011 年，居民消费水平呈现快速增长、缓慢增长、稳步增长不同的增长阶段。

1989 ~ 1995 年，居民消费支出快速增长。1989 年，随着部分商品价格逐步放开，出现物价大幅上涨、通货膨胀的经济现象。物价上涨引起居民恐涨心理，一年之内，全区发生若干起抢购风，居民消费支出急剧增加，部分居民出现收支倒挂现象，消费支出增长幅度为历年之最。由于全国城市经济体制改革不断深化，经济社会生活中原有的、比较固滞的分配体系、价格体系出现松动，国家、集体、个人三者之间利益分配方式发生变化，居民普遍得到实惠，城市居民收入增长速度超出历史上增长最快的时期。居民迫切希望通过改革改变以往低下的消费水平。随着市场商品种类日益丰富，凭票定量供应逐步取消，全区居民消费热情空前高涨，消费支出快速增长。1995 年，全区居民人均消费支出 4636 元，比 1989 年增加 3222 元，增长 2.3 倍，平均每年增长 18.3%。

1996 ~ 2002 年，居民消费支出缓慢增长。居民收入预期和支出预期发生较大变化，影响消费支出增长。一方面，企业改革强调减员增效，结构调整带来失业，大批农村剩余劳动力向城市转移，加剧城市居民就业困难，居民收入增加趋缓，严重影响居民即期消费。另一方面，此时社会保障体制正处于新旧交替时期，居民对养老、医疗等新的保障制度心存疑虑。住房商品化、教育产业化改革，也大大增加个人支出预期。加上百姓量入为出的消费习惯，导致居民消费支出增长乏力。2002 年，居民人均消费支出 5575 元，比 1996 年增加 1223 元，增长 28.1%，平均每年增长 2.8%。

图 35-1-1　超市商品琳琅满目

2003 ~ 2011 年，居民消费支出稳定增长。其间，居民家庭收入水平提高较快，社会保障体制逐步完善以及消费环境不断改善，增强居民消费信心，居民消费支出稳定增长。2011 年，居民人均消费支出 17498 元，比 2003 年增加 11588 元，增长 1.96 倍。在居民消费水平稳步提高的同时，消费亮点和消费热点不断涌现。越来越多的居民聘用家政服务人员。2011 年，居民人均家政服务支出 56.3 元，比 2003 年增长 5.9 倍。昂贵的饰品再度受到人们的青睐。2011 年，城市居民人均金银珠宝饰品支出 55.3 元，比 2003 年增长 4.4 倍。注重仪表、享受生活得到越来越多的居民认同。2011 年，居民人均美容费 73.4 元，比 2003 年增长 10 倍。越来越多的居民家庭把旅游作为提高生活质量的一种方式。2011 年，居民人均旅游消费支出 705.8 元，比 2003 年增长 34.8 倍。

表 35-1-2

1989～2011年广陵区居民人均消费支出情况表

年份	消费支出(元)	环比增幅(±%)	年份	消费支出(元)	环比增幅(±%)
1989	1414	-4.1	2001	5416	8.5
1990	1555	10.0	2002	5575	2.9
1991	1790	15.1	2003	5910	6.0
1992	2268	26.7	2004	6509	10.1
1993	2937	29.5	2005	7388	13.5
1994	3687	25.5	2006	8003	8.3
1995	4636	25.7	2007	9481	18.5
1996	4352	-6.1	2008	11635	22.7
1997	4686	7.7	2009	13916	19.6
1998	4432	-5.4	2010	14220	2.2
1999	4663	5.2	2011	17498	23.1
2000	4990	7.0			

（二）消费结构

随着居民生活水平提高，家庭消费结构比重发生变化。反映基本生存需要的食品、衣着、家庭日用品等支出所占比重下降，体现享受和发展的医疗保健、教育文化娱乐服务、交通通信等支出所占比重上升，消费结构日趋优化。

膳食结构优化，“恩格尔系数”（食品消费占生活总消费的比重）下降。80年代后期开始，随着居民收入的增加和市场商品种类的日益丰富，以及“供给制”的逐步取消，居民食品支出逐年增加。城市住户调查资料显示:2011年，居民人均食品支出7066元。这一段时期，居民食品消费已由量的满足向质的追求发展，主食消费比重下降，副食消费比重上升，肉、禽、蛋、鱼、鲜奶、鲜果等副食消费量加大。随着居民生活节奏加快，在外用餐这种消费方式已被越来越多的居民家庭所接受。2011年，居民人均在外用餐1390元。1989年，居民“恩格尔系数”53.9%。1990年、1991年，分别为54.7%和54.5%。1992年，“恩格尔系数”跌破50%大关，降至48.9%。1993年，降至46.3%。1994～1999年，“恩格尔系数”一直在50%以上。2000年，“恩格尔系数”又一次跌破50%大关，降至42%。2001～2011年，“恩格尔系数”一直徘徊在43%～40%之间。

衣着成衣化、时装化，比重基本平稳。衣着消费由单一、低档向成衣化、时装化、高档化、品牌化发展。衣着面料购买量减少，成衣购买量增加。尽管这一段时期全区居民的衣着消费支出大幅增长，但其占消费支出比重呈现在波动中逐步下降趋势。1989～2000年，衣着消费比重基本在10%以上，1997年除外（8.7%）。从2001年开始，衣着消费比重降至10%以下，2005年又回升至10.3%。2011年，全区居民人均衣着支出占消费支出的11.1%。

用品类消费趋于饱和，比重逐年下降。80年代后期到90年代初期，家用电器消费旺盛，居民家庭设备用品类支出比重基本在10%以上。随着各种家用电器日益饱和，该项支出占家庭消费支出比重不断下降。2011年，居民人均家庭设备用品及服务支出占消费支出比重为9.3%，比1989年略有下降。

在居民消费结构中，医疗保健支出比重增加最快。1989～1994年，广陵区各单位基本实行公费医疗，居民个人自付的医疗费较少，医疗保健支出较低，占消费支出比重低于1%。1995～1999年，部分单位实施医疗改革，居民个人自付的医疗费有所增加，保健支出开始增加，居民医疗保健支出比重低于3.5%。广陵区于2000年正式实施医疗改革，居民个人自付医药费支出快速增长。与此同时，人们对自身健康保健更加重视，各类医疗保健器材和滋补保健品迅速进入普通居民家庭，医疗保健消费成倍增加。从2000年的5%上升到2004年的8.5%。2005年，国家加大对市场药品价格的宏观调控和监督力度，药品价格大幅度下调，居民医疗保健支出增幅趋缓，比重下降。2011年，居民人均医疗保健支出比重4.1%，比1989年增加3.2个百分点。

交通和通信支出比重上升。1989～1991年，居民交通和通信支出比较平稳，占消费支出的比重处于1%～2%。1992～1993年，因兴起安装家用电话、购置摩托车热，居民交通和通信支出快速增加。两年间，居民交通和通信支出增长7.8倍，消费比重迅速增加。从1991年的1.5%增加到1993年的8.1%。1994～1999年，居民交通和通信支出基本平稳，比重比1993年有所回落。从2000年开始，全区相继出现购买移动电话、电动助力车热，居民交通和通信支出稳步增长，交通和通信支出占消费支出的比重从1999年的5.3%增加至2011年的7.6%。

教育文化娱乐服务支出比重上升。1989年，出现购买彩色电视机热，文化娱乐用品支出迅速增加。1991～1998年，文化娱乐用品中的录放像机、组合音响开始进入市区居民家庭，文化娱乐用品支出稳步增长，教育文化娱乐服务支出比重从1990年的7.1%增加到1998年的9.1%。1999年开始，居民家庭消费重心由基本生存型向发展和享受型转变，教育、旅游、健身等精神方面消费也越来越普遍。城市住户调查资料显示：2011年，居民人均教育文化娱乐服务支出3119元，占消费支出的比重为17.8%，比1990年上升10.7个百分点。

三、居民住房

1989～2011年，居民家庭人均住房使用面积逐年增加，居民自有房的比重大幅上升，居民居住条件明显改善。

1989～1995年，居民住房以公房为主。其间，国家实行"统收统配"制福利型住房分配，实行低租金制，全区70%以上居民住的是租赁公房，住房成套率在40%以下。1995年年末，城区居民人均住房使用面积12.22平方米，比1988年末的9.65平方米增加2.57平方米，年均增加0.37平方米。

1996～2011年，居民住房人均使用面积年均增加1.53平方米，住房配套设施日益完善，居民自有房的比重大幅上升。城市住户调查资料显示：2011年年末，全区居民人均建筑面积35.6平方米，比1996年增加23平方米。在被调查的200户居民家庭中，有61.5%的家庭人均住房使用面积在20平方米以上，其中30.5%的家庭人均住房使用面积在30平方米及以上。此外，还有8%的富裕家庭拥有2套甚至多套住房。

在住房使用面积不断增加的同时，居民对住房的内在质量也越来越重视，装修房屋、美化室内环境成为居民消费的时尚。城市住户调查资料显示：至2011年年底，对现有住房进行过装修的家庭占72.86%，户均装修费用4.39万元。

1996年，广陵区实施住房制度改革。众多的扬州市民通过分期付款、公积金贷款购买产权归属自己的住房，自有房比重大幅上升。城市住户调查资料显示：2011年年末，全区居民家庭租赁房比重占8.57%，而自有房比重由1996年的32%上升到2011年的91.43%，其中原有私房占17.14%、房改私房占32.86%、自购商品房占41.43%，自有房的来源呈现多样化。

图35-1-2　广陵区农村住宅

第二节　农村居民生活

一、农村居民收入

2002～2011年，农村居民生活实现由"温饱型"向"小康型"转变，正在向更高水平的小康生活跨越。

农村居民人均纯收入由2002年的5250元，增加到2011年的15250元，增长1.9倍。农村居民生活消费支出由2002年的1259.29元增加到2011年的10652.39元，增长7.46倍。反映在日常生活中，人们看到的、感受到的就是“鼓起来的钱包、低下来的恩格尔系数、精起来的饮食、长起来的寿命、靓起来的服饰、多起来的私人摩托轿车、高起来的文化、大起来的住房和快起来的通信方式”。当然由于收入不同，也产生贫富差距明显等社会问题。

2002年，乡镇企业走出低谷，农村居民的非农产业劳动收入增加，农村居民收入增长中非农业收入贡献增大。农村居民生活由温饱迈向小康。2004年，区委、区政府进一步把增加农村居民收入放在更加突出位置，提出统筹城乡发展和用区域工业化、城市化和农业产业化的“三化”解决“三农”问题的新思路。突出抓好“推进科教兴农、深化农村改革、调整农业结构、发展民营经济、加快劳务输出”五大工作重点，按照“多予、少取、放活”的工作方针，大力发展民营经济，乡镇企业发展速度和效益显著提高，对农村居民增收贡献进一步恢复和扩大。积极扩大对外输出，进一步加大农村劳动力转移力度，切实做好清欠民工工资工作，农村居民外出劳务收入显著增加。农产品生产全面增产增收，主要农副产品价格较大幅度上涨，农村居民因政策性补贴从再分配中得到的转移性收入明显增长。调整农业税税率，农村税费负担减免政策逐步落实到位，农村居民负担大幅度下降，大大促进了“三农”（农业、农民、农村）问题的解决。2005年，以促进农村居民增收为中心，进一步稳定、完善和强化“两减免三补贴”（免除农业税、农业特产税，种粮农民直接补贴、良种补贴、购置大型农机补贴）等各项支农惠农政策，人均纯收入达到7150元，比上年增加800元，增长12.6%。至2011年，广陵区农民基本实现“零负担”，人均收入15250元，比上年增加2270元，增长17.5%，农村居民生活开始向更高水平的小康迈进。

2002～2011年广陵区农村居民年人均收入情况表

表35-1-3

年份	年人均收入（元）	年递增（%）	年份	年人均收入（元）	年递增（%）
2002	5250	6.8	2007	9100	13.6
2003	5650	7.6	2008	10500	15.4
2004	6350	12.4	2009	11760	12.0
2005	7150	12.6	2010	12980	10.4
2006	8010	12.0	2011	15250	17.5

2002～2011年，农村居民收入结构发生巨大变化。非农产业收入趋于强化，收入结构日趋优化。2005年，农业收入在农村居民纯收入中所占份额降至26.29%，而工资性收入所占份额比重逐年增大，成为农村居民收入的主要来源。至2011年，超过80%。随着农村居民收入逐年增加，农村居民家庭财富愈积愈多，与此相关的农村居民财产性收入也呈逐年上升态势。2011年，人均500元左右，而且呈逐年上升趋势。

2002～2011年，农民收入的不均衡性在扩大，各种差距渐趋显著。农村居民基尼系数（判断收入分配公平程度的指标）2002年为0.33，2005年为0.33，2011年约0.4不到，表明2002～2011年各年份的农村居民收入差距均处于较为合理区间，但各年份的基尼系数总体趋势由小变大表明，农村居民收入差距呈逐步拉大趋势。同时，农村居民收入与城镇居民收入差距继续扩大。城乡居民收入比，2003年为2.09，2004年为2.11，2005年为2.18，2011年城乡收入比扩大到2.2（农民收入为1）。

二、农村居民消费

2011年，农村居民人均生活消费支出10652.39元，是2005年的2.18倍。其中食品支出人均3706.7元，是2005年的2.22倍；衣着支出1073.01元，是2005年的2.26倍；交通通信支出849.39元，是2005年的2.4倍；文化教育娱乐及服务支出876.07元，是2005年的2.46倍。

农村居民消费观念转变，消费方式也出现多元化。一方面由以实物消费为主向物质和服务消费并重转变。实物消费更多地表现为生存型消费，服务型消费更多地表现为提高型和享受型消费。随着收入的稳定增加和农村第三产业的快速发展，农村居民生活消费中用于在外饮食、房租水电、交通通信、医疗、旅游等各项生活服务消费支出增长较快。另一方面由自给自足性消费向货币化消费转变。随着货币收入增加和购买力提高，农村居民商品经济意识增强，消费支出额中，现金支出比重增大，自给自足比重降低，货币消费与实物消费比例正在发生变化。2005 年，农村居民人均生活消费现金支出为 3074.64 元，货币消费比重 83%。由此反映出区农村居民消费发生根本性变化，消费行为与市场联系愈来愈紧密。

2002 ～ 2011 年，农村居民消费结构总体不断优化升级，在外饮食支出不断增加，食品消费由数量扩张模式步入质量全面提高阶段。饮食消费支出结构中，粮食、蔬菜等植物性食物消费量下降，动物性食物消费量逐年增加，食物消费结构由主食型向副食型转变。过去农村居民很少问津的水果、奶及奶制品等营养类食品，开始进入普通的农村居民家庭。

农民穿着消费发生巨大变化。直接购买成衣服装的支出，占衣着消费支出 75%以上，衣服色彩也由过去传统单一变化为五彩缤纷；衣着由过去以保暖为主变化为时装化，款式丰富多样化，更突出个性化；农村居民衣着消费正趋同城市居民，单凭衣着已很难区分城市人还是农村居民。

农村居民住房条件显著改善，住房质量明显提高。人均生活用房面积 2011 年 47.63 平方米。钢筋混凝土和砖木结构住房占 99%，楼房面积占 56.14%。居所配套设施不断完善。2011 年，约有三分之一的农村家庭安装空调，50%使用水冲式厕所，80%用上自来水，40%以上家庭使用液化气。居住条件的改善，还表现在居民对住房装潢的重视，特别是近 10 年中，装潢所用材料的环保要求与品质、档次不断提高，部分富裕农村居民家庭装修不亚于城市居民。

随着农村居民收入持续增长，通信现代化程度飞速提高，农村居民经济活动区域不断扩大，农村居民话费通信支出增长很快。2011 年，广陵区农民交通通信支出 849.39 元，占全部生活消费支出的 7.97%。农村居民家庭固定电话和移动电话拥有量迅猛增加。2011 年，农村居民家庭不仅有固定电话，很多家庭成员几乎人手一部手机。

2011 年，广陵区农村居民用于娱乐教育文化服务消费支出占生活消费支出 8.17%。由于健康意识被越来越多的农村居民所接受，用于医疗保健服务支出也不断提高。

中高档耐用消费品基本普及到寻常农家。各种档次的品牌耐用消费品已普及，如电动自行车、摩托车、电冰箱、洗衣机、空调和移动电话逐渐成为生活必需品，抽油烟机、热水器、家用计算机、小汽车等新型耐用消费品也不断进入到农村家庭。2011 年，广陵区平均每百户农村居民家庭拥有彩色电视机 150 台、洗衣机 85 台、电冰箱 79 台、摩托车 42 辆、电动自行车 114 辆、空调 114 台、家用电脑 78 台、小汽车 16 辆。家庭设备的城市化已成为越来越多的农村居民家庭所追求的重要目标。

第三节　小康社会建设

2006 年，广陵区委按照市委、市政府“全面达小康，建设新扬州”要求，结合区情，提出“三年倍增，五年再造一个新广陵”的奋斗目标。全区上下紧紧围绕目标，以科学发展观为统领，坚持富民优先为导向，着力提升区域经济综合实力，大力推进城乡统筹发展，全区全面小康社会建设快速推进。全面建设小康社会各项主要指标共四大类 18 项、25 个指标。2008 年，在全市率先实现全面达小康目标。2009 年，广陵区通过小康社会达标验收。

一、经济建设类

4 项、4 个指标全部达标。按市区口径，人均 GDP3.9 万元，超目标值 1.5 万元；二、三产业发展迅速，增加值占 GDP 的比重 98.75%，超目标值 6.75 个百分点；城市化水平 80.6%，超目标值 25.6 个百分点；城镇登记失业率 3.9%，远低于 5%的目标值。

二、生活水平类

6 项、10 个指标全部达标。全年城镇居民人均可支配收入 17500 元，农民人均纯收入 10500 元，均超序时进度。居民居住条件明显改善，城镇人均住房建筑面积 32.76 平方米，农村人均钢筋、砖木结构住房面积 47.3 平方米。城镇人均拥有道路面积 16.8 平方米，农村各行政村全面实现灰黑公路村村通。居民信息化水平大幅提升，百户家庭电话拥有量 273 部，电脑拥有量 66 台。居民文教娱乐服务业支出占家庭消费支出比重 18.34%，达到小康目标 18% 的标准。恩格尔系数为 38.43，低于 40 的目标值。

三、社会发展类

6 项、8 个指标全部达标。全区 R&D（研究与开发）经费支出占 GDP 比重 1.2%，达到标准值水平（根据苏办〔2006〕25 号文件规定，县级小康指标中 R&D 经费支出占 GDP 比重从 1.5% 调为 1%）；初中毕业生升学率 99.2%，超目标值 9.2 个百分点；卫生服务体系健全率 99.2%；城镇劳动保障三大保险覆盖面 95.2%；新型农村合作医疗覆盖面 97.89%，高于目标值 12.89 个百分点。人民群众社会治安满意率 98%，城镇社区居委会依法自治达标率 100%，农村村委会依法自治达标率 100%。

四、生态环境类

2 项、3 个指标有 2 个达标。绿化水平稳步提高，城市绿化覆盖率 41%；城市环境质量进一步提高，环境质量综合指数 88.28 分，超目标值 8.28 分；森林覆盖率 14.36%，距小康目标 20% 的标准有 5.64 个百分点的差距。

2008 年广陵区全面完成小康指标值情况表

表 35-1-4

指标名称	单位	目标值	实现指标值
一、经济发展			
1. 人均地区生产总值	元	24000	39000
2. 二、三产业增加值占 GDP 比重	%	92	98.75
3. 城市化水平	%	55	80.6
4. 城镇登记失业率	%	＜5	3.9
二、生活水平			
5. 居民收入			
（1）城镇居民人均可支配收入	元	13274	17500
（2）农村居民人均纯收入	元	7600	10500
6. 居民住房			
（1）城镇人均住房建筑面积	m^2	30	32.76
（2）农村人均钢筋、砖木结构住房面积	m^2	40	47.3
7. 居民出行			
（1）农村行政村通灰黑公路（或航道）比重	%		100
（2）城镇人均拥有道路面积	m^2	12	16.8
8. 居民信息化普及程度			
（1）百户家庭电话拥有量	部	200	273
（2）百户家庭电脑拥有量	台	40	66
9. 居民文教娱乐服务支出占家庭消费支出比重	%	18	18.34
10. 恩格尔系数	%	＜40	38.43

续表 35-1-4

指标名称	单位	目标值	实现指标值
三、社会发展			
11. R&D 经费支出占 GDP 比重	%	≥ 1	1.2
12. 初中毕业生升学率	%	≥ 90	99.2
13. 卫生服务体系健全率	%	≥ 90	99.2
14. 社会保障			
(1) 城镇劳动保障三大保险各自覆盖面	%	≥ 95	95.2
城镇基本养老保险	%	≥ 95	95.2
城镇失业保险	%	≥ 95	95.2
城镇基本医疗保险	%	≥ 95	95.2
(2) 新型农村合作医疗覆盖面	%	≥ 85	97.89
15. 人民群众对社会治安的满意率	%	90	98
16. 城乡村(居)民依法自治			
(1) 城镇社区居委会依法自治达标率	%	90	100
(2) 农村村委会依法自治达标率	%	95	100
四、生态环境			
17. 绿化水平			
(1) 城市绿化覆盖率	%	40	41
(2) 森林覆盖率	%	20	14.36
18. 环境质量综合指数	分	80	88.28

第二章　老年人生活

1989～2011 年，由于城乡居民生活条件不断改善，人的寿命随之延长，加之实行计划生育，青少年人口比重下降，60 岁以上老年人口比重上升。1990 年，区内 60 周岁以上老年人为 2.89 万人，以后逐年攀升，至 2011 年，60 周岁以上人口 10.38 万人，占人口总数的 20.9%，大大超过联合国划定的老龄化城市 15% 的标准。广陵区在 2011 年之前就已经进入老年化城区。

1986 年 4 月，广陵区老龄问题委员会（以下简称区老龄委）成立，下设办公室。办公地点设在区民政局内。同时，4 个街道办事处成立老龄委，各居民委员会成立老龄工作领导小组。1988 年 5 月，成立广陵区退休职工管理委员会，与区老龄委合署办公。1992 年，区老龄委办公室与区委老干部局合署办公。2003 年，撤销广陵区老龄问题委员会，成立区老龄工作委员会。2011 年，区委决定撤销区老龄工作委员会办公室，职责划入区民政局。

广陵区将老年事业纳入国民经济和社会发展计划，把老龄工作列入党和政府重要议事日程，关心老年人生活，包括文化、娱乐、体育活动，创办老年大学，办好老年公寓，维护老年人权益，让老年人过好幸福的晚年。

2003～2008 年，广陵区被授予“江苏省老龄工作先进区”“江苏省老龄工作先进单位”“扬州市老年优待服务工作先进集体”等称号。2011 年，广陵区居家养老服务成为全市唯一获民政部表彰的全国优秀服务品牌。

第一节 老年人口

1990年，全国第四次人口普查统计资料显示，广陵区总人口30.02万人。其中60周岁以上老年人2.89万人，占总人口的9.63%；80周岁以上老年人2586人，占总人口的0.86%。2005年，广陵区总人口30.52万人。其中，60周岁以上人口4.8万人，占总人口的15.73%，略超过联合国规定的老年化城市占总人口比例的标准；80周岁以上人口4965人，占总人口的1.63%，比1990年增长1倍；百岁老人有14人，比1990年增长13倍。2011年，总人口49.65万人。其中，60周岁以上人口10.38万人，占总人口的20.9%，大大超过国际老年化城市标准，比1990年增长33%；80周岁以上人口1.4万人，占总人口的2.82%，比2005年增长73%；百岁老人31人，比2005年增长1.21倍。

1989～2011年部分年份广陵区老龄人口情况统计表

表35-2-1

年份	总人口（人）	60岁以上人口（人）	60岁以上人口占总人口比重（%）	80岁以上人口（人）	80岁以上人口占总人口比重（%）	100岁以上人口（人）	备注
1990	300235	28914	9.63	2586	0.86	—	全国第四次人口普查
2003	306214	32379	10.57	3153	1.03	13	
2005	305203	48036	15.74	4965	1.63	14	
2008	314252	55349	17.61	6870	2.19	40	
2009	315890	58024	18.37	7373	2.33	37	
2010	318043	60889	19.14	7731	2.43	43	
2011	496479	103763	20.90	13987	2.82	31	

2011年广陵区百岁老人情况一览表

表35-2-2

序号	姓 名	出生日期	性别	序号	姓 名	出生日期	性别
1	任方宝	1904-6-23	男	17	周有其	1911-7-11	女
2	毛朱氏	1906-7-16	女	18	徐训连	1911-8-28	男
3	王周氏	1908-3-8	女	19	张恒于	1911-9-18	女
4	王静庄	1908-9-29	女	20	周顺金	1911-10-28	男
5	周凤英	1908-12-28	女	21	胡秀英	1911-11-22	女
6	金德胜	1909-7-14	男	22	孙佩英	1911-12-24	女
7	韩秀英	1909-9-9	女	23	刘文柱	1912-1-15	女
8	王锦华	1909-12-9	男	24	佘明才	1912-3-15	男
9	南桂英	1910-2-3	女	25	张丽华	1912-5-6	女
10	安玉华	1910-7-29	女	26	吴元濂	1912-5-29	女
11	樊桂芬	1911-1-6	女	27	陈秀珍	1912-6-24	女
12	常越群	1911-2-26	女	28	翁鸿较	1912-7-11	男
13	张 瑾	1911-3-6	女	29	殷秀凤	1912-7-20	女

续表 35-2-2

序号	姓 名	出生日期	性别	序号	姓 名	出生日期	性别
14	孟桂英	1911-6-9	女	30	裴永兰	1912-12-4	女
15	黄传琬	1911-6-11	女	31	尹淑升	1912-12-29	女
16	季伟成	1911-6-24	男				

说明：此表不含 2011 年新划入头桥、李典、沙头、杭集、泰安 5 镇百岁老人情况；31 人中女性 23 人，占 74%

第二节　老年活动

一、争创先进活动

1989 年，组织开展老有所为精英奖、老年工作先进集体、先进个人评比活动。萃园路居委会退休干部金友芳成绩显著，被民政部和省政府授予老有所为精英奖。2005 年 1 月，广陵区被省老龄委评为江苏省老龄工作先进区，治淮社区许顺英获“全国孝亲敬老之星”称号。2006 年，曲江街道文昌花园社区热心为老年人做好服务工作，被全国老龄办授予“全国敬老模范社区”称号。2010 年，退休干部程平被省老龄委表彰为老有所为先进个人，离休干部张万林被表彰为全国老有所为先进个人。2011 年，曲江街道许晓荃被省老龄委评为江苏省尊老爱老先进个人。

图 35-2-1　83 岁的东花园社区居民、市优秀共产党员姚惠为居民义诊

二、尊老敬老活动

1990 年，区老龄委创办《广陵老年报》。1991 年，编发《老龄工作》季刊 4 期，印发《赡养义务书》《老年工作暂行条例》等赠送给老年人阅读。组织培训班，学习《中华人民共和国老年人权益保障法》(以下简称《老年人权益保障法》)、《民事审判工作中对老年人的法律保护》及老龄工作基本知识。

1993 年 10 月，区老龄委在汶河路上举办“敬老日服务一条街”活动，向老年人赠送《老人保健常识手册》1000 册；区商业、工业系统以团员、青年为主体的服务队，开设义务修理项目，并优惠供应老年人各类食品和风味小吃；卫生部门为老年人提供咨询、保健等服务项目；司法服务队认真解答老年人提出的有关法律问题。2006 年 4 月，区老龄办联合福建泉州金华油脂食品公司，举办为期 12 天的“敬老惠老”活动，向老年人免费赠送或优惠供应食用油。5 月 2 日，市第二届“市民日”，广陵区有 9 名老人参加市委、市政府在卢氏盐商古宅举办的“百寿宴”。2008 年，凡户籍在广陵区的 90 岁以上老年人全部纳入尊老金发放范围。尊老金所需经费，按市、区各承担 50% 的比例承担。2009 年，全区 898 名 90 岁以上老年人享受尊老金。

2011 年 3 月起，凡具有扬州市户籍且年龄在 80 周岁及以上的老年人均发放尊老金。标准为 80 ～ 89 周岁每人每月不低于 50 元，90 ～ 99 周岁每人每月不低于 100 元，老年人尊老金所需经费，由市、区两级财政各承担 50%，另每位老人每年 500 元的慰问金由原渠道解决（市、区两级财政各承担 50%）。

图 35-2-2　跃进桥社区志愿者为老年人服务

2009 年，对无养老保险、无退休金、无固定收益，具有本市市区 10 年以上户籍、年满 70 周岁以上的“三无”老年居民发放养老补贴，城镇老年居民每人每月 100 元，农村老年居民每人每月 60 元。2009 年年底，全区有 3500 多名 70 周岁以上“三无”老年居民享受养老补贴。2011 年，实施市区“三无”老年居民养老补贴扩面工作，将发放范围扩展至 60 周岁以上，全区共有 3386 名人员享受。2009 年，区领导上门慰问刘如兰、周凤英等 16 名百岁老人，给每名百岁寿星送上慰问品和慰问金，向老人们送福祝寿。多名寿星主动捐出慰问金，帮助受灾地区人民恢复生产、生活。

三、老年文体活动

根据老年人兴趣爱好，因地制宜地开展生动活泼、形式多样、健康有益的文体活动和老年健身活动。全区建有晨练点 45 个，其中较大规模的有文化宫、瘦西湖、盆景园、东郊公园等 20 多个点，每个点都有二三百名老年人参加活动，既锻炼身体，又交流信息、增进友谊。

1990 年“敬老日”，广陵区举办首届老年人运动会，1848 名老年人参加太极拳、健身操、象棋、围棋等 10 个项目的比赛。1992 年 6 月，在市工人文化宫举办千余老人晨练大会操表演。1995 年 11 月 8 ～ 13 日，区老龄委举办全民晨练活动周，由数千名老年晨练队员和区老年大学长跑队员统一着装，高呼口号，沿途吸引广大市民驻足观看，推动古城扬州全民健身活动开展。2006 年 9 月，广陵区与市开发区联合举办退休职工运动会，选拔推荐 200 多名退休老干部、老工人参加比赛。老年长跑队员王桂英参加河南平顶山老年马拉松 5000 米比赛，获第 4 名；参加在江西景德镇举办的全国马拉松老年组万米比赛，获第 18 名。

1992 年 10 月，国际红楼梦学术研讨会在扬州召开，市区南河下 77 岁老人吴国瑜（女）以精笔小楷抄写的《红楼梦》120 回，精装成 12 册，共计 100 多万字的手抄本，赠给中国红学会，会长冯其庸将其转赠扬州博物馆珍藏。《人民日报》《文汇报》《新民晚报》《南方日报》《新华日报》《扬州日报》等多家报纸进行报道。2001 年，江苏省第 14 个“敬老日”，省老工委在南京紫金大剧院举办“缤纷夕阳”敬老文艺晚会，广陵区派出康乐艺术团代表扬州市演出《常回家看看》，获优秀表演奖。2002 年 7 月，在全省老年文艺调演评比活动中，广陵区推荐的道情演唱《板桥道情》获省金奖、全国铜奖，服饰表演《风流扬州》获省银奖。2004 年 4 月，组织 28 对老年夫妇参加上海—杭州西湖—千岛湖 5 日游活动。是年 10 月，广陵区老年文艺队参加扬州市第二届老年文化艺术节，演出舞蹈《拔根芦柴花》获一等奖，歌舞《茉莉花》、服饰表演《春满园》分获二等奖。20 名老年人组成的区时装表演队，经常出入于大型活动场所参加表演活动。2008 年秋季，区老龄委与扬州三邦天然保健品公司合作举办“老年金秋健康之旅”活动，先后分三批组织 147 名老人参加省老龄委组织的“江苏快乐老人港澳、广珠、海南、桂林专列游”活动。

图 35-2-3 2011 年，汤汪乡九龙村“迎新春、贺新年”文娱活动

第三节 关爱空巢老人

1992 年，60 周岁以上老年人中有 40% 是空巢老人，广陵区有空巢老人 8143 人。2010 年 10 月，扬州市关爱空巢老人志愿服务行动工作推进会在广陵区召开。广陵区老龄办在会上交流探索开展关爱空巢老人志愿服务行动的具体措施。

分类建档，有针对性地为空巢老人服务。2011 年 3 月，广陵区文明办会同区民政局、区老龄办对各社区、村的空巢老人基本情况、经济来源、健康状况、精神心理状态、子女赡养情况、联系电话等基本情况进行调查摸底，量化空巢老人在生活照料、心理抚慰、应急救助、健康保健、法律援助、文体活动等方面的需求指标，建

图 35-2-4　为老人义务修脚

立空巢老人个人资料档案，实现空巢老人服务动态管理。文昌花园社区有 60 岁以上老年人 1513 人，其中 121 名老人为空巢老人。社区在 18 名高龄困难老人档案上标注红头，遇到突发事件，立即处理解决。

结对关爱，让空巢老人“孤而不单”。广陵区以社区、村为单位，依托低龄老年志愿者、青年志愿者、党员干部以及文明单位职工志愿者，通过“一对一”“一对多”“多对一”等多种定向结对方式，按照就近就熟原则，进行志愿服务行动。四望亭社区张阿姨一直患有腰椎间盘突出症，一不注意就瘫在床上不能动，自从老伴去世后，日常生活都难以自理，孩子们都在外地成家，她本来已对生活失去信心，可是社区却找上门来，安排一个志愿者上门照顾，每星期都来帮她买米粮菜肉，逢年过节更是热闹，社区工作人员、大学生志愿者们也都帮助服务，还不定期邀约参加社区活动，张阿姨现在觉得生活又充满乐趣。建立党员干部及文明单位职工、社区低龄健康老年人和青年志愿者 3 支“关爱行动”队伍，志愿者们分别具有教育、医务、法律、心理学、应急救助等专业知识和文艺、体育等特长。设立志愿者关爱空巢老人服务卡，实现志愿者与空巢老人有效衔接。广陵区所有 65 岁以上空巢老人都与志愿者结成关爱对子。

为空巢老人品牌服务。通过建立“空巢老人之家”、社区志愿服务工作站等，每天安排空巢老人进行棋牌、健身等活动，每周帮助老人做一次饭、打扫一次卫生、洗一次衣服被褥、购买一次生活必需品，每月给空巢老人打一个问候电话、为老人读一次报纸、陪老人聊一次天、陪伴老人参与一次社会活动，给老人提供心理咨询和心理疏导，帮助老人摆脱精神寂寞孤独状态，使老人“巢空心不空”。连运村托老所是广陵区首家托老所，是广陵区关爱空巢老人示范单位，为空巢老人实行“日、周、月”系列套餐品牌服务：“日”服务主要为文体健身，“周”服务主要为生活照料，“月”服务主要为心理抚慰健康保健。

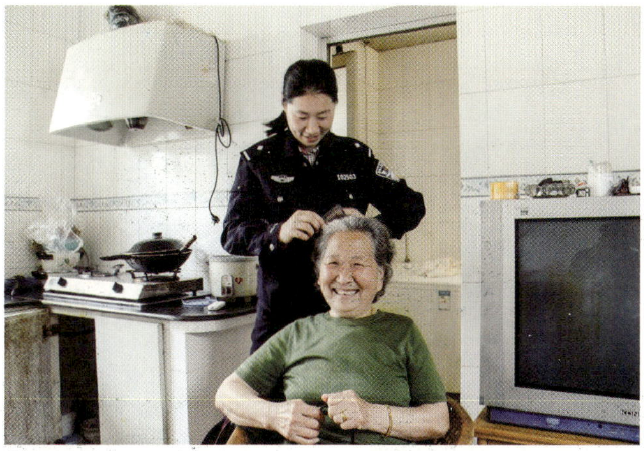

图 35-2-5　志愿者为老人服务

第四节　居家养老服务

2004 年，全区开始探索以居家养老为基础、社区志愿服务为依托的社区家庭养老模式，文峰宝塔社区建成全市第一家社区家庭养老院。首批 9 户高龄孤寡老人不离家、不离社区，通过社区志愿服务就能得到与专业养老机构相似的服务，走出一条城市居家养老新路子。

2008 年，选择部分社区，针对孤残老年人，通过购买服务的方式尝试新型城市居家养老服务，宝塔、石塔、皮市街、常府、洼字街等 6 个社区相继建立社区爱心养老院，文昌花园社区成立首家社区托老所，荷花池社区办成社区老年快乐驿站。

2009 年，区民政局从慈善资金中抽出专项资金，选择“三无”、孤寡、困难和部分高龄的空巢老人等重点对象，纳入政府购买服务的范畴。通过“发放服务券—组织服务员上门服务—服务员凭服务券兑换现金”的服务模式,解决“就业”和“助老”两个民生难题。每月发放80～260元居家养老服务补贴券,制定居家养老服务菜单,包括室内保洁、洗衣做饭、陪护散步、陪护就医、代购代缴、医护保健、洗澡、修脚、理发等10多个项目,选聘“4050”中年下岗女工担任“政府保姆”,并为她们提供免费的职业培训,学习家政服务基本常识及老年人心理特点、老年人日常起居照料、障碍老年人家庭护理等基本专业技能,培训后持证统一着装挂牌上岗,作为专业养老服务员和社区医疗站医护人员等,上门为居家老年对象服务。月均享受政府居家养老服务券老人500多人,服务时间平均12小时以上。2010年起,在居家养老服务站、居家养老服务员中开展星级评选活动,对工作出色并受到服务对象一致好评的服务站、服务员,以“金围裙”冠名,给予精神和物质奖励,成为全市唯一获民政部表彰的全国优秀服务品牌。民政部《社区》第6期以《让生活在广陵的老年人更幸福》,《老年周报》以《政府购买服务,发放“养老服务券”,下岗职工“亮证上岗”——“政府保姆”走进扬州空巢老人家》,《扬州日报》以《广陵区活跃着一支30多人的养老服务员队伍——每个孤老都有个“女儿”“保姆日记”“一个岗位暖了两头心”》等为题,进行多次跟踪报道。

2011年12月,市民政局在全市推广广陵区居家养老形式。按照“五有”,即有服务对象档案、有专职人员、有工作经费、有服务项目、有活动场所要求,全区建成社区居家养老服务站110个,并在运行中逐步规范完善。借力社区邻里中心建设,在邻里中心内设有托老所、棋牌室、健身康复室、阅览室等老年活动场所,提升居家养老服务站硬件设施能力。是年,琼花观社区、文昌花园社区被省民政厅、省老龄委办公室授予“江苏省示范性居家养老服务中心”称号。

第五节 老年大学

图35-2-6 广陵老年大学建校二十周年教学汇报演出

1991年,扬州城区60岁以上老年人已达3万多人,占城区总人口10.16%。为满足更多老年人学习需求,提高老年人素质,广陵老年大学于9月23日在广陵区商业局职工教育培训中心教室开学上课,后迁移至区机关食堂,教室不够又向社会上租用教室3间,招收学员170人,设卫生保健、舞蹈和太极拳3个班。1994年,老年大学教学大楼竣工,4层2000平方米,于1995年秋季投入使用。开设医疗保健、太极拳、太极剑、木兰扇、音乐、健美舞蹈、友谊舞等课程,有学员700多人。1996年7月,广陵老年大学归区委老干部局直接领导,同时建立广陵老年大学校委会,除校领导班子成员外,区委宣传部、区委党校、区总工会、区妇联、区教育局、区计经委、区商业局、区建委、区财政局、区行政处等部门为校委会成员单位。

广陵老年大学自挂牌成立起,遵照党的老年教育方针,坚持“增长知识、丰富生活、陶冶情操、促进健康、服务社会”的宗旨,始终坚持走出校门,参与社会实践活动,展现老同志高尚的精神追求。1997年,举行学员歌咏大会,庆祝香港回归。1999年,获“江苏省优秀老年大学”称号。2004年,第26学期开设电脑、英语、书法等20个专业23个班,学员800多人。2009年,组织诗词、书画、舞蹈、歌咏等活动,庆祝新中国成立60周年。2011年,举办广陵老年大学建校20周年校庆文艺会演;组织学员开展庆祝建党90周年系列活动,开展诗情画意老干部书画展、“与党同呼吸、共命运、心连心”征文和“忆党史、思党恩、永跟党走”活动。广陵老年大学成为多学科、综合性老年大学,先后聘请具有高级职称的各学科老师26人。至2011年,累计结业学员1.55万人次。

1991～2011年广陵区老年大学教育发展情况一览表

表 35-2-3

学期		学科(个)	班级(个)	学员人数(人)	单科结业人数(人)
1991	上半年	—	—	—	—
	下半年	3	3	79	48
1992	上半年	4	4	119	56
	下半年	4	4	128	61
1993	上半年	5	5	232	177
	下半年	5	6	216	144
1994	上半年	6	7	300	192
	下半年	7	8	284	173
1995	上半年	7	8	352	249
	下半年	9	10	612	423
1996	上半年	9	10	615	378
	下半年	12	14	737	402
1997	上半年	12	16	789	451
	下半年	12	15	682	414
1998	上半年	12	15	659	371
	下半年	15	19	650	404
1999	上半年	14	18	735	545
	下半年	14	18	707	512
2000	上半年	16	21	804	532
	下半年	16	22	767	419
2001	上半年	19	26	913	626
	下半年	19	24	869	597
2002	上半年	19	28	786	531
	下半年	19	29	831	525
2003	上半年	19	27	839	507
	下半年	19	28	781	488
2004	上半年	19	30	836	523
	下半年	19	29	786	511
2005	上半年	19	29	762	479
	下半年	19	27	690	481
2006	上半年	19	26	722	455
	下半年	19	26	770	382
2007	上半年	18	25	762	401
	下半年	19	28	663	346
2008	上半年	18	25	706	351
	下半年	19	26	716	317

续表 35-2-3

学期		学科(个)	班级(个)	学员人数(人)	单科结业人数(人)
2009	上半年	18	26	735	343
	下半年	19	25	722	297
2010	上半年	19	25	748	317
	下半年	19	25	753	381
2011	上半年	23	28	765	350
	下半年	24	27	756	345

第六节 老年人权益保护

1992～1997 年，区老龄办接待来信来访 216 人次。2001 年 10 月，广陵区成立老年人法律援助工作站，聘请唐城律师事务所 3 名律师为法律顾问，常年受理老年人法律咨询和法律援助。2002 年 12 月，区法院（民一庭）开通涉老诉讼直通车，受理老年人赡养、住房、婚姻等案件 110 多起，结案调解率 100%。2003 年 3 月，配合市老龄办，对汶河街道社区家庭老年人养老护理需求进行抽样调查，调查人数 6460 人。区老龄办、区司法局、区卫生局联合组织“送法律、送医疗”大型活动，有 120 多名老年人受到服务。2006 年，开展全国养老服务社会化示范活动，推广宝塔社区、石塔社区兴办爱心家庭养老院经验，建立健全社区养老服务网络。以空巢老人家庭为载体，以社区党员志愿者为骨干、大学生志愿者为主体的志愿者队伍，依托社区资源，把为老服务送上门。2007 年，“送法律进村居”法律咨询活动在曲江街道文昌花园社区中心广场举行，印发《老年人权益保障法》《法律援助条例》《法律援助指南》等宣传材料 5000 份，为老年人学法、知法、用法提供方便。2001 年、2006 年，广陵区两次举办老龄事业发展图片展。展览共分 8 个部分，近 40 幅图片，全面展示全区“九五”“十五”老龄事业发展的成果，弘扬中华民族敬老、养老、助老的传统美德。

2005 年，区老龄办为老年人办理优待证 2.07 万份，其中办理老年人优待证 1.03 万份、敬老优待证 1.04 万份。2010 年，通过乡镇工作站和村级信息员，共受理法律援助申请 42 件，发挥“12348”法律咨询热线职能作用，认真解答老年人的法律咨询，提供涉法问题的解决途径。2011 年，先后解答老年人维权法律咨询 568 人次，接待来信来访 391 人次，办理涉法事务 186 起，联合其他部门调处纠纷 26 次。

第三章 社会习俗

广陵区风俗以扬州老城区为主流。2011 年行政区划调整后，辖有 7 个乡镇，这些乡镇与老城区相连，交通便利，往来密切，其居民风习多与老城区类同。

1989～2011 年，改革开放不断深入，现代化进程不断加快，经济生产和社会生活都发生巨大变化。伴随这一变化，广陵辖区内的民间风俗也发生显著变化。以新旧民俗的变迁为主线，一些旧风俗依然存在，一些新风俗又在演进。当代民俗正处于社会发展与民众生活的递进和嬗变之中。这种变化趋势为，乡村民俗的比重渐弱，城市民俗的比重渐强；社会运转速度加快，新旧民俗更替速度也在加快；民俗与经济关系更加紧密，相辅相成，共同推进；民俗保护意识增强，在吸纳外来习俗的同时，本土民俗文化的自信和自觉逐渐确立。

第一节 生活习俗

一、服饰

（一）巾帽、鞋袜

广陵地处江淮之间，四季分明，夏热冬寒。旧时，夏天多戴草帽遮阳。80年代后，草帽绝迹，取而代之的是各种质地款式多样的太阳帽。太阳帽配上各式遮阳墨镜，男女老少都喜爱。冬季，广陵一带严寒，老人、小孩都需围巾戴帽。围巾，以女子使用居多。各种质地、花色丝巾，是爱美女性首选。戴帽，则以老人居多。80年代前，帽子品种比较单一，一度流行部队用军帽。改革开放后，帽子品种多种多样，既有传统礼帽、鸭舌帽，又有时尚贝雷帽、休闲帽、棒球帽。新型交通工具出现后，又有适合骑行摩托车、电动车的各种头盔问世，头盔也有冬夏之分，可按需佩戴。

旧时，鞋袜比较单一，多为布鞋布袜。80年代前，多穿着解放鞋、球鞋、尼龙袜、锦纶袜等。改革开放后，人们喜爱皮鞋。皮鞋种类很多，按季节分，有皮单鞋、皮凉鞋、皮棉鞋等；按色彩分，有黑色、棕色、红色、蓝色等；按样式分，有圆头、尖头、方头等；女式的还分平跟、低跟、中跟、高跟等。90年代后，鞋子种类更多，且有时尚化趋势，不同时段有不同的流行款式。一度流行旅游鞋，随后又流行轻便鞋，再后又流行休闲鞋，生产厂家不断推陈出新，引领时尚。袜子种类也不断翻新，按长短分，有短袜、长袜、连裤袜等；按质地分，有棉袜、丝袜、丙纶丝袜等。鞋袜种类数不胜数，反映人们在追求个人生活的多元化、时尚化和舒适性。

（二）服装

旧时，人们衣着十分节省，多数民众是“一衣多季”，其布料和样式也很单一。80年代前，布料多为卡叽、灯芯绒、涤卡、涤棉、的确良等。样式也单调，男子多为中山装、军便服、猎装，女子多为列宁装、军便服、百褶裙、筒裙等。色彩单一，男子多为灰色、黑色、藏青色、军绿色、白色；女子稍多些，在男子色彩基础上，多一些图案、碎花而已。80年代后，衣着呈现出“一季多衣”局面，穿着服装不再是为遮体、保暖，重在追求个性化、时尚化。不同年龄段的人，都有各有特点的服装，其中以青年女性的服装翻新为最，往往每一次换季，都有服装新品上市，其款式不胜枚举；男子服装相对变化少一些，但也不时有新款西装、夹克衫、休闲服、T恤衫等上市。80年代的牛仔裤，男女老少都喜爱，一直畅销不衰。

（三）发型、面饰

广陵是扬州“三把刀”之乡，理发技艺素享盛名。改革开放前，广陵人的发型相对单一，男子多为平顶、“三七开”分头、光头，女子多为双辫、独辫、“刘海式”或“运动式”。80年代后，发型丰富多样，尤其是女性发型更是多姿多彩。梳辫子的逐渐少见，时兴烫发，烫发的技艺各种各样，其发型也是异彩纷呈。21世纪，又流行染发（焗油），有人将头发染成金色、黄褐色、亚麻色以及棕红色等，起初多为青年女子，后来又有中年女子，甚至老年人也加入其中。人们讲究发型，许多发廊、美容院应运而生，价格中、高档均有，高档做发型需几百元。

“戴春林”“谢馥春”是扬州生产销售化妆品的老字号，早在清代就享有盛誉，旧有“苏州胭脂扬州粉”之说。戴春林的香粉有一套独特的制作方法，其母粉是用精选的铅粉，加上天然珍珠粉和邵伯的糊粉坊专为生产加工的石粉、米粉、豆粉，再加上鸡蛋清，调制而成。母粉还要用白兰、茉莉、珠兰、玫瑰等时令鲜花薰吸香味，再制成块状、珠状和粉状。新中国成立后，谢馥春博采众长，在配方和制作工艺上取长补短，尤其重用麝香、冰片和鸡蛋清，改进鲜花薰香工艺，妇女使用后皮肤更为白净光泽。由于制作工艺精细，又改进香粉外形，创制出鹅蛋香粉和鸭蛋香粉，90年代后，谢馥春化妆品畅销国内外。

改革开放后，与人们重视发型相伴随的，青年女子描眉、抹口红等习惯也成为社会时尚，各大商场都在一楼显要黄金铺位设置化妆品专柜。

（四）佩饰

佩饰主要是项饰和手饰。项饰主要是各种金银、珠玉的挂件，手饰主要是手镯和戒指。改革开放前，很少人使用佩饰。90年代后，佩戴各种佩饰的人逐渐增多。

戒指是流传历史最久、使用范围最广的一种佩饰。特别是进入21世纪后，广陵地域的男女，结婚时都要用戒指作为定情信物，成为婚礼中必不可少的习俗。扬州人戴戒指是有讲究的，这种讲究不见诸文字记载，而是一种约定俗成。民众认为，左为上，右为下，左象征尊严和力量，右象征温柔和体贴。故民众佩戴戒指有"男左女右"之分。此外，男子戴在食指上表示求爱，戴在中指上表示正在恋爱，戴在无名指上表示已婚。而女子一般不戴在食指上，其他则与男子相类似。若有人男左女右地戴在小指上，则明确表示自己是独身。

二、饮食

（一）日常餐饮

80年代后，广陵民众饮食习俗产生显著变化，从以往的温饱型向小康型转变，注重既要吃得饱，更要吃得好。旧时，民众以稻米为主食，一日三餐，早、晚米粥，中午米饭。90年代后，面食增多。面食品种十分丰富，有面条、包子、烧饼、油条、春卷、面包、蛋糕等。牛奶、豆浆家家户户均食饮。21世纪后，许多民众不在家中吃早餐，茶社、面馆、小吃摊点等都是好去处。

旧时，民众都是提着菜篮按时令的产出，在农贸市场购买本地产的荤、素食材。21世纪后，大棚蔬菜增多，反季节蔬菜也增多，再加上"绿色通道"，交通运输快捷，冷链物流普及，北方的蔬菜、南方的瓜果在菜市场随处可见。反季节蔬菜的问世，使民众的饮食习惯有很大改变。如今，夏天吃冬蔬，冬天吃夏瓜，早已不是稀罕事，以至年幼小孩已经不知道什么是"果蔬的时令"。

民众更加注重健康、养生，注重营养均衡、科学，饮食结构发生显著变化。具体表现为"三少三多"，即米面食用量减少，菜肴食用量增多；米粥食用量减少，豆浆、牛奶食用量增多；荤菜食用量减少，水果、干果食用量增多。还有许多民众喜爱把核桃、芝麻、杏仁、莲子、枸杞等滋补营养品研磨成粉末，按一定比例调成糊状食用。由此，一种以各种磨粉为特色的"小磨坊"应运而生，成为一种新生行业。

（二）酒宴

扬州有句俗话，"居家不可不省，来客不可怠慢"。用盛宴招待客人，是广陵人的待客传统。举凡红白喜事、砌房进宅、接风饯行、寿诞、甚至孩子考上大学、个人评职称等，都有酒宴相邀之举。旧时，酒宴多在家中举办，有"五碗八碟"之说，五碗，指四个烧菜一个汤，寓意"五福临门"；"八碟"，是指四个冷盘、四个热炒，寓意"事事如意"。80年代后，宴席发展为六个冷盘、六个热炒，谓之"六六大顺"。另外还有两个烧菜、两道点心、一个甜羹、一个头菜、一盆汤和一只果盘，谓之"事事如意"。合起来共为二十道菜肴，又谓之"十全十美"。21世纪，好多人家宴客都是到酒店订座，既丰盛，又体面，也免得在家操劳。

应邀赴宴，桌次、座次有主次之分，一般不能乱坐。通常，位于正厅内里正中的，或紧邻司仪位置的是主桌。每一桌，又以迎门的为首席，其余的以右手位置为尊，首席的对面为末席。主人对各位来客分派座次，也是有标准的，这就是古语中所说的："朝廷序爵，乡党序齿。"

入席后，酒菜准备就绪，主人要举杯致辞，以示欢迎众宾。俗说"主不请，客不饮"，主人没有致辞敬酒，客人是不能擅自动箸的。开席后，餐桌上的各种菜肴都可以品尝，但有一样菜不能动箸，这就是两条同样大小的红烧鱼。这盘红烧鱼叫做"富贵鱼"，覆盖着红色的剪纸，或为"喜"字，或为"寿"字。"富贵鱼"是事先备好的，在端上最后一道汤菜之前，有专人高高地端着这盘鱼，边走边喊"鱼来了，鱼来了！"这时，众位宾客要和应道："余入，余入！"所谓"余入"是指把主人的富贵余起来，祝愿主人年年有余。

（三）茶俗

"早上皮包水，晚上水包皮"是老扬州的一句俗语。"皮包水"是指去茶肆吃早茶。扬州的茶肆一般叫茶馆，或叫茶社、茶楼。老茶社多与花园连着，或者茶社本身就是一座花园，如"富春茶社""冶春茶社"等。80年代后，新开许多新茶肆，这些茶肆起名依然保持老传统，字号讲究别致典雅，但不一定拥有花园，。有一句方言"小聚聚"，这是扬州人进行社交的一个重要方式。亲朋好友相邀一起进茶馆吃早茶、下午茶，或进咖啡店，藉以交流感情，交换信息。"小聚聚"还有一项特殊功能，就是调解矛盾。人们遇到纠纷，往往是到茶肆，请人主持公道，让别人来评理，这就叫"吃讲茶"。主持公道的人又叫中人，在茶肆里，中人居中而坐，双方各坐两边，开始时双方茶壶的壶嘴相对，表示双方意见不合。若矛盾化解了，则由中人把两只茶壶的壶嘴相交，表示和好。若一方仍有异议，还可将自己的茶壶向后拉开，再行叙理。最终还是由中人评判，把双方茶壶拉到一起，若中人判一方理亏，则把一方的壶盖掀开反扣，以作裁定。这次“吃讲茶”的茶资，由翻开壶盖的一方付费。对方也可表示善意，把自己的壶盖也反扣过来，茶资则由双方共同承付。“吃讲茶”使纠纷及时化解，不至激化，也不需去打官司。看似寻常的饮茶礼俗，却反映民风的淳厚。

三、居住

（一）传统民居

老城区的传统民居。以木结构作为房屋框架，每进多为三间，进深多为七架梁（也有五架梁和九架梁），檐高三至四米，房屋通常都建得高大宽敞。由于广陵有梅雨季节，夏天炎热，所以有的人家还采用降低出檐，外设走廊，使房屋的主体部位处于阴影之中，既遮阳，又防雨。外临街巷的房屋山墙、后檐墙，为防盗，一般不开窗。若室内光线不足，多用开“天窗”来补救。“天窗”是在朝南的屋面上开一窗洞，上覆玻璃遮雨。“天窗”下有可拉的竹帘或布帘，冬天拉开，让阳光射入；夏天拉上，使屋内阴凉。住房通常朝南，其堂屋普遍采用敞厅式，堂屋南有隔扇门，隔扇门通常为六扇，可装可卸，夏日卸下，冬日装上。堂屋北侧又有屏风隔扇，从左右两侧绕过屏风隔扇，为堂屋北门，由此可进入后宅的天井。若家中有婚丧寿庆一类的大事，可敞开南北隔扇，使堂屋与前后天井通联，既扩大活动空间，又便利庞大物品进出。

80年代后，民众生活水平普遍提高，老城区的传统住宅因缺少卫浴设施，居住条件相对落后，许多人家搬离老城区，住进新兴的住宅小区，由此，老城区人口密度也相对降低。21世纪，老城区的许多人家在保持外观结构不变的前提下，在住宅内部增添厨房、卫生间等现代化生活设施，居住功能大为改善。还有一些人家充分发挥扬州造园艺术特色，精心营造自家宅园，成为新景观。

（二）现代住宅

80年代后，广陵区新建大量住宅小区，水、电、气、电话、电视、网络等设施齐全，民众的居住条件得到极大改善。初期建造的住宅小区，多为4～6层的多层楼房。21世纪，离老城区较远的二环以外地带，兴建大量小高层住宅楼和高层住宅楼，楼层多在10层以上。还建有不少有特色的联排别墅、独栋别墅。多层楼房多为步行楼梯，小高层和高层住宅楼均有电梯。现代住宅楼的户型大小不等，以二室一厅一卫一厨、三室一厅一卫一厨及三室二厅二卫一厨居多，面积为60～120平方米，适合三口至五口之家居住。重视装修，美化环境。为安全，若干幢住宅楼组成一个相对封闭的住宅小区，有保安人员全天候值守。小区注重环境保护、生态绿化，有物业公司负责管理。

80年代前，扬州旧人家的家具主要是木质家具，有床、柜、桌、椅、凳等。90年代，出现钢管家具、塑料家具、板式家具、布艺家具等新品。21世纪后，一度淡出的红木家具重新受到重视，因红木材料稀缺，红木家具价格十分昂贵。

90年代后，价廉、物美、实用、耐用的家用电器迅速普及，广陵区的寻常人家都有电视机、电冰箱、洗衣机、空调、微波炉、电脑等，各种家用电器使人们从繁杂的家务劳动中解放出来，生活质量大大提高。

（三）建房习俗

建房是一件大事，其中许多俗规，至今仍在袭用。80年代至2011年，扬州老城区因城市规划保护，自建房不多。在乡镇，仍有许多民众自建住房。自建住房大体要经历择基、备料、平磉、竖柱、上梁、砌灶、进宅几个阶段。

广陵民间历来十分注重选择房基，认为房基好坏关系到家业能否兴旺，旧时常有人请来风水先生择定。如今乡村里还有人相信此俗。广陵人家砌房，认为木料中湘杉、广杉为上等，实在缺料，也可用其他木料代替，但不能“头顶楝、脚踏桑”，俗信楝树苦，桑谐音“丧”，都为不吉利。房柱要挺拔笔直，正梁要粗壮，还讲究房梁长度的尾数要带“六”，如一丈二尺六、一丈三尺六等，取其“六六大顺”之意。80年代后，乡村普遍采用钢筋混凝土结构，很少用木质房梁，但求吉利的习俗仍存。

旧时建房时，有一个很有趣的民俗现象：瓦木匠在建房时，会一边劳作，一边说出一连串的“喜话”，以示向主家道喜贺吉。这种现象称之为“说喜话”“说好”“说鸽子”。这些“喜话”一般为七字句，也有十字句，句中偶有衬词，大体押韵。伴随着工程的进展，可分成若干节，每一节的句数有长有短，短者四句，长者上百。在建房的整个过程，从开工备料到完工进宅的每一环节，都有“喜话”，总长可达四五百句。从民间文学角度看，“说喜话”是一种民间歌谣中的仪式歌，从中既可以看出广陵人建房时的种种习俗，也可以看出人们在建房过程中所表现出来的祈祥禳灾的种种心态。90 年代后，“说好”一俗渐已不存。

房屋建成后入内居住，谓之“进宅”。广陵人家未搬进家具前，先要搬进一盆万年青或是一盆吉祥草，再搬进一束芝麻秸和一束芦柴，取意为“芝麻开花节节高”“招财进宝”。21 世纪，广陵人家“进宅”的仪式依然隆重热烈，进宅之日会安排酒宴招待前来祝贺的亲朋好友。

四、出行

（一）饯行与接风

旧时，出行之前，特别是长途旅行，往往要选择黄道吉日，谓之“择吉而行”。扬州许多大户人家，大门入口处有一“福祠”，“福祠”里供奉的是土地神，人们俗信“当方土地当方灵”，会保佑家人安宁。故家中有人外出旅行，出门前都要在“福祠”前祈祷。长途旅行归来，一进家门，第一件事也是叩拜“福祠”，感谢土地神护佑。

长途旅行，或是外出时间较长的，亲朋好友都十分关心，出门前，通常会设宴话别，谓之“饯行”。安宁回来，更是一件值得庆贺的事，亲朋好友也会设宴，谓之“接风”。80 年代后，对外交通更为便捷，出行机会增多，长途旅行已是寻常事，饯行与接风一俗随之淡化。但外出时间较长的，如出国、参军、上学、就业等，人们常常为之“饯行”“接风”。

（二）行囊

有俗语云，“出门在外，扁担布袋（包袱）”。是说旧时百姓大众外出，扁担和布袋是其主要行囊。扁担，有木质的、竹子的。木质的多为枣木、榆木，以有韧性、有弹性为上乘。布袋（包袱），因其容量大、易携带，成为百姓外出首选。特别是农民到城里买东西，俗话说：“乡下人上街，不是扁担，就是口袋。”80 年代，携布袋（包袱）的已少见，许多外出打工者喜用结实耐用的化纤“蛇皮袋”充当包袱。

21 世纪后，人们外出旅行多用旅行包、腰包、挎包、背包、拉杆箱等，由此催生了一个新兴产业，即旅游用品业。

（三）市内交通工具

旧时，马、骡、驴等畜力是短途出行的重要工具。扬州有一句俗语“张纲沟的驴子——两头赶”。张纲，是现今江都南边的张纲镇，张纲沟有租马驴的，专门往返扬州，在张纲沟租一头驴子，这头驴子只走通往扬州的路，而且到扬州老城区东门后，驴子会自动走回张纲沟。往返路途上，驴主人都不必跟随，如果有人想把它赶往他处，那是不可能的，这驴子只走这条路，哪儿也不会去。犹如今日的公共汽车，只走固定线路。

新中国成立后至 80 年代，扬州城内主要交通工具是自行车和出租三轮车。80 年代后，公共交通日趋完善，公共汽车和出租汽车，已极大方便广陵人出行。90 年代至 21 世纪初，摩托车十分盛行，后因安全、环保等问题而逐渐淘汰，取而代之的是电动车和私家小汽车。但自行车环保、轻便，又可健身，仍有一定的保有量。

第二节 行业习俗

一、经商方式

（一）坐商

坐商通常在一般消费者熟知的购物场所，有固定的店铺或摊点、固定的交易时间、相对固定的经营物品和服务项目，故而称之为“坐商”。旧时，这种经商方式又称之为“坐贾”。改革开放前，店铺主要集中在老城区以辕门桥为中心的渡江路、国庆路、甘泉路和广陵路上。辕门桥是当时扬州老城区的商业中心。改革开放后，随着城市建设发展，辕门桥逐渐衰弱，文昌路成为新兴商业中心，并形成文昌阁商业圈。

90 年代后，城区不断扩大，相继出现许多专业性相对集中的商业集散中心，如餐饮业集中的四望亭路及淮海路中段、鞋帽服装业集中的甘泉路、旅游商品集中的东关街、工艺品集中的工艺坊、日用小商品集中的曲江小商品市场、东方小商品市场及国庆路等，这些区域都是坐商集中地。

坐商，不论大商店还是小摊贩，其经营特点是有货积存、待客上门。“笑脸相迎”“顾客就是上帝”等，是坐商的特征。对有身份的顾客或是大宗货物的买主，坐商更是采用让座、敬烟、上茶等方式殷勤招待，以促成买卖。在激烈的商业竞争中，坐商常用各种各样的商业宣传，如“独家正宗”“亏本让利”“放血甩卖”“年节酬宾”“童叟无欺”“厂价直销”等，吸引顾客上门。

（二）行商

行商是把某地出产的物品运到他地去销售，他地有需求但又缺少该物品，行商便利用两地物品的价格差，从中赚取利润。行商的经销方式是异地贩运，扬州人又称之为“贩子”“商贩”。

有一种小本经商的行商，即从事城乡贩运的街头小贩和乡间货郎，俗称“小商贩”。小商贩的经营方式比较灵活。在城区，小商贩多集中在菜市场，就地设摊，边吆喝边买卖。在乡村，则推车挑担，边行走边买卖，或是送货上门，或是以货易货。这一类游动性的交易，因其方便快捷，拾遗补缺，也是一种颇受民众欢迎的商业习俗。

改革开放后，逐渐兴起市场经济，搞活商业流通，行商的经营方式逐步专业化，形成收购商、批发商、转运商、居间商等“物流产业”。广陵区比较著名的市场有东花园农贸产品市场、东花园副食品市场、曲江小商品市场、大水湾工业品市场等。

（三）居间商

居间商是一种为买卖双方牵线搭桥，撮合成交，从中收取佣金或提成的商人。因居间商本人并无货物可供买卖，全凭掌握物品信息及买卖双方信息，居间说合，旧时称这类商人叫“牙商”“掮客”，现代则称之为“经纪人”“中间商”，是一种纯媒介性的经商习俗。

扬州作为一座商业兴旺发达的城市，旧时这类居间商很多，居间商之间有相互沟通交流信息的行会，叫做“商行”，又叫“牙行”。改革开放前，扬州居间商仅限于供销社、外贸等国营和集体性质的部门和单位，在民间，则一度销声匿迹。80 年代后，市场经济发展，促进商品的流通交易，许多居间商和经纪人应运而生。由于当时法律法规和管理制度还不完善，民众俗称为“皮包公司”混迹于商界。90 年代后期，“皮包公司”现象得以遏制，居间商的商业行为逐渐规范，“经纪人”的经商方式重新成为受到社会肯定的商业习俗。

（四）服务商

服务商是一类并不买卖货物，仅是提供某种服务，从中赚取服务费的经济民俗形态。历史上，扬州一直是休闲消费城市，有一大批休闲消费群体和为休闲消费群体提供服务的各种场所和职业，如旧时扬州的书场、澡堂、剃头挑子、修脚等。这类职业的从业者以技艺谋生，获取经营利润和工资。这类职业既具有专业性，又具有商业性，是一种特殊的经商方式。同时，由于从业者所提供的服务往往具有人文性质，传至今日，许多传统的服务样式便成为非物质文化遗产项目，如“扬州沐浴”“扬州足艺”等。

80 年代后，服务业发展迅速，服务商的从业类别和从业方式也是多元化、多样化。服务商中比较典型的行业有：旅游业（园林、旅行社、宾馆、交通等）、休闲业（棋牌室、茶楼、沐浴中心、足艺坊等）、娱乐健身业（歌舞厅、网吧、健身房等）、加工修理业（家电修理、洗车等）。另外还有两类服务方式也可列入服务商之中，这就是中介服务业和咨询服务业，中介服务业有婚姻中介、房产中介、劳务（家政）中介等，咨询服务业有律师事务所、课外补习班等。这两类服务都是以信息、知识为服务基础，是一种具有特殊属性的商业服务。

二、待客服务

（一）柜台式服务

柜台式服务，是商品陈列在玻璃柜台的上下，或是陈列在柜台后的橱架内，店员游走于柜台和橱架之间，并按分工负责其中一段台面的服务工作。有顾客进店，店员会热情招呼，隔着柜台与顾客交谈、售货。改革开放前，扬州老城区的各类商店大多都采用此类方法营业。也有少数例外的，如绸布店、书店等，可以敞架，允许顾客进入柜台后，到橱架上选货。21 世纪，仍有许多店铺采用这种传统的售货方式，特别是金银首饰店、玉器店、电讯器材店等，由于商品体形小、价格高、易破损等原因，采用柜台式服务安全、方便。

（二）敞开式售货

敞开式售货，又称“超级市场”，简称“超市”，是 90 年代中后期学习国外商业经营理念而兴起的新型售货方法。这是一种将商品陈列在仓库的货架上，将仓库变为店堂，由顾客直接在货架上选货购物的销售样式。由于顾客直接接触货物，可以更好地了解商品的性能和质量，大型货物还能送货上门，这种售货方式很快受到民众欢迎。

图 35-3-1　超市丰富的春节商品

90 年代后期，广陵区先后出现几家大型超市，如大润发、苏果、世纪联华、农工商等。随后，其他类型的小商店竞相效仿，出现许许多多位于街头巷尾的小超市。大小超市遍布区内，成为一种新的商业业态。

（三）电视、网络销售

电视销售和网络销售，是科技、传媒和商业三者结合而产生的一种新兴的货物销售方式。这种营销方式改变商店与顾客泾渭分明的双边关系，既适应降低交易成本的趋势，又适应顾客个性化需求，21 世纪刚刚兴起，并迅速发展。中老年人倾向于电视购物，年轻人倾向于网络购物。懂网络、求新颖、求方便的年轻人更欢迎在足不出户情况下，通过电话、互联网与商家接触，就能完成商品交易。由此又派生出货物快递业务，区内有多家快递公司，快递员走街串巷，直接将定购的物品送到顾客家中。

三、行业标志

（一）市声

市声中直接吆喝商品的称之为“叫卖声”，叫卖声直接用口头语音进行吆喝宣传，如卖桔子的吆喝：“新到的沙糖贡桔，不甜不要钱啰！”卖西瓜的吆喝：“地产大西瓜，沙头脆皮瓜唻！”等。这类吆喝，内容简明扼要，带有强烈的鼓动性和诱惑性。改革开放后，许多外地商贩来到广陵，叫卖声带有浓重的家乡口音，时间久了，反倒成为特定的市声，如山东菜贩吆喝大白菜，河南商贩吆喝铁棍山药等，都有特定的地域特点，未见其人，便知其音。

市声中用器具发出的声响来代替口头吆喝，称之为“代声”，又叫“货声”。80 年代前，扬州老城街巷里的这种代声很多，如卖麦芽糖的吹竖笛，卖糖藕的敲竹梆，修伞的晃动挑担上的铁片，卖酸糖球的抖动铁筒里的竹签等。各种小贩的代声是固定的，人们坐在家中，听到这一类声音传来，就知道哪一种小贩来到门前。如今，这一类市声少了，在老城的小巷深处偶尔还可以听到。

商贩吆喝很劳累，2005 年后，街头上出现许多录音喇叭，一次录音，反复播放，既省气力，音响又大。然而，几个摊贩聚在一处，喇叭声乱，不仅相互干扰，也是民众讨厌的噪音。有一些收购旧家电、清洗油烟机的，骑着自行车、电动车走街串巷，边走边用录音喇叭吆喝，因噪音扰民，住宅小区多予限制。

（二）字号

字号，也称“店标”，是商家的文字名称。旧时，商家在字号的取名上，讲究用字文雅，字义吉祥。文史爱好者收集传统商铺字号的常用字，写了一首《商家字号歌》：“顺裕兴隆瑞永昌，元亨万利复丰祥。泰和茂盛同乾德，谦吉公仁协鼎光。聚益中通全信义，久恒大美庆安康。新春正合生成广，润发洪源厚福长。”

扬州商家的字号，除遵循上述选字规矩外，还有自己的地方特色，如茶馆酒楼多用“某某园”“某某春”，副食品店和茶食店多用“某某斋”“某某阁”，澡堂浴室则多用“某某池”“某某泉”等。80 年代后，许多新开业的店铺，喜用洋名，即采用外语的译音做店铺名，如波士顿、约翰、麦当劳等。21世纪，社会上提倡继承优秀传统文化，采用传统字号用字的逐渐增多。

（三）招幌

招幌是招牌与幌子的简称，是店家经营的标志。尤其是坐商，店铺是长期固定的，为吸引顾客，更为注重招幌的设计和使用。招牌，是商家标志性的广告牌，为提示经营内容，多用文字表述，如旧时当铺在门前书写“当”字，米铺书写“米”字，茶行书写“茶”字，酒铺书写“酒”字等。更多的店铺是在门面的上方书写店名和字号，将商店的字号和经营项目一并写明，让人一目了然，如“某某酒店”“某某鞋帽店”等。也有只写字号，不标明经营内容的，如“谢馥春”“大德生”“三和四美”等，这些店号都是百年老店，人们一看便知他们的营业特色。传统的招牌都是木质的横匾，悬挂在店门上方。80年代后，商家竞相采用霓虹灯和灯箱制作商店招牌，霓虹灯和灯箱在夜晚更为明亮醒目，成为城市亮化工程的组成部分。

幌子，又称“望子”“招子”，是用旗子、幔子或是商品实物、象征物等来标识经营内容的商业标志。这是一类较为古老的传统标识，今人也乐意采用。特别是老城区的一些店铺，为彰显经营内容历史悠久，常采用旗幌以显示特色。如东关街上的特色小吃店，东圈门内的古董店，旗幌飘扬在老街上，尤为引人注目。幌子的另一类是商品实物，或是象征物，如“扬州三把刀”的刀剪模型、药店的“红十字”徽记、理发店的三色螺旋灯等，都是别具一格的。

（四）商标

商标，是商品的标记，俗称“牌子”。商标本来与商业习俗并无多大关联，但由于商标与品牌有着密切关系，知名的商标也是知名的品牌，品牌响，销售热，故而商标也间接成为商业习俗的一部分。中国历史上第一例商标案，就是在扬州发生的。民国2年（1913），谢馥春的“五桶”商标被长江南北的13家化妆品生产厂商盗用，为维护正当权益，谢馥春向北洋政府大理院状告13家店铺，获得胜诉。大理院责令13家店铺具结悔过，方才平息这宗商标案。此事说明扬州人比较早的就具有商标保护意识。

90年代后，随着《中华人民共和国商标法》的颁布实施，扬州商家再度意识到商标对于树立品牌的重要作用，富春、谢馥春等一批商业企业都拥有全国驰名品牌和商标。

四、广告楹联

扬州商家善于利用店堂内外的楹联进行广告宣传，成为一种由来已久的行业习俗。许多老店、名店，都有自己特有的楹联，如同松参号有“发兑关东鹿茸；拣选吉林人参”，小觉林素菜馆有“吃饱方休，身外黄金无用物；过此莫去，世间白发不饶人”，大麒麟阁茶食店有“集百谷之精英香光百灿；聚八珍之品类味重红菱”等。这些楹联在美化门面、吸引顾客的同时，给人以美的享受，让顾客流连忘返。

80年代后，许多老店都重新进行店面改造和装修，传统的老楹联都精心保存下来。如东关街上的四美酱园装修后，那副横写的楹联仍然保留：“山珍海错名虽重；野蔌园蔬味亦奇。”双桂泉浴室的堂口也进行改造，入池口的楹联原样不动：“濯清泉而浴德；涤旧垢以澡身”。百年老店如此，新开业的店家也都效仿，纷纷悬挂起新楹联，老城的东关街、东圈门等处，随处可见，起到令人赞誉的广告效果。

五、崇拜与禁忌

改革开放前，商业活动中的崇拜与禁忌，受政治氛围影响，一般不大提及。80年代后，社会思想多元化，各种崇拜与禁忌重新活跃起来。如商家和顾客流行数字崇拜和禁忌，喜用“8”字，寓意为“发”；忌用“4”字，因其谐音为“死”。又如店铺开张，通常都会张灯结彩、鸣放鞭炮，有的还有盛大的开工仪式、开业庆典等。这些做法，表面上是商业宣传，其暗含的民俗心理却是驱邪祝吉。

80年代后，财神崇拜依然是商家的一种信仰，多数商家都在店堂里设立神位，焚香祭拜。旧时，商家崇拜的财神为赵公明，或是文财神范蠡、武财神关羽。改革开放后，关羽崇拜开始盛行。关羽，又称“关公”“关帝”。商家在激烈的市场竞争中希望立于不败之地，希望有神灵护祐，重义守信的关羽正符合商家理想，关羽便从武将演变成为财神，广受商家尊崇。

扬州另有两位财神，分别是春秋时期的吴王夫差和西汉时期的吴王刘濞。二位吴王一直受到扬州人的敬重。他们因有开凿运河、开创盐业等功绩，给扬州人带来财富，故“大王庙”又称“财神庙”。历史上，每逢正月初五“财神日”，商家总会前往邗沟，争烧头炷香，称之为“接财神”。“大王庙”于50年代初拆毁，2007年复建，复建后依然香火旺盛。

第三节 礼仪习俗

一、婚姻

（一）说媒 相亲

旧式婚姻讲究“六礼”，即纳彩、问名、纳吉、纳徵、请期和亲迎。当代婚俗遵循《中华人民共和国婚姻法》，趋向简约便捷，但仍有“六礼”影子夹杂其中。

当代婚姻自由恋爱，男女婚配多自主确定，但“说媒”“相亲”仍是其重要环节。尤其是大龄男女，多有热心人牵线搭桥，促成婚姻，这些热心人实际上是这桩婚配的“媒人”。

80年代后，社会上有婚姻介绍所从事“相亲”业务，工会、共青团及新闻媒体也介入其中。21世纪，电视台推出《非诚勿扰》等节目，促成男女婚事，有较高的参与率和收视率，民众十分欢迎。

（二）合婚 定亲

旧时有“合婚”一俗。合婚，又叫“合八字”，是女方将姑娘的“生辰八字”（又叫“年庚”“庚帖”）送到男方，由男方请相命先生课算。课算时，先看男女双方出生的“年、月、日、时”这八个字，对着阴阳五行中的某些讲究，看看是否相合，有没有“水火不相容”一类的禁忌。其次再看男女在十二生肖中的属相，是否有“羊入虎口”“龙虎斗”一类的冲犯。如若二者相配，课命先生即批签，谓之“相合”；反之，则谓之“相冲”。此俗今已不存。

“定亲”一俗如今仍有，但做法和含义大为不同。“定亲”又叫“定婚”“订婚”。旧时，男方要“下聘”，要送“彩礼”给女方，如今农村尚存这种做法。80年代后，由于男女双方都是自由恋爱，双方家长并不熟悉，也从未见过面，“定亲”一俗实际上是男女双方家长的“见面会”，通常是举办一桌酒宴，双方家长藉此会面。定亲后，双方家长相互认可，恋爱关系便正式确定。此后，双方便去专业的影楼拍婚纱照、采办用品、布置新房等，为接亲成婚做准备。

（三）接亲 成婚

旧时，成婚前有“发奁”一俗。“发奁”又叫做“发嫁妆”，是结婚前一日，男方派新郎在媒人陪同下去接，由女方派人把嫁妆送到男方，故对男方来说，又叫“接嫁妆”。 接嫁妆时，女方家中要行“三茶礼”。“三茶礼”实际上是上三道茶，第一道是“果子茶”，茶中有枣子、莲子、百果等；第二道是“甜点茶”，是四喜汤圆，或是赤豆元宵；第三道是“清心茶”，是龙井、碧螺春等绿茶。前两道茶实际上是用来发“吉兆”的，“果子茶”象征“多子多福”，“甜点茶”象征“事事如意”；第三道“清心茶”是让新郎“心地专一”。白天发嫁妆，晚上女方家中要办“别亲酒”。男方家中也要办“暖房酒”。当天晚上，还要找一个童男子陪同新郎睡觉，谓之“压床”，为婚后生子之兆。

图 35-3-2 旧式婚礼迎亲场面

80年代后，“发嫁妆”“三道茶”“别亲酒”和“暖房酒”一俗仍有，但仪式要简化得多。如“发嫁妆”一俗，旧时陪嫁的物品等都用红带包扎，由乐队伴随，一路上排成长队，吹吹打打，送至男方，热闹非凡。如今则大为简化，结婚新房布置时都已安排到位，特别是执行计划生育政策后，双方多为独生子女，儿女婚事由男女双方合作操办，也就不再讲究热热闹闹的“发嫁妆”了。结婚当天早上，男方在门口放一通鞭炮后，便用装扮得富丽高贵的“花车”前去女方接亲。

旧式婚礼中一般有拜天地、拜父母、夫妻对拜、掀盖头、合卺、撒帐和闹洞房等仪式。如今已简化。当代婚礼均与晚宴结合，多在酒店宴会大厅操办，通常由职业化的司仪主持，并有专业化的乐队。司仪将婚礼仪式编排成一连串的“节目”，循序进行，一般有介绍双方、主婚人致辞、证婚人致辞、互赠戒指、向宾客敬酒、拜天地、拜父母、夫妇对拜、家长答谢、宾朋联欢、散发喜糖、送客等程式。乡村依然有“闹洞房”一俗，嬉闹对象为新娘和新郎父亲，城区则不多见。

80年代后，生活日渐富裕，婚宴少则十来桌，多则几十桌，近来倡导节俭，婚礼大操大办之风有所收敛。亲朋好友参加婚宴，或赠礼金，或送花篮，谓之“出人情”。近来，结婚礼金有所减少，也有只收亲属礼金，其他外客一律不收。

二、生育

（一）求子

旧时，扬州有许多人有求子习俗。结婚时的“压床”“子孙桶”“撒帐”等都是求子习俗的一部分。婚后，又有“送灯求子”“摸秋求子”“送篙求子”等。如今，上述求子习俗多数已经不存，“送灯”“压床”尚有。送灯，是娘家在元宵节送一盏花灯给出嫁未育的女儿，预祝女儿早生贵子。旧时，这盏灯多为红灯笼。80年代后，出现许多塑料花灯，其中有塑料娃娃灯，即专供送灯人家购置。

（二）分娩

旧时妇女分娩多在家中请接生婆助产，接生婆又叫“稳婆”“姥姥”。妇女“足月”前，家中要备好“兜生包”“衣胞罐”“舍母羹”等。如今妇女分娩都在医院，由专业医务人员助产，上述习俗均已不存。

婴儿出生后，有“送蛋报喜”一俗，是将鸡蛋染成红色，按男孩单数、女孩双数，送达亲朋好友，以示报喜。接喜讯后，亲朋好友均回赠“红封子”，内有100～200元不等的礼金，以示祝贺。鸡蛋多在商店购买，有漂亮的礼盒包装。

（三）洗三、满月

婴儿出生后第三天，有“洗三”一俗，由接生婆用艾叶、花椒等中药烧成的热汤为婴儿洗澡。小儿洗澡后，便为小儿穿上“毛衫子”等衣裳。最外层还要用一块“包被”把小儿包裹好，再用红布带将小儿的双腿和手臂扎紧，不让小儿在“包被”里乱动。此举叫做“打衣包”。其作用有两种解释，一说是让小儿四肢正常发育，不致畸形；二说是为了让小儿从小受点规矩，长大后不致胡作非为。还有人家要用秤称量一下小儿的体重，这一方面是了解小儿的体重是多少，谐音为“称心称意”；另一方面是预祝小儿将来是“上乘（秤）之人”，前途无量。80年代后，“洗三”习俗仍然有，多由外婆或奶奶在妇产医院里，在医生护士指导下为小儿“洗三”。

婴儿出生一个月时，通常都要办“满月酒”，亲友前来祝贺。“满月酒”又叫做“剃头酒”，是因为这一天要请剃头师傅上门，为小儿把胎发剃去。旧时，剃胎发的仪式十分隆重，家中要点红烛，桌上要铺红布，摆供品。剃头师傅以白酒代水为小儿润发，然后再剃。有的人家则把婴儿后脑勺或头顶心的一撮胎发留下，剃成“桃形”，叫做“百岁毛”。剃头后小儿戴一顶红布做成的“和尚帽”，说是可以得到神佛护佑。80年代后，有人家将婴儿胎发制成毛笔，作为纪念。

小孩出生后的一个月内要命名。旧时命名也有许多讲究，通常是先起乳名，又叫“小名”。到入学时再取正式名，又叫“学名”“大名”。现今则常常把乳名和学名同时取，学名是用作报出生户口，乳名是日常生活中称呼。旧时取学名，多数是请族中尊长者依据家谱的谱系，按照辈分和排行来确定，乳名可由父母等家中长辈自由确定。如今取名比较自由，按家谱规定的较少，多数由亲长按喜好和愿望自定。90年代后有“起名馆”营业，按阴阳五行之说，为小儿起名。

（四）百露、抓周

小儿出生后一百天，称作“百露”，这一天有的人家要办“百露酒”。酒宴上，要为小儿“开荤”，即象征性地给小儿吃一点鱼汤等荤食，以示小儿在吃奶的同时，可以逐渐添加一些正常的饮食，以利小儿一年后的断奶。

小儿出生一年，一般人家要为小儿操办“抓周”。这是一种预卜小儿前途和职业的礼仪，也是一种带有迷信色彩的家庭游戏。80年代后，仍有“抓周”一俗，家中要设酒宴，谓之“抓周酒”，亲友都会前来庆贺，也会逗着小儿围着各种物件嬉玩一番，但已不是旧时的征兆占卜，而是一种现代的天伦之乐。

80年代后，影像科技日趋普及，百露、抓周时，多数人家用拍照、摄像的方式记录小儿成长过程，作为纪念。

三、寿诞

(一)生日与寿辰

祝寿和生日有联系也有区别。生日是诞辰的纪念日，每人每年都会有，而祝寿是五十岁向上的逢十为数的生日，十年才有一次。老扬州人的习惯叫法中，每年都有的诞辰纪念日称为“小生日”，逢十为数的生日叫做“大生日”，五十岁以上的“大生日”才列为“寿辰”，才会有祝寿仪式。

无论男孩女孩，十岁和二十岁的大生日是由家长办酒宴，在家中庆祝。到了三十岁，女孩均已出嫁，而男子又是“三十而立”，所以有人认为必须要做生日（做寿即为庆寿），并有“三十不做，四十不发”的说法。但又有“男不做三，女不做四”的俗语，认为男子三十正是奋发上进之时，尚未功成名就，孩子尚小，因此三十岁的生日不做；而女子四十，是忌讳“四”与“死”谐音，所以也不做。现今，一般不看重三十、四十的大生日，可做，也可不做，多数是随意为之。民众认为五十岁是第一个可以祝寿的大生日。由五十岁开始，以后每逢十年都要隆重地庆贺，这每一次庆贺都有特殊的名称：六十岁叫“大寿”，七十岁叫“康寿”，八十岁叫“长寿”，九十岁叫“高寿”，一百岁叫“天寿”。

做寿时间，扬州人又有一种说法，叫“做九不做十”。认为“九”与“久”同音，是吉祥的象征，而“十”则是“十全为满，满则招损”，所以扬州人家都是逢十虚岁提前一年祝寿。另外，扬州人又认为一百岁的“天寿”古今少见，更应隆重庆贺。老人到了九十七岁时，便开始做百岁寿庆，要连做三年。届时，不仅亲友子孙云聚，地方政府的民政部门、社区、村委会也会前来庆寿，赠送礼品和礼金。

(二)祝寿

为高龄老人祝寿，家中要设寿堂。一般是正中挂一幅巨大的金色“寿”字中堂，或是“寿星图”“麻姑献寿图”等巨幅挂轴。两边是寿联，如“福如东海，寿比南山”等。寿堂两侧还有悬挂寿幛、寿匾的。寿堂上要设供案，供案上有寿香寿烛和寿糕寿桃。这些寿香寿烛、寿糕寿桃都是特制的。寿香是一种编成“寿”字形的大香或是一种形如宝塔下大上小的斗香。寿烛是一斤以上的大红烛，上刻龙凤呈祥的图纹。寿糕是茶食店里定做的蛋糕，上覆一张红纸剪成的寿字。用“寿糕”祝寿，是“糕”谐音“高”，“寿糕”可说成“寿高”。

乡村有俗语，叫“女儿祝寿一担挑”。是说出嫁的女儿为父母祝寿，其贺礼要放满两只大挑篮，进村庄时，要一路放鞭炮，一路挑到家。这“一担挑”的内容相当丰富，除前面提到的寿香寿烛、寿糕寿桃外，还有专为老人置办的衣服鞋帽，另外还要有面条、猪肉、对鱼（两条大小相仿的鲤鱼）。女儿的寿礼要在寿辰的前一天送到家，当晚，女儿要为老人办“暖寿酒”。

做寿是“中面晚酒”。“中面”指中午吃“长寿面”，除上门祝寿的亲友吃，热情的人家还把“长寿面”分赠给四邻乡亲，以示分享。送面的碗叫“寿碗”，一般做九十以上高寿才用，送后不再收回。“晚酒”是指晚上安排祝寿酒宴，宴席上香烛齐燃，鞭炮齐放，寿星老人由老伴陪同，端坐在寿堂上，接受晚辈和亲友的祝贺和叩拜。酒宴后，家中会向来客赠送寿碗寿筷。亲友也可以多要几只，带回去送给孩童，谓之“讨寿”。

四、丧葬

(一)停灵　报丧

停灵，俗称“挺尸”“停尸”。当家中有人病危时，就开始准备丧事，如把室内外打扫干净，准备宾客前来吊唁的用具，为病危的人准备“寿衣”等。80年代后，医疗条件改善，病人多在医院离世，殡仪服务日趋完善。

报丧，因时间又紧迫，要赶紧奔走，又谓之“奔葬”。旧时报丧有“报丧条”，后世就演变成为“讣告”“讣闻”。讣告要详具死者姓名、职衔、生卒年月日时，吊唁地点及出殡日期等。凡宗族、戚友、同乡、同事、同学，必遍致之。“讣告”，也可张贴在工作单位门口。21 世纪后，也有利用媒体（报纸、电台等）和现代通信（电话、手机及微信、网络信箱等）发“讣告”的，以便让亲友尽快知悉。

报丧同时，家中要设灵堂，放哀乐。乡村里还有搭丧棚、扎素彩、糊白门、请鼓吹、设祭亭等。80 年代后，倡导节俭办丧事，多数人家注意到不要干扰邻居，仅在灵堂中放哀乐录音。但近来“请鼓吹”“请唱戏曲、歌曲”一俗又渐恢复。

（二）吊唁　入殓

吊唁，又叫“吊丧”“吊孝”。父母亡故，子女不管在外有多远，一定要日夜兼程赶到家中。这在旧时的丧礼中就叫做“亲视含殓”。子女要“亲视含殓”，而其他亲友则要“闻丧赴吊”。

灵堂及吊唁场所，普通百姓多在家中，公务人员和知名人士多在殡仪馆内。宾客前来吊唁，以“三鞠躬”行礼，孝子在一旁相伴行礼或叩头。宾客行礼后，孝子再行一鞠躬，以示答谢。宾客吊唁时，都会送上一些财物，用以助丧，这些财物就叫“奠仪”。“奠仪”大致有现钱、孝幛、香烛、冥钱等，文士间还有祭文、挽联等。80 年代前，多用花圈，受外来风俗影响，近来多用花篮代替花圈。

旧时，入殓又分小殓、大殓。小殓就是为死者穿上寿衣，大殓就是把遗体放进棺内。在小殓、大殓时，家属都要放声痛哭。尤其是大殓，盖棺后就再也见不到死者，故家属都是万分悲伤，尽哀而止。50 年代后，提倡火葬，禁止木葬，大殓都在火葬场举行，大殓的仪式便演变为 90 年代后的遗体告别仪式。

（三）奠礼　出殡

旧时奠礼是在出殡前，在家中举行，叫做“家奠”。推行火葬后，遗体先要出殡到殡仪馆，在殡仪馆里举行奠礼，奠礼便移到出殡之后。

现代丧礼一般为三天，第一天入殓，第二天家奠，第三天出殡。入殓，由火葬场派专业人员前来协助，将遗体装入租用的棺柩，用殡葬专用车迅速送往火葬场冷藏。家奠，是在家中设灵堂，供奉死者遗像及少量供品，接待亲朋好友的上门吊唁。出殡，又叫“送殡”“出丧”“出田”。一般是在清早。清晨在家中进行最后一次家祭，由家人捧着遗像前往火葬场。途中，有沿途过桥散撒少量纸钱的做法。乡村里还有设路祭的，遇有路祭，要停车受祭。如今，路祭已经很少，散撒纸钱或小硬币的还有。

丧服形制也有很大改变，一般不再“披麻戴孝”，多以左臂衣袖戴黑臂章来表示戴孝。儿女辈的在臂章上加钉一块白布，孙子辈的在臂章上加钉一块红布，其他亲属仅为黑臂章。黑臂章以“六七”为期。服孝到期，叫做“除孝”“脱孝”，除孝时通常都有祭祀仪式，祭祀仪式举行后，孝服即予除去。守孝三年的做法仍有，但形式大为简化，三年守孝期内，家中大门上不贴红纸对联。

（四）祭祀

祭祀有两种，一种是亡灵祭祀，一种是祖灵祭祀。扬州民间与丧事有关的是亡灵祭祀。人死后，要设斋祭祀，每隔七天一次，共为七次，谓之“斋七”。斋七祭祀中最隆重的是第六次，即所谓的“过六七”。有句俗话叫“六七不食自家饭”，是指“六七”这一次应由已出嫁的女儿来主祭，由女儿回家操办祭祀的各项事宜，其中包括那一顿必不可少的斋饭。旧时，“六七”祭祀有“点主”、供“亡人牌”等习俗。60 年代以后，此俗消失。

斋七过程中，亡灵祭祀实际上是鬼魂祭祀。斋七以后，亡灵祭祀逐渐向祖灵祭祀过渡，经过“百日”“忌辰”“三周年脱孝”的三次祭祀后，再往后的祭祀便与先祖祭祀同步，成为祖灵祭祀。

第四节　游艺习俗

一、养花

旧时，扬州民众普遍喜爱养花。有条件的在天井里筑一花台，若是无处筑台，有人家就会在窗下搭架。花架形似阶梯，层层置放花盆，占地不大，但错落有致，颇具匠心。花台上所植的花木不多，也不会太名贵，常见的有秋海棠、玉簪花、炮杖红、凤仙花、天竹、菊花、腊梅等，枝叶繁茂，赏心悦目。80 年代后，许多人家搬进住宅楼，爱养花的人家，都喜爱利用阳台或窗台，植上几盆花卉，增添一分绿色。

扬州人喜爱在家中庭院里赏花，更有到郊外赏花的习俗。瘦西湖、蜀冈、茱萸湾等地都是郊外赏花的好地方。广陵人到郊外赏花，有两种花最引人注目，这就是芍药和琼花。80年代，琼花被定为市花。烟花三月赏琼花，成为扬州人的一件赏心乐事。

扬州盆景相传始于唐代，经过千百年的发展演变，成为国内五大流派之一，世人称之为“扬派盆景”。扬派盆景的艺术特色集中体现在“云片”式的树桩盆景上。这种盆景是自幼培育，精扎细剪而成，主干盘旋虬曲，枝叶层次分明，在“一寸三弯”中显示出工稳平整，在“树无寸直”中表现出精细奇巧，尤为适宜室内点缀和庭院装饰。

90年代，广陵区将绿杨村的沿河地带辟为花鸟市场，十多家苗圃花苑，竞相展示自己的奇花异卉。爱花者常常三五一群地聚在一起，交流栽培花草经验，谓之“读花经”。每天清晨，城区街巷里，都可看到卖花人挑担推车，售卖各种应时花卉。

二、养雀鸟　养鸽子　养猫狗

玩雀鸟有早晚遛鸟的习惯。教场一带茶楼酒肆多，玩雀鸟的都喜爱提着鸟笼到茶馆里坐坐，一边品茗，一边逗鸟。教场的东北角有一条雀笼巷，巷里有店铺专卖各式鸟笼，还有人善为雀鸟捻舌，雀鸟经过数次捻舌，更为善鸣，音韵动人。

90年代后，喜爱养鸟的人越来越多，多为离退休老人。每天清晨，这些老人就汇聚到各个公园和街心花园，一边打拳散步，一边像养花人“读花经”那样，三五成群地“读鸟经”。教场拆除后，花鸟市场是养鸟人去得最多的地方，在这儿可以买鸟食，修鸟笼，挑选观赏鸟和鸣唱鸟。广陵一带的观赏鸟有翠鸟、娇凤、鹦鹉等，鸣唱鸟有画眉、相思、八哥等。

扬州有人家喜养鸽子，这些鸽子都是信鸽。信鸽协会每年都要安排放飞比赛，最远的路途达上千千米。每天，有鸽群在城市上空翱翔，并伴随清新悦耳的鸽哨音，是城市的一道风景。

还有许多人喜欢养猫养狗。80年代前，扬州人家多为养猫。90年代后，开始流行养宠物犬。常见的宠物犬有贵宾犬、松狮、吉娃娃、博美犬等。这些宠物犬在给人们带来各种乐趣的同时，也需要主人的精心照料，由此催生了新的行业，如犬粮商店、动物医院等。

三、养鱼

旧时扬州人家，栽花养鱼常常是连在一起的，或者说，大凡家中有花园的人家，花园中总会筑有水池，池中都会放养观赏鱼。这类观赏鱼，除热带鱼外，通称为“金鱼”。

扬州人家养金鱼，天井宽大的，会砌筑一方鱼池，鱼池半露地面，半沉地下，池底必有一处较深，有一口小缸大，是让金鱼沉底之处。若是天井较小，可置砂缸，砂缸也半沉地下，也是为了有“地气”，便于金鱼过冬。如鱼缸不便沉地，则冬日将金鱼捞起，放在玻璃缸中，置于室内。80年代后，住楼房的人们改用玻璃缸和花瓷缸养鱼。

谚语云：“会养鱼的，鱼饿死；不会养鱼的，鱼涨死。”意思是说养金鱼要注意喂食，不会养鱼的，常常担心鱼儿挨饿，放食过量，鱼儿反而因饱胀而亡。鱼食，多为红虫。每天清晨，养鱼人都要到河边捞鱼虫。捞鱼虫长竹为竿，纱布作兜，每天一早去捕捞，就如同养鸟人每天早上都要遛鸟一样，也是一种乐趣。

四、戏虫

扬州有人喜爱戏玩蟋蟀等各种小虫。蟋蟀，扬州方言中又叫“蛐蛐”。许多古籍中，都提到清代扬州人善养蟋蟀，也善斗蟋蟀，这在当时的扬州城里几乎成为一种风气。除蟋蟀外，扬州人喜爱的小虫还有金铃子、叫尤子等。

金铃子和叫尤子，是善于鸣叫的昆虫，靠翅膀的震颤，发出清脆悦耳的叫声，深得养虫人喜爱。夏秋之际，扬州街上就有金铃子、叫尤子售卖。金铃子个头小，会蹦跳，要放在小玻璃盒里饲养，卖金铃子的小贩会摊开几十盒，让你任意挑选。叫尤子，个头比蚂蚱大，也比蚂蚱肥，如蝗虫一般，只是全身绿油油的，头顶两根长长的纤毫机敏地闪动着，小孩子特别喜欢。叫尤子是在竹篾编成的小笼里喂养，小笼不大，但编得精巧，如空心小球，球上编出六角形的小眼，犹如工艺品。卖叫尤子的挑着担子走街串巷地卖，金字塔形的竹架上挂满小笼，每只小笼都有一只叫尤子，“瞿瞿”“痴痴”的叫声传遍街头巷尾。

买叫尤子的多为小孩，买金铃子的则是老人。叫尤子寿命不长，不能过冬。金铃子则不然，有的老人会把装有金铃子的小盒子放在贴胸怀中，用自己的体温温暖着小虫，让它安全过冬。

五、打灯谜

扬州历来是谜家辈出、佳作纷呈之地。明末清初，扬州的制谜、猜谜在全国都有很大影响。当时扬州一位谜坛高手，名叫马苍山。马苍山总结前人猜谜之法，创造出灯谜猜射的“广陵十八格”。这“广陵十八格”把汉字的变化和别解发展到前所未有的程度，既扩大制谜的范围，又给猜射者增添乐趣。尽管后来又有人因袭仿效，发展成为二十四格，甚至多达三百余格，但马苍山的“广陵十八格”一直习用不衰。故有人称马苍山为国内的“谜格之祖”。“广陵十八格”为：会意、谐声、典雅、传神、碑阴、徐妃、卷帘、寿星、粉底、虾须、燕尾、比干、钩帘、钓鱼、含沙、鸳鸯、碎锦、回文。直到今天，我们猜谜时仍然要用到马苍山的“广陵十八格”，解起谜来就有规律可循。

80年代后，扬州城区每年都要举行多次猜谜活动，喜爱猜谜的民众数千人。有谜友将唐代诗人张若虚的《春江花月夜》编撰成谜，全诗三十六句，每句一谜，传为谜坛佳话。

六、放风筝

放风筝，是一项集观赏、娱乐、竞技、健身为一体的传统游戏。以往，放风筝的多是孩童，21世纪后，许多成人也参与其中。

图 35-3-3　放风筝

扬州的风筝有两大类，一类叫“板筝”，另一类叫“花筝”。板筝，又叫“板门”。这类筝的筝面方整，多为几何图形，如正方、长方、六角、八角等，大者可达丈余，小者只有几寸。还可若干只连成一线，叫做“连星”风筝。板筝的特色不在于造型，而在于声响。板筝上都安装有哨口，哨口是发音装置，是用秸秆、鹅毛管、竹管、白果壳、龙眼壳、蚕茧及葫芦等材料制成。板筝上的哨口少则一两只，多则上百只。一架哨口齐备的板筝上天，那清亮悦耳的音响，令人陶醉。

花筝，又叫“活鹞”。其特点是讲究编扎，以象形见长。80年代后，广陵花筝的造型除继承传统特色外，还能扎出一些大型的观赏性更强的风筝，如大鹏展翅、龙凤呈祥、鹤燕双飞、八仙过海、天女散花等。这些花筝是综合美术、纸扎、裱糊、放飞等技艺，其难度是不仅要扎制得精巧漂亮，还要能扎得匀称，保持平衡，在空中不“醉酒”、不“打招”，飞得起、放得稳。

图 35-3-4　抖空竹

扬州人还擅长放飞“百脚风筝”。“百脚风筝”是巨型风筝，放飞难度大，先要将尾部放起，再带动身部，最后再拉升沉重的头部，风筝上天后，形似巨龙，十分壮观。

七、抖空竹

旧时，多为孩童抖空竹，人们把抖空竹看着是儿童游戏。90年代后，广陵有许多老人热衷于此，把抖空竹视为健身运动，抖空竹也发展成为一种具有复杂技巧的健身体育活动。

抖空竹的基本玩法十分简单，但易学难精。常见的玩法有两类，一种是“花式空竹”，一种是

"打空竹球"。"花式空竹"有几十种玩法，如"鸡上架"，是将空竹急转后，解开绕线将空竹抛开，然后用木棒接住，使之在棒上转滚或转到另一棒上。又如"满天飞"，是将空竹抛在空中，然后用绳接住或再抛起。又如"仙人跳"，是用脚踩在绳的中端，使在脚一侧转动的空竹由脚背上跃过至另一侧，在脚的两侧绳上来回跳跃。另外还有"风摆荷叶""盘丝""黄瓜架""扑蝴蝶"等。"打空竹球"需要辟出类似羽毛球场大小的场地，场地中间架设羽毛球网，双方将空竹像打羽毛球一样来回抛接。可以单打，也可以双打，有计分规则，判定比赛的胜负。

图 35-3-5　广场舞

八、卡拉 OK　交际舞　广场舞

80 年代初，卡拉 OK 传入扬州，引起青年人喜好，到歌厅唱歌成为一种时尚。80 年代末，又兴起跳交际舞风潮，区内开设数十家大大小小舞厅，成为新兴的文化产业。21 世纪后，社会上开始流行广场舞。广场舞是一种舞蹈与健身相结合的群众性文艺活动，参加人员多为中老年女性，多在晚饭后，聚集在街心花园，随着扩音器里播放的音乐翩翩起舞。

九、棋牌

扬州围棋名家甚多。清乾隆年间，全国著名的围棋高手范西屏住在广陵城郊的桃花泉，著有《桃花泉棋谱》二卷。扬州也是著名的象棋之乡，历史上曾拼搏出多名象棋国手。80 年代后，围棋、象棋成为广陵人业余生活的重要项目，走在街巷，时常可见几位老人围坐在一起对弈。广陵人家普遍重视小孩智力开发，许多家长热心地送小孩拜师学棋，由此产生许多棋类辅导班。

打牌有两种，一是打麻将，一是打扑克。中老年人多喜好打麻将，年轻人多喜好打扑克。打麻将、打扑克常伴有钱财赌博，这些行为均被禁止。随着广陵区人口的老龄化，一大批棋牌室应运而生。

十、舞龙

扬州人常常把"舞龙"，叫做"舞龙灯"。这是因为扬州的龙除形制扎得比外地的精美奇巧外，在夜晚，龙的肚子里还可以点上灯火来玩耍。

扬州乡村里的龙，以布龙为主，用竹、木、布等材料精心扎制。布龙的龙头扎得十分精美，龙角、龙须、龙睛做得惟妙惟肖。布龙的龙身一般在十五节至二十一节，每节间隔四五尺，每节之间用布连接。布为彩色，上画龙鳞。龙尾也很精致，高高翘起。布龙通常为白、青、黑、赤、黄五色，这五色对应金、木、水、火、土五行。旧时，若遇旱灾，就舞水龙，若遇水涝，就舞火龙，其意都是祈求风调雨顺。每逢节庆，是双龙对舞，若有大庆，则是五龙齐舞。

舞龙，讲究摆阵。摆阵要熟悉各种套路，善舞的有十八种阵法、三十六种套路。有蛟龙漫游、摆尾脱皮、穿龙门、过龙桥、龙蟠九叠、双飞蝴蝶、回龙吐尾、双龙夺珠等。起舞时，舞"龙珠"的是关键人物，由他来指挥龙队，变换套路，设势布阵。舞龙头的要密切配合，随着"龙珠"导引，带动全龙边舞边行进。那舞龙尾的也是不易，龙尾要因势为之，既要刚劲有力，又要风趣发科。一支龙队有了龙珠、龙头、龙尾这三个优秀队员，其他队员只要有体力，会配合，就能把这条龙舞得精彩纷呈。

第五节　岁时习俗

一、传统节日

（一）春节

农历正月初一为春节，又叫“新年”，俗称“过年”，是一年中最为隆重热烈的传统节日。初一清晨，城乡民众的第一件事便是放爆竹开财门，炸碎的爆竹纸屑盖满门前。这些年，为春节期间能否燃放烟花爆竹，屡发争议，但家家户户仍有燃放，藉以增添欢乐气氛。初一早餐，多数人家是“四喜汤圆”。四喜汤圆用四种馅心做成，有蔬菜、豆沙、芝麻糖和肉糜。味道固然不错，但人们更看重汤圆的名称，因为这种“四喜汤圆”的取意是“事事如意”“合家团圆”。

初一开始拜年。旧俗，人们要登门拜年。现代通信工具普及后，朋友之间多用电话拜年和短信拜年。短信内容有从网络上下载的，多为各类祝福语、吉利话；也有自撰的，自撰短信更有个性，也更为真心。80年代后，各机关、单位时兴“团拜”。节前，单位同事用餐饮的形式团聚，相互拜年。中共中央号召节俭后，不再相互宴请。

正月初五为“财神日”。扬州商铺俗例，大年三十下午打烊，正月初五上午开市。正月初五早上，商家有“敬财神”“接财神”之举。 许多商铺的“接财神”在邗沟大王庙。每逢正月初五，大王庙游客如潮，香火旺盛。

（二）元宵节

农历正月十五是元宵节，因有张灯、观灯、闹花灯习俗，故又称做“灯节”。正月初五一过，扬州即有“灯市”，艺人扎制各式花灯上街售卖。灯节期间，人们欣赏各式各样的花灯，有些乡镇还可以看到舞龙狮、划旱船、踩高跷等民间文艺表演。

元宵节前后共六天，有“十三上灯，十八落灯”之说。扬州人讲究“上灯圆子落灯面”，正月十三这天晚上要吃汤圆，正月十八晚上要吃面条。皆取“圆圆满满”“顺顺遂遂”之意。

图35-3-6　元宵节灯市

扬州传统花灯有“玩灯”和“彩灯”两大类。“玩灯”是孩童手中玩耍的花灯，大致有三种，即提在手上玩的“提灯”，有生肖灯、西瓜灯、莲藕灯、荷花灯、小红灯等；举着玩的“举灯”，有龙灯、蛤蟆灯、蝴蝶灯、飞机灯及西游记人物灯、八仙人物灯等；拖着玩的“拖灯”，有兔子灯、麒麟灯、马灯、船灯等。“彩灯”是固定悬挂在庭院内外，供人们观看欣赏的花灯。这类彩灯的扎制工艺更为复杂，集纸扎、装裱、剪纸、书画、诗文、木刻为一体，是扬州灯彩艺术的代表作。80年代后，扬州花灯有新的发展，将现代科技与传统风格融为一体，新创许多大型电动彩灯。这类花灯还走出广陵，到上海、台湾等地展出，深受当地民众欢迎。

（三）清明节

公历4月5日前后，是清明节。“清明”一词有两层含义，一是指节气，二是指节日。2007年12月14日，国务院正式发布《关于更改〈全国年节及纪念日放假办法〉的决定》（第二次修订），规定自2008年1月1日起，将清明、端午、中秋定为法定假日，均当日放假一天。

清明祭祀，俗称“扫墓”“上坟”，是祭祀先祖的重要节日。旧俗多土葬，扫墓时要为旧坟添新土、做坟帽、供祭品、烧纸钱等。70年代后，推行火葬。死者火化后再送到墓园入葬。墓园为砖石墓庐，扫墓时多为焚化纸钱，敬献鲜花、祭品等。机关、学校等单位则组织人员前往烈士陵园祭扫革命先烈。

（四）端午节

图 35-3-7 大学生村干部端午节送关爱

农历五月初五是端午节。端午节的起源有多种说法，除纪念屈原外，还有纪念伍子胥一说。旧时，民间认为五月是“恶月”，是五毒（蝎、蛇、蜈蚣、壁虎、蟾蜍）出没之时，要用各种方法预防五毒。贴钟馗像，挂插菖蒲、艾草，藉以“恶月禳疫”，是避五毒的一种方法。俗信将菖蒲、艾草插在门口，钟馗贴在厅堂，可以为全家避邪。菖蒲象征驱除不祥的宝剑，因叶片呈剑型，广陵人称之为“水剑”，又叫“蒲剑”。艾草是一种药草，借助菖蒲的香气和艾草的熏烟，净化住宅内外的空间。有浴室用菖蒲、艾草煮成“香汤”，让人洗浴。至今，挂插菖蒲、艾草一俗仍然盛行，近郊农民进城售卖菖蒲、艾草，依然是一项很好的收益。

粽子是端午节的时令食品。广陵的粽子品种很多，有火腿、咸肉、鲜肉、红豆、蚕豆、蜜枣等馅。外形也是多种多样，都是用芦苇叶作粽箬，包的粽子有斧头形、小脚形、圆筒形、三角形等，讲究包得紧、裹得实，越是紧实滋味越佳。广陵人家常把粽子作为节礼相互馈送。

端午节讲究“十二红”。“十二红”是用酱油烧红、拌红或是自然红的菜肴，有四碗八碟之说。四碗即红烧黄鱼、红烧牛肉、红烧蹄膀、红烧鸡块；八碟为四冷四热，四冷，即咸蛋、香肠、莴笋、洋花萝卜，四热，即炒苋菜、炒河虾、炒大粉、炒鳝丝。这里仅是列举，并无定式。

端午节时民众有一些特殊的妆饰，统称为“端午景”。包括香包、虎帽、虎兜、虎鞋、百索等。香包又叫香袋、香囊、荷包，有用五色丝线缠成的，有用碎布缝成的，内装各种中草药香料，佩在身上，香气扑鼻。如今的制作日趋精致，成为一种精美的民间工艺品。还有小孩喜欢在胸前挂着“鸭蛋网”，是一种用五彩丝线编织成的小网，用以兜着鸭蛋，十分秀美。

（五）乞巧节

农历七月初七为乞巧节，俗称“七夕节”。 2006 年 5 月 20 日，七夕节被国务院列入第一批国家级非物质文化遗产名录。乞巧的风俗由牛郎织女的故事演化而来，由此便产生了“七夕”习俗。旧时，有看巧云、拜织女星、染指甲、月下乞巧等习俗。其中最富于情趣的做法是“浮针戏”。前一天把一盆水放在庭院里，经过一天一夜的日晒夜露，再把绣花针或者是豆芽、稻芽、草茎等，三三两两地飘浮在水上，一群少女聚在一起看水底“散如花，动似云，细像丝，粗若锥”的投影，谁看出如笔、如锥，如珠、如伞，如箭、如弓等，就算得到巧。此俗今已少见。

90 年代后，受西方文化影响，有人称“七夕”为“中国情人节”，商家竞相售卖各种纪念品，供青年男女相互赠送。

（六）七月半

农历七月十五是道教中元地官清虚大帝的生日，又称中元节，俗称“七月半”“鬼节”。旧时，佛教寺院每于此日举行盂兰盆会，放河灯，近来此俗已消失。扬州俗语云，“早清明、晚大冬、七月半的小鬼等不到中”，是指一年之中三次祭祀的时间各有讲究。七月半主要是斋孤，祭祀孤坟野鬼，民众多在街头巷尾焚化香火纸钱，俗谓之“烧狗屎香”。相传，此俗与元末张士诚起义有关。此俗一度消失，21 世纪后，渐又兴起。

（七）中秋节

农历八月十五为中秋节。人们把月圆当作团圆的象征，把八月十五作为亲人团聚的日子，节日期间有祈求团圆的民俗，亦称“团圆节”。拜月、吃月饼、月下赏秋等是中秋节的主要习俗。

月饼多由茶食店生产制作。扬州传统的月饼有椒盐、五仁、火腿、豆沙、上素等好多品种，特点是外皮酥

图 35-3-8　中秋拜月民俗

脆、内馅绵软、甜香油润。90年代后，月饼一度成为特殊礼品，礼盒过度包装，豪华高档，一盒月饼售价高达千元，民众有“吃者不买，买者不吃”一说。此后，这种做法有所收敛。广陵百姓另有自家包糖饼、萝卜丝饼和烂面烧饼的习俗，其中必有一块特别大的，叫做“宫饼”，又叫“团圆饼”，这块饼是在妇女拜月后全家分食。分食时，由妇女中的长辈操刀，将“团圆饼”按全家的人口数量均分，即使家中有人外出未归，也要分出一份，以示全家团圆。

扬州有“男不拜月，女不祭灶”一说，是说拜月以妇女为主。拜月的供案上除月饼外，多为秋天收获的果蔬，如芋苗、栗子、菱角、白果、南瓜、莲荚、葡萄等。其中一支藕节多芽的“子孙藕”必不可少，象征子嗣延绵，阖家团聚。旧时，拜月场所多在自家小庭院内。21世纪后，随着全社会对传统文化的重视，广陵的一些社会团体也加入进来，在广场上举行拜月仪式，成为一项群众喜闻乐见的文化活动。

（八）重阳节

农历九月初九为重阳节，1989年，中国把农历九月初九定为“敬老节”。2006年5月20日，重阳节被国务院列入首批国家级非物质文化遗产名录。这一天有重阳登高、吃重阳糕、喝菊花酒、佩茱萸香囊等习俗。当日早晨，晚辈先向长辈敬献上一盘重阳糕，祝老人健康长寿。长辈也会用一块糕搭在小孩的额头上，口中念念有词，祝小孩百事俱高。重阳糕用米粉做成，蒸熟即食，微甜、松软、爽口，老人和孩童尤为喜欢。糕形为正方形，上染红点，若干块小糕叠成一摞，要叠九层，像一座宝塔。宝塔顶上插一面纸质的三角形小旗，有红有绿，这就是所谓的“重阳旗”。如今，重阳糕依然畅销，插“重阳旗”的做法已经消失。今日的重阳糕多用塑料盒包装，缺少旧有的情趣。

重阳节前后扬州都有“花市”，有花农专门培植的名贵菊花售卖。公园里还有“艺菊”展览。文昌阁、文津园等街心花园也都堆叠出大型花山。有的商家也在店堂里陈列各式菊山，争奇斗艳。

（九）冬至

冬至是农历十一月、公历12月22日前后，有祭祖、吃汤圆等习俗。有一首童谣，即“大冬大似年，家家吃汤圆。先生不放学，学生不把钱”。童谣中的“大冬”，是指“冬至”。“大冬”大似“年”，是把“大冬“与“过年”联系起来，“过了大冬便是年”，因而，扬州百姓不仅把“大冬”看成一个节令，同时又把它看成一个节日。冬至这一天，扬州人家照例有祭祖仪式，早晨焚纸钱，中午上供品，晚上吃汤圆。

进入冬至后，叫做“进九”，又叫做“入九”。冬至后的八十一天分为九个“九天”，每一个“九天”称为“一九”，广陵有《九九歌》：“一九二九不出手，三九四九冰上走；五九六九，沿河插柳；七九河冻开，八九燕归来；九九加一九，耕牛遍地走。”《九九歌》与广陵节令物候大体对应。

（十）腊八

农历十二月，扬州人称之为腊月。十二月初八，俗称腊八，有相沿成俗的“腊八节”。这一天有吃腊八粥、腊祭等习俗。腊八粥的食材为糯米、花生、黄豆、红枣等，较为讲究的还添加龙眼、板栗、杏仁、香菇等高档配料。用材并不一定限于八种，随人而定。街坊中有相互赠送、邀请邻居品尝的做法。因腊八粥香甜可口，80年代，广陵有企业制成罐装食品，名之“八宝粥”，畅销各地。

进入腊月后，扬州民众有掸尘和年蒸习俗。掸尘是掸扫室内灰尘、洗净衣被等卫生事宜。年前，全家老少还要理发、洗澡。民谚云“有钱没钱，干干净净过年”，体现民众对清洁卫生的重视。“年蒸”是指蒸包子、蒸蜂糖糕等，是广陵人家准备过年的一件大事。有在家蒸制的，也有到烧饼店、点心铺代加工的。80年代后，多为购买整箱的“速冻包子”。

（十一）送灶

农历腊月二十四为民间“送灶日”，也称为“小年”，家家户户祭祀财神。逼近腊月二十，年味就浓了，十七、十八就忙掸尘。常常从厨房开始，烹调饭菜更注意清洁，另一层用意“相传灶神画尘记善恶，将诉天帝。”送灶前先掸去，已灭其迹。过了二十，就忙“送灶”。“送灶”日，民间有两种说法，一种是“官三民四龟五鳖六”，另一种是“军三民四龟五鳖六”。所谓“官三”，即指做官的人家要在老百姓前一天，即腊月二十三送灶。“军三”是指租种官府的“军田”的农民，列入“军籍”，同“官员”一样，也是二十三“送灶”。普通民众在腊月二十四“送灶”，如到二十五、二十六送灶就是“龟”和“鳖”，已被丑化。

灶神由玉帝派驻到各家各户，监察各户的功德和罪恶。每年岁末，灶神上天汇报这户人家情况，有功德的将降福赐财，有罪恶的将减寿损命。所以民间有一幅通用对联“上天言好事，下界保平安”，贴在厨房灶台上。旧时人们对灶老爷十分尊重，“送灶”时，要备好轿子和神马，均用彩纸和竹篾扎成，放一双筷子当轿杠。神马上天，路途遥远，要有马料，于是再放上一把豆子和一把寸长的稻草。还有灶疏，用黄纸做的，上面盖有佛门院寺朱砂大印，并印“吉祥如意”四字，上面填写全家人姓名，在敬灶神时，一起焚化祈祷。敬送灶神时，并供有灶饭（糯米饭1碗），堆成馒头状，顶部放一只金桔，周围还粘贴花生、白果、莲子、栗子、枣子，另外还有酒糟、麦芽糖等。燃香烛，保佑全家老小平安。腊月三十，接灶回家。“送灶”由当家男人操持。

如今，广陵依然有“送灶”习俗，不过仪式已简化。多数居民在送灶前掸尘，“送灶”当日，一家人团聚在一起，办菜吃酒、吃糯米饭。如有家人未归吃灶饭，也得盛一碗放在桌子上，以表平平安安，节日的气氛搞得非常浓，像是过年的前奏曲。

（十二）除夕

除夕是指农历腊月最后一天晚上，又称“大年三十”“三十晚上”。除夕前，家家户户均将各种“年货”置办齐全。年货里，有一类物品必不可少，这就是春联、年画、挂络等各种“门饰”。

除夕之夜，最重要的就是那顿“年夜饭”。年夜饭又叫“团圆酒”“合家欢”，是一年中最为丰盛的一餐。家中亲人，无论旅途如何困阻，也要千里迢迢赶回家，以求合家团圆。21世纪后，有人把年夜饭从家中移到酒店饭馆，成为时尚。

给小孩压岁钱的习俗现今仍然盛行。旧时，有的人家待小孩睡熟后，将压岁钱放在其枕头下。还有的人家把铜钱用彩线穿起来，编成龙形系在小孩的床脚，第二天大年初一，再挂在小孩的身上，借助龙的形象为小儿求得祥瑞。如今，压岁钱已经演变为长辈赠送给孩童的礼钱。

除夕之夜有守岁的习俗。旧时，好多扬州人家是把吃年夜饭和守岁结合起来，这顿年夜饭要慢慢地吃，从掌灯时分一直吃到深夜。如今，观看中央电视台的“春节联欢晚会”是最普遍的守岁方式。除夕夜的12点，几乎家家户户都要燃放爆竹烟花，迎来红红火火新的一年。

二、外来习俗

80年代后，随着改革开放的深入和对外交往的增多，欧美国家一些习俗也渐渐传入本地，特别是外国的一些民间节日，如狂欢节、父亲节、母亲节、情人节、愚人节、圣诞节等在青年人中逐渐流行。

2月14日是欧美情人节。这是一个关于爱情、浪漫的节日，西方国家的男女在这一天互送礼物用以表达爱意和友好。这一习俗于80年代传入中国。国内传统节日“七夕”也是姑娘们重视的节日。每年的2月14日和农历七月初七，鲜花店都要借“情人节”之名，大力推销玫瑰花，供青年男女相互赠送。

12月25日是欧美圣诞节。圣诞夜，文昌阁等商业中心热闹非凡，商店、宾馆多有圣诞树和圣诞老人，营造节日气氛，并借机扩大影响，促进销售。

除节日习俗外，外来习俗的其他方面也在逐渐影响和改变广陵人的传统习俗，如民众过生日时吹蜡烛、唱“祝您生日快乐”歌等。广陵人素有兼容并蓄的传统，一直以开放的心态、包容的精神对待外来习俗。

第四章 民 族

广陵区是一个多民族的地区，除五大民族（汉、回、满、蒙、藏）外，还有其他十几个少数民族。1990年，广陵区有民族22个。2011年，行政区划调整后，少数民族减少为17个。区委、区政府贯彻执行党的民族政策，在“共同团结奋斗，共同繁荣发展”方针指导下，做好民族工作，在政治上、经济上、生活上都非常关心少数民族人员，在处理民族问题时不仅平等对待，而且做到优先照顾；少数民族人大代表、政协委员积极参政、议政，努力为少数民族人员帮扶解困，在就业、孩子入学、生活困难等方面解决不少具体问题。有许多少数民族优秀人员被选为领导干部、先进工作者。

第一节 少数民族状况

1990年，广陵区有少数民族21个、人口3669人，其中回族3493人，满族73人，蒙古族26人，藏族7人，朝鲜族15人，苗族4人，白族10人，畲族4人，壮族8人，土家族6人，傣族2人，侗族、彝族、布依族、瑶族、高山族、纳西族、达斡尔族各1人，仫佬族3人，锡伯族3人，俄罗斯族3人，其他未识别民族5人。在这些少数民族人口中，干部46人（党政领导干部5人），被评为高级职称的29人。1999年，有少数民族23个、人口4405人。其中回族4180人、满族96人、蒙古族47人、苗族9人。2011年，全区有少数民族人口3060人，其中回族有2216人。随着改革开放的深入，90年代后期起，城区外来少数民族流动人员不断增加，2011年，少数民族流动人口有上千人。

广陵区努力实现和促进少数民族人员的生活富裕安康。少数民族的生活习惯和传统风俗在各单位普遍得到尊重，汉族和少数民族人员组成的家庭和睦幸福，党的民族政策得到贯彻落实。2002年，对少数民族下岗职工及其家庭经济状况进行调查摸底，并与有关部门协商，优先安排上岗就业。2003年，区民族宗教局加强清真网点建设，支持好心情清真饭店开展店庆活动。2004年，区委统战部制定《关于加强社区统战工作的意见》，推动民族工作进社区，建立少数民族人口、家庭等有关情况的统计资料，编印基层统战工作台账，走访慰问少数民族代表人士和特殊家庭。定期或不定期走访社区内的少数民族人大代表、政协委员、宗教团体负责人。在少数民族人口比较多的解放桥社区成立少数民族联谊活动小组，对社区内的少数民族困难户开展帮扶活动。解放桥社区少数民族联谊小组组长、好心情清真饭店老板杨希玉吸纳回族和维吾尔族下岗职工8人，解决其就业问题。2004年，全区少数民族下岗职工201人，其中171名在社区帮助下重新就业，占下岗职工的85%。2005年，40多个社区都把民族工作纳入党支部工作的议事日程，成立社区民族工作领导（协调）小组，由党支部书记任组长。有的社区还成立民族工作信息员队伍，制订工作制度和工作计划，定期召开会议和开展活动。按照民族政策落实回民殡葬待遇，解决回民异地墓葬、回民坟墓迁葬补偿纠纷。每年春节，开展少数民族大走访，给少数民族困难家庭送去慰问金。2007年，进一步贯彻落实《江苏省清真食品监督保护条例》，对鸿兴民族饭店、好心情清真饭店、仙鹤清真食品超市、波斯园兰州拉面馆等多家清真饮食服务网点进行调查了解，检查这些店从原料采购、车辆运输、入库贮藏到成品加工等全过程。对百年老店鸿兴民族饭店还额外申领江苏省清真食品基本供应点的标志牌。2008年，为鸿兴民族饭店店堂装修工程20万元项目立项，向省民委提出申请。实地考察广陵区雪峰牛羊肉批发门市部，帮助其申领省民宗局颁发的清真标志牌。

2010年10月，广陵区政府和市民宗局在解放桥社区举办首届扬州市少数民族文化艺术节。2011年10月，举办第二届。这已成为少数民族艺术的盛会、欢乐的节日。

第二节 民族政策和民族工作

一、落实民族政策

1996年，区委统战部编写《民族宗教工作学习材料》一书，系统地介绍党的民族宗教工作任务，突出宣传宗教信仰自由政策的思想内涵和民族宗教工作的重要性，保证基层统战干部人手一册。结合城区特点，宣传《城市民族工作条例》和《江苏省少数民族权益保障条例》。在民族团结进步模范创建活动中，各社区积极采用标语、戗牌、宣传栏等形式进行宣传，发放宣传材料上千份。落实低保等各项救助政策，切实保障少数民族困难群众的基本生活。区内少数民族低保家庭全部落实，共18户50人（其中回族35人、满族1人），实现应保尽保。每年都为少数民族学生办理中、高考升学加分证明。1989～2011年，办理少数民族学生中、高考加分证明1764件。2004年，在曲江公园建设过程中，遵照民族政策，为24户回民顺利搬迁安置做好工作。2010年和2011年，受理民族成分更改10人次。

2000年，对城区私营个体清真食品网点进行调查，选择挂牌2家，颁发生产经营许可证。2001年，为几家规模较大、经营较好的清真网点申请清真食品标志牌。提供多种途径为外来少数民族学生就学提供帮助，累计安排上小学51人。2005年，加强少数民族流动人口管理，多次召集区工商、税务、公安、城管等有关部门就管理和服务问题进行座谈，商讨对策。针对城区几十家清真兰州拉面馆多数不领照经营的问题，与有关部门商妥，尽可能减免费用，帮助办理证照，规范其经营活动。2009年3月，区委统战部、区民宗局与上海市扬州人联谊会联袂举行“牵手贫困小学生”活动，联谊会代表与4户贫困的回族、满族小学生家庭签订长期结对助学协议书，每年资助每位小学生1000元助学金，直到完成学业为止。2010年，为39家兰州拉面馆免费办理营业执照和卫生许可证。同年10月，对外来穆斯林情况进行走访调研，统计出城区外来穆斯林群众1000多人，大多数从事销售葡萄干、羊肉串、皮货、玉石加工以及经营餐饮、屠宰等工作。

二、民族事务管理

做好敏感性、突发性事件化解工作，是民族事务管理的重要方面。2001年，扬州某酒店不当利用北京东来顺名声吸引顾客，扩大经营范围，部分穆斯林对此很有意见。市、区联手做好工作，将该酒店办成名副其实的清真食品店。某拉面店发现附近酒家将残羹剩饭等垃圾倒在他的酒店门旁，非常恼怒，认为是对穆斯林的侮辱，发誓要报复。民宗部门闻讯后，立即赶赴现场，对有关酒店进行民族政策宣传教育，终于平息纠纷。2009年5月，区民宗局领导和田庄村干部等赴扬州大桥副食品城和联谊副食品市场，宣传国家清真食品有关规定，对销售网点进行细致排查，确保广大穆斯林买到放心的食品，并将查处情况及时向上级部门汇报。2009年新疆打砸抢烧严重暴力事件发生后，区民宗局迅速召开紧急会议，立即部署到少数民族人口集中所在地的解放桥、沙口、旌忠等社区，向社区主任通报情况，做好宣传引导，走访少数民族家庭，维护好社会稳定。

第五章 宗 教

80年代后，随着国家宗教政策的贯彻实施，广陵区境内佛教、伊斯兰教、天主教、基督教以及道教均陆续恢复宗教活动。

2001年2月，区民族宗教事务局成立，与区委统战部合署办公。2002年，明确区民族宗教事务局为政府机构，与区委统战部合署办公。同年11月，成立区民族宗教工作领导小组。2011年，区民宗局和区委统战部合署办公，不再是区政府组成部门。

第一节 宗教活动

图 35-5-1 基督教节庆洗礼

广陵区佛教、道教、伊斯兰教、天主教、基督教五大宗教齐全。信佛教群众5万多人，信伊斯兰教群众2400人，信天主教群众300多人，信基督教群众3500人。宗教教职人员78人，其中佛教44人、道教1人、伊斯兰教4人、天主教2人、基督教27人。

佛教活动主要有放戒、僧尼日常修持、香期佛事以及民间佛事习俗、小型念经拜忏活动。道教活动主要是诵持，做早晚功课，摆设道场，超度亡灵，做经忏。伊斯兰教活动除日常履行五功（念功、礼功、斋功、课功、朝功）义务外，还举办开斋节、圣纪节、古尔邦节等节庆习俗。天主教活动主要是通过诵读经文、共过“主日”，每年举行耶稣复活节、神圣降临节、圣母升天节和圣诞节等庆祝或纪念活动。基督教主要是主日崇拜、祷告、查经会、唱诗班、洗礼、圣餐等教会活动和复活节、受难节、圣诞节等庆祝和纪念活动。

文峰寺经市政府批准于2001年7月对外开放，成为古运河水上游览线的一颗璀璨明珠。2006年10月，联合国副秘书长、人居署执行主任安娜·蒂贝琼卡特地到天主教堂参观朝拜圣体，盛赞扬州天主堂既古典又雅观，扬州宗教文化底蕴深厚。2009年2月，沙特阿拉伯王国驻中国大使馆参赞哈立德访问普哈丁园和仙鹤寺。中阿（10+1）高教研讨会代表、文莱中国友协大使及夫人等国外友好人士也前往凭吊访问。2009年9月，日本唐招提寺长老松浦俊海访问文峰寺。《京杭大运河》特种邮票隆重发行，文峰古塔作为重要景点设计其中。2009～2011年，区政府和扬州电视台连续3年在文峰寺举行五大洲“盛世钟鸣福传四海”祈福法会，扩大广陵区宗教文化的国际影响力。

第二节 宗教场所

1994年，由市民宗局管理的城区8个宗教场所对外开放。2007年1月，市民宗局将城区8个宗教活动场所交由广陵区管辖，实行属地化管理。2011年，全区宗教活动场所20多个，其中全国重点文物保护单位1个、省文保单位7个。

图 35-5-2 仙鹤寺

2011年广陵区部分宗教场所情况一览表

表35-5-1

教别	名称	地址	建设时间		保护等级	备注
			初建	近期重建、大修		
佛教	准提寺	盐阜东路24号	明代	2002年	省文保单位	—
	西方寺	驼岭巷18号	唐永贞元年(805)	1992年	省文保单位	—
	文峰寺	宝塔路16号	明万历十年(1582)	2002年	省文保单位	—
	旌忠寺	仁丰里旌忠巷2号	北宋咸淳年间(1265～1274)	1988年	市文保单位	—
	愿生寺	埂子街146号	民国19年(1930)	2010年	市文保单位	—
	祇陀林	引市街84号	民国8年(1919)	1978年	市文保单位	—
	长生寺	古运河东岸跃进桥东北侧	清嘉庆十六年(1811)	2002年	市文保单位	—
	紫竹观音庵	槐树脚小井巷5号	民国25年(1936)	—	市文保单位	—
	万寿寺	万寿街26号	唐代	—	市文保单位	部分寺房移建文峰寺内
	石塔寺	文昌中路	唐代	—	市文保单位	石塔、楠木楼尚存
	宝轮寺	宝塔南路5号	明代	—	市文保单位	
	普照寺(太阳宫)	运河南路77号	清代	—	市文保单位	尚存大殿
	三祝庵	东圈门街	明万历三十八年(1610)	2008年	—	—
	兴善寺	丁家湾居士巷11号	明万历年间(1573～1620)	2003年	—	—
	地藏庵	宛虹桥51号	唐代	—	—	上下3间楼房一座
	藏经院	宛虹桥53号	明代	—	—	存藏经楼一座
	香阜寺	新民路31号	清代	—	—	存500年以上古银杏树两株
	众香庵	宛虹桥37号	清代	—	—	存迷楼及庵房16间
道教	武当行宫	东关街300号	明宣德三年(1428)	2008年	省文保单位	—
	琼花观	文昌中路360号	西汉成帝元延二年(前11年)	1993年	省文保单位	—
	东岳庙	湾子街224号	明代	—	市文保单位	存山门殿、大殿、古银杏树等
	永宁宫	永宁巷23号	清代	—	市文保单位	存戏台、大殿等
	槐古道院	驼岭巷10号	唐代	—	—	存道院东院和古槐
	都天庙	宛虹桥24号	清代	—	—	存西楼、后宫楼、轩辕宫后殿、方丈室

续表 35-5-1

教别	名 称	地 址	建设时间		保护等级	备注
			初 建	近期重建、大修		
伊斯兰教	普哈丁园	解放桥东南，古运河东岸	宋德祐元年（1275）	1980 年	全国重点文物保护单位	—
	仙鹤寺	南门街 111 号	宋咸淳年间（1265 ～ 1274）	1980 年	省文保单位	—
	马监巷礼拜寺	马监巷 34 号	清康熙五十三年（1714）	—	市文保单位	—
	卸甲桥礼拜寺	礼拜寺巷内	清乾隆末年	—	—	存大殿
基督教	礼拜堂	萃园路 2 号	民国 12 年（1923）	1985 年	市文保单位	—
	基督教堂（“扬州教案”旧址）	皮市街 147 ～ 149 号	清同治七年（1868）	—	市文保单位	—
	神在堂	大草巷 46 号	民国 13 年（1924）	2010 年	—	—
	圣三一堂	广陵路 218 号	清光绪三十三年（1907）	—	—	存教堂
天主教	天主堂	北河下 25 号	清同治十二年（1873）	2002 年	省文保单位	—

第三节 宗教管理

一、宗教活动场所登记

区民宗局成立后，全区宗教事务逐步实现规范化、制度化管理。2007 年，文峰寺、旌忠寺、祇陀林、兴善寺、仙鹤寺、普哈丁园、基督教堂、天主堂 8 个宗教活动场所逐一办理登记手续，颁发宗教活动场所登记证。5 月，区民宗局会同区财政局对各场所财会人员进行集中培训；制定《关于对全区宗教活动场所开展安全检查的实施方案》，会同安监、消防部门对全区 8 个宗教活动场所进行安全检查，帮助制定整改措施。为加强宗教团体队伍建设，提高其参与国家事务管理的能力，在区人大、区政协换届选举中，提名 6 名宗教界代表人士为人大代表和政协委员人选。2008 年，建立 4 本佛教和 2 本伊斯兰教宗教活动场所的基础台账，对数十位僧尼、阿訇建立个人档案。2009 ～ 2011 年，建立和完善 8 个宗教活动场所的电子档案。2009 年，为扬州市天主堂、萃园基督堂重新登记换证，为愿生禅寺进行固定处所登记。

二、模范宗教活动场所创建

图 35-5-3 全国重点文物保护单位普哈丁园

在各场所开展国家、省、市要求的“和谐寺观教堂创建”“平安宗教活动场所创建”“模范宗教活动场所创建”等系列化活动，推动各场所在爱国爱教、知法守法、团结稳定、活动有序、教风端正、管理规范、安全整洁、服务社会八大方面取得新进步。2009 年，对区佛教场所平安创建、佛教场所文明敬香等工作进行动员部署。参与、配合场所创平安、争模范、建和谐和文明敬香工作。组织学习《江苏省宗教事务条例》，深入场所检查文明敬香工作，召集民宗助理专题开会部署，张贴文明敬香通告，采取赠送三支香、用鲜花水果供奉等措施，确保场所的平安和环境的净化。2010 年，文峰寺和萃园基督教堂被国家宗教局评为国家和谐寺观教堂。

图 35-5-4 2008 年，武当行宫的道教音乐

三、依法行政

引导宗教界人士和信教群众崇尚科学，抵制境外非法宗教活动渗透。2003 年，开展宗教突出问题专项治理，对全区宗教私设聚会点及其活动情况进行调查摸底，登记造册。通过排查，做到“五个清楚”，即活动地点清楚，负责人和领头人清楚，参加活动人数清楚，活动规律清楚，政治态度清楚。对不同对象，采取引导劝散、重点教育、加强管理等措施，坚持分类处理，历时 10 个月，通过市检查组的考核验收。

2007 年，开展“阳光工程——规范事权行动”，对《国务院宗教事务条例》《中华人民共和国境内外国人宗教活动管理规定》《中华人民共和国境内外国人宗教活动管理规定实施细则》《江苏省清真食品监督保护条例》等法律法规及其执行情况进行全面、系统、深入学习和清理，清理出行政许可事项 4 项、行政处罚事项 19 项、其他行政行为 6 项。编制行政许可、行政处罚一览表和办事流程图，公布于政府网站。紧密配合“阳光工程——规范事权行动”，制定《扬州市广陵区民族宗教事务行政执法责任制度》，并配套制定《扬州市广陵区民族宗教事务行政处罚（罚款）自由裁量阶梯制度》，下发给各乡镇、街道、产业园，以规范宗教事务行政执法行为，提升办事质量和工作效率，推进依法行政。

专记：文峰寺慈善基金会

2002 年 5 月，文峰寺成立慈善功德会，设立扶贫基金，亦称慈善基金会。由文峰寺僧团成员和居士每人每月捐 10 元钱，一年捐 120 元作为慈善会员，每年收善款 1 万多元，全部用于周边社区孤寡老人、贫困家庭和失学儿童。

慈善福罐活动缘起于 2009 年 11 月，由文峰寺的居士肖楠、贾健创意发起。“慈善福罐”于每年元月开始认领，认领人每天节约一元钱作为善心捐款回报社会，满一年后，将福罐及所积善款送回功德会，再换取新的“慈善福罐”。此活动开展三年来，在扬州地区引起很大反响，日行一善，一天省一元钱存进储蓄罐，帮助一个困难家庭买一个月的米和油，或让一个失学儿童重返课堂。这样日行一善的捐款，让普通百姓参与到活动中来，不仅缓解一些社会矛盾，而且起到净化心灵作用，更能拓宽慈善资金来源，实实在在地帮助一些生活窘迫、大病无钱医治的人群和失学儿童。

图 35-5-5 2011 年，扬州文峰寺慈善基金会走进社区

文峰寺和扬州电视台紧密合作，共同宣传这一善举，从刚开始 100 多人参与，至 2011 年，已发展到 3000 多人响应参与，而且每年的 12 月 30 日功德会都举办不同规模、形式多样的慈善活动，将所有积善款用于助学、助贫、助老、助残等回报社会。随着媒体的不断宣传，参与到慈善爱心福罐活动中的人数越来越多，所集善款施于弱势群体的覆盖面越来越大。此项慈善活动仍在延续，有 50 多名义工，花费一个多月时间，走访市区所有社区，对近 700 户家庭进行调研评估，对真正需要帮助的家庭做了登记备案，努力做到把每一分善款用到实处，受助对象扩大到仪征、江都、高邮、宝应等地。

第六章 方 言

第一节 方言区域

广陵区是扬州市主城区，广陵方言是扬州方言的主要代表。扬州方言属江淮方言洪巢片，是江淮方言的重要代表，所以广陵方言即是江淮方言的重要代表。

扬州方言有广义、狭义的区别。狭义的扬州方言即一般扬州人通常所说的“扬州话”，扬州四乡的人称之为“街上话”，只限于扬州城区及与之毗连的曲江街办紧靠城区部分、文峰街办南部地区等地的方言。这种狭义的扬州方言内部没有地域性差别。

广义的扬州方言，通行于扬州城区及城区以外的40多个乡镇。由于扬州近郊及邗江区、江都区以及仪征市东部和扬州城地域相连或靠近，在历史上又长期同为江都县、甘泉县辖地，方言的语音、词汇大体一致，外地人及上述地区的人也就认为他们都是扬州方言。这样的扬州方言，除“街上话”之外，还有“山上话”（也有称“西山话”）、“洲上话”及“其他方言”。广义的扬州方言内部有地域性差别。但其差别的大小，不完全决定于距城区的远近，“洲上话”和城区的距离并不太远，而“洲上话”和城区的“街上话”有较大差别。

“山上话”在广陵辖区内不存在。“洲上话”通行于扬州城区的东南部，京杭运河以东、夹江以南至沿长江地区，即今头桥、李典、沙头等乡镇。“其他方言”通行于扬州城区以南、京杭大运河以西至沿江地区和扬州城区以东地区湾头镇、汤汪乡、杭集镇、泰安镇等乡镇。

1983年建区时，广陵区是纯城区，由城区的汶河、东关、城南、广陵4个街道组成，其方言为“街上话”。2002年1月，原郊区的湾头镇、汤汪乡、城东乡划归广陵区管辖，此时广陵区的方言，不单纯是“街上话”方言。湾头镇、汤汪乡、城东乡的方言，虽与广陵城区的方言“街上话”相近，差别不大，但有少量方言、土语略有不同之处，因此将湾头镇、汤汪乡、城东乡的方言划归为广义的扬州方言中“其他方言”区域。故广陵区的方言，不再纯是“街上话”的方言。

2008年6月，邗江区沙头镇的大众村、高桥村，中兴村的项一、项二组，霍桥社区迎春河以北区域划归广陵区汤汪乡管辖。这一地区的方言，仍属广义扬州方言中的“其他方言”区域。

2011年11月，邗江区的头桥、李典、沙头、杭集、泰安5个镇划入广陵区管辖。这5镇除泰安镇外均在扬州城区东南部，称之为北洲地区。此地原为江滩沙洲，开发较迟，居民多为外来移民，有些由于同籍聚居，还保留着原地乡音。头桥镇东南7个自然村、沙头镇的务本村等居民多为江都区张纲、大桥一带及泰兴、泰县（姜堰）移民，至今仍带有不同程度的乡音。东南部还有李典镇新坝九五桥西南一带原属丹徒县，居民多说镇江话。这一地区的扬州方言称之为“洲上话”区域。另外泰安镇北部有4个自然村（金湾、芒稻、凤凰、自在村），自古与江都区的邵伯地区往来较多，多说“邵伯话”。现今广陵区的方言大体分为4个片，即广陵城区及其毗连的曲江街办和文峰街办南部地区等为一片，为扬州方言“街上话”区域；古运河以东、京杭大运河两岸直到江边，东南到夹江为一片（中南片），为扬州方言的“其他方言”区域；北洲地区为一片（东南片），为扬州方言的“洲上话”区域；泰安镇北部4个行政村为扬州方言的“邵伯话”区域。

第二节　方言俗语选录

咄：音 duō，沸腾的状态。
处：与你相处。
趾：脚下滑动。
寸：以手试试，进行估量的意思。
合：音 gé，意为合用。
踝：音 huǎi，美美地吃。
呆：音 ái，意为不灵活。
搛：音 jiān，用筷子或火钳夹东西。
捱：音 kā，意为吃不下去硬撑。
卡：争抢。
刳：音 kuá，打的意思。
环：音 kuán，蜷缩的意思。
踊：音 tǒng，指挪动。
匡：粗略地计算。
咙：语气词，遗憾。
派：应该。
升：滚。
拴：追。
飧：音 shùn，享受地吃。
搨：写。
嗌、捣嗓子："嗌"音 yì，带有贬义地吃。
斩：好，漂亮。
怊：固执。
抓：音 zhuá，问什么事。
齁：音 hōu，太甜或太咸的食物使喉咙不舒服。
腌臜：不干净。
板扎：事物漂亮。
半世：二百五。
瘪色：很差的小角色。
波俏：精致，好看。
差窍：头脑不灵。
吃壁：碰钉子。
吃闷：碰壁。
胣鱼："胣"音 chí，刮鱼鳞，破鱼腹。
充军：到处瞎跑。
刺骨：接触冰冷的东西，让人一下受不了。
搭浆：做事糊差，不合要求。
搭腔：搭话，交谈。
搭手：开始做。
呆瓜：呆头鹅，傻瓜。
带舵：帮人说谎或圆谎。
点饥：在三餐之间，饿了少吃一点，作为正餐之间过渡。
叼肴：稀有。
笃巧：偏巧。
讹错：出错。
二鲜：楞头青。
犯嫌：做事不讨喜，事情有点棘手。
嘎来：回家。
哅丧：吵架。
该应：报应，理该如此。
古垢：指很久以来堆积在身上的污垢。
刮在：夸奖。
关饷：发工钱。
灌鼓：喝得太多。
锅上：厨房。
好佬：某方面的好手。
活德：丢人现眼。
活说：瞎说。
毁乎：倒霉。
抱整：脑子不灵活，一根筋。
假姿：装腔作势。
架势：帮忙。
尖心：认真。
见谅：请原谅，请谅解。
绞毛：纠缠、扯皮。
桀纣：不顺，倒霉。
井干：不以为然，怎么样？不屑。
嚼蛆：瞎说。
瞌晄："晄"音 chòng，困极小睡。
辣刮：厉害。
来丝：能干。
老扎：老到，有经验。
乐膛：快乐如意。
冷性：天气突然暴冷，大幅降温。
楞种：做事不计后果的人。
了戏：没办法，完了。
六鬼、陆妥：奇怪。

陆走:算了。

码住:暗暗地注意。

毛仓:祭奠逝者烧的钱。

木住:被蒙住了,搞不懂怎么回事。

木足:指做事不灵巧,反应慢。

难玩:不好伺候,难以应付。

拿乔:拿架子,摆谱。

皮脸:小孩子顽皮。

起毛:发火。

扦强:形容人霸道、强势。

跑荒:原指山林失火,这里指逃荒。

顺遂:吉利。

刷刮:做事利索。

死形:坏像样子。

塘灰:地上的浮灰。

透神:很神气。

推板:差的意思。

哇咕:心里不满。

抽千、叫魂、嚎丧:骂人,大哭大叫,太讨厌。

望呆:看热闹。

焐心:心里满意,踏实。

焐燥:气压低,闷热,人难受。

瞎糗:乱搞，做事无章法。

歇操:停止。

行阴:使坏的意思。

逸当:安稳,舒心。

作搞:小孩打架。

作拱:不安分。

作饷:某事的着落。

宝塔水:沸腾着的水。

漾人:“漾”音 yàng,油腻或粘的食物吃多了,吃不下了。

半吊子:知识不丰富、技术不熟练或做事有始无终的人。

不出趟:不大方,性格内向。

不搁显:不觉得。

不啰了:别说了。

促括痨:刻薄、阴险、爱占便宜的人。

大甩子:翻脸不认人的人。

打过门:糊过去。

捣嗓子:谑语“吃”。

多晚子:什么时候。

肥膪膪:“膪”音 dā,非常胖。

胳记头:膝盖。

刮刮叫:非常好。

寡唠唠:饥饿感强烈,食欲很好的意思。

锅边锈:羞涩,不善交际。

锅潽了:汤溢出来了。

还了得:表示惊讶。

黑黢黢:“黢”音 qū,很黑的样子。

糊恰恰:稀里糊涂。

画地图:小孩尿床。

滑铴铴、滑溜溜:“铴”音 tàng,很光滑。

活操蛋:把事情搅坏。

活流尸:到处瞎逛。

活雀子:指自由惯了的人。

叽溜子:蝉。

没得法:指做事瞎折腾。

急戗戗:着急,言语生硬。

假好呢:怎么办?

架你的:给你脸面。

结巴子:讲话不利索,口吃。

开伙仓:做饭做菜。

看斜头:“斜”音 qiā,在旁看打牌。

老妈子:成年女仆。

老油条:屡教不改的人。

里外里:反正都这样。

两就就:两边都将就一些。

搿冷信:寒流来临。

六鳖兽:怪怪的,难以相处。

六蹓油:做事糊差。

门籍子:家庭住址。

磨麻油:小孩哭,大人逗趣。

磨勚了:“勚”音 yì,磨损。

奶黄子:婴儿。

泼哧鬼:呸,呵斥的意思。

铅角子:硬币。

翘辫子:死的一种带有贬义的说法。

俏刮刮:穿着得体,很精神的样子。

觑巴眼:近视眼。

趣咯咯:自以为了不起。

雀薄嘴:不分场合,挖苦讥讽别人者。

撒脑子:尿尿。

啬巴子:吝啬,小气。

上岗子：酒席上的主座。
上烂药、下烂药：背后捣鬼，说坏话。
哨有事：快走吧，不跟你多说。
手捏子：手帕。
水铫子：烧水用的壶。
随嘴歪：随嘴瞎说。
讨债鬼、扒柴鬼子：骂孩子的话。
哇啦账：扯不清的账。
玩花头：做假。
玩六妥：让人难以捉摸。
玩意账：没什么大不了的，无所谓。
萎死了：累极了。
窝里鸡：指自己人。
洗肠子：喝的太多。
现刮现：当场兑现。
小吃括：小零食。
小九九：算计。
小老爹：长者对男孩子的昵称。
小爬爬：小板凳。
洋胰子：肥皂。
一刷水：整齐。
潮叽叽、湿汩汩、湿夸夸："汩"音 gǔ，潮湿的样子。
一牙牙、一眼眼、一嘎嘎："眼"音 yán、"嘎"音 gá，一点点。
有间较：有讲究。
咂咂味：捉弄人，寻开心。
掌掌眼：留意、参谋的意思。
纸骨子：硬板纸。
撞见了：碰到了。
撞木钟：木钟不响，喻白跑一趟。
做拦停：劝解。
八更八点：时间拖得再长，也要把事情做完。
抱死柱子：不会随机应变。
波斯献宝：把普通的东西当宝贝来炫耀。
不得说项：没什么大不了的。
蹭前伺后：前前后后地跟着等待伺候。
出奇出格：超出常规，与其他人不一样。
打退堂鼓：想做的事因困难而不想做了。
大匡其目：粗略统计。
大仔鹅子：大呆子。
得法不觉："觉"音 gà，意为身在福中不知福。
的的刮刮：的确。
东厨西厢：扬州老宅的布局。
抖抖嗡子：空竹。
多事好勤：过度热情做某项事。
多晚子了：什么时侯了。
饭碗票子：指从事的工作。
格格铮铮：穿着整洁。
公鸡头子：指十几岁的小男孩。
估打木猜：连估带猜的意思。
孤拐子在：脚腕。
姑老搭子：比喻乱七八糟的关系。
鬼六三枪：指人还有点小本事。
喊二驿子：指跟在后面虚张声势。
夯不啷当：全部。
黑漆马乌：黑乎乎的。
横七竖八：不整齐。
胡大热说："热"音 yī，胡说八道。
糊里不塗：糊涂。
花了下子：即"一转眼"，片刻功夫。
花钱消灾：用钱消除难题。
鸡噪鬼喊：乱喊乱叫。
不得过身：不得过的意思。
假马六鬼、假马六且：装模作样。
酒少话多：不停地乱说话。
耇头耇脑：长寿的模样。
雷打霍闪：雷雨天气。
离鼓离调：指专门唱反调。
离汤离水：粥、汤很稀。
礼礼道道：很有礼貌的样子。
撩骚豆子：喜欢惹是生非。
六角铮铮、捉古正经：装模作样，故作姿态。
六不搭对：驴头不对马嘴，不相干，答非所问。
揭住不放："揭"音 jū，握持，喻盯住或抓住不放。
六六同同：安排得很周到的样子。
麻里木凿：做事麻木，没有分寸。
马惶鸡躁：形容六神不安。
明大明的：公开的。
摸黑雀子：摸黑，带晚。
娘娘怪怪：扭扭捏捏。
七股八杂：所有的东西。
清大早心：早晨。
穷急叽叽：急不可耐的样子。
人头马萎：疲劳没精神的样子。

神头舞鬼：调皮、顽皮的样子。

熟不拘礼：相互间很熟悉，不计较礼仪。

七老八十：年纪大；年纪不大，言行倒像老人了。

神之舞姿、姿舞神六天：目中无人，神气的样子。

无里不故：无缘无故。

稀大六缸、浮泛蹊跷：做事做人不认真。

瞎打六栽：乱碰乱撞，不得要领。

小儿寒气：出手不大方。

心定神安：安心定神。

雅密的个：注意保密，不能张扬。

吆五喝六：大声吵嚷。

一股脑儿：通通。

一撅两半：折断。

一铺狼烟：到处乱糟糟。

一塌刮子：全部，通通。

寅吃卯粮：超前消费。

一股邋遢、七股八杂、夯不啷当：全部，一股脑。

油嘴打花、斗嘴花子：口没遮拦，乱说撩人，拿别人取笑。

张机打雀：东张西望。

恣戈六斗：摆架子，做样子，装神气。

怡头六怪：不听话，不合作。

慢工出细货。

贪多嚼不烂。

心定自然凉。

三文不值二文。

骑在马上找马。

板板六十四：一本正经。

精屁股郎当：一丝不挂。

五家并一家：愁眉苦脸。

尖头巴拉希：多嘴而尖刻。

乖乖隆地冬：惊叹的口气。

屁大的功夫：很短的时间。

有点鬼马刀：有点真本领。

吱唔神六天：乱说的意思。

黑漆皮灯笼：形容不学无术的人。

到嘴不到肚：比喻吃到的东西很少。

小眼睛框子：指见识短、没见过世面的人。

扻壶篓子的：“扻”音 kuǎi，当帮手的。

挼了一身灰：“挼”音 ruó，揉搓，沾染。

眼睛靠住鼻子：离得很近。

女大十八变：女孩子长大时会有很大的变化。

把门閟起来：“閟”音 bì，闭门，插上小门栓。

瞎打六更天：夜里只分五更，打六更就是乱打了。

二大不溜的：指没正经的、混世的二流子的样子。

穷锅堂富水缸：注意家庭防火。

拎草鞋都不要：做跟班都不要。

手不停脚不住：长时间忙个不停。

嘴打锣舌打鼓：说话又多又噜苏。

碰得一鼻子灰：求人办事被顶回来。

睡不着怪床歪：查问题，找错了原因。

一个妈妈养的：两个人的缺点差不多。

急火鱼，慢火肉。

说大话，用小钱。

神仙也怕脑后风。

青菜豆腐保平安。

一脚跨两个船头。

钱到手，食到口。

饱汉不知饿汉饥。

猴子屁股坐不住。

尿泡尿，把脸照照。

一口吃不出胖子来

响水不开，开水不响。

花生不咸，越吃越馋。

前不栽桑，后不栽柳。

过了端午，不买雄黄。

人跟人好，鬼跟鬼好。

张鸡打雀，偷偷摸摸。

敲锣卖糖，各有一行。

天作有雨，人作有祸。

忽隆咚跌了个倒栽葱。

庙有一神，家有一主。

满田拣瓜，拣得眼花。

黄瓜刨不过来刨瓠子。

猪尿泡打人，不疼气人。

麻油拌小菜，各有心中爱。

三个不开口，神仙难下手。

放走偷牛的，抓住拔桩的。

在家千日好，出门事事难。

儿不嫌母丑，狗不嫌家贫。

过得了初一，过不了十五。

掀一掀，三个把子不够添。

吃的油和米，讲的情跟理。

上天言好事，下界保平安。

人在人情在，人走两分开。
吃了五谷想六谷：私欲不止。
雷声大，雨点小：光说不做。
二十五的灶老爷：迟到的人。
小牛学大牛屙屎：小人学大人。
歪嘴买牛找话说：没话找话说。
亲戚朋友不供财，供财断往来。
君子淡尝其味，小人胀死不休。
一分钱看成磨子大：舍不得花钱。
算盘珠子，不拨不动：懒而怕动。
眼睛一睁，忙到点灯：从早忙到晚。
眼睛一眨，老母鸡变鸭：变化太快。
书到用时方恨少，事非经过不知难。
这山望到那山高，到了那山没柴烧。
百日笛子千日箫，弯弓二胡拉断腰。
一个伢子三亩田：带孩子十分辛苦。
三拳打不出闷屁来：闷性子，不说话。
看得破，有得过：凡事不要过分计较。
小人闲居为不善：闲着没事不是好事。
打开天窗说亮话：讲话干脆，不掩藏。
黑心辣子炒大椒：要价高了还要高。
一个巴掌打不响：双方都有一点责任。
一下天，一下地："下"音 hà。
脚打鼓，一世苦：走路脚步不能过重。
田鸡要命蛇要饱：各自的需求不一样。
金角落，银角落，不抵家里一个穷角落。
借了一屁股邋遢的债：债多得难以收拾。
等到老妈妈过周年：做事拖的时间太长。
借你家黄豆种的：做啥说话又急又冲？
教伢子，水磨的功夫：教育孩子要有耐心。
嘴上没毛，做事不牢：年纪轻，做事不牢靠。
红肿高大，先生不怕，不红不肿，先生不懂。
为了一张嘴，苦了两条腿：为生计吃苦劳累。
牛不知力大，人不知己过：人看不到自己的缺点。
任养磨衣破，不养蹲蹲坐：顽皮的孩童比较聪明。
只见霞子大，不见自己老：霞——小伢子快读。
人倒霉，喝开水都卡牙缝：人不顺，特别容易出事。
尿泡尿，拴半天：前进中一停就落后。"追"音 shuān。
早起三光，晚起三慌：做事情要早做准备，避免慌乱。
又吃粽子又划龙船：既有得吃又有得玩，获得多方好处。
一钱逼死英雄汉：钱并非万能，但没有钱也是不行的。
七坐八爬，九个月长牙：婴儿出生后初期的成长过程。
鱼恋鱼虾恋虾，乌龟王八是亲家：物以类聚，人以群分。
谢馥春的雪花膏，搽在脸上嫩娇娇：谢馥春的雪花膏好得很。
好事都是花大姐，坏事都是癞丫头：好事归主人，坏事归别人。
有钱难买回头望：回头望望，不会丢东西，很重要。
住要好邻，行要好伴：居住、出行都要与好人为伴。
重孙有理高太公：不以年龄大小、职务高低来衡量对错。
心急吃不得热粥，骑马看不得《三国》：做事不能急躁。
七岁八岁狗都嫌，十岁还要嫌半年：幼童的顽皮是正常现象。
一代亲，二代表，三代拉的倒："的"念 di 轻声，表示亲情关系逐代疏远。
随嘴瞎孩、热说大山光、冒汪子、糊大热说："孩"，音 gāi，随嘴乱说，胡说八道。即发高烧，说胡话。

第三节　歇后语选录

矮子蹚河——越蹚越深
八仙过海——各显神通
霸王请客——不吃不行
白萝卜挑上街——药店不要开
被窝里放屁——独吞
被窝里抓屁——快手
鼻子（涕）淌到嘴头——顺事
一个巴掌拍不响——双方有责
茶壶里下汤圆子——有货倒不出
常在江边走——难保不湿（失）脚
秤不离砣——媳不离婆
吃到碗里，望到锅里——穷神
吃了五谷想六谷——心窝膛不满
吃人不吐骨头——心狠手辣
丑媳妇总要见公婆——迟早的事
出头的椽子——先烂
穿钉鞋拄拐棍——做事稳
船到湾头——自然直
窗子里吹喇叭——名声在外
床肚头养仙鹤——食好吃，头难抬
儿子打老子——天理不容
二斗五——请升（身）
二十五的灶老爷——不得窝上
二文一个黄烧饼——拣大的拿
打了丫鬟——丑了小姐
小葱拌豆腐——一清二白
大哥不说二哥——彼此差不多
大姑娘搽粉——少白（邵伯）
大姑娘坐轿子——头一回
大海里捞针——难事
大头芥搽胭脂——趣得像桃子
大腿上搓圆子——一手一脚
大眼看小眼——伙计看老板
打个巴掌揉一揉——虚情假意
呆子哭乖乖——有模有样
戴斗篷亲嘴——讹错一大截子
灯草做拐棍——撑不住
吊死鬼搽粉——死要脸
跌跟斗要抓一把泥——财迷心窍
丢掉西瓜，抓住芝麻——大处不算小处算
丢下杈把拿扫帚——闲不住
斗大的馒头——难下口
飞机上吹笛子——高调
飞机送信——高邮
粪船过河——装屎（死）
风前烛，瓦上霜——说了就了
干咸菜烧肉——骨里肥
赶鸭子上架——勉为其难
擀面杖插到鸡窝里——捣蛋
擀面杖吹火——一窍不通
高射炮打蚊子——大材小用
公鸡娶马马——兜圈子
公鸡害嗓子——不啼（提）
狗撵鸭子——呱呱叫（刮刮叫）
狗脸上栽毛——翻眼不认人
寡妇死儿子——无指望
棺材里伸手——死要钱
关公磨豆腐——人硬货不硬
郭呆帮忙——越帮越忙
裹脚布做围嘴子——臭了一圈子
孩子嘴里说的——无假话
喊一声老板——快活到晚
好事花大姐，坏事辣丫头——不公平
喝酒归喝酒，不提王四友——闲话莫说
和尚打伞——无法（发）无天
黑板上写字——擦掉重来
后心贴膏药——钱（前）心重
壶嘴打破了——乱冒
荒年饿不死手艺人——不愁饭吃
火烧眉毛——急事
猴子穿衣裳——充能（人）
黄鼠狼给鸡拜年——不安好心
黄鼠狼拖鸡——越拖越稀
皇帝的话——金口玉言
皇帝的妈妈——太后（厚）
皇帝的女儿——不愁嫁
黄泉路上无老少——白头人能送黑头人
鸡蛋里头挑骨头——找茬子

鸡子不尿尿——自有去路
姜太公钓鱼——愿者上钩
江西人补碗子——自顾自（吱咕吱）
教场里卖荸荠——削（学）出来的
叫花子打架动刀子——穷横
今日杀猪明天卖——里外里
酒端子量米——有柄（病）
锯树捉老鸦——抱整
糠箩里跳到米箩里——好了
癞猴子垫床腿——硬撑
癞猴子掉到戥盘里——自称自贵
癞猴子跳门槛——吃疙瘩
蜡烛——不点不亮
赖蛤蟆想吃天鹅肉——痴心妄想
老虎头上拍苍蝇——大胆
老鼠舐猫鼻子——危险
老鼠洞里倒拔蛇——难办
老鼠躲到风箱里——两头受气
老鼠拖秤砣——越拖越重
两个胖子拥抱——合肥
两个哑巴睡一头——不得话说
六指抓痒——加一奉承
聋子耳朵——摆设
轮船靠码头——装人（能）
萝卜田头拣瓜——拣得眼花
蚂蚁搬家——天要下雨
卖麻团跌跟斗——有多远滚多远
猫喊瘦了，鱼挂臭了——一拖再拖
茅缸里的石头——又硬又臭
茅山的菩萨——照远不照近
门缝里看人——扁了
背着米讨饭——装穷
拿别人的东西做人情——借花献佛
泥菩萨过河——自身难保
螃蟹过河——七手八脚
捧着豆子不得锅炒——不得法
屁股上插芦花——假充大公鸡
皮匠店失火——搬楦头
七月半生的——坏鬼
旗杆上挂喇叭——高调
蜻蜓吃尾巴——自吃自
热锅上的蚂蚁——鬼转
肉包打狗——有去无回
三斤半的鸭子二斤半的嘴——卖嘴
三亩田打个种——能豆子
三天不见掉两个霞子——来了拐子
三天吃六顿——发穷欢
三文钱买一个金刚脐——六角铮铮
山墙上开门——又一家
上茅缸作揖——多一礼
上鞋不用锥子——针好
邵伯湖的虾子——白芒（忙）
水缸里的菩萨——定定神
四两棉花八把弓——细弹（谈）
太岁头上动土——胆子不小
瘫巴子娶马马——坐等
挑瓦罐跌跟斗——一个好的不得
铁板上钉钉——硬碰硬
铁匠的墩子——听锤（听随）
秃头上虱子——明摆
兔子的尾巴——长不了
脱裤放屁——多事（多此一举）
驼子跌跟斗——两头不着实
瓦匠吃晚饭——望下爬
瓦窑铺失火——窑烟（谣言）
外甥打灯笼——照旧（照舅）
歪猫子卖茼蒿——后首翘
歪嘴吹喇叭——邪气十足
王妈妈照应武大郎——不怀好心
王小二下面——看人兑汤
屋梁子上的蛋——厌（燕）蛋
武大郎放风筝——起点不高
西瓜掉到油缸里——又圆又滑
戏不够——神仙凑
先进山门——为大
瞎子吃狗肉——块块好的
瞎子点灯——白费蜡
瞎子磨刀——见亮了
瞎子嘴里无假话——真言
香油调干面——做酥（输）
乡下人挑粪担子——前后都是屎（死）
巷子里头扛木头——直来直去
小狗掉到茅缸里——足住了
小鬼晒太阳——不得影子

小和尚念经——有口无心
小和尚下山——出事（寺）
小辣子坐上岗子——窜位
胸口挂钥匙——开心
熏烧摊上猪头肉——熟脸
哑巴吃黄连——有苦说不出
一个半斤，一个八两——一样的
一个针尖，一个麦芒——尖对尖
阴沟里鸭子——顾嘴不顾身
阴沟里的泥鳅——翻不了大浪
又做婊子又竖牌坊——不顾脸面
有命吃饭，没命滚蛋——听天由命
雨前生毛——不得大雨下
荤油点灯——肥肥眼
宰相肚里能撑船——气量大
占着茅缸不拉屎——占位子
张网沟（原江都张纲镇）的驴子——两头赶
丈二的和尚——摸不到头脑
丈夫有钱——妻儿贵
丈母娘看女婿——越看越欢喜
灶老爷上天——有一说一
这山看着那山高——总认为别的更好
只听楼板响，不见人下来——光答应不兑现
周瑜打黄盖——愿打愿挨
猪八戒过河——不靠嘴拱（功）
猪八戒照镜子——里外不是人
口里含冰糖——嘴甜
竹筒倒豆子——精光
祖上无亲——三代不论大小
做官把印丢掉了——昏头昏脑
坐轿跌跟头——不识抬举
做一天和尚撞一天钟——得过且过
嘴上没毛——做事不牢
嘴上抹石灰——白说
坐飞机唱歌——高调
走路拾膏药——小贴贴
走路甩鞋子——玩脚（角）
墙上挂帘子——没门
你走你的阳关道，我走我的独木桥——分道扬镳
自扫门前雪，不管他人瓦上霜——自己管好自己
出笼的鸟——远走高飞
拈着胡子过河——牵须（谦虚）

第三十六篇 街道 乡镇

要　目

1989 年，广陵区为“纯城区”设置，下辖汶河、广陵、东关、城南 4 个街道。2002 年 1 月，市政府调整广陵区行政区划，汤汪乡并入广陵区，湾头镇划归广陵区代管（10 月改代管为管辖）。2011 年，再次调整广陵区行政区划，原属邗江区的头桥镇、李典镇、沙头镇、杭集镇、泰安镇并入广陵区。至此，广陵区共辖曲江、文峰、东关、汶河 4 个街道和头桥、李典、沙头、杭集、泰安、湾头 6 个镇及汤汪乡。

广陵区人文资源丰富，文化底蕴深厚，仅东关街道就拥有市级以上文保单位 146 处。1989 ~ 2011 年，随着街道工作的深入开展，各街道先后获得众多荣誉，如曲江街道文昌花园社区被评为全国文明社区、全国和谐社区建设示范社区、全国商业示范社区；文峰街道被评为中国街道之星、全国十佳街道、全国民政工作全优乡镇（街道）、全国先进基层党组织、全国和谐社区建设示范街道；东关街道被评为扬州市争创联合国人居奖先进集体、全国和谐示范街道；汶河街道被评为全国卫生先进单位、全国青年文明社区、江苏省社区服务先进单位、省公共文化服务体系示范街道。2002 年始，街道经济工作得到较快发展。2011 年，4 个街道规模以上工业总产值（现价）28.98 亿元，规模以上工业利税总额 2.5 亿元。商贸流通重点项目建设加快，一批有较大影响的大型商业集团在各街道投资兴业，“三把刀”传统优势得到充分发挥，推动传统服务业健康发展。

1989 ~ 2011 年，各乡镇经济社会发展取得显著成绩，综合实力不断增强。2011 年，7 乡镇地区生产总值（GDP）265.64 亿元，财政收入 19.68 亿元。形成一批特色乡镇，如杭集镇为“中国牙刷之都”“中国酒店用品之都”，沙头镇为“压力机之乡”“电气线缆之乡”“绿色蔬菜之乡”，李典镇为“太阳能热水器之乡”，头桥镇为“中国医械之都”“电器之乡”“银杏之乡”等。杭集镇和湾头镇分别跻身“中国千强镇”“江苏省百家名镇”行列。沙头镇被评为全国文明镇，头桥镇和湾头镇被评为江苏省文明乡镇，李典镇、头桥镇、泰安镇和沙头镇被评为全国生态镇。湾头镇单独成篇，不在此记述。

第一章　曲江街道

曲江街道位于扬州城区东部，南与汤汪乡交界，北依古运河，与邗江区城北乡毗邻，东连广陵新城，西接广陵古城，区域优势独特。街道南北长 8.5 千米，东西宽 2.2 千米，面积 12.95 平方千米。2011 年，辖区总户数 3.6 万户 9.4 万人。规模以上工业总产值 8.98 亿元、利税 5609 万元。曲江街道办事处驻扬州市运河西路 116 号。古曲江区域历史悠久，有据可查的庵观寺庙有二三十处之多，其中以长生寺、卧佛寺、都天庙等规模较大。普哈丁墓园和清真寺是全国闻名的伊斯兰教场所，也是中国和阿拉伯地区文化交流的历史见证。

第一节　区域概况

一、建置区划

（一）政区沿革

1956 年，沙西乡并入城东乡，城东乡与城南乡合并，成立运东乡。1958 年 9 月，邗（江）扬（州）合并后，原运东乡与原属邗江县的汤汪乡、施桥乡、扬子乡合并，成立邗江人民公社。1959 年 4 月，运东乡从邗江公社中划出，与汤汪乡合并成立汤汪公社，管委会设于今渡江村境内。1963 年，邗（江）扬（州）分治，运东乡又从汤汪公社划出，成立城东人民公社，管委会设于城东路南侧。1983 年 10 月，撤销城东人民公社，设立城东乡人民政府，其驻地搬迁至江都路（今运河西路）68 号。2002 年 1 月，撤销城东乡人民政府，设广陵区曲江街道办事处。同时将原城东乡的渡江、文峰两村及联谊农副产品批发市场划归文峰街道。

（二）政区划分

2011 年，曲江街道辖施井、沙口、新民、新农、新星、太平 6 个村 61 个村民小组和东花园、二畔铺、顾庄、解放桥、沙口、沙北、沙南、施井、洼字街、五里庙、新星、跃进桥、文昌花园 13 个社区。

二、街道建设

(一)基础设施

曲江街道水陆交通便捷。京杭大运河和 328 国道贯穿辖区，扬州主干道文昌路（中段）穿过曲江腹地，江阳东路、运河西路连接广陵古城和新城。村、组水泥路四通八达。

辖区主要干道有运河南路、运河北路、运河西路、江都路、文昌中路、江都路、施井路、五台山路、太平路、解放北路、解放南路、二里桥路、观潮路，形成四纵四横交通网。

市区公交车几乎覆盖整个街道 6 个村和 13 个社区，实现村村通公交、多个社区通公交。主要公交线路有 2 路、12 路、18 路、66 路、45 路、101 路、19 路、25 路、26 路、58 路等。

境内主要桥梁有扬州运河大桥、江扬大桥、文昌大桥、五台山大桥、便益门大桥、解放桥、跃进桥、徐凝门桥、渡江桥。

境内电力专线 30 多千米。2008 年，全街道 6 个村和所有社区全部由市区自来水公司直接供水。

(二)民生城建

图 36-1-1 曲江公园

2005 年，投入资金 5700 万元，整治疏浚沙施河，两岸砌成石头护岸，建成护栏，栽种各类花木 1 万多株，疏浚长度 4.7 千米。沙施河支河老沙河疏浚长度 1.5 千米，清理污泥 4 万立方米。以后，每隔两年都疏浚一次。同时改造和新建抽水泵房、控制闸，定期抽调京杭大运河水进行换水，使沙施河变成活水河。2009 年，全线整治七里河，疏浚长度 2.2 千米，清理污泥 6 万立方米。实施护坡驳岸、污水截流。七里河支河小运河疏浚长度 2.5 千米，清理污泥 5 万立方米。通运闸定期引京杭大运河水注入七里河进行换水，改善两岸居民的居住环境。2004 年，由区政府牵头，街道配合，利用原曲江渔场水面和陆地新建曲江公园。公园位于文昌中路与运河北路交叉口，总面积 15.8 万平方米。建有前广场、园路、园林建筑、大片水面和近百种乔灌木，成为东区市民喜爱的休闲活动场所。2011 年，完成跃进、大桥 2 个农贸市场整治任务。古运新苑安置小区二期北区 8 万平方米平稳安置，二期南区工程按序时进度加快建设，四期工程开工建设。

(三)文明创建

曲江街道配合扬州市创建宜居城市、国家卫生城市、生态园林城市、森林城市等活动，积极开展各项工作。同时，街道环境、卫生、绿化等都有巨大变化。2006 年，文昌花园被省政府命名为江苏省园林式居住区。

1989 年，城东乡植树 1.5 万株，道路绿化 152 条，全乡绿化覆盖率 20%以上。1989 ～ 2001 年，城东乡花木场为全乡提供各类花木 13 万株。2005 年，重点绿化美化新建小区。2008 年，新民、新农、新星 3 个村建成省级绿化合格村。2010 年起，全面提升辖区内道路、河道绿化水平。特别是古运河风光带 5 千米走廊的绿化美化，形成树种丰富、层次分明、覆盖面广的生态美景。2011 年，新民、施井、太平 3 个村创建成省绿化示范村。

2005 年，原城东乡 8 个村 88 个村民小组全部实行垃圾袋装化。全街道投资 100 多万元，新建垃圾池 1200 多座。垃圾无公害处理率 100%。各新建小区均由物业公司配备垃圾箱，专人打扫收集。生活污水进入污水管网。街道每年都与各工商企业签订环保责任书。配合区环保局，加强企业排放监察，对排放不达标企业，及时督促整改。

至 2011 年，全街道共建公厕 18 座，所有公厕均为水冲式，并由所在单位负责，指定专人天天清扫。95%

以上农户都配套卫生间、化粪池。

第二节　经济建设

一、农业

1983年前，城东乡有耕地近40公顷，90%以上为高产稳产菜地。1989年，全乡进行蔬菜产销体制改革，由原来的蔬菜全部送国营市场销售转为全面放开。为适应蔬菜市场需求，蔬菜生产向“早、细、新、鲜”转变。坚持稳定大宗品种，发展精细品种，推广先进栽培技术，小品种和反季节蔬菜种植比例上升到56%。是年，农业产值3500万元。1994年，上市品种50多个，上市量占全区的四分之一。城东乡建有农技站，指导菜农应用先进技术，引进和培育精细品种，全年向农户供应各类种苗100多万株。各村都配备农技员，在栽植技术、防治病虫害上进行指导，深受农户欢迎。

在稳定蔬菜生产的同时，调整农业生产结构，多种经营生产得到较快发展。1992年，全乡拥有包括乡办曲江渔场在内的水产养殖基地3个，各类养猪、养禽专业大户发展到206户。1994年，出栏生猪6800头，饲养家禽34万羽，上市禽蛋300吨、鲜鱼145吨。

2011年，由于城市化进程加快，各村土地大都被征用，全年农业总产值214万元，仅为1989年的6%。同年，生猪饲养量3000头，家禽饲养量1万羽。

二、工业

1989～2002年，城东乡共有工业企业432家。2002年，工业产值7.5亿元、利润750万元。

2008年，江苏太极实业新材料有限公司落户广陵区，为市区重大项目之一，总投资16.9亿元，占地面积27公顷，拥有员工400多人。公司主营聚酯工业丝、帘子布和帆布等，产品销往外国企业，中国港、澳、台地区及国内汽车轮胎制造厂家，全年实现销售6.5亿元、利税450万元。

图36-1-2　江苏太极实业新材料有限公司生产车间

2010年，硕包科技（扬州）有限公司落户曲江创业园。公司投资4500万元，设备先进，主要生产三维立体彩色塑料印刷品，与各类化妆品精品包装厂家配套外形包装，与美国某高分子材料研究中心意向开发研制PET三维光栅片产品。

2011年，街道拥有工业规模企业9家：江苏太极实业新材料有限公司、扬州祥太客车配件有限公司、硕包科技（扬州）有限公司、扬州市泰和机械有限公司、扬州市万泰电器有限公司、扬州市亚菲涂料有限公司、扬州市吉星汽车部件有限公司、扬州市万福船舶附件制造有限公司、扬州市飞龙机械制造有限公司。主产品有帘子布、客车座椅、塑料印染、汽车及柴油机配件、变频器及电网配套产品、船舶附件等。2011年，街道工业产值29.81亿元、利润1.28亿元，合同引进外资6000万美元，企业职工人数5500人。

三、商贸服务业

1991年后，城东乡政府把第三产业作为振兴全乡经济的重要举措来抓，初步形成由单一的商、饮、服传统行业向专业批发市场发展的新业态。1994年，全乡三产营业额8.8亿元、税利200万元，被市政府命名为全市第三产业第一乡。全乡拥有8大市场，其中联谊农贸批发市场和曲江小商品批发市场位于苏北十大市场行列，罗城商场在市区十大综合商场中居前5位，东郊果品批发市场年成交额突破1亿元大关。2002年区划调整后，曲江街道商贸服务业有较快发展。2003年，曲江商圈获“江苏省商贸功能示范区”称号。1989～

图 36-1-3　曲江小商品城

2011 年，重点项目总投资 56 亿元，以运河西路、文昌中路、解放北路为界，打造商贸物流、核心商务、综合服务三大功能板块。传统市场提级升档步伐不断加快，打造双百亿级曲江市场商圈。落户曲江街道的商贸企业有大润发广陵店、苏果超市、苏宁电器罗城店、扬州人家大酒店、银河电器运河店、曲江商品城等，一个繁荣的东部商业街初步形成。2011 年，实现营业额 160 亿元，税收 1.5 亿元。

以楼宇经济为突破，围绕现有首席国际、文昌国际、大世界广场、阳光城等打造主题特色楼宇。发展总部经济、税源经济，新建运河城市广场、扬州总商会大厦、万马 1919 等高质态楼宇。2011 年，新增和整合楼宇面积 21.37 万平方米。

扬州曲江商品城是扬州地区创办最早的批发性商贸中心，扬州地区最大的生活用品集散中心。商品城占地面积 6.67 公顷，营业面积 15 万平方米，经营商户 1800 多户，固定资产近 2 亿元，日均客流量 6 万人以上。主要经营服装、布匹、家具、小百货、副食品、五金水暖、电子电器、文化用品、箱包皮具、家纺床用十个大类数十万种生活日用品，形成精品百货城、窗帘布艺城、精品服饰城、儿童用品主题商城、精品鞋包城、五金电器城六大主题经营区。2011 年，产品销售产值 92 亿元，主营业收入 2000 万元，实现利润 195 万元、利税 850 万元。扬州曲江商品城是市政府重点扶持的商贸集聚区核心企业，先后被评为省百强市场、省文明市场、省五星级文明诚信市场、全国服务业企业 500 强等。

四、招商引资

2002 年后，街道招商引资工作快速发展，年增幅 30% 以上。至 2011 年，全街道累计合同引进外资 4.22 亿美元，实际利用外资 1.8 亿美元，引进民资 59.23 亿元。中海地产、华纺置业、联发集团、天俊置业、江苏凯运等一大批品质商业住宅开发公司集中落户曲江。

第三节　社会事业

一、教育

1989 ~ 1991 年，城东乡有中学 1 所、小学 7 所、幼儿园 8 所。中小学在校学生 3000 人，适龄儿童入学率 100%，实现九年制义务教育。乡政府投入 201 万元，用于教育基础设施建设。沙口中心小学被省政府命名为模范学校，文峰村被省政府命名为成人教育先进单位。1992 年后，城市化进程加快，辖区内中小学布局发生较大变化，撤销 3 所小学，新建新星小学。2011 年，辖区内有沙口小学、解放桥小学、新星小学和东关小学东部分校 4 所小学，在校学生 1600 多人、教职员工 110 多人。幼儿园 5 所，在园幼儿 4500 人、专职老师 150 人。

二、文化体育

1989 年，乡政府建成扬州市最大的影剧院——曲江影剧院，拥有座位 1140 座。城东乡文化活动中心拥有图书室、阅览室、歌舞厅、健身房和电影、录像放映等设施。乡文化活动中心每年都自编自演文艺节目，深入村组、田头、企业演出，多次在市、区文艺会演中获奖。1996 年，城东乡文化站被省文化厅授予“一级文化站”称号。2003 年，文昌花园成立百人好邻居合唱团。2005 年，二畔铺社区成立紫荆花艺术团。2006 年，洼字街社区成立老爷子腰鼓队。同年，相继成立顾庄社区莲湘队、花棒队等 16 支艺术团队。2004 ~ 2011 年成功举办三届社区艺术节和社区邻里节。2011 年年底，全街道有社区广场 26 个、老年大学 2 所，各村都建立“农家书屋”，各社区都建有图书室和文化活动室。

1994年，省政府授予城东乡“群众体育先进乡”称号。2003年举办“爱我中华”千人会操表演。2005年起每年元旦都组织人员参加扬州市迎新年万人长跑活动。2002～2008年，街道举办三届“曲江杯”社区居民运动会。12支代表队近600名运动员参加13个项目的比赛。2011年年底，全街道共有全民健身工程点15个、室内健身房5个、晨练点28个、体育指导站30个。

三、医疗卫生

1965年成立城东医院，2007年更名为曲江街道社区卫生服务中心。2011年，中心有科室13个、病床30张、医务人员72人。全街道建立18个社区（村）卫生服务站，有医务人员38人。2004年，全面推行新型农村合作医疗制度，新型农村合作医疗保障覆盖率100%。各社区（村）卫生室实行药品零差价销售。2003年，施井村建立公共服务室。2011年，全面开展阳光计生行动，成立流动人口市场计生协会。1989年、2002年、2005年，该乡（街道）分别被市政府命名为爱国卫生先进单位和创建全国卫生城市先进集体。

四、社会生活

（一）收入与消费

1989年，全乡人均年收入3250元。随着经济发展，特别是非公有制经济发展，农民进城务工逐年增加，收入相对稳定。1992年，城东乡成为扬州市率先进入小康乡行列的乡镇之一。同年，被市政府命名为扬州市小康乡。1995年，全乡人均年收入7250元。2003年实现建成全面小康社会目标。2011年，全街道人均年收入2.98万元。街道大部分农民实现从农村融入城市的转变，不仅生存环境发生变化，消费结构也发生质的变化。交通通信、文化娱乐和生活休闲等方面的支出比重快速上升，高档轿车、高档家电、品味娱乐、出国旅游等消费迅速增加。

（二）社会保障

1989年，城东乡为五保户及生活困难户发放救济款1.5万元、慰问金4600元。2000年，乡、村福利企业安排56名残疾人就业。2002年，创办曲江老年公寓，收养托养25名老人。成立老人健康指导站、老年之家、老人舒心室等，被市政府评为老龄工作先进单位。2003年开设家政服务介绍所，安排下岗职工就业。2004年为184户家庭207人办理最低生活保障，实现再就业615人。2005年创建充分就业保障社区8个。2006年起对享有低保人员实行动态管理。2011年，街道共有低保户474户849人，其中农保56户104人。完成街道被征地农民和失地农民转保试点工作。解决有住房困难的低收入家庭1490户，其中安置经济适用房897户、实物配租房131户、政策性补贴124户、租赁补贴40户、公共租赁住房110户、经济适用房货币补贴188户。扎实推进居家养老服务工作，现有居家养老服务员8人。是年共发放尊老金110万元。

第四节　社区（村）选介

一、沙口村

沙口村地处广陵区中心地段，是一个典型的城中村。地势优越，交通便利，人口密集，商贸繁荣。全村总面积4平方千米，有耕地2.33公顷。8个村民小组，477户1480人。

沙口村有村组办各类企业7家，其中具有一定规模的市场4家，中高档浴室1家，规模工业企业1家。2011年，全村实现三产总产值29.97亿元，其中一产20万元、二产3.61亿元、三产26.36亿元。

1989～2011年，沙口村先后获评市文明单位、省人民调解工作先进集体、省计生协会先进场所、省社会治安综合治理先进集体。

二、文昌花园社区

文昌花园社区位于文昌大桥西北侧，成立于2005年8月，区域面积1.28平方千米，是目前扬州市最大的拆迁安置社区。有居民4219户1.26万人。文昌花园社区党委下设党总支1个和特色支部4个，建立党员学习中心户10户、义工队伍8支。有办公活动用房1600平方米。2008年8月成立扬州市首家社区邻里

图 36-1-4　文昌花园社区

中心。社区邻里中心、慈善超市、老年服务中心、残疾人康复室正常为居民开放；向居民发放社区温馨卡、开通居民求助电话热线、一卡通，设立雷锋信箱，实行错时服务，成立发挥不同职能的社会组织 28 个。

社区党委书记、主任郑翔和她的团队，勤奋工作，做到民思我想、民困我帮、民求我应、民需我做，全面提升社区服务水平。2008 年，社区按照居民自治要求，遇事召开听证会、协商议事会、民情恳谈会、社区成员代表大会，广泛听取居民意见，充分发挥社区自我管理、自我教育、自我服务、自我监督作用。编印《和谐文昌》简报和文昌诗词手册。社区好邻里百人合唱队、好邻里腰鼓队、好邻里扬剧清唱队等各种志愿者活动队伍，经常开展文化活动，既发挥志愿者作用，又丰富居民文化生活。2009 年 7 月，在文昌花园社区成立全国首家社区博士工作站。

2011 年，社区率先办起全市第一家社区托老所，开展社区居家养老服务，170 多名空巢老人感受到社区的关爱。进一步将居家养老延伸到半托养老和全托养老。半托养老由社区代管午饭，全托养老类似机构养老，空巢老人住进老年公寓，实行生活全护理。十大类 50 多项无偿和低偿服务涵盖老年人日常生活的方方面面，8 名持健康、上岗双证的专业服务人员 24 小时热情服务，35 家社会组织不定期开展活动。此外，定期安排理疗师、康复师、心理咨询师提供专业服务。

郑翔根据自己的实践经验，总结出 102 个字的社区工作“三字经”，即抓党建、建支部；个性化、开新路；选代表、中心户；筑堡垒、树形象。抓服务、求贴心；温馨卡、便居民；一一零、拨就灵；托老所、笑盈盈。办报纸、吐心声；评议台、是非明；义工队、万家情；艺术团、织缤纷。抓创新、闪光点；跟时代、新观念；恳谈室、解疑难；家门口、展笑颜；错时制、透心甜。“郑翔工作法”成为扬州社区干部的工作范本。2005 年后，郑翔先后被评为全国社区服务先进个人、全国绿色社区创建活动先进个人、中国“小巷总理”之星、扬州市劳动模范、江苏省十大女杰。

第二章　文峰街道

文峰街道位于广陵区西侧，东与曲江街道相邻，南与汤汪乡接壤，西、北以古运河为界，328 国道横贯东西，渡江南路纵穿南北。文峰街道办事处驻渡江南路 130 号。2011 年，辖区总面积 5.74 平方千米，总户数 1.37 万户 3.68 万人。规模以上工业总产值 7.86 亿元、利税 8719 万元。辖区内有始建于明朝万历十年(1582) 的文峰寺，唐鉴真大和尚第二、四、六次东渡，均由此进入长江。文峰街道曾先后被评为中国街道之星、全国最佳街道、全国民政工作全优乡镇（街道)、全国和谐社区建设示范街道、全国社区服务示范街道、全国城市社会工作示范街道。

第一节　区域概况

一、建置区划

（一）政区沿革

1951年7月，建立城南区人民政府。1955年5月，城南区划分为南门、康山两个街道办事处。1960年，成立城南人民公社。1968年，成立扬州市城南人民公社革命委员会。1981年4月，撤销原城南人民公社，设立城南街道办事处。2002年1月，广陵区区划调整，城南街道更名为文峰街道。原郊区城东乡文峰、渡江两村划归文峰街道管辖。

（二）政区划分

2011年，文峰街道下辖文峰村、渡江村2个行政村22个村民小组和宝塔、三里桥、八大家、连福、皮坊街、联谊路、渡江南路、连运、化工9个社区。

二、街道建设

（一）民生城建

2009年投资2000万元整治1996年以前建设、建筑面积在2万平方米以下的17个老小区，整治面积26万平方米，受益居民7594户。2010年实施宝塔农贸市场改造，完成市政府交办的为民办实事工程。2011年实施古运河沿线蒋庄、翟庄等地块改造。改造东花园河南新村、化工新村、吉运苑、文峰路7号院等老小区，同步落实物业管理，提高长效管理水平。

至2011年年底共劝止违章苗头3100多起，查处违章建筑3965起，拆除违章建筑813处3.1万平方米，区域环境得到有效提升。

（二）文明创建

全力推动创建卫生城市活动。2001年组织驻地单位462家5万多人次，投入卡车441辆次、拖拉机158辆次、板车1352辆次，共清运生活垃圾、杂草、建筑下脚等1.5万余吨。配合旅游节、艺术节等重大活动，进行环境综合整治。巩固创建成果，开展美化环境日活动，举办卫生健康知识板报联展、卫生知识专题讲座，集中开展“除四害”活动。2009年实施城市网络化管理，在渡江南路、江阳中路等6个重点路段，设立市容管理岗，定人、定岗、定奖惩长效管理，规范整治马路市场。

2011年建成全市首家小贩中心，完成通扬停车场建设，平稳实施联谊市场整体搬迁，解决群众反映强烈的老大难问题。大力开展交通劝阻、环境美化、社区整治等行动，投入人力6000多人次，发动志愿者4000多人次，入户宣传2万多户，发放创建知识问卷及宣传单1.8万份，举办大型创建文艺宣传活动12场。

第二节　经济建设

一、农业

2002年，文峰村、渡江村并入文峰街道，形成城乡联动，一、二、三产并举的新格局。文峰村背靠市区，以种花卉、扎彩灯名扬一方。村组办企业有汽车修理、化工、动力机械、水箱、油管、服装、巾被、玩具、外贸猪鬃等。1988年，被评为江苏省文明单位。

1989年，渡江村集资创办以蔬菜批发为主的联谊蔬菜批发市场。2000年升格为省级专业批发市场。2007年11月，渡江社区股份合作社成立。2010年获扬州市“十佳农民专业合作社”称号。2011年，农业产值360万元。

二、工业

1989年，街道创办扬捷照明电器有限公司及华扬蓄电池有限公司，填补广陵区三资企业空白。1995年共有企业32家，骨干企业有扬州灯泡厂、扬州低压电器厂、中山面包厂、万元糖果厂、扬州华扬蓄电池厂等。

2002年有工业企业55家，工业年产值2.9亿元、利税4263万元。

2011年，街道工业总产值8.5亿元，实现利税9680万元。科技创业园累计“孵化器”面积1.5万平方米，在孵企业9家。引进支柱产业发展急需的专业人才38人。扬州苏垦银河连杆有限公司、扬州虹扬光电有限公司为国家高新技术企业。辖区内拥有省、市企业5家：江苏扬农化工集团有限公司、江苏联环药业股份有限公司、扬州亚星客车股份有限公司、扬州柴油机有限责任公司、青岛啤酒扬州有限公司。街道拥有工业规模企业8家：扬州灯泡有限公司、扬州市文峰塔鬃刷有限公司、扬州宇海机械有限公司、扬州鑫鸣金属加工有限公司、扬州河源机械有限公司、扬州鸿轩实业有限公司、扬州市联谊制鞋有限公司、扬州民峰换热器有限公司。

扬州灯泡集团注册资金5000万元，职工680人。公司拥有国际先进的生产流水线和完善的检测设备，按ISO 9001质量管理体系生产NE系列氖灯、LED和光电配套产品。年产各种型号氖灯、荧光辉光灯及环保无铅氖灯18亿只，年销售额超亿元，60%以上产品出口。企业产品拥有欧洲CE认证、UL认证和TUV认证，并符合RoHS环保标准。

扬州市文峰塔鬃刷有限公司是具有进出口经营权的民营企业。主要出口宝塔牌猪鬃和各类刷制品，年销售额5000万元，占全国猪鬃出口总量的六分之一。2001年成功注册“宝塔”商标。

扬州鸿轩实业有限公司是中外合资民营企业，成立于1991年。2004年6月进入广陵产业园，2006年正式投产。主要产品为牙膏、牙刷、牙膏软管、口腔清洁棒等口腔清洁系列产品。公司是中国最大的牙膏生产企业之一，年产牙膏逾1亿支。公司通过ISO 9001:2008国际质量认证和ISO 14001:2004环境管理体系认证，获得美国FDA证书，通过欧盟REACH注册，产品远销世界各地。

三、商贸服务业

2002年，街道确立“主攻三产、壮大二产、调减一产”的发展新思路，各项经济指标增幅都在40%以上。2003年完成商贸服务业建设项目15个，固定资产投资3247万元。2006年，苏果连运店开业，当年营业额1000万元。2011年营业额超5000万元。先后新增老街、淮扬人家、雅侃、莫泰林酒店、御品楼酒店等规模餐饮店。2011年，新增金都会娱乐会所，辖区餐饮娱乐业逐步发展起来。

2011年，服务业快速发展，固定资产投资10.61亿元，三产市场成交额165.2亿元，商贸营业额18.7亿元。华南公司进一步做大做强，创中国驰名商标。江苏联谊农副产品批发市场跨入省级十强市场和国家百强市场行列。连运社区创成全国社区商业示范社区。街道新增综合楼宇面积15.9万平方米。培育税收百万元以上楼宇6栋，其中税收千万元楼宇1栋。文峰综合楼特色鲜明，进驻电子贸易、金融机构等24家，总注册资本7亿元，成功挂牌中国声谷·文峰电子商务园。

江苏联谊农副产品批发市场为省级龙头企业，创办于1988年，村办市场。2002年投入400万元增建家禽市场。2003年投入2500万元新建容量9000吨的冷库1座。2004年投资500万元建立瓜果批发市场。2005年搬迁、扩建瓜果批发市场，当年市场成交额30.5亿元。2005年建设主体框架三层、面积6000平方米的商住楼。2006年，市场成交额35.2亿元，成交量260万吨。2011年，市场成交额98.62亿元，成交货品360万吨。基地农产品合同订购4000公顷，带动基地农户1.8万户，辐射区域至黑龙江、内蒙古、山东、河南、河北、海南、广东等20多个省、市、自治区。江苏联谊农副产品批发市场是苏中、苏北地区最大的农副产品综合性批发市场，先后被评为省十强农副产品批发市场、文明市场、省农副产品龙头企业、全国百强农副产

图36-2-1 江苏联谊农副产品批发市场

品批发市场。

扬州朝苏冷冻食品批发市场冷库总容量2.5万吨，商铺120多个，总投资6000多万元。承担扬州70%以上冷冻农副畜产品的市场供给份额，服务周边十多个县（市），是目前苏中、苏北地区规模最大，集冷冻食品贮藏、批发、零售为一体的专业市场和农产品冷链物流主要集散地。先后被评为扬州市十大农产品批发市场、扬州市农产品批发市场示范企业、扬州市商贸服务业示范单位、江苏省放心消费先进单位、江苏省四星级文明诚信市场。2010年，被认定为扬州农业产业化龙头企业。

福运门五金交电批发市场位于渡江南路27号，建于1999年，隶属于江苏省扬州汽车运输集团公司，是扬州市最大的五金交电专业市场。经营类别包括五金电器、水暖器材、建材、装潢材料、五交化、机电设备、食品机械销售等。市场被评为三星级文明市场、交通产业集团先进单位、扬州市文明单位。

四、招商引资

2008年，街道建立招商引资考核体系，民资注册资本提前完成全年任务。2011年，合同利用外资5600万美元，实际利用外资2806万美元。完成民资注册资本12.7亿元，新发展私营企业210家、个体工商户360个，新注册亿元公司1家，新开工总投资亿元项目1个。

第三节　社会事业

一、教育

辖区内有小学、中学各1所，幼儿园3所。扬州教育学院附属中学创办于2002年。2011年，有教学班40个，学生2300多人，教职工149人。其中高级教师46人，市级学科带头人、中青年骨干、教学能手17人。扬州市文峰小学有班级12个，配套计算机房、多媒体教学室等现代化设施。大地连运、伊斯兰、东花园3所幼儿园均为江苏省优质幼儿园。立足街情，加强社区教育，打造学习型街道。建有市民文明学校8所，配有青少年活动站、老年活动站、图书室、科普馆等文化阵地。

2006年，街道建立科普志愿者数据库，共有科普志愿者300多人，开展形式多样的科普活动。2011年，邀请相关专家开展健康、法律、安全、环保等科普讲座26次。

二、文化体育

街道组建腰鼓队、秧歌队、太极扇队、健身操队、太极拳队、武术舞剑队、老年书法队等专项文体团队，在社区广场组织健身操、太极拳、舞蹈、腰鼓、扬剧义务培训。参与区政府和街道组织的各项活动。辖区各社区都开办周末剧场，为广大群众奉献丰富的文化活动。每年为迎接“中秋”“国庆”等节日，并结合文明社区、文明家庭、文明居民评比活动，举办文艺演出及纳凉晚会。

2011年，全街道共有全民健身工程点12个、晨练点11个、体育指导站10个。组织8支代表队参加区体育局举办的广播操体操会操比赛、老年人掼蛋比赛、乒乓球比赛、篮球比赛、趣味运动会、老年人健步走等活动，均取得较好成绩。

三、医疗卫生

2008年11月投入资金420万元，在扬州市家庭医疗保健服务中心的基础上，转型成立文峰街道社区卫生服务中心，有医务人员58人。其中卫技人员52人、中高级职称12人、经过全科医师和社区护士培训21人。设康复病床30张，开放床位30张，是全国示范社区

图36-2-2　文峰街道卫生服务中心慢性病跟踪服务

卫生服务中心。加快城市医保和农村合作医疗并轨，全面实施城乡大病医疗救助。开展新农合筹资、参保率100%，街道配套补助及时到位，报销管理规范，2011年，文峰街道被评为江苏省人口和计划生育先进集体。

四、社会生活

（一）社会保障

2011年，街道新增和续保低保家庭275户，发放保障金和补助金112万元，做到应保尽保。做好被征地农民转保、失地农民进保工作。是年，审核并公示695人，办理参保161人。

通过不断采集岗位信息、扩大免费技能培训、优惠政策宣传鼓励等各种方法，举办月子护理员、保育员、创业、营业员等培训班，多方位、多角度地实现再就业目标。2011年，安置下岗失业人员461人。

利用街办职介大厅和社区工作站进行宣传，在各社区发放小额担保贷款知识问答及自由职业者参加养老、医疗保险须知数百份。至2008年，共发放再就业优惠证2743本，协助办理申报小额担保贷款79人212万元，发放政府购岗人员474人岗位补贴77.98万元，社保补贴414.25万元。每年春节前，街道劳动所上门慰问辖区内下岗失业人员及被征地农民。6家社区慈善爱心超市救助困难人群1万人次。

（二）老龄工作

2011年，街道有社会化管理的退休人员9094人。其中80岁以上高龄老人423人，鳏寡孤独人员46人，特困重病人516人。

及时上门慰问，帮助报领丧葬费、一次性抚恤金、特殊病种卡、提供政策咨询和代办代理等服务。2011年春节，对特困家庭8个、重病患者184人进行上门慰问，发放慰问金4.12万元。对鳏寡孤独及特困退休人员，实行“一帮一”帮扶，对不能自理的都通过协调安排送到社会养老院，对符合低保的给予申报。开展空巢老人进社区爱心家庭养老院活动，由社区志愿者上门进行理发、量血压、打扫卫生、陪护洗澡、陪送看病等家政服务，由政府买单，让老人受益。

第四节 社区（村）选介

一、渡江村

渡江村原隶属扬州市郊区城东乡，2002年，划入广陵区文峰街道。改革开放初期，村辖面积2平方千米，有耕地200公顷。随着城市发展，大量耕地被征用。2011年，辖区面积1.2平方千米，居民454户，农业人口1095人。下辖9个村民小组和1家集体企业——江苏联谊农副产品批发市场。村党总支下设农业、工业、食品城、居委会4个党支部，党员人数103人。

1989年，村民集资创办联谊蔬菜批发市场。2000年，升格为江苏联谊农副产品批发市场，成为苏中、苏北地区最大的农副产品批发集散地，是农业部定点市场、省十强专业市场。2011年，市场营业总面积13.3公顷，有营业性用房1000多间、交易性大棚5万多平方米。进驻市场专业性批发公司30多家，固定商户600多户，季节性商户100多户，市场日客流量2万多人。市场固定资产1亿元，管理职工400多人，均为渡江村村民。渡江村享有扬州市三产第一村美誉。

2005年，渡江村被评为首批全面小康先行村。2007年10月成立扬州市第一家农民社区股份合作社，并于2010年被评为扬州市十佳农民专业合作社。2011年8月，率先在全市试点实行被征地（失地）农民养老保险制度。2011年，村民人均收入2.15万元。村行政便民服务中心，占地面积0.7公顷，建筑面积3500平方米，服务职能部门齐全。活动阵地配套，村每周四定期开展扬剧沙龙演出。村民自发组织俏夕阳腰鼓队，定期开展文化娱乐活动。2011年，渡江村被评为市和谐社区建设示范村和百强村，连续多年被评为市文明村和省文明村。

二、八大家社区

社区位于扬州老城区南部的七里河以南（俗称东花园河南），成立于2001年9月。辖区面积0.16平方千米，住户2056户5887人。

社区组织健全，工作运行规范。设有社区居民（成员）代表会议、社区协商议事委员会和社区居民委员会。社区居委会下设组织、服务、卫生、文化、环境和治安6个委员会，有43个居民小组。成立5支文体活动队。

社区有240平方米办公和服务活动用房。全民健身广场健身器材种类齐全，社务公开栏、公示栏、宣传栏整洁美观。

社区工作以党建为核心，不断增强社区自治功能，特别是群防群治创平安社区是八大家社区的工作特色。八大家社区民警、全国特级优秀人民警察陈先岩在多年社区工作实践中形成一套工作方法，被省公安厅命名为“陈先岩群众工作法”，也称“群众工作密码”。

第三章　东关街道

东关街道位于扬州老城区东北部，东、南皆濒古运河，西临小秦淮河，与汶河街道隔岸相邻，北至北城河。2011年，辖区面积3.1平方千米，下辖社区居委会12个、居民小组282个，有居民2.71万户6.89万人。东关街道办事处驻泰州路99号。

2011年，街道拥有工业规模企业3家。规模以上工业总产值8.26亿元、利税7788万元。街道商贸业营业额10.23亿元。

辖区内文博资源丰富，拥有市级以上文保单位146处（其中国家级10处、省级12处、市级124处）。2010年，东关街被文化部和国家文物局评为“中国历史文化名街”，东关历史文化旅游区为国家AAAA级旅游景区。

东关街道创建成全国文明社区示范点1个、省级文明社区1个、市级文明社区5个，先后获评全国和谐示范街道、扬州市争创联合国人居奖先进集体、扬州市安全生产先进集体。

街道创新社区“网格化”管理，建立以“人、地、物、组织和房”为核心的五大类17小类168项信息127项指标的基础信息库。2011年，东关街道获评江苏省和谐社区建设示范街道，彩衣街社区获评江苏省和谐社区建设示范社区。

图36-3-1　东关街

第一节　区域概况

一、建置区划

（一）政区沿革

民国38年（1949）2月，市政府在市区建立东关、康山、城西三个区政府。同年3月，撤区建镇，东关区改建为东关、富春、梅岭三镇。1951年9月，撤镇建区，成立城北区。1955年11月，撤销市区一级行政机构，城北区改建为扬州市人民委员会东关街办事处和便益门办事处。1958年8月，东关街办事处与便益门办事处合并为扬州市人民委员会东关办事处。1960年6月，撤销办事处，建立城市人民公社。1968年9月，成立扬州市东关人民公社革命委员会。1981年4月，撤销公社，重建扬州市人民政府东关街道办事处。1983年3月，广陵区建立，东关街道属广陵区管辖，更名为广陵区人民政府东关街道办事处。2002年9月，广陵街道与东关街道合并为东关街道。

（二）政区划分

1989年7月从石狮子巷居委会、高桥居委会、工人二村居委会划出700户2320人，建立马庄居委会。1999年8月，原有32个居委会调整为天宁门、彩衣街、薛家巷、探花巷、琼花观等28个居委会。2002年1月，花家巷、窦庄、马庄、工人第二新村等9个居委会划入维扬区管辖。2011年，东关街道辖琼花观、个园、宋都、彩衣街、东关街、皮市街、古旗亭、教场、徐凝门街、何园、新仓巷、渡江路12个社区，下设282个居民小组。

二、街道建设

（一）基础设施

交通便捷，道路纵横交织成网。东西向的干道有盐阜路、文昌路、广陵路、甘泉路、南通路，南北向的干道有国庆路、渡江路、泰州路；东西向的大街有东关街、彩衣街，南北向的大街有皮市街、徐凝门街，南北向的天宁门街、北柳巷、南柳巷、埂子街从北面的盐阜路直通南面的南通路。辖区内还有230多条小街巷呈棋盘式分布，纵横衔接，四通八达。

辖区内河道有3条。古运河辟有大王庙至徐凝门的水上游览线，两岸建有大理石护栏，种植大量花草树木，并设健身器材。小秦淮河全长1980米，贯穿老城区南北，小桥流水，绿树成荫。两岸建有大理石护栏。北城河全长2600米，两岸遍植树木，砌有一米多高的城垛，装有管状彩灯。

辖区内有大小桥梁20多座。小秦淮河上有务本桥、大东门桥、北水关桥等10多座，北城河上有联合桥、商专桥、史公祠桥等8座，古运河上有解放桥、跃进桥、柳叶桥等5座。

（二）民生城建

配合区城建局翻建改造辖区内大部分街巷，综合整治老小区环境。2007年，整治改造莲花街坊、安乐街坊。2009年，改造大草巷小区。2010年，整治北讲经墩小区。同年，对彩衣街进行全方位改造提升。2011年，改造提升广陵路、甘泉路。广陵路综合整治工程东起泰州路，西至国庆路，全长1060米，路幅宽12米，按城市二级次支路标准实施。甘泉路综合整治工程东起国庆路，西至汶河南路，全长760米，路幅宽12米，按城市二级次支路标准实施。同时，对沿街商铺进行改造，大部分建筑为青砖小瓦，并配装古色古香的花格木窗、木质铺搭门。

（三）文明创建

开展卫生突击活动。1989年4月，组织辖区内机关、学校、工厂、商店等300多家单位4000多人次，清除多处卫生死角，清运垃圾、建筑下脚40多吨。同年6月和9月，深入到各主干道、居民住宅区，组织200多家单位1.5万人次，清运垃圾、建筑下脚54吨，清除卫生死角21处，拆除违章建筑33处。1992年，全年整治街巷197条和老小区9个。1997年在创建国家卫生城工作中，固定宣传牌和宣传橱窗344块；清除卫生死角315处、垃圾杂物3000吨；整治楼梯过道、阳台4125个；整治流动摊点542次。1998年，全面整治卫生死角189处，清除乱堆乱放105处，清理乱贴乱画9430处。2002年，清除垃圾杂物800多吨，清除牛皮癣2万多条，清理流动摊点529次。

市容卫生管理。2009年前，所有小街巷的保洁工作由社区招聘保洁员进行保洁。2009年6月起，小街巷保洁工作实行市场化运作。华南物业竞标胜出，负责小街巷保洁工作。围绕重大活动及节假日，开展一系列市容环境整治行动。对文昌中路、双东街区等重点部位实行反复拉网式整治。配合广陵区城管执法分局整治街景，规范整治文昌中路、泰州路、盐阜路以及宋城名都、1912商业街区的广告店招，美化、亮化街景立面。

绿化美化环境。1989年，在窦庄、马庄和太平村一带栽种树木890株、绿篱535米，建花圃12个。1990年，绿化缸套厂到梅岭中学的200米路段，栽松柏200多株，在桑园新村建面积近200平方米的大花圃。1992年，新增绿化花架230米，增设花台花圃136个。1997年，在街巷、居民小区建立体花架250米、花台花圃168个。

2011年,开展综合整治,先后为民办实事近200件。中央电视台《焦点访谈》栏目对双东街区文明创建进行专题报道。

第二节 经济建设

一、工业

东关街道工业从居办企业起步。60年代末,琼花观居民区办起全国最早的玉雕、制鞋、针织等十多个街道工业组,并在此基础上发展创办琼花综合厂,成为市区第一家居办社会福利企业。1994年,琼花综合厂从内向型向外向型生产发展,产品进入东欧和美国市场。1995年,琼花综合厂创产值2000万元、纯利润32万元,连续30多年稳居全市居办经济产值、利润第一名。至2009年,全国各省有130多个城市的街道干部、居委会主任到该街道参观学习。

1989年,东关街道有制袋厂、服装三厂、利津玩具厂、中华鞋厂、耀华造漆厂。2002年,街道工业产值9.09亿元、利税5500万元、利润3500万元。骨干企业有扬州高德聚酯厂、扬州市建筑基础安装公司、保来得粉末冶金公司、意得公司、嘉和散热器公司、新扬公司、绿叶公司、动易公司等。2006年,街道共有工业企业19家。2011年,街道拥有工业规模企业3家:扬州动易运动用品有限公司、江苏嘉和热系统股份有限公司、扬州新扬开关有限公司。全街办完成规模以上工业总产值8.26亿元、利税7788万元。

二、商贸服务业

着眼于古城品质提升,精心培育打造双东历史文化街区、康山文化园1912特色街区、教场商贸民俗文化街区。双东历史文化街区成功引进多家百年老店落户,壶园、李长乐故居、华氏园、逸圃等成为发展会馆经济新的增长点。康山文化园1912特色街区是扬州时尚休闲商业区,是最时尚、最有品位的餐饮、娱乐、休闲聚集地。大型商场银河电子城、茂业百货、世纪联华超市以及富春茶社、共和春饺面店、大麒麟阁茶食店、谢馥春香粉店、扬州浴室、三和四美酱菜店等老字号商店生意火爆。东关街上的玉器、漆器、扬州剪纸等传统工艺品深受中外游客青睐。甘泉路、广陵路、盐阜路等商业街经营各有特色,俱成规模。甘泉路以小服装店为经营特色。广陵路以饮食店较为著名。盐阜路是工艺、文化商品特色街,有民间收藏品市场、文物商店、古籍书店、漆器商场及经营笔墨纸砚、字画、玉器、木雕的多家专业商店。

2006年后,楼宇经济、民居客栈及会馆经济渐成规模。东关街道月光经济旗舰店有扬州康山园经营管理有限公司(卢氏盐商宅第)、个园国际青年旅舍等。月光经济放心消费示范店有共和春(甘泉路店)、锦春大酒店、皮包水餐馆等。月光经济集聚区有1912街区。东关街道特色楼宇有东关科技孵化园、东关美食广场、个园花局里和扬州经典商务广场。民居客栈有七夕客栈、东关客栈、同福客栈、荣生客栈、个园青年旅舍、运河国际青年旅舍、长乐客栈、街南书屋等。按照“一馆一特色、一馆一功能、馆馆有味道、馆馆大不同”的观念,加强引导会馆产业,新建会馆34家。举办首届中国扬州明清古城会馆产业推介会。

1989年,商业营业额2440万元,利税70.39万元。1997年,街道商业营业额4500万元,利税56.01万元;民办经济产值1.72亿元,利税1727万元。2000年,商业营业额1.25亿元,民营经济营业额9000万元,利税390万元。2011年,东关街道商贸服务业实现营业额10.23亿元。

三、招商引资

2008年,街道实现合同利用外资2539万美元,实际利用外资802万美元,实现民资注册6.68亿元。2009年,实现合同利用外资5235万美元,实际利用外资1010万美元,民资注册6.8亿元。2010年,街道突出科技招商,昌和生物成功落户。在全市率先引进中组部“千人计划”首批获得者俞昌博士等高层次领军人才4人。是年,民资注册资本9亿元,合同利用外资2885万美元,实际利用外资1310万美元。2010年,完成高新产品产值增幅40%,新产品开发8个,新增省级高新技术产品4个、省级研发机构1家、省级以上品牌1个。嘉和公司成立博士后工作站企业分站,并获“江苏省创新型企业”称号。2011年,合同利用外资3639万美元,实际利用外资1502万美元,实现民资注册14.88亿元。全年新增高新技术产品3个、省级以上资金扶持项目6个、产学研合作签约3个。

第三节 社会事业

一、教育

辖区内教育资源丰富，幼儿园、小学、中学俱全。幼儿园和小学属区教育局管理，中学属市教育局管理，盐阜路东首原扬州大学商学院现改为扬州大学继续教育学院。居民成人教育由街办宣传科管理。

（一）幼儿园

辖区内原有琼花幼儿园、广储幼儿园、五三幼儿园、广陵小学幼儿园，因生源不足等原因先后停办。2011年有市商业职工幼儿园和市机关第一幼儿园。市商业职工幼儿园创办于1952年，拥有设施配套、功能齐全的各种教学、生活、游戏和各类现代化教育设备。1997年3月被评为江苏省示范性实验幼儿园，成为扬州市首批省示范性实验幼儿园，先后被评为江苏省优质幼儿园、江苏省文明单位、江苏省教育科研先进集体、江苏省优秀家长学校、江苏省群众体育先进集体、教育部《科学——做中学》江苏省课题实验基地、二十一世纪中国学校体育发展研究优秀实验学校。市机关第一幼儿园创办于1954年。2011年，有21个班级、700多名幼儿。该园树立“一切为了孩子”理念，秉承“爱、勤、精、新”的优良园风，坚持“陶冶幼儿情操，磨练幼儿意志”的育人宗旨，形成“幼儿园规范十特色、幼儿合格十特长”的发展目标，是省百所名园之一，也是扬州市唯一的幼儿科普教育基地。

（二）小学

辖区内原有艺蕾小学、泰州路小学、跃进桥小学、江都路小学、仓巷小学，因布局调整，先后停办。北柳巷小学并入汶河小学。2011年，有东关小学和广陵小学。东关小学建于清光绪二十八年（1902）。现有教学楼4座，有图书室、音乐室、书法室、自然实验室、练功房、电脑房、总控室、科技陈列室等各类活动室，并开通校园网。校园内铺设篮球场、塑胶跑道，新增现代化健身器材。现有班级59个，专职教师136人。1995年，学校被命名为扬州市实验学校，承担起英语、书法、科技等学科的教学研究工作。1996年，学校被命名为省科技教育特色学校。1999年，学校被命名为省写字特色学校。学校相继开发写字校本教材、德育校本教材、数学生活化校本教材、信息技术校本课程、礼育校本教材。2008年，学校被评为扬州市教科研最佳样板学校。学校还先后被评为市级文明单位、国家重点实验课题实验学校、全国双有教育先进集体、全国创优红旗大队。

广陵小学创办于清光绪三十二年（1906）。学校拥有电脑室、图书室、电子备课室、科学实验室、多媒体大教室等。广陵小学素有“冠军摇篮”美誉，先后向国家队、省队输送优秀运动员20多人。学校先后被评为全国红旗大队、省雏鹰红旗大队、省双拥先进单位、市文明单位、市素质教育先进学校、市现代化示范学校和市现代教育技术实验学校。

（三）中学

辖区内有扬州市第一中学和田家炳实验中学两所中学。扬州市第一中学于1952年建校，是扬州市区规模较大的完全中学之一，被评为江苏省三星级高中。学校有高级教师61人、中级教师42人。学校逐步形成宏志教育和艺术教育两大办学特色，特别是宏志教育已经成为市集群教育帮扶的一个品牌。学校先后被评为全国师德建设先进集体、全国宏志教育研究中心校、省德育先进学校、省艺术教育特色学校、市文明单位和市教科研样本校。

市田家炳实验中学是省示范初中，拥有高中级职称教师67.5%。学校不断改革创新，实施新的教学模式：小班教学，让每个学生得到最多的关爱；分层教学，让每个学生得到最大的发展；实验教学，让每个学生得到最好的成长。学校始终保持100%的毕业率、100%的升学率。实验班学生的中考成绩100%超过重点高中录取分数线，位于市直同类中学前列。学校先后被评为省依法治校示范校、省平安校园、省环境教育先进单位、省青少年科技教育特色学校、市和谐校园、市教育科研样本校。

（四）社区成人教育

街道成立社会教育中心，各社区有社区党校和市民学校。社区党校定期对党员和积极分子进行培训。各社区的市民学校，开展多种内容的教育活动。面向全体居民，开办法治和道德讲堂；面向老年居民，举办健康讲座，普及卫生保健知识，倡导文明健康的科学生活方式；面向适龄妇女，举办优生优育讲座；面向下岗职工举办技能培训班，为他们实现再就业创造条件。

二、文化体育

（一）文化

东关街道现有文化站1个、多功能文化活动室3间；社区文化活动室10处，分布于各社区；另有晨练点、广场舞点10多处。

2006年，市少儿图书馆在琼花观社区建分馆。东关街道成立和谐之声艺术团、越剧表演队、清曲表演队。各社区共有文艺队30支，常年参加文艺活动的超过800人，活动项目有太极拳、风筝、健身球、柔力球、军鼓、腰鼓、秧歌、广场舞、扬剧等。

各文艺队的艺术表演水平不断提高，在市区重大活动中频频亮相。琼花观社区编演的情景剧《文化里的新生活》随市政府代表团进京展示，并走出国门。东关街社区编演的喜迎奥运节目在中央电视台《新闻联播》节目中出镜。2008年元宵节，区文化局、东关街道、市曲艺团联合主办“双东书场”。同年3月，为迎接“4·18”，东关街社区文艺队创作说唱舞蹈《逛双东》，引起省、市媒体高度关注，应邀参加第六届中国无锡国际老年人文化旅游节才艺大赛，获优胜奖。2009年，街道组织88人的合唱团参加广陵区“祖国颂，广陵潮”歌咏大会。个园社区、宋都社区、东关街社区、皮市街社区等举办多场文艺晚会。9月8日，由中央宣传部、中央文明办主办，市委、市政府承办的《激情广场》“我们的节日——中秋篇主题歌会”在琼花观社区三祝庵邻里中心现场表演录制节目。2011年，建成街道综合文化活动中心。另外，辖区内有扬州剪纸博物馆、马可·波罗纪念馆、东门遗址公园、运河文化公园、扬州中医馆等诸多文化景点，文化蕴涵丰富。东关街道被评为省群众文化先进街道。

（二）体育

辖区内有健身路径8套，设乒乓球室10个、篮球架2副、晨练广场11个。体育活动队有15个，常年参加体育活动的居民近千人。古运河边绿树成荫，环境优雅。居民步行10分钟内便可到达体育活动场地进行体育活动。个园北门的晨练点，每天都有40多人打太极拳、跳健身舞。每个社区每年至少组织居民趣味运动会2次。1990年，探花社区张本友被授予江苏省和全国“老年体育先进工作者”称号。2008年，扬州市举办第二届社区运动会，东关街道代表队在拔河比赛中获得第一名。2010年，共有500多人次代表街道各社区参加“幸福广陵、活力社区”全民健身系列活动，教场社区、宋都社区分别在乒乓球、拔河比赛中夺冠。街道代表队先后在广陵区太极拳展示交流赛中获一等奖，在区乒乓球团体赛中获二等奖，在区老年乒乓球赛中获女子单打第三名。

三、医疗卫生

辖区内有扬州市第一人民医院和扬州市妇幼保健院。扬州市第一人民医院是一所集医疗、教学、科研、急救、预防、康复为一体的综合性三级甲等医院。医院拥有开放病区38个、床位1600张，临床医技科室50个。医院先后被评为全国精神文明建设工作先进单位、全国文明单位。

扬州市妇幼保健院建于1951年，是一所集保健、医疗、教学、科研、社区服务于一体的三级甲等妇幼保健机构。2011年，有医务人员741人，其中高级专业技术人员109人。医院产科被评为全国巾帼文明岗，医院先后被评为省文明单位、省卫生工作先进集体、省价格诚信单位、市用户满意服务明星单位。

2008年11月，东关街道社区卫生服务中心成立。中心有医务员工48人（在编24人，编外24人）。设全科医疗诊室、中医科、康复室、口腔科、妇科、急诊（抢救）室等16个科室和康复病区1个（21张床位）。中心以基本医疗和公共卫生服务为主，对辖区居民实行免费建立健康档案、慢病管理、健康体检、健康知识宣传、儿童免疫接种、妇女儿童保健等多项服务。

琼花观社区门诊部位于文昌中路346号。有医务人员20多人。设全科医疗、妇科及计划生育指导咨询、中医科、口腔科、化验及医学影像检查等多个科室，服务于琼花观社区及周边群众。辖区内还有城中卫生院、彩衣街卫生室、盐阜路市级机关门诊室，方便附近患者就诊。

1989年，街道成立计划生育协会，各基层单位共建立计生领导小组35个，明确专兼职干部51人，落实计划生育信息员288人。街道实现人口信息常态化、长效化管理。规范药具管理，做好服务工作。1997年、1999年，东关街道被评为广陵区计划生育工作先进单位。2009年，在广陵区首届人口计生宣传品展评中获得一等奖。2010年，被评为市新型文化建设先进单位。2011年，在广陵区"贝因美"杯幸福广陵人"孕妈咪"人口计生知识竞赛中获一等奖。同年，被评为广陵区"十一五"人口和计划生育先进集体。

四、社会生活

（一）收入与消费

1989～2000年，由于企业改制，部分企业职工提前退休或下岗，居民家庭收入普遍较低。2001年后，随着人们就业观念不断更新，下岗职工或进入私营企业重新就业，或自主创业，居民收入逐年提高。2008年、2009年、2011年，居民家庭年人均可支配收入分别为1.74万元、1.94万元、2.48万元。2011年，在岗职工年平均工资收入4.44万元，比上年增长11.9%。

1989年、2001年、2011年，居民家庭年人均生活支出分别为1500元、2400元、1.5万元。2000年后，购置商品房成为居民的大额消费。汽车进入寻常百姓家，旅游消费逐渐成为时尚，居民家庭从温饱型消费过渡到精致型消费。

（二）居住条件

1989年，辖区内大部分居民居住的是老旧民房，不少居民是三代或两代人蜗居。随着居民收入的增加，不少居民购买商品房或翻建老旧住房。至2011年，75%以上的老房子，都进行翻建或修缮，大多有独立的厨房、卫生间，装有太阳能热水器或煤气、电热水器。大部分居民都用上天然气或液化气，烧煤炉的已基本绝迹。还有不少居民受益于拆迁安置和保障性住房优惠政策，搬出老城区，住进新房。

（三）社会保障

进一步完善社会保障体系，促进就业再就业工作，试行失业人员分类管理，动态消除"零就业"家庭，保持全街道就业局势总体稳定。

2002年，安置下岗失业人员再就业209人。2003年，开发就业岗位1043个，安置下岗失业人员再就业1032人，接纳企业退休职工进社区6200多人，为600多户困难家庭办理申购定销房。2004年，为下岗失业人员提供就业岗位652个，接纳企业退休职工进社区2600人，为570多户困难家庭办理申购定销房。2005年，开发再就业岗位775个，安排再就业600多人次，全年接纳企业退休职工进社区1656人。2006年，提供就业岗位800个，接纳企业退休职工进社区960人。2011年，累计为退休人员办理换发市民卡1万多人次，新接纳企业退休人员进社区584人，挖掘就业岗位1744个，安排下岗失业人员再就业293人次，推介创业项目7个，办理下岗失业人员享受政府社保补贴607人，办理城镇居民医疗保险1551人，申请办理低收入家庭保障房510户。

全面落实低保标准的自然增长机制，坚持动态管理，推行分类施保，切实做到应保尽保。2001年1月，城乡低保标准提高到340元/月。对低保家庭中的残疾人本人，每月增发低保标准的20%；重病、残疾、少数民族、孤寡等家庭的分类施保工作得到全面落实。2002年，为595户1290人办理低保待遇手续，帮扶临时困难户231户。2003年，向620户低保户1306人发放低保金，为423户三无孤老、独居老人、重点优抚对象落实帮扶措施。2004年，向638户低保户发放低保金，为429户三无孤老、独居老人落实帮扶措施。2006年，向676户低保户发放低保金。2011年，救助低保对象639户1027人，发放救助金408万元。实施大病救助59人次，新增居家养老服务对象60人。

2009年8月，街道公开向社会招聘社区残疾人专职委员13人，12个社区建立残疾人协会组织。2009～2011年，分别在琼花观、宋都、古旗亭、渡江路、皮市街社区建成康复室。2011年，在福寿公寓建立东关街道残疾人托养服务站，为20名残疾人提供日托服务。节日期间，街道残联和社区开展各项主题活动，丰富残疾人精神文化生活。春节期间，对低保残疾人家庭和低保边缘的困难残疾人家庭进行走访慰问。

1989年，完成街道辖区内老年人口调查登记工作，以一人一表形式建立档案。街道离退休老人7890人，占总人口的11%；60周岁以上老人5984人，占总人口数的8.2%。街道扎实开展老年人生活救助、法律援助和各类老年人文化体育活动。及时办理老年人优待证，按时发放百岁老人长寿金、90岁以上老人尊老金、70岁以上“三无”老人生活补贴。基本搭建“政府买单、市场运作、专业队伍和志愿者参与”的服务模式，为老人提供日间照料、家政、康复护理和精神慰藉等多样化服务。各社区居家养老服务站全部通过省老龄委组织的检查验收。至2011年，东关街道有居家养老服务员9人，服务对象128人。

第四节 社区选介

一、个园社区

个园社区位于扬州老城区北部，东自马总门2-17号，西至国庆路，南自东关街，北至盐阜路。面积0.3平方千米，居民3286户8166人。

个园社区有丰厚的历史文化底蕴，又有丰硕的现代文明成果。这里有中国四大名园之一——个园，有明代的文物古迹准提寺和武当行宫。社区在全省率先建立健康俱乐部，先后被中央文明办、省、市评为全国创建文明城市示范点、江苏省文明社区、扬州市文明社区，被区委、区政府命名为红旗党支部、和谐示范社区、社区建设示范社区。

随着经济社会的发展，社区面貌发生很大变化，传统色彩明显，现代气息浓郁。近年来，个园社区党总支充分利用地处扬州古城区、文化资源丰富、人文环境独特的优势，把廉政文化培育成社区主流文化，精心打造廉政文化特色社区，在社区廉政文化建设与社区精神文明建设、和谐社区创建的结合上进行有益的探索和实践，取得明显成效，被省纪委等九部门联合授予“江苏省廉政文化建设示范点”称号，被市纪委评为扬州市十佳廉政文化示范点。区纪委、市民政部门分别在个园社区召开全区和全市廉政文化进社区现场会，推广个园社区的先进经验和做法。苏州、无锡、常州、淮安及安徽铜陵、浙江衢州等省内外多个市、县纪检系统和民政部门组织人员来此观摩学习。《中国纪检监察报》、中央人民广播电台等多家媒体进行专题报道。

社区党总支深刻把握新形势下加强社区建设的新要求，先后建立党员联络站、志愿者服务团队和两个教育基地，不断创新社区党建工作格局、工作理念和工作机制，构建组织和谐、文化和谐、利益和谐、人际和谐、环境和谐的新型社区。

二、琼花观社区

琼花观社区位于扬州双东历史文化街区，人文资源丰富，文化内涵深厚，有琼花观、东关古渡、双瓮城遗址、汪氏小苑等文物古迹，2011年有居民住户3006户8721人。

2010年始，社区发扬优良传统，走出一条具有自身特色的社区建设之路。社区坚持以党组织为核心，探索以“名街名巷名景点”为载体的党建工作机制，其宗旨是解读名城文化，展示名街风采，提升名巷服务。健全社区自治管理机制，以服务居民为根本，各项工作都走在全市乃至全省前列。

图36-3-2 琼花观社区元宵节联谊活动

创新社区管理，建立网格化网络信息管理平台。社区建立慈善超市、居家养老服务站、托老所、阳光学堂、少儿图书馆、成人图书馆、校外教育辅导站、医疗门诊部、严风画室、社会工作发展中心等。创办托老所，实现“6个老有”(老有所养、老有所医、老有所学、老有所教、老有所乐、老有所为），辐射周边7个社区，覆盖3000多户家庭5000多人。托老所提供代洗衣物、老年人就餐、理发、修脚、老年助医、康复保健等服务，为社区三无孤寡老人免费提供助餐，开展健康讲座、书场、老年讲堂、书画、棋牌等各类娱乐休闲活动。开展社区志愿者服务和文化队伍建设，进行特色文化家庭评选、元宵灯会、社区文艺节、邻里节、周末剧场等群众性活动，丰富居民文化生活，提高居民文明素养。

琼花观社区先后被评为全国文明社区示范点、省文明社区、省优秀基层党组织。

第四章 汶河街道

汶河街道位于广陵区西部。辖区范围东界起自小秦淮河，与东关街道相望，西至二道河，北临护城河，南濒古运河，与文峰街道相邻。辖区总面积2.52平方千米。下辖11个社区居委会、256个居民小组。共有居民18262户49780人。汶河街道办事处驻文昌中路仁丰里89号。

2000年后，汶河街道经济发展较快。2011年，规模以上工业总产值3.88亿元、利税2901万元，自营出口额超1250万元，街道商贸营业额38.75亿元。

辖区经济繁荣，交通发达，环境优美，文化底蕴深厚。拥有扬州第一商圈——文昌商圈。辖区内有金鹰国际、万家福商城、时代购物广场、食为天酒楼、百姓人家餐饮等商贸、餐饮名店。汶河路、文昌中路名、特、优、新品牌专卖店与四望亭美食街肆各具特色。扬州八怪纪念馆、仙鹤寺、旌忠寺、宋大城西门遗址、阮家祠堂等名胜古迹，扬大医学院、扬州中学、扬大附中、育才小学、汶河小学等名校都在辖区内。

汶河街道先后获"全国卫生先进单位""全国青年文明社区""江苏省群众文化先进街道""江苏省群众体育先进街道""江苏省社区服务先进单位""江苏省公共文化服务体系示范街道"等称号。

第一节 区域概况

一、建置区划

（一）政区沿革

民国38年（1949）1月，扬州解放。2月，设城西区人民政府。3月，撤区建镇，改设禾稼、砚池、务本3个镇。1949年11月，撤销砚池镇。1951年9月，撤镇建区，复设城西区人民政府。1955年11月，撤区建院大街、甘泉路办事处。1958年8月，院大街、甘泉路两街道办事处合并为甘泉路办事处。1960年6月，撤销甘泉路办事处改设文昌人民公社。由于汶河路贯穿辖区南北，1963年7月，改名汶河人民公社。1968年11月，成立汶河人民公社革命委员会。1981年4月，撤销汶河人民公社改设汶河街道办事处。1983年，成立广陵区，汶河街道办事处隶属广陵区。

（二）政区划分

1985年，辖区共有居委会27个、居民小组401个。1996年，街道辖居委会46个、居民小组659个。2002年，25个居委会分别划入维扬区双桥街道和梅岭街道及市经济开发区扬子津街道。经重新合并调整，2011年，街道辖荷花池、小码头、南门街、龙头关、常府、旌忠寺、皇宫、四望亭、石塔、通泗、树人苑11个社区。

二、街道建设

（一）基础设施

汶河街道交通便捷，市区主干道文昌中路、江阳路穿越街道东西，汶河路贯穿街道南北，甘泉路、仁丰里一纵一横彰显历史风貌。辖区内还有中小街、南小街、北小街、参府街、毓贤街、南门街、南门外大街等一些很有名气的大街以及曹李巷、常府巷、粉妆巷、史巷等古巷80多条。

辖区内河道较多，有古运河、小秦淮河、二道沟、北城河及连接保障河的二道河，河道两岸均建有大理石护栏、亲水平台，植有花草树木，风光优美。

辖区内老桥很多，仅小秦淮河上就有龙头关桥、如意桥、兴隆桥、小东门桥、公园桥等10多座，最大最有特色的是古运河上“开合式”的通扬桥。现该桥已改为钢混结构T型梁桥，桥长155米，宽23.5米，可载重20吨，是扬州市区重要桥梁之一。

(二)民生城建

1988年，修建老街巷（路面）14条，新建公厕15座，新建旌忠、粉妆、萃园3处绿化带1500平方米。在旌忠、通泗等老街巷建过街花架，增加草坪面积4200平方米。1996年，在部分小区种花、木藤5000多株，植草皮2800平方米。2004年，翻建老城区街巷17条，新建垃圾板房8座。2008年，改造集贤三村、中小街小区，完成淮海路墙面立体改造。2011年翻新、改造、出新老街巷10条。重新整治甘泉路，所有管线下地，门面房进行立面改造，改成仿古样式门窗。同年，完成辖区内所有老街巷翻建工作。

三、文明创建

1989年，街道市容卫生管理采取日常管理与集中整治相结合的方式，在辖区单位落实门前三包，后来改门前四包责任制。1990年，为适应创建工作，把驻地单位编成6个卫生联队，在居民区成立群众“四护小组”244个，开展卫生群防群治活动。1992年，街道与428家单位签订门前四包责任书，与56家驻地单位签订综合治理承包责任书，签约率95%。1993年，大搞城市绿化，街道新增绿化面积4.2万平方米。1994年，整治市容市貌，与沿街的850家单位签订门前四包责任书，签约率100%。新增绿化面积2000平方米。2004年，对141条街巷实施卫生保洁长效管理。2007年，实行城管数字化管理。2011年，实施街巷市场化保洁。2001年、2003年，汶河街道被评为省爱国卫生先进单位。2003年，被评为市创建全国文明城市先进单位、区防治“非典”先进单位。2004年，被评为区城市环境综合治理先进单位。

第二节　经济建设

一、工业

(一)街道工业

1989～2011年，街道工业经济发展经历三个阶段。

初创阶段　1989年，全街道有工业企业6家，年产值650.36万元、利润34.89万元，职工近2000人。主要生产低压铸造件、打包机、打包带、聚氯乙烯塑料管等日用加工型产品。1992年，随着企业不断发展，第三轻工机械厂在开发区龙衣庵征用土地1.5公顷，改建、新建5000平方米厂房。塑料十厂通过土地置换，新建2000平方米的标准厂房。友谊彩印厂迁址凤凰桥外街，新建厂房2000多平方米。随后，气雾剂厂、兽药厂相继进行企业外迁和新建厂房，汶河工业发展到一个高峰期。

改制阶段　1996年后，街道加大企业改制力度，采用转租办法，将企业改制成民营企业和股份制有限公司。为广大职工办理养老保险和医疗保险，对长期停产企业采取人员分流和劝其下岗办法。2005年，所有企业改制工作基本结束。

工业经济复苏和新的发展阶段　2003年，汶河工业经济呈现强劲增长态势，实现跨越式发展。新引进凯思特、润雨橡塑、佳杰制衣等企业，销售指标节节攀升，有的还跻身到全区规模企业行列。

(二)居办经济

1988年，有服务网点65个，安排社会无业人员5000多人，年营业额1008万元、利润47万元。

1993年，居办经济经过几年发展，年营业额2200万元、利税70万元。1995年，绝大部分居委会都实现年利润3万元目标，邵庄居委会年利润超5万元。1996年后，有一批私营企业挂靠居委会，成为居办经济新的增长点，使当年营业额飙升到1074万元，其中利润10万元的居委会1个，5万元的居委会4个，1万元的居委会25个。

1998 年，各居委会根据区工商部门要求，开始清理挂靠企业。2003 年，基本清理完毕，居办经济就此退出。

二、商贸服务

汶河街道商业通过大办便民服务网点而迅速发展。1988 年，拥有营业用房 5000 平方米，主要经营形式是批发销售、面点饮食、产品加工（商办工业）、修理服务四大类。

1989 年，商业营业额 2150 万元、利润 80 万元。涌现出一批上规模的骨干企业。是年开始试行股份合作制、租赁制。1993 年，商贸业营业额 9954.77 万元、税金 228.27 万元、利润 490.39 万元。2000 年，开始出现文昌商圈、文昌百汇、东方商品城等一批商品集散地和金鹰、万家福、时代广场等一批旗舰式大型商贸企业。打造形成甘泉路服装鞋帽街、四望亭路餐饮美食街、文昌中路时尚精品街、荷花池商贸街区、文昌百汇毓贤街区等特色商贸街区。石塔农贸市场是集农副产品、家禽、肉食、水产、副食品、食品加工为一体的综合农贸市场。至 2011 年，汶河街道共引进商贸企业 500 多家，整合楼宇 7.58 万平方米，引进中介机构 23 个，完成总投资 1 亿元以上服务业重点项目 2 个。2011 年营业额 38.75 亿元。

三、招商引资

为切实加强招商引资工作，街道制定相关政策和措施。至 2007 年，汶河工业经济共引进民资注册资本 4.7 亿元，其中超 4000 万元以上项目 6 个，合同利用外资 1002 万元，实际利用外资 400.58 万元。2010 年，汶河工业经济同比增长 30%～40%，经济综合指标进入全区第一方阵。合同利用外资 5148 万美元，实际利用外资 1509 万美元，实现外资 3000 万美元大项目零的突破。完成民资注册资本 12.2 亿元，其中有限责任公司占 93%。完成 1 亿元以上项目 2 个、5000 万元以上项目 3 个、3000 万元以上项目 4 个，1000 万元以上项目 14 个。

第三节 社会事业

一、教育

（一）幼儿园

辖区内曾有幼儿园 7 所，由于生源不足及其他原因，至 2002 年，仅存公办幼儿园 2 所：汶河幼儿园和伊斯兰幼儿园。汶河幼儿园创办于民国 27 年（1938），先后被评为省示范性实验幼儿园、市首批一类幼儿园、现代化幼儿园、教育科学实验基地，并先后获评扬州市依法治校示范校、教育收费规范幼儿园、广陵区文明单位和教育先进单位。

（二）小学

辖区内原有小学 5 所：育才小学、汶河小学、西门街小学、下铺街小学、南门街小学。1988 年后，西门街小学并入汶河小学，下铺街小学、南门街小学并入育才小学。育才小学是全市重点小学之一，先后被评为省三星级实验小学、省模范学校、省重点实验小学、中国青少年发展研究中心实验基地、国家艺术体操后备人才培训基地，连续七年被评为省文明单位，被教育部命名为中华名校。

（三）中学

1989 年，汶河街道有市属中学 3 所：扬州中学、扬大附中、扬州中学教育集团树人学校（原市二中）。

扬州中学是一所有百年办学历史的名校，培养了一大批优秀人才。扬州中学连续三年被省人民政府命名为省文明单位，连续三届被评为省模范学校，是江苏省首批通过国家级示范高中省级评估验收的学校之一，被评为省教育科研先进学校、省四星级高级中学，是全国首批入选的中华名校之一。

（四）社区成人教育

街道成立社教中心。通过社区教育中心和教学点，面向全体居民，开办道德讲堂；面向适龄妇女，提供优生优育培训；面向青少年，提供法治安全教育；面向下岗失业人员，提供技能培训。同时，组织开展家政服务、书画、烹饪、插花、健康教育等培训活动；利用节假日、寒暑假，开展青少年教育活动。

二、文化体育

（一）文化

1985年，街道成立文化站，所有社区建立文化室，开展群众文化活动。1988年，街道投资85万元翻建文化站综合楼，面积700平方米，设图书馆、活动室、录像室，年接待群众28万人次，图书馆藏书近5万册。1996年，举办建党75周年歌咏比赛。1998年，街道举办“庆七一、迎回归”歌咏比赛和文艺演出。1999～2000年，街办在“烟花三月”旅游节、“二分明月”文化节以及第五届诚实住宅小区文艺节期间，举办广场文艺演出30多场。2002年，举办“汇银杯”百户家庭千人演唱会。组织广源国美社区干部百人合唱团，参加广陵区组织歌咏比赛获组织奖。2003年，举办“长江杯”中共十六大知识竞赛和中老年妇女健身展示会。2007年，举办文昌商圈卡拉OK大赛。汶河街道被评为省群众文化先进街道。

（二）体育

1988年，街道和社区分别成立全民健身领导小组，居委会成立不同类型的体育健身俱乐部。2000年后，受区体育部门及相关单位的委托，先后为皇宫、通泗社区建立乒乓球室，为荷花池、旌忠寺、四望亭、通泗社区添置室内健身器，在所有住宅小区建立室外健身设施，基本实现健身场所、健身器材所有社区全覆盖。

2001年，街道搭建全民健身平台。在荷花池公园、时代广场以及市房产公司门口广场建全民健身点，组织广大居民参加社区组织的体育健身活动。2002年，群众性晨练逐渐规范化、制度化，8个社区群众体育健身队伍都有两人以上体育指导员。

2003～2011年，不间断地组织各种形式的群众体育活动。开展太极拳、太极扇、有氧健身操等大众体育健身活动。组织街道机关、社区干部和驻区单位参加各类棋牌比赛，承办区老年人乒乓球比赛，促进群众体育健康发展。汶河街道被评为省群众体育先进街道。

三、医疗

辖区内有“三甲”医院1所、街道社区医疗服务中心2所。苏北人民医院是一所具有百年历史的老医院，始建于清光绪二十六年（1900）。1994年，苏北人民医院被卫生部授予首批三级甲等医院。

2005年，原扬州市口腔医院改建成汶河街道社区医疗服务中心。中心设医疗康复部、预防保健部，有全科、治疗室、急诊（抢救）室、康复室、中医内科、中医外科、妇科、口腔科等科室。

由原职业病防治医院改建的汶河街道社区医疗中心，是苏北人民医院医疗联合体，是省示范社区卫生服务中心。主要开展预防、保健、医疗、康复、健康教育、计划生育技术指导六位一体的社区卫生服务。2011年，有全科医生、社区护士组成的全科医生团队9个；康复病床59张，主要为功能障碍和残疾的患者提供康复治疗。除进行社区常见病、多发病的防治，还为社区居民提供国家规定的十大类41项基本公共卫生服务。

辖区内有中春国药堂、众成堂、国大、百信缘、荷花池、协茂、众和祥等药房和连锁药店，方便广大群众购药医治。

四、社会生活

（一）收入与消费

1989～1999年，绝大多数企业进行改制，出现不少提前退休人员和下岗失业人员，导致家庭收入明显偏低，大多数家庭经济状况保持在吃饭穿衣层面上。

2001年前后，个私经济出现迅速发展的强劲势头，家庭再就业人员逐渐增多，家庭收入明显上升，原来仅维持吃饭逐步演变成自给有余的小康生活。2005年左右，40%以上三口之家购买小汽车。居民就业率95%以上。

1989年，居民家庭人均月生活支出大约在130元左右。2001年，达200元左右，有些家庭人均月支出超过300元。2001年后，特别是近10年，家庭消费明显提高；高档服饰走进普通家庭；购置新房，装潢比较讲究；新购家用电器、家具名牌居多；有条件家庭还安装中央空调；购买鲜花、豢养宠物成为时尚；家庭消费向高档化、精致化发展。

（二）居住条件

居住条件变化很大。老城区 70%以上居民翻建或整修老宅。有的扩建庭院，加盖楼房。由于提倡老城改造修旧如旧，绝大多数房屋维修后恢复古色古香样式。

辖区内有不少居民属于拆迁安置对象，居民通过拆迁，享受国家补贴重新购置新住房，面积都远远超过原有面积。过去一家几代共居一室，人均不超过几平方米的情况已经不复存在。

（三）社会保障

1989年，街道与“三无”人员签订帮扶协议，落实帮扶措施。1995年，对独居的“三无”孤老安装求助电铃，指定专人帮扶。关注老年居民生活，兴办家庭服务站和老年公寓。发放老年优惠证 2100 本。对所有符合低保条件的居民，按照政策给予登记、上报，并及时发放低保金，做到应保尽保。2011 年，全街道共发放低保金177 万元。给所有驻社区残疾人办理残疾证，为腿部有残疾的人申请轮椅 30 辆，给所有符合低保条件的残疾人办理低保。成立精神病监护组 4 个，确保社会弱势群体不受歧视，生活上得到充分关怀。

2002 年，社区成立志愿者队伍，建立高效的居民服务网络。每年走访困难家庭 600 户以上。各社区成立慈善超市，接受红十字会和驻地单位捐赠，为生活困难群众发放大米、色拉油等各种生活必需品。给 1000 户低保家庭、大病特困、残疾、孤老、单亲困难家庭、下岗待业特困家庭发放优惠卡，每年折合人民币约 10 万元。

2009 年，全年共计发放低保金 154 万元、尊老金 11.55 万元；免费发放慈济药卡 600 张；为 262 户低收入家庭办理实物配租住房补助，或购经济适用房；为 14 名大病患者发放大病救助金 5.98 万元。2010 年，大病救助 38 人，发放救助金 12.69 万元；发放医疗救助卡 50 人，金额 1.65 万元；临时救助各类困难人群 18 人，金额 2.44 万元；暑假救助贫困大学生 20 人，金额 2.84 万元；上报各类住房困难家庭 320 户，其中申报政策性住房补贴 14 户、经济适用房 239 户、低保家庭实物配租 22 户、低保家庭租金补贴 19 户、低收入家庭租金补助 26 户。2011 年，共计发放低保金 177 万元；依托社区慈善超市，发放救助物资总价值约 15 万元。对辖区患有肿瘤、尿毒症、白血病的低保边缘人员、特困职工进行大病救助 4.14 万元，临时补助 3.2 万元，对 30 户低保家庭生活困难的大学生给予 3.5 万元救助。

重视就业，街道创业就业辅导中心挂牌运作。2011 年，提供就业岗位 460 个，推荐就业 200 人，实现下岗失业人员再就业 160 人。

第四节 社区选介

一、四望亭社区

四望亭社区居委会驻东岳巷 31 号。辖区内有居民 1902 户 4755 人。

辖区道路有汶河北路、四望亭路、淮海路、盐阜西路、北小街、东岳巷、驼岭巷、新兴巷、十八湾、书院巷、螃蟹巷。辖区内主要单位有市工商局、市公安局、市审计局、汶河幼儿园、扬教院二附小、扬大附中、现代实验中学等。名胜古迹有省级文物保护单位西方寺（扬州八怪纪念馆），市级文物保护单位四望亭、槐古道院。

图 36-4-1 四望亭社区组织党员学习活动

四望亭社区坚持以人为本，充分发掘利用辖区地域资源优势，大力推进劳动就业，尤其是下岗失业人员再就业，成效显著，涌现出一批象邹尔强这样的下岗再就业明星。2005 年，社区在全区率先成立社区工会，驻地行业工会进一步推动驻区单位的共建工作，被评为广陵区示范社区工会。四望亭社区成立市区首家社区党委，开展四望亭路流动人口一条街服务活动，为流动人口的管理就业、培训提供新平台。

社区关注民生，注重社会保障工作，利用辖区单位共建的优势，给社区特困家庭和人员发放救助物资和爱心救助卡、购物优惠卡，为贫困家庭发放救济物资 8 万元。

四望亭社区居委会工作扎实有创意，连年被评为先进单位。2005 年，被评为扬州市红旗基层党校、扬州市劳动保障工作先进社区、广陵区和谐示范社区。2007 年被评为江苏省红旗基层党校、江苏省充分就业社区、扬州市建设新型生育文化先进社区、广陵区社会治安安全社区。2009 年，被评为江苏省计划生育协会先进会员小组、扬州市市级商业示范社区、广陵区特色社区。2011 年，被评为江苏省和谐示范社区、扬州市先进基层党组织、社会治安综合治理先进集体。社区党委书记、社区居委会主任刘宝珠当选为市人大代表并被任命为街道办事处副主任。

二、荷花池社区

荷花池社区有居民 7566 人，户口未迁入 1574 人，暂住人口 118 人。区内主要单位有扬州地方海事局、荷花池公园、食为天酒家、金海港酒店、荷花池农贸城、农工商超市。

荷花池社区老小区改造和社区建设较为突出。社区通过集资修建小区道路，整治绿化带，新建社区办公室、居民活动室、托老室、阳光学堂，疏通下水道，建垃圾房，把一个破旧的小区建成为道路畅通、绿树成荫、卫生整洁、宜居宜业的文明小区。

1988 年后，荷花池社区在关注民生、创和谐社区方面，做了大量工作，获得过许多荣誉。2002 年，被评为省文明社区和市社区就业工作先进集体。2003 年被评为省妇联系统维权工作先进集体、全国亿万妇女健身活动巾帼文明健身队、省小公民道德建设活动示范基地、全省依法治理先进集体。2004 年，被评为省级巾帼示范岗、省民主法制示范社区、市示范社区劳动保障工作站。2005 年，被评为省科技进社区活动先进集体、全国妇女巾帼文明岗、全国社区服务示范单位、省社区侨务工作先进单位、全国社区侨务工作先进单位及省文明社区。荷花池社区“阳光学堂”被评为省级大学生社会实践活动基地。2008 年被评为省创建文明社区工作先进社区。2010 年，被评为省和谐示范社区、省群众性精神文明建设先进单位。2011 年，被评为省文明社区。社区主任伏正予先后被评为“小巷总理”之星、2006 扬州教育十大新闻人物、全国侨务工作先进个人、全国优秀社区工作者，并当选为市人大代表。

第五章　头桥镇

头桥镇得名于镇北一石桥，此桥为夹江口门第一座桥，故名头桥。头桥镇位于广陵区东南，东与江都区隔江相望，南与镇江市丹徒区高桥镇接壤，西与李典镇为邻，北濒夹江，与杭集镇相对。头桥镇面积 63.99 平方千米（其中滩涂 1.31 平方千米），东西长 8.1 千米，南北长 9.4 千米，拥有 5.28 千米的长江岸线和 11.6 千米的大夹江（淮河入江水道）岸线。辖区总户数 1.34 万户 4.36 万人。2011 年，全镇实现地区生产总值 36.13 亿元，财政收入 1.75 亿元，比上年分别增长 17.35%、39.1%；农民人均纯收入 1.45 万元，比上年增长 15.2%；工农业总产值 110.45 亿元。

头桥镇历史悠久，人文荟萃。著名乡贤有中国雷达之父束星北，中国航空发动机之父吴大观，著名农机专家余友泰，国际法学教授、远东国际军事法庭“中国律师团”律师鄂森等。经济社会发展迅速，有“中国医疗器械之都”“电器之乡”等美称，是国家级生态镇、省文明镇、省卫生镇。

第一节　区域概况

一、建置区划

1956年，头桥乡从江都县划入邗江县。1958年9月，成立头桥人民公社。1983年9月，实行行政体制改革，改名为头桥乡。1992年11月，头桥撤乡建镇。

1949年9月，原红桥镇建立黑桥乡。1958年9月，成立黑桥人民公社。1960年1月，改名为红桥人民公社。1983年1月，实行行政体制改革，改名为红桥乡。1995年4月，撤乡建镇。

2003年10月，头桥镇与红桥镇合并为新的头桥镇。镇政府设在红桥集镇红星中路。下辖九圣、新桥、西城、安帖、大同、南华、二桥、头桥、安阜、红平、迎新、国玉、福成、庆丰、新华15个行政村345个村民小组，头桥、红桥2个社区（2007年3月合并为头桥社区）。2011年11月，头桥镇划入广陵区。

二、自然环境

镇区地处沿江洲地，系长江下游冲积平原。地势平坦，河道纵横，排灌便利，土地肥沃。境内土壤成分中含沙较多，黏性较差，粉块成分较多。由于多年开发种植，成分有所改变，白天虽被晒热、干燥，夜里即转潮湿，适宜耕种。农作物主要有水稻、三麦、大豆、棉花、高粱、山芋，果树类有梨、桃、杏、李、枇杷、葡萄、石榴、银杏，竹类有燕竹、篾竹等，水生植物有茭白、菱、藕、茨菇、荸荠等，鱼类资源有60多种，曾以长江“三鲜”（刀鱼、鲥鱼、鲫鱼）、河豚最负盛名。

第二节　经济建设

一、农业

土地家庭联产承包责任制的实行，有效保护和调动农民的生产积极性，使剩余劳动力向二、三产业转移，农民收入显著增加。1998年，经过二轮承包，全镇共承包土地2331.7公顷，其中1.3万户农户家庭承包2169.8公顷耕地，以其他方式承包土地161.9公顷。共签订家庭土地承包合同1.28万份，占比99%；发放农村土地承包经营权证书1.18份，占比91%。

土地二轮承包后，地方工商业迅速发展，多数青壮年劳动力从第一产业转向二、三产业，土地流转加快，向种田大户集中，各种经济合作组织应运而生。农民专业合作社有头桥植保服务专业合作社等17个，土地股份合作社有头桥镇庆丰土地股份专业合作社等7个，社区股份合作社有九圣村社区股份合作社等2个。推进农业适度规模经营，流转土地126.7公顷。创成省平安农机乡镇、省水稻机械示范镇。秸秆机械化还田面积占种植面积80%以上，秸秆综合利用率95%以上。

图36-5-1　头桥银杏生态园

至2000年，镇内共栽种银杏30多万株，已挂果银杏10多万株，年产银杏200多吨，成“银杏之乡”；新华等村种植意杨8万多株，由此推动木业制刷的发展。全镇规模以上农业龙头企业30多家。2008年后，头桥镇实施品牌推进战略，红枫牌银杏获省无公害农产品标志证书，长江牌水产品、“护君堂”银杏纯露逐步被市场认可，“圣灵”无花果保健饮品通过QS论证，头桥人杨声保在家乡培育出的猕猴桃果实，创造“吉尼斯世界记录”。品牌效应逐步显现，经济效益显著提升。2011年，全镇实现农业增加值1.72亿元，农产品加工销售收入占农业现价总产值75%。基本实现农业生产由纯粮型向搭配生产经济作物型转变。2011年实现农业总产值3.45亿元，粮食、油料、蔬菜总产量分别为3.05万吨、1213吨、1.97万吨，生猪饲养量7851头，水产品产量1548吨。农业从业人员3657人。

二、工业

2011年，实现工业总产值107亿元，其中列统企业产值65亿元；完成应税销售30.5亿元，入库税收1.33亿元；协议注册外资2400万美元，注册外资实际到账863万美元。年内，新增私营企业注册资本8.4亿元，新增过亿元企业1家。规模以上工业企业46家，职工2.5万人，其中大型工业企业6家，职工1.5万人。

重视工业园区建设。2000年，头桥镇华东医疗博览中心楼开业，形成医疗器械一条街。2009年，开始建设头桥创业园，用地8公顷。分别在红平村建设电器线缆特色园，在南华村建设医疗器械特色园。至2011年，总投入30亿元，引进项目257个。创业园和镇工业集中区连为一体，组成头桥工业集聚区。

江苏西贝电子网络有限公司，是一家集CATV系统工程设计、设备研发、生产于一体的高新技术综合企业，为国内CATV系列设备与同轴电缆制造和销售规模最大的企业。有员工380人，其中工程技术人员110人，具有高级职称人员30人。西贝公司连续被评为江苏民营科技企业、重合同守信用企业、特级信用企业、高新技术企业、省质量诚信企业，获评江苏省质量信用产品、江苏名牌产品。2002年，被中国电子质量管理委员会授予中国电子行业知名品牌。2011年，被授予中国驰名商标。

江苏亚达（集团）公司是国内一次性医疗器械的主要生产基地和集散地，也是集科、工、贸为一体的高新技术企业。公司拥有净资产10亿元，工程技术人员500多人。初步形成一次性医疗器械、医药制品、粉末冶金、日用五金、卫生保健用品和化工染料产品的多行业生产格局，并在头桥民营工业园区建设一座集会展、销售、商务、住宿、餐饮、休闲为一体的华东医疗器械交易中心。

三、商贸服务业

头桥镇商贸服务业具有传统优势，红桥羊肉获国家金奖，王裕泰酱园"瓶儿菜"远销宁、京沪津等地。随着沿江开发带来的机遇，实施商贸兴镇战略。至2011年，头桥镇已有苏果、世纪联华、新东方等超市18家，中小型连锁超市38家，年营业收入13.5亿元。

头桥农贸市场营业面积3300平方米，摊位167个；红桥商贸城营业面积3600平方米，摊位147个。平均日客流量3000人次。2011年，两个集贸市场成交额1.25亿元。

特色餐饮成长迅速。头桥镇双桥街区出现味之源、龙凤饭店等以烧制羊肉为特色的老字号饭店以及天成、红新、同福、聚香园、鸿意等10多家饭店，另有小吃店若干家。休闲娱乐农庄纷纷建成，其中溪桂园、兴达度假村、黎明农庄规模大、特色新，形成集种植、采摘、垂钓、观光、休憩为一体的乡村旅游景点。

头桥镇有浴室16家。2011年，全镇服务业从业人员6690人，服务业增加值9.8亿元。

第三节　社会事业

一、镇村建设

头桥镇交通便捷。扬余公路、沿江高等级公路、泰李高公路贯穿镇区。新建的田桥大桥跨夹江而过，到扬州市区更加方便；夹江大桥彻底改变头桥与江都"隔江千里远"状态；西贝大道、中广路、通达路、长宁路、红星路，将镇区、园区、社区紧密连接在一起。水泥路通村达组，长200多千米。

镇区商业街有红星路、长宁路、通达路、丰裕路，以及由朝阳街、古桥路、文化路、中广路4条路组成集镇中心。2011年，建成金达房产、政和苑、西贝广场、古桥新苑等房地产项目。

市内公交208路在镇内通过，覆盖7个行政村，镇村公交335路、336路覆盖其他8个行政村，实现村村通公交。

至2011年，镇内拥有11万伏变电站1座，10千伏电力专线176.5千米，0.4千伏电力专线384.3千米，变压器388台。有用电户1.91万户（专变除外）。2003年，在头桥镇建立扬州市第五水厂。2006年，加快实施区域供水工程，镇区管网铺设成功，农村安全饮用水普及率 100%。

先后在全镇建立"苏邮惠民"邮政服务中心 10 家，邮政服务延伸到村、组。有线电视覆盖率 97%，头桥、红桥集镇实现数码电视整体转换。

头桥镇连续实施河塘清淤治理工程，仅 2009 年就整治河塘 50 个，完成土方 16 万立方米，疏浚河道 60 条，总长 103 千米。新建水乡特色的小农桥 50 座。全镇各村全部实行村庄、道路、河塘、绿化"四位一体"的长效管护机制。推进植树造林工程，2006 ～ 2011 年，新增绿化面积 848 公顷。

2010 年，总投资 2000 万元，由北洲污水总泵房至头桥镇区段的污水管网工程全面完成，同时建设提升泵站 1 座，提升能力为 0.8 万吨 / 日，并建有污水检查井 100 多座。生活垃圾实行无公害处理，生活污水进入污水收集管网。

二、科技

镇政府成立农业科普协会、蚕桑生产技术指导站和镇农技站。各村都配有 1 名农技员，经常由镇农技站培训、推广应用农业先进技术。2011 年，组织技能培训 952 人。

工业生产方面，2011 年，创成中国驰名商标 1 个，获批省级以上高新技术产品 2 个。全年新上技改项目 28 个，完成制定标准 11 个，获批计量合格确认 3 个。

三、教育

1989 ～ 1998 年，镇政府投入 600 多万元，用于教育基础设施建设。2005 ～ 2006 年，投入 500 多万元，实施教室亮化工程，各学校办学条件基本达到现代化要求。2007 年 12 月，通过教育现代化乡镇验收。

至 2003 年 7 月，所有村小撤销，分别并入头桥小学和红桥小学。2007 年 8 月，整合教育资源，头桥镇教育布局调整全部到位。2011 年，有红桥幼儿园、头桥幼儿园、红桥中心小学、头桥镇中心小学、头桥中学、红桥高级中学、成人教育中心校 7 所学校。

至 2011 年，全镇九年制义务教育普及率 100%。红桥高级中学创成省级三星级高中，头桥中学、头桥中心小学、红桥小学通过省级验收，分别创建成省示范初中和省实验小学。头桥幼儿园和红桥幼儿园均为省优质幼儿园。头桥镇成人教育中心校创建成省级社区教育中心。镇 2 所幼儿园，在园幼儿 647 人，专任老师 47 人。红桥高中在校学生 1400 人，专任教师 119 人。九年制义务教育的小学、初中在校学生 2254 人，专任教师 206 人。初中入学率 100%、巩固率 100%，小升初升学率 100%。

四、文化体育

2005 年 8 月，头桥镇文化体育中心搬迁至头桥镇红桥集镇中心位置，建筑面积 800 平方米，内设体育健身和老年少儿活动室、图书阅览室、教育培训室、文化信息资源共享工程室、乒乓室、舞蹈房，以及 1000 平方米室外文化大院、5 间文化产业用房。

2011 年 4 月，累计投入 1500 万元建成头桥镇市民广场。广场占地面积 4 公顷，是一个以文化为主题，集休闲、健身、娱乐于一体的文化广场。镇内有剧场 2 座，年演出 20 场次，观众 2 万人次；电影放映单位 1 家，年放映 180 场，观众 2 万人次；乒乓球俱乐部 1 个；老年文体活动中心 1 个；文化站 1 个，建筑面积 800 平方米；图书室 17 个，藏书 3.6 万册。文化行业从业人员 400 人。镇诗词协会有会员 176 人，自办诗刊《头桥新风》《头桥诗词》。村村建有农家书屋、文化信息共享工程室、文化活动室。组建广场舞表演队、秧歌队、腰鼓队、鼓号队、文艺演出队、民乐队、合唱队、电影放映队、书画协会等特色团队 27 支，组织文艺调演、会演及摄影艺术展览。

图 36-5-2 头桥镇广场艺术节开幕式

2011年4月，在市民广场举办首届“文明家园·幸福头桥”广场艺术节。同年5月，在莲园广场举办“文明家园·幸福头桥”青年歌手大赛。7月，举办庆祝中国共产党成立90周年文艺演出。每年传统节日，举办以“我们的节日”为主题的群众文化活动。每天晚上，市民广场参与各类文化活动的人数2000多人，各村文化广场每天参与活动的群众1500人次。1997年，被市政府表彰为明星文化中心、被省文化厅表彰为江苏省群众文化先进乡镇。2000年，被省文化厅评定为省二级文化站。

头桥镇历来重视群众体育工作。市民健身广场拥有篮球场和网球场、健身步道、健身路径等，村村建有体育场地和设施。2007～2011年，组织2600名监测对象进行国民体质监测，引导其科学健身。全镇经常参加体育活动的有2.6万人，占全镇总人口的59%。

2010年4月，举办头桥镇第二届农民运动会。比赛项目有篮球、乒乓球、羽毛球、中国象棋、铅球、拔河、趣味等八大项17个小项。全镇37支代表队1062名运动员参加比赛。

2008年12月，被命名为江苏省体育强镇、扬州市体育先进乡镇。市民广场健身点、莲园广场、红桥社区健身点、头桥社区健身点被评为省优秀群众体育健身活动站（点），九圣村、红平村被命名为文化体育工作先进村。

五、卫生

头桥镇有卫生院2所、社区卫生服务中心1所。头桥卫生院有医务人员45人，其中中级以上职称9人。服务人口4万多人。医院配有进口彩色B超机、全自动生化分析仪、DR摄片机等设备，设医疗康复部、预防保健部等，是省城镇职工医保定点机构、广陵区新农合定点机构、中国人寿保险公司定点医院。核定床位数45张，年住院600多人次、门诊5万人次。

图36-5-3　头桥市民广场

红桥卫生院有医务人员42人，其中执业医生28人。2007年，医院建起标准化门诊输液室和待、分娩室。1997年12月，被世界爱婴组织授予“爱婴卫生院”称号。2011年，被评为广陵区文明单位、扬州市绿色生态医院。

头桥社区卫生服务中心有医务人员5人，服务人口4.4万人，新型农村合作医疗保障覆盖率100%。

头桥镇投入320万元，建成垃圾中转站；全镇配备果壳、垃圾箱450个，垃圾清运专用车18辆、保洁车10辆，建有垃圾收集池80个；镇区主干道配备40多名专业环卫人员。至2011年，全镇共新建改造三格式粪池8925座，卫生户厕1.21万座，占全镇总农户的95%。

六、社会生活

2008年，实现建成全面小康社会目标。农民储蓄存款逐年增加，2008年为8.43亿元，2011年为11.08亿元。每百人拥有电脑15.2台、小汽车5辆。2011年，完善头桥镇徐横小区、连新小区居住区改造，完善基础配套工作，建成单体别墅77幢、联排别墅62幢。江平小区建成单体别墅66幢、联排别墅79幢、多层7幢176户，总建筑面积5.16万平方米，入住人口1120人。

2011年，头桥镇共办理最低生活保障户312户860人，发放低保金170万元。开展“5·19”慈善一日捐活动，募集慈善资金50.8万元。建成5个村（居）级残疾人康复室和医械协会残疾人扶贫基地，率先在全市建立“关爱家园”农疗站，成为省级残疾人扶贫示范基地，镇敬老院不断升级改造。累计新增参加社会保险单位36家，参加新农保人数1.86万人，享受人员1.1万人。对全镇65岁以上老人进行免费健康体检。参加社会养老保险人数2715人。失地农民实行即征即保，五保老人得到妥善安置。培训劳动力5364人，采集就业岗位2079个，推荐就业1038人，新增劳动力转移和输出1506人。15个村劳动保障服务平台通过市考核验收。创成省级文明敬老院、省充分就业转移乡镇。

第四节　特色选介

一、医疗器械之乡、电器线缆之乡

图 36-5-4　头桥——中国医疗器械之都

头桥镇特色主导产业之一的医疗器械产业，起步于60年代，成长于90年代。2011年，有医疗器械生产企业82家、经营企业48家；国家高新技术企业1家、市级企业技术中心5个、市级工程技术研发中心3个；省级品牌5个、市级品牌9个；申报专利近400件，其中发明专利近50件、实用新型专利近120件。集聚亚达、长丰、亚光、华夏、华星、长城等一批成长性较好的龙头企业。主要生产一次性耗材、注射器、输液器、引流袋、麻醉包、镇痛泵等数百个产品，数千人的营销网络遍及全国各大中小城市的医疗单位及农村集镇诊所。2011年，全镇医疗器械产业实现产值30亿元以上。

头桥生产电器线缆有30多年历史，由当初单一的电子接插件发展到线缆、光缆等近200个品种，销售网络遍布全国各地。2011年，有电器线缆企业194家，拥有国家高新技术企业3家、省级以上品牌6个、省级工程技术研究中心1个、市级企业技术中心4个、市级工程技术研究中心3个。电线电缆创成市级品牌产业集群培育基地。电器线缆产业实现产值55亿元。

二、九圣村

九圣村由原头桥镇新胜村与迎江村合并而成。九圣村是头桥镇医疗器械产业的发源地。全村面积5.5平方千米，辖27个村民小组1026户3189人，劳动力1427人。有民营企业13家、特种水产养殖场2个。累计投入资金300多万元实施为民办实事工程。2011年，实现村集体经济经营性收入62.1万元，增幅55.2%；农民人均纯收入1.83万元。

九圣村集体厂房累计近4800平方米，全部用于承包租赁，为村级集体带来稳定的收入。2011年，结合资源优化重组，促进集体资产保值增值。同年，将江滩资源进行重新发包，以九圣水产专业合作社为依托，引进33.3公顷特水殖项目，实施特水养殖20多公顷。

2011年，投资46万元，对光明、红光等4个庄台进行建设改造，拆除危房1500平方米，并对房屋进行外墙粉刷、出新，工程量1.7万平方米。投入30万元对通江路3千米路段进行绿化、亮化，共安装路灯80多盏；种植女贞、红叶李等大小景观树木20多万株，新建3个农民游园。配合水利部门做好333公顷土地整理项目。新建农桥3座、泵房18座、硬质渠道10千米、垃圾池80个。村基础设施得到较大改善。

九圣村便民服务中心建筑面积3400平方米，集7室2超市、健身广场于一体。全村44名单身汉享受五保，10名重残人员享受补助，19户困难户享受低保待遇。

九圣村先后创成省卫生村、省级生态村、市社会主义新农村建设示范村、市村级组织“五项”能力建设“百强村”、市全面小康达标村。

第六章　李典镇

李典镇位于广陵区东南部，地处北洲中心。清康熙二十七年（1688），本地人李兆楼在此开设当铺，时称李家当铺，当铺亦称当典，故名李典。镇东与头桥镇接壤，南隔长江与镇江相望，西与沙头镇和镇江市共青团农场毗邻，北与杭集镇一衣带水。镇政府驻李典镇兴丰路1号。辖区总面积70.45平方千米（其中滩涂6.97平方千米），东西距离10千米，南北距离15千米，水域面积987公顷，陆地面积5436公顷。辖区总户数1.16万户4.05万人。2011年，地区生产总值95亿元，财政收入7.87亿元，农民人均收入1.58万元，综合实力排名位次在全市“十强乡镇”中不断提升。境内联桥村八桥组遗存清朝乾隆年间张家插旗杆石鼓3个。在李典镇老街的典园中，留有李家当铺遗存。裕民沙洲闸是金融巨子胡笔江于民国8年（1919）投资建设的现代节制闸。

李典镇有“太阳能热水器之乡”“衬衫王国”之称，是国家级生态镇、江苏名镇、省对外开放重点卫星镇、省文明镇、体育强镇和卫生镇。

第一节　区域概况

一、建置区划

1956年，建立李典乡，属邗江县。1958年，改为李典人民公社。1960年4月，沙头人民公社并入，属扬州市。1962年10月，恢复邗江县，李典随属。1983年9月，改李典乡、新坝乡。1987年8月，撤乡建立李典镇。2000年12月，邗江县撤县设区，李典镇隶属邗江区。2003年10月，区划调整，李典镇与新坝镇合并，设立李典镇。2011年11月，划属广陵区。

辖黄桥、联桥、伏业、李典、伏固、田桥、恩余、秀清、新坝、长生、小乾、新滩、沿江13个行政村344个村民小组和1个社区。

二、自然环境

地处沿江洲地，系长江下游冲积平原。全镇耕地面积1933公顷、林地面积933公顷、淡水养殖面积330公顷。境内拥有13千米长江黄金岸线，水源丰盈，鱼类资源60种，其中以长江“三鲜”（刀鱼、鲴鱼、鲥鱼）、河豚最负盛名。

第二节　经济建设

一、农业

李典镇农业发展围绕农民增收目标，调整农业产业结构，发展高效生态农业，形成以粮食、蔬菜、特水、果品、林业加工为主体的农业产业新格局。伏业村和田桥村被市政府命名为推广无公害农作物种植生态村。2008年，有5个叶菜类蔬菜通过无公害农产品论证。2009年，4个水生蔬菜通过省级无公害农产品论证。全镇良种覆盖率98%。实现3个农业综合开发项目，认证26种无公害农产品，农业机械化、植保社会化水平明显提高。相继建成滨江200公顷水产园和镇区67公顷蔬菜园，长生、田桥、小乾3个镇示范园，面积341.33公顷，村级示范方12个，面积240公顷，建成无公害优质稻米基地1334公顷。

土地二轮承包后，镇党委、政府引导农民试行土地流转，土地向种田大户集中，各种经济合作组织应运而生。至2011年，建立为民机插秧合作社等农民专业合作社14个，成员人数544人，带动农户1.1万户；建

图 36-6-1 李典荷塘

立李典村土地股份合作社等土地股份合作社13个，股东人数5297人，股东代表524人，入股面积1588公顷，入股资金3522.9万元；建立小乾村先进组股份专业合作社等村民小组股份合作社10个，股东人数7760人，股东代表486人，入股面积3公顷，入股资金1458.5万元。

2011年，李典镇实现农业总产值2.29亿元，生产粮食2.75万吨、油料491吨、生猪2.08万头、家禽79万羽、水产品1.77万吨、蔬菜1.75万吨，农业从业人员1215人。

二、工业

2011年，李典镇工业总产值360亿元。镇内的广陵船舶（重工）产业园是省级特色园区和市十强工业集中区。产品有船舶、重工、五金机械、太阳能热水器、服装、服饰等。华扬牌太阳能热水器为中国驰名商标。规模以上工业企业46家、职工2.5万人，其中大型工业企业6家、职工1.5万人。

扬州大洋造船有限公司是法国波邦集团和中国春和集团2003年合资成立的一家现代化造船企业。至2010年，为国内造船前10强，世界造船行业排名第41位。主要生产散货船、集装箱船、海洋石油平台供应船和液化石油气船等。该公司是园区内第一家实现产销突破百亿元企业。董事长梁小雷获扬州市“工业十大明星企业家”称号。

扬州市环洲船用材料有限公司，主要业务包括船用精密铸造项目，年产能100万吨；废钢流项目，年回收利用100万吨；船用中厚板生产线，年产能100万吨。2011年，产销突破100亿元，成为园区内第二家百亿元企业，并在销售和税收综合考量方面跃居全市百强企业第一名。

中铁宝桥（扬州）有限公司是入驻船舶（重工）产业园的第一家央企。有生产用地45.9公顷，3000吨和5000吨港池式码头各1座，各类设备400多台（套）。先后承接制造浙江舟山连岛工程金塘大桥、宁波湾大桥、南京大胜关长江大桥、泰州长江大桥钢塔及钢箱梁等国家级重点工程。

扬州托尼船业有限公司是李典镇引进的第一个外资项目，由新加坡托普尼普公司投资建设。2011年，天津北方国际集团和张家港华伟达公司对其实施资产重组，转型生产3万吨左右的小型海工船和海上拖轮。

扬州市组合机床厂为全国最大的数控滑台生产企业，产品在国内市场占有率80%。

李典轻工创业园由李典创业园、村级工业园和镇区工业集中区三园区连为一体而组成，有26家企业入驻，三期共建成标准厂房10.4万平方米。

图 36-6-2 李典镇创业园

三、商贸服务业

2011年，李典镇三产服务加快发展，实现服务业增加值15亿元。全镇有商业网点980个、职工2770人。

新坝农贸市场，场内面积2600平方米，内设564个摊位。李典农贸市场面积4000平方米，设800个摊位。2011年，两个集贸市场成交额3.5亿元。

由于地方工业发展，集镇人气趋旺，个体餐饮业得到发展，一批饭店、酒楼相继开业。至2011年，能一次摆宴席35～65桌的大饭店有大三元酒家、善缘大酒店等多家。镇内浴室有20多家。

第三节　社会事业

一、镇村建设

李典镇交通便捷，扬余公路、沿江高等级公路、泰李高公路贯穿镇区，新建的田桥大桥跨夹江而过。太平洋大道和环洲大道两条产业大道，把镇区、园区、社区紧密连接在一起，硬质路通村达组。主要干道有北洲路、华扬路。镇区商业街有典前街、兴丰路以及由花园东、西、南、北4条路组成的集镇中心。2011年，李典镇创成省级乡村公路管养及安保工作示范镇。

图 36-6-3　李典镇"村村通公交"开通仪式

镇内建有李典客运站。市内公交205路、208路在镇内通过，覆盖5个行政村；镇村公交306路、307路、308路、309路覆盖其他8个行政村，实现村村通公交。境内主要桥梁有11座。拥有22万伏变电站1座、11万伏变电站1座及11万伏企业自变电站3座，电力专线20多千米。市第五水厂实施区域供水，全镇吃上安全放心水。连续实施河塘清淤治理工程，完成土方8.2万立方米，疏浚河道71条，总长87.5千米。新建水乡特色小农桥53座。2011年，全长4760米、总投资1700多万元的李典镇"一河两岸"风光带工程全部完工。

2007年和2008年，共投资1000多万元进行绿化建设，建造沿江、沿路、沿河绿化带180多千米。2011年，全镇有公园15个，面积5.7公顷。园林绿化面积253公顷，绿化覆盖率42%。大江风光带植树造林面积150公顷。李典镇在南水北调东线水源区生态林网工程中，营造防护林网1.38平方千米。

投入250万元建成垃圾中转站；全镇配备果壳、垃圾箱322个，垃圾清运专用车15辆、保洁车10辆，建有垃圾收集池94个；镇区主干道配备专业环卫人员46人，实行人员道路包干制。生活垃圾实行无公害处理，生活污水进入污水收集管网。2011年，完成投资0.66亿元、长20千米的污水管网主干道建设。全镇共新建改造三格式粪池4692座、卫生户厕1.2万座。

二、科技

科技兴农、科技兴厂、科技致富已成为李典经济建设的主要抓手。先后成立镇科普协会、蚕桑生产技术指导站、农技站，推广和指导农民免耕、化学除草等农业科学技术。工业生产方面，华扬太阳能热水器厂生产的全玻璃真空太阳能热水器获得"国家级新产品"称号，高档直膨式太阳能热水器等10多项产品获国家发明专利证书。该企业被科技部火炬高新技术产业开发中心认定为重点高新技术企业。李典中心小学研制的激光光纤通信演示器，被省教育厅、省科协、省知识产权局和省青少年科技基金会授予发明创造一等奖。扬州大洋造船有限公司注重产学研项目开发利用，建立省级工程技术中心，大力发展绿色造船工艺，减少物资和能源消耗及污染排放。2011年，首次成功应用压载水处理系统，在世界上首创利用海水惰化去氧原理对船舶压载水进行处理。该企业进入中国外贸500强，位居第264位，为全市唯一上榜企业。

三、教育

1997年，李典镇实现"双基（基础知识和基本技能）"达标。2007年12月，通过教育现代化乡镇验收。至2011年，全镇九年制义务教育普及率100%。李典学校、新坝中心小学通过省级验收，分别建成省示范初中和省实验小学；李典镇幼儿园为省优质幼儿园。2011年，有镇幼儿园2所，在园幼儿720人，专任老师52人；九年制义务教育的小学、初中在校学生1996人，专任教师196人。初中适龄人口入学率100%，小升初升学率100%。

四、文化体育

李典镇文化体育中心大楼，建筑面积2600平方米，内有多功能报告厅、展示厅、棋牌室、健身房、阅览室等设施。剧场2座，年演出15场次，观众1.5万人次。电影放映单位1家，年放映180场，观众2万人次。俱乐部2所(乒乓球和象棋)。图书室16个，藏书3万册。文化行业从业人员350人。镇诗词协会有会员30人，自办诗刊《绿洲吟苑》，每年有诗词作品在省、市诗词刊物上发表。2011年，有线电视覆盖率100%，新坝、李典集镇实现数码电视整体转换。

2008年9月，李典镇获"江苏省全民健身月先进单位"称号。同年12月，获"江苏省体育强镇(乡)"称号。2011年，李典镇建成文体广场22处、健身点14个，室外体育活动场地面积7000平方米。举办李典镇第二届体育运动会，参赛代表队有38支、运动员1000多人。

五、卫生

2011年，镇内有各类卫生机构16个，其中卫生防保所1所、区属中心卫生院1所、镇属卫生院1所、社区卫生服务站13个。病床88张，医务人员120人。中心卫生院为市首批农村二级医疗中心。2011年，门、急诊4.04万人次，收治住院病人922人。新型农村合作医疗保障覆盖率100%。农村安全饮用水普及率100%。

六、社会生活

随着镇村工业的发展壮大及非公有制企业的发展，农民进厂务工逐步增加，收入相对稳定，温饱问题普遍解决，人们生活状况逐步向小康型转变。2008年，实现建成全面小康社会目标。2011年，全镇人均收入1.58万元。李典镇农民集中居住区江洲小区有独立别墅76幢、连体别墅20多幢；富民新苑安置工程征地28公顷，总建筑面积14.9万平方米，安置1060户。生存环境显著改观，消费结构发生较大变化。2011年，抽样调查田桥村，684户居民有摩托车电动车1106辆、小汽车138辆、空调983台、洗衣机689台、彩色电视机1143台。

第四节 特色选介

一、华扬太阳能热水器有限公司

华扬太阳能热水器有限公司为中国太阳能热水器行业"三巨头"之一。1991年，与清华大学合作，引进真空管技术，生产出华东地区第一支真空管和第一台真空管式太阳能热水器，并引进"磁控溅射太阳能选择性吸限涂层"这一高科技成果。董事长黄永伟和他的助手们积极攻关，刻苦钻研，先后研制出具有自动上水、自动关闭、带副水箱的立式、卧式、阳台壁挂式太阳能热水器等系列产品，获国家专利10多项。2001年，推出第一代U型太阳能热水器。2003年，研制成功"三高管"并推向市场。2004年，与上海交大联合研制开发高端直膨式太阳能热泵热水器和空气能热水器。2008年，推出蓝圭搪瓷内胆产品。2010年，推出蓝圭承压一体机，承压一体系统为国内首家通过欧盟认证。

2007年8月，"华扬"和"华扬图形"两件注册商标被国家工商总局认定为中国驰名商标和行业首批中国环境标志绿色认证。2008年，被评为国家高新技术企业、行业首批政府绿色采购清单入选企业。2011年，通过美国SRCC认证，入选CCTV中国年度品牌，成为太阳能热利用行业唯一一家入围的太阳能品牌，董事长黄永伟获国家发明创业奖。

二、田桥村

李典镇田桥村由原来的新河、蔡州和田桥村合并而成。村域面积4.93平方千米，耕地面积190.7公顷，有28个村民小组972户3263人。村内共有大小企业26家，个体工商户116户。主要工业产品有橡塑鞋底、电缆粒料、五金工具、彩印包装等。田桥村被业内誉为中国鞋底产业"第一村"。2011年，产鞋底6000万双，三业总产值突破4亿元，工业产值3.5亿元，农民人均纯收入1.6万元。田桥村先后被评为江苏省文明村、江苏省卫生村、江苏省社会主义新农村建设先进村、江苏省农村环境综合整治示范村、扬州市全面小康示范村、市先进基层党委、市优美乡村。

田桥村党委将产业兴村放在首位。党总支书记王恭林带头创业，开办星辰鞋底厂。经过多年打拼，企业由10多年前的小作坊“裂变”为宏润塑胶、三马橡塑和好年华橡塑3家规模公司。2011年，公司总产值1.6亿元，占全村工业总产值的半壁江山。公司100多名工人年平均工资4万元左右。全村15名干部、118名党员，50%有致富项目。王恭林被省政府授予“省劳动模范”称号。

在田桥村，全民创业，人人不甘落后。致富后的企业老板热心公益事业，回报乡邻，通过各种方式改善村里人的生活和环境。王恭林每年拿出100多万元奉献给村里，10年累计捐给村里1500万元。企业老板都主动掏钱造福百姓，10年累计奉献5000万元。在新农村建设中，田桥村建成农民公园4座，完成道路亮化、硬化工程。2011年，田桥村投入1000万元，兴建融便民服务、创业孵化、村民议事中心、村级商务中心于一体的6500平方米的便民服务中心，为村企提供办公接待场所。

第七章 沙头镇

图36-7-1 沙头镇迎宾大道

沙头镇位于沙洲圩区，因地处长江口，为周边沙洲之首而名。沙头地处扬州沿江开发的南大门，东连扬州北洲功能区，南濒长江与镇江相望，西接扬州经济开发区，北与扬州广陵产业园、广陵新城紧密相连。镇域面积55.03平方千米，东西距离4.5千米，南北距离12.3千米。辖区总户数1.13万户3.67万人。2011年，地区生产总值33.91亿元，财政收入2.93亿元，农民人均收入1.42万元。镇政府在人民路8号。境内胡家墩子，因金融巨子胡笔江在此建造住宅而得名。沙头镇有“压力机之乡”“电气线缆之乡”“外贸服装之乡”“绿色蔬菜之乡”等美称。先后被评为全国文明镇、国家级生态镇、江苏省卫生镇、扬州市环境优美镇，是市10强乡镇、省政府批准对外开放的重点镇之一。

第一节 区域概况

一、建置区划

1956年4月，原乡域分沙头、忠兴两乡，隶属邗江县北洲区管辖。当年9月，沙头、忠兴合并成沙头乡。1958年9月，改乡为公社。1960年4月，沙头、李典两公社合并为李典人民公社。1961年12月，恢复沙头、李典两个人民公社。1973年，邗江县直辖人民滩大队划归沙头人民公社管辖。1983年8月，设置沙头乡人民政府。1993年12月，撤乡建镇，沙头乡改为沙头镇。2003年10月，沙头镇与霍桥镇合并仍名沙头镇。2008年10月，沙头镇大众村、高桥村和中兴村项一组、项二组及霍桥居委会迎春河以北区域划入广陵区汤汪乡管辖。2011年11月，沙头镇从邗江区划出，隶属广陵区。

沙头镇下辖强民、五星、潮龙、邱卜、中兴、沙头、小虹桥、陈祠、三星、晨兴、育新、人民滩12个行政村及霍桥、沙头两个社区和296个村民小组。

二、自然环境

境内地势南高北低，四周高于中心，系多个沙洲与河漫滩并连而成的长江下游冲积平原，地势平坦。耕地面积 2253 公顷，水域面积 288 公顷。土壤主要有淤泥土、沙底游泥土、薄层泥土、粉淤土、黄淤土等 14 种土种。传统农业以种植稻麦为主，油菜、大豆为辅。林业以林桑业为主。畜禽业以家禽、家畜为主，发展绿壳蛋鸡项目。渔业以鱼苗繁育、成鱼放养为主。境内长江江堤总长 20.7 千米。

第二节 经济建设

一、农业

图 36-7-2 沙头镇西江生态园

沙头镇不断强化农业的基础地位，提高农业生产科学化、机械化水平和各种应用技术的推广。全面建成 1.4 万亩无公害蔬菜示范园区，配套钢架大棚、连栋大棚、日光温室大棚等栽培设施。主要农产品中，无公害农产品占 65%，绿色食品占 18%，有机、绿色及无公害产品种植（养殖）面积比重为 62.2%。年产各类蔬菜 4.8 万吨。园区内建有研究生工作站、博士后科研工作站，建成科技培训中心、农产品检测中心、农资科技超市、产地蔬菜批发市场、工厂化育苗中心等公共服务平台。获得农业部认证的无公害农产品 35 个、绿色农产品 6 个。全镇拥有以中国·台湾京华城、江苏上品、江苏绿扬为代表的规模农业企业 8 家，农业专业合作社 3 家，土地股份专业合作社 15 家，先后被命名为市“菜篮子”工程基地、省沿江农业开发示范区、省现代农业示范园。2011 年，实现农业总产值 3 亿元，生产粮食 2.13 万吨、生猪 9156 头、家禽 33.79 万羽、水产品 2034 吨、蔬菜 3.71 万吨、油料 542 吨，农业从业人员 2668 人。

二、工业

沙头镇工业经济立足传统产业基础，做优做强传统工业支柱产业。至 2011 年，形成机械制造、电气线缆、纺织服装、箱包笔刷、汽车配件、新型建材六大主导产业、七大类、400 多个品种的工业体系。拥有规模企业 30 家、过 1 亿元产值企业 11 家。全镇实现工业产值 101.29 亿元。其中有以江苏扬力集团、扬州福尔喜果蔬汁机械有限公司为代表的 15 家机械企业，以江苏天诚线缆集团有限公司、帝一集团有限公司为代表的 10 多家电气线缆行业企业，以扬州永新制衣有限公司、扬州苏豪帅美斯服饰有限公司为代表的 10 多家纺织服装企业，以扬州富欣笔业有限公司、扬州富扬毛刷制品有限公司为代表的近 20 家箱包笔刷企业，以扬州华光橡塑新材料有限公司为代表的 8 家汽车配件企业，以扬州宏鑫混凝土制品有限公司为代表的 6 家新型建材行业企业。全镇加快推进工业集中区和镇村创业园建设，累计完成基础设施投入 1.5 亿元，先后引进企业 52 家。镇村创业园两期共建设厂房 6 万平方米。依托天诚、帝一集团优势，创成省级弱电线缆孵化基地。

三、商贸服务业

2011 年，沙头镇第三产业增加值 9.25 亿元，比 2007 年增长 2.64 倍。镇区超市、商铺、宾馆、饭店密布，商业气息浓郁，为居民生活提供便利，创成省级放心消费示范镇。两个农贸市场重新规划调整，完善相关配套设施，打造良好的市场环境。2011 年，全镇有超市、批发部、商店 200 多家，饭店、小吃部 248 家，浴室、旅社 16 家，理发美容店 10 家，蛋糕房 5 家，豆制品、熟食店 15 家。建筑业房地产业稳定增长，建成总面积 3 万平方米的各类商住楼 20 幢。水韵福邸、沙洲府、在水一方等高层次、低密度的别墅群相继建成。

沙头镇按照“田园沙头、旅游新镇”的目标定位，大力发展乡村生态旅游，全力打造近郊型滨江旅游小镇。2006 年，西江生态园被认定为江苏省 AAA 级旅游农家乐示范点，年接待游客 5 万人次。先后启动西江至东西大坝的 7 千米自行车骑行道。2011 年 4 月，西江生态园二期工程对外开放，形成吃、住、行、游、购、娱等综合性休闲观光体系。

第三节　社会事业

一、镇村建设

1996年，沙头镇被命名为省级新型小城镇。2001年，以建设中心城镇为目标，加大小城镇建设，对集镇镇区进行西进南扩。2008年，集镇道路形成“五纵五横”的交通网络。2011年，实施集镇西扩，全镇形成工业集中发展区、现代农业发展区、生态保护区、集镇规划区和城市中心规划区为主的五大区域。

沿江高等级公路、施沙公路、扬余公路穿镇而过。镇内有主干道11条、各类主要桥梁11座、村组道路158条。村组道路实现硬质化，四通八达。206路、208路公交运行。2004年，被市列为通达工程示范乡镇。2005年，建成施沙路中心桥段、三兴路、陈祠路、创业路、富民东路、主河西路等硬质道路近15千米，提前完成构建“20分钟镇村圈”目标。2007年，被评为市环境优美镇、省卫生镇。至2011年，全面推进农村基础设施建设，建成通组道路248千米，覆盖率95%以上。新建农民游园8个、高标准示范庄台2个，道路亮化率40%以上。有10个村创成市级生态村、市区级全面小康村和新农村建设示范村。邱卜村、陈祠村创成省社会主义新农村建设先进村。

2008年，沙头镇自来水与扬州市区并网，自来水普及率100%。

对镇内8家使用锅炉的企业进行专项整治，分别安装水膜除尘设施，改燃烧黑煤为燃烧无烟煤。在集体食堂、居民户中推广清洁能源液化气，加强建筑工地粉尘管理。秸秆综合利用率97.6%以上，未发生一起秸秆焚烧事件。投入350万元新建日处理1000吨的污水处理厂1座，镇区污水处理率为82%。至2011年，植树造林1266.7公顷，森林覆盖率25.8%。沿河、沿江、沿路培植林带75千米，人均公共绿化12.3平方米，主要道路绿化率97%。

二、科技

镇科普协会推广三麦、水稻、油菜等优良品种和先进栽培技术。2010年，溢仙蔬菜专业合作社创建成省科技型专业合作社。陈祠气雾剂灌装设备厂生产的产品，获泰国国际包装和食品加工机械展览会金像奖。扬力集团获全国重点高新技术企业称号。

2011年，加大高新技术人才引进力度。加强新产品开发，申报国家高新企业1家、省级以上科技计划项目6项、高新技术产品10个；申报国家驰名商标1件、省名牌产品3个。新建产学研合作项目1家、省级工程技术中心1家。

三、教育

2011年，沙头镇有九年一贯制学校1所、成人教育中心校1所、中心中学1所、中心小学1所、中心幼儿园2所（其中民办1所）。全镇中小学教职员工195人，其中中学93人、小学102人。小学生1838人、中学生1362人。幼儿教师31人、入园幼儿718人。沙头教育工作多次获区一等奖。2007年，创建成扬州市教育现代化乡镇。

2003年，沙头镇中心幼儿园创建成邗江区一类中心幼儿园。2007年11月，被评为省级优质幼儿园。2007～2011年，先后被评为县级优秀家长学校、档案工作先进单位、卫生保健合格单位等，有数十篇教学论文及教学活动方案获市、区奖项。霍桥中心幼儿园是镇政府主办的一所全日制幼儿园，先后为评为省三八红旗集体、省农村重点幼儿园、十佳巾帼示范岗位、江苏省优质幼儿园。

沙头中心小学先后被评为省电脑制作活动先进单位、省科技制作活动先进单位、省金钥匙科技知识竞赛先进单位、市素质教育先进单位和市综合实践活动课程实验学校等。

北洲中学是一所纯初中建制的区属中学，2002年，通过市合格初中验收，2003年11月，创成省示范初中。2006年，重点高中公费录取人数位居邗江区首位。

霍桥学校是九年一贯制学校，设有小学部、初中部、成职教部。小学部在综合考核、特长生培养、英语教学、体育传统项目等方面位居全区前列。初中部是省级素质教育先进学校，中考优秀率一直很高，60多名学生在各类竞赛中获一等奖。成职教部与扬力集团、扬州科技学院（筹）和中央广播电视大学等企业、院校联合办班，培养各级各类人才。2008年，该校编排的《花香鼓舞》在全国第十届群众文化“金鹰奖”舞蹈大赛中获银奖。

沙头镇成人教育中心校由省重点霍桥成校与市示范沙头成校于2003年合并组成，致力于实用技术培训。沙头无公害蔬菜生产基地被评为市农科教结合示范基地。

四、文化体育

以镇文化中心为依托，组建广场舞表演队、秧歌队等特色文艺表演团队。沙头诗文会、书画协会等经常开展活动。音乐快板《沿江放歌》、扬剧戏歌《香飘人心中》、舞蹈《金秋乐》参加区农民艺术节以及市文艺晚会演出。2011年，出版《诗咏沙头》一书，开展“读书有益”有奖征文大赛。近百篇论文在国家、省、市、区级刊物上发表，孙玉军的论文获省级一等奖。是年，举办建党90周年大型文艺演出。各村建成农家书屋，创成二星级农家书屋3个、三星级农家书屋1个。

以争创省、市体育乡镇为契机，开展农民健身活动。加强广场和体育中心建设，成立职工体育队、青年体育队、女子健身队、老年体育队。2009年后，举办第一、二届农民运动会。全镇经常参加体育活动的人数占全镇总人口的55%以上，7个村建成文体广场，创成省体育强镇。

五、卫生

邱卜村、三星村、人民滩村、陈祠村等村创成省卫生村，沙头镇创成省卫生镇。

集镇公共厕所符合公共卫生标准，实行专人跟踪管理。农村采用三格式、四格式化粪池、沼气池处理生活污水。至2010年，全镇新建三格式化粪池1150座、卫生户厕10963户，普及率92%。镇建成垃圾中转站1个。建成区生活垃圾无害化处理率96.8%，各行政村均实行生活污水治理和垃圾资源化利用。

卫生管理坚持高标准，配全配足环卫人员，建立健全环卫所组织专业网络，并制定必要的规章制度、岗位责任制及评比考核制度。

建立环境保护工作机制，签订环境保护工作目标责任书，编制环境规划，按时完成上级政府下达的主要污染物减排任务。2009～2011年，未发生较大（Ⅲ级）以上级别环境污染事件。

每年组织培训查螺人员，到境内相关河港查螺灭螺。每年春、秋两季组织专业队伍对所有河流进行复查。同时开展查病工作，未发现有血吸虫病患者。

强化新型生育文化建设，推进“生育关怀零距离服务”“关爱女孩”服务。新型农村合作医疗参保率连续5年实现100%。沙头卫生院改制工作全面完成。沙头、育新村建成村级卫生服务室。

六、社会生活

2011年，农民人均收入1.42万元，是2000年的3.6倍。

村民对住房的要求越来越高，从改造三间一厢的平房开始，继而建二层楼房，少数村民建三层楼房。不少村民建别墅式住宅楼。住房宽敞，装潢美观高档，生活设施配套齐全。沙头和霍桥集镇不仅建成一批高档住宅区，还建成15个农民集中居住区。部分富裕农民家庭有轿车、电脑、摄像机等。对陈祠村798户进行抽样调查，共拥有彩色电视机1197台、洗衣机818台、电冰箱813台、摩托车电动车1237辆、电脑566台、摄像机15台、小汽车102辆。

至2011年，沙头镇460户低保户实现应保尽保，299个五保户实现老有所养。养老、医疗等社会保障覆盖面不断扩大，企业职工养老保险覆盖率82%。开展以助学、助医、助困为帮扶内容的爱心工程，扩大农村低保覆盖面。沙头敬老院创成省级文明敬老院。

第四节　特色选介

一、江苏扬力集团

江苏扬力集团是专业从事锻压机械设计、制造的企业。注册资本总额1亿元，资产总额12亿元。集团建于1956年，有员工4000多人，其中各类工程技术及科研人员500多人。企业获“国家重点高新技术企业”称号，跻身中国机械企业500强行列，是机床行业首批通过ISO 9000国际质量体系认证的企业、国家级863火炬计划企业、进出口自营企业、特级信用企业，连续多年在中国锻压机床行业中排名第一。扬力牌系列产品获批江苏省免检产品、江苏省著名商标。产品广泛应用于航空、汽车、电器、五金、造币等生产领域，远销欧美、东南亚等几十个国家和地区。集团拥有扬力锻造公司、扬力重机公司、扬力精机公司、扬力数控公司、扬力液压公司等全资或控股公司5家，下辖研究所4个，与东南大学共同申报设立企业博士后工作站，与扬州大学建立开发全伺服机床产品的合作，与中国科学院长春光学精密机械与物理研究院合资建立激光技术与装备工程研究中心，形成技术综合研发、生产线配套成龙、营销线上运作的现代经济实体。集团董事长、总裁林国富先后被评为中国机械工业优秀企业家、中国工业行业领军人物、中国机床行业十大风云人物。

二、邱卜村

邱卜村地处霍桥集镇南部，总面积3.4平方千米，居民951户3063人，耕地面积133.8公顷，辖29个村民小组。村党委下设富扬、富欣、农业3个支部，共有党员128人。1997年，与港商合资建起扬州市首个村级港资工业园——富佑工业园。村内有规模企业4家，个体、私营企业84家。外经、外贸以毛刷、画笔为主要产品。模具加工作坊众多是村经济的鲜明特色。占地面积近33.3公顷的工业生产基地相对集中。农民住宅小区开发是邱卜村的另一个特色。先后投资40多万元建设霍桥大道、文汇路、富佑大道和一批通组道路，投资10多万元安装本村及邻村路灯。便民服务中心大楼占地0.12公顷。农民广场健身器材、大屏幕电视、长廊一应俱全，成为村民休闲、娱乐、健身的好去处。2011年，全村实现三业总产值5.5亿元，其中工业产值4.5亿元，农民人均收入1.79万元。先后被评为省级卫生村、生态村，市级新农村建设示范村、生态村、文明村、小康示范村、“四有一责”建设示范村等。

第八章　杭集镇

明代杭集镇称江都县永真乡。清顺治·康熙年间，先后有杭氏、杨氏、陈氏等到此行商谋生，逐渐形成集市，为杭家集，简称杭集。杭集镇位于广陵区东南隅，距市中心8千米。东临芒稻河，隔河与江都区相望；南濒小夹江，南为李典镇，西傍廖家沟，隔沟与沙头镇、湾头镇毗邻；北部与湾头镇夏桥村接壤。镇政府位于宁通高速公路与曙光路交界处。2011年，全镇面积40.38平方千米，居民1.13万户3.7万人。地区生产总值56.29亿元，财政收入4.1亿元，农民人均纯收入1.91万元。

杭集地灵人杰。刘万兴是古代创制牙刷第一人。陈开良、陈正春是国家非物质文化遗产——雕版印刷技艺“杭集扬帮”的领军人物，他们的后人陈义时被认定为非物质文化遗产雕版印刷技艺项目国家级代表性传承人。

杭集镇先后被命名为中国牙刷之都、中国酒店用品之都、中国千强镇，被评为国家卫生镇、江苏省文明镇、江苏省诗词之乡。

第一节 区域概况

一、建置区划

1956年,原石羊(洋)乡、杭集乡、双龙(隆)乡、新港乡四小乡合并成大乡,名杭集乡,属邗江县辖。1958年,改称杭集人民公社。同年,邗江县撤销,划归扬州市。1963年,恢复邗江县,杭集公社随属,所辖20个大队不变。1983年,恢复乡、村建制,改称杭集乡。1993年,杭集撤乡建镇,所辖村、组不变。2000年7月,20个村合并为10个村,下辖229个村民小组(197个自然村庄),集镇设社区居民委员会。同年12月,邗江撤县建区,杭集属之。2001年7月,获批建杭集工业园。2004年12月,批准建立工业园区管委会,镇园合署办公。2011年11月,杭集镇划属广陵区,所辖村、组不变。辖杭集、新生、裔庙、王集、龙王、双隆、八圩、新联、夏庄、王桥10个行政村,246个村民小组和1个社区。杭集社区辖17个居民小组,与杭集村合署办公。

二、自然环境

杭集东、南、西三面环水,北接陆地,北狭南宽,成半岛地形。全镇耕地面积1569公顷,占总面积45%;水域面积670公顷,占19%;江滩面积137公顷,占4%,其余为宅基、道路、林地、工厂用地。地势北高南低,北为高砂土,真高6.5米左右,称高田;南为砂黏土,真高2.2米,称圩田。杭集土地平坦,土壤肥沃,动植物资源丰富。

第二节 经济建设

一、农业

1989年,全乡粮食总产1.5万吨,亩产668千克。2005年后,机械插秧得到推广,大田直播技术普遍被农户掌握。2011年,农业连续第八年取得大丰收。生产粮食1.85万吨、油菜157吨、水产品2110吨、蔬菜8284吨,家禽和生猪饲养量分别为30.5万羽和8224头。全镇劳力2.17万人,从事农业的1457人,占6.7%。

1998年,杭集镇被列为省农村现代化建设实验示范镇。杭集农业进入国家综合开发序列。至2011年,80%的耕地实行秸秆全量还田、测土配方施肥,施用高效、低毒、低残留农药。

90年代末,农业实行产业结构调整,改变单一生产粮食的做法。2001年起,先后聘请扬州花木专业户,培育花木苗50多万株;引进上海昆山园艺专业大户,建大棚培育鲜花,销往上海、扬州等地;流转土地166.7公顷,投资300万元建单体钢架大棚160座、连栋大棚3200平方米,建成蔬菜基地;聘请外地专业户承包,生产瓜果、蔬菜、花卉。生产的金田牌小青菜、豇豆通过省无公害农产品品牌认证。2011年,水面人工养殖普通水产品167公顷、特水养殖47公顷。

二、工业

80年代,杭集试行"双轨并行,五轮齐转"(双轨,集体、私人;五轮,乡、村、组、户、联)发展乡镇工业模式。1989年,工业收入占全乡经济收入的比重83.7%。2001年,杭集工业园建立,为完成初步资金积累的企业提供二次创业的空间。至2011年,工业园开发5.5平方千米,政府基建投资9亿元,入园企业314家,项目投资55亿元。

工业产品以牙刷为主。由牙刷业带动日化旅游用品业、包装业、印刷业和物流业发展。有新型包装材料和纸质包装材料企业100多家,印刷企业150多家。

1983年,杭集建筑站转制为建筑安装公司。2011年,公司拥有7个项目部、员工598人,配备起重塔吊、各式搅拌机、振动设备共202台。1997年后,参与镇社会公益建筑共13项,建筑面积计7.8万多平方米,优良工程占51.3%。2011年,被评为三级企业。当年,实现产值1.57亿元、利税553万元。

杭集镇重要企业有江苏三笑集团、高露洁三笑有限公司、江苏琼花集团有限公司、两面针(扬州)酒店用品有限公司、扬州五爱刷业有限公司、扬州山鹰纸业包装有限公司、扬州明星牙刷有限公司、扬州三星塑胶有限公司、扬州市永春旅游用品厂等。2011年，杭集镇实现工业产值290亿元，列统工业产值209亿元，利税19.56亿元，工业增加值73.72亿元，工业总用电量3亿千瓦时，自营出口2.21亿美元。工业从业人员1.48万人。新注册民营企业211家，其中1亿元以上公司3家，民资注册资本10亿元。推进产业结构调整。落实古籍线装书项目、扬州谢馥春化妆品项目、扬州锦和新材料项目和富迪特种气体项目。项目总投资10亿元。

三、商贸服务业

1994年，杭集供销联社试点实行“抽本承包”，经营权下放给柜组。1997年，改“抽本承包”为资产租赁，一切经营活动由职工自己做主。2001年，供销社管理权下放给镇政府，职工变为个体经商者，供销社历史使命完成。2004年，苏果超市进驻杭集，是落户杭集的第一个较大型超市。2011年，共有各种零售网点680家，其中饮食店铺43家，日用百货超市、批发部商店106家，理发店、浴室21家，副食品、冷饮店34家，商业零售总额3.3亿元。全年实现服务业增加值17.5亿元。

2001年9月，杭集新集贸市场于杭府街西段南侧建成，建筑面积9200平方米，有530个摊位，日客流量7000人次，年贸易成交1亿元左右。

2006年，镇内大小物流公司近百家，规模参差不齐。2010年，镇政府对全镇物流市场进行整合，优胜劣汰，形成三笑物流园。三笑物流园占地近13.3公顷，分A、B、C、D、E、F六个物流分区，主要从事货物运输、仓储服务。建有物流商务中心、信息管理中心、停车场，同时为企业办理营业执照、运输许可证、税务登记证等服务。园内共有三笑、丰华、大宇、永顺等物流企业79家，自有加租用车辆2000多辆，总运载能力2.5万吨，从业人员2500人左右。2011年，三笑物流园区运输产值2.65亿元，地方税收680万元，利润突破1亿元；业务范围遍及全国，20%的物流公司在全国大中型城市设有营业分部。

第三节　社会事业

一、镇村建设

镇内道路分工业园区和圩田区两块。工业园区主干道七纵九横，均为硬质混凝土路面。七纵由西向东为廖家沟路、城西路（伟业路）、曙光路、三笑路、兴园路、通洲路、九龙路，总长13.23千米，宽30～40米；九横由南向北依次是杭府街、富民路、利民路、琼花路、兴隆路、翟庄路、龙王路、三星路、城北路（宁通路辅道），总长14.51千米，宽20～30米。纵向路6车道，横向路4车道，设施及绿化配套一应齐全。纵横交叉繁忙路口，装有交通警示灯。

圩田区主干道为集镇通5个村的村道。总长15.6千米，宽度5～8米，配置路灯，两旁栽种花木。全镇通组道路全部实现硬质化、亮化。

1998年，建成第一座变电所，总容量7000千伏安。2010年，建成第二座变电所，总容量1.4万千伏安。2011年，全镇配变压器394台，总容量8.6万千伏安；高低压线路总长164千米。

整治村庄河塘，建立长效管理机制。对8个村15条河流清淤疏浚，总长14.7千米，清淤8.8万立方米。

2007年，全镇实行垃圾袋装化，专人收运，日日清理。镇区与乡村共设垃圾房（池）404座，配备压缩式专用运输车2辆、普通清运车10辆、道路人力清扫车47辆、洒水清扫车1辆。镇区、街道环卫工人共93人。集镇生活污水进入排污管道。琼花、三笑等大中型企业及重度污染企业均安装污水净化设备。2008年，镇政府投资7300万元，在廖家沟河底，将三根排污管道铺设过河，与汤汪污水处理厂对接。2011年，杭集工业园40家企业污水进入管网。

杭集改水工作始于1986年。至1992年，全镇通上自来水，日供水3万立方米，饮用水质达标率100%。改厕率100%。镇区建公共厕所8座，达到每平方千米2.5座，被评为市改厕先进镇。2004年，被评为全国环境优美乡镇。

1991～1995年，沿江新联等8个村栽植意杨45公顷；2002～2003年，沿江大堤内侧100米宽建生态防护林，栽植女贞、垂柳、意杨等11.9万株，绿化面积237.73公顷。宁通公路杭集段2740米两侧各宽50米，栽植意杨6300多株，绿化面积12.73公顷。镇区七纵九横道路、园区各工厂、学校、单位及其周边绿化，中心广场及零星花圃、草地等绿化面积共计72万平方米。集镇通圩田五个村村道，两旁栽植银杏等花木、灌木。2011年，新增绿化造林98.68公顷。

二、科技

2011年，杭集镇技改投入40亿元，设立1000万元科技创新专项引导资金，引导科技创新、人才引进、品牌创建和技术改造。申报国家高新技术企业1家，省、市项目8个，省高层次创新创业人才引进计划1个，扬州“绿扬金凤计划”5个。

三、教育

杭集镇有镇北幼儿园和镇中心幼儿园两所。1999年12月，中心幼儿园实行股份制。2003年，中心幼儿园晋升为扬州市现代化幼儿园。2006年，晋升为江苏省示范幼儿园。2011年，有班级12个、幼儿552人、教职工46人。

杭集中心小学拥有教学楼、办公楼各1幢。2000年，通过现代化学校验收。2004年12月，创成江苏省实验小学。2011年，拥有班级35个、学生1664人、教师89人。教师中本科生占64%，中高级职称占48%。

三笑小学由三笑集团董事长韩国平于1999年投资500万元建造。电化教室、微机教室、语音室、科学实验室等均按现代化标准设计。不仅吸纳附近村民子弟入学，也为外地打工子弟提供优越的读书环境。十几年中，共有近1500名小学生毕业。

杭集中学建有综合性办公楼、教学楼、实验楼、图书室等；安装完备的现代化教学设施。该校是北大附中远程教育示范学校，2001年，与法国马来布尔中学结成姊妹学校。2011年有在职教师108人，其中高级职称29人、中级职称49人、骨干教师12人、学科带头人2人。至2011年，共培养初、高中毕业生2万多人，从该校毕业后成为教授、中青年专家、博士、硕士的近50人。

杭集成人教育中心校集党校、团校、妇女学校、人口学校、家长学校、农业技校、老年学校、高等教育自考服务站于一体，进行全方位、多层次办学，开展职前教育和在职培训。培训人数每年都占全镇劳动力总数的40%以上。

四、文化体育

2009年，杭集文体中心大楼落成。大楼共五层6600平方米，二楼设有600座位影剧院1座，另有图书馆、阅览室、健身房、乒乓球室等。图书馆藏书1.1万册。杭集镇中心广场占地面积4.06公顷。

2002年起，举办杭集文化艺术节。艺术节以群众文艺表演和家庭展示才艺为主，加入舞龙、鼓号、腰鼓、舞蹈等表演，还有诗词、书画展及歌曲、扬剧演唱。至2011年，共举办九届艺术节，相继成立扬剧票友队、二胡兴趣活动小组、民事乐队、诗文协会等群众性文艺团体。

2008～2010年，镇政府先后投资3000万元，在镇区及10个村建大、中、小型休闲运动绿地（草坪）49个，其中面积较大并配置运动器具的30个，安装100多件健身器材。双隆、新生等村建有乒乓球室和篮球场，镇文化中心建有灯光球场、健身房、乒乓球室。中小学、老年公寓及居民小区都配置相关活动器具。

2009年12月，镇成立农民体育协会和老年体育协会。全镇共有群众文体组织7个，分别是健身队、空竹队、腰鼓队、锣鼓队、太极队、晨跑队、中国象棋队。镇政府每年对每支队补贴一定经费。

1998～2011年，杭集共举办六届农民运动会，比赛项目有田径、球类、拔河、象棋、扑克及趣味体育等。第六届杭集运动会，全镇有37支代表队600名运动员参加。

五、卫生

杭集卫生院是镇内唯一一家集体所有制综合性医院，设有内、外、妇、儿、眼、耳、鼻、喉、口腔、针灸、理疗、疼痛及中医等科室，有医务人员55人、床位45张，年就医人员13.95万人次。有500MA和300MAX光机、DR摄片机、法国汤姆逊电视透视系统、彩色B超机等医疗设备，可开展多种上腹部器官手术及妇科、眼科等手术。

1985年，全镇设社区医疗服务站7个。每站配备医务人员2～4名，实行自费医疗。2003年，农村新型合作医疗保险制度建立，镇政府成立新农合管理委员会，镇医院成立新农合管理小组。当年参保2.29万人，占应参保人数82.6%。2011年，参保人数3.02万人，占99.75%。

六、社会生活

90年代，私营企业蓬勃发展，杭集走上全民从工经商道路。2007年，人均年收入1.15万元，通过扬州市小康镇验收，实现全民小康目标。2011年，人均年收入1.91万元，全镇银行存款余额16.56亿元。

住房条件得到很大改善。2000年，全镇已全面淘汰草房，楼房占全部住房的15.4%。2011年，楼房（包括别墅）占69.7%。2011年，有摩托车1.08万辆、私家轿车3078辆。1999年，建成扬州市电话小康镇。2011年，达1.2万部，户均1.06部。实现村村通公交，居民免费乘坐公交车。2011年，杭集301路和302路两条通村公交线开通，加上早已开通的219路，3条线路共长35.8千米，设63个站点。

图36-8-1　杭集镇敬老院

1986年，杭集敬老院建立。2011年，入住老人30多人，费用由政府供给，每月发给零花钱，免费治病。2002年，被省民政厅授予“江苏省文明敬老院”称号。2006年，杭集建老年公寓，有32个房间、64张床位，是一座现代化老年公寓。2011年，入住老人40人左右。新型农村养老保险制度推广后，参加人数逐年增加。2011年，参保人数8178人，享受补贴6436人，发放养老金1100万元。

2009年，政府帮助100户贫困家庭就业，资助100名贫困生上学，资助100户贫困户发展种养业。2010年，实行医疗救助63人次，为2635名65周岁以上老人免费体检，发放大病救助款13.85万元。全镇234户514人享受城乡居民最低生活保障，年发放低保金81.2万元、社会救助资金54.8万元。2011年，建成居家养老服务站两个。三笑日化厂、琼花镀铝膜厂、富平彩印厂、电缆厂、山鹰纸业等厂，先后安置237名残疾人就业。2003～2011年，镇政府陆续为残疾人配置手摇轮椅车65辆。

第四节　特色选介

一、牙刷业和旅游用品业

清道光六年（1826），江都县永真乡车家坝（即今杭集裔庙村车坝组）乡民刘万兴，与其徒弟严兆霞共同研制牛骨柄白马尾毛牙刷成功。标注三星牌，为当时苏北首创。此后，刘氏后人及弟子制作牙刷者日众。其牙刷制作技艺经不断发展，传承至今。新中国成立后，个体手工业逐渐恢复。1956年7月，成立邗江县杭集牙刷生产社。1967年，更名为邗江县牙刷厂（县大集体性质）。时有职工390多人，总资产4.5万元。1970年，杭集公社接收杭中、王集两家牙刷厂，成立邗江县牙刷二厂，厂址设在

图36-8-2　牙刷博物馆

王集村，社办性质。同年，生活日用工业品厂、塑料包装厂等均生产牙刷，全乡从业人员达千人。1985年，全乡有3500个专业户。县委、县政府在全县推广杭集发展模式。1987年，乡政府征地1.45公顷，组建牙刷交易市场，成立工业供销公司，为专业户提供产、供、销服务。

1995年，杭集工业体制实行全面改革。乡办厂及村办牙刷企业改制为私营企业或私人控股企业。1989年3月，韩国平承包裔庙村村办化妆品厂，改名大桥牙刷厂。当年实现产值105万元、净利润2万元。1995年9月，大桥牙刷厂按公司法规范要求，改制为扬州市三笑集团有限公司。公司总股本增资为1600万元。村集体全部退出，三笑集团成为私营企业。从德国、日本、韩国等国引进现代化牙刷生产流水线，规模化生产三笑牌牙刷，年产量12亿支。

90年代中期至21世纪初，杭集涌现出五爱、明星、劲松、杰英特等一大批专业生产牙刷的私营企业和专业户。不少企业为适应国内外市场需求，花巨资引进现代化牙刷生产流水线，产量和质量都得到空前提高，杭集牙刷生产完全摆脱小生产方式。2000年，牙刷年产量30亿支，年产值10亿元，销售市场覆盖31个省、市、自治区。为保护行业之间公平竞争和牙刷生产健康有序发展，2001年4月，成立牙刷行业协会，入会企业45家。2003年，杭集五爱、明星、劲松等5家生产商参与修订牙刷国家标准（GB 19342-2003）。杭集牙刷企业都设有质检科室、质检员建制。规模企业对成品牙刷的各项指标都配置专用检测仪器，有关部门对产品抽检，合格后签发证书。至2007年，进入中外市场销售的杭集生产的牙刷品牌超过200个，主打商标40个以上，其中有中国名牌1个（五A牌）、江苏名牌8个、扬州市名牌12个。杭集共获批牙刷外观设计和实用新型专利868项。2003年7月，中国轻工业联合会和中国日用杂品工业协会授予杭集镇“中国牙刷之都”称号。

2007年，海关总署统计资料表明，全国牙刷出口为27.1亿支，杭集牙刷占80%。2011年，全镇牙刷年产量50亿支，销售占国内市场份额80%。除内销外，远销欧、美、非、东南亚，国际市场占35%份额。牙刷业占全镇工业的比重为50%，牙刷业增加值占全镇地区生产总值的46.97%。

旅游用品生产始于90年代初。开始为洗漱卫生用品，把牙刷、牙膏、肥皂加以组合和包装为宾馆用品。后逐渐发展到餐桌、床上用品等，形成洗漱类、客房类、卫生类、餐厅类、提示牌五大类，并在短期内形成产业。至2003年，全镇从事此业的企业和个体户达2000家，占据国内50%的市场份额。2008年8月，中国轻工业联合会及中国日用杂品工业协会命名杭集镇为“中国酒店用品之都”。2011年，杭集列统旅游用品企业120家，其产值占全镇工业产值的30%，增加值占地区生产总值的28.18%。

二、新生村

新生村地处杭集中部，因1955年首建初级社这一新生事物而得名。2000年7月，由原新生村与原兴隆村（因辖区自然村庄得名）合并而成。面积3.5平方千米，1180户4324人。辖28个村民小组（21个自然村庄）。新生村是杭集经济强村之一，1991年，村工业产值在扬州市第一个过亿元。2011年，村社会总产值60.41亿元，人均收入2.19万元，一直居全镇首位。2006年3月，被扬州市命名为全面小康建设先行村。

1989年，村兴建通组公路。1993年，铺筑砂石路面。1998年，在全镇首家筑成水泥路面12千米。至2006年，全村通组道路基本筑成水泥路面，总长27.5千米。2011年，通组道路38.5千米，村干道500米，全部为水泥路面。

2011年，工业产值48.59亿元。有企业55家，其中规模企业5家，个体工商户329户。有耕地108.67公顷，全部实行机械化耕作、轻型化栽培。乡干道曙光路在新生村范围内长度为800米，两边有批发零售商铺、餐饮服务行业219家，年营业额1500万元。

1988年，村投资8万元，铺设自来水管道3500米，比全镇提前4年用上自来水。全村共建沼气池361座。改造旧式厕所556座，改厕率95%以上，2011年，达100%。2006年，率先实行垃圾袋装化，实现组收、村运、镇处理。2006年投入1.57万元推进农村环境综合整治。2008年，全村建休闲草坪5个、运动场地1个，配置运动器械。

2003年，新建杨庄、马坝住宅小区。至2011年，村楼房（含别墅）住户占78.8%。2003年，普及电话；2006年，移动电话普及率90%以上。1988年，新生村出现私家轿车。2006年有80辆；2011年，拥有轿车120辆。

第九章　泰安镇

泰安镇位于广陵区东北部，因境内有太平河穿镇而过，太安之名，取太平安康之意。东临芒稻河与江都区相望，南以横河与湾头镇分界，西临京杭大运河，北以邵伯湖为界，总面积31.93平方千米。境内水源丰富，是淮河归江水道的咽喉要地，原淮河“归江十坝”有八坝坝址在泰安。境内有“七河八岛”，绿化覆盖率60%，被称为扬州市的“绿肺”和城市后花园。

2011年，全镇总户数6743户1.98万人。地区生产总值24亿元，财政收入8528万元，农民人均收入1.38万元。2002年开始，开发建设凤凰岛生态旅游区。2010年，创建成全国生态镇。

第一节　区域概况

一、建制区划

1956年，原太安、自在、芒稻三小乡合并为太安乡，隶属邗江县。1958年，邗江县与扬州市合并，成立扬州市太安人民公社。1962年，邗江、扬州分治，隶属邗江县。1983年4月，改称邗江县太安乡。2000年，撤乡设镇，改为太安镇。同年12月，邗江县撤县改区，隶属邗江区。2002年，更名为邗江区泰安镇。2011年，划属广陵区管辖，辖南江、七里、芒稻、勤俭、金泰、金湾、华丰、凤凰、山河9个行政村156个村民小组和1个社区。

二、自然环境

泰安镇是广陵区唯一属于丘陵农业区的乡镇，总体地势平坦，土壤偏粘，可塑性强，保水肥性好。全镇河网纵横，水域辽阔，是南水北调东线水源保护区。

全镇土地面积1340.6公顷，入江水道面积698.7公顷，内河水域面积280.9公顷。适宜种植水稻、三麦，沿河栽种旱谷杂粮。湖畔农户多以捕鱼为副业。野生动植物主要有野鸡、野兔、菱、藕、茭白、蒲公英、枸杞头、野菊花等。

第二节　经济建设

一、农业

泰安镇强化农业与旅游对接，发展高效生态农业、观光农业。利用荒坡隙地大量种植意杨、香樟、白玉兰、广玉兰、大叶女贞、北美枫香等树木。利用“七河八岛”生态资源优势，陆续开发100公顷有机农业示范基地、开发33.3公顷优质葡萄园、20公顷凤凰岛牌绿茶、2.67公顷无公害桑园、秧草、无公害蔬菜等，开发绿壳草鸡蛋、散养鸡等生态农产品。创成凤凰岛系列农副产品品牌。

2002年5月，投入450万元，流转土地13.3公顷，兴办奶牛场3个。七里村凤凰奶牛场，2011年，存栏奶牛220多头，年产鲜奶1000多吨，成为扬大农学院定点无公害奶源生产基地，所生产的原奶被确认为免检产品。勤俭村流转土地10公顷，建成集生态农业、特色餐饮、休闲娱乐为一体的“烟花三月”生态农庄。金湾村流转土地176.7公顷，引进扬州裕丰有机农业有限公司，引进花卉园艺、大棚西瓜种植、拓展华英生态葡萄园、华芝生态园等项目。其他村也陆续流转土地，引进养鱼场、养猪场、养鸡场等项目。

土地流转后，凤凰岛金湾商贸公司、泰安众成奶牛合作社等各种经济合作组织开始运作。2011年，泰安镇实现农业总产值6191万元，生产粮食1.12万吨、生猪1.48万头、家禽24万羽、水产品1677吨、蔬菜5256吨，农业从业人员2511人。

二、工业

泰安镇砖瓦业较兴盛，曾被誉为砖瓦之乡。为保护泰安的生态环境和国家南水北调水源区，镇内的砖瓦厂陆续全部关闭。2011年，泰安镇共有民营企业237家，其中规模企业36家。工业从业人数5548人，工业总产值81.3亿元，其中列统工业产值68.2亿元。民资方面，新增私营注册企业120家，新增注册资本金8.65亿元，民资总投入9.8亿元，技改投入10.02亿元。外资方面，协议利用外资1280万美元，实际利用外资323万美元。2002年6月，在泰安镇宁启铁路南侧规划53.3公顷的工业集中区。至2011年，进区企业62家。产品以机械制造、压力容器、电器铸造、汽车配件、旅游用品、集装箱配件为主。位于镇工业集中区的泰安镇村级创业园，占地面积4.67公顷，总投资3亿元，建设标准化厂房10栋，每村（居）1栋，总建筑面积4.6万平方米。

扬州万福压力容器有限公司是一家集设计，制造Ⅰ、Ⅱ、Ⅲ类压力容器及钢结构制造的专业化工机械制造企业，具备年产2万吨压力容器的生产加工能力。公司通过ISO 9001:2008质量体系认证及美国ASME U钢印资质，是中石化一级合格网络供货商，也是中石化南化公司化工机械厂的紧密型战略合作伙伴。2011年，销售收入7.42亿元，占全镇的9.2%。

扬州华泰特种设备有限公司专业生产各种起重机。与西南交大合作建立西南交大起重机械研究所。该公司生产的华泰牌桥式、通用门式、门座机被省名牌战略推进委员会授予“江苏省名牌产品”称号。

扬州华铁铁路配件有限公司是铁道部定点生产企业，主要生产铁路机车、军品坦克和船用、汽车发动机等高强度、高耐磨节能环保型汽缸套，铁路客车、货车各种车型的奥－贝系列衬套，货车斜楔高分子材料摩擦板和组合式斜楔及机车车辆耐磨配件等产品。公司是国家高新技术企业。2010年，建立市级企业院士工作站。2011年，建立省级企业院士工作站。

泰安镇从事建筑业的单位主要有泰安建筑安装工程有限公司，房产业有泰安开发公司。2011年，泰安建筑安装工程有限公司总产值1.1亿元、利税400多万元。1996～2011年，泰安开发公司开发建设金泰花园（一、二、三期）、新农贸市场门面房、金三角安置房、农民集中区安置房等。

三、商贸服务业

2011年，凤凰岛景区游客接待数突破45万人次，实现旅游收入2000万元。

2011年，泰安镇各类超市、五金家电、花市、装饰装潢、文化医药、通讯等商业零售网点有420个，年销售额3500万元。较大的超市有苏昊超市、华联商场、红枫超市、大如超市等。

镇农贸市场建筑面积1.2万平方米，固定摊位400多个。2011年，集贸市场成交额7545万元。集镇餐饮业发展到10多家饭店、酒楼，能一次摆宴席35～100桌的饭店有烟花三月饭店、家乡土菜馆、长寿宫饭店、三八饭店等。有浴室7家，较大的浴室有中心浴室、天星池、国煜浴室、七里浴室等。

第三节 社会事业

一、镇村建设

镇区交通便利。宁启铁路、西北绕城高速公路横贯全镇。镇区主干道凤凰岛路南连328国道，直通李典镇，北达凤凰岛旅游区，西傍万福闸进入广陵新城区。村级道路5条，水泥路通村通组到户。市内公交10路车经勤俭、金泰、金湾村直达凤凰岛景区。镇村公交337路、338路覆盖东西片5个村。2010年，新建泰安东、西大桥，长度约为170米，总投资3000多万元，有效解决芒稻、自在半岛百姓出行难问题。

商业街道有金泰南街、金泰北街、金桥东街、金桥西街、润泰东街、润泰西街6条街道，组成“一纵两横”集镇街道格局。

镇内拥有一座110千伏变电站，电力专线45千米。2007年，泰安镇自来水与扬州市区自来水并网。

全镇有村庄河塘205条，总长36.22千米，河岸线长94.7千米。2005年起，全镇投入巨资清淤疏浚河道。至2011年，沿各泄洪河流两岸筑有圩堤15.4千米，其中用条石护坡驳岸7005米。建有涵闸12座，新建水乡特色小农桥7座。

全镇有国家级防护林104.7公顷。至2011年，镇域绿化覆盖率30%，凤凰岛景区40%以上。2005年，泰安镇被评为国家级防护林区。

2007年，镇政府投资200多万元，建成泰安垃圾中转站，完善垃圾收集设施。村组新建垃圾池216个，主要道路两侧新添垃圾桶218个。2010年，投资200万元，建成日处理污水500吨的污水处理厂。

图36-9-1　泰安东西大桥通车长跑活动

二、科技

镇建有农技站，各村配有农技员。镇农技站每年进行农业技术培训，推广应用的农业技术主要有少（免）耕法、轻型栽培、塑盘抛秧、旱直播、水直播、麦套稻和化学除草等。塑盘抛秧约占水稻总面积的50%，水直播约占20%，套种约占10%。

全镇有科技企业60家。其中扬州华泰特种设备有限公司、华铁铁路配件有限公司、扬州威奥重工机械有限公司是国家级高新技术企业。华泰公司获得省双创人才项目。新浪公司与南京野生植物综合利用研究院与镇企进行产学研合作。

三、教育

先后投入近2000万元新建中心小学教学楼、中心中学教学楼、镇成人教育中心校、泰安学校综合楼、学生公寓、成教楼。2006年12月通过教育现代化乡镇验收。

泰安镇中心幼儿园2011年入园幼儿数298人。幼儿园先后被评为区文明单位、青年文明号、先进集体、巾帼示范岗。泰安成人教育中心校每年举办各种类型的培训班。至2011年，共培训8万多人次。

2004年，镇政府投入1000多万元，将泰安中心小学和中心中学合并为全镇唯一的九年一贯制学校——泰安学校。2011年，泰安学校有教职工127人、学生1189人。泰安学校着力进行特色教育，打造“诗意校园”。学校诗词协会先后吸纳会员400多人，在刊物上发表诗歌200多首。2011年，泰安学校被中华诗词协会表彰为全国诗教先进单位。2008年12月9日，新华网发布题为《扬州农村小学建立农耕文化馆》的图文报道，报道泰安学校农耕文化馆情况。非物质文化遗产扬州评话项目省级代表性传承人杨明坤担任艺术导师，让扬州评话这一本土艺术走进校园。学校积极开展机器人活动、信息技术特色教育。2008年12月30日，新华网、人民网、《光明日报》《中国青年报》《扬州日报》等多家媒体对泰安学校小学生机器人比赛活动情况进行报道。

近年来，泰安学校初中毕业生考进扬州中学、邗江中学（集团）等四星级高中比例逐年增加。2011年，28人考进四星级高中，占毕业生总数的22.5%。泰安学校先后被评定为市数字化校园、市素质教育先进学校、市体育传统项目学校、江苏科技教育特色学校、省中学科技创新活动创新示范点、省小学数学文化传播先进学校、全国教育信息化示范基地、中国西部教育顾问单位、全国“十一五”教育技术研究重点课题实验学校等。

四、文化体育

2010年，镇文体中心进行改造，达到一星级文体中心要求。新建文体广场，配备全套健身路径。各村都配置健身路径，建成“农家书屋”。

泰安镇民间文娱活动单位有诗词协会、扬剧票友队、凤凰岛景区“都天庙表演”队、泰安学校小学生鼓号队。2008年，镇文体中心牵头，率先组织起影剧院广场舞队和七里村广场舞队，每晚坚持活动。至2011年，各村先后组建广场舞队、腰鼓队、军鼓队、舞龙队、花鼓队、扇子舞队、逿湖船队等村民健身特色团队，并坚持晚间文体活动。影剧院放映队从2007～2011年，连续5年获得“区公益电影放映先进单位”称号。

图 36-9-2 农民艺术节

2008年，举办首届农民艺术节。2011年，举办第二届社区艺术节，开展小康征文大赛、全面小康知识竞赛、农民广场舞表演、家庭才艺大赛、文艺巡演等系列活动。组织开展“凤凰岛杯”红歌大赛和“千人看泰安”活动。凤凰村农民画家、国家一级美术师李金乐创作的国画《鸟啼青山秀》《秋去飞瀑图》入选首届中国农民书画展。

2001～2011年，共举办四届农民运动会。设立跳绳、飞镖、抛秧掷准、挑担走、100米跑、扛沙包、袋鼠跳等比赛项目。利用寒暑假和节假日开展假日全民健身活动，内容有乒乓球、篮球、象棋、老年人健步走、中青年健身长跑、拔河等趣味体育活动。

2008年12月，泰安镇获得“江苏省体育强镇”称号。

五、卫生

1989年，泰安镇有县属卫生院1所、村级卫生室6个，保健医生18人。1999年下半年，镇卫生院由县属大集体改制为民营；2011年9月，又由民营转制为公立。泰安卫生院设内科、外科、全科、骨科、妇产科、中医科、针灸推拿科、医学检验科、医学影像科等科室，医务人员30多人、床位30张。2000年前，泰安防保组是卫生院的一个职能科室。2002年10月，泰安防保组和杭集防保组合并，成立杭集防保所，承担杭集、泰安辖区内的预防接种、食品卫生、传染病管理、慢性病防治、健康教育等职能。

2003年，推行新型农村合作医疗制度，当年参加新农合人员1.07万人，参合率80%。2011年，参加新农合人员1.48万人，参合率98.5%。

泰安镇成立环境卫生管理队，有环卫人员13人。2007年起，镇内卫生厕所改造全面实施。至2011年，全镇共改厕2200座。指定专人负责公厕管理。2009年12月，泰安镇创建成市级卫生镇。2010年，七里村创建成省级生态村，华丰、凤凰、山河、勤俭、金泰、金湾村创建成市级生态村。泰安镇创建成国家级生态镇。

六、社会生活

2008年，勤俭村率先创建成市级小康村，以后其他各村相继建成小康村，全镇人民生活水平逐步达到全面小康。据2011年泰安镇勤俭村600户调查统计，共有彩色电视机1084台、电冰箱596台、空调906台、摩托车电动车1048辆、小汽车102辆。

2011年，泰安镇农村最低生活保障户125户259人，每人每月最低生活费100～350元。工业企业全部实施社会养老保险，农民普遍实行新型农村社会养老保险。2011年，参加“新农保”人数3949人，参保率97.5%。领取养老金人数4065人。全镇发放扶贫解困救助资金100多万元。

2011年，推进总体规划8.3万平方米居住330户的农民集中居住区建设。房屋结构为叠加、联排别墅和多层建筑。建成金泰农民住宅小区，建筑面积1.2万平方米，每栋建筑面积200平方米，单门独院；金三角农民居住区3.8万平方米；另还有凤凰别墅、维纳花园高档精品小区。

2011年，镇政府投资1200万元新建老年公寓1座，可容纳150张床位，生活设施齐全。公寓内有假山、草坪、健身路径、活动室、餐厅、洗衣房等。

第四节　特色选介

一、凤凰岛生态旅游区

2002年，泰安镇开始打造旅游业。开发建设凤凰岛生态旅游区，注册资金1000万元，其中87.5%的股份由泰安镇农工商总公司投资。至2011年，累计吸引各类投资1亿多元，陆续建成50多个参与性的景点和项目，接待游客共320万人次，实现综合收入1.16亿元。2002～2011年，凤凰岛景区和泰安镇政府联合投资676万元，在凤凰岛旅游区种植30多个品种20多万棵的树木，保育自然野生树苗20多万棵，建成面积15公顷的芦苇荡、20多公顷的野生林、16公顷的候鸟天堂——聚凤岛、5公顷的蝙蝠湖、2公顷的孔雀林、长8.5千米的林荫小道和6千米的滨水大道，形成林、岛、水、鸟相依共存的生态家园。

凤凰岛生态旅游区已被批准为全国生态农业旅游示范点、国家AAA级旅游景区、国家湿地公园、省级森林公园、省四星级乡村旅游示范点。成功举办乡村美食节、中秋祭月、桑葚旅游节等节庆活动。

二、金湾村

2011年区域调整时，由原来的戴庄村和金湾村合并而成。全村面积522.8公顷，耕地148.9公顷，21个村民小组2491人。全村有党员93人。

2002年后，金湾村紧紧依托凤凰岛风景旅游区，全力打造宜居、宜游和吃、住、行为一体的休闲乡村，发展生态农业。围绕旅游发展服务业，鼓励当地农民创办农家饭店、农家客栈。2009年上半年，金湾村先期集中流转土地100公顷作为有机稻米生产基地，引进扬州裕丰有机农业有限公司进行投资，集中规模种植水稻。生产的凤凰岛牌有机大米第一年就取得国家有机稻米证书，并包装上市。2011年，金湾村被省农林厅评为江苏省最具魅力休闲乡村。

图36-9-3　凤凰岛旅游景区

金湾村充分利用丰富的自然资源和地域优势，开发建设凤凰岛木屋度假村。一期工程项目投入3000万元，以木屋式风格建筑36套独立别墅和32间（套）联体客房，一次可为200人提供餐饮、住宿、会议服务。

华英生态葡萄园是一家集葡萄种植、生态养殖、休闲垂钓、餐饮娱乐为一体的生态农业园区。园内引进夏黑、醉金香、巨峰、美人指、红罗莎、魏口等近20个畅销国内外的优良葡萄品种，供游人观光采摘，是目前扬州城郊规模最大的葡萄种植观光基地。

2008年，投入80多万元，利用农户闲置房屋开发钓鱼塘、特禽养殖等各具特色的“农家乐”。2011年，农户自行开设的农家乐项目30多户，其中规模较大的有金湾农家乐和孙氏特禽养殖基地。

第十章　汤汪乡

汤汪是唐代扬州江阳县文教坊所在地。坊间四周是水汪塘，后人附会此处为汤汪。汤汪乡在扬州老城区东南部，北接古城区，东临广陵产业园，西至古运河与扬州开发区相接，南近扬州港。2011年，全乡面积9.83平方千米。总户数6437户1.84万人。地区生产总值5.78亿元，财政收入1.02亿元；农民人均纯收入1.74万元。乡政府所在地在扬州市汤汪路。

汤汪乡有清代角里庄和乔氏东园遗址，有市文物保护单位普照寺（太阳宫）。

第一节 区域概况

一、建制区划

1983年3月区划调整，汤汪乡由邗江县划入扬州市郊区管辖。1989年，有肖家、董庄、袁巷、束庄、运东、角里、汤汪、丁长、坝基、严家、蔡坝、崔庄、蒋巷、横沟14个村104个村民小组。2000年4月，14个村合并为龙泉、宦桥、连运、同心、九龙和横沟6个村。2002年1月，扬州市行政区划调整，汤汪乡由郊区划入广陵区管辖。2005年，龙泉、宦桥两个村35个村民小组划入广陵产业园。2006年，新建东昇花园社区。2009年，新建九龙湾社区，后称杉湾花园社区。2011年，汤汪乡辖连云村、九龙村、同心村、横沟村4个行政村69个村民小组和东昇花园社区、杉湾花园社区。

二、自然环境

汤汪乡土地平整，北部土质为沙壤土，南部为黏性土。土质肥沃，既适宜种植旱谷类的三麦、油菜等粮油和瓜果蔬菜作物，也适宜种植水稻及水生作物。水源充足，雨量丰沛，排水系统配套，正常年景可实现旱涝保收。

第二节 经济建设

一、农业

汤汪乡历史上一直是粮菜夹种地区。1989年，全乡耕地面积796.3公顷。乡里成立副业公司，配有专职农（渔）技员，创办家禽、鱼类饲料加工厂，为村级及个体养殖场、渔场提供技术指导、饲料供给等服务。当年，全乡实现农村经济总收入8751万元，生产粮食3571吨、蔬菜3771吨、家禽26万羽、禽蛋570吨、生猪5870头、水产品319吨。农民平均收入781元。2001年，全乡上市水产品1218.96吨、生猪1.94万头、家禽50.68万羽。2002年，由于耕地逐年减少，农村劳动力转移，副业生产模式也随之变化。

2005年9月，汤汪大运河东的两个村划入广陵产业园。至2011年，全乡被征用耕地342.7公顷，占耕地总面积的60%。

1989年，粮食种植面积占耕地总面积的70%。1996年，粮食种植面积只占耕地面积的43%。2001年，蔬菜种植面积扩大到375公顷，占当年耕地总面积的90%。2002年1月，汤汪乡划入广陵区后，所有耕地全部种植蔬菜。当年生产上市蔬菜5.2万吨，成为名符其实的蔬菜之乡。2002～2011年，由于城镇化建设的需要，汤汪乡的农业生产发生根本性变化，汤汪乡处于由乡村变城镇转型发展阶段。

二、工业

1989年，全乡拥有乡、村办工业企业59家，有七大类49个产品。乡村组户工业全年工业总产值5538.98万元，利润290.82万元。其中，乡村工业产值4437.8万元，利润198万元；组户工业产值1101万元，利润92.82万元。外贸收购额取得突破性进展，首次超过1000万元大关，实现1006.31万元。出口产品有管子铰板、汽车装饰件、长毛绒玩具、渔杆、电瓶车。1989年12月6日，《新华日报》头版头条报道汤汪乡外贸生产的情况。

汤汪乡工具厂是以生产管子铰板为主的外贸企业。1992年，外贸出口额1031万元。扬州市达扬渔具有限公司是汤汪乡第一家与台商合资的企业，1995年，完成产值1亿元、外贸收购额7500万元、利润700万元。

2002年，全乡工业企业数量增至119家，其中规模以上企业20家。另有个私工业企业207家。当年工业总产值3.67亿元，销售收入3.42亿元，工业利润1580万元。

2011年，全乡工业企业110家，其中规模以上企业13家、个体小企业97家。工业总产值23.9亿元，销售25.9亿元，利税1.03亿元。扬州飞驰动力科技有限公司、扬州联扬汽车装饰件有限公司、汤汪电镀厂等13家规模企业完成销售21.3亿元，占总量的82%。

招商引资工作不断取得进展。2011年，全乡引进1亿元以上项目1个、5000万元以上项目2个、3000万元以上项目7个。合同利用外资6500万美元，实际利用外资3300万美元，民资注册10.4亿元。集体资产积累量多质优，2.4万平方米的汤汪食品科技创业园已投产。在广陵产业园科技创业园购置写字楼2.6万平方米开办汤汪创业楼。

图36-10-1　汤汪乡汇金广场商厦

三、商贸服务业

2002年，汤汪乡以融入城市为契机，主动谋划产业结构转型升级，推进现代服务业发展。当年投入1.5亿元，新建占地面积1.8公顷的汇金广场商业综合楼、连运农贸商业综合楼、宦桥沙石市场。九龙花园、九龙南苑配套商业用房陆续建成并启动招商，规划并启动实施连运路商业街建设计划。启动乐通大厦、公共服务中心等商业综合体建设，为全乡服务业可持续发展奠定基础。商贸流通日趋活跃，市场交易量连年上升。2004年，实现商业零售总额1.12亿元，集贸市场成交额947万元。2010年，汇金广场成功招引汇银家电、迪信通手机卖场，扩建荤食、蔬菜市场。2011年，全乡商业经营网点从2002年的256个发展到431个。全年商业销售总额4.67亿元，市场成交额2358万元，分别是2002年的5.6倍、3.7倍。

第三节　社会事业

一、乡村建设

汤汪乡区位优势明显，水陆交通便捷。扬州食品工业园、扬州商贸物流园坐落乡境内，宁通高速、沪陕高速从境内通过。南北走向的渡江南路、运河南路、江都南路与东西走向的开发东路、连运路、连心路形成“三纵三横”的道路网络。1路、5路、35路、56路、68路、78路、82路公交车线路覆盖全乡范围。全乡用电、用水均纳入市区统一管理。

每年植树节期间开展植树造林活动。2011年，全乡绿化植树1.4万株。池塘、村庄河流每年进行清淤、疏浚，打造碧水工程。是年，投入58万元，疏浚主要河道3条6.75千米。城管创建工作纳入市区统一管理范围。2002年，组建扬州市城市管理行政执法广陵分局汤汪乡城管大队，2009年，组建汤汪乡保洁中心。

二、科技

80年代中期，汤汪乡农科站（后改称农技站）发动各农科队兴建钢结构单斜面日光加温玻璃温室，每个生产小队1～2幢，用于茄子、番茄、辣椒和黄瓜的育苗和杂交制种。1989年，地膜覆盖占保护地栽培的50%，塑料大棚覆盖占保护地栽培的50%。此后，全乡开始发展塑料大棚覆盖栽培，成为蔬菜栽培的重要方面。

2011年，全乡实现技改投入9.66亿元，其中500万元以上项目35个；开发新产品6项，申报发明专利21件，为创新发展奠定基础。

三、教育

1989～2011年，汤汪乡有初级中学、小学、幼儿园各1所。

2011年，汤汪幼儿园有教师18人、幼儿260人。

汤汪小学建于民国3年（1914），1983年，改名为扬州市汤汪中心小学。2011年，有教学班级18个、在

图 36-10-2 汤汪乡健身中心

校学生 754 人;专任教师 48 人,其中大专及以上学历 43 人、市区级教学骨干 7 人。学校先后被评为江苏省实验小学、江苏省平安校园、扬州市依法治校示范校、扬州市数字化校园、扬州市规范收费学校、扬州市廉政文化建设示范点、扬州市语言文字规范化示范校。

汤汪中学是江苏省示范初中。有 300 米塑胶环形跑道及 100 米直道的田径场。教学仪器设备齐全,有初中物理、化学、生物实验室,计算机网络教室和多媒体教室各 1 个,各教室和功能室都配有计算机辅助教学,生均计算机 0.35 台。有图书资料室及阅览室,馆藏书计 1.6 万册,生均 34.33 册。有专门的音乐及美术教室。2011 年,学校有教学班级 14 个、学生 466 人,平均每班 33.3 人。外来务工人员子女 393 人,占生源数的 84.3%。教师 55 人,其中县级及以上骨干教师 18 人,师生比约为 1∶8.47。

四、文化体育

1998 年兴建乡文化综合楼,内设卡拉 OK 歌舞厅、棋牌室、录像厅、多功能展示厅、图书阅览室等。1999 年成为省先进文化乡镇。全乡有各类群众文艺团队 6 支,分别是九龙腾飞舞蹈队、连运夕阳红艺术团、同心好个秋舞蹈队、东昇社区艺术团、横沟文体艺术团和乡大学生村官法制宣传队。扬州图书馆汤汪分馆藏书 8000 多册。各村均有农家书屋。杉湾社区有图书馆阅览室。1997 年,全乡安装有线电视。2011 年,全乡有线电视全覆盖,并由扬州市广电局统一接管。

2002 年起,汤汪乡两年一度的大型群众文化艺术节成为汤汪群众文化的一个品牌,带动全乡村级文化和企业文化有序开展。各村、社区以多种形式举办具有汤汪特色的月末文化活动,推进有广陵特色的周末剧场活动。

全乡有村、社区健身房 6 个点,室外健身活动场地 13 处。乡级场地(包括汤汪中学、汤汪小学)3 个点、乡级室内 3 个点、晨晚练点 8 处,每天参加健身活动 500 人。

2008 年 5 月,汤汪乡农民健身广场投入使用,有健身房、棋牌室、健身路径、篮球场、网球场等设施。

2008 年,汤汪乡女子拔河队在扬州市第二届社区运动会上取得第一名。乡里还组织第三届“兰庭杯”乒乓球比赛、第二届“赛桥园杯”失地农民拔河比赛、“中元杯”篮球比赛等各种类型的群众体育比赛。

五、卫生

2011 年,汤汪乡辖乡级医院 1 所、村卫生服务站 4 所,医务人员 54 人。汤汪医院成立于 1951 年 5 月,2009 年,改名为广陵区汤汪社区卫生服务中心。中心设预防保健科、西医内科、西医外科、妇产科、儿科、口腔科、皮肤科、麻醉科、针灸科、中医不孕病专科等 13 个科室,病床 20 张。

2006 ~ 2011 年,共进行常见病预防、运动与健康等卫生健康知识讲座、义诊活动 35 场,受益人数近 3000 人次。2004 年,启动农村大病统筹(新农合)。2010 年,出台城镇居民医保。2011 年,全乡 9668 人参加农村新型合作医疗。

全乡 4 个村 4194 户农户,全部消灭“旱厕”,“三格化”化粪池普及率 100%,新增水冲厕所 4 座。政府每年集中免费分发“除四害”药物。靠河岸边的各村每年春季派专人进行查螺。2006 年后,普查中未发现钉螺。

全乡有垃圾中转站 3 座、配套中转运输设备 3 套、运输专用汽车 2 辆、扫路车 1 辆、洒水车 1 辆。有垃圾房(池)50 座。以机扫、人工扫流动保洁相结合的全天候的作业模式,对汤汪乡所有行政区域(含区属的物流园、食品工业园)的地面卫生和 50 万平方米的 12 条道路进行环卫保洁。

图 36-10-3　汤汪乡妇女就业培训

六、社会生活

1989 年，全乡农村经济总收入 8751.81 万元，农民人均年收入 781 元。2011 年，农民人均年收入 1.74 万元。村民当年在本乡银行存款 2.4 亿元，人均储蓄 1 万多元。全乡 4 个村 4046 户，共拥有小汽车 848 辆、电脑 3562 台、空调 7682 台。

汤汪乡对失地农民提供生活保障。2011 年，为符合进农保条件的 10292 人，办理 5342 人。70 岁以上男性、65 岁以上女性逐月领取保费。对低保户、五保户做到应保尽保。乡里成立慈善基金会，大、中、小学生无一人因贫失学。2011 年，采集就业岗位 196 个。全乡被征地拆迁 2339 户，应安排住房 7062 套，已安排到户 4417 套。

1999 年，汤汪乡成立劳动人事所，配专职工作人员 4 人，为辖区内失地农民、失业人员、退休人员提供服务。2011 年，挖掘岗位信息 468 条，对就业登记人员推荐就业 312 人，促进再就业人员 191 人。其中，下岗人员 89 人，就业困难人员再就业 16 人，进行就业培训 50 人。建立村一级劳动保障工作站和失业人员动态管理工作台账，全年登记失业率为 3%。

第四节　特色选介

一、连运村老年活动室

连运村有 27 个村民小组，1995 户 6628 人。其中，60 岁以上的村民 1381 人，占总人口的 20.80%。为使辛苦一辈子的老年人过上幸福的晚年生活，2000 年，村党支部、村委会办起老年活动室。为老人办理游园优待证，办证率 58%。凡村民 80 岁、90 岁、100 岁生日，老年活动室牵头，由村领导带队带上生日礼品上门为老年人祝寿。每年根据不同季节聘请乡医院医生办健康讲座，给老年人讲老年防病、治病等卫生知识。

老年活动室是占地面积 300 平方米的四合院，有 8 间房屋，建筑面积 190 平方米。活动室配置有线电视、健身器材及报刊，还配有农家书屋、棋牌室、乒乓球室。夕阳红艺术团常年在此活动。

服务项目到位。建有托老所，对部分自理能力差、子女早出晚归的老年人，托老所配有躺椅、毛毯、微波炉、餐具等免费为老年人服务。老年人可自备中餐，在托老所休息。连运村老年活动室创办 10 多年来，深受广大老年人群的欢迎。80 多岁的老农杨志龙、陈加怀因拆迁，住房离活动室远了，他们坐公交车也要赶到活动室来参加娱乐项目。

二、杉湾花园社区的大学生村干部

杉湾花园社区前身为 2009 年成立的九龙湾社区，下辖杉湾花园小区一、二、三期，占地面积 24 公顷。

社区工作人员共 8 人，以年轻人为主，平均年龄 29 岁。其中，大学生村干部 4 人，拥有大专及以上学历者 7 人，党员 3 人。社区现任书记、主任，副书记、副主任均为大学生村干部。杉湾花园社区大学生村干部坚持工作创新，为民服务出新招。

图 36-10-4　大学生村干部与北京大学学生在一起

杉湾花园为拆迁安置小区。成立之初，小

区内的安置居民在生活方式习惯上有许多不适应，按照过去的老方法，遇到事情如果挨家挨户上门，工作效率较低。大学生村干部建立民情QQ群、社区微博和楼栋BBS，成为社区为居民办实事的三大“法宝”，大学生村干部“春风服务队”是以社区大学生村干部为主要成员，并吸纳全乡大学生村干部加入的志愿服务队，人数21人，主要服务杉湾花园社区未成年人及需要法律咨询的家庭。使得小区多年来个体上访几乎为零。

提出以“网上问事、群聊论事、跟帖议事、投票评事、支部问事”为主要内容的新“五事”干群互动工作法，助推集中居住区党建工作再创新高，真正实现小创新发挥大作用。

社区成立“青年帮帮团”志愿者服务队，拨打社区85886092这个“帮我吧”热线，就会有“青年帮帮团”成员为低保困难户、残疾人以及行动不便的老年人提供上门服务、跑腿服务等。通过“青年帮帮团”，增加社区与居民之间的联系，增进彼此之间的感情，促进社区和谐发展。

第三十七篇

名镇湾头

要　目

春秋时期，吴王夫差以湾头为河口开凿邗沟，拉开京杭大运河历史的序幕。湾头就这样成为邗沟第一港湾。三百余年后，汉代吴王刘濞从湾头向东开挖出第二条邗沟，通往东部海边的盐场。沿着这条运盐河，天下财富汇聚扬州，扬州成为盐商的大本营。

公元7世纪初，隋炀帝杨广再次把中国历史从运河的源发地扬州出发，在中国的历史版图上向南向北又拉出一条纵贯1500多千米的人工地理标志线——京杭大运河。

杨广，向往着热爱着留恋着扬州，他动用着整个帝国的力量，营造着通往扬州的美梦。美人、美景都跟随着皇帝的视线而来。数十里的船队在运河上浩浩荡荡地驶往扬州。运河之都扬州因此妩媚起来，扬州城外的茱萸湾因此妩媚起来。这个有着伟大抱负的激进君王把头颅把性命丢在扬州，他把运河当作自己的纪念碑。“上扬州，拢湾头”。千百年间，从运河北上或南下的人们出入扬州城，都打湾头经过。“落花逐流水，共到茱萸湾。”茱萸湾到了，也就看见扬州了。

茱萸湾是一处帝王行在，宋徽宗、宋高宗仓惶南下避难时来过，康熙、乾隆亲临指挥治理水患来过；这是一座海上丝绸之路上的重要港口，大明寺高僧鉴真、西域禅山法师、东瀛圆仁和尚和意大利著名旅行家马可·波罗也从这登岸进入扬州城，日本遣唐使走南路从这里登岸赴京城。

如同酒之于水，湾头流过的水里都有国家大历史的味道。12世纪末，宋金争战，北方的黄河被利用作为战争工具，黄河在山东阳武决口，夺淮夺泗，从此江淮大地失去安宁，运河成为洪水走廊。明代万历年间，淮河水冲决高家堰（今洪泽湖大堤），淮河以南地区遭受灭顶之灾，连明祖陵也未能幸免。朝廷为了保祖陵、保漕运，实施前所未有的“分黄导淮”“导淮入江”的国家水利工程。清康熙、乾隆以至道光年间，又相继开辟凤凰河、壁虎河、太平河等淮河归江水道，湾头周边形成七河八岛、归江十坝。湾头为“扼江控淮”的江淮锁钥之一。

1959年，国家对京杭大运河拓浚改道，避开文化遗存丰厚的扬州古城区，开辟新航道。古运河走进历史，盐运、漕运的功能随着封建旧时代的结束而消亡。由此，湾头成为中国水利工程的一处活态博物馆。古邗沟的遗存还在，运盐河的遗迹也在，新的京杭大运河航道处于湾头的西边。古老的大运河、年轻的大运河都聚合在这里。一些新的生机在这片土地上成长。江扬船厂的诞生，这里成为扬州现代造船工业的摇篮；扬州玉器厂、邗江玉雕厂均诞生在湾头，这里遂成为扬州现代玉器加工业的基地。

伴随着扬州城主骨架的拉伸，湾头镇从此开启与扬州相伴共生的城镇化进程。2006年，在湾头开始建设广陵新城中央商务区。在文昌东路这条城市新主轴线上，既有古城风韵、新城气派，又有湖光山色、田园风光，向世人展示着古今辉映的新扬州。从空中俯瞰，南面的长江和夹江，北面的邵伯湖和高邮湖，壮阔的江淮生态大走廊一览无余；江都老城和扬州古城，广陵新城尽收眼底。廖家沟两岸，喻为扬州“绿肺”的中央公园已初见端倪，成为江淮生态大走廊的起点。与现代化的广陵新城功能错位互补，北部的千年湾头古镇也正在改造复兴，并正在打造成中国的玉器特色小镇。

运启湾头。2500年前，湾头幸运地成为大运河的口门；2500年后，历史又给予湾头一次新的发展机运，搭上江苏特色小镇建设的头班车。“天下玉，扬州工，缘湾头”已经成为湾头享誉四方的宣传品牌。在华夏文化里，玉是天地间的精魂。湾头就如同一块宝玉，佩挂在中国的千年大运河上，佩挂在运河第一城扬州的项间。

第一章 镇情要览

湾头，古称茱萸湾，是一座有着2500年历史的运河古镇。位于扬州市东郊京杭大运河与壁虎河、廖家沟之间，是淮水入江水道的锁钥地区。西与扬州古城区相望，东与扬州“七河八岛”主体所在的泰安镇、杭集镇相连，南与广陵经济开发区毗邻。湾头镇1983年前属邗江县，1983年后属扬州郊区，2002年划归广陵区。2006年扬州市设置广陵新城后，湾头处于扬州城市发展江（都）广（陵）融合的核心地带。今日湾头辖区范围内南部为广陵新城中央商务区，由广陵新城管理，万福路以北主要是湾头古镇和玉器特色小镇的所在地，由湾头镇政府管辖。北部的茱萸湾公园由扬州市园林局管理。

湾头，是一座被世人誉为“镇古、俗纯、水秀、人文、玉盛”的千年古镇。她汇聚有运河流水绵软细腻的秀气和蜀冈伟岸睿智豁达的豪情，成为中国历史文化名城——扬州不可或缺的名镇。

第一节 区位交通

图37-1-1 文昌路

湾头镇隶属于扬州市广陵区，位于扬州城东北侧，距扬州市中心7.5千米。东临壁虎河、廖家沟，西至京杭大运河，北濒邵伯湖。

湾头有“扬州东大门”之称，境域内陆路纵横，水网交错，交通四通八达。境内，运河东路、文昌东路、万福东路三条东西向城市通道分别贯通扬州主城区和江都区，南北向的沙湾路贯穿广陵新城中央商务区与广陵经济开发区。对外交通方面，陆路连接G40高速公路扬州东出口，省道S106和S101穿镇而过；西距扬州西部客运枢纽（扬州火车站、扬州汽车西站）16.9千米，东至扬州泰州机场37.8千米。南京禄口国际机场经S88、S243、G4011、G40和G328，1.5小时即可抵达湾头古镇。至扬州火车站的通道为：万福路——扬州火车站，文昌路——扬州火车站。扬州汽车客运东站位于境内运河东路800号。扬州市公交32路直达湾头镇政府，公交10路、12路、19路、25路、26路、52路、57路、58路、75路、78路、88路、89路、99路、101路和1001社区巴士连接镇区四面八方。至汽车枢纽站的主要通道为：沙湾路——扬州汽车东站，文昌路——扬州西部客运枢纽。规划建设中的连淮扬镇高铁扬州东部枢纽坐落在夏桥村境内。

第二节 建置区划

湾头古称“茱萸湾”。茱萸之称始于汉代，因域内遍植茱萸而得名。唐代诗人孟浩然的《问舟子》诗“向夕问舟子，前程复几多。湾头正堪（一作“好”）泊，怀里足风波。”为古籍中“湾头”名称出现之始。湾头的基层行政区划，自宋代起可考。北宋神宗熙宁五年（1072）至南宋高宗绍兴五年（1135）实行保甲法。

明初，域内设镇、乡、港和沙，下设里。湾头镇下辖1里。嘉靖年间设区，下辖里。

清初袭明制，惟改里为图，故区下辖图。至晚清时，湾头镇隶属江都县（治所为今广陵区政府所在地）。

民国17年（1928），湾头镇与田家庄、陈家桥、西十里甸、三岔汪和万福桥同属江都县第四区的永镇十三乡，严家桥、十里甸、廖家沟和石羊沟属江都县第四区中洲乡，区公所设在仙女庙镇。民国18年后，江都县改划范围较小的乡、镇。乡镇下设闾邻制，以5户为邻，5邻为闾。民国23年11月废闾邻制，推行保甲制。解放战争时期，湾头乡并入永镇乡，仍属第四区。

新中国成立初，废除保甲制，建立村组生产互助。湾头时隶属江都县霍桥区，除二桥、夏桥隶属张纲区石洋乡外，设立四个乡即沙东乡（含沙东、板桥、南刘和严桥）、沙联乡（含沙联、田庄）、湾头乡（含湾头、太平和万福）及联合乡（含联合、周家）。

1952年9月，新建湾头区，区驻桑家沟，辖太安、自在、芒稻（从邵伯区划入）、石洋和七闸（从张纲区划入，1954年划归仙女区）、瓦窑（从槐泗区划入）、湾头和联合（1950年春建，从霍桥区划入）、沙联（1952年冬新建）、沙东（1950年春建）和丁北（1954年从霍桥区划入，同年划归霍桥区）等乡。

1956年3月，析江都县西、南部置邗江县。湾头隶属邗江县。时湾头区成立中共湾头区委员会和湾头区人民政府。原属施桥区的汤汪和丁北乡，以及江都县的张纲区辖杭集、新港和双隆乡，均划属湾头区。是年4月，湾头区辖湾头乡（由联合乡并入）、沙东乡（由沙联乡并入）、汤汪乡（由丁北乡及大众乡一部分并入）、新港乡（由双隆乡一部分并入）、太安乡（由芒稻乡并入）、杭集乡（由双隆乡一部分并入）、自在乡、石洋乡。是年8月至11月，邗江县原6个区相继撤销，原辖乡合并成为大乡。

1958年9月，邗江县划入扬州市。是年9月下旬，开展人民公社化运动，实行政社一体，撤销湾头乡，成立湾头人民公社，下辖万福、联合、周家、沙东、板桥、严桥、南刘、田庄和沙联9个生产大队（下简称大队）。是年，二桥和夏桥划归湾头人民公社。

1962年11月5日，恢复邗江县建制，翌年3月1日正式办公。湾头人民公社在原有的基础上增加湾头大队和安林大队。6月，湾头大队与其他7个渔业大队以及所有渔业生产队划归邗江县林业局。其时，湾头人民公社共辖11个生产大队、125个生产队。

1982年，撤销邗江县湾头人民公社，成立湾头乡人民政府。翌年3月5日，湾头乡由邗江县划入扬州市郊区。

1988年6月3日，湾头乡撤乡建镇，仍隶属扬州市郊区，区划不变。

2000年5月，区划调整，由13个村民委员会撤并成7个，分别为：撤销湾头村并入万福村；撤销周家村并入联合村；撤销安林村并入田庄村；撤销严桥村并入沙联村；撤销南刘村、板桥村、沙东村，组建万寿村。时辖二桥村、夏桥村、万福村、联合村、田庄村、沙联村和万寿村7个行政村。

2002年1月，扬州市城区区划调

图37-1-2 湾头镇政府

整，湾头镇由郊区划入广陵区代管。是年8月，设立扬州经济开发区广陵产业园，万寿村、田庄村的安林、沙联村的严桥在运河东路以南的部分划入广陵产业园代管，行政管理仍属湾头镇人民政府。同年9月，增设茱萸湾社区居委会，驻有江扬集团、茱萸湾公园、扬州福利院、扬州造纸厂、邗江机床厂、邗江砖瓦厂等单位，时辖二桥村、夏桥村、万福村、联合村、田庄村和沙联村6个村民委员会，全镇面积34平方千米。2002年10月，湾头镇划归广陵区管辖。

2005年1月28日，湾头集镇设立壁虎坝社区。是年9月5日，将田庄村的林一、林二、林东、林西、安一和安二6个村民小组和沙联村的董庄、姜庄、王东、王西、朱东、朱西、严桥和卜庄8个村民小组划归万寿村，由广陵产业园代管。调整后的湾头镇为6个村和2个社区，下设86个村民小组。实际辖区面积22.9平方千米。

2011年，撤销壁虎坝社区。辖区内住宅小区并入茱萸湾社区。同时，田庄村、联合村、沙联村拆迁安置的村民住宅社区成立天顺花园社区。是年，湾头镇辖联合、田庄、沙联、万福、夏桥、二桥6个村和茱萸湾、天顺花园2个社区。

第三节 人 口

1988年，湾头撤乡设镇，是年户籍人口9309户2.89万人，其中男1.48万人，女1.41万人。

1993年，有常住人口9634户2.93万人，其中男1.41万人，女1.52万人；其中，非农3688人，回族11人。

2002年，万寿村和田庄村的安林、沙联村的严桥在运河东路以南的部分划归广陵产业园代管。时辖二桥村、夏桥村、万福村、联合村、田庄村、沙联村6个村和1个社区（茱萸湾社区），有1.4万户3.37万人，其中男1.64万人，女1.73万人。

2005年，湾头集镇居民住宅区设立壁虎坝社区。是年9月5日，将田庄村的林一、林二、林东、林西、安一和安二6个村民小组和沙联村的董庄、姜庄、王东、王西、朱东、朱西、严桥和卜庄8个村民小组划归万寿村，由广陵产业园代管。是年湾头镇有1.02万户总人口2.57万人。

2011年，湾头镇9372户2.77万人；人口密度1043.56人/平方千米。

第四节 社会经济

历史上，湾头一直以农业为主，经济基础相对薄弱。中华人民共和国成立后，私有经济逐渐由互助组、生产合作社转变为集体经济，人民生活发生较大变化。70年代后期改革开放，发展工业，首先以来料加工、来样加工、来件装配和补偿贸易俗称“三来一补”政策推动工业生产，外资、内资、合资企业和民营企业兴起，先进的生产技术、经营模式和经营理念的引进和运用，使湾头的经济发生巨大变化，经济总量大幅度增长。其间农业比重逐渐降低，工业持续发展，商业服务业迅速崛起。以集体经济为主体的经济模式快速向集体、外资、民营复合经济模式转型，其质量和效益不断得到提升。2000年，国内生产总值37.27亿元，是改革开放初1980年0.25亿元的151倍，成为扬州市乃至江苏省较具实力的镇之一。2011年，在区划逐渐缩小分工逐步精细的趋势下，湾头镇地区生产总值14.48亿元；其中农业由原来的主体产业逐步分解过渡为工业和服务业，工业由原来零星的手工业提升成为占比71.91%的主导产业，服务业迅速崛起占比27.01%成为当家产业。

农业 湾头地处平原水网地区，适宜粮食作物生长，传统种植水稻、小麦，伴种油菜和其他经济作物。1958年之前，湾头粮食生产以旱作为主，主要种植大麦、元麦、小麦、高粱、玉米、山芋等。经济作物主要有棉花、油菜、花生、大豆、芝麻等。1958年之后，通过大兴农田水利基本建设，采取旱改水措施，粮食作物增加水稻的种植面积，玉米和高粱不再作为主要粮食作物来种植。1974年之后，经济作物也不再种植棉花。

80年代以前，湾头的经济一直以农业为主导产业。无论是耕作水平、机械化程度以及科学种田的普及程度、作物的产量、产值都在扬州市名列前茅。再加上田庄村一直是江苏农学院的试验示范基地。一些农业重点科研成果在这里获得成功。70年代至80年代，江苏农学院教授、作物栽培学家凌启鸿在田庄进行水稻、三麦大面积稳产、高产栽培，并进行水稻“叶龄模式栽培技术”和小麦“小壮高”的新技术研究和推广，促使湾头的农业生产获得新的发展，抗灾能力明显增强。1984年，凌启鸿主导研究的水稻叶龄模式栽培技术获得省政府科技进步一等奖。1993年，新型耕作栽培技术应用研究获国家科委科技进步二等奖和江苏省人民政府颁发的二等奖。到90年代中期，湾头的粮食生产已顺利达到吨粮田的水平，走在全市前列。从70年代中期到90年代，省内外许多单位以及许多外国友人到湾头镇参观农业生产以及水利设施。

90年代后，湾头不断调整农业产业结构，调整土地经营布局，形成吨粮田基地、蔬菜基地、生猪饲养基地、花木生产基地、家禽饲养基地，积极发展草莓、西瓜、蔬菜等经济作物种植，引进加拿大汉枫集团高端彩色树培植项目，开发用地26.67公顷，培育彩色树种40个，种植以北美枫香、红栎、加拿大紫叶紫荆、欧洲琼花为主导的苗木67万枝。“十五”期间，以“无粮镇”为目标，以产业化、特色化、规模化为发展方向，初步形成“一村一品”，如二桥乳牛，夏桥生态农业，沙联大棚蔬菜，万福、田庄的花卉苗木、药材，南刘的良种繁育等示范园，出现了獭兔、肉鸽、林蛙等有一定特色的养殖示范户。由于融入城市步伐不断加快，农业逐步转向特色农业，综合效益不断提高，蔬菜大棚、草莓种植、奶牛养殖、彩色林木种植等多种产业齐头并进。“十一五”期间，农村“三大合作”组织取得突破性进展，以耕地流转为标志，组建万福、田庄、沙联、夏桥、二桥土地股份合作社以及万福草莓、沙联草莓、夏桥花木、香雅花木盆景、夏桥金宝鱼、联合时令蔬菜等专业经济合作社，使湾头镇的农业形成新的特色。2009年，畅博园林15万株彩色苗木陆续进入上海世博会。“十二五”期间，湾头农业继续调减调优，由一产向二、三产业发展，农民向市民转变。

全镇农田面积从50年代的1200公顷逐渐退减为60年代的1067公顷、70年代的1000公顷、80年代的867公顷，到2002年区划调整时农田面积只有670公顷左右。随着广陵产业园的建设以及广陵新城的新建，到2011年全镇农田面积只有400公顷。现有耕地实行土地流转政策，农业这个千百年来湾头的主要产业逐步式微。2011年，农业总产值7148万元。

工业 湾头镇的乡镇工业起步较早。60年代始办社队企业，70年代初具规模。六七十年代，邗江县不少县属企业驻在湾头。80年代，湾头工业产值在扬州郊区名列第一。1988年，全镇镇村办企业73个，重点企业有扬州市锅炉厂、扬州市电缆厂、扬州市食品机械厂、扬州市塑料电线厂等，压力容器时为湾头的龙头产品。1989年，全镇工业企业73家，工业总产值1.15亿元。90年代后，工业经济取得快速发展，全镇有工业企业1300多家，产品门类齐全。有轻工、化工、机电、汽配、压力容器、建材、电线电缆、健身器材等。个体私营经济发达，呈现出“百花齐放”、蓬勃发展的势头。组户工业是湾头镇工业经济的重要组成部分。夏桥的牙刷、板桥的拉花均具有一定的规模，并形成了浓厚的地方特色。夏桥村是全国闻名的“牙刷村”，有百年制刷工艺的传统。1988年村组建了地区级的集团企业——苏北牙刷总厂。1993年，夏桥村创办以工业生产经营为主体的经济开发小区“夏桥个体私营经济小区”。板桥村于90年代成立扬州市装饰工艺二厂，全村村民以企业为家，进行拉花生产、加工、销售。销售市场面向全国，以北方为主。1989年，工业产值达3000万元。

“十五”期间，实施“工业强镇、三产兴镇”发展战略，工业经济迅速发展壮大，到“十五”期末，工业利税贡献份额占镇财政收入90%以上。到“十五”和“十一五”期间，湾头工业经济强势推进，涌现出一大批明星企业和一批颇具影响力的企业品牌，至2007年，形成具有湾头特色的产业链，如以海恒机电为主的汽车零配件产业链，以兴盛牙刷为主的旅游用品产业链，以正宇锅炉、斯大锅炉为主的锅炉机械产业链，以金鹰玉器为主的玉器加工产业链，以贝尔斯通为主的电子产业链等。产业链经济成为促进湾头镇经济发展的主力。兴盛牙刷荣获“中国名牌”称号，成为广陵区第一家获此殊荣的企业。

2008年后，随着广陵新城的开拓发展，境内大批工业企业面临搬迁，工业经济发展受到严重影响。为此，湾头镇在广陵产业园内征用土地6.7公顷，建设湾头工业园，承接广陵新城拆迁规模企业安置，确保工业后续发展。

2010年，湾头镇在广陵产业园购置1万平方米标准化厂房，建成湾头创业园；2011年，在广陵产业园再

图 37-1-3　湾头玉器城

购置 1 万平方米标准化厂房，打造 2 万平方米湾头创业园“孵化器”，保发展、促转型，大力发展“飞地工业”。

商贸服务业　90 年代，随着城市化进程的加快，湾头镇强化市场建设，第三产业成为湾头镇新的经济增长点。1992 年，扬州市政府“菜蓝子”工程重点项目“江苏扬州副食品城”在湾头镇田庄村建成，1997 年被列为省级市场，是江苏省百强市场。市场占地 6.7 公顷，建筑面积 3 万多平方米，有商户近 400 家。经营品种包括糖、酒、副食、南北货、洗化日杂等五大类 5000 余种。商品销售辐射苏皖两省 20 个县市。2000 年营业额 15.5 亿元。2011 年由于区域布局调整，该食品城迁至扬州运河大桥西的汤汪乡境内。坐落在湾头镇安林村的“禽蛋市场”，1999 年建成，占地 2 公顷，建筑面积 6000 平方米，摊位 100 多个，是全市最大的禽类蛋品批发市场，2002 年营业额 0.98 亿元，利税 300 万元。2002 年该市场划归广陵产业园。2001 年，坐落在湾头镇田庄的“金三角摩配市场”建成，2004 年营成额 240 万元，2011 年营业额 5.04 亿元。至此，湾头镇形成以运河东路为轴线的三大市场。坐落在二桥村太平闸东首的二桥竹木市场，1987 年建场。坐落在湾头镇安林的宝林家具港，2003 年建场。田庄桥园饭店、桥园浴室、旅社、沙联商业一条街、江扬宾馆等服务行业成为湾头的特色产业。2007 年后，广陵新城中央商务区在湾头境内开始大规模建设，一批现代商贸、金融、创意、健身休闲等服务业兴起。旅游兴镇战略得到重视，茱萸湾公园年接待游客超过 40 万人。玉器雕刻是湾头特色产业。2009 年湾头玉器市场一期建成，此后，玉器南路、玉器西路、茱萸湾路、长安路的“回”字形玉器产业发展带陆续建成。“玉器特色小镇”正在成为湾头响亮的品牌。

1991-2011 年湾头镇主要经济指标统计表

表 37-1-1

年份	地区生产总值（万元）	全社会生产总值（万元）			人均地区生产总值（元）	财政收入（万元）
		一产	二产	三产		
1991	5046	2339	18737	2050	1715	514
1995	26157	6664	101114	35942	9174	1053
2000	61764	8091	205415	159150	22018	1750
2005	36100	6093	110100	40100	14319	3900
2006	43800	6016	144000	53100	17373	5061
2007	51600	5493	192000	68900	20299	6474
2008	64400	5854	265000	98500	23513	7675
2009	88300	6642	365400	108900	31977	6595
2010	110200	8303	350400	151200	39697	9366
2011	144800	7148	475000	178400	53089	11599

注：GDP 表达 1991 年为国民收入，1995、2000 年为国内生产总值

第五节　社会事业

图 37-1-4　"大地飞歌"吟诵湾头

教育　解放初期至80年代，湾头镇原有小学12所、中学4所，分别是湾头中心小学、万福小学、联合小学、二桥小学、夏桥小学、沙联小学、田庄小学、周家小学、安林小学、板桥小学、严桥小学、沙东小学；湾头中学、沙联中学、板桥中学、二桥中学。1985年板桥中学并入沙联中学。因生源逐渐减少，2000年全镇实施教育资源整合和调整，12所小学合并为4所，存湾头中心小学、二桥小学、湾头实验学校（设小学部和初中部）、板桥小学。湾头中心小学是省实验小学。2003年北京新东方教育集团进入湾头，2009年板桥小学并入宦桥小学，撤销板桥小学。2011年9月，二桥小学并入湾头小学。2011年，有幼儿园6所，分别为湾头中心幼儿园、广陵新城幼儿园、二桥幼儿园、东方英才幼儿园、康佳幼儿园、沙联幼儿园。其中广陵新城幼儿园为公办园，省优质园。

卫生　1956年，设湾头卫生所。1969年12月，改设为湾头地区卫生院，兴办大队合作医疗。1985年4月，全省第一家针灸专科医院——扬州市针灸医院在湾头成立。同年5月，湾头卫生院改为湾头医院。2003年9月，湾头获得"江苏省卫生镇"荣誉。2007年9月，建立湾头镇社区卫生服务中心。设外科、内科、妇产科、中医科等16个科室，医职工55人，床位30张，指导各村、社区12个卫生室20名医务人员。社区卫生服务中心是集医疗、康复、预防、保健、健康教育、计划生育技术指导为一体的综合性社区卫生服务中心。

文化体育　1989～1996年，镇内有影剧院1座，电影放映机2台；录像放映室1个；图书室1个，藏书5千册；俱乐部1所，乒乓球桌4张；溜冰场1个。每年剧团演出8场次，观众5000多人。农村流动放映队3个，年放映160场，观众2万多人次。文化从业人员20人。1996年，江苏省文化厅授予湾头镇"江苏省文化先进乡镇"称号。2000年，将原影剧院、文化站、广播电视站"三合一"，成立湾头镇文化广电中心。2004年，镇文化站恢复。2004年5月，江苏省农林厅、体育局、农民体育协会授予湾头镇"江苏省'亿万农民健身'活动先进乡镇"称号。2007年后，先后建立联合村文化健身广场、沙联村文化广场、二桥晓庄活动中心、壁虎坝社区文化广场和夏桥村老年活动中心。广场安装照明灯、篮球架、乒乓球桌等文体器材及太极云手、上肢牵引器、太空漫步机等多组健身器材。壁虎坝社区文化广场成立舞蹈队、健身队、合唱队、锣鼓队及老年活动队，经常外出交流演出。各村都设1处体育场地，配置体育器材、健身器材，村民普遍参加健身活动。2011年，天顺花园社区科普馆落成。"十二五"期间，先后获得"全国健身球操之乡""全国科普示范社区""江苏省文明乡镇""江苏省诗词之乡""扬州市特色文化之乡（玉雕之乡）"等称号。

第六节　居民生活

收入　新中国成立前，湾头镇基本以农、渔业为主。除农、渔生产外，大部分村民常受雇于镇区工商业主，从事工商服务来取得收入，以补生活之需。新中国成立后，农、渔生产及商业服务有较大的发展，人民生活逐步提高。不同行业、阶层的民众收入差距逐渐缩小，但城镇居民收入仍要高于农村居民收入。1978年，湾头公社每个家庭平均就业人数1.63人，就业面43.83%，职工人均年收入273.6元。改革开放后，实行农业承包责任制，农民收入大幅度增长。1984年，职工人均年收入644.15元。之后，湾头实行多种经营，搞活农村经济。1988 年，每个家庭平均就业人数上升到 2.17 人，就业面 63.08%。其间，国家先后 7 次调整在职人员工资，职工人均年收入 1320.22 元。同时，湾头因地制宜，发展对外加工贸易，发展集体企业，并允许有条件的家庭开办实业经商。1990 年，镇民年均收入 892 元。90 年代，农村居民除村集体分红收入外，还有务工、经商所得和物业租金等财产性收入；城镇居民除工资或经商收入外，亦有物业租金、存款利息、股息等财产性收入。到 2000 年，90% 以上的农村居民建起了两层以上楼房，用上高档家具。广陵新城建设后，围绕“人人有技能，个个有工作，家家有物业”的“三有”目标，湾头镇对征地拆迁农民开展多种形式的技能培训，提高劳动技能，增加就业机会。2008 年，全镇所有村均创成小康村。

消费　70 年代前，境内居民收入微薄，消费水平低下。吃、住、穿仍遵循节省的原则，吃的是自家农田粮食，住宅沿袭草瓦房，衣裳大都为买布量体裁衣，“新三年、旧三年，缝缝补补又三年”。80 年代后，域内居民穿着消费支出日益增加，买布制衣少了，买成衣的多了，且式样经常翻新，逐步赶上国内甚至国际潮流。

70 年代前，境内居民饮食消费支出占日常消费支出的比重较大，一般年收入的 60%～70% 用在饮食上，遇灾荒年景甚至不能解决温饱。饮食结构比较简单，一般为自产的稻米、蔬菜、薯类为主，荤菜很少。80 年代后，居民饮食消费支出占比逐渐降低，且饮食结构逐渐趋向多样化，肉类占比增加。西式面包、糕点及奶制品、水果等食物消费日益普及，酒、饮料消费不断增加，谷物、薯类餐用逐步减少。2000 年，随着人们生活水平的不断提高和保健知识的普及，民众饮食开始追求特色，讲究天然、健康，消费结构多样化，不拘泥于大鱼大肉，而是讲究营养搭配。饮食消费习惯也发生较大变化，除在家中的日常饭菜外，节假日一家老小或约亲朋好友，早上到茶馆饮茶吃早点，中午或晚上到餐厅、大排档聚餐。尤其是春节、中秋、端午节等亲人团聚的日子，居民大都不在家里就餐。

图 37-1-5　湾头老建筑——马头墙

解放前，镇上较殷实人家住宅为泥、砖、瓦建成，一般为 7 桁瓦、13 桁瓦和 15 桁瓦。大部分贫苦人家住宅，用泥堆墙，用茅草盖屋面，矮小无窗不透气，且无采光通风设施。50～60 年代，民众建房多用红砖砌墙替代泥墙，但仍以平房为主，面积也只有 60 平方米左右。80 年代后，越来越多的居民自行建筑较高标准的住宅或购买商品房，人均居住面积上升到 25 平方米以上。2000 年，境内中心区户籍居民人均居住面积达到 33 平方米，农村居民住房面积人均 48 平方米。村民建房多为二层以上，钢筋混凝土结构，外墙以马赛克、瓷砖和大理石装饰。2011 年，人均居住面积 120 平方米，中心区居民多建房出租。

解放前及初期，境内居民出行多为步行，过河摆渡。少数殷实人家亦有以自行车代步。80 年代后，交通消费支出增多，代步用摩托车或公共汽车。90 年代，部分家庭开始购置家庭轿车，以出租车出行的亦与日俱增。2002 年，70 岁以上的户籍人员凭扬州市政府发给的老年优待证可免费乘坐公交车。2011 年，境内不少家庭拥有轿车，有的家庭达到人均一辆。

民国时期，境内居民家居设施简陋，普通人家只有木桌、木凳、花眉床、木板床、木柜等。少数富裕人家用酸枝台椅、皮箱、樟木柜等。60～70 年代，民众开始用上长台餐柜、梳妆台；耐用消费品手表、自行车、缝纫机等。80 年代后，居民耐用消费品主要有收录机、电风扇、黑白电视机、洗衣机、电饭锅、照相机等。90 年代，有彩电、冰箱、空调、高级组合音响、微波炉、摄录机、个人电脑、手机等。随着经济、科技发展，家用电器越来越普及，且城乡不分，差距越来越小。

80 年代，主要娱乐消费为看电影和租影碟、唱卡拉 OK。90 年代后，看演唱会、听扬剧、看体育比赛、健身、游泳、打保龄球和出行旅游等活动日益流行，居民娱乐消费支出占全部消费支出的比重不断提高。

第七节　社区　村庄

天顺花园社区　2011年10月成立，东至沙湾中路，西至秦邮路，南至天顺南支路，北至万福路，占地0.3平方千米，绿化率为35%。社区现有住宅楼68栋，住房2230套。社区内居民多数为田庄村、沙联村、联合村的拆迁农民。

社区邻里中心面积1200平方米，涵盖便民服务大厅、老年活动室、阅览室、警务室、调解室、社区科普馆、电子阅览室、文化馆、老年人日间照料中心、社区学堂、社区文化艺术辅导中心等功能室，社区开展形式多样的社区服务工作，先后成立志愿者服务队、老年协会、国学教育等社会团体，服务居民。

茱萸湾社区　2011年，原茱萸湾社区和壁虎坝社区合并成立新的茱萸湾社区。原茱萸湾社区于2002年9月成立，2002年9月前原名运东居委会，壁虎坝社区于2005年1月成立，由原来的湾头镇管会和湾头居委会并入而成。现茱萸湾社区范围东与泰安山河岛比邻，南接江扬大桥，西与大运河紧连，北与邵伯湖相望，辖区面积1.8平方千米，居民常住户2018户，人口7489人。驻社区单位主要有：扬州福利院、茱萸湾公园、湾头中学、湾头小学、斯大锅炉、正宇锅炉、金鹰玉器、翠佛堂以及湾头古镇玉器销售各类网点等。社区建有人口学校、市民学校、社区党校、邻里活动中心、科技文化基地、阳光学堂等。

万福村　地处江阳大桥以东，廖家沟以西，南临联合村，北靠茱萸湾风景区。2000年6月，湾头村并入万福村。2011年，全村下辖小周庄、戴家庄、蔡吴庄、方家跳、薛家庄、桑家沟、吉家庄、廖家庄、福兴庄、福寿庄、新庄、幸庄、湾头组、赵家场等自然村，区域面积2.78平方千米，户籍人口4161人，其中常住人口3942人，人均收入1.42万元。2010年后随着广陵新城建设的步伐加快，广福花园和茱萸湾路分别开工建设，万福村先后拆迁新村、贾家、韩家、廖家、吉家、福兴、匹厂等组；共计252户。万福工业园内的扬州海恒机电有限公司、扬州欧海机械有限公司、扬州贝尔斯通有限公司、扬州迪业助剂厂、扬州白天鹅食品有限公司、扬州东南汽车销售有限公司、扬州森泰汽车销售有限公司等二、三产企业于2011年后陆续搬出。与此同时，村在茱萸湾路西侧新建近4000平方米的营业商铺，在三产方面形成以万福路西侧为主的汽车4S店为特色的汽车销售和汽车售后服务基地。二产形成以湾头电缆厂等一批有市场影响力机械制造企业。该村先后通过“江苏省民主法治示范村”“扬州文明村”验收。2003年被评为省级卫生村。2009年获得“扬州最美丽村庄”称号。

联合村　地处江阳大桥以东，廖家沟以西，南临沙联村，北靠茱萸湾风景区。2000年周家村与联合村合并统称“联合村”。联合村辖区内的主要道路有万福路、京杭路、秦邮路、人民路、滨水路、沙湾北路、文昌中路。全村总面积4平方千米。2011年底，全村下辖运河、前家、陈东、陈西、联合、新庄、丁家、韩东、韩西、游家、游海、季家、苗家、七里、周前、周后、西一、西二、周家新庄、金河、东一、东二等组，1685户，户籍人数6215人，其中常

图37-1-6　驻茱萸湾社区的斯大锅炉厂

图37-1-7　驻万福村的扬州东南汽车销售有限公司

住人口 6208 人，人均收入 1.39 万元。

沙联村 地处江阳大桥以东，廖家沟以西，北临联合村。沙联村位于运河东路以北，东临廖家沟，西与田庄村邻界，北与联合村接壤。2011 年，全村下辖张一组、张二组、张三组、沙刘组、高家组、十里一组、十里二组、方家组、刘方组、刘庄组、安乐组等组，区域面积 2.11 平方千米，总户数 1137 户，户籍人数 4034 人，人均收入 1.51 万元。2006 年，辖区内共有各类企业 63 家，村级可支配收入达到 120 余万元。2006 年通过“扬州市全面小康先行村”验收。2007 年后，由于征地拆迁，沙联村工业经济减弱，村级经济向三产服务业转型，先后在广陵产业园购置厂房 3000 平方米，新增商业门面房 1000 平方米，回购资产 4000 平方米，村级可支配收入走入上升通道。曾先后通过“江苏省财务规范化管理示范村”“江苏省民主法制示范村”“扬州市全面小康先行村”“扬州市生态村”“扬州市绿化模范村”验收。

田庄村 地处扬州运河大桥以东，廖家沟以西，南临广陵经济开发区，北邻联合村。2011 年，全村下辖 4 个村民组，区域面积 2.15 平方千米，总户数 998 户，户籍人数 2819 人，其中常住人口 2993 人，人均收入 1.52 万元。

图 37-1-8 驻夏桥村的江苏兴盛刷业有限公司

夏桥村 位于湾头镇东南，东临金湾河，南接杭集镇界（现为文昌东路），西依廖家沟，北靠新万福东路。全村区域面积 2.1 平方千米，其中耕地面积 0.98 平方千米；共有 17 个村民小组，967 户，户籍人口 3168 人，其中农业人口 2918 人。该村制刷产业已有百年传统，全村企业主要从事制刷及旅游用品，刷类品种已达 280 多个，制刷产品远销世界 20 多个国家和地区。全村有 5 个列统企业，江苏兴盛刷业有限公司兴盛牙刷获得“中国名牌”“驰名商标”称号；扬州市畅博彩色园林有限公司获得“江苏省引智基地”称号；江苏里下河农科所农业科研基地落户境内。2011 年全村实现三业总产值16.83亿元，其中：农业1837万元，工业产值15.16亿元，建筑安装345万元，餐饮服务业产值1.38亿元等。人均年收入 1.57 万元。2007 年被扬州市广陵区授予“全面小康村建设先行村”称号，2008 年被广陵区授予“社会主义新农村建设示范村”称号，2009 年被扬州市委、市政府命名为社会主义新农村建设示范村，2010 年被中国体制改革研究会授予中国（长三角）城乡一体化建设典范“示范村（庄）”称号。

二桥村 位于七河八岛生态区核心位置，东与江都区接壤，廖家沟、太平河、金湾河三条河流形成川字蜿蜒南流，万福闸、太平闸、金湾闸座落村境内。该村是连接扬州城区与江都区的交通纽带，是前往泰安镇和国家级生态旅游风景区凤凰岛的必经之路。总面积为 3.6 平方千米，其中水域面积 1.34 平方千米。全村共有 13 个村民组，分别为：廖前，管陈，南圩，廖庄，罗庄，赵庄，王庄，孙庄，尤东，尤西，大桥，头桥，晓庄。现有村民总户数为 652 户，总人口 2352 人，人均收入 1.39 万元。

第八节 部、省、市属驻湾头镇单位

北京新东方扬州外国语学校 北京新东方扬州外国语学校于 2002 年落户在湾头镇的联合村。西大门外是京杭路，东大门外是秦邮路。该校是北京新东方教育科技集团投资 3.5 亿元兴建的一所小学至高中 12 年一贯制的民办寄宿制学校，占地 23.67 公顷，建筑面积 14 万平方米，可容纳 4000 余名学生。该校招生范围面向全国，于 2003 年 9 月正式开学。时有小学部、初中部、高中部，共有 146 个班级，3737 名学生。其中：高中 28 个班，808 名学生；初中 58 个班，965 名学生；小学 60 个班，1964 名学生。全校教职工总数 672 人，其中，专任教师 351 人。

图 37-1-9　北京新东方扬州外国语学校

学校由美国宾夕法尼亚州立大学教育管理学博士王修文担任校长，学校汇聚一大批来自全国20多个省市的优秀教师，聘请英、美等多个国家的教育专家和外籍教师，其中博士及研究生占12%，本、专科占88%，形成一支学历高、经验足、能力强的教师团队。

在教育设施上，该校紧跟国际先进的教育理念和技术，为学生创造目前国内最好的学习条件，配备1000多台电脑，全部接入校园网和因特网。该校学生与韩国、日本、加拿大等国名校学生，每年进行文化学习交流。学生毕业后，可申请到美国、英国、澳大利亚、加拿大、日本国留学。

扬州社会福利中心　扬州市社会福利中心坐落在湾头集镇北面，茱萸湾路759号，东南两边环水，北靠茱萸湾风景区。该福利中心是一所集生活、医疗、护理、康复治疗、娱乐服务为一体的综合型社会福利机构，承担扬州市区"三无"孤老、精神病人、孤残弃婴儿童的收养和社会养老工作。总占地面积4公顷，总建筑面积4万平方米，总床位1000张。该福利中心1953年创办，最初是生产教养院，1956年建立扬州市儿童教养院，1959年成立精神病疗养院。1979年3月更名为扬州市社会福利院。1999年增挂"扬州市儿童福利院""扬州市精神病人福利院"两块牌子。2002年11月，机构正式更名为扬州市社会福利中心。该福利中心各种服务设施配备齐全，绿化面积占60%，院内小桥流水，亭台楼榭，花木扶疏，空气新鲜，最宜儿童、老人、病员生活、休养、康复。1989年至2011年，该福利中心曾多次获得部、省、市有关部门的表彰。

扬州曜阳国际老年公寓　位于湾头镇二桥村境内，东临金湾河，南接万福路，西靠凤凰岛路，北距凤凰岛生态公园5千米。2006年创办，占地11.8公顷，计划开发总建筑面积9.5万平方米，总投资约1.8亿元。一期工程总建筑面积3.7万平方米于2009年11月建成。公寓正中是一栋多功能会所，建筑面积1.1万平方米，会所正南门前约30米有一条活水横河，直通院外的金湾河，河上建有金湾桥。会所东侧由南向北是五栋老年公寓楼和一栋医疗康复中心楼，建筑面积2.4万平方米，靠近老年公寓楼正南有一小土丘，上建有一座古典双顶连体六角凉亭——蘭青亭。院内绿草如茵，四季花香，树木成林，绿化率70%。

扬州曜阳国际老年公寓是中国红十字会总会事业发展中心秉承"心系民生、回报社会"的公益理念和"人道、博爱、奉献"的红十字会精神，打造的敬老、助老的公益项目，本着"来源社会、服务社会"的非盈利经营服务的宗旨，向全国老年朋友提供高品质养老、养生服务。公寓各种生活、医疗等服务设施配套齐全，室外有网球场、门球场、高尔夫练习场、运动器械场，室内有桑拿室、健身房、乒乓球室、棋牌室、阅览室、老年活动室、游泳馆等。现有住房154套，已入住会员104户、176人。

江苏里下河地区农业科学研究所　又名扬州市农业科学研究院，属江苏省农科院和扬州市委双重领导，于1949年4月创建。农科所原育种基地座落在蜀冈西峰及南侧地块，2011年以后，因扬州瘦西湖景区扩容，原育种基地迁址湾头镇夏桥村境内。

经过几代科技人员数十年努力，里下河地区农业科学研究所已发展成为研究力量较强、学科优势突出、区域特色明显的综合性农业科研机构。现拥有中国工程院院士1名，在职研究员20名，副研究员24名，333人才工程培养对象12名，有突出贡献的中青年专家23名，博士生14名、硕士生45名。设有水稻、小麦、经济作物、生物农药、资源与环境、植物保护、核技术应用7个研究室，形成农作物育种和栽培、生态农业工程技术、辐照中心"三大"研发中心。组建有江苏金土地种业有限公司、扬州绿源生物化工有限公司、扬州辐照中心3个科技型企业。先后承建国家小麦改良中心扬州分中心、国家水稻改良中心南京分中心扬州试验站、农业部扬稻及扬麦原种繁殖基地、国家农业综合开发江苏省优质杂交籼稻繁育推广中心、国家小麦现代农业产业技术体系育种与种子研究室和水稻、油菜扬州综合试验站、国家小麦现代农业产业技术体系沿海综合试验站、农业部长江中下游小麦生物学与遗传育种重点实验室、国家农副产品辐照保质基地、国家农业旅游示范基地、国家及江苏省引智成果示范推广基地、中国农科院扬州稻麦试验站、江苏省小麦种质基因库、江苏省生态农业工程技术研究中心等重大建设项目。建成占地60公顷的一流农业科研育种基地和占地2公顷的江苏省生态农业工程技术研究中心。投资1000多万元装备具有国内先进水平的小麦品质实验室、稻麦分子育种实验室和生态农业技术实验室。农科所先后育成农作物新品种100个，研制出新产品、新技术85项，制订发布各类农业标准54项，获得新品种权保护作物品种34个，获科技成果奖179项。

驻湾头镇的省、市属单位情况表

表37-1-2

单位名称	性质	隶属部门	单位地址	组建年份	备注
江苏省万福闸管理所	事业	省水利厅	二桥村	1961	
扬州曜阳国际老年公寓	事业	中国红十字会事业发展中心	二桥村	2009	
扬州华远石油装备有限公司	企业	华东地质局	二桥村	2008	
北京新东方扬州外国语学校	民办	区教育局	联合村	2003	
扬州交警支队车管所	行政	市公安局	联合村	1978	
扬州市人民警察培训学校	行政	市公安局	田庄村	1981	
江苏省里下河地区农业科学研究所	事业	省农科院	夏桥村	1949	
头道桥油库	国企	中石化	夏桥村	1960	
扬州市社会福利中心	事业	市民政局	茱萸湾社区	1953	
江苏江扬船舶集团有限公司	国企	市政府	茱萸湾社区	1960	2011年7月破产
扬州造纸厂	国营	市化工局	茱萸湾社区	1958	2003年破产
东方锻压机床有限公司	地方国营	邗江区经委	茱萸湾社区		2002年停产
扬州市万福金银制品有限公司	地方国营	邗江区经委	茱萸湾社区	1973	2005年破产
邗江玉雕厂	地方国营	邗江区经委	茱萸湾社区		1993年12月破产
茱萸湾公园	事业	市园林局	茱萸湾社区	1982	

第二章　挹江控淮

2500年前，邗沟开凿的起点，就在今广陵区湾头镇和江都区仙女镇一带的蜀冈南麓，这里是惊涛拍岸的古长江入海口，崖岸之上为邗城。春秋时由江入淮必经湾头，汉代以后又是盐艘入运要道。运河给湾头古镇带来无尽的财富和璀璨的文明。茱萸洲头，店肆林立，房舍栉比，众多的楼台亭阁和桥闸堰塘点缀其间。河以此源，镇因河兴，田园平旷，物产旖旎，人丁稠密，生生不息。然而运河命运多舛。南宋绍熙五年（1194），宋、金交战双方决口阳武，以黄河作为战争工具，黄河夺淮夺泗，淮河夺运。从此，淮洪鸩毒江淮大地千万生灵达数百年。明末，运河已成洪水走廊。清康乾盛世，大举淮水归江工程，使江淮通灵壑，尾闾缚苍龙。新中国成立后，在毛主席"一定要把淮河修好"伟大号召下，当代大规模治淮事业破题开篇，经过60多年艰苦施治，扬州境内的淮河入江水道，牢牢锁扼住淮河苍龙，使之涝可泄，旱可蓄，形成1.2万立方米／秒的行洪能力，全市防御淮洪能力提升到100年一遇，为扬州市"清水活水""不淹不涝"治水工程提供充足水源。治淮工程使湾头成为淮河入江水道的锁钥，周边归江七河、归江十坝、淮河控制线九闸，跨归江河道十座大桥等水工设施，纵横交错如棋局。湾头这座千年古港、运河名埠，自明末成为名副其实扼江控淮的水利重镇。

第一节　导淮入江

淮河发源于河南省南阳市桐柏山，流经河南、安徽、江苏三省，全长 1000 多千米，在今扬州市广陵区三江营入江。历史上淮河沿线是富庶之地，有“走千走万，不及淮河两岸”之誉。南宋绍熙五年（1194），黄河决阳武故堤，灌封丘而东，从淮阴注入淮河。初时，一路由北清河（济水）经山东入海，一路由南清河（泗水）夺淮入海，对扬州无甚影响。明正统二年（1437），黄河、淮河发大水，淮北、淮南大水，邗沟湖堤、涵闸有损毁，房屋、牲畜受淹严重，里下河地区始见淮河洪患。隆庆四年（1570），由于黄河全面夺淮，洪泽湖大堤高家堰首决，邗沟始无宁日。万历五年（1577），明祖陵被淹，万历皇帝震怒，河防大臣提出分黄导淮之策，首先在洪泽湖堤上建泄洪闸，分泄部分洪水经运河东侧里下河低洼地带入海，归海就是归田，实际将下河百姓推入深渊。万历二十三年（1595），开辟宝应泾河、高邮子婴河向东入射阳湖、广洋湖入海；又浚高邮茆塘港（今毛港）南下高邮湖，开金家湾河，注入芒稻河，又建金湾减水闸，排淮水南趋入江，逾年（1596）完成。此举，小股淮水入江，出邵伯湖口仅二十余丈，水患终究难消。

清康熙帝亲政后近三十年间，黄、淮、运水势更为恶化，下河灾情深重。康熙三十八年（1699）春，康熙第三次南巡专视河工。此前已筑高家堰的上六坝和运河东坝的下六坝（最初的归海坝），以牺牲里下河为代价，为治淮下下策。河臣靳辅又提出“筑堤归海”的主张，赀费过大，此方案如同水月梦花。各种治淮方案，聒噪争执，莫衷一是。在此背景之下，康熙帝沿运河视察，看到淮水入海远（四百里），入江近（四十里），更有高邮湖西十三座小湖，邵伯以西三十六陂（塘库），皆可作为淮水滞洪区域。康熙帝认为，解除下河水害之要筹，必须疏通入江之道。确定淮水由芒稻河、人字河归江的方略。有清一代，先后增辟多条归江河道：在运盐河北，开挖人字河、金湾河、太平河、凤凰河、新河、壁虎河。在运盐河南开挖廖家沟、董家沟、石羊沟、芒稻河。清咸丰元年（1851），黄淮并涨，淮河洪水冲破洪泽湖大堤上的三河口，直泻白马、宝应、高邮、邵伯诸湖，经湾头镇上游的六闸穿里运河，从三江营直泻长江，由此淮河入江水道形成，五分入海，五分入江，虽分泄一半淮河洪水，但下河水患远未消除。

民国 18 年（1929），南京国民政府成立导淮委员会，蒋介石任委员长。从民国 20 年导淮工程计划通过，至民国 26 年日寇侵华，抗日战争全面爆发，所做工程大多半途而废，仅完工邵伯船闸和高邮城南小型船闸。其间民国 20 年大水，里下河空前浩劫，死伤 7.7 万人，洪水滞留 4～5 月之久，秋收绝收，田园荒芜，十室九空。抗战胜利后，内战风云骤起，导淮未再进行。

新中国成立后，百废待兴。水利部把淮河入江水道治理确定为治淮重点，尽量扩大入江水道。1952 年，建设入江水道 9 闸。1956 年后，入江水道再建万福、芒稻、运盐三闸。50 年代起，为扩大上游排洪出路，兴建大汕子隔堤，开挖金沟改道段，兴建归江控制线工程，对入江水道按行洪 1.2 万立方米 / 秒，高邮湖水位 9.5 米标准进行大规模整治提升。还对入江水道沿线堤防闸坝予以加固。90 年代投入 1.72 亿元进行入江水道加固工程——新民滩疏浚和湖滨保安圩兴建，历 6 年多竣工。

进入新世纪，治淮不停步，入江水道治理再次全面提档升级。2011 年起，先后开工建设邵伯湖和高邮湖切滩、堤防加固，水工构造物，影响线工程，水土保持，防汛道路，移民安置等项目。其中切滩总面积 2000 公顷，开挖土方 3250 万立方米，加固堤防 190 千米，总投资达 22 亿元。

第二节　归江河道

运河　1959 年湾头附近大运河改道，实施新辟瓦窑铺至六圩入江航道，原来瓦窑铺至湾头的一段河道被抛在新辟的大运河以东，成了现在临湾头镇的运河故道，今上段已融入壁虎河中。明代万历导淮入江时，它成了淮水由邵伯湖南下，通过邗沟故道下行经扬州城东运河（今名古运河）至三汊河南至瓜洲、西至仪征泗

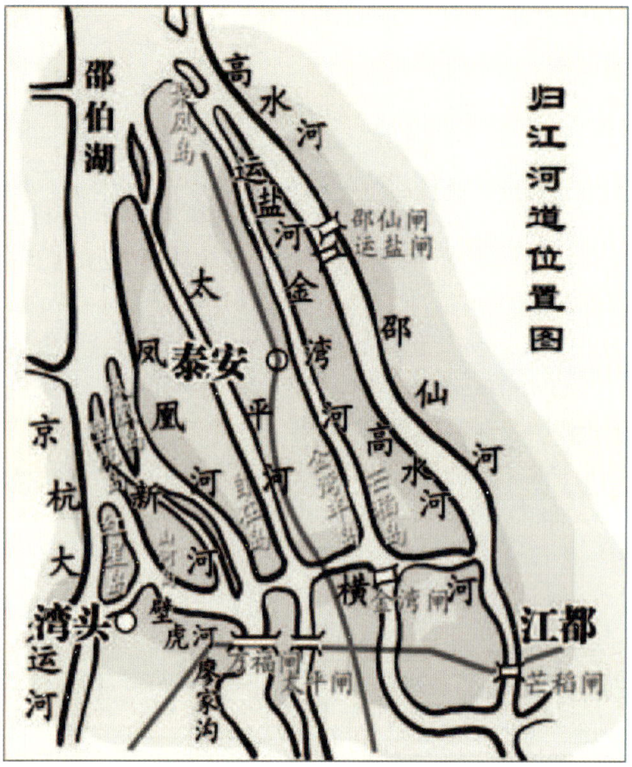

图 37-2-1　归江河道示意图

源沟排泄淮水的通道。

沙河　起于扬州城东（今解放桥东北侧），经湾头镇田庄村至沙头镇入廖家沟。据嘉庆《重修扬州府志·河渠六》记载，该河开凿于北宋雍熙年间（984 ～ 987）。沙河最初有堰，后改为闸，南宋初毁闸，明末复建闸。明万历三年（1575），已有开沙河坝排泄运河和邵伯湖水南流入江的记载。清乾隆五年（1740）建闸，孔宽 5.3 米。嘉庆十一年（1806）筑坝于高桥（霍桥口门），规定运河水位达东关码头第二石阶开坝泄洪，后坝移于运河边，是归江坝中最早的一座坝。因河床为沙土，易淤，排水不畅，坝久闭不启。1954 年大水时，曾在运河边抢险保坝。后建有小吴庄涵洞，一度成为工厂的排污口。1959 年瓦窑铺至六圩运河新开后，沙河被截断，古运河至扬州运河大桥之间已不见老河踪影，今扬州运河大桥西北侧河段新辟曲江公园，成为商品住宅区。扬州运河大桥以东扬余公路南侧，下至霍桥，旧河遗迹仍在，全长 6.25 千米，河宽 40 ～ 100 米。今入廖家沟处建有沙河闸和泵站。

运盐河　汉代亦称邗沟、茱萸沟，即今通扬运河。自湾头通海陵（今泰州）及如皋蟠溪，是汉代吴王刘濞所开。隋代开通茱萸湾（湾头）通漕，它有一个分支入里运河。宋时有闸，后毁，明末复在此河口重建，并于闸下筑坝，泄淮水入廖家沟，此坝久闭不启。另一分支向北通壁虎河，泄淮水向南入廖家沟入江，明末仅宽 2 丈，口门有桥，桥下有三合土坝，这就是最早的壁虎坝，至清末它已成为淮水入江的主要口门，宽 100 余丈。

今万福闸、太平闸上不远处有一横河，就是古运盐河的遗迹，横贯各归江河道之间，有向东输送淮水的功能，明万历以后淮水就是沿此河向东，经今江都宜陵镇向南，由白塔河入江的。

凤凰河　淮水入江之前是一条小河，明末时口宽只有 1.26 丈（约 4 米），临运河口有桥，当时称凤凰桥。桥下设三合土坝，向南流入廖家沟，这便是最早的凤凰坝。

壁虎河　古代又称壁虎桥。淮水入江之前是运盐河（一名茱萸沟，汉代亦名邗沟，今称横河）一分支。河长 1.72 千米，宽 155 ～ 450 米，河底高程 0.0 米～ 1.0 米。宋代，在湾头镇南壁虎河上，建有河闸。废后于明代复建，称湾头石闸，闸下有坝称老坝，坝下壁虎河东去与廖家沟汇合。石闸老坝仍存，坝长 12 丈，高 1.5 米；闸久闭不启。自清道光以后，泄流量渐大。道光十年（1830），壁虎北桥处口展宽至 43 丈。咸丰四年（1854），废扬州运河壁虎三桥改为草坝。此后，古运河湾头以北的闸坝桥改柴土坝。民国初，3 桥均无存。壁虎河原来是泄洪量最大的一条河流， 1921 年 9 月 19 日测得流量为 1766 立方米 / 秒，占当年入江总流量 8406 立方米每秒的 21%。1956 年凤凰河拓展后，壁虎河泄洪量位居第二。

芒稻河　今芒稻河位于湾头镇东北侧芒稻闸下，开创于何时不见史载。据明陈应芳《敬止集》云，万历五年（1577）大辟通江诸口，“湖水减不盈尺，漕河舟楫三十里内，几不为通”。万历二十年（1592），开金家湾河、芒稻河。这是芒稻河首次拓浚见诸文字。明万历时陈应芳还在《敬止集》卷首中，将芒稻河绘制在《东下河水利图》中，芒稻河首见于图。清康熙三十九年（1700）四月，在河道总督张鹏翮向康熙皇帝的奏文云：“自金湾闸至孔家渡为河之脉络，见今狭窄宜开广阔，自此至芒稻山，河分两派，又名芒稻河”，芒稻河以芒稻山（今已无此名）得名。后人以河道弯曲似蟒，又名蟒导河。

明万历二十四年（1596）“分黄导淮”，淮水首由芒稻河入江，创淮水入江之始，遂成为明、清时排泄淮水入江的主要口门。位置显赫，极享盛名。

新中国建立以后，1964 年建成芒稻闸，1969 年建成高水河，芒稻河源头下移至芒稻闸下，南经九龙、四七湾至八江口入夹江，全长 10.6 千米。是今广陵区、江都区界河。新中国建立前，芒稻河堤防低矮弯曲，1954 年、1958 年冬春加堤、裁弯。70 年代全线培修。芒稻河河面最宽处 550 米，一般水深 14 ～ 15 米。1971 年冬至 1972 年春，又对杭集镇境内贾家港弯道裁弯，对泄洪、排涝、引水和通航有很大改善。

金家湾河 位于湾头镇东北。据《天下郡国利病书》记载，明万历二十一年已开金湾河（江都知县张宁所开），名为金家湾河。万历二十四年只是加宽浚深。该河北自金家湾，南至运盐河（今横河），长 7 千米，接芒稻河，再南 9 千米入江。今邵伯湖口至运盐闸一段即为旧址，后亦名运盐河。

金湾河 金湾河又称董家沟，北与京杭大运河及邵伯湖相接，南连芒稻河。全长 12.60 千米，原在境内长 2.40 千米。流经夏桥村的赵家庄、孙家庄，穿越金湾闸、头道桥到夏家桥，为广陵区与江都区的界河。明万历年二十三年至二十四年（1595 ～ 1596），河道总督杨一魁主持开凿。当时“河宽不足十丈”，历经 400 余年的河水冲刷，如今河宽 200 多米。最大过水流量为 3200 立方米 / 秒。

廖家沟 北与邵伯湖下的金湾河、太平河、凤凰河、新河、壁虎河、京杭大运河、古运河相连，南接夹江合流入长江。全长 18.60 千米，境内长 9 千米。是淮河下游入江水道中最大的泄洪河道，淮河入江流量共计为 1.2 万立方米 / 秒，其中 80%流经廖家沟。

廖家沟始为天然沟渠。明末已有廖家沟，廖家沟上起横河，下至羊尾与夹江汇合后入长江。据传，旧时湾头以南地区是一片长江冲积而成的平原。当时，山东有户廖姓人家逃荒来到此地落户谋生。每逢天降大雨，廖家人便挖沟排涝，且南北两边的人家跟着照办。就这样，一家接一家顺势开沟排涝。久而久之，便形成由北向南通往长江的排涝沟，且越来越宽畅。里民便称其为“廖家沟”。因其泄水量大，故有“天下第一沟”之称。

清乾隆八年（1743），开通壁虎河至廖家沟的河道。乾隆十三年（1748）在廖家沟上建三合土的滚水坝，口门仅宽 16 丈。乾隆二十一年（1756），两江总督尹继善疏浚廖家沟。乾隆二十六年（1761）落低坝底，门拓宽至 44 丈。道光二十六年（1846），廖家沟河阔已达 140 丈。是年，在廖家沟上建第一座木质桥梁，以翌年建成，称万福桥。同治六年（1867），重修万福桥时，河面宽 152 丈。时隔 120 年，河床拓宽接近 10 倍。新中国成立后，万福闸下两千多米处高庄一线的河面宽度达 1 千米。连接廖家沟的河流有壁虎河、新河、凤凰河和太平河。民国 10 年，测得行洪流量为 5802 立方米 / 秒。1962 年，建成万福闸，统控壁虎河、新河和凤凰河 3 条河流。经多年的修缮、养护、扩容，承担 81.1%的淮水入江泄量，规划行洪流量为 9730 立方米每秒，是淮水入江主干河道。

第三节 归江十坝

清朝后期，为控制由洪泽湖泄出的淮河洪水，使之经运河、廖家沟、壁虎河、太平河、运盐河、金湾河、凤凰河、新河、沙河等归入长江，相应为调蓄水位，筑十座坝，统称“归江十坝”。这十坝是：

拦河坝 在通扬运河新道、越河口下，渲泄通扬运河新道过量洪水入芒稻河归江。

褚山坝 亦名土山坝。在越河入老运盐河即通扬运河口之右，挡各坝渲泄的水量不入通扬运河下游，渲泄拦江坝以下河水入芒稻河归江。

金湾坝 在金湾河口以南 1 千米处，渲泄运河水入董家沟、芒稻河归江。

东湾坝 在太平河之上东湾河口。坝下引河与西湾河会合后，经太平河归江。

西湾坝 在太平河之上西湾河口。渲泄运河水至石羊沟入廖家沟归江。

凤凰坝 在凤凰河头。渲泄运河水入廖家沟归江。

新河坝 在瓦窑铺新河河头。渲泄运河水入廖家沟归江。

壁虎坝 在湾头镇北端，古运河东岸。壁虎坝是十坝中最长的一座坝。明代，壁虎河口建有砖桥一

图 37-2-2 归江十坝碑

座，称为南桥；清乾隆四年（1739），建木桥称中桥，门宽 2 丈，乾隆二十一年（1756），展宽至 10 丈；乾隆二十三年（1758）又增建木桥称北桥，门宽 20 丈；史称壁虎三桥。其桥下均筑三合土滚水坝。道光十年（1830），北桥门宽展至 30 丈，后经洪水冲刷，门展宽至 43 丈。咸丰四年（1854），废壁虎河三桥。至此，古运河东岸、壁虎河以北，三合土坝俱废，均改建成草坝即柴土坝。该坝下游会新河、凤凰、太平诸河水入廖家沟下注夹江归江。民国 2 年（1913 年），坝长 60 丈；民国 20 年，坝长 66 丈；1950 年 10 月，实测坝长 231 米；1960 年，坝长增至 246 米。自民国 3 年（1914）至 1960 年，该坝共堵 15 次。1961 年，万福闸建成，壁虎坝废弃。

老坝 位于湾头镇东北角、古运河东岸、古运盐河与淮扬运河相接处。渲泄淮水经古运盐河入廖家沟、芒稻河归江。宋代，建茱萸湾堰及湾头石闸，后毁灭。明代复建，遗址至今犹存。闸下筑坝，称老坝。坝下运河与壁虎河合流入廖家沟。坝长 12 丈。至今未有开坝记载。

沙河坝 在古运河东岸，今解放桥北侧，跨沙河西端坝下。渲泄支河水入沙河归江。

“归江十坝”的提法始于民国 5 年（1916）8 月武同举《会勘江北运河日记》。该日记中有这样一段话：8 月 25 日，船过金湾、东湾、西湾口，又过凤凰及新河口、壁虎桥，南端湾头镇有老坝，再南至扬州城东有沙河坝。又云六闸金湾闸下游有拦江、褚山坝，“计共十坝，有归江十坝之名”。归江十坝之名自此而始。即自东向西为褚（土）山坝、拦江坝、东湾坝、西湾坝、金湾坝、凤凰坝、新河坝、壁虎坝、老坝、沙河坝十座。这里说的归江十坝，不含归江河道上原有的滚水坝。

链接：风雨飘摇壁虎坝（桥）

湾头镇旧有壁虎桥一座，绵亘约十余丈，为入江分泄支流。桥门之下密植马牙桩，上嵌石板，如闸底，然南北两块坚筑砖石，并镌壁虎两只，与石左右排列，因此为名。凡驿递公文及往来行旅均由此达桥。内河石与桥相等，所有纤道悉在河西，并竖立挽缆石柱甚夥。

咸丰五年（1855），首次受兵燹，将桥拆毁，任其倾废。战争结束，南北两块坚筑之砖石已倒塌，内河石亦被洗刷倒卸，河面加宽，桥址虽有，桥已难恢复，于桥之里筑为土坝。壁虎坝地段在清代是江都、甘泉（注：雍正时从江都县析出，民国 5 年并入江都县）两县交界处，丈量分界，所以立有南北两坝。南坝系江都县管辖，北坝甘泉县所属。坝长 50 丈。坝身如弦，无依无偏。

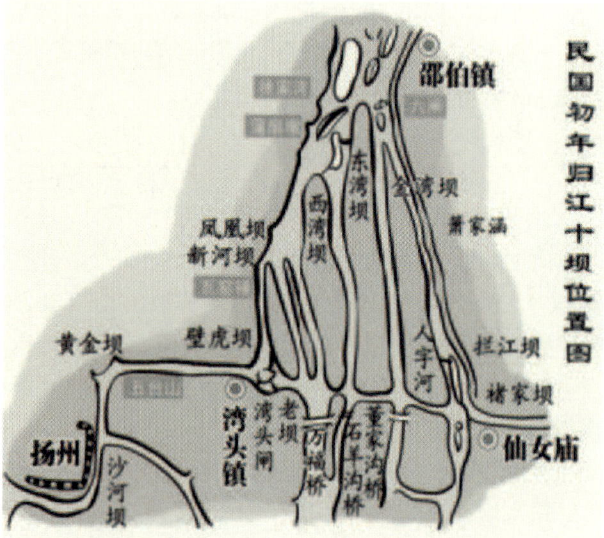

图 37-2-3 民国初年的归江十坝位置图

同治七年（1868），捻军（注：太平军之一支，首领赖文光）进入湾头，猝不及防，人心惶恐，便将北坝全行挖毁，放水以阻止捻军，哪知湾头镇如莲叶居水中央。西北来水奔腾直下，使村庄田墓被冲塌，河面由此加宽，全为开北坝之害。后来坝虽修复，其坝不实，水位一涨非漫即崩，汩汩流水之声，达于遐迩，惊涛骇浪昼夜不休。对此派员修筑，名为以冀筑坝节省经费，实则图饱私囊，将河心冲成十余丈的深塘，年复一年，深塘愈深，商旅行船被溜所吸，顷刻船覆人亡，每年有数十人遭此不幸。令人耳不能闻，目不能见，伤心惨目。干旱时，船行维艰，急需筑坝截流蓄水，以免船只沿途搁浅，于是派员丈量雇工筑坝。而筑坝用土全无。需要临时购买坝附近民土房基，以作挑填筑坝之用。数十年用土，可堆如小丘。不用数月，新筑土坝又归泽国。当初河面窄，坝身直，有抵御之力。后来趋避深塘将坝改为勾股形（注：所改弯折）向西凹，不能抵御江潮湖水，稍有偏旱，坝有徐缩也难保。还有流民，勾结当地痞棍，待有风雨，偷开北坝，一旦坝开，河道便干，水位下降，借拉溜为名，实为拦河扰害商民。民国4年，派员招募打坝，未及将坝筑全。民国5年秋，湖水泛涨，所费银钱，又付之汪洋。民国6年，请盐运司筑新坝，又付之汪洋。盖因只知蓄水运盐，启闭不及时，又不谙河工，存有弊端。为此要求督办江苏运河工程局为改造壁虎坝为滚水石坝。

（摘自民国9年湾头镇董事张朝梁呈《请改造壁虎坝为滚水石坝意见书》）

按：此意见书，由当时水利协会与盐务磋商，民国8年盐运司交出管理权。民国10年另择坝址，选河道较窄处打坝，壁虎坝轴线不再扭曲。此文作者时为湾头镇董事（镇长）。

附：周恩来致宋子文电（1946年9月2日）

子文先生勋鉴：

八月二十八日曾转上苏皖边区政府急电，请求贵院即转饬江北运河工程局立即开放沿河各坝，使大水入江，以免苏北千百万人民惨遭水灾浩劫，迄未得复。兹复得苏皖边府主席团世日急电称：由于淮、黄、沂、沭河水同时告涨，苏北千百万人民生命财产岌岌可危。前曾一再请宋子文先生吁请开放沿江各坝，但政府仅在报端宣布，实际至今并未开放。政府不但不开放江坝，而且不断以重轰炸机以重磅炸弹轰炸高邮附近堤身，并扫射修堤人民，阻挠修堤工程，致使沂、沭漏水，今堤岸又告溃决，竟演成宿、沭、灌各县空前水灾。运河入江各坝政府既不能开放，复加以飞机不断轰炸河堤，致运河有决堤之极大可能。如因此而造成苏北重大水灾，国民党及政府要负完全责任。特再急电，请转行政院及水利委员会，转饬江苏省府立即开放当江各坝，并制止轰炸和阻挠运河修堤工程等语。

特此转达，至希惠予办理，勿再以此为政争及战争之武器，匆任感幸。专此，并颂勋祺！

周恩来谨启

9月2日

第四节 归江水道控制性工程

淮河入江水道出邵伯湖口后，分道流入金湾、太平、新河、凤凰、壁虎等河，为做到蓄泄兼筹，自1960年起至1976年止，实施废坝建闸，先后建成万福、太平、金湾等闸，取代堵拆柴草坝进行控制。此后这批大型节制闸的隐患在运行中陆续暴露，自1986年起至1996年进行加固改造。1997年，根据省水利厅江海堤防达标建设要求，对太平、万福、金湾闸下堤防进行加固。其标准：太平闸下堤顶高程8.2米、万福闸和金湾闸闸下堤顶高程8.5米。太平闸下游堤防加固于1998年11月开工，1999年12月竣工，完成土方2147立方米，浆砌块石1775立方米，护坡灌浆5829平方米，堤防加固长度439米，投资83万元。万福、金湾闸下堤防达标工程于1999年2月开工，至1999年5月完工，完成土方1.44万立方米，石方1.06万立方米，加固总长1238米，投资291.5万元。

万福闸 位于凤凰河、新河和壁虎河3河汇合处南端、方家跳村左侧的廖家沟上，是淮河入江水道归江控制的重要排洪闸。廖家沟为淮水归江主要泄水道，下南左弯接夹江汇入长江，距离长江30千米。由于廖家沟的水位受长江潮汐影响甚大，用筑坝开坝来控制水位的升降，在时间上以及人力、物力上很难适应社会发展需求。1959年10月，组织民工8千名建万福闸，完成土方18万立方米。工程历时38个月，于1962年

图 37-2-4 万福闸

12月竣工。万福闸处河宽510米，闸宽465米，分65个泄流孔，每孔净宽6米；闸坝基宽50米。设计最大泄洪流量7460立方米每秒，校核流量为8820立方米每秒。闸横断面宽25米，北侧10米为闸门操作区，南侧为宽15米的公路桥。

由于历史原因和客观条件限制，选用的混凝土标号低，又掺入劣质粉煤灰，施工质量差。投入运行以后，公路桥、工作桥、闸墩等处混凝土碳化深度有的已超过钢筋保护层，致钢筋锈蚀；消力池混凝土冲损；闸门钢架锈蚀、底止水漏水。1985年10月，省水利厅在万福闸召开万福闸技术鉴定会，建议全面加固。1986年11月25日开工。加固时采用不打坝挡水、分期施工方案，既不影响汛期水闸运用，又不影响公路交通。1993年11月20日全部竣工，前后历时8年，投资2496万元，钢结构制作930吨，混凝土和钢筋混凝土7200立方米，启闭机大修65套。

1991年，淮河流域发生特大洪水，经校验加固后的泄洪流量为7600立方米每秒。是年，万福闸排入长江的洪水量为470亿立方米。万福闸是一座以排洪为主，兼有灌溉、航运、城市供水等多功能的大型水闸，建闸后，上、下游水位能得到及时、迅速、有效的控制，促进相关地区社会和经济的发展。万福闸自投入运行以来至2015年的53年中，已安全泄洪8799亿立方米，引纳江水14.3亿立方米。

太平闸 位于万福闸东太平河上，在二道桥北200米处。太平闸系淮河入江水道控制工程之一。1972年8月，投资255万元建设，1973年一季度建成。根据对太平闸的检测和长期运行中发现的问题，1994年3月省水利厅批准太平闸抗震加固。1994年7月开工，至1996年10月竣工。工程质量被水利部淮河委员会等部门评定为优良级。设计流量1950立方米每秒。该处太平河宽208米，闸宽168米，分24孔，每孔净宽6米。闸身结构以轻、薄、拱为主要特点，闸底板为钢筋混凝土连续反拱结构，并与岸墙联系成一个整体。上扉门为钢丝网水泥板，下扉门为双曲扁壳结构。2000年对该闸进行了安全鉴定，被评为三类水闸。至今保存完好。

图 37-2-5 太平闸

金湾闸 位于广陵区与江都区交界的金湾河上。南距头道桥1千米。1973年6月，投资420万元建设，1976年5月建成。闸长160米，22孔，每孔净宽6米。设计流量3200立方米每秒。具有排洪、蓄水、自流引江等多种功能。与万福闸、芒稻闸、运盐闸一起共同担负着1.2万立方米的入江泄洪任务。维修工程自金湾闸建成后，淮水归江水道终于结束了蓄水筑坝、排洪开坝的历

图 37-2-6 金湾闸

史。经长期运行，根据对金湾闸的检测，决定予以抗震加固。1994年3月开工。至1996年加固工程全部完成。与太平闸加固共耗资900万元。工程质量被水利部淮河委员会等部门评定为优良级。

第五节　跨越归江河道的桥梁

万福桥、万福闸桥　清道光二十九年（1849），扬州东北约9千米处兴建跨越廖家沟人行木桥一座，长152丈，两端各建牌楼一座，题有金字“万福桥”。该桥位于现万福闸桥下游100余米处，中孔下设矶心4处，凉亭2个，两侧围以红栏。后毁于太平天国战火。光绪六年（1880），扬州盐运使程恒生、知府孙恩寿等主持修复。光绪二十六年（1900），再次修缮，并于桥头增建栖雨亭各1座。民国16年（1927），军阀孙传芳率军攻打扬州，万福桥毁于战火。民国20年大水，桥身被冲毁。

民国23年（1934），为新建浦启线国道，于原桥址兴建一座永久式桥梁。其下部为钢筋混凝土桩排架墩，上部为梁式钢筋混凝土桥面，桥宽6米，载重标准为15吨，45孔，长455米。民国26年5月落成。当时该桥工程浩大，气势雄伟，名闻省内外。

图37-2-7　民国时期的万福桥

民国37年（1948）冬，万福桥遭国民党溃军破坏，桥面2孔及3个排架墩被炸毁。1952年重新修复。1954年大水，廖家沟河床经冲刷，局部排架墩裸露，随后进行抛石护桩修缮。

1959年，为治理淮河入江水道，控制水位，万福桥上游兴建万福闸桥，设65孔，长466.8米，1960年落成通车，老桥废弃并拆除。直至1989年万福闸桥仍为扬州第一长桥。

附：《重建万福桥碑记》

扬郡之东，众水潴焉。廖家沟故细流，小桥驾其上。而凤凰、壁虎诸闸之水汇此入于江，激荡久之。乾隆中岁，阔及四十丈，见于桂林陈文恭奏修之疏。至道光二十年，浸宽百四十丈。鹾商包、赵诸姓出资建巨桥，名曰“万福桥”，为仙女镇入城必经之途。商贾阗辏，车牛负载，恒取道于是也。咸丰癸丑春，粤寇猝至。当事恐其东侵通、泰之境，急檄去桥，以遏其锋。居人以舟渡，风暴湍急，溺者多矣。洎同治甲子之秋，金陵荡平，民事方亟，将军富公明阿具疏请建桥，而以其事属运司李公宗义。工甫兴，而富公请告，李公亦擢任去，工以是停。丁卯夏，节相毅勇侯曾公使李大令克勤来扬勘估修造，而檄余董其成。先是郡守孙君恩寿督率绅董，于河中筑矶心四座，两岸增砌坝首，石工甫报讫，李大令购备木料，鸠工庀材，桥长百五十二丈有奇，东西建坊二，中建亭二，两坝首筑埽加厢，外植桑柳，恐风浪之冲刷也。前后凡十阅月，工乃竣，共用银二万三千余金。同人周视之余，或慨然曰：“桥之成也，不意其毁也。比其毁也，不期其复成也。成毁其有数乎？”余曰：“唯唯，抑亦有人事存乎？使当日者，兵食豫足，寇来有备，斯桥固设险守国之要也，毁之何为？其如东路，城邑千里，空虚汲汲，赖巨浸为保障焉，不毁何待？然而毁于一旦，成之必数年矣。所愿膺土地捍牧围者，念毁之之易，成之之难，而思保之之术，行见肩摩毂所至，康庄遍通乎山陬，海澨之遐，无籍乎重关复江之险，遵道遵路，奔走偕采，即于斯桥，征其气象，而不徒以舆梁利涉，诩有司之职也。”是为记。

钦加按察使衔、赏戴花翎、署理两淮盐运使司盐运使兵备衔、兼管下河水利、广西补用道加四级、古歙程桓生撰并书

大清同治六年，岁次丁卯，秋九月

图 37-2-8　二道桥

二道桥、太平闸桥　太平闸桥在万福桥东邻，跨越淮河入江水道太平河。太平河原称石羊沟，故原称石羊沟桥。又因东侧金湾河上游有桥称头道桥，往西该桥为第二座，故称二道桥。二道桥东接龙城路，西接万福桥，是仅次于万福桥的一座公路桥。清乾隆十三年（1748），里民建石羊沟滚水坝，并在坝上建木桥，桥长 32 丈。由于行洪量逐渐扩大，里民也逐年修扩建，至乾隆二十五年（1760），桥跨扩至 36.7 丈。尔后的 82 年中，水灾泛滥，亦疏于管理，桥与坝都废圮。道光二十二年（1842），仙女镇民众募捐公建石羊沟桥，于次年建成，称之为二道桥，木质，宽约 1.8 丈，全长 52 丈。同治二年（1863）、同治九年（1870）、光绪六年（1880）及民国初，曾进行多次修缮，终因年久木朽，至民国 23 年（1934）濒临倒塌。次年 8 月，浦启国道开筑，该桥作为工程项目发包给东亚工程公司改建。拆除原木桥改建公路桥。工期两年，于民国 26 年（1937）建成通车。改建后的二道桥，共 22 孔，长 210.5 米，桥宽 1 丈 3 尺（合 3.5 米），荷载 8 吨。中间设置两个活动孔（时石洋沟为航道）。下部为钢筋混凝土桩排架墩，上部为木梁。活动孔由 5 根钢梁衔接组合框架，框架下设置钢轨与滚轮，开启时水平旋转，由绞车齿轮传动。

民国 37 年（1948）冬，国民党军队为阻挠解放军攻克扬州城，将二道桥中间两活动孔的桥墩炸毁，并烧毁部分桥面。翌年，解放军渡江前将其修复。

1953 年 9 月，二道桥进行大修理，主要是换掉腐朽的木质桥面。1967 年，二道桥再次进行修理，利用原钢筋混凝土排架桥墩，拆除木质桥面，取消活动孔，架设钢筋混凝土空心梁板。桥面增宽至 8 米，荷载增加至 10 吨。

1972 年，作为治淮配套工程，在二道桥上游 220 米处新建太平闸，附设公路桥，称太平闸桥，与万福闸桥连成一线。太平闸桥长 167 米，行车道宽 7 米，两侧另设人行道，宽 1.5 米，荷载 13 吨。原二道桥保留，作行人桥。

头道桥　位于太平闸桥东广陵区、江都区分界处，跨金湾河，东西贯通龙城路。因金湾河原称董家沟，故原称董家沟桥。全长 180 米，计 18 孔。

清康熙四十年（1701），建董家沟三合土滚水坝及其上木桥。乾隆二年（1737）改建，跨度宽 18 丈。乾隆十六年（1751），滚水坝降低 3 尺，桥跨度放大至 30 丈。以后由于行洪频繁及疏于管理，坝和桥均废。道光二十六年（1846），里人蔺氏募捐并倡议重建董家沟桥。因当时东侧河流上无桥，往西该桥为首座，故称为头道桥。道光二十九年（1849），江都士绅岑氏集资在今二道桥处建人行木桥，后曾经多次修缮。同治十二年（1873）、光绪六年（1880）曾两次重修，桥长 25.5 丈。

民国 24 年（1935）8 月，新建浦启公路，头道桥改建公路桥，由东亚工程公司承建新桥，民国 25 年 5 月竣工，定名头道桥。新桥下部为钢筋混凝土排架墩台，上有四根方型钢筋混凝土柱组成桥墩，桥面为木制梁板。桥长 180 米，设 18 孔；桥宽 4.6 米，荷载 8 吨。原木桥拆除。民国 26 年冬，因战火桥被焚毁。后修复。

新中国成立后，1953 年，头道桥进行大修理。1955 年，改建成钢筋混凝土排架和部分钢梁桥。头道桥曾经多次维修，后于 1967 年改建成钢筋混凝土板梁、桥长 180.08 米， 18 孔。车道宽 6.4 米，人行道宽 0.4 米。

荷载 13 吨。

1985 ～ 1986 年间，为适应交通量的需要，于原桥北侧新建独桩墩、悬臂盖梁、空心板梁式桥，与老桥并为一体，桥宽增加一倍（分上下行车道），1988 年 8 月竣工。

江扬大桥　跨京杭大运河，2001 年，由扬州江扬船厂部分筹资兴建，桥因厂而得名。三跨下承式钢管系杆拱结构，中间老桥实施加固，长 248 米，宽 23.6 米。2002 年竣工通车。新万福路修建时，江扬大桥进行拓宽。保留原有桥梁，在距其以南 3 米处，加建一座“姊妹桥”。新建桥梁的跨度提升为单跨 120 米。新、老江扬大桥的总宽 40 米，与路宽相当。

广陵大桥　位于廖家沟上，在万福桥南 2.5 千米处。东西向横跨廖家沟，贯通文昌路。广陵大桥是扬州城与江都区之间的主要桥梁之一，时为扬州城建史上单体工程量最大、长度最长、投资最多的市政工程设施。广陵大桥由中国交通二航三公司负责承建。2011 年 2 月开工建设。工期历时 27 个月。项目投资 12 亿元。

图 37-2-9　广陵大桥

大桥按城市Ⅰ级主干道标准设计建造。桥梁分东西引桥和主桥三部分；主桥长 840 米，两边引桥各长 181 米。桥总宽 55 米，由并行的两幅桥梁组成，中间留有 12 米空间作为未来轨道交通桥面，南北单幅桥宽 21.5 米，桥南侧为东行通道，北侧为西行通道。双向 6 车道，设计时速 60 千米 / 小时。300 年一遇防洪标准。钢筋混凝土预制连续 9 拱组合桥，中拱 60 米，余则分 8 拱，每拱递减，至边拱为 28 米。桥两侧和中间建造 6 座仿古亭子，亭脊距桥面高 10.05 米。桥两端 4 座为复檐方亭，建造在引桥和主桥连接处的景观台外侧，犹如飘浮在水面上的画舫，人们称之为“飘亭”。桥中间两座为重檐歇山亭，与桥两侧人行游廊相连接。亭子主体采用钢筋混凝土框架结构，门、窗、梁、柱及装饰等各部件则使用木结构。屋顶铺设荧光琉璃筒瓦，游廊屋顶铺设小青瓦，古色古香，是廖家沟上一道亮丽的风景线。

廖家沟大桥　位于廖家沟上，广陵大桥南 1.2 千米处，距万福闸下 3.7 千米，是海宁线（G328）扬江段的大型桥梁，贯通 G40 沪陕高速公路和 G328 国道以及西侧的扬州市区运河东路。始建于 1989 年。廖家沟大桥由铁道部大桥四局第四桥梁工程处四队施工建造。总投资 4330.8 万元，于 1989 年 8 月开工，1992 年竣工通车。全长 786.9 米，桥面宽 23 米。主桥为 45 米 +70 米 ×3+45 米变截面预应力连续箱梁，实体式墩身，基础采用钻孔灌注桩，车速 100 千米 / 小时，载重汽 -20 吨，挂 -100 吨。廖家沟大桥是宁通一级公路扬州至江都段的一座特大型桥梁，跨越淮水入江水道廖家沟，设计施工要求高、难度大。

壁虎大桥　位于壁虎河南段，距壁虎河与廖家沟相交处 1 千米处。西通湾头镇健康路，东接泰安镇山河村路。投资 130 万元（其中，乡以下单位筹集 101 万元，县以上单位拨款 22 万元，湾头籍台胞徐兆湘捐献 7 万元），1992 年 4 月 14 日开工建设，于同年 11 月 15 日竣工通车。桥长 227.57 米，11 孔。桥宽 6 米，行车道宽 5 米，T 型钢混结构梁，因受地形限制，上部采用 4 块 1.5 米宽 T 型钢梁组成，下部采用钻孔灌注双桩式基础，并留有桥面扩展为双车道的空间。设计荷载汽 -10 吨、履带 -50 吨。桥面最高处 9.92 米。在山河岛与湾头镇之间建起的壁虎大桥，彻底解决山河村人靠摆渡才能到湾头镇的难题。

图 37-2-10　壁虎大桥

万福大桥　横跨廖家沟，居万福闸下游 240 米，东接龙城路，西接万福路。2011 年筹

图 37-2-11　万福大桥

建。为全市首座双层自锚式悬索景观桥，在国内外大桥建设史上尚属首次。桥长 660 米，宽 28 米，双向 6 车道。5 跨，中跨 188 米，边跨 82 米，桥面分两层，上层为双向 6 车道机动车道，下层为非机动车道和人行道。大桥兼具传统仿古建筑风格和抽象浪漫的现代建筑符号。双塔楼城堡型，外观主色调兰灰，大理石干挂贴面，塔顶为大屋顶多檐楼阁，与上部横梁、桥面共同构成宏伟的“凯旋门”结构，顶部铜葫芦宝鼎金碧辉煌。两侧桥堍各放置 2 头铜牛，单体重约 3 吨，蹲卧俯视，神态可掬。塔楼共四层，有电梯运行，配有展厅、餐厅和娱乐会所。空中鸟瞰七河八岛，历历在目；登临绝顶江南诸山似在眼前。夜晚，数千盏 LED 光源勾勒大桥雄姿和水中倩影，万福灯火耀星空，令人目炫神迷。

第三章　历史文化印迹

茱萸湾为水路进入扬州的门户和重要港口，也是盐运、漕运必经之地，隋炀帝三下扬州建隋宫于此，湾头古镇成为远近闻名的繁华之地，店肆相连、市声不断。至盛唐时期，这里更是风物稠密，唐代诗人姚合、刘长卿都描写过茱萸湾。1958 年京杭大运河扩宽改造后，湾头古镇始与扬州市区隔开。湾头古镇的历史文化资源弥足珍贵，扬州市正致力将湾头古镇按照扬州古镇复兴的样板进行改造。

第一节　古茱萸湾

湾头镇历来是南北交通的要冲。两条邗沟形成一纵一横的格局。刘濞开邗沟时，湾头已经形成村落。居住在此的先人们喜植茱萸，称为“茱萸村”；又因该村处在邗沟的转弯处，茱萸村慢慢演变成“茱萸湾”。宋人祝穆的《方舆胜览》也记载：茱萸湾在江阳县东北九里。湾头处于邗沟与茱萸沟十字中点，具备水运码头的条件。因茱萸沟向东通海陵仓煮盐之地，东西南北凡是人类生活的必须品粮、盐、铁都从湾头经过。

隋仁寿四年（604），重竣两河。隋朝大运河开通，使邗沟南延北展，茱萸湾更成为扬州的重要门户，漕运、盐运、皇帝巡游、旅客往返，此地成为必经之地。

唐元和年间（806 ～ 820），淮南节度使李吉甫鉴于扬州漕河泄水严重，经常淤塞，故在从长江到淮河的运河古道上建 5 座控制水量的堰埭，茱萸堰就是其中的一座，当时茱萸湾港口称“东塘”。唐文宗开成三年（838），日本圆仁和尚入唐求法，次年从茱萸湾登岸来到扬州，在其《入唐求法巡礼行记》一书中记载，湾头以东运盐河的情形“半夜发行，盐官船积盐，或三四船，或四五船，双结续编，不绝数十里，相随而行，乍见难记，甚为大奇。”从另一侧面印证唐代茱萸湾东塘码头的繁荣实景。唐末（约 885 后），《资治通鉴》记载：田頵、安仁义同时举兵，悉焚东塘战舰。《旧五代史》记载：韩令坤奏，败楚州贼将马在贵万余众于湾头堰。可见湾头古港深处，也是历朝争夺的战略要地。

宋绍兴四年（1134），南宋当局下令填塞茱萸湾港口，以阻挡金兵。因其妨碍南北交通，乾道三年（1167），淮东提举徐子寅请开湾头港，运河重新通航，古港再度兴盛。

元至正二十八年（1368 ）后，朱元璋军队北征，军需器械船至湾头，河浅不能通过。经请开 4 塘，补充运河水位，以利军械北运。明太祖洪武十四年（1381），沿海盐船驶往南京时在湾头码头搁浅。次年，北方皇家所需木材南运，又在湾头码头搁浅。两次均开塘放水，提高水位，使盐船、木材货船通过。

明清时，茱萸湾为两淮盐运司专管码头。运盐船、渔船等彻夜往来于河上，帆樯卸泊，百货登市。清康熙二十三年至四十六年（1684 ～ 1707），康熙帝 6 次沿运河南下视察河工治理，前 2 次都经茱萸湾码头。清乾隆十六年至四十九年（1751 ～ 1784），乾隆帝 6 次沿运河南下巡视，来去都经过茱萸湾码头，乾隆曾留有“茱萸湾口进轻舫，平山堂上聊徘徊”句，记述当年大船停泊茱萸湾码头，改乘小船进入扬州市区。晚清，由于运河承担漕运的使命结束和南北交通格局的变革，湾头码头逐渐冷落。

图 37-3-1　古运河故道茱萸湾

50 年代，京杭大运河扬州段裁湾取直，1964 年古运河湾头西侧堵塞，湾头港埠不再通航。东塘虽在，但古港风光不再。

第二节　南巡盛典

茱萸湾扼东去北上咽喉，是皇家龙舟往返的重要港埠。隋炀帝东巡以及清代康熙、乾隆二帝各南巡 6 次，都取道湾头，清帝每次所乘的龙舟、楼船等各类豪华船舶有 400 ～ 500 艘之多。

隋炀帝下广陵　大业元年（605），隋炀帝杨广率领浩大的船队来到扬州，由黄河经新开凿的通济渠到达淮水，再由淮水沿裁弯取直的新邗沟到达茱萸湾，“舳舻千里泛归舟，言旋旧镇下扬州”。领头的豪华大船，《资治通鉴》记载为“龙舟”。“龙舟四重，高四十五尺，长二百尺。上重有正殿，内殿，东西朝堂，中二重有百二十房，皆饰以珠玉，下重内侍处之。”龙舟是在茱萸湾附近建造，然后送往洛阳。《隋书》记开皇二十年（600），杨广被立为太子时，命黄门侍郎王弘、上仪同於士澄往江南造龙舟等船只。广陵地方临江濒海，在汉代已有“船宫”，即可以制造巨舟的规模宏大的工场。船宫需近水，设在扬城东部江河汇合处的茱萸湾最为适宜。

据《扬州古港史》考证统计，杨广南巡船队总数共计有 5191 艘，有 22 种类别，皇后、诸王、公主、百官、僧尼、道士、蕃客各乘品类不同的船只。当时船队前后相接 200 余里，行进动力主要靠人力牵引，共用挽船士 8 万多人，挽漾彩以上者 9000 多人，两岸御道有步、骑兵沿途拱卫船队。杨广在《泛龙舟》中自述道“六辔聊停御百丈，暂罢开山歌棹讴。讵似江东掌间地，独自称言鉴里游。”侍臣如虞世基、虞世南、诸葛颖等皆有和诗，写龙舟东下盛况。虞世基说“泽国翔宸驾，水府泛楼船”，诸葛则云“月色含江树，花影覆船楼”，皆一时名句。隋炀帝东下之举，意在实际检验运河开凿的成果，后人过茱萸湾，多兴亡感慨。唐代白居易据史考证

图 37-3-2　隋炀帝巡游图

图 37-3-3　隋炀帝龙舟复原图

运河两岸官柳计1300里，烟花三月，“柳色如烟絮如雪”。陪侍皇帝的有“紫髯郎将护锦缆，青蛾御史直迷楼”。李商隐诗：“春风举国裁宫锦，半作障泥半作帆”，指责当年隋炀帝浪费物力，龙舟船队竞用“锦帆”。

康熙南巡　康熙6次南巡，驻跸扬州，多次均以三汊河高旻寺为行宫，并亲撰《高旻寺碑记》：“茱萸湾者，乃维扬俗称宝塔湾也，居三岔河之中。”宝塔湾在南门外，茱萸湾在东门外，后阮元为湾头茱萸湾题名为“古茱萸湾”，以示与塔湾的区别，避免地名混淆。

康熙二十三年（1684）秋，康熙南下，十月二十二日至湾头进入扬州。此次南下要务为巡视河工，东至苏州西至江宁后回銮。途中曾谒明孝陵及曲阜孔庙。

康熙二十八年（1689）春，康熙启程南下，视察河工。一月二十八日经湾头入扬州。召见人员中有石涛。行程至绍兴禹陵止，然后返回。返程时于三月三日驻扬州三汊河塔湾行宫，嗣后三汊河湾易名为茱萸湾，因湾畔有天中塔，故又名塔湾。三月三日以后，皇帝乘舟经湾头北上返京。

康熙三十八年（1699）二月，康熙率众乘舟南下，要务仍为视察河工。三月七日经湾头入扬州，至杭州回銮。四月二十一日抵扬州，后经湾头返京。

康熙四十二年（1703）正月十六日，康熙离京，登泰山，视察河务。二月经湾头至扬州，止于杭州。三月初至扬州，再经湾头北上返京。

康熙四十四年（1705）二月初九，康熙启程继续视察河工。三月十一日经湾头舟泊高桥，至杭州后回銮。闰四月初一住塔湾行宫，对捐资修建行宫者奖赏。后经湾头北上。

康熙四十六年（1707）正月十二日，康熙离京，视察河工后，二月二十七日至湾头入扬州，抵杭州后回銮。回銮时在扬州住6 天，四月二十九日再经湾头北上返京。

乾隆南巡　乾隆南巡经过湾头，进入扬州，多驻天宁寺行宫，以视察河工为题，沿途多流连风景名胜。

乾隆十六年（1751）正月十一日，乾隆离京，二月十三日经湾头至扬州。三月至绍兴后回程，四月初经湾头北返，五月初返京，历时4个多月。

乾隆二十二年（1757）正月十一日，乾隆离京，二月初经湾头入驻建成不久的天宁寺行宫，奖赏捐建行宫盐商各加一级顶带。后行至杭州，于三月初回銮，四月底返京。

乾隆二十七年（1762）正月十二日，乾隆离京，历时一个月，于二月十三日抵湾头，入住天宁寺行宫。南行杭州，三月十三日返回，四月初返至扬州，然后与皇后分道返京。

图37-3-4　《乾隆南巡图卷》卷六局部

乾隆三十年（1765）正月十六日，乾隆离京，二月十六日经湾头入驻天宁寺行宫。南下经闰二月，至杭州返回。三月中旬在扬州，经湾头北返，四月底回京。

乾隆四十五年（1780）正月十二日，乾隆离京，约1个月后经湾头入扬州。二月二十三日至杭州后返回。四月至扬州天宁寺，旬末经湾头北上，五月返京。

乾隆四十九年（1784）正月二十一日，乾隆离京，二月底经湾头抵扬州。三月二十五日由杭州回銮，闰三月中旬原道返回，四月二十一日返京。

第三节　世界文化遗产

2006年12月，大运河被列入《中国世界文化遗产预备名单》，标志着大运河申遗正式启动。首批申报的大运河世界遗产点段共有27段河道和58处遗产点，分布在31个遗产区，扬州境内6段河道10个遗产点入选。其中，遗产点之一“扬州古运河”就位于湾头境内。

扬州古运河北起湾头茱萸湾，折向西南，经黄金坝后向南进入扬州城区段，直至瓜洲，全长约30千米。因1958年自瓦窑铺向南开挖大运河新河道，直通长江，因此，原自邵伯经茱萸湾曲折绕城而过，通过瓜洲运河至长江的这段河道，现在被扬州人称为“古运河”。古运河自扬州城东南过境，沿线历史遗迹众多、人文景观众多，与两岸丰富的民俗文化、多样的市民生活融为一体。古运河水景秀美，大运河的开挖者采取延长河道以降低坡度的办法，把这段河道挖得弯弯曲曲，以消除水面高度差，呈横着的“几”字形，迂回三四千米，水面宽阔，流速平缓，这是中国古代河工的杰出创造。

在大运河申遗的保护区划中，扬州古运河的沿线两侧均以运河岸线向东西两侧各外扩5米为界，设为遗产区。通过研究制订兼顾遗产保护要求的管理和操作规程，遗产区范围内的保养和维护，均识别、尊重、保存其在外形和设计、材料和实体、用途和功能、方位和位置各方面留存至今的历史信息，保障扬州古运河本体和环境生态安全，延续正常使用功能。在保养和维护工程中，使用符合地方特点的传统技术、传统材料、传统结构和传统工艺。河道工程中不改变河道的总体走向，尽可能维护河道形态和传统堤岸，在满足防洪和血吸虫防治要求的前提下，尽可能建设生态护坡，维持河道现状宽度、维护传统堤岸、完善沿河绿化。搬迁侵占堤岸的住宅及其他与水利航运防洪无关的建构筑物。

遗产区外扩40米为界，设为缓冲区。按照“缓冲区统一管理规定”对缓冲区进行管理和控制。搬迁或整治造成环境污染的工业企业。对缓冲区及沿河视线范围内建筑高度控制指标研究，优化、提升遗产区景观品质。在申遗文化点中，湾头镇遗迹众多，大运河、古运河、茱萸沟在此交汇，尚存古闸、古港、古津渡的遗迹，成为该世界文化遗产的“活化石”。

链接一：茱萸湾挽缆石柱

2010年4月28日，茱萸湾风景区进行内部维护，施工队无意间从宋井旁边的泥土中挖掘出两根长达3.2米、宽50厘米的石柱。石柱分三段造型，最上方和最下方均为方形，中间为圆形，形状较为规则，两面均刻有楷体字。经仔细辨认，其中一根石柱上依稀可见字体：丰扬府淮远县景山饼商公勒，龙王庙生广聚叩慕。当时扬州考古专家对两根石柱进行现场勘查，并用特制材料对石柱上的铭文进行拓片，可以依稀看到两根石柱上面的字迹分别显示为“道光四年八月”“道光六年七月”，其他字迹较为模糊。

图37-3-5　挽缆石柱

扬州水利史专家徐炳顺在整理淮河归江沟、坝、闸历史资料时，发现民国9年（1920）湾头董事（今称镇长）张朝梁的《改造壁虎坝为滚水坝意见》的报告，这份报告中写道：“湾头镇旧有壁虎桥一座，绵亘约十余丈，是分泄淮水入江的支流。桥门之下打了密密麻麻的马牙桩，桩上嵌有石板，如同闸底，在南北两块石板旁竖筑砖石，并镌壁虎两只，排列在石板左右。壁虎

图 37-3-6 茱萸湾内中国大运河世界文化遗产标志

桥因以为名。凡是驿递公文及往来行旅者，都要经过此桥。桥下的河面与桥等宽，所有纤道都在壁虎河西，并沿壁虎河竖立挽缆石柱甚夥……”

从这份报告可知，壁虎桥（壁虎坝）之名的由来，还知道了两只壁虎作为标志，是装饰物，不是镇水之物；从“竖立挽缆石柱甚夥”中可以看出，当年在壁虎河西侧（今红星岛东侧）竖立的多根系船挽缆石柱，这与2010年发现石柱地点一致。由此解开6年前发现的柱是用来挽缆的，而不是“庙前灯柱”“运河航标”等说法。

链接二 避风塘

图 37-3-7 避风塘湾头位置示意图

又名古闸塘。位于湾头老街的东、西街交汇处，北面紧连两淮盐司盐商专用码头，西面不远就是隋山光寺。吴王夫差十年（前486）开凿的邗沟，在湾头与汉文帝元年（前179）吴王刘濞开凿的茱萸沟（后为通扬运河）西端接续处河段，经千百年的演变，成为南来北往船只系泊、补给、交易、避风雨的塘口，故称为避风塘。刘濞开茱萸沟时，此处只是与邗沟交汇处，后成为南来北往水上交通枢纽。经历代水流的冲刷、淤塞、开浚、变迁，廖家沟的不断冲刷变宽，再加上清乾隆八年（1743），开通壁虎河至廖家沟的河道，使原来茱萸沟往东与现通扬运河连接段淹没在廖家沟与壁虎河中，在开通壁虎河至廖家沟的同时，把挖出的弃土填充了现避风塘的东侧与壁虎河连接河道，所以遗留现在的避风塘。当年的水上交通要津，曾用于盐运、漕运、军需、巡视以及南北交往。清乾隆皇帝6次南巡，均经停于此。由于日积年累，避风塘淤塞严重，在清光绪二十八年（1902），重

图 37-3-8 避风塘的绞关石

图 37-3-9 避风塘

新挖掘清淤重建。船只经古闸进入避风塘，闸口附近还留有5根绞关石。避风塘现存水面不足1公顷，比原来小三分之一。

避风塘的功能，一是为北上南下的商船提供避风之所，每当风雨过大时，如船到湾头已是晚上，风雨过大，无法行舟，等候船只结伴同行，绞关石就绞起闸门，给船只放行；二是为过往船只提供补给，当时古镇十分繁华，各种商品应有皆有，在此补充所需物品自然十分方便。古闸塘作为避风港湾早已废弃，但仍可作为历史的见证，1996年，古闸塘被列为扬州市级文物保护单位；2011年4月，茱萸湾古闸塘被正式列入大运河申报世界文化遗产的遗产点。

链接三　石壁虎

“一鸡二虎九条牛”，其中的“二虎”是两只石壁虎，放置地点就在茱萸湾。古人治水，经常冥想借助于神灵，壁虎即取“避祸”之谐音。

事实上，放置于河边的石刻与铁铸兽形，是水位标高的测量水誌。茱萸湾两只石壁虎，今存其一，惜已成无头壁虎。

图37-3-10　石壁虎

据石壁虎旁边的《壁虎石记》记载：明万历年间（1573～1620），扬州连续多年在6月至9月间，霪雨连绵，昼夜不停，使江河湖泊水位暴涨，灾情严重。为祈祷江河安澜，百姓能安居乐业，里人商议集资凿雕石壁虎一对，放置于湾头老街北端古运河边，用于镇水。据传，明代初年御史中丞刘基（刘伯温）治水时，为防止甘棠湖（今邵伯湖）湖水下泻泛滥危及扬州，筑坝拦洪，并置一对石壁虎于坝两头以镇水怪，故坝被称为壁虎坝。民间相传，运河水位如超过此坝淹到石壁虎，扬州城就会浸水。1954年发大水时，水位果然涨至石壁虎基座。实际上，这是古人治水经验的总结和水位标志。

壁虎桥曾经是湾头一道风景，“睡过湾头壁虎桥，壁虎桥边听洄潮”。扬州还有一副地方趣联“缺口虾蟆地，湾头壁虎桥”，记的就是这湾头风物。

第四节　千年老街

湾头老街沿古邗沟而筑。“东西南北月牙湾，岸水临风是老街”，古运河的弧形湾折，老街形态也随其呈现新月芽状，里人称其为镰刀街。老街的两端都有圈门，西街的圈门东为“古茱萸湾”，西端为“西临邗水”；东街的圈门，西为“保障生灵”，东为“北接棠湖”。老街北起壁虎石南“北接棠湖”圈门处，往南且逐渐西弯折至避风塘古闸北“保障生灵”圈门，越避风塘古闸，西侧有“古茱萸湾”圈门，再逐渐西弯至西南面山光寺旧址侧。老街以避风塘古闸为中心，东北段称东街，西南段称西街。一街四道圈门，其中北起第一和第四道圈门在50年代拆除，题额丢失。第二和第三两道圈门题额，于1980年春，在古镇山光寺藏经楼旧址发现。第三道圈门题额“古茱萸湾”以及落款“清道光甲辰年”字样清晰可见。据考，此额为清代被称为“三朝元老，九省疆臣”的阮元所题。清道光二十四年（1844），湾头举人刘惟金特请大学士阮元和其从弟阮亨书写茱萸湾地名与题跋，以勒石纪念。阮元以是年八月题隶书“古茱萸湾”，其从弟阮亨以是年九月望日为“古茱萸湾”额题以楷书写跋。文末钤有印章3方，两方为阳文，一方为阴文。阳文为“梅叔”“阮亨私印”，阴文为“珠湖草堂”。跋中提到的广川、玉甫，即为刘惟金的祖父和父亲。

图 37-3-11　湾头老街现存圈门

《古茱萸湾额题跋》

阮　亨

湾头镇去扬州城十五里，即古茱萸湾也。汉吴王濞开此通海陵仓，隋仁寿四年复开此通漕。在唐称为东塘，周韩令坤克扬州守之，败南唐兵于此。宋毁港口以遏金兵，令不得通舟楫，元始屯兵于其地，《寰宇记》所谓茱萸沟也。予往来北湖，皆泊船眺贤，为诵李国宋“家在茱萸湾里住，五更月落打船回”句，洵重镇也。刘君海秋曾构屋数椽，侍其令祖广川上舍，尊人玉甫别驾读书于此，言念旧居，不忍湮没，爰别相国兄隶书以表之，属予纪其年月，则道光甲辰九月望日也。

仪征阮亨仲嘉识于珠湖草堂

老街原有数千块长条石铺成长达两千米的青石街面，现存石板街面长 400 米，宽 2.5 米至 3 米。扬州本不产青石，其铺地石料都源自安徽。据考，使用青石作材料，始于明代。当时，运河上来往的商船大部分在湾头经营贸易。去时运走桐油、木材、盐等特产，回来时配以压舱石运回青石块。徽石构筑的街道，是当年特为推行独轮车而设置的车道。岁月沧桑，石块呈现光润斑驳状。

老街两边市坊，多为青砖小瓦房，沿街排列几无间隙。西街中部，留有民国时期江都县县长张济传岳父陈玉龙故居。除此之外，宋人田锡过湾头时见的“寺钟遥听在西楼”的西楼、明人钱允治过湾头时见的“高楼开窗玉腕横”的高楼、明代张宣过湾头时见的“一声江笛听江楼”中的江楼以及清人王士禛过湾头时见过的“茱萸湾上夕阳楼”中的夕阳楼，所记无讹，遗址不存。

老街北边傍水有石驳坡堤，南边为古运河至扬州的船舶避风塘。镇东北端为壁虎坝，现存残明代壁虎石刻；东街东侧原有东岳庙（圮时不详）；东街南端左侧原有章王庙（圮时不详）；西街西端，有山光寺，寺圮存遗迹。老街临河拴过往船只的缆绳石桩，据传曾是太平天国将领赖文光拴马处。避风塘古闸边，存有 5 根斜撑的绞关石。

新中国成立前湾头老街店铺调查一览表

表 37-3-1

业主（老店）	店铺（宅）	方位	业主（老店）	店铺（宅）	方位
杨鹤仙	柴棚	西		老浴室	西
刘正西		西	许华	诊所	西
张松芝	私塾	西	朱秀英	酱园	西
张益侯		西	李桐福	肉店	西
张竹根	弹棉花	西	李桐生	肉店	东
高懋生	中药店	西	李永福	肉店	
胡国章		西	孙学举	炒货	东
张立和		西	伍国齐		西
徐铁匠		西	孔伯然	石灰店	东
胡闹		西	张松高	粮行	东
夏廷珍		西	经元朗	营造行	西

续表 37-3-1

业主（老店）	店铺（宅）	方位
伍玉山	爆竹	东
吴正福	饭店	西
马三	粮店	西
裴志才		西
裴志元		西
徐志诚	银匠店	西
杜子云	药店 百货店	东西
张正瑞（老二）		东
张正麟（老大）		东
张正祥（老三）		东
南兆寿		东
张五	粮店	东
周铭之	木行	东
夏开阳	柴草行	纸扎店　东
李明权		东
李明祥		东
张国安		东
张夕山	杂货店	西
胡国	杂货店	西
李广涛	粮店	东
夏松筠	肉店	东
张恩竹	福来茶馆	东
魏德广		东
常生明	炒货	东
傅	当典	东
曹子乐	鞋匠店	东
夏松年	肉店	东
崔学宽		东
崔学宏	肉店	东
李广杰	粮店	东
陈国宝	米厂	东
魏永金		东
高义成	棺材店	东
王春和		东
潘仁才		东
张罗	花店	东
赵连成（赵连璧）	茶食店	东（烧饼店）
胡国宾	胡聚圣茶食	东
胡国喜	迎春园茶馆	东
张立茂	杂货店	东
胡国铭	茶食店	东
夏德茂	杂货店	东
许国桢	同福楼茶馆	东
赵隆茂	茶食店	东

业主（老店）	店铺（宅）	方位
余正贵	茶炉	西街北
李树仁	窑货店	北
徐子	粮店	北
仇鼻？	大和材中药	北
夏趾	粮店	北
朱其国	纸张文具	北
尤德才	鱼行	南
尤进义	肉店	南
周正和	箍桶	北
陈广兴	裁缝铺	北
曹四老太	高利贷	北
许礼华	茶炉	北
周恒福	豆腐店	南
张国才	理发店	东
李心标	烧饼店	北
经卫？	茶食店	南
小吴	炒货店	北
大吴		北
潘志明	杂货担挑	北
桑恒标	理发	北
姜宝龙	理发	北
石汉昌	粮	北
赵秀英	烧饼	南
袁学成	厨师	南
经国瑾	（私塾老师）	南
任秉忠	任元太粮行	南
桑老四		南
马聘山	（国民党区分部书记）	南
张承万	油米厂　粮店	南
姜兆麟	仁和堂药店	南
贡学义	布店　杂货店	南
朱玉桃	饺面店	南（河边）
张鹤	粮店	南
王寿康	粮店	
张希记	粮店	南河边
钟全玉	豆腐店	北
张松怀	粮店	南河边
吴述之	粮店	南河边
顾克安	粮店	南河边
李光照（兆）	粮店	南河边
任大庆	粮店	南河边
刘　六	粮店	河南
李宝金	豆腐	河北
张仁山	中医外科	河北

续表 37-3-1

业主（老店）	店铺（宅）	方位	业主（老店）	店铺（宅）	方位
朱天荣	宏大粮店	河北	魏大	熏烧肉摊	河南
张光斗	杂货店	河北	魏二	肉店	河南
张光国	杂货店	河北	夏三	肉店	北街西
马锦渠	粮店	河北	张朝铭	粮店	河南
邱万宝	烧饼店	河北	赵秋舫	收税	河南
张恒林	香店	沿河边东大门	孙懋金	轮船公司	河北
张立权	香店	沿河边东大门	吴小宝	饭店	西街北
韩三呆	肉店	桥上	王侉子	收行船费	西街南
李三	肉店	桥上	张松寿	粮店	河南
薛世椿	客栈	北街东	张义楼	做皮鞋	河南
陈邦华		西街南	马大		河南

第五节　历史建筑

湾头古镇曾是隋朝江都宫的北宫（后为山光寺）所在地。北宋末年曾作为宋徽宗、宋高宗逃难的行在。历史上的湾头老街香火旺盛，曾有多座庙宇。仅在南北长 5 千米的轴线上，就有 5 处庙宇。

山光寺　坐落在湾头老街西首。曾先后作为隋炀帝、宋徽宗、宋高宗的行宫（行在）。始建于隋代，隋大业元年（605），隋炀帝杨广命长史王弘（一说江都郡丞王世充）筑江都宫，宫殿数量众多，规模宏大，其中北宫就在茱萸湾。相传，北宫落成后，占卜得贲卦，指“山下有火”，卦相为凶，炀帝唯恐日后不吉利，遂舍宫为寺，赐名山火寺，后改名为山光寺。寺规模宏大，寺房百间，是茱萸湾一带佛教信徒烧香敬佛之地。山门殿内供奉弥勒佛和韦驮，寺内大殿门朝东。两进大殿，前殿为天王殿，内塑四大天王，大门上端嵌挂一块“隋山光寺”匾额。后殿是大雄宝殿，殿内塑供如来佛、十八罗汉和海岛，两殿之间有水井。两旁配殿内供数尊菩萨。大殿西侧有斋堂、僧房和晒场。大殿南有两棵高大的银杏树。寺产丰厚，最盛时有田产 48 公顷，田块分布在扬州、兴化两地。寺内僧人最多时有 300 人，并有僧人塔院葬地 1.5 公顷。

唐代，山光寺曾被用作军队屯兵之所。扬州大都督长史高骈闻秦宗权要来攻打淮南，于是派淮南左厢都知兵马使毕师铎出战。在当时的拉锯战中，毕师铎一段时间曾退屯山光寺。兵燹之后，山光寺损毁较大。

北宋真宗天禧四年（1020），山光寺改名胜果寺，后又复名山光寺（一说，唐代扬州有两处山光寺，一处在唐城附近，即为隋炀帝所舍行宫；另一处在湾头。后唐城附近山光寺遭兵燹，不复存在。）山光寺三面环水状若半岛。寺门向北迎运河而开，东面紧依镇西圈门，门外河边有一大码头，供舟船停歇、补充给养，是当时运河进入扬州的要口。靖康元年（1126）正月，为躲避战争灾难，徽宗赵佶将皇位让给儿子赵桓后，一路南逃到达扬州，曾住在山光寺。他当时的身份是教主道君太上皇帝。“毁港口以遏金兵，令不得通舟楫”。建炎元年（1127）十月，宋高宗赵构退避扬州，也曾暂住山光寺达一年之久。皇帝虽是逃难，但文武百官、护卫军阵、后宫眷属加在一起，依然是一个庞大的队伍，他们不住进扬州城内，却住在运河畔的山光寺，一方面因山光寺规模宏

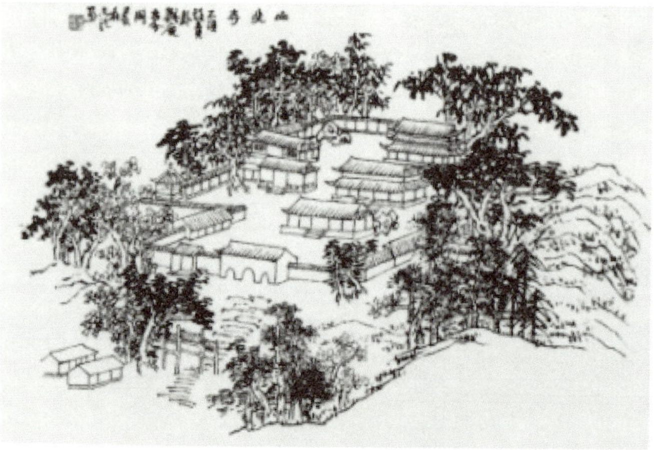

图 37-3-12　山光寺

图 37-3-13 现存山光寺题额

大，便于驻扎，但实质依运河有退逃之路。清康熙和乾隆在南巡路过茱萸湾时都曾巡幸山光寺。嘉庆八年（1803），时任浙江巡抚阮元题“隋山光寺”额，悬于二门之上。道光十八年（1838）改名福慧寺。清代时，山光寺有房子 99 间半，占地约 2 公顷。山门朝北迎运河而开，寺西南有五楹二重大殿，门朝东，供奉韦驮。前殿为天王殿。后殿为大雄宝殿，门上方挂“福慧禅寺”匾额。殿内左右列有十八罗汉，正中供奉着释迦牟尼，背面是观世音。两殿之间有南北两个庑廊，庑廊中各自供奉两尊菩萨。两殿之间的庭院里，大雄宝殿南有放生池，西南有花园，东面种有一棵白玉兰，西面长着一株紫荆花，殿西为僧寮和晒场，南侧庑廊外边种有一大一小两棵银杏树和一棵桂花树。大的银杏树需数人才能合围。

咸丰三年（1853），太平军攻入扬州，山光寺遭兵燹，后虽经修复，但已不复旧观。庙建筑后来曾经重建。重建后的山光寺大殿门头题额为“福慧禅寺”，二殿门头题额为“隋山光寺”，分别供奉如来与观音，大门口则供奉弥勒佛。殿房两侧为花园、厨房、书房、粮仓，后面是住持与大弟子的寮房。同治、光绪、宣统年间，寺院陆续修复。直到抗日战争之前，山光寺的香火都很旺盛。日寇入侵后，山光寺开始衰败，西侧平房改为学堂。60 年代初，山光寺的佛像被拆除。部分寺房改做荣军学校和荣军速成中学，部分寺房改作湾头粮食管理所，部分寺房改作湾头小学，僧陵地改建为湾头中学。现今山光寺仅存山门殿房三间，额匾“福慧禅寺”犹在。“隋山光寺”石额仍然保存。

图 37-3-14 现存福慧禅寺题额

山光寺不仅在国内，而且在东南亚一带都享有盛名。恢复重建“山光寺”已列入湾头古镇复兴改造日程。

链接 禅智山光好墓田

唐代诗人张祜写过一首《纵游淮南》：“十里长街市井连，月明桥上看神仙。人生只合扬州死，禅智山光好墓田”。诗中的禅智山光并非是指禅智寺一带的山光云影或山中景色，而是指禅智寺和山光寺。禅智寺“旧在江都县北五里，本隋炀帝故宫”。当年，隋炀帝某夜在行宫内梦游，听阿弥佗佛讲经说法，醒后便将皇宫改作佛寺，题名“禅智寺”。张祜有一首《禅智寺》诗，其中说：“宝殿依山险，临虚势若吞。画檐齐木末，香砌压云根。”禅智寺的气势足以想象。著名诗人杜牧带医生从洛阳来扬州，为寄居于禅智寺的弟弟治疗眼疾，曾写下《题扬州禅智寺》一诗：“雨过一蝉噪，飘萧松桂秋。青苔满阶砌，白鸟故迟留。暮霭生深树，夕阳下小楼。谁知竹西路，歌吹是扬州。”

禅智寺亦称“竹西寺”，自从南宋姜夔的《扬州慢》一出，“竹西佳处”成为扬州的又一美妙别称，后人们就用它代指整个扬州城。乾隆皇帝临幸竹西寺时，曾题“竹西精舍”匾额，使寺庙在隋炀帝的题赐之后又一皇帝的御笔，身价为之大增。这一片胜境从此叫作“竹西芳径”。历来帝王和文人墨客，常常从茱萸湾舍船上岸，游览竹西佳处，留下众多诗篇佳作。到了清代，当年的隋代宫殿与唐代长街，荡然无存，沦为荒草衰径。

东岳庙、东藏寺 坐落在湾头老街东。原址在现今金鹰玉器有限公司处，东岳庙殿门朝东，庙两侧有庑殿五间，谓之“十殿”，中央为东岳殿，民国 28 年（1939）被日伪军毁坏。解放后此处由邗江玉雕厂占用。在它的东南角外有一座东岳庙的下院，名为东藏寺，与庑殿仅一墙之隔。湾头“一步两个庙”的说法，由此而来。

图 37-3-15　茱萸湾大王庙（今扬州市福利中心院内）

大王庙、将军庙　位于湾头老街北古运河的对面，与山光寺隔河相望。现在扬州市社会福利中心大院内。两庙各只一进，面阔三间，相距数米，俨然并列，坐西朝东。“大王”与“将军”具体所指何人，年久无考。但多年来，两座庙宇在湾头民间均有深远影响。每逢宗教节日，居民自发前来朝拜，香火不绝，信众成群，成为古镇上一道特殊的文化景观。

浮祐宫　坐落在湾头镇，建筑时代不详。浮祐宫为道观，宫分四进，每进五楹。另有厢房四间。第一进为宫门，两边塑哼哈二将，正中塑供笑佛（即弥勒佛）。第二进为八仙殿，塑供汉钟离、铁拐李、吕洞宾等八仙像。两殿之间有两棵银杏树。第三进系道士居室，第四进是道士布道讲经的经堂。经堂后有小花园。整个宫院呈长方形，四周围墙高砌，院内安谧清静，是修身养性的好处所。新中国成立前，浮祐宫尚有道士四五人，是当时湾头境内规模最大的道观。新中国成立后，浮祐宫曾作为残废、荣誉军人精神病人收治一、二队的住所，宫中神仙塑像陆续被拆毁。后又改为邗江县金银首饰厂，逐渐拆除宫房，改建为厂房。今浮祐宫古迹无存。

七里庵　坐落在古镇南 2.5 千米的联合村境内。原名广寿庵，因距扬州城七里之遥故名。七里庵有房屋前后三排，东西有厢房，约 20 间左右。解放前有僧众六七人。庵里面有一座小塔高 2 米左右，塔旁栽有两棵银杏树。解放初期，在扬州开盐坊的游四回乡办学，取名为周家小学。1961 年被拆除。

三茅宫　坐落在古镇南 4 千米的严桥村境内。始建于民国 25 年（1936）前后，三茅宫正殿 5 间，两边配房 8 间。大殿前有两棵银杏树。当时打算在大殿前再建一进房屋作为山门，因抗日战争爆发而停建。仅在大殿南设置木栅栏。庙前有一条河流，其上建有三茅桥。

清末有一年发大水，一许姓农民在河中捞得一块香椿树板，质地很好，木匠就用其雕刻成一尊二三尺高的菩萨，供在姜庄九华庵旁的一个小庙中，供善男信女们膜拜，称为小三茅。1931 年，里民王正昌，富而无后，欲修善求子。便自愿将家田 0.2 公顷献于九华庵小庙，以收成集资兴建庙宇。当地富绅也纷纷捐款集资，共建三茅庙。所谓三茅，即指汉景帝时咸阳人茅盈、茅固、茅衷三兄弟。据传，三茅兄弟三人曾隐居在江南句容句曲山修炼，采药为民治病。先后得道成仙，被太上老君授为真君，世称“三茅真君”。后人为纪念三兄弟悬壶济世，救苦救难，便将句曲山改名为三茅山，简称茅山，并在三茅山上建造一座三茅庙，尔后便将小三茅菩萨请进供奉。人们便按照先来为大的原则，且也是第一个雕成、第一个得道的传说，把湾头姜庄的“小三茅”尊称为“大茅”，供奉在主位，同时又塑造两个一丈高的二茅和三茅，分立于大茅两旁。三茅神台两边再塑造 18 尊罗汉，其南分置钟、鼓。其他地方则塑置龙王、弥陀等。因庙内主供三茅菩萨，故又增建庙宇，里人便参照茅山九霄万福宫的名字改称三茅宫，并择农历三月十八日为其开光，首次接受百姓香火。

九华庵　坐落在古镇南 4.5 千米的严桥村境内，解放后庵内设小学，1970 年被拆。

万胜庵　坐落在古镇南 5 千米的板桥村境内。占地 1.5 公顷，原是一个大户人家的家庵，有 100 多年历史。庵内有数名和尚，该庵前后两进，坐北朝南，前、后两殿，各五间，东西二厢各有四间，东厢为伙房、仓库，西厢为人居。前大殿门口两个底端石雕刻是羊。房屋所有的门、窗格用大鱼鳞片作挡风。解放初期，在庵内设板桥小学，大殿仍保持原样。“文化大革命”期间，庵内遭到严重破坏。1970 年被全部拆除，兴建板桥小学。

陈氏宅第　位于湾头古镇西街。为民国江都县长张济传岳父陈玉龙所建，前后两进 2 层串楼，灰瓦白墙，高大的马头墙，为典型的徽派建筑。楼上走廊四环相连，每进面阔三间，进深七檩，硬山顶，两侧均建有防火墙。陈玉龙建此楼时，用糯米熬汁拌石灰作浆砌墙。50 年代曾作为乡政府所在地。现结构完好，被列为扬州市第五批文物保护单位。

图 37-3-16　陈氏宅第被确定为扬州市文物保护单位

第四章　小镇玉缘

史有“和田玉，扬州工”之说，业内人士公认，“扬州产玉器，功夫在湾头”，清代扬州进贡皇家的玉器珍品几乎都出自扬州工匠之手。民国之后，上海、苏州的很多玉工艺人出自湾头。新中国成立后，扬州玉器厂最早诞生于湾头，其后在湾头设立的邗江县玉雕厂也成为全国知名的玉雕厂之一，其玉器出口产品在外贸界享有盛誉。城市兴，玉雕兴；经济盛，玉器盛。90 年代邗江玉雕厂改制后，一方面职工大多在当地自立门户，私人作坊蓬勃兴起，另一方面诞生了玉器界的龙头企业扬州金鹰玉器珠宝有限公司，湾头的玉雕传统得以一脉相承并发扬光大。2010 年起，政府开始着力打造湾头玉器产业，形成颇具规模的玉器产业商圈，近年扬州市将湾头镇致力打造成玉器特色小镇，玉器产业兴旺发达。“天下玉，扬州工，缘湾头”已经成为湾头镇的一张闪亮名片。

第一节　琢玉源流

扬州的琢玉工艺源远流长。《书经·禹贡篇》就有〞扬州贡瑶琨〞的记述。1977 年扬州蜀岗出土的新石器时代的玉璧玉琮，湾头凤凰河考古发掘的新石器遗迹，湾头壁虎坝处的汉墓以及甘泉、杨寿汉墓出土的玉器等，证明远在 4000 多年前，扬州就有玉石琢磨工艺。唐代，随着千里运河的开凿、通航，位于运河与长江交汇处的扬州成了国内南北交通的咽喉要道，成为当时中国对外贸易的主要港埠之一，扬州琢玉有了新的发展，同时扬州玉器和琢玉技艺也陆续对外交流。天宝十二年（753 年），大明寺高僧鉴真从扬州东渡日本传教，就带有玉作、画师等手工艺人 185 人。到了清代中叶，扬州成为全国玉材的主要集散地和玉器主产制作中心之一。两淮盐政在扬州设有玉局，大量承制清朝宫廷各种大型陈设玉器外，每年还按岁例向朝廷进贡大量玉器，时有“扬州琢玉，名重京师”之誉。特别是白玉如意，用和田羊脂玉琢制，玉料洁白无瑕，凝腻如脂，造型精致典雅，被定为“扬州八贡”之一，每年都要大批送缴宫廷，供皇宫内院陈设或作为对臣下进行奖赏的“御赐品”。今北京故宫博物院珍藏的清宫近十件大型玉器多半出于扬州琢玉艺人之手。

湾头作为扬州玉雕的重要产地。清代中叶，湾头玉雕达到鼎盛，大小不等的手工艺作坊遍及乡镇，琢玉艺人数以百计，名家辈出，产品种类齐备，艺术水平空前提高。现存于北京故宫博物院珍藏的《大禹治水图》玉雕，出自扬州玉雕匠人之手。民国时期，随着扬州经济衰退，许多湾头琢玉名师如董正通、孙天宜、陈金海等迫于生计出走他乡，到上海、苏州、蚌埠等地，操艺谋生，为当地玉器生产传授技艺。1955 年上海成立玉器厂，当时全厂 300 多名艺人，包括厂长、书记在内的许多员工都是湾头籍人。

50 年代，摆脱战争动乱的阴霾后，湾头琢玉业开始复兴，扬州玉器厂的前身以及邗江玉雕厂诞生在湾头，湾头成为现代中国玉器的主要产区。

1956 年春，邗江县手工业联社批准由罗来富、罗来卜、王金连、吴永礼、周玉宝、韩有早、朱万祥、任永元 8 位老艺人在湾头田庄村创办起江苏省第一个玉石生产合作小组，组员 25 人，1957 年 2 月转为生产合作社，职工 99 人。其间由田庄村搬迁至市内羊巷、东关街等处。1958 年初，邗江玉石生产合作社与扬州市漆器生产合作社合并形成扬州市漆器玉石生产合作社，1958 年上升为地方国营改称“扬州漆器玉石工艺厂”，厂址迁至广储门外街 6 号。1964 年，扬州手工业联社决定漆器、玉石分开建厂，扬州玉器厂正式挂牌对外营业。

1959 年春，由湾头严桥的吴桂宏、董乃早、周贵堂牵头，在湾头南刘村刘延宽家隔壁创办起湾头镇第二个玉石生产合作小组，由董乃早、周贵堂、刘延宽、唐观浩、董乃顺、丁学海、严兆清、仇在桃、谢明亮、陈圣宽、孙长坤、朱永林、李同寿、董德元、周立新 16 位艺人组成。吴桂宏、周贵堂负责管理，董乃早负责生产设计，年底职工 21 人，年底产值 2.6 万元。1960 年初开挖大运河时，全组人员从南刘村搬迁到湾头镇撇场（又称匹厂）和编织厂同为一处，同时经扬州市手工业联社批准玉石生产合作小组改为扬州市湾头玉石生产合作社，年底职工发展到 49 人。1961 年初，合作社搬迁至湾头镇北街铁木竹生产社处，与南刘村搬迁来的毛笔厂合并生产。董乃早负责生产安排和一般人物设计。到 1962 年底，全社职工已发展到 86 人，年产值 18.3 万元。1962 年底经国务院批准邗江、扬州分设，1963 年，邗江手工业联社批准杭集玉石生产合作社完全搬迁到湾头，两社合并为邗江县湾头玉器厂，全厂职工达 155 人，年产值 36.2 万元。1964 年初，经上级批准邗江县湾头玉器厂上升为大集体所有制企业，改厂名为邗江县玉雕工艺厂，1965 年初又改名为江苏省邗江玉雕厂，与扬州、苏州、徐州、扬中四市县玉雕厂家并列成为全国知名的江苏五大玉雕厂。

邗江玉雕厂，将众多的玉器工艺师傅聚集到了湾头这片土地，将琢玉的技艺渗入了茱萸胜地。在政府支持帮助下，邗江玉雕厂经历创业、恢复、创新、发展的历程。先后创制出一批造型精致、雕琢细腻、富有浓郁地域特色的玉器产品，深受外贸部门和外商的欢迎。在全国行业评比中，屡次参展获奖。同时，培养和锻炼出一批风格各异的玉器艺术传人，为振兴古镇玉艺和国家出口创汇作出了历史性的贡献。

图 37-4-1 岫玉《七妹求援》画稿，董文斌设计

建厂之初，民国年间外出谋生的琢玉老艺人韩广宏返回家乡，受聘于邗江玉雕厂，担任厂总设计师和总检验员，为工厂技艺指导、设计人员培养、全面提高产品质量作出不可磨灭的贡献。在他培养的众多徒弟中，邱文喜、陈义才最为突出，后来都成为中国玉界的玉雕艺术大师。1974 年秋季，广交会上的大会简报曾报道：“邗江玉雕厂的花卉、人物产品深受来会外商的欢迎，争相购买。”会后，广东、辽宁、天津、江苏等六省的十二个县市办玉器厂，曾派人来邗江玉雕厂协商代为培训 45 名设计员和制作技工。70 年代初期，在市政府对湾头玉器肯定的情况下，劳动部门一次性分配青工 150 多人，到邗江玉雕厂学艺。至 70 年代初期，全厂 180 多名水作工人中，生产花卉玉器的就有 90 多人，花卉瓶的年销售额占总销售额的 62%。

1977 年 9 月，全国第二次玉雕产品质量经验交流会在扬州召开。会议特地安排邗江玉雕厂在大会上作经验介绍。同时，邗江厂选送的 8 件精品中，有 6 件被评为部优质品，另两件获一级品，总分居全国第一。轻工业部领导在大会总结报告中赞扬:"邗江玉雕厂是全国玉雕厂中的一枝花。"1978年全厂职工增加到386人,年产值近230多万元。1979年和1980年,分别在四川成都和河南焦作举行的全国青年玉雕工人操作技术比赛中,邗江玉雕厂耿有权获人物类比赛全国第六名,贡忠厚、胡正华分获花卉类比赛全国第一和第五的优异成绩。

30多年中,邗江玉雕厂秉承规模发展兴工艺,创新品种求特色,持续不断跃入全国玉雕重点企业的行列。1977年5月,邗江玉雕厂被省政府批准命名为"大庆式企业"。1988年2月,轻工业部授予邗江玉雕厂"全国轻工业出口创汇先进企业"称号。1988年5月,邗江玉雕厂五大类玉器产品全部获得"江苏省优质产品"称号。

从1959年初创办至中国改革开放向纵深发展的1994年的35年间,邗江玉雕厂从业艺人最多有400余人,佳作频出,名师咸集,新中国成立后全国评出第一批工艺美术大师共22名,其中邗江玉雕厂就有邱文喜和陈义才二人榜上有名。玉雕厂曾数十次在全国行业会议上介绍经验,参展、评比国家级礼品、出国展品总计34批次202件,其中省市级展评21件、广交会展品105件、国家级展品52件、出口6个国家展品35件,为中国玉雕事业作出不可磨灭的贡献。

90年代,随着改革开放的深度推进,中国的经济体制发生巨大变化,全国国有玉器企业先后改制,邗江玉雕厂这个曾经辉煌的玉雕企业改制后于1994年解体休业。与此同时,该厂改制中停薪留职的300多名职工,大多在湾头自立门户,以私人作坊模式,创立私营玉雕厂和个体玉器加工作坊,如陈义才、陈大军父子,董强、董林父子,耿有权、耿勇父子,张永清、张静父子,李祥壮等老艺人及新生代的玉雕匠人,或子承父业,或独挑大梁,在玉雕产业的发展中逐渐打出一片自己的天地。他们以少量专业玉雕工艺师傅为骨干,外请画样设计人员,招揽近郊的农村劳动力为徒工,在原邗江玉雕厂的周边,即湾头的古镇区——北街和西街,形成玉器加工遍地开花的局面,为后来湾头玉器的产业化市场化发展打下人才和市场基础。

图37-4-2　邗江玉雕厂的《凤穿牡丹》设计底图

第二节　玉艺巧色

60年代至70年代中期,邗江玉雕厂曾以巧石(俏雕)人物品种特色,风靡整个行业,并受到外贸部门的青睐。老艺人韩广宏设计别具匠心,并有一手用俏取巧的绝活。他1963年设计制作的俏色《哪吒闹海》,巧用红、绿、白相间的玉料,构成"闹海伏龙"的画面,集"精""俏""绝"艺术于一体,得到业内专家的一致好评。60年代,邗江玉雕厂工艺师利用巧石的经验,成功制作了《十喜图》《渔家乐》《二龙戏珠》《鸳鸯戏水》《松竹梅天然瓶》等一批优秀的巧石玉器产品,均为佳妙之作,获得广泛赞誉。

由于厂里工人大都来自乡村,熟悉河塘田野生活,形成邗江玉雕厂人物品种配景丰盛、形象生动、富有生活气息和艺术情趣的特点。邗江厂巧石人物作品曾多次受到外贸部门的好评。1965年10月,在上海召开的江、浙、皖、沪出口工艺品厂家、各地区外贸公司、各省市主管单位负责人会议上,就曾表扬"邗江玉雕厂人物产品质量高、销售好",并写入会议纪要。70年代初,由于上海外贸出口公司对邗江玉雕厂产品质量和创作设计水平信得过,曾先后三批分配每支价值万元以上的高档进口珊瑚玉料给邗江玉雕厂,经技艺人员的精心设计,一次性创作成功《童子拜观音》《群仙祝寿》等10多件高档人物产品,受到外贸部门的好评。1973年3月,在扬州召开的"全国第一次玉雕产品质量评比会"上,邗江玉雕厂送评的16厘米高七层小宝塔《上金山》和《牛郎织女》等四件人物产品,观者如潮、盛况空前。

巧色玉器产品设计要求高、难度大，构思时必须因料赋题，顺色利用。这种玉器南方称为“巧石”，北方称为“俏色”。“巧”字偏重于制作角度，“俏”字偏重于点缀。在巧色和玉料的充分利用上，邗江玉雕厂曾总结出利用割料、移料、链条翻挂、移植等手法，形成“上巧变下巧、外巧变内巧、身巧变盖巧、一巧变多巧”“有巧要净、顺色用巧”等独到的做巧经验，并广泛用于自身的设计和制作。一时间，邗江厂巧石产品占全厂产品的三分之一以上，人物产品占50%。大师们在作品的构思立意、雕琢造型中，充分体现绝妙的艺术效果，促进产品质量的迅速提升。

70年代中期至80年代初，邗江玉雕厂又以花卉产品知名全国。该厂花卉品种是在天然杂件品种基础上延伸发展起来的。其造型天然丰满，雕工精细，形象逼真，巧色增辉。在制作去日本展品《菊花》天然瓶时，曾发生一段趣闻，菊花叶上的巧石虫竟然引来天然真虫，至今人们还传为佳话。

擅长花卉瓶的代表人物是曾多年担任车间主设计、具有丰富的琢玉设计经验、后来的技术厂长陈义才。他的作品始终洋溢着自然景物的清新之趣。1973年3月，在全国第一次玉雕产品质量评比会上，由其设计的《双鹰争猎》《松鼠葡萄瓶》《海棠花瓶》《丝瓜瓶》等展品，曾得到全国与会同行的一致称赞。1980年，在河南焦作召开的全国玉雕五大类优质作品评比会上，邗江玉雕厂贡忠厚制作的《牡丹花瓶》被评为优级品，是全国玉雕行评获花卉产品优级品三件中的一件。

图37-4-3 岫玉《花兰》图稿及作品，陈义才作

80年代，邗江玉雕厂以不规则薄胎玉器《喇叭花》，享誉全国。此时的邗江玉雕厂，面对玉器行业优质材料不足的困境，由工艺大师邱文喜、陈义才等组成的课题攻关小组，针对“充分利用边角小料、规则和不规则结合、薄胎和薄做结合、薄胎和巧石结合”等课题，进行反复研究、实践，成功创作出一种不规则薄胎玉器产品。此类产品不需用高档玉料，能将高中档玉料中质地较次的料子加以充分利用，变次为好。同时，以薄胎工艺为基础，陪衬以人物、动物、天然杂景，既可构成一定情节，还可以俏色美化产品，这是对传统“规矩膛子”薄胎工艺的推陈出新。1983年秋，第一批不规则薄胎玉器产品刚一问世，顿受外贸部门的青睐。厂里原来积压的大量比较次的青灰质白玉得到充分利用，经济效益大大提高，而且琢制成一批精美的产品，在国内外展出，令人耳目一新。

图37-4-4 白玉“喇叭花”获1986年中国工艺美术“百花奖”优秀制作设计一等奖

1986年9月，中国工艺美术品百花奖（国家质量奖）评比，邗江玉雕厂的不规则薄胎玉器《喇叭花》被评为创作设计一等奖（希望杯奖），其科技成果获得邗江县政府一等奖，扬州地区科技三等奖，江苏省政府科技四等奖。

第三节　玉企选介

图 37-4-5　扬州金鹰玉器珠宝有限公司

扬州金鹰玉器珠宝有限公司　在改革开放大潮中，传承玉魂、最早投身市场经济并做出斐然成绩、享誉海内外的是从邗江玉雕厂走出的刘月朗。他从邗江玉雕厂学徒开始，与玉结伴，曾担任玉雕厂供销科长近二十年。在面临改革开放择业时，他赴海南和两个弟弟一同辅佐父亲刘一平开办海口市中艺公司，投身于开创玉雕新局面的事业之中。他聘请当时刚在玉界初露锋芒的汪德海任工艺设计师，亲密合作，经过数年的勤奋开拓，获得较大成功，积累了较为深厚的市场资源。90 年代中期，为弘扬传承琢玉艺人之乡的玉雕事业，他又毅然将工厂搬回扬州，逐渐树立起“月海轩”这块业内响当当的玉雕品牌，公司也更名为“扬州市月海轩玉雕厂”。

21 世纪初，刘月朗与金鹰国际集团董事长王恒结识。在其盛情邀请下，双方决定合股投资 1000 万元港币成立一家当代玉雕企业。在时任广陵区区委书记王玉新的鼓励和推动下，同时更是因为一种埋藏在心中十数年，始终放不下的振兴母厂的责任感和使命感的催发下，他最终决定收购原邗江玉雕厂厂址地块，并对其原厂建筑进行彻底翻建和整修，经精心筹备规划后，于 2005 年 12 月 26 日成立扬州金鹰玉器珠宝有限公司，公司拥有职工 200 多名，成为扬州最大的民营玉雕厂。

公司自成立之日起，立足高端珠宝玉器的生产经营，进驻金鹰国际集团辖下所有购物中心的高级珠宝玉石销售平台，开业成绩惊艳。2006 年，公司将商谈两年多的一块重达 46 公斤的羊脂级和田白玉籽料，以开创国内白玉籽料最高价的 2000 万人民币成功收购，引起业内巨大轰动，并在玉器界最具权威性的国家级大奖——中国玉石雕刻“天工奖”评比中连续获得金奖荣誉。

2008 年金鹰国际集团筹备上市，刘月朗和汪德海二人将金鹰国际集团拥有的股份全部收购，脱离金鹰国际集团后继续独立经营。公司经过人员精简，结构优化，生产能力和经营能力得到增强，公司继续良性发展。作为扬州玉器市场的龙头企业之一，扬州金鹰玉器珠宝有限公司，主要创作生产与销售高档和田玉、翡翠等珠宝玉器。他们当中，一个是对于和田玉原料与玉雕艺术有着深刻的理解，经营有方的企业家。一个是不乏奇思妙想，精品迭出的山子雕奇才。他们被业界誉为一对合作共事的黄金搭档。他们用 30 年的创业与创作历程，开启金鹰玉器创业的大幕，演绎着当代中国玉界的传奇。

至今，金鹰玉器在各种国家级、省部级评奖活动中斩获特等金奖、金奖、银奖、最佳工艺奖等各类大奖数百项，公司也成为中国珠宝玉石首饰行业协会常务理事单位、中国工艺美术学会副主任单位、中国和田玉市场信息产业联盟轮值主席单位、中国玉文化研究院副院长单位、上海宝玉石协会副会长单位、扬州市工艺美术行业协会副理事长单位、扬州艺术品行业协会会长单位、扬州市广陵区玉器商会会长单位，业绩和名望惊艳中国玉界，享誉中外。

链接：湾头参与制作北京奥运会奖牌

2008 年北京奥运会奖牌，采用昆仑玉，扬州“磨玉”，上海“镶金”。青海有丰富的玉石资源优势，但本土雕工粗糙，只有“扬州工”做工精细，在传统基础上揉合了木雕、牙雕、砖雕等表现手法的特长，因材施艺，精益求精，在细节处理上层次丰富，玲珑剔透，细致又大气，最大程度地提升昆仑玉的品牌价值。北京奥运会金、

图 37-4-6　湾头参与制作的北京奥运会“金镶玉”奖牌

银、铜牌共3030枚，分别选用白玉、青白玉和青玉，玉环外径57.7毫米，内径31.9毫米，厚3毫米，加工误差必须小于0.025毫米。湾头玉界的扬州市工艺美术大师李祥壮作为技术指导，参与“金镶玉”奖牌的全程制作。最终，与上海造币厂完美配合，完成“金玉良缘”佳作，使得2008年奥运奖牌成为奥运史上最经典，也最有纪念意义的一款，受到国内外运动选手和收藏爱好者的青睐和推崇。北京奥运会奖牌的制作，使湾头玉雕技术受到世界瞩目。

翠佛堂（扬州）玉石产业园　翠佛堂（扬州）玉石产业园是江苏翠佛堂珠宝有限公司在扬州投资建设的玉石产业综合体，工商登记名称为“扬州翠佛堂珠宝有限公司”，占地面积8200平方米，建筑面积约7000平方米，注册资金5000万元。产业园主要从事中高端和田玉、翡翠饰品的研发、生产、销售，负责翠佛堂线上的客服及物流工作，是湾头镇玉器产业的骨干企业之一。

园区内设有扬派玉雕研究中心，特邀中国工艺美术大师高毅进、南京大学宝玉石研究中心主任、教授郭继春为顾问，汇集黄铭、冯龙军、孙进宝等十多位玉雕专业研究人员，成为翠佛堂玉雕产品设计、研发的核心机构，确保翠佛堂玉器产品在全国市场的领导地位。

园区三楼设有玉石书院，书院定期开展“玉文化大讲堂”以及“玉石之旅”“和田玉鉴赏收藏”等课程，弘扬玉石文化，传播扬州玉雕历史。书院还不定期开展真伪玉石鉴别，玉友相互晒宝切磋，专家免费鉴宝等活动，为丰富玉石文化内涵起到推动作用。

园区内的生产车间是对参观者开放的全透明玉石雕刻工场，拥有玉雕技师近60名，全方位向游客展示玉石设计、雕刻、打磨等完整工序全过程，揭开玉石生产的神秘面纱。讲解员负责全程向参观者介绍玉石生产的各个工序，解答大家提出的各种问题。

工厂还设有互动体验环节，参观者可以在确保安全的前提下亲自动手体验玉石设计、雕琢和打磨等工序。

图 37-4-7　“翠佛堂”玉石工艺展厅

2011年湾头镇玉器骨干企业（商户）一览表

表 37-4-1

序号	单位名称	法人姓名	序号	单位名称	法人姓名
1	扬州金鹰玉器珠宝有限公司	刘月朗	61	广陵区攀艺玉坊	唐晓攀
2	扬州翠佛堂珠宝有限公司	王春雷	62	苏学雷玉器经营部	苏学雷
3	扬州湾头玉文化创意设计有限公司	吴　坤	63	广陵区红宝玉器商行	许红宝
4	扬州蓝翡珠宝有限公司	曾　燕	64	广陵区瑞玉祥玉器商行	肖成武
5	福玉缘	仲玉福	65	何园玉器雕刻经营部	何　伟
6	鼎盛玉器	仇　伟	66	广陵区玉雕工艺厂	陈　同
7	冰清玉洁	陈　飞	67	翔宇工艺品商行	王庆喜
8	湾头精玉坊玉器店	张建宇	68	琦宝斋	许志周
9	猛玉园	金华青	69	玉鼎阁玉器店	邱国建
10	阿金玉器行	殷阿金	70	祥寿斋玉器坊	李祥彪
11	湾头玉籽源店	耿　权	71	九鼎玉器	韦长龙
12	金鸿商贸有限公司	李德俭	72	阿龙玉器工具行	张会龙
13	扬玉轩玉行	肖东虎	73	坤玉堂玉器坊	李玉坤
14	御宝堂玉器	田圣祥	74	广陵区盛铭玉器行	王　芳
15	沐远堂玉器	许　辉	75	奇思玉轩	孟军伟
16	顺利玉器	朱有顺	76	玉缘来	任雪飞
17	吉祥玉坊	吉银真	77	弘大玉器	丁立宏
18	勇莉缘玉器	张　勇	78	民源玉器行	陈卫民
19	俊龙玉雕	张福龙	79	昆仑玉器	孙洋洋
20	鑫玉良缘	陈中华	80	翰林轩玉器商行	颜士卫
21	菊兰玉器加工厂	耿　勇	81	湾头古镇玉器商行	刘　芹
22	祥林玉器	董　林	82	玉缘坊	殷　军
23	华采堂玉器雕刻厂	陈大军	83	宝中宝玉器行	李玉成
24	广陵区德明玉器商店	聂德明	84	美石玉器	徐胜利
25	品德行	翟玉伟	85	华威玉坊	纪正华
26	苏红珠宝玉器商行	苏建红	86	华扬玉轩	李　玲
27	马俊峰玉器	马俊峰	87	恒源玉坊	祁晓飞
28	马氏玉器雕刻部	马俊岭	88	竹楼玉器雕刻部	李爱祥
29	海纳玉器行	王天朝	89	聚宝堂工艺品商行	许志洋
30	广陵区鼎元玉器行	石爱国	90	品尚玉器	王广安
31	广陵区高氏玉器行	高文多	91	明玉堂玉器	马明山
32	欣悦玉器经营部	高文球	92	金艺缘	朱卫艺
33	扬州精品玉器行	彭海洪	93	玉中王玉器商行	袁来发
34	观玉阁	束有进	94	杰强玉器行	吉中华
35	福缘玉器	薛学兰	95	罗绘玉器工作室	罗　绘
36	汇丰阁	高美凤	96	永润玉莊	田有信

续表 37-4-1

序号	单位名称	法人姓名	序号	单位名称	法人姓名
37	广陵区珍缘玉阁玉器行	周小雨	97	卓玉轩	刘月卓
38	瑞石坊玉器经营部	郑长金	98	玉道坊	葛万清
39	完美玉器	毛学军	99	美石玉器	徐胜利
40	景玉鑫玉器店	薛永星	100	小小金玉缘玉器行	金宏贵
41	广陵区广松玉器部	季广松	101	宝瑞玉阁	王会宝
42	广陵区小磊玉器经营部	蒋　军	102	步凡玉器工作室	步加春
43	广陵区奇灵玉阁	李忠琴	103	大华玉器	陶　华
44	旭宝缘玉器经营部	居万香	104	天艺设计工作室	陈　斌
45	广陵区贵玉坊玉器商行	尤基贵	105	长乐玉坊	姜其龙
46	广陵区牧源玉器商行	仇庆东	106	聚宝堂玉器	任　浩
47	广陵区琦珏轩玉器商行	袁爱琴	107	熙园玉雕工作室	吴　强
48	广陵区梁健玉器商行	梁　健	108	君临玉器坊	徐　鹏
49	广陵区旭升玉坊商行	李　升	109	彭昌玉器雕刻部	罗海龙
50	广陵区玉玺堂商行	谢连兵	110	彭昌玉器雕刻部	陈　刚
51	广陵区祥云玉阁商行	薛建祥	111	广陵区他山玉器	鲍恩国
52	广陵区徐梅玉器商行	徐　梅	112	俊峰百菜	周俊峰
53	广陵区俊玉堂玉器商行	褚堂菲	113	霞玉缘	张洪霞
54	杨师傅玉雕工作室	杨文霞	114	明玉苑	徐　萍
55	广陵区古月玉器经营部	胡亚生	115	双磬玉器店	殷国香
56	广陵区祥瑞缘玉器商行	裴有林	116	籽玉轩玉器商行	薛章军
57	祥玉缘玉器经营部	李祥壮	117	鑫杰玉行	刘昌松
58	钱婉女红木底座行	钱婉女	118	玉精灵玉器商行	孔　红
59	广陵区罗军玉器加工部	罗　军	119	云天阁玉器商行	陶云亮
60	广陵区玉婷玉器商行	杨　洲			

第四节　产业集聚

图 37-4-8　玉器市场一期

在金鹰进驻湾头之前，全国依托玉石原料或玉器加工及玉器贸易的扩散能力形成的玉器市场，华中地区有河南省南阳镇平玉器市场，东北地区有辽宁省岫岩县玉器市场，西北地区有新疆和田玉器市场，华南地区有广东平洲玉器市场、四会玉器市场，西南地区有云南瑞丽翡翠市场等，而华东地区却没有一个颇具规模的玉器专业市场。全国玉器市场呈现出蓬勃生机和华东地区市场的缺失，正好为湾头镇玉器市场的建设提供良好机会。

图 37-4-9　万福玉器创业园

2005年扬州金鹰玉器珠宝有限公司进驻湾头后，以其在业内的巨大影响力和知名度，迅速成为玉器行业的领头羊，金鹰利用自身的连锁销售网络，实现玉器生产、销售“一条龙”。资本与技术的融合，迅速扩大了玉器生产规模，再加上金鹰国际的现代化经营经验，促进了湾头玉器生产走上规模化、现代化和品牌化道路。金鹰玉器的落户打破了湾头玉器产业困守的局面。带动湾头玉器市场更加繁荣，吸引全国各地的玉雕人在湾头开店办厂。

从2005年开始，湾头镇开始酝酿整合玉器加工、生产小作坊，开发建设玉器市场。

青海有丰富的玉石资源优势，而“扬州工”做工精细，能够很好地提升昆仑玉的原料价值。所以在市场承认了青海玉的玉品价值后，青海格尔木市成为继和田市之后，又一个与扬州的玉缘情结日益紧密的兄弟城市，双方互相促进，相辅相成，而湾头镇作为扬州最大的生产加工基地，自然成为青海玉产品的一个最大的生产和销售市场。

图 37-4-10　湾头玉器创业园一期开业、二期开工仪式

2010年起，在湾头，“玉文化”被定为古镇保护规划设计的出发点和归宿点，并开始着力打造湾头玉器产业，推动湾头玉器业从单一的加工，转化为产、供、销一条龙的产业大市场。使玉雕这一传统技艺优势迅速转化为产业优势，形成设计——生产——培训——品牌——包装——销售一体的完整的产业链。至2011年底，随着新玉器商业街的落成招商，湾头镇已有玉器市场、玉石料市场、万福玉器创业园等一批玉器商业区，市场经营面积近10万平方米，拥有玉石鉴定中心和玉石加工体验区等。玉器南路、玉器西路、茱萸湾路、长安路沿线玉器产业发展圈基本成型。

图 37-4-11　金鹰玉器公司与辽宁科技大学进行教学基地合作

2011年，以湾头玉器市场为主体，成立广陵区玉器商会，由扬州金鹰玉器珠宝有限公司为会长单位，充分发挥商会的协同纽带作用，在政府部门的指导和帮助下，带领全镇玉器商户在规范化、规模化的产业发展道路上，迈出更加稳健踏实的步伐。

现今的湾头镇，以玉文化为核心的全产业链，分为产业集群、产业延伸、旅游体验三个部分，把全镇的玉器作坊聚集组团。除了加工生产，还包括玉石料市场、玉雕学校、玉文化历史博物馆，国家名贵玉器展览、大师工作室、琢玉工艺展演、高端玉器定制、中端玉器展销等一系列玉文化所构成的整体业态。

第五节　玉工匠心

按料取材 因材施艺　在我玉雕创作实践中，最常用的构思方式是“按料取材，因材施艺”。它要求我们具有较高的艺术修养和丰富的想象力。同时，还要具备较高的艺术水平，灵活运用艺术法则和规律，触类旁通，举一反三，才能设计出玉石原料与主题完美结合的玉雕作品来。如在山子雕的整体构思中，就要求作者充分了解玉料的外形内质，树立起只能在这块料、形、色、质允许的有限范围内做文章的观念。并把玉材的形状、皮色或内在的一点、一丝颜色作为我们创意构思的主要因素。对作品中所出现的山石、人物、树木、花草、楼台亭阁及自然界的一切形象要素和点、线、面、体、色等形态要素，加以取舍、提炼、组合，并有秩序地安排到作品之中，才能达到和谐统一，迁想妙得、意趣天成的艺术效果。　（汪德海）

图 37-4-12　汪德海作品《羽鹤仙踪》

图 37-4-13　何兵作品《乐净土》

藏而不露 以少胜多　长期的玉雕创作，使我深刻认识“藏和露”与“多和少”的构思手法。尤其是玉器这种高度受玉石料形、料质限制的造型艺术，更应循“藏而不露”“以少胜多”的创作思路。从玉器必须注重反映玉的材质这类来讲，更应十分注意避免繁琐。如我们山子雕造型中的外整内秀或外秀内整。往往将山石、树木、楼台亭阁、人物等有序的点缀组合起来，隐于山坳、露出峻林。在雕刻排列中，主宾分明，该精的地方细，该粗的地方旷，该藏的地方隐，该露的地方显，将自然的玉石勾勒凸显为一件件默默无言的于简朴中见精秀的艺术作品。　（何兵）

启动丰富意象 平淡化为神奇　玉雕设计中最为重要的是启动丰富的想象力，善于化平淡为神奇，而设计中想象力的程度及水平又与设计者的才情、学识、修养、审美之高低相联系。见多识广，博采众长，才能把每一块凹凸起伏的玉材设计出种种意象。为此，我们要加强学习，注意素材的积累，坚持阅读古籍、名著、传记、诗词等古典文学作品，读书明理，能使人开阔眼界，活跃我们的思路，同时还会指点我们许多创作方法上的问题，把书读通后，往往面对不同形的料，能悟出不同的形象来。一个典故、一句诗词，能启

图 37-4-14　邱文喜作品《万寿如意》

迪落笔下料雕琢出活生生的特定形象和意境。（邱文喜）

细心体察　厚积薄发　大千世界变化万千，丰富多彩，为我们玉雕创作提供了美好的素材和依据。作为我们创作者，必须去大自然体察和写生。要始终以欣赏和好奇的态度对待身边的生活和事物。要注意细心观察，留神体验。研究收集生活中生动的自然形态，细察物象的生长规律，捕捉形象的特征。坚持画一些速写，作一些形象生活情节、情趣的记录。只有这样，才能做到厚积薄发，构思敏捷，作品才会生动优美，赏心悦目。（贡忠厚）

主体叠靠　外厚内秀　玉器产品的制作应始终注意作品的整体表现，首先是强调造型的整而不碎和主体之外造型向主体叠靠，表现出总体造型结构的向心、内敛、紧拢，而不是滞重松懈。从而构成作品整体上完整、实在、稳固、浑厚的造型特征。再则，在雕琢形式的选择上，无论是线刻形式，或是大块面的处理，均应注意使造型更好地融入整体结构之中。从而增强作品的连贯性和整体感。如山子雕的整体团块结构中，往往采用浮雕、潜刻表现细部，使圆浑中露出明确的转折，给人感觉不浮华、不繁琐，于单纯而自然的外部形式中，体现出山子作品外厚内秀的造型特色。（刘月彪）

图 37-4-15 贡忠厚作品《双龙瓶》

图 37-4-16　刘月彪作品《童子戏鹅》

线形流动多变　形成节奏韵味　形体和线条是玉雕造型的重要语言。不论是何种题材或品种，均应十分注意对玉器造型各组成部分的体块、线条的空间分布，作出合理的安排，特别是以凹凸弧曲的线，构成变化多样的形象和纹饰，使形体内外多变的线型始终在流动，并贯穿整个作品，形成造型的节奏韵味，体现作品的饱满圆润。如山子雕玉器，从设计画稿到制作完成，均是以线为手段，力求达到体和线的有机结合，作品所表现的各类形象的轮廓线、动态线、结构线、势向线以及经装饰性处理的人物飘带、衣纹、景物、云纹、水纹、构图的骨力无形线等，均需在空间分布中作出恰当的合乎情理的安排。体现出弧曲线条的动感节奏和力度韵律。（刘月飞）

图 37-4-17　刘月飞作品《九鲤图》

图 37-4-18 沈龙建作品《天籁之音》

注重比例和谐 把握尺度关系 玉器造型制作，应注重体量比例的和谐、适度和匀称。并利用造型各部分体块份量的轻重对比，增加形体的变化。比如，突出主体、主形部分的份量、体现敦实浑厚之感，使小的或附体部分，显得更细致、更精巧，从而使造型的主从关系分明。如山子雕作品中厚重的石块，配景的楼台亭阁，人物、鸟兽的点缀等体块，均十分注重体量比例和尺度关系的把握，力求作品主体与附体的基本形体关系明确、各体块之间比例合称，体现出山子雕的整体气势。（沈龙建）

圆雕、浮雕、透雕 浑厚充实饱满 在玉器各品种、题材作品的制作中，我们应全面采用传统的施艺模式，通过圆雕、浮雕、透雕、平面线刻等多种技法的综合表现，形成作品丰富的雕琢层次，以体现富有诗意的造型韵味和浑厚之感。如山子雕作品，就是以浑厚、充实、饱满的圆雕，多层次的浮雕，玲珑剔透的透雕及繁简、显露、叠加、对比、反衬等手法的综合运用，使作品整体造型层次深浅有别、形块上下有序，线条错落有致，景物远近有感。再现作品的空间意境，给人浑厚中见灵秀的感官享受。（柏斗坚）

设计铸魂 雕琢为魄 作为玉雕综合性产品的山子艺术制作，在用料、造型、做工等处理手法上，均需紧扣产品的主体内容。认真领会设计意图，对产品的构思构图及造型，有一个整体的认识，再分析取料的大致趋势和程度，把握好形体的高低位势，对材料中蕴藏的形，做到心中有数。接着，根据产品造型的艺术特征和构成要素，进行块面切割，透

图 37-4-19 柏斗坚作品《仙娥玩月》

图 37-4-20　涂福萍作品《玉作乾坤》

过内部结构、动态，确立各体块的大小、位置、方向及榫接关系。同时追求外廓线的节奏和韵律，从大的造型效果，进行虚实调整，对该突出的部位，需加强体块的起伏和形体的力度。通过精心制作，周密的布局和不同雕琢手法的综合处理，充分体现出作品的主题内容，空间意境和格调情趣。

（涂福萍）

金玉有价　技艺无价　人们都说“黄金有价玉无价”，但我以为玉也是有价值的，无论是每公斤数十万还是数百万，都始终有谈定的价格。真正无价的是工艺。就像是一幅名画一样，作画的纸墨都可以量化价格，但这些廉价的材料一经大师之手，凝聚了大师的艺术匠心，就可能成为无价之宝。张大千的画为什么能够拍卖到数千万元乃至上亿元的价格？不是他用的纸墨有多名贵，而是他的艺术价值珍贵。同样的，玉雕就材质本身，现在也已经可以称得上名贵了，但这还不够，一块上乘的玉石只有经过大师的工艺塑造，达到艺术上的升华，才可能会真正做到流芳百世，长存不朽。所以我说应该是“金玉有价艺无价”才对！

（刘月朗）

2006～2011 年湾头镇玉雕作品获奖（金、银奖）情况一览表

表 37-4-2

获奖年份	作品名称	作者	奖项
2006 年	《霄汉回翔》	汪德海、张洋	中国玉石雕刻作品天工奖金奖
2007 年	《女娲补天》	汪德海、张阳、高卫国	中国玉石雕刻作品天工奖金奖
2009 年	《拜月图》	汪德海、何兵、涂福萍	中国玉石雕刻作品天工奖金奖
	《西游记（灵山圣境）》	何兵、涂福萍	中国玉石雕刻作品天工奖银奖
	《麻姑献寿》	汪德海、何兵、柏斗坚	中国玉（石）器百花奖金奖
2010 年	《仙娥玩月》	汪德海、柏斗坚	中国玉（石）器百花奖金奖
	《洛神》	何兵	中国玉（石）器百花奖银奖
	《五彩极天》	汪德海、何兵	“百花·玉缘杯”中国玉石雕精品奖金奖
	《月宫》	何兵	“第二届苏州玉石文化节”玉雕精品大奖赛金奖
2011 年	《羽鹤仙踪》	汪德海、杨红磊、沈龙建	中国玉（石）器百花奖金奖
	《月夜》	汪德海、涂福萍	中国上海玉石雕刻玉龙奖金奖
	《缠枝纹双耳瓶》	陈大军	“百花·玉缘杯”中国玉石雕精品奖银奖

专记 新型城镇化的“湾头样本”

近年来，广陵区湾头镇按照“城乡统筹、产城融合、生态宜居、彰显特色”的工作思路，科学谋划、城乡互动、一体发展，在新型城镇化建设方面率先探路、不断发力，取得明显成效。产业集聚日趋明显，坚持把玉器产业发展与古镇复兴相结合，变“大拆大建”为“破墙开店”，先聚人气、先市后场、先搞活后规范、先扩容后升级，迅速壮大玉器产业。现有大小玉器商户1000余户，经营面积近10万平方米，年产值近8亿元，已成为苏北地区最大的玉器加工基地。随着扬州玉器厂东迁、阿诗玛文化创意综合体、翠佛堂玉石书院等项目的落实，一个集原料采购、市场销售、创新创业于一体的玉器城初具规模。古镇风貌升级改造，先后投资800万元，按照明清风格，对古镇街景进行“穿衣带帽”式整治，完成改造茱萸湾路、玉器西路等7条道路，更新安装长安路、迎宾路仿古式路灯113盏，改扩建停车场4个，因地制宜完成点式绿化和沿街亮化；同时，围绕集镇建设加强长效管理，维护古镇风貌。旅游资源充分整合，利用茱萸湾公园、七河八岛自然风光，放大山光寺、避风塘等历史文化资源，优化“三纵三横一条街”玉器产业精品旅游路线，做精儿童类、旅游类玉器挂件饰品等旅游产品，着力打造旅游特色街区；通过承办扬州玉文化产业发展论坛、玉器雕刻大赛，借助翠佛堂玉石书院开展玉石讲坛、玉器鉴宝、巡展拍卖等活动，推进具有扬州特色的玉石文化深度游，不断叫响湾头玉器品牌。创业就业促进富民，依托传统玉器产业优势，鼓励群众在背街小巷、门庭后院经营玉器加工销售，增加物业收入；积极发挥玉器商会的行业优势，加强玉器从业人员技能培训，引导业主开通电子商务；发展农家乐、酒吧、茶吧等休闲服务业，促进百姓增收致富，镇区“家家有物业、户户有创业、人人有就业”。

1. 规划先行，引领科学发展。健全完善湾头新型城镇化发展规划，优化提升玉器产业规划、风貌街景规划等各类控制性详规，规范新型城镇化建设，引领城镇化沿着正确方向发展。坚持优化布局，突出“集约、绿化、低碳”的要求，树立“先进、长远、留白”的理念，统筹考虑经济社会发展水平、资源环境承载能力、人口转移和耕地保护等因素，构建科学合理的新型城镇化宏观布局，推进产城融合。重点彰显特色，立足湾头古镇的产业基础、历史记忆、文化积淀和地域特色，科学整合放大玉器和文化两大资源优势，突出个性特色，“让居民望得见山、看得见水、记得住乡愁”。突出统筹兼顾，坚持生态文明，大力提高城镇土地、能源利用效率，坚决不破坏自然生态和文化生态。

2. 产城融合，打造核心引擎。培育和壮大优势特色产业，创造更多就业机会，实现以镇聚产、以产兴镇、产镇联动、融合发展。做强玉器产业，玉器产业是湾头传统产业、特色产业。在新型城镇化建设进程中，湾头镇注重彰显玉器产业，加快实施玉器城A区、扬州玉器厂东厂、阿诗码赌石馆、翠佛堂玉石书院等在手重点玉器项目，激发玉器产业活力，保持玉器产业的长盛不衰，通过产业兴盛带动城镇化建设。优化产业结构，结合玉器产业的优势，发展一批城镇劳动密集型产业和服务业，加快发展现代物流、餐饮娱乐、金融保险和健康养生、教育培训、养老及家庭服务等与城镇居民工作、生活密切相关的服务业，使之成为农民就地就近融入城镇的重要就业方式和渠道。鼓励创业就业，湾头镇坚持创新思路，针对当前发展特色、现实需求、人员状况等要素，有的放矢、因地制宜，为老百姓提供有针对性的就业培训，让他们有一技之长；鼓励老百姓自主创业，争做“小老板”，并主动为他们创业提供帮助和扶持，为各类人才的引进发展创造有利条件。

3. 特色彰显，激发内在动力。湾头镇是千年古镇，在延续古镇历史文脉、打造特色方面先行先试，尤其是加快发展具有区域特色品牌的旅游业，并将其作为推进新型城镇化的题中应有之义。明确功能定位，针对旅游业这一综合服务性产业，进行多维定位，使湾头镇旅游业既符合全市大旅游发展基调，又体现自身特色，在古镇形象上，打造人文古镇、生态名镇；在旅游功能上，体现文化性、休闲型、娱乐性；在建设重点上，突出发展街巷旅游、生态旅游等。加快古镇开发，充分利用各类资源，主动对接周边的茱萸湾公园、七河八岛风景区、广陵新城等优质景观资源，在餐饮、住宿、休闲等方面实现资源的共用共享，在保持自身特色的基础上，借鉴外地经验，把湾头打造成与周庄、乌镇齐名的古镇。推进深度融合，千方百计推动玉器产业与旅游产业的融合发展，以论坛、竞赛、巡展、拍卖等活动为媒介，把握时间节点，瞄准游客类型，推出各类玉器集中销售活动；同时，根据游客参观路线，谋划布局好各个玉器销售点，将玉器销售融入旅游之中，打造集玉器设计、加工、交易和玉石料市场为一体玉文化创意园区。

4. 建管并重，提升宜居品位。完善服务功能，坚持以人为本，强化公共服务，完善基础设施，净化城镇空间，努力营造设施完善、出行便捷、生活方便的城镇环境。加快文化教育、医疗卫生、体育健身等设施建设，抓好集贸市场、公共停车场、公共厕所等基础设施改造，切实满足群众需求。做好就业创业服务，加强职业教育和培训，帮助广大居民尽快掌握必要的劳动技能，激发创业精神，增加财产性收入。提高管理水平，健全城镇管理、服务、执法"三位一体"的管理体制，实行属地管理、部门联动、条块结合，做到规范、文明、和谐执法。探索引入市场竞争机制，推行城镇环卫保洁市场化；严格落实好"门前三包"责任制，突出镇容镇貌治理，重点抓好违规建设、户外广告和交通秩序整治。提升生态文明程度，将生态文明理念融入城镇化发展全过程，加强集镇生态建设，加大治污减排力度，美化背街小巷环境，改善集镇人居环境，促进生产空间集约高效、生活空间宜居适度、生态空间山青水秀。

5. 要素保障，增强创新活力。强化制度供给保障，促进人口有序流动、合理分布和社会整合，创新人口服务和管理制度。加快城镇社会保障制度建设，进一步完善城镇医疗、失业、养老等社会保障体系，推进公共服务均等化，让农民群众享受与市民同等的公共服务和社会福利。强化资金供给保障，既发挥政府资金的引导作用，又利用市场的融资功能，建立多元化的城镇建设投融资机制。不断完善公共财政体制，调整财政支出结构，将更多的资金投向公共服务领域和社会发展领域。积极推进投资主体多元化，以更加优惠的政策，引入企业资本和社会资金参与投资城镇建设，形成"政府引导、社会参与、市场运作"的多渠道、多形式、多元化的城镇投资体制。强化土地供给保障，坚持最严格的集约节约利用土地政策，加强对城乡存量建设用地、闲置低效土地的清理整治，依法保障农民土地财产权益。调整和完善全镇土地利用总体规划，用足用好城乡建设土地利用增减挂钩政策，优先保障城镇建设用地，集约利用工商业用地，优化生产、生活、生态空间结构。

江苏省发改委宏观经济研究院　刘勇

第三十八篇 人物

要　目

广陵区历史悠久，社会繁荣，地杰人灵，人文荟萃。在这块土地上出现过不少民族志士、豪商巨贾、达官显贵、学术泰斗、书画名家、艺苑精英等，特别是改革开放后，涌现出一大批创业新星、文化名流、道德楷模。他们的思想道德风范和精神文化财富，薪火相传，滋润着广陵大地，引导广陵人民继承和发扬古城优秀文化传统，在建设新广陵的征程中，奋力拼搏，作出不懈努力。

本篇设人物传略和人物表录两章。人物传略收录 1989 ~ 2011 年期间去世、社会影响较大、在某一方面具有代表性或有突出贡献的广陵籍人物和部分在广陵区工作、生活过的客籍人物以及部分前志因区划调整等原因未入传者，有劳动模范、两院院士、各界知名人士和行业翘楚，计 41 人。

人物表录收录广陵区副区（县）级以上职务的已故领导干部、革命烈士、1989 ~ 2011 年的先进模范人物、高级专业技术职务人员、在外乡贤、非遗项目传承人、"扬州三把刀"大师、体育人才等，以在世人物为主。

第一章　人物传略

人物传略共 41 人，以卒年先后为序，卒年相同的以生年为序。

胡笔江　胡显伯　鄂　森　张达伍　束星北　周叔弢　吴白匋　魏之祯　钱宏才　茅永年　江树峰
王板哉　汪秋逸　何庵之　余冠英　曹起成　耿鉴庭　余友泰　王筱堂　李圣和　李天和　高仁林
李亚如　任达然　张慧侬　梅曰强　宋原放　吴砚耕　吴征铠　李天民　潘　奇　吴大观　卞孝萱
余绳武　江　涛　姜峻峰　黄　宪　钱士金　聂　峰　郭　荣　惠兆龙

胡笔江

胡笔江（1881—1938），名敏贤，字筠，号笔江，亦署辟疆，以号行，广陵区沙头镇人。胡笔江少年时期接受良好的私塾教育，好学上进，练得一手颜体好字。17 岁时，在泰县姜堰镇裕隆元钱庄当学徒，继在仙女庙义善源银号当店员。清宣统二年（1910）去北京，先在北京公益银行当职员，不久进交通银行工作。因工作努力，处理银行业务条理清晰，又善于言辞，深得交通银行总办梁士诒赏识，被晋升为总行稽核，分行副经理、经理。民国 5 年（1916），北京政局动荡，胡笔江辞去交通银行职务，南下抵沪。

民国 8 年（1919），胡笔江受归国华侨富商黄奕柱委托，筹组中南银行，黄任董事长，胡笔江任总经理，并先后在各地设分支行或办事处。胡笔江重视联营，与金城、盐业、大陆 3 家银行组成"四行联合营业事务所""四行联合准备库""四行储蓄会"，共同承担以中南银行名义发行钞票的兑现责任。胡笔江任总监，尽显其金融才华。在胡笔江的积极经营下，"四行"资金周转灵活，业务拓展迅速，营业大增，声誉在私营商业银行中名列前茅。其后，胡笔江又陆续投资于上海、天津、广州等地实业公司，扶持民族工业发展。民国 21 年（1932）春，"四行储蓄会"出资 500 万元在上海市中心建造高 24 层的上海国际饭店，为当时远东最高的大厦，很受国内外人士注目。

民国 22 年（1933）4 月，交通银行再次改组，宋子文推荐胡笔江任交通银行董事长。民国 23 年（1934），胡笔江兼任蚕丝改良委员会委员。民国 25 年（1936），中国建设银行联合中国、交通、金城、上海等银行投资成立中国棉业公司，宋子文兼任董事长，胡笔江任常务董事，同时还兼任新华、金城、江苏典业等银行董事。同年，交通银行股东大会修改章程，将总经理负责制改为董事长负责制。从此，胡笔江成为交通银行最高当权者和全国金融界瞩目的巨子。

民国 26 年（1937），抗日战争爆发。胡笔江将交通等行资金转至香港、重庆、昆明等地，支持抗日战争需要。同年，上海发起成立上海市各界抗敌后援会。胡笔江任该会委员。他带头捐钱捐物支持抗日。8 月 12 日在上海电台发表誓死抗战的演讲。他说："我出身一贫民之家，设使我为此次战争而牺牲，则国家损失，不过一贫民之子。”民国27年（1938）8月24日，应国民政府财政部电邀，胡笔江从香港乘“桂林”号飞机赴重庆，商讨筹款购机事宜，在广东香山县（今中山市）上空遭日机截击，机毁人亡。胡笔江遇难后，国民政府追认他为烈士。董必武代表中国共产党出席在武汉举行的追悼大会，毛泽东、朱德送花圈，彭德怀亲临悼唁，并在挽联中称胡笔江为“金融巨子”。在香港追悼会上，则由宋子文主祭。蒋介石代表国民政府电唁胡笔江家属，称他为“金融硕彦，功绩卓然”。

胡笔江热爱家乡，做过很多善举。曾出资10多万元在沙头创办竞生小学。在二圩头开办施药局，高薪聘请名医主持门诊，免费为百姓医病供药，费用全部由他承担。民国9年（1920），他出资10多万元，修建7道半防洪水闸，加宽加高江堤3.5千米。免费供给农民桑苗，为改变家乡面貌起到一定的作用。

胡显伯

胡显伯（1880—1948），名震，字显伯，号竹溪。扬州律师业奠基人、实业家。祖籍安徽歙县。清道光年间，其祖父移居扬州。旧宅在扬州城内旧城七巷息园（今并入萃园）。其父胡寿培是中医，家教谨严，幼授儒学。胡显伯16岁应童试考中秀才。清光绪二十七年（1901），考入南京两江法政学堂学习法律，以优异成绩毕业。光绪三十一年（1905），参加同盟会。辛亥革命后，任扬州军政府政法科科长。次年加入国民党，被选为省议员。后在镇江成立胡震律师事务所，并在苏州、扬州设分所，任全国律师公会常务理事。

胡显伯参加同盟会秘密活动，在天津《大公报》发表连载长篇小说《亡国泪》，抨击君主立宪。因参加讨袁的二次革命及护国运动，被北洋军阀列入乱党黑名单。民国16年（1927），他对国民党彻底丧失信心，遂烧毁党证自动脱党。民国29年（1940）郭村保卫战后，接受陈毅邀请，出面参与战场调停工作，奔走呼号，赢得民心，为黄桥大捷奠定政治基础。解放战争期间，国民党当局力邀胡显伯恢复党籍，竞选国大代表，被他严拒。胡显伯不畏艰险、不惧牵连，曾先后两次成功为共产党人江上青辩护，还营救过中共党员黄亚成（新中国成立后任首届扬州市政府副市长）。

胡显伯是一位振兴扬州民族经济的实业家。民国9年（1920），为抵制洋火（柴），创办江都耀扬火柴公司，使用“五亭桥”“骑鹤”“文峰塔”等商标。他积极投资现代交通，民国12年（1923），入股江北（镇扬）长途汽车股份有限公司。民国20年（1930），筹划并入股福运轮船公司，参与投资建设六圩至扬州长14.7千米的公路。同年秋，江淮暴涨，他组织捐款赈灾，发起成立江都县水利协会，担任常务理事，并修坝建闸，筑堤防涝。他在苏北沿海购得133公顷滩涂荒地，成立春生茂农场，从事植棉、养蜂等业务，尝试以资本主义企业制度和经营方式进行生产和管理。抗日战争后，他临危受命，接收江都振扬电气股份有限公司，出任董事长，为恢复电力奔波组织煤源。

胡显伯还是一位地方文化名流，其诗文皆佳，又精音律，为冶春后社成员。民国25年（1936），策划并捐资出版《扬州览胜录》一书。他曾是震旦中学校董，竭力扶持贫困学生。晚年参与各种慈善事业，曾任慈善会会长，办义赈、义葬，建孤儿院、育婴堂等。他将家堂取名“施善堂”。凡扬城善举，他无不唱和，出资建成小秦淮河“板桥”，自办粥厂，施粮济贫。

民国37年（1948）年初，胡显伯在息园病逝。

鄂　森

鄂森（1902—1970），曾用名浚，别号占弓。清光绪二十八年（1902），出生于广陵区头桥镇九圣村。幼时在头桥十三圩私塾读书。民国6年（1917）起，先后在江苏省立第八中学、南京高师附中、上海沪江大学、东吴大学就读。在扬州求学期间，积极投身反帝运动。“五四”运动后，他和同学们一起爬上城墙，把三丈余的“仁丹”铅皮大广告揭下来。民国17年（1928），入美国斯坦福大学法律研究院及林肯大学学习，获法学博士学位。民国18年（1929）冬回国，在上海从事律师职业，很快在法学界崭露头角，挂上大律师牌衔。

民国20年（1931），江洲江堤崩塌，汪洋一片，农民流离失所。鄂森参与以胡笔江为首在沪发起的募捐救灾活动，将捐款购成米、面、衣物等生活用品，用轮船运往灾区，挨户发放，解救灾民。

鄂森在律师生涯中，不畏强暴，乐于助人。曾在“胡蝶、林雪怀解约案”“美丽牌香烟侵权案”等著名案件中充当辩护律师，体现出公正清明的可贵职业道德。民国 21 年（1932）和民国 23 年，他曾为参加罢工斗争而被捕的电车工人徐阿梅和从事中共地下工作而被捕的杨本珍义务辩护，反复辩驳，均使获释。民国 25 年（1936）11 月，国民政府在上海逮捕全国各界救国联合会领袖沈钧儒、邹韬奋、史良、李公朴等 7 人，并提起公诉。鄂森、张志让等 20 名苏沪著名律师自愿担任 7 人的义务辩护人。鄂森为李公朴的辩护律师。他从容镇定，针锋相对，抓住“爱国无罪”这一要害，经过反复较量，终于使“七君子”于次年 7 月 31 日交保释放。抗日战争胜利后，日伪时期的交通银行行长唐寿民因汉奸案受审，其子恳求他为唐辩护，鄂森爱憎分明，坚决不允，受到世人称赞。

鄂森除从事律师职业外，还担任东吴大学法学院教授，兼任多家银行、大公司法律顾问等职。抗日战争胜利后，一度担任法学院教务长和上海市社会局第一处处长。第二次世界大战结束后，美、英、法、苏、中等同盟国组成远东国际军事法庭，在日本东京审判日本战犯。鄂森受命为中国检察官顾问。他从民国 35 年（1946）年初到民国 37 年 11 月宣判终结，频繁寻找人证物证，还进入已被封闭的日本前陆军省档案库寻找证据，向法庭提供的证人证词和其他证据材料有一尺多高。据第 637 期《文摘报》记载，当时“作为顾问的鄂森，绞尽了脑汁，熬红了眼睛”，为审判日本战犯做了大量工作，用铁的事实揭穿日本军国主义发动侵华战争的罪行，维护中华民族的利益和尊严。

新中国成立后，鄂森担任东吴法学院教授兼教务长，并为院务委员，同时兼任上海市面粉业同业公会主任秘书。1952 年 10 月，辞去法学院职务。1953 年 12 月，因“历史问题”被管制 3 年。1956 年 12 月撤销管制后为上海市工商联科员、市文史馆馆员。其间，他从事写作和翻译。组织编写《上海市粮食加工工业史》《上海市火柴工业》《民族资本家刘鸿生史料》《上海市工商界接受改造十年》，翻译、校译、摘译《美国远东的贸易》《美国人在东亚》《墨西哥的土地制度》《一个有效外交的关键性建议》《上海卷烟工业（英文资料）》等著作。

张达伍

张达伍（1931—1982），头桥镇安帖村朱桥组人。12 岁时，随经商的父亲到南通精进中学读书。民国 38 年（1949），考入大连海军学校机电系学习，1952 年，毕业分配到华东海军航运大队，从事打捞防救工作。1958 年，加入中国共产党。历任海军防险救生船大队机电长、船长、大队副参谋长、副大队长、大队长等职，曾立二等功 1 次、三等功 4 次。

张达伍刻苦钻研探索水文、气象、潜水、打捞等中外防险救生业务及理论，在实践中熟悉和掌握各种型号船只的构造与性能，成为海军防险打捞队伍中的出色人才。在一次建造万吨级救生船的论证会上，他以大量数据阐述改进船上装备的见解，受到与会专家的一致好评。他还与科技人员一起编审海军防险救生条令、条例和规章制度等，为建立完整、系统的中国海上防险救生文书作出贡献。

张达伍是新中国海军建军初期最早的海军军官，几乎执行过海军自建军以来历次海上重大防险救生任务。30 多年间，指挥 1000 多人次下潜作业，未发生过事故。先后参加太猫山拖救搁浅船、横档山营救民用船、吕泗洋捞回敌特舰船等历次海上行动，还率船到南菲山打捞落海飞机，去花鸟岛海域打捞台湾渔轮，赴公海探摸外国沉船，救援爆炸拖轮等重大海救任务 30 多次。1977 年，张达伍奉命担任海军潜水作业组组长，在台湾海峡打捞二战末期被美军潜水艇“皇后鱼”号击沉的日本万吨巨轮“阿波丸”号沉船行动。台湾海峡作业区风狂浪险，水深流急，他毫无惧色，站在驾驶台上沉着指挥，为部队开辟作业场立下头功。在 5 个多月的海上连续奋战中，张达伍亲率所属大队官兵突破世界公认的 60 米常规空气潜水作业极限，打破国外所谓中国无法自行打捞“阿波丸”号沉船的断言，还为后续打捞工作积累宝贵经验。为全力保证中国首次潜艇水下发射运载火箭的前期模拟试验获得成功，张达伍率船远征，以自己的船舰作为火箭潜射试验指挥船，同时还担任起该试验的防险救生保障任务。连续 3 个月频繁海试，出色完成水下发射前期模拟试验工作。在另一次深海救生装备试验的两个多月里，他担任安全组长随船出海，在其周密部署下，整个海试行动中没有发生任何险情与事故。

1982年3月，张达伍全程参加重大海上任务“探摸太平轮”行动，时值张达伍重病缠身，发高烧39.8摄氏度。经医生检查，确诊为肝癌晚期。终因医治无效，张达伍于1982年5月16日逝世。人们在清理他的遗物时，发现病历上医生给他开过的全休病假条共18张、510天，而他为了中国海军防救事业却一天也没有休息过。

1984年3月12日，中央军委主席邓小平发布命令，授予张达伍“献身海军事业的模范干部”称号。翌年4月，中央军委授予他一级英模奖章和证书。《人民日报》《解放军报》《文汇报》分别发表文章，报道其模范事迹。时任海军司令员刘华清题词“向‘献身海军事业的模范干部’张达伍学习”。海军政治部于1984年8月编印下发学习张达伍手册。其生前所在部队将一块黑色大理石雕刻成张达伍塑像，安放在防救船大队办公楼前，面海而立。

束星北

束星北（1907—1983），名传保，号星北，以号行。广陵区头桥镇人。理论物理学家、教育家。早年就读于杭州之江大学、济南齐鲁大学。民国15年（1926）4月，入美国拜克大学读书。次年7月，因慕名爱因斯坦，去欧洲游历。在爱因斯坦任教的柏林大学威廉皇帝物理研究所当爱因斯坦研究助手1年。民国17年（1928）后，相继到英国爱丁堡大学、剑桥大学深造，师从著名学者惠特克和达尔文。因在计算某恒星与地球距离上业绩卓越，获博士学位，有“爱因斯坦第二”之誉。1930年，就聘于美国麻省理工学院，任研究助教。民国20年（1931），辞职归国。国难当头，他放下多年迷恋的相对论研究，投笔从戎。先后执教于南京中央军官学校、上海暨南大学、上海交通大学、浙江大学，任物理系、数学系教授、主任，为国家培养出一批科技人才。中科院院士、“两弹一星”功勋科学家程开甲、胡济民等，都是他的学生。美国物理学会前会长、华裔女科学家吴健雄曾得到他教诲，物理学家、诺贝尔奖获得者李政道博士亦受其启蒙，得其培育。

民国33年（1944），束星北应国民政府之邀，到重庆任军令部二厅技术室副主任、顾问，从事科技研究。次年春，束星北研制出中国第一部雷达，被人们尊称为“中国雷达之父”。是年8月，束星北重返浙江大学任教。

束星北在理论物理学、大气动力学、动力海洋学等多个领域开展研究，并取得成果。1952年，束星北任山东大学物理系教授、海洋系气象室主任，专心研究气象学。在1953～1966年的历次政治运动中，束星北蒙受极大磨难和挫折，但他仍然坚持科学研究。他修理好当时国内无法修理的脑电图机，试制成功多人听诊器。撰写《狭义相对论》专著，并以精确计算验证飞机中铆钉以黏合剂代替的原理。1978年，任国家海洋局第一海洋研究所研究员，致力于海洋内波研究。1979年春，束星北参加中国首枚洲际弹道导弹试验。他曾担任中国海洋学会常务副理事长、中国海洋物理学会名誉理事长、国家海洋局第一海洋研究学术委员会顾问，政协山东省第五届委员会委员。

束星北于1983年10月病逝，国内外许多著名学者、知名人士参加追悼。李政道在唁函中说：“束老师是中国物理界的老前辈，国际闻名，桃李天下，他的去世是世界物理界及全国教育界极重大的损失。”

周叔弢

周叔弢（1891—1984），原名明扬，后改名暹，字叔弢，以字行，晚年自号弢翁。祖籍安徽建德（今东至县），出生于扬州。民族实业家、古籍文物收藏家。其祖父周馥（全国重点文物保护单位小盘谷原主人），官至两江、两广总督。其父周学海，清光绪十八年（1892）进士，长期在扬州做候补道，潜心医学研究。周叔弢自幼受教于扬州冶春诗社诗人王武禄，加之家庭熏陶，自己勤奋好学，国学功底坚实。民国元年（1912），周叔弢由扬州移居青岛。民国3年（1914），定居天津。民国8年（1919）起，周叔弢随叔父周学熙（两任袁世凯政府财政总长）在青岛创办华新纱厂，任专务董事。后历任青岛、唐山、天津华新纱厂董事、经理，启新洋灰公司董事、协理、总经理、董事长，成为中国北方民族工业代表人物。40年代后期，周叔弢开始接触马克思主义，阅读进步书籍，倾向中共和平民主的建国方针。解放战争期间，拥护并宣传中共城市工商业政策，以自己的威望为争取民族资产阶级上层人士加入爱国统一战线、迎接天津解放做了很多工作。新中国成立后，以民族工商业者的身份，积极参加国家政治生活和经济建设，历任全国政协委员、中央人民政府政务院财经委员会委员、天津市副市长、天津市人大常委会副主任、天津市工商联主任委员、中国佛教协会常务理事、第一至第五届全国人大常委会委员、全国工商联副主席、第六届全国政协副主席等职。

周叔弢一生最大兴趣是藏书。他的藏书，皆以刻版好、纸质好、题跋好、收藏印章好和装帧好而著称。藏书中以宋元善本取胜，如宋刻本《春秋经传集解》《寒山子诗集》《诸史提要》《王摩诘文集》《南华真经注》和元刻本《孝经》《复古编》等。1952～1972年，他先后4次将几十年收藏的宋、元、明抄本，清代善本及其他中外珍贵图书计3.6万册和历史文物1200多件全部献给国家。他曾说过："回想自己在七十多年的藏书生涯中，常为搜救到一本好书而感到其乐无穷，如今我为这些书籍，来自于人民，又归之于人民，得到了最好的归属、最好的主人，无限欢快，非昔日之情可比拟。"1980年，天津南开大学图书馆编订《周叔弢先生捐赠藏书目录》一书。

1963年，周叔弢回扬州观光。他在日记中称赞扬州园林建筑和文物保护的成就，并将珍藏的清乾隆年间原刻初印《韩江雅集》4册12卷捐赠给扬州。

1984年，周叔弢在天津病逝。

吴白匋

吴白匋（1906—1992），名征铸，字白匋，笔名陶甫，乳名同寿，号灵琐，晚号凤褐老人、无隐室主人。作家、词曲学家。祖籍仪征，世居扬州。在扬州吴道台宅第"吴氏四杰"（吴征铸、吴征鉴、吴征铠、吴征镒）中排行老大。民国15年（1926），考入金陵大学，民国20年（1931），毕业后留校任教。

吴白匋一生从事教育、文化工作。历任金陵大学、四川白沙国立女子师范学院、江苏省立教育学院、无锡国专、东吴大学、江南大学、南京大学教授；曾任江苏省文化局副局长、中国戏剧家协会江苏省分会名誉主席、《中国大百科全书·戏曲曲艺》卷编委、文化部振兴昆剧指导委员会委员、中国戏曲学会理事、《中国曲艺志·江苏卷》顾问、江苏省民俗学会名誉会长、江苏省锡剧研究会名誉会长、江苏省诗词学会副会长、江苏省美术馆顾问、江苏省红楼梦学会顾问、江苏省昆剧研究会常务理事，江苏省第一、第二、第三届人大代表和省政协第四、第五届常委。

吴白匋一生治学不倦，博识多闻，于文学、史学、艺术学、考古学、文字学、文物鉴定诸领域，均有很高造诣。通晓英文，中学时代即用英文与家人通信。15岁开始古典诗词创作，17岁加入扬州地方文学社团冶春后社，成为该社年龄最小、最后的一位社员。他先后创作上千首诗词，收入《吴白匋诗词集》的有447首。现代国学大师黄侃对吴白匋的词学造诣大为赞赏，曾有"始信清才在广陵"的美誉。

吴白匋自幼爱好戏曲，经常观摩名家演出，并于早年参加南京阳春社票房。曾师从曲学大师吴梅，获得多方指授。他整理、改编、创作扬剧、锡剧、京剧、昆剧、淮剧5个剧种戏曲剧本30多部，其中有锡剧《双推磨》《庵堂相会》《红楼梦》《吕后篡国》，扬剧《袁樵摆渡》《百岁挂帅》《金山寺》《义民册》，昆剧《活捉罗根元》等。后来越剧《红楼梦》、京剧《杨门女将》，就是根据他创作的剧本改编的。他创作的《百岁挂帅》于1993年入选中国十大名著（正剧）。先后出版《凤褐庵诗词》《吴白匋戏剧论文集》《古代包公戏选》《无隐室剧论选》等著作。

吴白匋是九三学社成员。新中国成立前，积极参加学生运动。解放战争后期，亲送3个儿女参加中国人民解放军。他将多年珍藏的《吴引孙的殿试卷》和《扬州测海楼藏书目录》等文献交由扬州博物馆收藏。近年，吴白匋后人向扬州市档案馆捐赠吴白匋剧本手稿、诗词手稿、书法手迹、工作笔记、往来信札等珍贵档案资料百余件。

魏之祯

魏之祯（1916—1992），字诚生。南京人，后居扬州，住市区探花巷。书法家，篆刻家。曾任扬州市广陵区政协副主席、江苏省文史馆馆员、中国书法家协会会员、江苏省书法家协会名誉理事、扬州市文联名誉委员、绿杨诗社副社长、扬州市民革成员。

他5岁开笔习书，先后受教于涂晓征、刘霈孙、王伯沆、王东培、黄霭农。其书法正、行、草、隶四体皆备，楷书端庄严整，行书笔势奇峻风流，隶书端庄平朴，匀润峭拔，飘逸典雅中体现沉稳自然。其篆刻受益于唐醉石、邹梦禅，篆刻以秦汉为宗，尽得浙派之精髓，作品平正冲和，朴茂自然。其诗文格调清雅，质朴醇真，极见文人学者的性情。

他的书法篆刻作品多次在国内各类展览中展出。他为"中国书画展""纪念国际和平年书画展"创作的作品被送往法国、比利时等多个国家展出。诗词、书法、篆刻作品刊载于《全国第一届书法篆刻展览作品集》《当代书法家作品选》《中国当代墨宝集》《中国书法家五十家作品》《日本篆刻展(第四回)》等300多种书刊。其作品还被陕西省博物馆、江苏省美术馆、江苏省文史馆等多家单位收藏，在南京瞻园、四川峨眉山以及扬州风景区摩勒上石。

2006年，扬州市书法家协会编印《魏之祯先生书印选集》，纪念魏之祯诞辰90周年。

钱宏才

钱宏才(1921—1992)，扬州人，祖居市区南城根龙头关。现代通草花工艺家。16岁随父学艺，1953年，首创通草菊花盆景，被人们誉为"四时不谢之花"。1956年，进入扬州制花厂，从事通草花设计制作。1957年，他携带通草菊花作品出席第一届全国工艺美术艺人代表大会，受到与会专家、代表的赞誉，获得"老艺人"称号。1958年，其通草菊花作品"胭脂上翠""盛世之裔"参加瘦西湖菊展，以其姿态优美，形态逼真，令人真假难辩，引起轰动。1959年10月，钱宏才出席江苏省工交、基建、财贸群英会，获"省先进工作者"称号。是年任扬州市政协委员。1978年，被江苏省政府授予"工艺美术师"称号。1979年，参加全国第二届工艺美术艺人代表大会。1983年，被选为扬州市第一届人民代表大会代表。1987年，被扬州市政府授予"一级工艺美术大师"称号。

钱宏才曾与绒花艺人合作，制成一个玻璃罩大摆件《和平颂》，被选送莫斯科展出，令参观人士耳目一新。他制作的梅、兰、竹、菊等通草盆景和《江山如此多娇》《不是春光胜似春光》等通草花挂屏，多次参加工艺美术展览，并在北京人民大会堂陈列。他的通草菊与剪纸艺术家张永寿的剪纸菊、女画家吴砚耕的画菊，并称为"扬州三绝(菊)"，闻名中外。

茅永年

茅永年(1927—1992)，头桥镇头桥村永安组(大夹圩)人，战斗英雄，副师职革命军人。民国33年(1944)12月，在浙江省泗安镇参加新四军，次年8月，加入中国共产党。1956年3月，任职于中国人民解放军炮兵部队。1963年9月，毕业于解放军炮兵学院速成系。茅永年参加过抗日战争、解放战争和抗美援朝战争，战斗中出生入死，战功卓著。民国34年(1945)，随新四军第一纵队第一支队，在浙江新登激战日军中负伤。解放战争中，茅永年所在部队被整编为华中野战军第六师第十六旅。民国35年(1946)9月，在涟水保卫战中，他机智勇敢，孤身智擒群敌，一人刺死敌军3人，擒敌87人，并活捉国民党军王牌74师副团长1名，被华东野战军授予"华东乙级战斗英雄"称号，北京卫戍区政治部以《孤身智勇擒群敌——记"二级战斗英雄"茅永年》为题，将其事迹载入《北京军区英雄谱》。抗美援朝期间，茅永年于1952年出国作战，坚守朝鲜中部地区五圣山、西方山一线阵地，参加举世闻名的上甘岭战役。1953年6月，茅永年率九连官兵依托坑道工事组织反坦克火力打击来袭美军装甲部队，在芝村高地取得击毁美军第三师坦克6辆击伤1辆的优异战绩，创造出步兵阵地防御打坦克的成功战例。1953年9月，获朝鲜民主主义人民共和国军功章一枚。回国后，茅永年带领部队圆满完成首都警卫、国庆阅兵、教育训练、军事比武和抢险救灾等各项任务，立三等功3次，并多次受到上级嘉奖与表彰。

江树峰

江树峰（1914—1993），原名世伯，字达臣，笔名隐琴、南鸿，别署广陵诗客、京华梦翰斋主人。扬州人。民国4年（1915），初居扬州琼花观田家巷，后住东圈门街16号及旌忠寺巷30号。中国民主同盟盟员。其父江石溪，工诗善画，精通医术，行中医多年，后涉足实业，曾任南通大达内河轮船公司协理（副经理），负责处理扬州方面航运业务。

江树峰幼年与六兄江上青一起在扬州琼花观小学读书，从小机敏好学，追求进步。在扬州中学读初中时，加入共青团，从此走上革命道路。民国22年（1933）年，毕业于吴淞中国公学经济系。民国22～25年（1933～1936），先后在安徽天长中学、镇江崇实中学、扬州平民中学任教。民国25年（1936）下半年，参与进步刊物《写作与阅读》编辑出版工作，并积极为刊物撰稿。次年8月，参加江都县文化界救亡协会。11月和江上青等一道参加江都县文化界救亡协会流动宣传团（以下简称"江文团"），跋山涉水，先后到合肥、六安、大别山区、浠水等地宣传抗日救亡，成为"江文团"骨干成员，担任壁报组组长。民国29年（1940），江树峰从广西到上海，后到启东崇明中学教书。新四军东进后，跟随共产党人顾民元工作，任启东县抗日民主政府秘书长、第四分区专署文教科科长。次年主编新四军《东南晨报》（《江海报》前身）。民国31年（1942）春，任海启行署文教科长。后相继在扬州中学、通州师范、上海勤业中学、扬州美汉中学任教直至全国解放。新中国成立后，苏北师专（扬州师范学院前身）组建之初，江树峰被第一批调入中文系任教，任外国文学教研室主任。他曾担任市文联副主席，市政协副主席，市中苏友协副会长，省文联委员、常委，省作家协会理事，民盟省委委员，民盟市委副主委，江南诗词学会名誉会长，中国和平统一促进会理事，中华诗词学会学术委员会副主任，东方文化馆名誉馆长等职。离休后，移居北京东城区和平里，仍从事写作，并参加社会活动。

江树峰长期从事教育工作，通晓英、德、俄、法文字，对国内外历史文化很有研究，知识渊博，教学功力深厚。新中国成立初期，苏联文学课程没有现成教材，有些苏俄作品从英文版本转译，授课难度很大。他亲自编写讲义，系统介绍俄罗斯文学及苏联文学名著。

江树峰精于诗词。他的诗歌，充满对祖国对人民的赤诚之爱。《梦翰诗词钞》辑录他的200多首诗词。他还出版《〈水浒〉的好处》《托尔斯泰评传》《苏联文学小史》《生活的艺术》《水浒传自然风景的描写》《雪莱诗词选评》《论肖洛霍夫》《扬州名胜》等著作。

王板哉

王板哉（1906—1994），原名兆均，改名板哉，号半呆。山东日照人。书画家，国家一级美术师。幼时喜欢看灶台上的壁画、大门上的春联。为临摹附近村子一户人家挂的中堂，他认真观摩后，快速奔回家背临一番，周而复始，临了近10日，才把那幅中堂"搬"回家。6岁时，随外祖父郑松岩（一生设馆课徒，精于诗文书画）读书习画，历时10年，打下坚实的书画与古诗文功底。13岁，入本乡高等小学读书。后入本地中学读书。19岁毕业后，任小学教员。25岁，考入山东省立第二师范（曲阜师范），成了山村里走出来的秀才。

民国23年（1934），王板哉考入国立北平艺专（前身是北平大学艺术学院），主攻齐白石的大写意花鸟和黄宾虹的山水。齐白石喜欢王板哉的聪慧、好学、淳朴、节俭，经常召他到自己的画室，细加指导。民国26年（1937），王板哉从北平艺专毕业不久就在北平中山公园举办个人画展，展出画作80多幅，其中60多幅作品有齐白石题跋，轰动一时。后为谋生闯关东、走河南，终不得志。40年代，在南京阴阳营一带种菜、卖菜谋生。南京解放后，在军管会文艺处工作，后赴华东人民革命大学学习。1950年，到扬州工作，历任《苏北文艺》编辑、省文化干部学校教员、省立扬州中学教师。1962年，调入扬州国画院，从事美术创作和教学。他曾任中国书法家协会会员、中国美术家协会会员、北京齐白石艺术开发中心副主席兼函授学院名誉教授、清代扬州画派研究会顾问、日照市书画院名誉院长等职。

王板哉牢记齐白石"学我者生，似我者死"的教诲，向传统学，向老师学，更向大自然学。王板哉绘画工草虫、花鸟，兼善山水，其紫藤尤佳。画风出笔含蓄，色调谐美，作画时吸收书法中"带燥方润，将浓还枯"的规律，构图简约，水墨淋漓，花鸟鱼虫栩栩如生。在笔墨方面，将深厚与秀挺相结合，不琐碎、不涂抹，处处有深意。其作品重意境、重气势，即使六尺大幅，看来亦觉纸短意长，用色用墨浓淡相宜。由于幼年下苦功临习多家碑帖，善行草，其书法作品常运用画法中的浓淡疏密关系，取各家之长而以己意出之。其作品被送到美国、日本、法国、新加坡、尼泊尔、澳大利亚等国巡回展出，有些作品被国家和有关部门作为国礼馈赠外国首脑，许多作品被中南海、韶山毛泽东纪念馆等数十家单位珍藏，全国多处园林的古典建筑上有他撰书的楹联和碑刻。他的大批画作被其家乡日照市珍藏。1987 年，人民美术出版社出版《王板哉画辑》。

王板哉经常告诫学生，要多写生、多练字，功到自然成。他在传授画技时，常取出自存的草虫标本，让学生仔细观察。在扬州中学任教期间，并未忘记艺术。他讲元人小令《秋思》时，前后不到五分钟，在黑板上勾勒出缠满枯藤的树干，又三笔两画地描出小桥及村落，接着画一匹弱不禁风的羸（瘦）马，最后点缀出夕阳、群鸦，还有骑在马上的游子。画毕，板书小令《秋思》。一边修饰，一边讲解，让学生如临其境。

王板哉热爱生活，谦恭平和，和蔼接待每一位学画者，艺德和人品值得称道。1991 年，他虽已 80 多岁，仍主动要求参加抗洪赈灾书画义卖活动，在烈日之下挥汗作画。他多次给贫困地区孩子、灾民汇去救济款，往往一寄数千元，且从不留名。他还给解放军官兵、矿工写字作画。

汪秋逸

汪秋逸（1907—1994），扬州人。音乐教育家、作曲家。其父是一名家庭塾师。汪秋逸自幼随父读书，勤奋好学，爱好音乐，喜欢民间锣鼓、笛子、二胡。小学期间，在音乐教师指导下，学习风琴。小学毕业后，考入省立第五师范，学习音乐和美术。教授汪秋逸音乐和美术的老师是音乐家王宗虞和画家吕凤子。在学校国乐队里，汪秋逸担任二胡演奏。民国 16 年（1927），汪秋逸师范毕业后，在扬州实验小学担任音乐、美术老师。一年后考入南京中央大学教育学院艺术科，继续学习音乐和美术。民国 20 年（1931）毕业后，在郑州扶轮中学任音乐教员。“七七”事变后，流亡贵州等地，历任赤水中学、毕节师范、遵义师范、贵阳师范、重庆师范学院、重庆中央大学艺术系、南京国立音乐学院附小等多所学校教员。新中国成立后，一直在镇江师范教授音乐，直到 1972 年退休。1987 年，移居南京。汪秋逸是中国音乐家协会会员、省音乐家协会理事，曾任镇江市文联副主席、镇江市音乐家协会主席、镇江市人大代表、镇江市政协常委。

汪秋逸是一位热诚的爱国者，爱国主义思想感情渗透在他的人生之路和 100 多首音乐作品当中。他创作歌曲源于抗日激情。民国 22 年（1933）在郑州扶轮中学任教时，他完成第一首歌《郑州扶轮中学校歌》的创作。这首歌旋律生动优美，音调铿锵豪迈，催人奋进，切合当时抗战形势和教学宗旨。该校至今还以这首歌为校歌。接着，他创作了气势雄壮、鼓舞人心的《黄河曲》。民国 26 年（1937），洪深带领的第二抗日救亡演剧队及贺渌汀参加的第一抗日救亡演剧队相继来到郑州，汪秋逸积极协助和配合他们投入繁忙紧张的抗日救亡宣传活动。他协助冼星海组织千人歌咏大会，教唱《义勇军进行曲》《救国军歌》等抗日歌曲。民国 27 年（1938）秋，汪秋逸谱写的抗战抒情歌曲《我摘下一片秋叶》成为当时广为流行的抗日歌曲之一。接着，他连续创作《先有绿叶后有花》《血的礼赞》《血海仇》《看哪！东亚的巨人》《胜利的明天》等抗日歌曲 20 多首，其中影响最大的是他的代表作“江南三曲”，即《淡淡江南月》《夜夜梦江南》《烟雨漫江南》。这组歌曲在抗日战场的大后方广为流传。全国政协委员、中国音乐家协会主席傅庚辰在《中国艺术报·中国音乐》发表题为《青史留名唱“江南”》的长篇文章，对汪秋逸的音乐创作，特别是抗战时期创作的歌曲给予很高评价。新中国成立后，汪秋逸坚持创作，写出 50 多首作品，赞美新中国，歌颂新生活，如《枣红袄》《咏梅》《江河大地》《党啊，我的母亲》《太阳·春风·党》《写在鲜红的党旗上》《为了热爱的祖国》《望月》《江南新曲》《抗美援朝》等。1982 年，汪秋逸写出充满乡情的《思悠悠，水悠悠》，抒发阔别家乡半个世纪之久的思乡之情。

汪秋逸毕生从事音乐教育。他编写《乐理知识》《和声常识》《作曲法简介》等教材，培养出一大批优秀音乐人才。作曲家、中国音乐家协会秘书长、书记处书记兼《中国音乐报》总编张非即是汪秋逸在郑州扶轮中学的学生。汪秋逸病逝后，张非为纪念、缅怀恩师，出版《汪秋逸纪念集》。

何庵之

何庵之（1910—1994），原名宝恩、保余，又名炎，号庵之，后以号行。淮安人。花鸟画家。其父何仁甫，喜书画，富收藏，与淮安画家姚又巢友善，与吴茀之家为世交。何庵之幼承家学，临摹家中名人字画，又经姚又巢不断指点，逐渐表现出非凡的绘画才能。民国15年（1926），就读于淮安中学，因酷爱美术，受到淮安中学美术教员吴茀之的关注和培养，打下扎实的基本功。

民国17年（1928），何庵之考入上海美术专科学校艺术教育系，得到刘海粟、潘天寿、蒋兆和、吴茀之等一批国画艺术大师的直接指导。第一年学西画，与赵丹、张乐平同窗；第二年开始学中国画。毕业前即在上海成美中学担任美术代课教师。民国20年（1931）毕业后，任淮安县中学校长。抗日战争爆发后，何庵之携妻女逃难至扬州邵伯镇。抗战胜利后，到扬州以售画为生。1950年，进入扬州新华中学从事美术教育。1960年，调入扬州国画院任专职画师，致力于写意花鸟画创作研究。曾任民革扬州市委组织部部长，扬州中山业余学校校长，扬州中山书画会会长，政协扬州市第一、二、三届常委，市政协书画会副会长，省文史馆馆员，市文联委员、名誉委员。

何庵之注重写生，重天机逸趣。其作品造型精巧，灵活生动；构图简繁有章，平中有奇，取材广泛；敷色清丽高雅，艳而不俗。他以画鸡最为出名，苍松、翠柳、梧桐、麻雀、八哥、群鱼、塘鸭、荷藕、螃蟹等都入画，无一不是以艺寄情、以笔赋神、形神俱佳。为提高花鸟画水平，他自己养鸽、养鸡，在庭院里种植瓜豆，仔细观察体味。他画的《松树菊花》《麻雀葡萄》《母子图》《鸡履图》等落墨洒脱，缜密绚丽，优美生动，深得物情。何庵之注重理论研究，著有《中国简明绘画史》等。其作品《菊花》《麻雀葡萄》分别为南京博物院、中央美术学院收藏，《八百遐龄》《菊花》等作品参加省美展和赴日本展览。在美术教育方面，他重视培养学员兴趣，尽量发挥学员艺术个性；在教学中坚持教学相长，提高学员自学能力；坚持理论联系实际，启发学员创作灵感。他总结说："笔一抓要目中无人，笔一丢要个个是我先生。"强调用笔要有自我，而自我正是从大自然中来，大自然中的一切均为老师。他培养的学生，多成为扬州写意花鸟画坛中坚。

余冠英

余冠英（1906—1995），乳名松寿，字绍生，学名冠英，笔名灌婴、白眼。扬州人。住市区徐凝门街余总门，后迁居羊巷。文学史家、古典文学专家。中国民主同盟盟员。其父余道生为清江南中军提标参将；其母爱好绘画。3岁起，余冠英便在母亲的呵护下识字读书。13岁，考入高等小学。15岁，考入省立第八中学（后改为扬州中学）。民国15年（1926）年，考入清华大学历史系，后转入中国文学系。民国20年（1931），毕业后留校任教，历任清华大学助教、讲师，国立西南联合大学副教授、教授，清华大学教授，北京大学文学研究所（后划归中国科学院）研究员兼古代文学研究室主任，中国社会科学院文学研究所副所长兼学术委员会主任、顾问、学术委员会名誉主任、博士生导师。曾任中国作家协会理事、国际笔会会员，第三届全国人大代表，第五、第六届全国政协委员，中国文联委员，国务院古籍整理出版规划小组顾问，《文学研究》《文学评论》编委，《文学遗产》杂志主编。

余冠英在扬州读书期间，开始阅读进步书刊，接触革命思想，结交进步的同学朋友。"五卅"运动爆发时，扬州爱国学生奋起支援，余冠英成为新成立的扬州学生联合会第一任会长。他组织学生游行，带领学生代表与商会交涉，发动罢市罢课，动员商界集资，邀请共产党员恽代英等到学校讲演。在清华大学就学期间，常在《清华周刊》和《中国文学会刊》上发表散文和新诗。他写的文章，有的入选《中国新文学大系》，有的被收入人民文学出版社编的《当代散文精华》。吴组缃教授在《清华的文风》一文中，称余冠英是"清华的代表作家"，代表清华的文风。

抗战期间，余冠英在西南联大讲授中国文学史、历代文选、国文教学法等课程。联大《国文月刊》第3～40期由余冠英主编。他自觉向民主力量靠拢，担任联大最大的进步组织"群社"的导师，与朱自清、闻一多等过从甚密。闻一多被国民党特务暗杀后，他十分悲痛，积极参加追悼活动，联名致函国民政府教育部长朱家骅，抗议对闻一多的野蛮枪杀，并冒险掩护遭国民党反动派通缉的中共地下党员吴征镒（中国科学院院士、植物学家),将他藏在家中。

民国35年(1946),余冠英回到清华园,任中国文学系教授,讲授中国文学史和汉魏六朝诗等课程,主编《新生报》副刊《语言与文学》,参加吴晗等6名教授组成的整理闻一多遗著委员会,负责乐府与唐诗部分的整理。民国37年(1948)6月,他与朱自清、金岳霖、吴晗、陈梦家、钱伟长、朱德熙等毅然在著名的《抗议美国扶日政策并拒绝领取美援面粉宣言》上签名,表现出中国人的尊严和气节。民国38年(1949)年初,他和清华大学进步教职员一起,不顾反动势力威胁,组成临时管理机构,护校迎接解放军。

新中国成立后,余冠英投身祖国新的文化建设事业,著作日丰,声誉日隆。他的著作体例严谨,考订缜密,深入浅出,见解精到。主要著作有《汉魏六朝诗选》《汉魏六朝诗论丛》《乐府诗选》《诗经选》《三曹诗选》《诗经选译》《古代文学研究集》《古代文学杂论》《古诗精选》《唐宋八大家全集》等。除个人著书外,他还参与不少集体科研项目。由他主持编写的《中国文学史》(三卷本)是古典文学研究领域中的重要成果,为海内外学术界所瞩目;由他主持选注的《唐诗选》是中外公认的唐诗最佳选本之一。

曹起成

曹起成(1912—1999),字功一。扬州人。出生于市区东关街338号。其兄曹起溍(1906—1931)是扬州早期的中共领导人,革命烈士。民国20年(1931),曹起成以名列前茅的成绩毕业于扬州中学高中部。后在空军军官学校第二期机械科、国防大学联合作战系第五期学习,成绩优异。毕业后到美国加州理工学院航空工程系学习,获硕士学位。时值抗战,遂束装返国,共赴国难,任职空军。1971年,以中将官阶退役,转业企业界,任台湾建业公司总经理。1977年,改任齐鲁企业公司董事长,对台湾的经济发展作出贡献。曹起成曾担任台北扬州中学校友会会长,为在台扬州中学校友服务10多年,主持编印《江苏省扬州中学六十周年纪念册》。

曹起成去世后,后人根据他的遗愿,将其退休金余额计6万美元全部转赠给扬州中学,设立曹起成奖学基金,用以奖励优秀学子。

耿鉴庭

耿鉴庭(1915—1999),谱名作镛,学名永龄,医名鉴庭,扬州人。住市区皮市街耿家巷28号。耿家世代行医,传至耿鉴庭时是第六代。他从小师承家学,遍读医宗经典。随父耿耀庭及八姑母耿竹庭看病抄方,积累丰富的医学理论和实践经验。18岁时,独立挂牌应诊。20岁,入省立医政学院(今南京医科大学)深造,毕业后在扬州开设中西合诊耿氏医室,成为中西医兼通的医生。以中医辨证施治为主,辅以西医,内、外、儿、喉科兼治,每日应诊者多至百人。每有夜半求诊者,无论寒暑或贵贱贫富,即刻赴诊,以解危急。抗日战争和解放战争中,多与扬州江树峰、陆勤等进步人士结交来往,拥护共产党的主张,传递进步书刊,参与进步活动。30年代,任上海光华医药杂志社扬州分社主编。民国30年(1941),加入中华医学会医史学会,参与筹建上海医史博物馆。

新中国成立后,他响应国家号召,1950年夏,到高邮参加血吸虫病防治工作,1951年,参加治淮工程医疗队。以扬州医界代表身份当选为市第二、第三届人大代表。积极参与扬州医药卫生界和文化界的恢复重建工作。曾任首任扬州文管会主任之职,担当保护历史文化名城之责。1953年和1954年,数次应召到北京参与筹建中医研究机构。1955年,调入北京,参加筹建中国中医研究院,是全国征调的中医药界最年轻的人才。此时,他还从事医史教学、创办中医古籍出版社等工作。其后,调入西苑医院,专攻耳鼻喉科。后长期担任中国中医研究院和北京中医药大学研究员、教授,中国中医研究院学术委员会、学位委员会、专家咨询委员会委员。曾任《中华医史杂志》副总编辑,全国中医中心图书馆副馆长,国务院古籍整理出版规划小组顾问,中医古籍出版社副社长兼总编辑,卫生部医学科学技术委员会委员,国家科委预防医学组常务委员,中华全国中医学会常务理事,中华医学会医史学会副主任委员,《中国中西医结合耳鼻喉科杂志》名誉总编辑,北京市医史学会主任委员,北京市人民政府专业顾问,中国自然科学史学会、中国海外交通史研究会、中外关系史学会、中国科学技术史学会会员等职。1990年起，享受国务院颁发的政府特殊津贴。1995年，被载入《英国剑桥名人录》。

在临床方面，耿鉴庭精于耳鼻喉科，尤擅治口齿症，每每妙手回春。50年代后期，郭沫若撰赠对联："好自口中出，春从手上生。"在治疗急性会厌炎上有独到之处，使大量患者免遭气管插管及气管切开之苦。先后编写《喉科正宗》《咽喉科传灯录》，详细介绍耿氏喉科的特点。在鼻病治疗上，创立鼻科"汤液十二法"，将鼻病治疗系统化、规范化，著有《中医中药防治鼻病》一书。在耳病方面，特别是中毒性耳聋方面，提出以补肾解毒为治疗大法，取得成效。他还积极筹组中国中西医结合学会耳鼻喉科专业学会。

耿鉴庭于文史方面涉猎颇广。对目录学、训诂学、古器物学、文物考古学均有研究，尤其注重中医古籍文献的整理。他主编全国第一部《全国中医图书联合目录》。全书数十万字，1961年由北京图书馆（今国家图书馆）出版。改革开放后，主编"广陵医籍丛刊"，遍收扬州医家及流寓扬州的客籍医家各种刻本和稿本，由广陵古籍刻印社影印出版，使扬州地方中医典籍的特点及成就得以弘扬。他还组织国内有关临床专家，到扬州探讨中医内病外治鼻祖吴尚先的学术思想，并曾发起对蒙、藏医药学及道家邱处机的研究。他对故宫博物院收藏医疗器具和医药档案、长沙马王堆一号汉墓医药文物及其女尸、河北满城中山靖王墓等有深入研究，甚至亲临现场详加考研。他考证出日本古代豆腐干上刻有"淮南堂"字样，证明豆腐由中国传入日本。主编《中国医学史》，发表《祖国医学史讲义》《医药史话》等论著。他对鉴真大师及其医学成就也颇有研究。1941年，发表《鉴真和尚考》，这是国内系统介绍鉴真东渡的第一篇专论。他一直致力于宣传介绍鉴真，出版《鉴真东渡》《中日文化交流的使者——鉴真大师》《中日科技交流史上的鉴真》等书，促成鉴真纪念堂在扬州建立。在鉴真大师塑像回国探亲时，被国务院委任为迎接委员会委员。他一生热爱教学，50年代开始在中医高等院校教授中国医学史、内经、伤寒论、医古文等课程，被卫生部任命为首届中医研究生导师，连带3届研究生，成为多所国医大学的客座教授。晚年仍兼中国中医研究生部客座教授，经常举办专题讲座，指导许多研究生、进修生。

1999年7月20日，耿鉴庭病逝。中共中央总书记江泽民致电哀悼。

余友泰

余友泰（1917—1999），江都县头桥乡（今广陵区头桥镇）人。民国25年（1936），毕业于省立扬州中学。民国29年（1940），中央大学农学院毕业后留校任助教、讲师。民国34年（1945），考入美国爱荷华州立大学。民国37年（1948），研究生毕业，获农业工程硕士学位，旋即返回祖国，先后在上海机械农垦处、上海南通学院任技术专员、教授。民国38年（1949）5月，参加革命工作。1950年9月，在沈阳参加中国民主同盟。1956年9月，加入中国共产党。历任华东农林部农业工程处专门委员会设计研究室副主任，沈阳农学院教授、系主任，东北农学院教授、教务长、副院长、党委副书记、院长，东北农业大学名誉校长、教授、博士生导师，黑龙江农业机械化学院副院长，黑龙江省科协副主席、主席。曾任第三届全国人大代表，黑龙江省第一、第二、第六届人大常委会委员，黑龙江省政协常委，中国民主同盟黑龙江省委副主任委员，国务院学位委员会学科评议组成员，国家科委农业工程学科组成员，中国农机学会、农业工程学会常务理事、副理事长，黑龙江省农机学会、农业工程学会理事长、名誉理事长等职。

余友泰长期从事教学、科研工作，参与创办东北农学院农机系和农业工程系、黑龙江农业机械化研究所、黑龙江省农业机械化学院、中国农机学会、中国农业工程学会、黑龙江省农机学会、黑龙江省农业工程学会等教学、科研机构，是国家农业机械化重点学科带头人。

余友泰师德高尚，培育大批硕士、博士等高级农业科技、教育、管理人才，是东北农业大学的一代宗师。他致力于农业工程教育科研事业，先后撰写和编译农业工程专著11部，发表《温饱十亿人》《中国农业及其机械化》等学术论文50多篇。1958年后，多项教育科研成果分获全国科学大会奖、中国农具展览会设计奖、全国优秀图书一等奖、国家教委科技进步奖、黑龙江省科技进步奖等。

王筱堂

王筱堂（1918—2000），原名汝杰。扬州人。曾住湾子街三多巷10号。国家一级演员，扬州评话表演艺术家。其祖父王玉堂、父王少卿、嗣父王少堂都是著名的扬州评话艺人。王筱堂9岁时边读书边随王少堂学艺。王少堂授艺时，对他的一词一语、一声一腔、眼神手势等要求都非常严格，因而他自幼便练成扎实的基本功。民国20年（1931）起，王筱堂边学艺边演出。15岁，正式登台演出。后自知书艺尚不成熟，又两次回到王少堂身边，到书场听王少堂说书（行话叫听“还魂书”），学他在台上如何从容表演。经王少堂悉心传授，自己再用心揣摩，书艺日臻完善，后成为扬州评话“王派水浒”第三代传人。30～90年代初，他作为职业演员，一直活跃于南京、上海及大江南北各地。1950年起，先后任镇江市戏曲评弹协会主任委员、镇江市曲艺联谊会主任委员。1960年起，任镇江市曲艺团副团长、团长、名誉团长，镇江市文联副主席，中国曲艺家协会江苏分会副主席，省文联委员，镇江市第二、第七届人大代表，镇江市第二至第七届政协常委。1980年，加入中国共产党。

王筱堂全面继承“王派水浒”《武松》《宋江》《石秀》《卢俊义》4个十回及《后水浒》，表演神形兼备，说表细腻，描绘入微，吐字清晰，有声有色。人物语言富有个性，叙述用语爽朗精当，或快或慢，换气自然。擅用不同的方言、声调配合眼神刻画人物。表演武松时，说昂扬刚劲的北方话，以显示其英雄气概；表演宋江时，则说斯文平缓的扬州话，以表现其书吏特征。书中有些情节和人物与原著《水浒传》相比，不仅内容更加丰富，而且形象更为生动。如着意用面部的眯眼、翘嘴和沙哑的喉音塑造时迁这一独特的“神偷”形象，使其成为听众喜爱的“丑角”式人物。在表现潘金莲、孙二娘等女性人物时，也有生动的刻画。他除演说传统书目外，还演说以现实生活和革命斗争历史为题材的新书，受到观众欢迎。

王筱堂口述并由李真记录、整理，记叙其祖父、父亲、自己和女儿“王派水浒”四代人艺术经历的《艺海苦航录》一书，20万字，由中国曲艺家协会主席罗扬作序、全国人大常委会副委员长彭冲题写书名，1992年出版，是扬州评话领域内有别于各种话本整理、出版的传记性作品。此外，他在《艺术世界》《西湖》等刊物上发表《志在武松一部书》等回忆性文章，在《曲艺》《今古传奇》《江苏戏曲丛刊》等刊物上发表《时迁打擂》《石秀探庄》《燕青短路》等《水浒》评书片段。1995年，口述并由他人记录、整理20万字的《后水浒》，由中国文联出版社出版，使这部长篇书目得以留存。

1996年，王筱堂应邀赴丹麦哥本哈根大学参加中国口头文学国际研讨会，在会上介绍“王派水浒”，表演《武松打虎》，受到各国与会者的好评。研究扬州评话的挪威汉学家易德波女士两次登门拜访，在她的专著中对王筱堂作专门介绍，并收入他的《武松》话本片段。

李圣和

李圣和（1908—2001），名惠，一名慧贞，字圣和，晚年别号印沧老人。女。扬州人。先后住市区东关街、左卫街（今广陵路）、新城仓巷、地官第、五福巷、石塔路、治淮新村等处。中国农工民主党扬州市支部早期党员之一。扬州国画院高级画师。曾任省第五届政协委员、中国书法家协会会员、省美术家协会会员、省花鸟画研究会研究员、省诗词协会会员、市文联委员和市诗词协会顾问。1983年2月，被授予市三八红旗手称号。其父李鼎（1866—1941）为扬州名士，工书法，善诗词。李圣和从小受家学熏陶，3岁识字，6岁读完《三字经》《百家姓》《千字文》《千家诗》等启蒙读物，7岁随兄李圣传进家塾读书。她聪明颖悟，勤奋好学，五年私塾读完“四书”“五经”、《史鉴纪要》《女四书》等启蒙书籍，为其诗词、书法创作打下坚实基础。

李圣和自幼练字习书，5岁临习名家法帖，10岁起，用毛笔蘸水在砖头上写大字。她日习千字，无论严寒酷暑，从不间断。天长日久，终于练就过硬的基本功。她的字笔笔见功，尽在法度之中。楷书和隶书端庄娴静，气质高雅；行书和草书潇洒俊逸，至诚持重；小楷尤为佳妙，被费新我誉为“当代江苏第一”。

李圣和15岁开始习画，常取家中所藏名人字画悬挂壁上，旦夕临摹。她的画清新悦目，雅俗共赏。善画工笔花鸟，所作花卉枝条，无不迎风摇曳，多逼近真花。她学习传统又不为传统所束缚，最爱画月季，家中庭院内长着许多种月季，每天“晓起先观带露花”。她在传统的没骨法基础上，融会取舍，采用兼工带写的手法，大胆吸收西洋技法，强调色彩的变化和光线的明暗，以增强月季花的立体感。所画月季被人们称为“圣和月季”。

李圣和的诗书画创作，有“三绝”之誉，其中诗词排在首位。她精心研究诸家各派风格，10 多岁就善吟咏，有“才女”之名。她强调写诗要有真情实感。“九一八”事变后，深感做亡国奴之耻，写下几十首感怀叙事诗。叶圣陶看到她的一阕《满庭芳》词，称赞说：“我只知道扬州有个女词人丁宁，谁知还有个李圣和。”她的诗词，诗味浓郁，结构严谨，语言洗练，无论是古风、绝句还是律诗，多循格律，不拖泥带水，不生僻多典。江苏美术出版社 1990 年出版《李圣和诗书画集》，1995 年和 1999 年分别编印出版《李圣和诗词集》《漆室吟》。

扬州城刚解放时，曾有一对解放军夫妇（即后任省人大常委会副主任何冰皓及夫人滕林）住在李圣和家，她开始接触革命思想。1950 年，李圣和走出家庭，踏上社会，参加市里各个大型展览会筹备和宣传工作。她参加文化馆美术培训班，在文化馆义务宣传，多次手拿油画笔站在渡江桥头高高的脚手架上画宣传画。

李圣和待人谦逊，坦诚守信，淡泊名利，治学严谨，创作勤勉，大家愿意和她交朋友、拜她为师。她关心书画新人成长，培养一批诗书画人才。1986 年，首届李圣和师生书画展在瘦西湖公园举办。她创作的诗书画作品多次在国内外展出，多幅作品被全国各地美术馆、博物馆、纪念馆收藏，并在有关报刊发表。她为扬州的名胜古迹题写大量诗词、楹联，丰富古城扬州的文化内涵。

李天和

李天和（1923—2001），扬州人。美国电工科学家、全面质量管理专家。出生于扬州个园。其父李允卿，清宣统元年（1909）优贡，曾任浙江候补同知，扬州冶春后社诗人。其母何连璧，出身于名门。民国 19 年（1930），李天和随父母迁居上海，靠父母家教，修完小学全部课程。民国 24 年（1935），考入上海南洋模范中学，一入校就读初三。民国 28 年（1939），考入上海交通大学机械系。民国 35 年（1946），毕业后入美国通用电器公司上海分公司工作。民国 37 年（1948），奉派赴美国学习。1950 年，获美国纽约州斯克内塔迪联合学院电工硕士学位。1954 年，获伦斯勒工学院哲学博士学位。先后任美国通用电气公司工程师、高级研究工程师、电力业务总战略设计师、电力系统总工程师、副总裁。1954 年起，先后在伦斯勒工学院、宾夕法尼亚大学、麻省理工学院任教。1980 年，被聘为美国麻省理工学院电机系终身教授。1984 年，任国际应用系统分析研究所所长。曾任电气与电子工程师学会（IEEE）高级会员、IEEE 能源委员会主席、基础科学委员会主席、电力工程学会主席。1975 年，当选美国国家工程院院士。1981 年，任美国科学促进协会高级会员。1986 年，被聘为瑞士工程科学院通讯院士。1987 年，受聘为中国科学院荣誉研究员。2000 年，当选中国工程院外籍院士。获得多项科学奖，主要有普拉特奖、电力生命奖、戴维斯工程成就奖。

在电工科学研究中，李天和对高压电弧中电极现象的理论、高温气体中电器断路的理论都有很大的发展；发明横向磁场熄弧原理的真空灭弧室，使真空开关进入电力系统作为断路器；最先开发应用电力电子装置的高电压直流输电系统。先后获美国专利 30 项，其他国家专利 900 多项。发表论文 75 篇，主要著作有《大功率开关装置的物理基础和工程应用》。

李天和率先提出“提高管理质量”理念，于 1989 年创立美国质量管理中心，任中心主任。每年为世界许多著名跨国企业培训数千名高级管理人员。在美国麻省理工学院第一个开设全面质量管理课程。1989 年，他向中国国家领导人递交关于中国宏观经济问题的研究报告，为中国企业改革和经济发展提出建议和意见。1991 年，提出把全面质量管理理论引进中国的建议，得到江泽民、朱镕基等领导人的支持。他先后到清华大学、北京大学、上海交通大学等高校作质量管理演讲，协助建立北京国际全面质量管理中心。

1994 年国庆节时，中国政府授予他友谊奖章，以奖励他多年来为中国经济发展作出的贡献。1997 年 7 月 1 日，李天和以华人嘉宾身份参加中英香港政权交接仪式。1999 年 10 月，应邀赴北京，参加国庆 50 周年庆典活动。

2001 年 2 月 4 日，李天和病逝于美国。国家主席江泽民发唁电，盛赞李天和“在电器工程方面作出了杰出成就，是世界著名的全面质量管理专家”“关心祖国的教育和科学发展，做了许多工作，成绩斐然”。

高仁林

高仁林（1943—2002），兴化人。1961年7月，参加工作。1985年1月，加入中国共产党。历任扬州灯泡厂（集团）党总支书记、厂长（总经理），广陵区城南街道党委副书记，广陵区政协副主席。曾任广陵区侨联副主席、广陵区台胞台属联谊会会长、市海外交流协会理事等职。1985年，被评为省劳动模范。1987年，获全国优秀经营管理者称号和全国五一劳动奖章。1995年，被评为全国轻工优秀企业家。1997年，被评为全国助残先进个人、省勤政廉政好干部。1998年，被省政府批准为有突出贡献的中青年专家。1999年，被授予江苏省优秀共产党员和全国归侨、侨眷先进个人称号。2000年、2001年，分别被评为全国劳动模范和全国优秀共产党员。

1983年，高仁林出任扬州灯泡厂厂长。当时，该厂濒临绝境，欠债20多万元，产品档次低、质量差、无销路，职工大部分是家庭妇女、病退知青和残疾人。上任后，他艰苦创业，锐意改革，采取"减员增效、提质增效、降本增效"措施，实行干部聘任制，职工择优上岗，坚持科技先行，专攻市场看好的小家电氖灯市场，带领企业很快摆脱困境。1994年实施"让利挤市场"战略，积极抢占国际市场份额，产品迅速打入28个国家和地区。一个原来资产不足4万元、残疾人占职工总数60%的街道福利小厂，一跃成为"一厂八公司"的灯泡集团，总资产7000万元，年产氖灯7亿只，覆盖70%国内市场和30%国际市场，被誉为"世界氖灯巨龙"。1998年，市委作出全市向高仁林学习的决定。至1999年，扬州灯泡厂高新技术产品销售额占企业销售收入的80%以上。2001年，完成产值3.71亿元、利税2759.78万元。高仁林被同行誉为"氖灯巨子""氖灯大王"。

高仁林以廉兴厂，处处精打细算，从不乱花一分钱，招待外商也是"四菜一汤"。"一厂八公司"全年业务招待费不足1万元。他一贯严于律己，清正廉洁，无私奉献。担任厂长后，没有到职工家吃过一顿饭，没有收过职工和客户一份礼，先后10多次放弃出国机会。多年来，他将上级部门和董事会发给他的奖品及60万元奖金全部留给企业作为发展基金，而他一家三代仍挤在50多平方米的两室一厅住房里。他上有年迈老母，下有弱智儿子，自己左肾切除、右肾积水，还患有高血压、冠心病等多种疾病，但仍每天工作10多小时，节假日很少休息。他的口头禅是"活着干，死了算！"他尽心竭力为职工排忧解难，企业用于扶贫济困的各类慈善捐款达2000多万元。

2002年2月10日，高仁林因劳累过度不幸病逝。省委、市委分别作出向高仁林学习的决定。《人民日报》头版为此专题报道他的先进事迹。

李亚如

李亚如（1919—2003），号止翁，别署扫垢山庄寄客、三有斋主，别号潇湘旧友。扬州人。出生于市区东关街马坊巷内东西横巷朝南门内。书画艺术家、作家、戏剧家。其父工书，富收藏。李亚如承家学，自幼观其家藏书画，随父接触一些文人画家，受到艺术熏陶，从小爱好文学和绘画。8岁时，从江都蒋志瀛学书画，从姨夫李镜安（李涵秋之弟）学古文诗词。他常到街头众多裱画店中以及画室窗外，以纸笔临摹佳作，年复一年，到15岁能独立成篇。少年时刻苦学画，天未明，即起临池；至家人起，则匆匆收拾入学。假日及课余时间，则从事绘画习作。他的座右铭是"寸阴是竞"，终生守之不渝。17岁，在上海出版的《洪流》刊物上发表新诗《露珠》。民国30年（1941），与朱锦辉、高一峰举办"三青年画展"，涉足画界。民国34年（1945）参加革命工作后，即成为文艺战士，从事宣传工作。民国36年（1947）7月，加入中国共产党。历任宝应县射阳民教馆馆长兼农民剧团团长，华中二地委《人民画报》主编，泰州报社副社长，苏北区党委宣传部指导员，苏北农学院宣传科科长、科研办公室主任，专署文化局局长，地委统战部副部长，副市长，市政协副主席，扬州国画院院长等职。1988年6月离休。1992年10月起，享受国务院颁发的政府特殊津贴。李亚如为国家一级美术师、中国美术家协会会员、中国书法家协会会员，曾任北京齐白石艺术研究中心副主席、清代扬州画派研究会会长、省文联委员、省诗词协会顾问、省美学学会名誉理事、绿杨诗社社长等职。

李亚如在美术、书法、文学、美学等方面有较高造诣，尤其在书画上有很高成就，被誉为"扬州八怪"的杰出传人、当代扬州画派的领军人物。江树峰盛赞李亚如的艺术成就："扬州八怪有遗珠，诗画书章融一炉；善学前人题绝唱，任情挥洒出新图。”他善于继承“扬州八怪”诸家之长，融诗书画印于一体，勇于创新，别具一格。其书画风格雄健豪放、苍劲古朴、用墨酣畅，山水、花鸟、人物皆工。山水取境深邃，花卉情趣盎然，富有时代气息。书法擅长草隶，草书章法错落、疏密有致，隶书老辣厚重、结构多变。以草法作隶，以隶篆入草，自成一家，且自撰诗文自刻印章入画，诗书画印珠联璧合，构成完美整体。不断创新是李亚如的艺术追求。1984年中风后，虽半身瘫痪，仍然作画不停。画室以“三有斋”为名。“三有”，即有容，吸收诸家之长；有我，有自己的风貌；有法，创新不离开法度。他的多幅作品参加国家级美展，有些作品被中国美术馆、省美术馆收藏。1987年，中国美术家协会在中国美术馆举办李亚如画展。人民美术出版社出版《李亚如画辑》，南京出版社出版《李亚如书法篆刻集》。

李亚如在文学、戏剧创作上也显露其才华。1989年，出版诗集《泡影集》。江苏人民出版社等先后出版他的文艺读物《小两口入社》《夫妻扎花灯》、中篇小说《小虎》、短篇小说集《考试》、小说《两个小通讯员》等作品。创作《绣符缘》《王昭君》《新桃花扇》等戏剧剧本。60年代参与创作现代戏《夺印》，轰动全国。

李亚如悉心钻研扬州地方文史、园林美学，撰有专著《扬州园林》，发表《中国园林的美——计成〈园冶〉试论》《郑板桥试论》《愿君多着意，装点好河山——中国园林修建问题小议》《扬州八怪初探》《意境、气韵生动与中国画的创作》等美学论文。1981年，发表《扬州八怪初探》等文章，提出“八”与“怪”的见解，公认为创见。1978年，应约为瘦西湖撰写楹联“借取西湖一角堪夸其瘦，移来金山半点何惜乎小”。李亚如重视艺术人才培养，担任扬州国画院院长期间，创办学制二年的全脱产国画学习班。他亲自任教，学员中不少人后来成为有成就的画家。

1997年，李亚如精选一生辛勤创作的书画作品100幅捐赠给国家。扬州八怪纪念馆专辟李亚如书画陈列厅。

任达然

任达然（1920—2003），谱名宝德。扬州人。主任中医师。中共党员。幼承家学，少时，随父任继然习医，20岁，步入医界，独立开设诊所。扬州中医内科“然”字门（曾在市区北小街行医100余年）第11代传人。1956年，作为地方名医被聘请到苏北人民医院，成为医院中医科创始人之一。曾任省中医学会常务理事，《江苏省中医杂志》编委，市中医学会理事长、名誉理事长，市科协常务委员，市中医院名誉院长，苏北人民医院中医内科主任等职。1977年、1982年分别当选省第五、第六届人大代表。1981年，获省劳动模范称号。1991年，被人事部、卫生部、国家中医药管理局联合批准为全国五百名老中医药专家之一，享受国务院颁发的政府特殊津贴，被授予全国名中医称号。1994年，被省卫生厅和省中医药管理局联合认定为江苏省名中医。

任达然从医60年，通晓中医经典著作，博采诸家学说之长，在长期临床工作中积累丰富的诊治经验。擅长中医内科，对暑热的治疗独辟蹊径，从热、痰、虚像辨治，收效很快。在脾胃病治疗中，提出在明确脾胃生理病理特点的前提下，灵活调节升与降，辨别寒与热，掌握虚与实，注重润与燥之间的辩证关系，从而使脾胃调和，收到较好疗效。先后在省级以上杂志发表《中西医结合治疗流行性乙型脑炎的临床体会》《脾胃学说在临床的应用》《苓桂术甘汤的应用》等论文30多篇，许多独到见解在医学界引起很大反响，治病方法被收入由中国医药科技出版社出版的《中华名医特技集成》。多次受邀赴北京、香港等地为中央首长及知名人士应诊。他参加许多中成药的鉴定，并根据中医理论和自己的临床实践，提出意见，受到生产部门的重视。他曾担任全国老中医专家继承班指导老师，言传身教，培养出一批中医骨干。

张慧侬

张慧侬（1924—2003），原名大宽，回族，扬州人。出身于弹词世家，是扬州张家弹词第四代传人。中共党员。中国曲艺家协会会员。11岁，随父张幼父学艺。13岁，与父登台演双挡，红遍江淮，不久赢得“看戏要看十岁红，听书要听张慧侬”美誉。1960年，参加市曲艺团，同年5月，调入省曲艺团（现省评弹团）。除积极参加各项演出活动外，还从事扬州弹词创编、传统书目整理和曲艺教学等活动。先后受到周恩来、董必武、陈云等领导的接见。1982年，回到扬州，虽已近退休之年，仍积极参加各项曲艺活动，为扬州弹词培养中青年演员，收集整理大量扬州弹词传统曲目资料。

张慧侬幼承家学张氏弹词六部书，即《珍珠塔》《刁刘氏》《双金锭》《落金扇》《玉蜻蜓》《双珠凤》，其中前四部书最为精彩，被誉为"张氏四宝"，成为扬州弹词传唱百年的经典之作。张慧侬的表演尽显张氏弹词的技艺，刻画人物性格鲜明、细致生动、惟妙惟肖。说功讲究节奏，快如连珠，慢有顿挫，凄苦时催人泪下，诙谐处妙趣横生，方言俚语令人捧腹。唱腔古朴雅致，悦耳动听。做功重面部表情，丰富传神。他与父亲搭档演出，同行为之叹服，称赞他们父子"满脸是书"。

1956年，张慧侬与三弟张慧祥等组成张氏弹词小组，和周无方等合作编演《聊斋志异》中的《秋江》《小翠》《青凤》《席方平》《婴宁》《促织》《马介甫》等10部中短篇弹词，为将中国古典文学名著搬上曲艺舞台作出有益尝试。他还积极编演现代书。1962年，由他演出的张氏弹词传统曲目整理本《落金扇》《刁刘氏》《双金锭》，被收入由省剧目工作委员会编印的"江苏戏曲资料丛刊"。1963年，他根据同名电影改编的长篇弹词《李双双》，是最早进入书场演出的长篇现代弹词之一，在南京首演即获好评。1980年，他根据同名电影改编的中篇弹词《喜盈门》，获省曲艺创作奖。1981年，与一苇、向安合作整理的扬州弹词《拦轿告状》《风雨同舟》《请媒》演出本被收入"江苏戏曲丛刊"。1985年，他与夏耘合作，根据同名弹词编写的话本小说《珍珠塔》《落金扇》《双金锭》《风月梦》《刁刘氏》由中国文联出版公司出版。1988年，由张慧侬口述、韦人整理的长篇扬州弹词《珍珠塔》由花山文艺出版社出版。此外，他移植的长篇弹词《啼笑因缘》等，在曲艺舞台上久演不衰。

梅曰强

梅曰强（1929—2003），字南移。祖籍江西湖口，出生于南京市。古琴艺术家，广陵琴派第11代宗师。住东关街剪刀巷29号（现为梅曰强纪念馆）。少年时，受杭州照瞻寺主持大休禅师弟子、古琴家汪建候熏陶。民国33年（1944），正式拜汪为师，学习古琴和国画。1952年，又先后拜金陵古琴家夏一峰和赵云青、蜀派胥桐华及广陵派第10代传人刘少椿为师。为精研广陵派琴艺，他白天工作，每晚及假日必从刘少椿学习琴艺至深夜。经三年刻苦钻研，琴艺大有长进。

梅曰强活跃于琴坛数十年，曾应聘在南京师范学院任课外古琴教师。1992年，获南京市首届文学艺术奖。退休后迁居扬州，以传授广陵派古琴艺术为己任。在扬州设立梅曰强琴馆，担任扬州师范学院课外古琴教师、市少年宫古琴班指导，并向扬州大明寺佛家弟子传授琴艺。曾任中国音乐家协会会员、中国琴会常务理事，南京市音乐家协会理事、南京乐社委员兼古琴组长、南京名城文化交流中心顾问，广陵琴社、梦溪琴社名誉理事等职。

梅曰强弹奏古琴风格以广陵派之绮丽细腻、跌宕多变、刚柔相济、音韵并茂为主，兼收浙派之豪放清雅、川派之激荡狙狂、金陵派之文雅高逸而自成一家。他主张音正韵和，清远古穆，自然与修为兼集，入流派而不囿于流派。

梅曰强参加全国第二、第三、第四次古琴打谱会以及第一、第二届中国古琴艺术国际交流会。80年代，赴京在全国政协礼堂向中央领导汇报演出。1990年，在南京夫子庙举办个人音乐会。1991年，中国艺术研究院为其录制28首琴曲，作为国家音响资料保存。1992年，任杭州古琴邀请赛评委。1995年，任中国古琴艺术国际交流会学术委员。1996年2月，参加香港艺术节古琴音乐会演出，同年5月，受台北市立国乐团邀请赴台表演。2000年10月，在扬州为国家主席江泽民和法国总统希拉克表演，其制作的古琴被作为国礼赠送给希拉克。2002年12月8日，在北京国家图书馆音乐厅举办"广陵琴韵——梅曰强操缦六十周年纪念音乐会"。他还多次参加中央、省、市电视台、电台的古琴演播活动，扩大广陵琴派的影响。为广播剧《湖水情》序幕古琴配曲，后将此曲目整理为古琴曲《二十四桥明月夜》。创作古琴曲《好听琴》，移植改编古琴曲《茉莉花》。

梅曰强撰有《古琴与古琴艺术》《广陵琴派及其演奏艺术》《关于古琴指法有法无法、有规无矩的浅识》《七弦琴操缦经》《琴学初要》《吟、猱、绰、注在古琴演奏中的作用》《论弹奏古琴的修养》等论文和著作，筹资出版《蕉庵琴谱》《神奇秘谱》等古琴典籍。香港龙音公司、中国音乐研究所、中国国际广播电台分别录制由其操缦演奏的古琴音乐作品专辑。录制、出版有《广陵琴韵》《移云斋心旨——梅曰强古琴艺术》等个人专辑唱片。他善斫琴，曾应扬州漆器厂之邀，担任该厂古琴监制，指导扬州师范学院、市少年宫等单位制作古琴。

宋原放

宋原放（1923—2005)，扬州人。出生于市区卸甲桥5号。原名朱懋杰。中国出版家。民国31年（1942)，加入中国共产党。曾任中共扬州工委委员、《扬州新报》校对。民国33年（1944）起，先后任苏中一地委机关报《前哨报》、苏中区党委机关报《苏中报》、新华社苏中分社、苏中出版社、华中新华书店编辑部记者、编辑、副主任。新中国成立后，历任华东人民出版社副社长、总编辑，上海人民出版社社长、总编辑，上海市出版局副局长、局长，中国出版工作者协会副主席，上海市出版工作者协会主席，上海市编辑学会会长，上海市哲学学会副会长，上海市古籍整理出版规划小组副组长。曾当选中共十二大代表，历届上海市人大代表。

宋原放一生从事新闻出版工作。在山东解放区曾主编“大众文库”丛书、《文化翻身》半月刊，编辑社会科学、文艺书稿多种。在主持上海人民出版社工作期间，培养了一批编辑出版专业人才。他带领出版社以政治理论读物和学术著作、研究资料为出版方向，为繁荣社会主义学术文化作出贡献。出版的政治理论读物印数100万册以上的40多种，其中《政治经济学教材》发行逾1800万册。1982年，他主编的《简明社会科学辞典》，销行150万册，获上海市哲学社会科学优秀著作奖。他倡办的《青年一代》等刊物，印数达500多万册。1983年，他在首届中国出版研究年会上提出建立社会主义出版学的倡议，发表《关于出版学的对象和任务》等多篇论文。1985年，他在上海发起成立上海编辑学会，并被选为会长，这是全国第一家编辑学会。新办《杂家》和《编辑学刊》刊物。不久，又创办《出版史料》刊物，为中国出版学和编辑学的发展作出贡献。1986年离休后，致力于出版学和出版史研究，主编数百万字的《上海出版志》，主编《中国近现代出版史料》（10卷），推出《编辑出版工作概论》等研究成果，整理出版论文集《出版纵横》。1996年，被中国出版工作者协会授予“伯乐奖”。2004年，获中国出版工作者最高奖项“韬奋出版奖”。

吴砚耕

吴砚耕（1910—2006)，原名芸，字砚耕。女。扬州人。住市区湾子街夹剪桥。中国农工民主党党员。其父吴笠仙（1869—1938）是清末民国初扬州画家，人物、山水、花鸟俱佳，尤擅画菊，时人尊称其“吴菊仙”。吴砚耕自幼聪颖好学，13岁随父学画，继承画菊的传统技法，同时兼工花鸟，风格自成一体。擅画菊花，与剪纸大师张永寿、通草花艺术家钱宏才并称为“扬州三菊”。吴砚耕为国家一级美术师、中国美术家协会会员、省花鸟画研究会研究员、省美术家协会理事、市文联委员，曾任市政协常委。

吴砚耕画菊，立意新颖，其作品既显示出优秀传统画家之章法，又洋溢着时代的生活气息。取工笔的细致严谨，精描细绘，层层敷色，花形丰满，雍容华贵，画面浓淡枯湿、远近虚实恰到好处，气韵生动而富有立体感，开拓工写结合、重彩敷花、浓墨点叶的勾花点叶特技法。她的创作态度极其认真，讲究笔笔有出处。秋季，她的居室中处处放置盛开的盆菊，供其观赏写真。50年代，她应邀进京参加全国第一届花鸟画展。北京私家园林——刘契园菊花品种繁多，园主人盛情邀请她到园中小住3个月。她以菊为友，对物状怀，创作200多幅菊花图，并赠送园主《百菊图》陈列。此举震动首都画坛。郭沫若、陈半丁、叶恭绰、刘海粟分别题诗、题字祝贺。

吴砚耕积极参与筹建扬州国画院并认真进行教学，首批学员成为后来扬州画坛中坚实力派。她创作的《风菊图》《菊花四条屏》《四季花鸟条屏》等由江苏人民出版社出版。她还创作巨幅画作《八百遐龄》《松菊延年》《锦鸡绣球》及《百菊图》册页等大批精品力作。她在上海、泰州、扬州等地举办个人画展。江苏美术出版社出版《吴砚耕画集》。应邀赴中南海作画，作品《菊花》被收入《中南海藏画集》。《傲霜有秋菊》被收入香港石景宜出版书局的大型画册集。作品多次被选送到尼泊尔、联邦德国、中国香港、日本、新加坡、泰国、马来西亚等国家和地区展出。香港《文汇报》登载《风菊》，并以《秋菊有佳色》为题介绍其作品，称其为中国八大女画家之一。中央新闻电影制片厂、中央电视台、日本电视台先后拍摄她的专题片予以宣传介绍。其作品被许多博物馆、美术馆收藏。吴砚耕不仅以画见长，而且善于烹调，精于饮食，擅用菊花的花瓣入火锅，做成独特的“菊花火锅”。

吴征铠

吴征铠（1913—2007），扬州人。住市区泰州路吴道台府。物理化学家、放射化学家和化学教育家。中国核化学领域奠基者之一。从小聪慧过人。在念完私塾后，民国16年（1927），考入省立扬州中学高中班，接受正规的新式教育。他喜欢数学、物理，也喜欢文学，和胡乔木两人被公认为是班上的两位“诗人”。他的诗体现出一位热血青年的爱国情怀，有的诗还发表在《扬中校刊》上。民国19年（1930），从扬州中学毕业，进入金陵大学化学系学习，毕业后留校任助教。民国25年（1936），考取中英庚子赔款公费留学资格，成为英国剑桥大学物理化学研究所第一位中国研究生。民国28年（1939），回国，先后任湖南大学、浙江大学、复旦大学化学系教授，从事物理化学和放射化学方面的研究和教学。1958年开始，致力于发展原子能事业，成为中国核化学领域的开拓者，参加中国第一颗原子弹的研制工作。历任中国科学院原子能研究所研究员、副所长、博士研究生导师，第二机械工业部（核工业部）总工程师，中国核工业集团公司科学技术委员会高级顾问等职。曾任第三届全国人大代表，第五、第六、第七届全国政协委员，中国化学会、中国核学会、中国光学学会常务理事、名誉理事、理事，中国光谱学会理事长等职。1950年，加入中国民主同盟。1956年，加入中国共产党。1981年，当选中国科学院学部委员。

吴征铠是中国早期红外和拉曼光谱研究者之一，对中国分子光谱学和激光化学的发展有很大推动作用。50年代中期，积极协助中国科学院有机化学研究所建立红外光谱实验室。1980年后，将激光技术用于分子光谱研究，取得可喜成果，创办《光谱和光谱研究》杂志。他攻克同位素铀分离技术难关，为浓缩铀气体扩散厂生产高浓缩铀提供第一批合格的六氟化铀原料。指导铀同位素分离中核心部件——分离膜研制工作，并取得成功。该成果在1978年全国科学大会上获“科学技术重大贡献奖”。1985年，第二代分离膜获国家科委授予的发明一等奖。1976年，他领导并参加锔－242研制和提取工作，为加速中国原子能科技发展作出贡献。

中国一大批物理化学、分子光谱和放射化学专家、学者和教授，直接或间接地受过他的教诲。他从事大学化学教育时，注重培养学生独立获取知识的能力。复旦大学百年校庆时，他捐赠个人积蓄50万元，设立吴征铠分子科学研究启动基金。

吴征铠学识渊博，学风严谨，被科学界、教育界誉为楷模。他时刻关注国际物理化学发展趋势，晚年学会上网，利用电子邮件与同行保持联系。2000年，他签下遗体捐献书，嘱咐家人后事一定要从简。病逝后，他的遗体捐献给中国协和医科大学。

李天民

李天民（1919—2007），扬州人。幼年在扬州个园度过。会计学家。民国22年（1933），考进扬州中学。民国25年（1936），进入交通大学北平铁道管理学院攻读财务管理专业。“卢沟桥事变”后转入复旦大学学习。民国29年（1940），以优异成绩获谢晋元将军奖学金。同年，毕业于复旦大学经济系。民国31年（1942），历任上海立信会计专科学校、东吴大学、圣约翰财经学院副教授兼会计原理教研室主任。“文化大革命”中，李天民受到冲击，1969年，下放到苏北宿迁农村。“文化大革命”结束后，调往连云港财经学校。1979年，调至北京中央财政金融学院（现中央财经大学），任会计系国外会计教研室主任、副教授、教授兼硕士生导师，院学术委员会委员，中央电大、江苏高等财政专科学校、河南高等财税专科学校、上海大学、淮海工学院等校兼职教授，并担任中国化工会计学会、中国成本研究会、中国汽车工业会计研究会顾问，中国审计学会理事、北京审计学会常务理事、美国国际内审协会会员。

李天民先后编著、主编各类会计、审计教材和专著30多种，累计500多万字。50年代初编著出版的《审计学教程新银行会计教程》是新中国会计学界的奠基性著作。1958 年主编的《会计核算原理》是全国率先打破前苏联框框的教材，影响很大。80 年代，他的研究重心转向管理会计学，特别是在管理会计的基本理论研究方面具有国际先进水平。1981 年编写的《管理会计基础》是中国第一本自编的管理会计教材。1984 年，他在《管理会计基础》的基础上加以充实、提高，撰写《管理会计学》，填补中国现代管理会计科学研究领域的空白，是全国当时最畅销的管理会计教材，至 1997 年 10 月，累计发行量逾 137 万册。1984 年 9 月，中央电视台开始播放李天民授课录像，影响极广。他的著作《管理会计学》于 1987 年获北京市哲学社会科学优秀成果奖。1994 年，撰著的《管理会计研究》先后获国家教委全国第二届高校出版社优秀学术著作奖、财政部第三届全国财政系统大中专优秀教材一等奖、上海市（1993 ～ 1995 年度）优秀图书二等奖。他先后发表论文 170 多篇 150 多万字。

李天民致力于会计、审计的理论研究和教学工作。1986 年和 1994 年，两度被中央电大授予“全国广播电视大学优秀主讲教师”称号。1992 年 10 月起，享受国务院颁发的政府特殊津贴。1995 年，获安盛国卫奖教金。

潘 奇

潘奇（1914—2008），原名克芬，笔名克纹、尹子。女。扬州人。出生于市区三祝庵文化里 8-1 号。音乐编辑出版家、音乐翻译家。其父潘栋臣是一位诗人，清末民国初扬州著名诗社冶春后社成员。潘奇 5 岁入女塾读书，后进入江都县立第九小学。喜爱唱歌、跳舞、吹笛子，很快成为学校小乐队成员。民国 15 年（1926），入青岛市立女子中学。民国 24 年（1935），毕业于国立北平师范大学。在大学学习期间，两次参加“北平合唱团”，曾向白俄罗斯女歌唱家欧罗普夫人学过声乐。

抗战爆发后，潘奇奔赴延安，参加革命。民国 26 年（1937），途经西安，加入上海救亡演剧一队，与崔嵬、贺绿汀等同台表演以抗日救亡为主要内容的歌曲与剧目。次年，赴延安汇报演出，后进入鲁迅艺术学院学习。民国 29 年（1940），任鲁迅艺术学院音乐系助教兼戏剧系音乐教师，被评为鲁迅艺术学院模范教员。同年 11 月，加入中国共产党。民国 31 年（1942）5 月，潘奇与其丈夫张水华（水华，电影导演）参加延安文艺座谈会，聆听毛泽东的重要讲话。而后，一直在鲁迅艺术学院从事音乐教育工作。

1958 年起，潘奇任人民音乐出版社副社长、副总编辑，主持社内工作，直至 1985 年离休。她领导人民音乐出版社承担起音乐书谱专业出版任务，出版《中国古代音乐史稿》《音乐美学概论》《音乐建设文集》《音乐理论基础》《黄河大合唱》《长征组歌》等专业音乐书籍。她调入一批艺术院校毕业生和其他文艺团体专业人才，充实出版社编辑、作者队伍，提高音乐出版质量。她还创办《儿童音乐》杂志并任主编。

潘奇退居二线后，担任中国音乐家协会第二、第三、第四届理事、副秘书长，国家出版工作委员会委员。2002 年，获中国音乐“金钟奖”“终身荣誉奖章”。

吴大观

吴大观（1916—2009），原名吴蔚升。广陵区头桥镇头桥村九字圩人。中国航空工业和航空发动机设计研制事业的主要创始人之一。自幼家境困难，他随母亲在头桥九字圩生活，常借债度日。民国 20 年（1931）至 26 年（1937），在舅父头桥乡贤王鉴人资助下，进入省立扬州中学学习。民国 26 年（1937），被保送进入长沙临时大学（西南联合大学前身）机械系。民国 27 年（1938），随校搬迁，进入昆明西南联大学习。因目睹日本飞机的狂轰滥炸，下决心走“航空救国”之路。读完机械系三年级，申请转读航空系。民国 31 年（1942）毕业后，分配到贵州大定航空发动机厂任设计课技术员，潜心研究美国莱特公司的活塞式发动机整套技术资料。民国 33 年（1944），赴美国莱康明发动机厂及普惠航空发动机公司学习。民国 36 年（1947），放弃国外优越的工作、生活条件，回到内忧外患、贫困落后的祖国。先在贵州大定航空发动机厂广州分厂工作，后任北京大学工学院讲师。在校期间，参加反饥饿、反迫害、罢课罢教等活动。

民国 37 年（1948）11 月，吴大观赴石家庄解放区参加革命。同年 12 月，随解放北平的队伍参加入城接管矿冶研究所工作。1949年11月，加入中国共产党。历任重工业部航空筹备组组长，航空工业局科长、处长，沈阳黎明发动机制造厂（410厂）总工程师，西安发动机制造厂（430厂）副厂长兼设计所所长，航空工业部科技委员会常委、顾问等职。曾任第三届全国人大代表，第五、第六、第七届全国政协委员，北航、南航、西工大兼职教授，中国航空协会第一、第二届理事，中国工程热物理学会荣誉理事，美国航空航天学会会员。1991年，被国务院表彰为发展航空工程技术事业做出突出贡献的专家。1992年，被授予航空航天工业部有突出贡献专家称号。

1957年，吴大观受命组建新中国第一个航空发动机设计室并任主任。领导科研团队研制了中国第一个喷气发动机型号（喷发1A型发动机）。一年后，经过无数次艰辛努力，装配着该型号发动机的“歼教-1”型飞机试飞成功。1959年，“红旗2号”喷气式发动机试制成功。接着，涡喷7甲发动机、涡扇5发动机、涡扇6发动机相继试制成功。1982年，他与另外8名专家给中央写信，力陈独立自主解决飞机“心脏病”的重要性，建议以国外先进技术为基础，自行研制大推力发动机，从而催生中国“太行”发动机的诞生。他积极倡导、参与编制《涡喷、涡扇发动机通用规范》《涡浆、涡轴发动机通用规范》《发动机结构完整性大纲》和《发动机结构设计准则研究报告》，主编《英国罗·罗公司斯贝发动机设计技术资料》《斯贝发动机赴英高空台实验、部件强度考核试验结果技术资料》《涡扇发动机及其系统的性能研究》《涡喷发动机试车中的性能研究与故障分析》等。参加航空发动机发展战略研究和许多重大科研项目的论证、评审和咨询，编写出版《航空发动机研制工作论文集》，主持完成中国第一部军用航空发动机通用标准规范的编制，使发动机研制从此有章可循。培养出几代航空发动机技术人才，被誉为“中国航空发动机之父”，为中国航空动力及航空工业的发展作出重要贡献。

吴大观有60年党龄。他生活俭朴，从不追求享乐奢华，除了工作，从不向组织提出任何要求。50年代，吴大观几次打报告要求降低自己的工资，未获批准。于是，从1963年开始，他主动每月多缴100元党费，一直坚持30年。从1994年开始，他每年向中组部继续多缴纳4000元至5000元党费。临终前又将自己剩下的10万元积蓄全部作为最后一次大额党费交给党组织。46年间，共缴纳特殊党费21.2万元。他先后为“希望工程”等捐款近10万元。

2009年3月18日，吴大观因病去世，享年93岁。总书记胡锦涛做出重要批示，高度评价吴大观同志是爱党爱国、无私奉献、报国有成的典范。要求认真总结、宣传他的先进事迹和崇高精神。2009年7月2日，他被中共中央组织部追授为全国优秀共产党员。中共中央组织部、中共中央宣传部、中央深入学习实践科学发展观活动领导小组、国资委党委决定在广大党员干部中深入开展向吴大观学习的活动。同年，吴大观入选为100位新中国成立以来感动中国人物。

2010年3月18日，吴大观青铜塑像揭幕仪式在北京中航工业大厦前举行。

卞孝萱

卞孝萱（1924—2009），谱名敬堂，字孝萱，又号映淮，晚年自署冬青老人。扬州人。住市区旧城九巷17号。文史研究专家。南京大学中文系教授、博士生导师。曾任中国历史文献研究会常务理事、中国唐史学会顾问、中国唐代文学学会韩愈研究会会长、省六朝史研究会会长、清代扬州画派研究会名誉会长等职。1992年10月，享受国务院颁发的政府特殊津贴。

卞孝萱出生不到两个月，父亲去世，家道中落，与寡母相依为命。5岁时，目不识丁的母亲请不起私塾先生，就到学堂做佣工，每天向先生学几个字，回来再教给儿子。两年多，母亲始终坚持认字教子。母亲好学不倦的精神对卞孝萱日后自学成才影响很大，让他受益终生。他小学就读于北柳巷董子祠，12岁考入省立扬州中学初中。民国27年（1938），省立江苏中学因日军侵占由镇江迁至泰县溱潼镇，卞孝萱曾就读于此，并受教于著名学者柳诒徵。中学毕业后，卞孝萱经族人介绍到上海远东商业银行工作。他白天上班，晚上进夜校补习，同时自学文、史、艺诸多方面知识。民国37年（1948），肄业于上海立信会计专科学校。民国38年（1949），调入北京人民银行工作。同年9月，加入中国民主建国会。业余时间，他刻苦自学，从收集、整理辛亥革命时期重要人物碑传入手，研究清以后政治、经济、军事、文化各方面人物的墓碑、墓志铭、家传、行状等，发表一批学术文章。1952 年，经推荐调入中国科学院近代史研究所工作。在范文澜指导下，协助修订《中国通史简编》。此后，他的研究方向转移到古代文史。卞孝萱长期在范文澜身边工作，以唐代文史为主攻方向，突破治文者不治史、治史者不治文的藩篱，开拓一个点面结合、文史结合的广阔领域。在唐代文学中，“刘柳”并称，“元白”齐名，但历来研究柳宗元、白居易者多，研究刘禹锡、元稹者少。为填补这一空白，卞孝萱先后撰写《刘禹锡年谱》《元稹年谱》《刘禹锡丛考》等。1971 年，章士钊拟编《柳文指要》一书，写信给周恩来，将卞孝萱从河南“五七”干校调回北京，到自己身边工作，协助校勘《柳文指要》全稿。

1976 年，卞孝萱顾念扬州的母亲年事已高，请求调到扬州师范学院任教。1978 ～ 1980 年，任扬州师范学院历史科副主任。1981 年，重回北京工作。1984 年，调入南京大学古典文献研究所，与程千帆、周勋初等组成实力雄厚的学术队伍，培养一批博士、硕士研究生。他开设的中国文化史、年代学研究、唐代小说与政治等课程，深受学生欢迎。在南京大学校长匡亚明主编的“中国思想家评传丛书”中，卞孝萱撰写《刘禹锡评传》《韩愈评传》。匡亚明聘任卞孝萱为丛书副主编。1989 年起，他担任《中华大典·文学典·隋唐五代文学分典》主编，历时 12 年，终于编成这部选录资料 1000 万字、收录作家约 2000 人、引用古籍近 2000 种的大型类书。该书出版后，被誉为“迄今为止有关隋唐五代文学资料最全、最精的一部”。

卞孝萱先后出版各类著作 30 多部，发表学术论文 200 多篇。撰写的《刘禹锡年谱》《唐代文史论丛》《刘禹锡丛考》《元稹年谱》《郑板桥丛考》《冬青书屋文存》《唐传奇新探》《唐人小说与政治》《现代国学大师学记》《家谱中的名人声影》以及编辑的《辛亥碑传集》《民国碑传集》，都是国内文史研究的典范作品。

卞孝萱对“扬州八怪”、扬州学派、鉴真、扬州唐代手工业与出土文物等作过深入研究。50 年代开始，他发表郑板桥、汪士慎、高翔等人的评论，引起学术界重视，成为“扬州八怪”研究的奠基人。主编“扬州八怪研究资料丛书”，全面收集“扬州八怪”的作品及研究材料。

余绳武

余绳武（1926—2009），男，扬州人，余冠英之子。中共党员。历史学家、中外关系史专家。民国 32 年（1943），在昆明入西南联合大学，抗战胜利后转入清华大学历史系继续学习。大学期间，致力于学习世界历史，先后选修过十余门西洋史课程，为后来从事中外关系史研究打下基础。民国 37 年（1948），清华大学毕业后考入清华研究院， 师从中国近代史学者邵循正教授学习中国近代史，并攻读中外关系史。1952 年，清华大学研究院毕业后，长期从事近代中外关系史的研究。历任中国科学院近代史研究所助理研究员，中国社会科学院近代史研究所副所长、所长、研究员、博士生导师，中国中俄关系史研究会会长，中国社会科学院荣誉学部委员，第七、八届全国政协委员，1991 年，享受国务院颁发的政府特殊津贴。

主编《沙俄侵华史》，合著《帝国主义侵华史》《十九世纪的香港》《二十世纪的香港》等。论文有《1858 年以前美籍传教士在中国的侵略活动》（《史学周刊》，1951 年第一期），《读卿汝辑著〈美国侵华史〉第二卷》（《历史研究》，1956 年第 10 期），《辛亥革命时期帝国主义列强的侵华政策》（《历史研究》，1961 年第 5 期），《殖民主义思想残余是中西关系史研究的障碍》（《近代史研究》，1990 年第 6 期），《近代中缅北段未定界问题的由来》（《中国边疆史地研究报告》，1992 年第 3 ～ 4 期），《从〈字林西报〉看英商对中日甲午战争的反应》（《甲午战争百年祭——多元视野下的中日战争》，知识出版社，1995 年）等 20 余篇。

江　涛

江涛（1929—2009），扬州人，祖居东关街逸圃内。华裔天文学家。其父江轸光（1900—1989）为扬州国画院第一任院长、市文联副主席。民国 26 年（1937）抗日战争爆发后，江涛随叔父去四川重庆。民国 33 年（1944），赴法国求学，后又去英国。大学毕业后在伦敦大学天文台工作。1962 年，江涛获伦敦大学天文博士学位。1970 年，应爱尔兰都柏林丹辛克天文台之聘，任该台副台长兼教授，直至退休。江涛是国际上有影响的天文学家。80 年代，国际天文联合会将 3751 号小行星命名为“江涛星”。

江涛热爱祖国。在中国与爱尔兰建立外交关系前，江涛在爱尔兰成立爱尔兰—中国友好协会，并任会长。1977 年，在国际天文学大会上，他联合一些具有国际声望的代表，慷慨陈词，据理力争，使大会通过恢复中国天文学会在国际天文学中的合法地位的决议。

江涛致力于将中国天文学界的研究成果介绍给世界的工作。1977 年，开始将《天文学报》翻译成英文，向全世界发行。他还设立江涛天文学写作奖金，以奖励在天文学论文写作方面优秀的中国学者。2000年以后，他几乎每隔一年都回国参加会议与讲学，应邀到国内有关天文台和大学参加学术交流与合作活动。

姜峻峰

姜峻峰（1931—2009），扬州人。住市区仁丰里 100-1 号。国家一级演员，扬剧表演艺术家，非物质文化遗产扬剧项目省级传承人。民国 37 年（1948），从艺。新中国成立后进入扬州人民扬剧团，后随团并入市扬剧团，从事扬剧表演直至退休。中国戏剧家协会会员，曾任市扬剧团艺术委员会主任、省扬剧研究会理事。中国农工民主党党员。

姜峻峰专工小生、老生，同时精于净、丑行当，善于塑造人物及表现不同角色的性格。嗓音清脆洪亮，吐字清晰刚劲，在唱、念上精益求精，注重吸收扬剧各流派特点化为己用，并精研清曲的经典唱腔。在保持扬剧风格、特色前提下，注重吸收借鉴京剧、评剧（穿板闪眼）、大鼓等剧种唱腔，逐渐形成唱腔高亢明亮、表演松弛洒脱、刻画人物准确到位的独特风格。他一生塑造生、净、丑数十个角色，其中《白蛇传》中的许仙、《王宝钏》中的薛平贵、《赖文光》中的赖文光、《珍珠塔》中的陈琏、《纣王与妲妃》中的商荣、《红灯记》中的鸠山、《杜鹃山》中的雷刚、《小陈庄》中的陈裕发、《范仲华娶亲》中的范仲华、《秦香莲》中的王丞相和包拯等角色，给观众留下深刻印象。1988 年，年已 58 岁的姜峻峰在大型现代扬剧《上访专业户》（又名《皮九辣子》）中担任一号主人公农民皮九，所扮角色的年龄从 18 岁到 50 岁，时代背景从新中国建立前到改革开放年代，时空跨度大，演出要求高。他努力克服各种困难，深入研究剧本，在舞台上塑造出一个“活皮九”。该剧成为他的巅峰之作，并被拍成电视剧在中央电视台、江苏电视台播放，获省首届扬剧节优秀表演奖、省新剧目观摩演出优秀表演奖、省首届“紫金杯”优秀表演奖、文化部优秀表演“文华奖”。1990 年被评为“江苏之星”，被市政府记大功一次。

姜峻峰集编、导、演、教于一身。经他整理、改编、创作和执导的剧目有数十个，其中《双枪陆文龙》《杨乃武与小白菜》《赖文光》《樊梨花》《王大娘补缸》《花轿错》《秦香莲》等成为扬剧常演剧目。编写、导演《婆媳泪》《莲花庵》《赵五娘》《孟丽君》等大戏 8 部，极大地丰富扬州文化品牌“周周看扬剧”演出活动的剧目库。他的事迹被收入《当代江苏戏剧家》《中国戏剧家大辞典》《扬州人》等书中。《王大娘补缸》等数十个剧目由上海唱片公司等陆续出版磁带和录像光盘，广受群众喜爱。

黄　宪

黄宪（1933—2010），扬州人。有机化学家。青少年时期住市区湾子街 171 号。出身于书香门第。在家庭熏陶下，自幼学习“四书”“五经”。民国 34 年（1945），以优异成绩考入省立扬州中学，选读理科。每年获得奖学金，深受老师称赞和同学敬佩。他的堂叔父黄鸣驹、黄鸣龙分别是药物分析化学家、有机化学家，受他们杰出学术成就的影响，黄宪在中学时期就对化学产生浓厚兴趣。1958 年，南京大学化学系毕业后，黄宪任杭州大学（现浙江大学）化学系助教。1981 年，晋升副教授。1986 年，晋升教授。曾任中国化学会理事，国家自然科学基金委员会委员，有机化学学科评审组成员，国家教委高校理科教学指导委员会委员，中国科学院金属有机化学国家重点实验室、南开大学元素有机化学国家重点实验室、兰州大学功能有机分子国家重点实验室、中国科学院有机氟化学开放实验室、四川省不对称合成与手性技术重点实验室学术委员，《有机化学》和《合成化学》编委。1992 年，享受国务院颁发的政府特殊津贴。1993 年，国家教委、人事部授于他全国优秀教师称号。1995 年，国务院授予他全国先进工作者称号。2003 年 11 月，当选中国科学院院士。

黄宪在中国有机合成化学学科开拓方面，取得多方面创新性研究成果。长期承担国家重大研究项目，潜心于有机合成新反应、新试剂和新方法的探索，发展许多高选择性的有机合成方法，推动有机化学的发展。90年代后期，他在自己原创性工作的基础上，开展独特的固相反应和组合化学研究，开发多种杂环化合物的固相合成，并建立杂环化合物分子库。

黄宪教书育人，治学严谨。他培养的学生中有中国科学院院士，有年轻的长江学者，有众多从事化学事业的教授、工程师。黄宪对浙江大学化学学科建设与发展作出贡献。该学科2007年被评为国家一级重点学科，成为国内有重要影响的学科之一。他在国内外重要学术刊物上发表研究论文近400篇，获多项省部级科技进步奖。1983年，组织编著出版《有机合成化学》，并于2003年出版新编版。该书成为高等院校及科研人员的重要参考书。1992年，他与吴世晖、徐汉生合作撰写中国第一部《有机合成》统编教材。该书获1995年国家教委优秀教材二等奖。他的“追踪前沿严格要求，提高化学学科博士生质量的探讨和实践”项目获1997年国家级优秀教学成果二等奖。

黄宪一直关心家乡扬州的发展。他对扬州化工产业提出具体的建议。他说，扬州化工产业要吸取浙江等沿海地区的经验教训，注重可持续发展，医用化工要向可控制性强、技术含量高、污染小、附加值高的制剂方向发展。

钱士金

钱士金（1943—2010），扬州人。住淮海路42号大院。出身于中医世家。其父钱健民（1913—1976）系推拿专家，对其影响较大。1970年，钱士金从南京中医学院医疗系毕业，先后在湾头医院（市针灸医院）任推拿针灸医师、副院长。1994年，调任广陵区中医院任针灸科负责人。1995年，被评为扬州市名中医。2001年，晋升为主任中医师。1999年，被市政府批准为有突出贡献的中青年专家。曾任市针灸学会副理事长、省针灸学会理事、中国竖横针刺法研究会秘书长、中华传统医学仪器学会理事、广陵区政协委员等。中国农工民主党党员。

钱士金在医疗实践中，运用针灸透穴原理，经过无数次动物试验和亲身体验，独创针灸“竖横针刺疗法”，得到全国针灸界专家、学者肯定。该方法用于临床，对治疗运动障碍性疾病，如坐骨神经痛、急性软组织损伤、颈椎病、网球肘、中风偏瘫等疾病，以及小儿脑瘫、截瘫、风瘫等慢性难治之症疗效显著。他用竖横针刺疗法治疗病人，收到锦旗、匾额500面。

1990年，钱士金应邀到北京为亚运会服务，获得中国医药暨传统手法专家亚运会义诊团表彰，并获“为亚运会医疗工作作出贡献”荣誉证书。他还为日本、新加坡、约旦等国的若干外宾治愈病痛。一次，他在给约旦奥委会主席伊布拉辛针灸时，8名台湾医家在旁观摩，短短10多分钟，伊布拉辛的胳膊就从抬不起来到能自由活动。这几名台湾客人当即邀约亚运会后专程到扬州拜钱士金为师；回到台北后，一遇难题他们就电话请教钱士金。《报刊文摘》为此刊发《台北电话询诊，扬州遥控治病》的报道，人民日报社邀请他们师徒参加“海峡两岸话银针”座谈活动。《人民日报》《健康报》《中国科技报》《新华日报》《江苏工人报》《扬州日报》、中央电视台、江苏电视台、扬州电视台等新闻媒体相继报道他的事迹。他还被收入《世界优秀医学专家人才名典》（中华卷）、《中国大陆购药求医指南》、《魂系中华·两岸医缘》等书。

钱士金的多项研究成果分获中华全国中医学会省分会优秀论文奖、省卫生厅科技进步甲级成果奖、中华医学会视听教材奖。1992年，获省中医学会、中华传统医学仪器学会大会交流荣誉证书。1995年，在中华首届中医药发展新思维多学科研讨展示会上，获学术交流荣誉证书。1998年，应邀到德国柏林亚太医学会大会上讲学，获荣誉证书。

钱士金除日常医疗工作外，还承担扬州老年大学保健课教学任务。2006年，他将自己的讲课内容修订成《老年保健按摩》一书。全书图文并茂，共30讲，约26万字。

聂　峰

聂峰（1944—2010），扬州人。非物质文化遗产扬州清曲项目省级代表性传承人，扬州清曲近150年来的第六代传人之一。省曲艺家协会会员，曾任市曲艺家协会理事、扬州曲艺之友社常务副社长、广陵清曲之友社社长、扬州清曲研究室副主任。

1960 年，聂峰考入市曲艺团，师从扬州清曲大师王万青及清曲名家魏绍章、马福如、曹文玉等。专工扬州清曲“阔口”演唱，善操四胡、二胡、檀板，尤其精于扬州清曲特种奏乐器“敲瓦碟”“碰酒杯”。“珠落玉盘”“雨打芭蕉”“泉水叮咚”“风摆荷叶”“蜻蜓点水”“海底捞月”等“敲瓦碟”的招式及“鸳鸯双戏水”“凤凰三点头”“金鸡报五更”“风动银铃”等“碰酒杯”的摇、碰、撞、击技法，他能娴熟掌握并“手口相应”地表演。聂峰演唱的传统经典套曲及一般套曲有 100 多个，现代曲目及唱段有近 100 个。60 年代，创作清曲唱段《雷锋》《新式农民董加耕》《激流丹心》《拆墙头》《为丰收》。80 年代，创作《借妻》《访经理》《计划生育好》《歌唱城市美容师》《关公自荐》《八仙分房》《茉莉情缘》等 10 多个唱段，其中有多篇作品获有关部门颁发的创作奖和演出奖。他注重扬州清曲理论研究，先后发表《扬州清曲唱念艺术基础》《扬州清曲乐器与伴奏》《扬州清曲字正腔圆之唱法》《扬州清曲唱论》等 20 多篇学术性理论文章，为扬州清曲的保护和发展作出贡献。

1986 年，聂峰与曲友对唱的《活捉张三郎》《小尼姑下山》被收入《中国曲艺音乐集成·江苏卷》，其中《活捉张三郎》的演唱录音被中央音乐学院、中国音乐研究所收藏。2001 年，聂峰被收入文化部艺术人才中心编纂的《中国地方艺术人才年鉴》，被列为“优秀地方艺术人才”。2006 年，扬州清曲研究专家韦人编著的《扬州清曲》一书配套音像 DVD 碟片，收录聂峰早期演唱的经典套曲《俞伯牙摔琴》《华容道》《货郎子与小姐》及其与曲友对唱的《活捉张三郎》《拷打红娘》《乡城亲家》。2007 年，聂峰编写《扬州清曲研究资料》一书，为方便学唱，将书中许多扬州清曲套曲翻译成简谱。

聂峰常年在扬州文化艺术学校教学并带领艺术院校学生进行理论研究，自创“板眼简谱”，再现原始的清曲教唱方法。他研创的“扬州清曲常用曲牌句式板眼结构”，在传统曲艺教学中具有较强实用性，使得教传、演唱以及伴奏更加便利和谐。

聂峰去世后，家人将其生前收藏、整理的 100 万字清曲资料、光盘、音像磁带、套曲曲词、清曲教材等分别捐赠给广陵区文化局扬州清曲研究室和市档案馆。

郭 荣

郭荣（1946—2010），扬州人。山水画家。扬州国画院高级画师。曾任扬州山水画研究会会长、民进扬州书画院副院长、广陵区政协委员。他自幼酷爱美术，绘画充满激情和灵气。1960 年，14 岁时考入刚成立的扬州国画院，从此开始专业美术创作活动。郭荣绘画注重传统，注重生活，不间断地写生和摹写历代名家字画，并加以融会贯通。早在“文化大革命”前，就有作品入选中日青年美术作品展。“文化大革命”中，他坚持自己的艺术追求，与画友悄悄到偏远的川、滇一带，感受祖国西南的自然风光，收集绘画素材。

郭荣画路很宽，山水、花鸟、人物俱佳。山水画既有北方绘画的雄浑大气，又有南方绘画的灵秀滋润，形成自己独特的艺术风格。常以中景为主，构图常变常新，下笔不犹豫，用笔不拘法度，用墨较重，极具张力。在重重叠叠的山崖之间，多用雾段和云气，湿笔晕染，不留笔痕，层次丰富，动感自然，虚幻迷离，意境深远，既具远近感，又有深厚感。

郭荣一生创作了数以万计的作品。他的作品上百次入选省级和全国性美术作品展览，10 多次获奖。国内外众多美术馆、博物馆、档案馆收藏有他的作品。2003 年，他被选调为中央办公厅布置画作。中南海、人民大会堂等许多重要场所陈列有他的作品。他的作品还多次参加日本、新加坡、中国香港等国家和地区美术作品展览。出版有《郭荣中国画集》《扬州国画院建院 50 周年作品集·郭荣卷》。

郭荣为人谦逊，淡泊名利。他积极参与抗震救灾、慰问部队、希望工程等各种公益性活动。曾资助一名失学儿童就学。坚持在扬州老年大学教学 20 多年，在师生中广受赞誉。

2010 年 9 月，郭荣山水画展在扬州个园举办，共展出其家藏遗作近百幅。

惠兆龙

惠兆龙（1945—2011），扬州人。扬州评话表演艺术家，国家一级演员，非物质文化遗产扬州评话项目国家级代表性传承人。曾任扬州市曲艺团副团长、团长、书记、名誉团长，扬州市曲艺家协会主席，扬州市青联副主席等职，曾当选为江苏省党代会代表，江苏省第六、第七、第八届人大代表，中国曲艺家协会会员，江苏省第七届文联委员，江苏省曲艺家协会第三、第四、第五、第六届理事，全国第七、第八次文代会代表，全国第三、第四、第五次曲代会（第五次主席团成员）代表，被评为江苏省文化系统先进个人、扬州市优秀共产党员、扬州市劳动模范。

1961年，惠兆龙考进扬州市曲艺团，启蒙于王少堂，专工《水浒》。后师从马凤章、张正卿。1964年，开始创演现代书目《广阔天地炼红心》《喜相逢》《霓虹灯下的哨兵》《龙门暴动》《孤坟鬼影》等。惠兆龙的评话在继承传统的基础上发展"讲史"的内容，使三尺书台展现出绚丽壮观的中国革命历史画卷。他的表演吸收王派说表细腻和马派注重表演逼真的特色，表演气势恢宏，语如金石，掷地有声，特别注意到一人多角，从"形似"到"神似"，形神兼备。1977年，开始创作表演"陈毅"系列评话，从《棋高一着》《陈毅拜客》《陈毅过江》到长篇评话《挺进苏北》。《人民日报》载文赞誉惠兆龙是书坛"活陈毅"，评其艺术特色为"满台风雷吼，全凭一张口"。在上海演出时，万人空巷，争睹"活市长"。

1977年，惠兆龙创作的评话《棋高一着》获江苏省戏曲调演创作、表演一等奖。1982年，评话《陈毅拜客》获全国曲艺会演创作一等奖、表演一等奖。同年7月，参加文化部举办的全国曲艺赴西北西南地区巡回演出团演出，历时三个月。1985年，获江苏省文化厅授予的优秀表演奖。1986年8月，随团进京在人民大会堂、民族文化宫演出《陈毅》，受到中央领导人接见和好评。1990年，《陈毅过江》获江苏省三州书荟最佳创作表演奖。1994～1997年，《陈毅进香》《陈毅过江》《陈毅赴宴》《大闹怀仁堂》《陈毅检查》等节目在广陵书荟、三州书荟和省、市赛事中获优秀创作、表演奖。1998年，《陈毅过江》获中国文联、中国曲艺家协会优秀创作表演奖。同年，获中国文联、中国曲艺家协会举办的"中国评书、评话名家展演"奖。2004年9月，获第三届中国曲艺最高奖牡丹奖（表演奖）。1996年起，扬州电视台、广播电台录制并播出其长篇传统评话《水浒·卢俊义》（188集）、《武松》（280集）以及《挺进苏北》（64集）等。2002年7月，长篇评话《挺进苏北》在中央电视台11套《南腔北调》栏目播出22集。他撰写的《从形似到神似》《书坛塑陈毅》《话到神来》《论扬州评话的说表艺术》等论文在《曲艺》杂志上发表。《棋高一着》《陈毅拜客》《喜相逢》《间谍落网记》被上海文艺出版社《说新书》和中国曲艺出版社《扬州说书选》收录出版发行。1996年8月，惠兆龙应邀赴丹麦哥本哈根参加中国口头文学国际研讨会，在会上演出并进行论文交流。多年来，惠兆龙一直热心辅导市曲艺团青年演员，坚持到扬州艺校曲艺班任教，为培养一代曲艺新人作出贡献。

第二章　人物表录

第一节　广陵区县(处)级以上已故领导干部

本节收录1993～2011年期间已故的广陵籍和在广陵区工作过的客籍县（处）及以上领导干部30人，按卒年先后为序，卒年相同者以生年先后为序。

1993～2011年广陵区县（处）级以上已故领导干部简表

表38-2-1

姓名	性别	生卒年份	简要经历
宋光舟	男	1911—1993	江苏新沂人。1938年9月，参加革命工作。1939年10月，加入中国共产党。曾在广陵区委党校工作。1984年9月离休，享受县（处）级政治生活待遇
郭 羡	男	1924—1993	江苏高邮人。1949年，参加革命工作。1954年，加入中国共产党。曾在原扬州市委党校行政科工作。1982年9月离休，享受县（处）级政治生活待遇
袁保先	男	1927—1993	安徽人。1944年，参加革命工作。1945年2月，加入中国共产党。曾任扬州市交通局副局长、广陵街道办事处主任、中共广陵街道党委副书记。1988年6月离休，享受县（处）级政治生活待遇
薛秀清	女	1928—1993	江苏靖江人。1943年8月，参加革命工作。1949年7月，加入中国共产党。曾任东关街道党委副书记。1984年离休，享受县（处）级政治生活待遇
朱 杰	男	1925—1994	江苏大丰人。1944年10月，参加革命工作。同年，加入中国共产党。曾任广陵区塑料六厂党支部书记、厂长。1981年1月离休，享受县（处）级政治生活待遇
戴子刚	男	1917—1995	江苏泰兴人。1940年9月，参加革命工作。1945年10月，加入中国共产党。曾任扬州市城南区秘书、扬州东关公社副社长、汶河街道办事处副主任。1982年12月离休，享受县（处）级政治生活待遇
黄 聘	女	1922—1995	江苏海门人。1945年2月，参加革命工作。1948年12月，加入中国共产党。曾任广陵街道办事处副主任。1982年12月离休，享受县（处）级政治生活待遇
战宇增	男	1931—1995	山东人。1949年1月，参加革命工作。1950年3月，加入中国共产党。1983年4月，任扬州市饮食公司副经理。1988年6月，任扬州市第二饮食服务公司副经理。1992年6月，在商业网点开发公司工作。1992年6月离休，享受县（处）级政治生活待遇
岳再生	男	1915—1996	河北人。1938年5月，参加革命工作。同年7月，加入中国共产党。曾在东关街道办事处工作。1984年离休，享受司局级（地师级）政治生活待遇
徐慎佳	男	1921—1996	1940年7月，参加革命工作。同年7月，加入中国共产党。曾任东关街道办事处科长。离休后享受地师级政治生活待遇
周林轩	男	1928—1996	1945年3月，参加革命工作。1956年，加入中国共产党。曾任城南街道办事处人武部部长、副主任，广陵区城市管理委员会副主任。1989年3月离休，享受县（处）级政治生活待遇
王凤翱	男	1919—1997	山东莱阳人。1942年9月，加入中国共产党并参加革命工作。曾任扬州红旗印刷厂副厂长。1982年8月离休，享受县（处）级政治生活待遇
李清香	男	1930—1997	江苏射阳人。1948年4月，参加革命工作。1950年4月，加入中国共产党。曾任扬州红旗印刷厂党支部书记、厂长、调研员。1990年12月离休，享受县（处）级政治生活待遇
魏玉华	男	1919—1998	山东苍山人。1938年2月，参加革命，同年11月，加入中国共产党。历任临郯青救团兰陵一七五团股长，八路军南进支队三大队指导员，一一五师教导五旅十四团、十五团指导员、副教导员、特派员，兰陵县大队副政委，鲁南三、五地委专署公安局社会部副部长兼局长，专署公安局局长，峄县县委副书记、县大队长、县委书记，台儿庄地委农委书记、地委委员，徐州市检察院检察长、工业部部长、市委副书记，江苏省化肥厂党委书记，徐州市委副书记、市长。“文化大革命”期间，下放劳动。1973年后，任泰州市委常委、市委书记、革委会主任，扬州市委书记、革委会主任，扬州地委常委，扬州市委顾问。1983年12月离休，享受正厅级待遇
孙振昌	男	1920—1998	江苏新沂人。1942年3月，参加革命工作。1946年2月，加入中国共产党。1974年8月，任东关公社革委会副主任，后在东关街道办事处工作。1985年离休，享受县（处）级政治生活待遇
王正南	男	1921—1998	安徽巢县人。1942年，参加革命工作。1946年，加入中国共产党。曾任扬州锁厂党支部书记、扬州测绘仪器厂党支部书记、市第二轻工业局行管会负责人。1982年8月离休，享受县（处）级政治生活待遇

续表 38-2-1

姓名	性别	生卒年份	简要经历
于　涛	男	1931—1999	山东人。1946年3月,参加革命工作。1950年2月,加入中国共产党。曾任扬州塑料三厂党支部书记、调研员。1992年12月离休,享受县(处)级政治生活待遇
邓洪圣	男	1931—1999	江苏邗江人。1949年9月,参加革命工作。1953年3月,加入中国共产党。曾任广陵区建委副主任、党委副书记。1991年8月离休,享受县(处)级政治生活待遇
陈希根	男	1924—2000	江苏东台人。1943年1月,参加革命工作。1946年7月,加入中国共产党。1981年,任原县级扬州市人大常委会办公室副主任、调研员。1985年12月离休,享受县(处)级政治生活待遇
陆美银	女	1928—2004	江苏如皋人。1947年10月,参加革命工作。同年,加入中国共产党。曾任城南街道办事处民政科科长。1984年离休,享受县(处)级政治生活待遇
徐兆楼	男	1926—2005	江苏泰兴人。1946年8月,参加革命工作。同年8月,加入中国共产党。曾任广陵区民政局副主任、股长。1988年3月离休,享受县(处)级政治生活待遇
王平康	男	1922—2006	山东人。1931年6月,参加革命工作。1939年7月,加入中国共产党。1983年3月,任广陵区人大常委会筹委会主任。1984年3月离休,享受司局级(地师级)政治生活待遇
季　华	女	1929—2006	江苏淮阴人。1945年8月,参加革命工作。同年10月,加入中国共产党。曾任广陵区民政局股长。1988年3月离休,享受县(处)级政治生活待遇
兰心培	男	1924—2007	山东即墨县人。1946年6月,参加革命工作。1949年7月,加入中国共产党。曾任扬州五金一厂党支部书记、厂长、调研员。1988年11月离休,享受县(处)级政治生活待遇
王乃祥	男	1939—2008	江苏扬州人。中共党员。1983年3月,任广陵区委办公室副主任、主任。1987年1月,任广陵区政府副区长。1992年11月,任扬州市商业局局长
段华杰	男	1929—2009	江苏泰兴人。1947年11月,参加革命并加入中国共产党。新中国成立后,先后任泰县县委纪律检查委员会秘书、副书记,泰县县委监察委员会副书记、泰县县委五人小组副组长,扬州地专机关党委会副书记,扬州地革会办事组、行政组副组长、政工组副组长,扬州地委组织部组织组组长,原县级扬州市委常委、组织部部长。1983年3月任广陵区委副书记兼组织部部长,广陵区一届、二届人大常委会主任。1990年7月离休,部分享受地师级待遇
张伯行	男	1932—2009	江苏无锡人。1948年6月,参加工作。1949年3月,加入中国共产党。1983年3月,任广陵区委党校校长。1986年3月至1988年3月,任广陵区政协常委、党组成员。1992年12月离休,享受县(处)级政治生活待遇
黄　瑜	男	1929—2011	江苏如皋人。1948年5月,参加革命工作。1949年3月,加入中国共产党。曾任广陵区司法局局长、巡视员。1990年7月,离休,享受县(处)级政治生活待遇
刘丰暖	男	1930—2011	山东省人。1947年8月,加入中国共产党。1949年2月,参加革命工作。曾任扬州市第二饮食服务公司党支部书记、科长。1991年4月离休,享受县(处)级政治生活待遇
程　平	男	1931—2011	江苏淮阴人。1949年12月,在扬州中学参加中国人民解放军。历任解放军第七十四师政治部文工队组长、小队长、高炮营文化教员、速成中学文化教员、《星火燎原》编辑部编辑、济南军区政治部文化部文艺科干事。1962年4月,加入中国共产党。1974年5月,起先后任原县级扬州市委办公室秘书、秘书组副组长、信访科科长,市委办公室副主任,市纪委副书记。1983年后,任广陵区委常委、纪委书记,兼任区侨联主席。1987年6月,任广陵区人大常委会党组副书记、副主任。1991年12月退休。去世后,遗体捐献用于医学科研和教学

第二节　革命烈士

本节收录1989～2011年期间牺牲的广陵籍革命烈士和2011年年末广陵区民政局登记管理的广陵籍革命烈士以及前志未收录的广陵籍革命烈士，共21人，按牺牲年月先后排列。

1989～2011年广陵籍革命烈士一览表

表38-2-2

姓名	性别	生卒年份	家乡地名	简要生平事迹
陈德铭	男	1915—1938	城区谢家巷10号	生前任广西十二集团军一三一师科长。1931年，参加革命，1935年9月，入党。1938年9月，在湖北浠水沙河镇抗敌战斗中牺牲。1949年8月12日，被扬州市政府批准为革命烈士。安葬地点不详
黄步林	男	1915—1940	头桥镇庆丰村双丰六组	生前为句容县区大队战士。1939年，参加革命。1940年，在句容县葛村镇与敌伪作战中牺牲。1966年2月7日，被邗江县人委批准为革命烈士。安葬地点不详
马锦胜	男	1915—1941	头桥镇庆丰村庆余二组	生前任江都县第三区特务连副连长。1941年2月21日，在丹徒县高桥乡执行任务时，被敌杀害。1993年9月，省政府批准其为革命烈士。烈士墓在迎新村头桥公墓园
陈道仁	男	1928—1944	头桥镇国玉村国玉一组	生前为八路军战士。1942年，参加革命。1944年8月，在泰州抗敌战斗中牺牲。烈士墓在泰州
周汝南	男	1913—1946	头桥镇迎江八圩	生前任东南分区副区长、游击大队长。1931年3月，参加革命，同年6月，入党。1946年1月9日，在丹徒县高桥三盖桥抗敌战斗中牺牲。1952年2月5日，被苏北扬州行署批准为革命烈士。烈士墓在扬州烈士陵园
钱正喜	男	1922—1946	头桥镇新华村	生前任江镇办事处连长。1942年，参加革命。1946年3月3日，在黑桥抗敌战斗中牺牲。1950年2月3日，被苏北扬州行署批准为革命烈士。烈士墓在头桥镇新华村
张正明	男	1920—1947	李典镇新坝小乾村	生前任江镇办事处地委交通班班长。1942年，参加革命。1947年，在高邮战斗中牺牲。1958年7月3日，邗江县人委发给牺牲证。1983年10月，民政部批准其为革命烈士。烈士墓在扬州市革命烈士陵园
黄少卿	男	1928—1947	头桥镇红桥双丰第六队	生前为江镇办事处短枪班战士。1944年2月，参加革命工作。1947年8月4日，在孙林庄抗敌斗争中牺牲。1950年1月20日，苏北扬州行署批准其为革命烈士。1983年8月，民政部发给革命烈士证明书
朱秀清	男	1916—1948	头桥镇红桥乾丰村	生前任江镇办事处武工队长。1938年，参加革命。1939年入党。1948年9月，在新坝韩小圩战斗中牺牲。1954年9月28日，被邗江县政府批准为革命烈士。烈士墓在李典镇新坝村
朱瑞龙	男	1921—1948	城区宛虹坊小井巷6号	生前为地下工作者。1943年6月，参加革命工作。1948年5月25日，在江都被敌人包围突围时牺牲。同年10月1日，苏北扬州行署批准其为革命烈士。1983年10月25日，民政部发给革命烈士证明书
聂闻远	男	1915—1949	文峰路17号	生前任浙西独立团支队副司令。1949年5月24日，在上海策反敌军时牺牲。1998年6月8日，被省政府批准为革命烈士。安葬地不详

续表 38-2-2

姓名	性别	生卒年份	家乡地名	简要生平事迹
邱世毅	男	1923—1949	城区	生前任苏中地委社会部国军科副科长。1939 年 10 月，入党。1947 年 5 月，被叛徒出卖被捕。1949 年 4 月，被国民党杀害于上海。1994 年 7 月，省政府批准其为革命烈士
张云根	男	1940—1961	头桥镇	生前为解放军某部炮兵营战炮连战士。1961 年 7 月 30 日外出执行任务时，在江西省上饶市罗桥牺牲。1961 年 8 月 5 日，南京军区批准其为革命烈士
汤　斌	男	1924—1966	城区开朗南巷 1-1 号	生前为九纵二十五师特务三连战士。1948 年 11 月，参加革命。1966 年 1 月，因伤口复发在扬州病故。1966 年 1 月 10 日，扬州市人委批准为革命烈士
周长清	男	1925—1968	城区大草小区	生前任解放军某部副股长。1944 年 2 月，参加革命。1950 年，入党。1968 年 11 月 30 日，因病去世。曾立二等功 2 次、三等功 1 次。1975 年 8 月 25 日，被解放军总政治部批准为革命烈士。烈士墓在江西省上饶市茅家岭烈士陵园
王邦林	男	1949—1974	头桥镇庆丰村双丰九组	生前为解放军某部战士。1971 年，参加工作。1974 年 7 月 19 日，在陕西潼关执行武器装备科研试验任务中因公牺牲。同年 7 月 21 日，追认为共产党员。1974 年 7 月 21 日，解放军总政治部批准为革命烈士。烈士墓在陕西烈士陵园
刘红梅	女	1961—1980	城区仓巷 12 号	生前任解放军某部通讯站班长。1977 年 1 月，参加工作。1976 年 11 月，入团。1980 年 3 月，在河北省承德市因公牺牲。1980 年 10 月 11 日，解放军某部政治部发给牺牲证书。1983 年 10 月 25 日，民政部发给革命烈士证明书。安葬地点不详
孙明祥	男	1971—1997	杭集镇王桥村	生前任北京卫戍区副连职排长。1990 年 3 月，入伍。1991 年 6 月，入党。1997 年 7 月 12 日，在北京大兴县念坛水库营救落水者牺牲。同年 8 月，北京军区批准为革命烈士
朱晓峰	男	1966—2001	头桥镇九圣村	生前任解放军总装备部无锡某研究所高级工程师、副区队长。1985 年 8 月，参加工作。1998 年 7 月，入党。2001 年 12 月 9 日，在野外实弹试验中，为掩护战友牺牲。2002 年 6 月 6 日，被解放军总装备部批准为革命烈士。烈士墓在头桥镇九圣村
曹　波	男	1980—2003	李典镇新坝村	生前为深圳市南山区蛇口保安服务公司保安员。2001 年 5 月，入团。2003 年 3 月 16 日，在深圳市罗湖区凤凰街勇斗抢劫歹徒牺牲。2004 年 12 月 31 日，被广东省政府批准为革命烈士。烈士墓在扬州市革命烈士陵园
许　强	男	1977—2007	城区书院巷 6 号	生前任扬州市公安局交巡警支队扬溧高速大队科员。2001 年 11 月，参加工作。1993 年 6 月，入团。2007 年 10 月 27 日，在扬溧高速执行疏导交通警备时受伤牺牲。2008 年 2 月，公安部追授其为全国公安系统二级英雄模范称号。同年 6 月 20 日，被省政府批准为革命烈士。烈士墓在扬州革命烈士陵园

第三节　先进模范人物

1989～2011 年，广陵区获全国、省部级、市级、区级表彰共 151 人次，其中全国劳动模范、全国先进工作者 2 人；获省部级奖励 15 人，其中全国五一劳动奖章获得者 1 人、江苏省劳动模范 9 人、江苏省先进工作者 2 人、国家部委授予荣誉称号 3 人；获市级奖励 39 人，其中扬州市劳动模范 34 人、扬州市先进工作者 1 人、江苏省五一劳动奖章获得者 4 人；获区级奖励 95 人，其中广陵区劳动模范 91 人、扬州市五一劳动奖章获得者 4 人。本表以表彰级别及授予时间先后为序。

1989～2011 年扬州市广陵区劳动模范和先进工作者一览表

表 38-2-3

姓名	性别	荣誉称号	工作单位	授予年份
马恩甲	男	全国先进工作者	汶河小学	1995
高仁林	男	全国劳动模范	扬州灯泡厂	2000
陆永斌	女	全国优秀教师	育才小学	1989
高菊芬	女	全国优秀教师	城南小学	1989
周玉福	男	江苏省劳动模范	广陵区计经委	1991
周桂清	男	建设部劳动模范	广陵区文峰环卫所	1993
郁学诗	男	江苏省劳动模范	扬州琼花玻璃仪器有限公司	1996
季开文	男	江苏省劳动模范	扬州大酒店	1996
郁学诗	男	全国五一劳动奖章获得者	扬州琼花玻璃仪器有限公司	1997
郭祝山	男	江苏省劳动模范	广陵区人民法院	2001
蔡　彬	女	江苏省劳动模范	扬州市职业病防治院	2001
周业红	女	江苏省劳动模范	业红足艺	2006
殷　明	男	江苏省劳动模范	万家福商城	2006
李　华	女	江苏省先进工作者	东关街道琼花观社区	2006
谈　浩	男	江苏省劳动模范	海沃机械(扬州)有限公司	2011
吴利群	男	江苏省劳动模范	扬州东方吊架有限公司	2011
刘光兵	男	江苏省先进工作者	扬州市公安局广陵分局运东派出所	2011
郁学诗	男	扬州市劳动模范	扬州琼花玻璃仪器有限公司	1989
曹小顺	男	扬州市劳动模范	广陵区汶河环卫所	1989
徐国英	女	扬州市劳动模范	广陵小学	1989
周怀山	男	扬州市劳动模范	扬州市公安局广陵分局	1989
仇庆芳	男	扬州市劳动模范	紫罗兰美发厅	1989
周玉福	男	江苏省五一劳动奖章获得者	广陵区计经委	1991
曹文涛	男	江苏省五一劳动奖章获得者	扬州电位器厂	1993
季开文	男	扬州市劳动模范	扬州大酒店	1994
钟绣文	女	扬州市劳动模范	扬州商场	1994
王学智	男	扬州市劳动模范	扬州欣宝机械有限公司	1994
丁钱宝	男	扬州市劳动模范	广陵区建设局	1994
杜大顺	男	扬州市劳动模范	扬州绿叶食品有限公司	1994
张惠卿	女	扬州市劳动模范	广陵区人民检察院	1994
周业红	女	扬州市劳动模范	业红足艺	1994
徐欣五	男	江苏省五一劳动奖章获得者	扬州欣宝机械有限公司	1998
刘文雄	男	江苏省五一劳动奖章获得者	扬州保来得工业有限公司	2003
王　璘	女	扬州市劳动模范	扬州金飞驰电动车有限公司	1999
束锦祥	男	扬州市劳动模范	广陵区人民法院	1999
杨立久	男	扬州市劳动模范	扬州正大桅灯有限公司	1999

续表 38-2-3

姓名	性别	荣誉称号	工作单位	授予年份
曹有信	男	扬州市劳动模范	广陵区教育局	1999
谈振治	男	扬州市劳动模范	广陵区汤汪乡九龙村委会	2002
王宇昌	男	扬州市劳动模范	广陵区中医院	2002
刘萍丽	女	扬州市劳动模范	育才小学	2002
徐哲之	男	扬州市劳动模范	扬州保来得粉末冶金有限公司	2002
颜礼高	男	扬州市劳动模范	广陵区环卫所	2005
顾本安	男	扬州市劳动模范	广陵区审计局	2005
李　华	女	扬州市劳动模范	东关街道琼花观社区	2005
殷　明	男	扬州市劳动模范	万家福商城	2005
刘荣军	男	扬州市劳动模范	汤汪中学	2005
王新勇	男	扬州市劳动模范	扬州广菱电子有限公司	2005
谈　浩	男	扬州市劳动模范	海沃机械（扬州）有限公司	2008
王国君	男	扬州市劳动模范	育才小学	2008
吴利群	男	扬州市劳动模范	扬州东方吊架有限公司	2008
郑　翔	女	扬州市劳动模范	曲江街道文昌花园社区	2008
汪德海	男	扬州市劳动模范	扬州金鹰玉器珠宝有限公司	2011
王通华	男	扬州市劳动模范	扬州巨人机械有限公司	2011
陈福祥	男	扬州市劳动模范	湾头镇沙联村	2011
刘宝珠	女	扬州市先进工作者	汶河街道四望亭社区	2011
王新生	男	扬州市劳动模范	扬州阿波罗蓄电池有限公司	2011
王国君	男	广陵区劳动模范	育才小学	2004
王素云	女	广陵区劳动模范	东花园幼儿园	2004
王海鹰	男	广陵区劳动模范	扬州嘉和散热器有限公司	2004
王尊娴	女	广陵区劳动模范	东郊果品公司	2004
伏正予	女	广陵区劳动模范	汶河街道荷花池社区	2004
刘卫平	男	广陵区劳动模范	扬州灯泡(集团)厂	2004
刘荣军	男	广陵区劳动模范	汤汪中学	2004
阮大和	男	广陵区劳动模范	广陵区机关行政事务管理局	2004
孙　晶	女	广陵区劳动模范	艺蕾小学	2004
朱建宏	男	广陵区劳动模范	扬州意得机械有限公司	2004
陈士文	男	广陵区劳动模范	广陵区教育局	2004
陈晓明	男	广陵区劳动模范	扬州市口腔医院	2004
李　华	女	广陵区劳动模范	东关街道琼花观社区	2004
何其林	男	广陵区劳动模范	扬州人民金属机电化轻有限公司	2004
吴利群	男	广陵区劳动模范	扬州东方吊架有限公司	2004
吴晓林	男	广陵区劳动模范	扬州欣宝机械有限公司	2004
庞仲辉	男	广陵区劳动模范	曲江小商品批发市场	2004

续表 38-2-3

姓名	性别	荣誉称号	工作单位	授予年份
茆冠球	男	广陵区劳动模范	扬州市城管执法局广陵分局	2004
周文静	女	广陵区劳动模范	扬州市绿宇照明电器有限公司	2004
周　群	女	广陵区劳动模范	汤汪乡连运村	2004
倪厚云	男	广陵区劳动模范	汤汪水利站	2004
殷　明	男	广陵区劳动模范	万家福商城	2004
殷文奇	男	广陵区劳动模范	湾头镇沙联村	2004
黄达明	男	广陵区劳动模范	扬州金利机械有限公司	2004
盛夕琴	女	广陵区劳动模范	广陵区环卫办汶河保洁中心	2004
葛余顺	男	广陵区劳动模范	广陵区人民法院新城法庭	2004
焦其和	男	广陵区劳动模范	紫罗兰美发厅	2004
樊　嘉	女	广陵区劳动模范	广陵区婚姻服务调解事务所	2004
崔九慧	女	广陵区劳动模范	扬州联通线缆公司	2007
董　杰	男	广陵区劳动模范	中冶京诚(扬州)公司	2007
徐玉兰	女	广陵区劳动模范	汤汪乡同心村	2007
陈福祥	男	广陵区劳动模范	湾头水利站	2007
范晓苓	女	广陵区劳动模范	扬州金飞驰电动车有限公司	2007
闵小平	男	广陵区劳动模范	广陵区城管局	2007
桑　平	男	广陵区劳动模范	扬州金利机械公司	2007
刘桂林	男	广陵区劳动模范	扬州大力工具有限公司	2007
周树基	男	广陵区劳动模范	扬州市口腔医院	2007
刘宝珠	女	广陵区劳动模范	汶河街道四望亭社区	2007
许定胜	男	广陵区劳动模范	广陵区财政局	2007
王家华	男	广陵区劳动模范	广陵区琼花观华塑医院	2007
王金燕	男	广陵区劳动模范	广陵区城中卫生院	2007
郑　翔	女	广陵区劳动模范	曲江街道文昌花园社区	2007
李惠坤	男	广陵区劳动模范	扬州正宇锅炉公司	2007
徐桂华	女	广陵区劳动模范	万家福商城	2007
李德明	男	广陵区劳动模范	扬州仁林科技公司	2007
张春芳	女	广陵区劳动模范	伊斯兰幼儿园	2007
赵　琴	女	广陵区劳动模范	汶河幼儿园	2007
贾传泳	男	广陵区劳动模范	育才实验学校	2007
陶孝志	男	广陵区劳动模范	广陵区体育局	2007
赵承志	男	广陵区劳动模范	扬州市公安局广陵分局	2007
钱换新	男	广陵区劳动模范	扬州市公安局广陵分局	2007
管　伟	女	广陵区劳动模范	广陵区人民检察院	2007
曹文杰	男	广陵区劳动模范	广陵区人民法院	2007
陈建军	男	广陵区劳动模范	曲江商品城	2007

续表 38-2-3

姓名	性别	荣誉称号	工作单位	授予年份
戴玉兰	女	广陵区劳动模范	沙口小学	2007
高　岚	女	广陵区劳动模范	汶河街办	2007
汤恒阳	男	广陵区劳动模范	扬州万方电子公司	2007
李宝民	男	广陵区劳动模范	扬州嘉和散热器有限公司	2007
戴光辉	男	广陵区劳动模范	扬州市公安局广陵分局曲江派出所	2007
谈　浩	男	广陵区劳动模范	海沃机械（扬州）公司	2007
刘伟文	男	广陵区劳动模范	扬州正大桅灯有限公司	2007
侯建国	男	市五一劳动奖章	扬州市公安局广陵分局	2009
谈建新	男	市五一劳动奖章	广陵区城管局	2009
刘宝珠	女	市五一劳动奖章	汶河街道四望亭社区	2009
侯文华	男	市五一劳动奖章	江苏怡丰通信设备有限公司	2009
汪德海	男	广陵区劳动模范	扬州金鹰玉器有限公司	2010
李正红	女	广陵区劳动模范	湾头镇二桥奶牛场	2010
潘惠林	男	广陵区劳动模范	汤汪乡连运村委会	2010
王安文	男	广陵区劳动模范	汤汪电车线网配件厂	2010
毕强昕	男	广陵区劳动模范	江苏太极实业新材料有限公司	2010
钱　新	男	广陵区劳动模范	扬州曲江商品城有限公司	2010
王中权	男	广陵区劳动模范	扬州灯泡有限公司	2010
朱红萍	女	广陵区劳动模范	文峰街道皮坊街社区	2010
刘雪松	男	广陵区劳动模范	扬州嘉和散热器有限公司	2010
蔡皓月	女	广陵区劳动模范	东关街道宋都社区	2010
周萍华	女	广陵区劳动模范	汶河街道龙头关社区	2010
李　萍	女	广陵区劳动模范	汶河街道皇宫社区	2010
吴维联	男	广陵区劳动模范	扬州欣宝机械有限公司	2010
周　萍	女	广陵区劳动模范	扬州金鹰国际实业有限公司	2010
张　蓉	女	广陵区劳动模范	广陵小学	2010
焦建中	男	广陵区劳动模范	东关小学	2010
刘　荣	男	广陵区劳动模范	湾头实验学校	2010
马小剑	男	广陵区劳动模范	广陵区疾病预防控制中心	2010
何中秋	男	广陵区劳动模范	广陵区东关保洁中心	2010
罗桂平	男	广陵区劳动模范	扬州泰达发展建设有限公司	2010
王通华	男	广陵区劳动模范	扬州巨人机械有限公司	2010
张德华	男	广陵区劳动模范	海沃机械（扬州）有限公司	2010
陶小平	男	广陵区劳动模范	扬州商贸物流园	2010
许茂荣	男	广陵区劳动模范	扬州众成堂医药连锁有限公司	2010
刘光兵	男	广陵区劳动模范	扬州市公安局广陵分局运东派出所	2010
任爱梅	女	广陵区劳动模范	广陵区人民检察院	2010

续表 38-2-3

姓名	性别	荣誉称号	工作单位	授予年份
张笑梅	女	广陵区劳动模范	广陵区人民法院	2010
桑　炜	男	广陵区劳动模范	广陵区纪委信访室	2010
蒋兴国	男	广陵区劳动模范	广陵区外经局	2010
郑晓骏	男	广陵区劳动模范	广陵区民政局婚姻登记处	2010

第四节　高级专业技术职称人员

高级专业技术职称人员表收录在广陵区工作的 1997 ～ 2011 年间评定的高级专业技术职称人员 305 人。工作单位系该人员评定职称时所在单位。以专业技术职称分类及职称评定时间先后为序。

1997 ～ 2011 年广陵区高级专业技术职称人员一览表

表 38-2-4

姓名	性别	专业技术职称	工作单位	评定年份
杨永光	男	主任医师	广陵区中医院	1999
钱士金	男	主任中医师	广陵医院	2001
陈迎五	男	社区主任中医师	汶河街道社区卫生服务中心	2009
王国丰	男	副主任医师	扬州市红十字医院	1997
缪培融	男	副主任医师	汶河医院	1997
白　石	男	副主任医师	广陵区卫生防疫站	2000
王志军	女	副主任医师	广陵区卫生防疫站	2000
申建秋	女	副主任医师	扬州市职业病防治院	2000
王林华	男	副主任医师	扬州市职业病防治院	2002
周存扣	男	副主任医师	扬州市职业病防治院	2002
戚海燕	女	副主任医师	广陵区卫生防疫站	2002
刘以建	男	副主任医师	湾头医院	2002
于秋香	女	副主任医师	扬州市口腔医院	2003
钱　颖	男	副主任医师	广陵区疾病预防控制中心	2004
吴金兰	女	副主任医师	扬州市职业病防治院	2004
于永才	男	副主任医师	广陵区中医院	2007
朱维琳	女	副主任医师	广陵区东关社区卫生服务中心	2008
朱建华	男	副主任医师	广陵区卫生监督所	2008
徐小平	男	副主任医师	广陵区湾头镇社区卫生服务中心	2011
陈永生	男	副主任中医师	广陵医院	1997
朱仁瑜	女	副主任中医师	扬州市职业病防治院	1997
王宇昌	男	副主任中医师	广陵区中医院	2000
张荣平	女	副主任中医师	广陵区中医院	2000

续表 38-2-4

姓名	性别	专业技术职称	工作单位	评定年份
李玉林	男	副主任中医师	广陵区中医院	2001
刘慧勤	女	副主任中医师	扬州市口腔医院	2002
周向红	女	副主任中医师	广陵区中医院	2010
朱 铁	男	社区副主任医师	湾头医院	2006
吕庆康	男	社区副主任医师	扬州市口腔医院	2007
周 峰	男	社区副主任医师	扬州市口腔医院	2007
戴宗扬	男	社区副主任中医师	湾头医院	2008
张文芝	女	社区副主任中医师	汶河街道社区卫生服务中心	2009
王建华	男	社区副主任医师	汶河街道社区卫生服务中心	2010
高秋林	男	社区副主任医师	汶河街道社区卫生服务中心	2010
刘俭珍	女	社区副主任护师	湾头社区卫生服务中心	2010
刘萍丽	女	中学高级教师	育才小学	2002
孙 书	女	中学高级教师	东关小学	2002
周建鹏	男	中学高级教师	汤汪中学	2002
丁文宏	男	中学高级教师	汤汪中学	2002
陈士文	男	中学高级教师	广陵区教育局	2002
陆继俊	男	中学高级教师	汶河小学	2003
张 慧	女	中学高级教师	湾头中学	2003
孙银凤	女	中学高级教师	汤汪中学	2003
孙 晶	女	中学高级教师	艺蕾小学	2004
陈祥悦	男	中学高级教师	北京新东方扬州外国语学校	2004
龚海平	男	中学高级教师	广陵区教育局教研室	2004
李小平	女	中学高级教师	扬州市培智学校	2004
戴玉兰	女	中学高级教师	沙口小学	2004
顾美娟	女	中学高级教师	少年宫	2004
肖德艾	男	中学高级教师	湾头实验学校	2004
田德军	男	中学高级教师	湾头中学	2004
居玲玲	女	中学高级教师	跃进桥小学	2004
吴成慧	女	中学高级教师	广陵区教育局教研室	2005
褚桂香	女	中学高级教师	广陵区教育局教研室	2005
季荣华	男	中学高级教师	汤汪中学	2005
王秀珍	女	中学高级教师	汤汪中学	2005
沈爱峰	女	中学高级教师	湾头中学	2005
韩建荣	男	中学高级教师	湾头中学	2005
谭爱兰	女	中学高级教师	东花园小学	2005
赵家玲	女	中学高级教师	少年宫	2005
张启东	男	中学高级教师	北京新东方扬州外国语学校	2006

续表 38-2-4

姓名	性别	专业技术职称	工作单位	评定年份
朱 勇	男	中学高级教师	北京新东方扬州外国语学校	2006
葛敏芸	女	中学高级教师	东关小学	2006
韦波富	男	中学高级教师	东关小学	2006
唐开权	男	中学高级教师	宦桥小学	2006
江纪龙	男	中学高级教师	沙口小学	2006
张利群	女	中学高级教师	汤汪中学	2006
焦德根	男	中学高级教师	汤汪中学	2006
吕爱清	男	中学高级教师	湾头中学	2006
翁德才	男	中学高级教师	湾头中学	2006
王克勤	男	中学高级教师	湾头中学	2006
赵 琴	女	中学高级教师	汶河幼儿园	2006
丁赤光	男	中学高级教师	育才小学	2006
桑春凤	女	中学高级教师	汤汪中学	2007
陈丽娟	女	中学高级教师	汤汪中学	2007
常 进	男	中学高级教师	汤汪中学	2007
刘荣军	男	中学高级教师	汤汪中学	2007
邰晓霞	女	中学高级教师	湾头实验学校	2007
易文胜	男	中学高级教师	北京新东方扬州外国语学校	2007
相 东	男	中学高级教师	广陵区教育局研究室	2007
朱 彤	女	中学高级教师	广陵区教育局研究室	2007
戴学英	女	中学高级教师	东关小学	2007
焦建中	男	中学高级教师	解放桥小学	2007
柳家琴	女	中学高级教师	育才小学	2007
周超英	男	中学高级教师	扬州市少年宫	2007
封 敏	女	中学高级教师	扬州市少年宫	2007
潘 宁	女	中学高级教师	扬州大学附属小学	2007
李 翠	女	中学高级教师	扬州大学附属小学	2007
石 芳	女	中学高级教师	扬州大学附属小学	2007
万荣平	女	中学高级教师	扬州大学附属小学	2007
李菊梅	女	中学高级教师	广陵小学	2007
陈兴玉	男	中学高级教师	湾头中学	2008
张 翔	男	中学高级教师	湾头中学	2008
葛永定	男	中学高级教师	湾头实验学校	2008
董开扬	男	中学高级教师	湾头实验学校	2008
林爱萍	女	中学高级教师	湾头实验学校	2008
张秀红	女	中学高级教师	汤汪中学	2008
陈 萍	女	中学高级教师	汤汪中学	2008

续表 38-2-4

姓名	性别	专业技术职称	工作单位	评定年份
姬长江	男	中学高级教师	北京新东方扬州外国语学校	2008
蒋　华	女	中学高级教师	扬州大学附属小学	2008
谢　萍	女	中学高级教师	扬州大学附属小学	2008
乔　华	女	中学高级教师	扬州大学附属小学	2008
吕元美	女	中学高级教师	扬州大学附属小学	2008
袁建萍	女	中学高级教师	扬州大学附属小学	2008
于　蓉	女	中学高级教师	育才小学	2008
王宇明	男	中学高级教师	育才小学	2008
王　俐	女	中学高级教师	育才小学	2008
黄元虎	男	中学高级教师	育才小学	2008
姜梅红	女	中学高级教师	育才小学	2008
胡建红	女	中学高级教师	育才小学	2008
郑　清	女	中学高级教师	东关小学	2008
华寿丰	男	中学高级教师	东关小学	2008
王晓群	女	中学高级教师	东关小学	2008
倪慧云	女	中学高级教师	东关小学	2008
杨　静	女	中学高级教师	沙口小学	2008
胡如华	男	中学高级教师	解放桥小学	2008
沈宝华	女	中学高级教师	广陵小学	2008
黄　群	女	中学高级教师	新世纪幼儿园	2008
王素云	女	中学高级教师	东花园幼儿园	2008
梁　芳	女	中学高级教师	北京新东方扬州外国语学校	2009
毛　艳	女	中学高级教师	北京新东方扬州外国语学校	2009
何晓梅	女	中学高级教师	北京新东方扬州外国语学校	2009
孙春明	男	中学高级教师	北京新东方扬州外国语学校	2009
沙庆仁	男	中学高级教师	北京新东方扬州外国语学校	2009
杨家兰	女	中学高级教师	扬州大学附属小学	2009
丁　明	女	中学高级教师	扬州大学附属小学	2009
赵冬芹	女	中学高级教师	东关小学	2009
吴　玲	女	中学高级教师	东关小学	2009
苏红梅	女	中学高级教师	扬州市解放桥小学	2009
樊　燕	女	中学高级教师	沙口小学	2009
徐　勤	女	中学高级教师	扬州市少年宫	2009
周启东	男	中学高级教师	汤汪中学	2009
袁正国	男	中学高级教师	湾头实验学校	2009
傅　兵	女	中学高级教师	育才小学	2009
周晓娅	女	中学高级教师	育才小学	2009

续表 38-2-4

姓名	性别	专业技术职称	工作单位	评定年份
贾传泳	男	中学高级教师	育才小学	2009
蔡月珍	女	中学高级教师	育才小学	2009
郜正忠	男	中学高级教师	育才小学	2009
顾　悦	女	中学高级教师	育才幼儿园	2009
王树华	男	中学高级教师	北京新东方扬州外国语学校	2010
张　燕	女	中学高级教师	扬州大学附属小学	2010
孟国来	男	中学高级教师	扬州大学附属小学	2010
周晓梅	女	中学高级教师	扬州大学附属小学	2010
刘　洪	男	中学高级教师	北柳巷小学	2010
周　玲	女	中学高级教师	东关小学	2010
余　耀	男	中学高级教师	东关小学	2010
张　进	女	中学高级教师	东关小学	2010
朱　蓓	女	中学高级教师	东关小学	2010
蔡　勤	女	中学高级教师	东关小学	2010
毛　姮	女	中学高级教师	广陵区教育局电化教育中心	2010
杨金珍	女	中学高级教师	扬州市广陵小学	2010
高鹏凌	女	中学高级教师	扬州市培智学校	2010
石　萍	女	中学高级教师	扬州市沙口中心小学	2010
姚功清	男	中学高级教师	扬州市少年宫	2010
方永成	男	中学高级教师	汤汪中学	2010
朱瑞桃	男	中学高级教师	汤汪中学	2010
周　俊	男	中学高级教师	汤汪中学	2010
陈　忠	男	中学高级教师	育才小学	2010
尹子康	男	中学高级教师	育才小学	2010
陈志德	男	中学高级教师	北京新东方扬州外国语学校	2011
谢孝兰	男	高级讲师	广陵区委党校	1992
缪晓琳	女	高级讲师	广陵区委党校	1995
汪　盈	男	高级讲师	广陵区委党校	2002
成红五	男	高级讲师	广陵区委党校	2002
吴　晔	女	高级教练员	广陵区儿童业余体校	2000
陈　勃	男	高级教练员	广陵区儿童业余体校	2003
李庆如	男	高级工程师	扬州开关厂	1998
俞秀英	女	高级工程师	扬州电位器厂	1999
刘　慧	女	高级工程师	广陵区环境监测站	2000
李　进	男	高级工程师	扬州市房地产开发公司	2002
龚正伯	男	高级工程师	扬州经纬房地产开发公司	2003
李　彬	女	高级工程师	广陵区农业技术推广服务中心	2005

续表 38-2-4

姓名	性别	专业技术职称	工作单位	评定年份
林忠伟	男	高级工程师	扬州正宇锅炉有限公司	2005
方　翔	男	高级工程师	扬州喷雾制品公司	2006
刘　斌	男	高级工程师	扬州中源建筑安装有限公司	2006
卞庆林	男	高级工程师	江苏弘扬建设工程有限公司	2006
夏　进	男	高级工程师	江苏弘扬建设工程有限公司	2006
符庆林	男	高级工程师	扬州恒基商品混凝土有限公司	2006
韩凤姝	女	高级工程师	扬州新源建安装饰工程有限公司	2006
王年春	男	高级工程师	扬州金阳光建筑安装有限公司	2006
王俊鹏	男	高级工程师	扬州潜龙基础工程有限公司	2008
李中华	男	高级工程师	扬州冶金机械有限公司	2008
陈　鹏	男	高级工程师	江苏天润置业有限公司	2011
瞿洪海	男	高级工程师	扬州潜龙基础工程有限公司	2011
周延贵	男	高级工程师	扬州市森亿装饰工程有限公司	2011
钱灿军	男	高级工程师	扬州万方电子技术有限责任公司	2011
夏继刚	男	高级工程师	中电科技扬州宝军电子有限公司	2011
赵熠明	男	高级工程师	中电科技扬州宝军电子有限公司	2011
张　勇	男	高级工程师	扬州鼎恒机械设备有限公司	2011
顾成森	男	地方高级工程师	广陵区建筑装潢配套公司	2000
高　远	男	地方高级工程师	扬州高远基础建设工程有限公司	2000
张　迅	女	地方高级工程师	扬州金利机械有限公司	2001
黄达明	男	地方高级工程师	扬州金利机械有限公司	2001
保　勇	男	地方高级工程师	扬州华扬蓄电池有限公司	2002
鲍松来	男	地方高级工程师	扬州茂信冷弯型钢有限公司	2002
陈　振	男	地方高级工程师	扬州东方吊架有限公司	2008
帖荣萍	女	地方高级工程师	扬州东方吊架有限公司	2008
帖荣俊	男	地方高级工程师	扬州东方吊架有限公司	2008
帖荣康	男	地方高级工程师	扬州东方吊架有限公司	2008
朱国梅	女	地方高级工程师	扬州东方吊架有限公司	2008
汤东军	男	地方高级工程师	扬州冶金机械有限公司	2008
袁婉淳	女	地方高级工程师	扬州冶金机械有限公司	2008
李　波	男	地方高级工程师	扬州冶金机械有限公司	2008
林　兢	男	地方高级工程师	扬州冶金机械有限公司	2008
殷大方	男	地方高级工程师	扬州冶金机械有限公司	2008
李艳平	女	地方高级工程师	扬州冶金机械有限公司	2008
丁　骏	男	地方高级工程师	扬州冶金机械有限公司	2008
肖德扬	男	地方高级工程师	扬州冶金机械有限公司	2008
辛寿明	男	地方高级工程师	扬州冶金机械有限公司	2009

续表 38-2-4

姓名	性别	专业技术职称	工作单位	评定年份
周汝芳	女	地方高级工程师	扬州冶金机械有限公司	2009
秦 泉	男	地方高级工程师	江苏弘扬建设有限公司	2009
胡少卿	男	地方高级工程师	江苏弘扬建设有限公司	2009
丁国林	男	地方高级工程师	江苏弘扬建设有限公司	2009
吕士宝	男	地方高级工程师	江苏弘扬建设有限公司	2009
曾永贵	男	地方高级工程师	江苏弘扬建设有限公司	2009
曹万荣	男	地方高级工程师	江苏弘扬建设有限公司	2009
钟志龙	男	地方高级工程师	江苏华运建设工程有限公司	2009
王 勇	男	地方高级工程师	江苏华运建设工程有限公司	2009
彭兆源	男	地方高级工程师	江苏华运建设工程有限公司	2009
秦 彪	男	地方高级工程师	扬州环丰工程有限公司	2009
吕万福	男	地方高级工程师	扬州金阳光建筑安装有限公司	2009
李军荣	男	地方高级工程师	扬州联通建安装潢公司	2009
郭金勇	男	地方高级工程师	扬州市金扬建筑安装工程有限公司	2009
刘文卫	男	地方高级工程师	扬州市金扬建筑安装工程有限公司	2009
王 正	男	地方高级工程师	扬州市银城建筑安装有限公司	2009
庞冬生	男	地方高级工程师	扬州市银城建筑安装有限公司	2009
王定俊	男	地方高级工程师	扬州意匠轩园林古建筑营造有限公司	2009
梁宝华	男	地方高级工程师	扬州意匠轩园林古建筑营造有限公司	2009
张 刚	男	地方高级工程师	扬州意匠轩园林古建筑营造有限公司	2009
韩俊良	男	地方高级工程师	江苏裕祥装饰工程有限公司	2009
李德清	男	地方高级工程师	江苏裕祥装饰工程有限公司	2009
阚元同	男	地方高级工程师	江苏裕祥装饰丁程有限公司	2009
管 静	女	地方高级工程师	扬州市森亿装饰工程有限公司	2009
秦定永	男	地方高级工程师	扬州市森亿装饰工程有限公司	2009
王永青	男	地方高级工程师	扬州海通建设工程有限公司	2009
齐清元	男	地方高级工程师	扬州海通建设工程有限公司	2009
陈 孚	男	地方高级工程师	扬州海通建设工程有限公司	2009
顾成全	男	地方高级工程师	扬州海通建设工程有限公司	2009
殷卫星	男	地方高级工程师	扬州市宏泰基础工程有限公司	2009
高文宜	男	地方高级工程师	扬州市宏泰基础工程有限公司	2009
娄国林	男	地方高级工程师	扬州金得利装潢工程有限公司	2011
刘正来	男	地方高级工程师	扬州金得利装潢工程有限公司	2011
夏于博	男	地方高级工程师	江苏弘扬建设工程有限公司	2011
胡少宏	男	地方高级工程师	江苏弘扬建设工程有限公司	2011
朱士兵	男	地方高级工程师	江苏弘扬建设工程有限公司	2011
戴孝田	男	地方高级工程师	江苏弘扬建设工程有限公司	2011

续表 38-2-4

姓名	性别	专业技术职称	工作单位	评定年份
冯瑞生	男	地方高级工程师	江苏弘扬建设工程有限公司	2011
鲁广辉	男	地方高级工程师	江苏弘扬建设工程有限公司	2011
钱　凯	男	地方高级工程师	江苏弘扬建设工程有限公司	2011
徐生新	男	地方高级工程师	江苏弘扬建设工程有限公司	2011
单　军	男	地方高级工程师	江苏弘扬建设工程有限公司	2011
戴元新	男	地方高级工程师	江苏华运建设股份有限公司	2011
李　静	男	地方高级工程师	江苏华运建设股份有限公司	2011
秦敦华	男	地方高级工程师	江苏华运建设股份有限公司	2011
王国平	男	地方高级工程师	江苏华运建设股份有限公司	2011
王卫东	男	地方高级工程师	江苏华运建设股份有限公司	2011
刘忠兵	男	地方高级工程师	江苏华运建设股份有限公司	2011
朱劲松	男	地方高级工程师	江苏华运建设股份有限公司	2011
丁　江	男	地方高级工程师	扬州科艺建筑装潢工程有限公司	2011
陈春峰	男	地方高级工程师	扬州市金扬建筑安装工程公司	2011
冯玉奎	男	地方高级工程师	扬州市金扬建筑安装工程公司	2011
游仁才	男	地方高级工程师	扬州市金扬建筑安装工程公司	2011
叶　锋	男	地方高级工程师	扬州市金扬建筑安装工程公司	2011
刘开培	男	地方高级工程师	扬州市金扬建筑安装工程公司	2011
王　嵩	男	地方高级工程师	扬州市金扬建筑安装工程公司	2011
陈明海	男	地方高级工程师	扬州市金扬建筑安装工程公司	2011
陈德松	男	地方高级工程师	扬州金阳光建筑安装有限公司	2011
徐万林	男	地方高级工程师	扬州金阳光建筑安装有限公司	2011
谈风庭	男	地方高级工程师	扬州金阳光建筑安装有限公司	2011
谈庆华	男	地方高级工程师	扬州金阳光建筑安装有限公司	2011
曹荣华	男	地方高级工程师	扬州宏康建设工程有限公司	2011
崔　超	男	地方高级工程师	扬州宏康建设工程有限公司	2011
刘　旺	男	地方高级工程师	扬州宏康建设工程有限公司	2011
孙建峰	男	地方高级工程师	扬州徐建建设工程有限公司	2011
陈跃勤	男	地方高级工程师	扬州扬子江物业有限公司	2011
徐国忠	男	地方高级工程师	江苏华邦建设有限公司	2011
徐立新	男	地方高级工程师	江苏华邦建设有限公司	2011
张雨贵	男	地方高级工程师	扬州市古宸古典建筑工程有限公司	2011
华桂昌	男	地方高级工程师	扬州意匠轩园林古建筑营造有限公司	2011
翟良华	男	地方高级工程师	扬州意匠轩园林古建筑营造有限公司	2011
夏　斌	男	地方高级工程师	扬州市长泰机电设备安装有限公司	2011
刘大庆	男	地方高级工程师	扬州江阳混凝土制品有限公司	2011
姚燕鸣	女	高级经济师	扬州市房地产开发公司	2000

续表 38-2-4

姓名	性别	专业技术职称	工作单位	评定年份
王正祥	男	高级经济师	扬州市万家福商城	2000
石远恒	男	高级经济师	扬州恒远房地产开发有限公司	2005
毛光明	男	高级经济师	扬州市万家福商城	2006
高志刚	男	高级经济师	扬州仁林科技有限公司	2007
刁秋平	男	地方高级经济师	扬州金利机械有限公司	2001
黄玉兰	女	高级会计师	广陵区财政局	2005
张　京	女	高级会计师	广陵区大东门商品城	2005
戚　芃	女	高级会计师	广陵区劳动就业管理处	2005
李　宏	男	高级会计师	广陵区社会保险管理中心	2005
李成志	男	高级会计师	广陵区财政局	2006
叶　鹏	男	高级会计师	广陵区财政局	2006
腾迎春	女	高级会计师	广陵区财政局	2006
黄　和	女	高级会计师	广陵区汤汪财政所	2006
王　红	女	高级会计师	广陵区审计局	2006
刘　静	女	高级会计师	扬州市保来得粉末冶金有限公司	2006
陈蕴绛	女	高级会计师	扬州市口腔医院	2006
仇　凌	男	高级会计师	广陵区财政局	2008
杜　燕	女	高级会计师	海沃机械（扬州）有限公司	2011
苏玉虎	男	高级政工师	广陵区建管处	2008
陈明杰	男	高级工艺美术师	广陵区漆玉民间艺术馆	2006
庞建东	男	高级工艺美术师	汶河街道文化站	2009
卫　芳	女	高级工艺美术师	广陵区卫芳刺绣艺术研制坊	2011
阚凤祥	男	高级工艺美术师	广陵区润祥漆器、玉器厂	2011
汪德海	男	高级工艺美术师	扬州金鹰玉器珠宝有限公司	2011
夏　青	女	二级律师	扬州星海律师事务所	1997
陈建邦	男	副研究馆员	广陵区文化馆	1998

第五节　在外乡贤

在外乡贤名录收录曾在广陵区境域生活、工作、求学的，现在扬州市境外生活、工作的，金融、科技、教育、体育、文化、艺术、卫生等领域名人贤达，正高级以上专业技术人员，知名企业家，港澳台和海外华人华侨知名人物，副厅（师）职以上领导干部等。以姓氏汉语拼音为序。收录 309 人。

广陵区部分在外名家、贤达名录

表38-2-5

姓名	性别	出生年份	工作单位、职务(职称)
柏万禄	男	1954	中国煤炭矿山工程公司副总经理,研究员
成安生	男	1938	上海计算机技术研究所研究员、博士生导师
陈丙咸	男	1933	南京大学城市与资源学系教授
陈丙森	男	1933	清华大学机械研究所原所长,教授
陈瑞祥	男	1935	解放军军事科学院研究员、硕士生导师
陈广庆	男	1945	宜昌船舶柴油机厂原总工程师
陈厚琦	男	1949	美国芝加哥自然康复中心主任
陈学惠	男	1952	解放军军事科学院军事研究部研究员
陈晓亚	男	1953	中科院院士,国家植物分子遗传重点实验室主任、中国植物生理学会常务副理事长、国际棉花基因组协调委员会(ICGI)委员,曾任中科院上海生命科学研究院院长
陈　骏	男	1954	南京大学校长,江苏省科协主席,中国科学院院士,十一届全国人大常委
陈庆贵	男	1954	首都师范大学中央电化教育馆研究部主任,教授
陈道祥	男	1956	解放军信息工程大学研究生系主任,教授
陈道康	男	1956	解放军徐州军分区政治部主任
陈庆伟	男	1963	南京理工大学自动化学院副院长,教授
陈　扬	女	1965	江苏亿诚律师事务所主任,高级律师,江苏省政府法律顾问
陈　新	男	1966	中国社会科学院欧洲研究所经济室主任、中国欧洲学会秘书长
陈险峰	男	1968	上海交通大学教授、博士生导师,上海交通大学光子与光子学研究所常务副所长
陈嘉鸿	男	1970	中国卫星海上测控部高级工程师
陈　默	女	1979	比利时、荷兰、卢森堡江苏商会常务副会长兼秘书长,比利时著名律师
陈韬略	男	1979	荷兰国家数学与计算机研究中心研究员、牛津大学副研究员
陈一昕	男	1980	美国华盛顿大学计算机系终身教授,中国科学院软件研究所特聘研究员,国家“973”项目课题负责人,美国国家科学基金委、香港研究基金委、奥地利国家科学基金委、瑞士国家科学基金委评审委员
曹世祐	男	1941	煤炭科学研究总院上海分院原副院长
曹宝荣	男	1941	江苏省人大常委会人事代表联络委员会原副主任
程　钢	男	1965	中央民族大学教授,《环球时报》著名记者
丁家会	男	1942	电子工业部十四研究所接收和信息处理研究室原主任
丁万山	男	1949	南京航空航天大学博士生导师、教授
丁辉文	男	1965	国际半导体材料与设备协会全球副总裁、中国区总裁,上海易狄欧电子科技有限公司董事长
丁沪生	男	1969	IBM 全球服务采购总监
杜　晶	男	1971	深圳同创地产董事长,曾任广州万科、深圳万科总经理、万科集团执行副总裁
戴　晨	男	1964	北京中体传播网有限公司总经理
方　海	男	1962	广东工业大学艺术设计学院院长,教授、博士生导师,曾获芬兰狮子骑士奖章
方宇兴	男	1965	中央国家机关书法家协会、美术家协会副主席、中国邮币卡研究会会长,北京百衲艺术品拍卖公司总监

续表 38-2-5

姓名	性别	出生年份	工作单位、职务(职称)
冯子定	男	1952	美国佛莱德哈金森癌症研究中心研究员，美国生物统计学会院士
范如玉	男	1934	解放军北海舰队装备部原部长
范玉顺	男	1962	北京清华大学 CIMS 研究所所长
范　金	男	1965	中共江苏省委党校教授，博士生导师，江苏应用经济研究中心主任，中国投入产出学会常务理事，中国宏观经济管理教育学会常务理事
范　泳	男	1965	大连万达集团宁波投资集团董事长
傅　华	女	1960	美国华美半导体协会理事
高国海	男	1936	武汉铁路分局原纪委书记
高小玲	女	1956	解放军总参谋部测绘总局
高　蓓	女	1964	北京《美术家》周刊副主编、北京时尚刊物《魅力中国》副主编
高　锋	男	1978	重庆大学教授、博士生导师
耿刘同	男	1939	北京市园林局原副总工程师，颐和园管理处原总工程师，研究员
郭鸣春	男	1945	山东威海军分区原司令员
郭海燕	女	1972	外交部非洲司参赞
顾锦其	男	1956	解放军总参谋部 56 研究所研究员
顾红雅	女	1960	北京大学生命科学学院教授，北京大学生命科学学院副院长
华　锋	男	1942	武汉航空仪表有限责任公司原董事长
华　强	男	1947	解放军南京政治学院上海分院教授、博士生导师
何　昉	男	1962	深圳市北林苑景观及建筑规划设计院有限公司院长、总景园师；《风景园林》杂志社社长
何　萍	女	1969	日本日立数据(美国)公司全球方略总监
何　斌	男	1972	诺基亚(美国)公司软件高管
杭远洋	男	1935	中共中央组织部外事干部司原司长
胡厚诚	男	1939	新华社澳门分社原副社长
胡凌云	男	1952	北京航空航天大学原党委书记，东南大学原党委书记
胡宏桃	男	1956	国家卫生计生委国际合作司监察专员，原副司长
胡问鸣	男	1957	中国船舶重工集团公司董事长、党组书记，十八届中央纪律检查委员会委员，研究员级高级工程师
胡　扬	男	1958	北京体育大学副校长，教授、博士生导师，享受国务院政府特殊津贴
胡明春	男	1963	中国电子科技集团公司第十四研究所所长
胡钟鸣	女	1971	加拿大 JDSU 公司生产经理，中国科学院化学研究所博士后
胡　艳	女	1979	美国加州圣地亚哥高通公司，美国佛罗里达大学博士
洪　波	男	1972	清华大学医学院党委书记，教授、博士生导师
黄　惇	男	1947	南京艺术学院美术系教授、博士生导师
黄　奇	男	1961	南京大学教授
黄一如	男	1962	同济大学建筑与城市规划学院副院长，博士生导师，国家一级注册建筑师
黄　斌	男	1965	奥地利银行中国代表处主任
黄　菡	女	1966	江苏省委党校教授，《非诚勿扰》著名嘉宾

续表 38-2-5

姓名	性别	出生年份	工作单位、职务(职称)
黄新恩	男	1967	江苏省肿瘤医院主任医师、主任研究员
黄昳扬	男	1972	中国驻欧盟使团参赞、使团政治处主任
韩小雷	男	1964	华南理工大学教授、博士生导师，华南理工大学高层建筑结构研究所所长，英联邦结构工程师协会会员，特许注册结构工程师
江　明	男	1938	中国科学院院士，复旦大学教授、博士生导师，教育部聚合物分子工程重点实验室学术委员会主任，中国化学会高分子委员会副主任
江　康	男	1938	外交部礼宾司原司长
江泽慧	女	1939	全国政协人口资源环境委员会副主任，中国花卉协会会长，中国林业科学研究院首席科学家，教授、博士生导师
江信诚	男	1947	广东惠阳市人大常委会原副主任
江　丹	女	1962	中国红十字会总会事业发展中心主任
江　平	男	1962	对冲基金江平资本管理公司创办人、首席执行官，美国 SAC 金融投资公司基金经理，上海亿隆投资咨询公司董事长
纪　敏	男	1965	中国人民银行金融研究局副局长，教授、博士生导师
金　方	女	1965	上海医药工业研究院上海呼吸系统药物工程技术研究中心主任，博士生导师，人事部“新世纪百千万人才工程”国家级人选，第九、十届国家药典委员会专业委员，中国药学会药剂专业委员会委员，SFDA 药审中心新药评审专家
季丽萍	女	1965	江苏师范大学体育学院教授、实验室主任
姜义华	男	1939	复旦大学教授，博士生导师，曾任复旦大学现代化进程研究中心主任、当代社会与文化研究中心主任、人文学院首任院长
姜立衡	男	1949	解放军北海舰队高级工程师
贾　彬	男	1968	加拿大多伦多花旗银行高级程序分析师
嵇彭康	男	1938	台北市富春饭店总经理
嵇启武	男	1942	国家气象局计划财务司原司长，中国气象学会名誉理事
嵇正毓	男	1948	南京环境科学研究院教授
嵇庆春	男	1975	复旦大学教授
焦世经	男	1955	中信银行党委委员，南京分行行长、党组书记
蒋　洁	男	1962	美国田纳西州大学生化专业博士
蒋　锋	男	1964	中国证监会国际部主任，曾任中国农业银行国际控股有限公司副董事长、总裁，中国人民银行驻美洲代表处首席代表
孔繁余	男	1957	教授，博士生导师，江苏大学流体机械工程技术研究中心总工程师，国家水泵及系统工程技术研究中心副主任
孔　军	男	1964	解放军第 12 集团军参谋长
孔　磊	女	1965	解放军东部战区政治部大校
孔德海	男	1966	硅谷天使基金（SVC Angel Fund）创始 CEO，中科招商“千导计划”导师，美中高层次人才交流协会执行长，斯坦福大学学生会高级顾问
匡翠萍	女	1966	上海同济大学教授、博士生导师，曾任职水利部淮河水利委员会水情处
卢永宽	男	1938	外经贸部计算机中心原主任(正司级)，教授
卢善庆	男	1939	厦门大学教授
兰之源	男	1938	上海胸外科医院主任医师

续表 38-2-5

姓名	性别	出生年份	工作单位、职务(职称)
兰登云	男	1959	解放军 92196 部队装备部大校
刘锦川	男	1937	国际著名材料科学家，美国工程院院士，中国工程院外籍院士，香港城市大学全职教授
刘开文	男	1938	上海化工研究所研究员
刘式达	男	1938	北京大学教授、博士生导师
刘式适	男	1938	北京大学教授、博士生导师
刘光中	男	1940	曾任青海省西宁市委副书记、市长，青海省省长助理，省政府党组成员兼省公安厅厅长、党委书记，青海省第九届政协副主席
刘思湄	女	1940	国家电力公司南京研究所教授
刘　钰	男	1947	江苏省社科院原副院长，省社科联原副主席，研究员
刘树人	男	1953	解放军南京军区航务代表办事处原政委，中国书法家协会会员
刘　婷	女	1957	香港华彩控股有限公司董事局主席、执行董事兼行政总裁，香港宝威控股有限公司执行董事。香港扬州同乡会会长
刘广忠	男	1957	江苏省总工会原党组书记、副主席
刘　云	男	1961	江苏省国画院党委书记、常务副院长
刘文斌	男	1962	国家体育总局排球运动管理中心副主任
刘成富	男	1962	南京大学外国语学院副院长，教授、博士生导师，中国法语教学研究会副会长，中国非洲问题研究会副会长
刘　军	男	1964	中体产业集团总裁
刘晓峻	男	1964	南京大学声学研究所所长、教授、博士生导师，国家声学重点实验室主任
刘　彤	男	1967	江苏省体育局副局长
刘珊珊	女	1977	美国电力科学院电力传输和利用部门高级项目工程师
阮圣林	男	1948	中国银行东京分行行长
吕笑梅	女	1969	南京大学物理学院教授、博士生导师
李德钜	男	1942	广东省人防建筑设计院原总工程师，教授
李　波	男	1943	中国美术家协会会员，淄博美术家协会名誉主席
李昌集	男	1949	江苏师范大学教授、博士生导师，中国散曲学会理事、中国书法家协会会员
李　伟	男	1958	北京市人大常务委员会主任
李　勇	男	1963	中国科学院国家天文台研究员
李恒力	男	1963	美国洛克希德马丁公司资深系统工程师
李　红	女	1965	上海百佳妇产医院妇产科主任(主任医师)，上海市“三八红旗手”
李海东	男	1967	英国劳斯莱斯公司涡轮系统工程主任工程师、高级专家、功能系统综合负责人
李乃适	男	1974	中国医学科学院北京协和医院主任医师
陆宇平	男	1957	南京航空航天大学航天学院院长，教授、博士生导师
陆　平	男	1962	澳大利亚力拓矿业铀矿公司首席生态学家
陆国清	男	1963	曾任宝钢集团规划委员会副主任、资本运营部总经理、宝钢国际副总裁
陆晓彧	女	1972	美国 NOVARTIS 公司高级统计师
罗祥松	男	1937	广东地质研究所研究员
林达信	男	1951	著名演员，曾在电视连续剧《林海雪原》中饰演参谋长少剑波，曾任解放军总政话剧团团长、歌剧团团长、八一电影制片厂副厂长

续表 38-2-5

姓名	性别	出生年份	工作单位、职务(职称)
林芳兵	女	1965	著名演员，获提名第 9、第 10 届大众电影百花奖最佳女主角，第 11 届中国电视金鹰奖最佳女主角
凌德海	男	1940	解放军总装备部系统工程研究所研究员
梁国平	男	1959	解放军总装备部驻上海地区军事代表室
马跃南	男	1957	中国女篮原主教练，国家级篮球教练
马广林	男	1965	美国纽威尔集团驻亚太经理
毛　书	女	1980	美国康奈尔大学医学院生物系博士后，美国再生元生物技术公司科学家
茅同庆	男	1942	福建省粮食厅原厅长、党组书记
梅　霆	男	1965	西北工业大学理学院教授，曾任华南师大光电材料与技术研究所所长
牛大鸿	男	1959	新加坡鸿基大业集团董事长，招商局(新加坡)有限公司副总裁
倪宗俊	男	1935	湖北省宜昌市原常务副市长
聂恒仁	男	1939	美国科罗拉州矿业学院高级研究员、博士
聂万福	男	1942	上海航空工业总公司 615 研究所原所长
聂危谷	男	1957	南京大学艺术研究院教授，南京博物院特邀书画师
聂跃华	女	1959	清华大学美术学院教授，著名画家
潘　甦	男	1970	南京邮电大学教授、博士生导师
祁照岗	男	1980	上海交通大学副教授
钱翼清	女	1941	南京化工大学教授
钱　锋	男	1972	美国百时美－施贵宝公司资深研究员
戚学民	男	1972	清华大学人文历史学院教授
史柏涛	男	1962	南京航空航天大学教授
史家明	男	1968	上海市规划和国土资源管理局副局长
石　谦	男	1967	上海科学院副院长
帅　民	男	1969	中国动画学会副会长，中华五千年动画工程促进会副主席，现任奥飞动漫副总裁兼广东嘉佳卡通卫视总经理
帅小兵	男	1970	资深经济学家，美国弗吉尼亚州里士满大学(University of Richmond)教授
孙宅巍	男	1940	江苏省社科院教授、研究员，侵华日军南京大屠杀史研究会副会长
孙国圣	男	1958	日本 FOR-A 公司研究员
孙　飙	男	1961	南京体育学院系总支书记、主任，教授，中国生理学会体适能专委会主任
孙克勤	男	1963	南京军区航务军事代表办事处政治部主任
孙承斌	男	1969	新华社高级记者，中央新闻采访中心政文采访室主任
孙　璘	女	1970	复旦大学生命科学学院发育生物学研究所教授
沈克林	男	1936	中国重型机械总公司原总经理、党委书记，高级工程师
沈　波	男	1963	北京大学物理学院教授、博士生导师，长江学者特聘教授
沈　磊	男	1973	上海话剧艺术中心话剧演员、配音演员，国家一级演员
沙荣才	男	1953	曾任国家司法部政治部副主任、副巡视员
沙　敏	男	1965	南京三宝科技集团有限公司董事长、总裁，中国射频识别技术协会理事长
宋一心	男	1965	广州中山大学体育学院教授、博士生导师

续表 38-2-5

姓名	性别	出生年份	工作单位、职务(职称)
邵敬扬	男	1966	中国石化国际石油勘探开发有限公司副总经理
单世联	男	1960	上海交通大学媒体与设计学院党委书记，教授、博士生导师
施海明	男	1964	复旦大学附属医院(华山医院)心内科主任，教授、博士生导师，中国中西药结合学会心血管病专委会副主任
施永辉	男	1980	北京大学生命科学学院博士，北京大学蛋白质工程和植物基因工程国家重点实验室项目负责人
田常炎	男	1945	解放军第404医院(威海)原副院长、主任医师、少将
田　武	男	1967	赛乐医药科技(上海)有限公司总经理、博士
汤　绪	男	1956	世界气象组织天气与防灾减灾服务司司长，曾任上海市气象局党组书记、局长，甘肃省金昌市副市长
汤雷翰	男	1961	国际知名理论物理学家，香港浸会大学教授，中国人民大学“吴玉章讲座”教授
谈振藩	男	1942	哈尔滨工程大学自动化学院教授、博士生导师
陶恒沂	男	1953	上海第二军医大学教授、博士生导师
唐　斌	男	1963	上海交通大学教授、博士生导师
唐　维	女	1967	巴西江苏同乡会顾问，原常务副会长
王昌义	男	1936	原驻吉布提大使、驻叙利亚大使、驻以色列大使，曾任外交部部长助理、部党委委员，第十届全国政协委员
王学仁	男	1937	中国船舶重工集团公司第七二四研究所原副所长，研究员
王霞林	男	1937	历任新华日报社副总编，中共江苏省委常委、宣传部部长，江苏省人大常委会党组副书记、副主任
王成道	男	1940	新疆生产建设兵团政治处原主任
王国栋	男	1940	无锡惠山泥人研究所研究员级高级工艺美术师
王麟珣	男	1941	新疆军区政治部原主任
王强生	男	1948	解放军吉林长春军需研究所研究员
王荣坤	男	1949	南海舰队后勤部原部长(正师)
王安贵	男	1952	海军414医院(南京长征医院)原副院长，主任医师
王荣太	男	1952	海军指挥学院电教室原主任(正师)
王如松	男	1953	海军指挥学院教授(正师)
王士安	男	1954	解放军总参谋部军职退休
王云飞	男	1956	海军作战与装备专家、少将，凤凰卫视军事评论员
王品正	男	1957	南京审计大学教授、副院长
王野翔	男	1957	中国美术家协会会员、国家一级美术师、江苏省“333”学术技术带头人
王　赞	男	1959	教授、博士生导师，著名中国画家，中国美术学院副院长，校学术学位委员会副主任，浙江省美术家协会副主席、美术报社社长
王玉高	男	1959	中国农业发展银行浙江省分行行长
王　干	男	1960	文学评论家、作家、书法家，人民文学出版社《中华文学选刊》主编
王永东	男	1961	美国微软公司亚洲搜索技术中心总经理，微软亚洲互联网工程院院长，微软全球资深副总裁
王扬舒	男	1961	法国国家科研中心晶体物理研究所博士

续表 38-2-5

姓名	性别	出生年份	工作单位、职务(职称)
王益民	男	1961	国家电网智能办公室主任
王　牧	男	1962	南京大学物理学院长江特聘教授,博士生导师,固体微结构物理国家重点实验室主任
王岳平	男	1962	北京中交公路规划设计院有限公司副总经理
王　洵	男	1964	安徽省信息产业厅厅长、科协主席
王　浩	男	1964	中国日报社副总编辑
王云梅	女	1964	澳大利亚扬州同乡会会长,澳大利亚新南威尔士州艾士菲市议员
王庆国	男	1964	上海申迪集团副总裁,上海国际旅游度假区、上海迪士尼项目建设指挥部副总指挥
王青禾	男	1964	东南大学体育系副主任
王　涛	男	1965	美国平安健康保险股份有限公司董事长
王嘉宁	男	1965	江苏(南京)中江房地产公司董事长
王　斌	男	1967	江苏省对口支援新疆克孜勒苏柯尔克孜自治州前方指挥部总指挥、党委书记,泰州市副市长(正厅)
王　静	女	1967	加拿大英属哥伦比亚大学财政战略与决策支持总监,UBC 医学院财务总监
王　晔	女	1969	瑞典作家协会会员,作家、翻译家
韦来生	男	1944	中国科学技术大学统计与金融系教授、博士生导师
韦来岗	男	1955	解放军总参谋部预备役局原局长
邬国梁	男	1952	福建省监狱管理局原副局长
邬金才	男	1975	兰州大学化学化工学院教授、博士生导师
汪　晖	男	1959	清华大学教授、研究员,中国社会科学院文学研究所研究员,著名学者、作家
汪　洋	男	1961	美国卡内基－梅隆大学及匹兹堡超级计算中心资深研究员
汪新芽	女	1973	瑞士信贷银行董事
吴长新	男	1962	英国剑桥大学医学院助理研究员
吴　文	男	1964	英国皇家化学院院士,英国阿斯特拉捷利康制药公司研究员
吴剑英	男	1964	上海昊海生物科技股份有限公司总经理
武兴海	男	1952	解放军总参谋部驻上海首席代表
武爱斌	男	1969	南京朗坤软件有限公司董事长、总裁,南京朗坤自动化有限公司董事长,江苏瑞中数据股份有限公司副董事长,江苏赛联信息产业研究院监事长
许丽苓	女	1964	美国加州生命科技公司新产品管理总监
邢　杰	男	1970	中国中小企业现代服务网 CEO
胥昌忠	男	1945	中国人民武装警察部队政治部原副主任
徐宪虎	男	1938	上海第二军医大学附属长征医院原院长,教授
徐　铱	男	1940	国家电力公司成都勘测设计研究院高级工程师
徐礼华	男	1944	东南大学教授
徐敬敏	男	1956	解放军西安空军工程学院教授
徐兴无	男	1964	南京大学文学院院长,教授、博士生导师
徐至旭	男	1964	复旦大学教授
徐承健	男	1965	广东省体育运动学院副院长,教授
徐新伟	男	1968	中国出口信用保险公司贸易险管理部总经理

续表 38-2-5

姓名	性别	出生年份	工作单位、职务(职称)
薛剑英	男	1964	新华社体育部英文采编室主任,高级编辑
薛　军	男	1965	清华启迪创业投资管理有限公司董事、总经理,清华企业家协会秘书长,亚杰商会执委,佳讯飞鸿独立董事
薛　蓉	女	1966	中国科学院生物物理研究所研究员,博士生导师,脑与认知科学国家重点实验课题组组长
薛　力	男	1969	东南大学教授、博士生导师
于安定	男	1959	美国宾夕法尼亚州托马斯杰弗森大学教授,加拿大多伦多杭波河医院高级心脏诊断师
于　敏	女	1964	加拿大国家农业实验室研究员
尤　政	男	1963	中科院院士,清华大学副校长、博士生导师,长江学者特聘教授
杨淑英	女	1937	中央电视台原编审
杨志忠	男	1942	南京大学外语学院教授
杨春鼎	男	1943	安徽淮南师范学院中文系教授,安徽省思维科学研究所原所长、教授
杨茂林	男	1949	武警河南总队医院外科主任医师,教授
杨　震	男	1963	美国龙沙公司里弗赛特分公司分析方法发展团队负责人、高级化学家
杨金奎	男	1963	北京同仁医院内分泌科主任、首席专家,北京市糖尿病防治办公室主任,博士生导师
杨　宇	男	1964	IBM 中国区副总裁
杨德仁	男	1964	浙江大学硅材料国家重点实验室副主任,教授、博士生导师,长江学者奖励计划特聘教授、国家杰出青年基金获得者
严万松	男	1954	北京二炮工程研究院工程师(正师级)
严厚民	男	1954	香港中文大学教授
严厚众	男	1958	美国南加州爱迪生公司战略投资及资产优化经理
余兆祥	男	1956	南京军区空军后勤部主任,大校
俞亚东	男	1959	国家教育部教育司副司长
姚盛峰	男	1964	中国人寿江苏公司销售总监
姚海平	男	1972	上海酷芯微电子有限公司董事长
袁仁宽	男	1940	南京大学研究生院原常务副院长,教授、博士生导师
袁荣生	男	1946	新华社渥太华分社原社长
袁菊芳	女	1946	解放军南京八一医院教授
袁　庆	男	1964	深圳万乐药业有限公司总经理

续表 38-2-5

姓名	性别	出生年份	工作单位、职务(职称)
殷永祥	男	1950	全国政协委员,民革中央和平统一促进委员会副主任,镇江奇美化工有限公司副董事长
殷学礼	男	1953	全国政协办公厅原副主任
游仁安	男	1946	辽宁省辽阳军分区原司令员
朱荣生	男	1930	原上海生产资料服务公司党委书记
朱晨光	男	1935	美国国际文化艺术中心主任、艺术家
朱万福	男	1939	东南大学原党委书记、常务副校长,教授
朱士俊	男	1944	解放军 301 医院(解放军总医院)原院长、党委书记,教授
朱义泉	男	1946	江苏省公安厅原党委委员、政治部主任,江苏警官学院原党委书记
朱士群	男	1950	苏州大学教授、博士生导师
朱扬明	男	1955	美国西雅图中国园林协会主任,纽约大都会艺术馆亚洲部研究员
朱　平	男	1963	中石化石油工程技术服务股份有限公司执行董事、副董事长、董事会战略投资委员会副主任、总经理
朱九星	男	1963	第二军医大学高级会计师,大校
朱景尧	男	1963	美国高通创锐公司全球副总裁,以太网事业部总经理
朱平云	男	1964	海军航空工程学院科研部飞行器保障与突防技术研究室主任
朱苏燕	女	1964	联邦制药国际控股有限公司(香港)执行董事、副总裁
朱晓琳	女	1969	著名歌唱演员
朱　宁	男	1971	美国硅谷数模首席技术官
朱竞翔	男	1972	香港中文大学教授
张礼堂	男	1932	中国科学院光电技术研究所原所长,光电所老科技工作者协会名誉会长
张永庆	男	1934	宁夏社会科学院原副院长兼《宁夏社会科学》主编、编审
张俊秋	男	1938	苏州科技大学教授,国家一级美术师
张培元	男	1941	南京师范大学原党委副书记,研究员
张瑞枝	男	1941	北京化工研究院原副院长
张大发	男	1950	解放军海军工程大学核能科学与工程系教授、博士生导师
张大林	男	1952	美国马里兰大学教授、博士生导师
张效联	男	1953	中国药科大学原副校长
张厚荣	男	1957	中国佛学院副院长,中国佛教协会常务理事
张继明	男	1958	中国人民解放军 175 医院副院长
张晟平	男	1960	日本名古屋大学教授
张　卫	男	1962	中国驻澳大利亚参赞兼总领事
张　钧	男	1963	上海师范大学教授、博士生导师,万安医院投资公司 CEO,中国康复医学会体育保健康复专委会副主任
张晨松	男	1977	中科院数学与系统科学研究院副研究员,硕士研究生导师
邹晓葵	女	1961	南京农业大学食品科技学院教授
邹　军	男	1964	江苏省城市规划设计研究院院长、党委书记,研究员级高级城市规划师
周庆祖	男	1932	中国石油天然气总公司原总经济师

续表 38-2-5

姓名	性别	出生年份	工作单位、职务(职称)
周元贵	男	1953	解放军东海舰队某舰原舰长
周晓阳	男	1954	南京大学教授
周晓林	男	1963	北京大学心理学系主任,脑科学与认知科学中心主任,心理学系发展与教育心理学教研室主任,中国心理学会普通心理学与实验心理学专业委员会主任,教授、博士生导师
周逸峰	男	1963	中国科学技术大学合肥微尺度物质科学国家实验室研究员,教授、博士生导师
周怀军	男	1967	美国德州农工大学教授
周浩晖	男	1977	著名悬疑小说家,被称为“中国的东野圭吾”,代表作“刑警罗飞系列”
宗有源	男	1951	江苏大学教授
赵山林	男	1947	华东师范大学教授、博士生导师,华东师范大学文学与艺术学院副院长、中文系副主任
赵世伟	男	1968	北京植物园园长,中国植物学会植物园分会理事长和中国花协月季分会理事长
祝兴成	男	1963	江苏省教育科学研究院副院长
祝春晓	男	1970	澳大利亚麦格理投资顾问有限公司中国区董事、总经理
詹亮宇	男	1964	海通证券福建分公司总经理

第六节 广陵区非物质文化遗产项目代表性传承人

至2011年,广陵区范围内拥有联合国教科文组织人类非物质文化遗产代表作名录项目3项,国家级、省级、市级非物质文化遗产项目分别为9项、15项、29项。

1989～2011年广陵区非物质文化遗产项目代表性传承人简表

表 38-2-6

项目	姓名	性别	出生年份	主要事迹
扬剧	李开敏	女	1939	非物质文化遗产扬剧项目国家级代表性传承人。扬州人。国家一级演员。师从著名扬剧表演艺术家高秀英。唱腔圆润甜美,清丽流畅,跌宕有致,刚柔相济,表演朴实细腻,在扬剧现有流派中独树一帜。在《玉簪记》《恩仇记》《梁祝》《玉蜻蜓》《秦香莲》《杨开慧》等多个剧目中担任主要或重要角色
	汪　琴	女	1940	非物质文化遗产扬剧项目国家级代表性传承人。淮安人。国家一级演员。师从著名扬剧表演艺术家华素琴。她敢于创新,从人物出发设计唱腔,字字清楚,句句传情,形成奔放、深情与洒脱的艺术特征。在《血冤》《皮九辣子》《王瞎子算命》《春草闯堂》《杨三姐告状》《夺印》等多个剧目中担任主要或重要角色
	姜峻峰	男	1931	非物质文化遗产扬剧项目省级代表性传承人。扬州人。国家一级演员。嗓音清脆洪亮,吐字清晰刚劲,在唱、念上精益求精。注重吸收本剧种各流派特点化为己用,并精研清曲的经典唱腔,逐渐形成自己唱腔高亢明亮、表演松弛洒脱、刻画人物准确到位的独特风格
	李政成	男	1969	非物质文化遗产扬剧项目省级代表性传承人。扬州人。国家一级演员。艺术功底深厚,尤其擅长塑造人物。善于继承,勇于创新,注重声腔研究,在继承扬剧唱腔流派的同时,吸取昆曲以及越剧、黄梅戏等剧种的长处,唱腔设计与表演达到完美的结合。2003年,获中国戏剧梅花奖
	葛瑞莲	女	1971	非物质文化遗产扬剧项目市级代表性传承人。扬州人。国家一级演员。师从著名扬剧表演艺术家李开敏,表演细腻传神,唱功扎实,音色甜美、圆润且音域宽广。善于从民歌中吸取营养,拓宽扬剧的演唱技巧,唱腔高亢明亮中不乏柔美,委婉清丽中略带刚劲
	孙爱民	女	1970	非物质文化遗产扬剧项目市级代表性传承人。扬州人。国家一级演员。师从著名扬剧表演艺术家汪琴,继承了汪琴的艺术风格,工闺门旦、青衣、花旦、小生(反串),基本功扎实,表演细腻大方,唱腔以情带声,以声传情,声情并茂,韵味醇厚

续表 38-2-6

项目	姓名	性别	出生年份	主要事迹
扬州评话	王丽堂	女	1940	非物质文化遗产扬州评话项目国家级代表性传承人。扬州人。国家一级演员。7 岁，随祖父王少堂、父亲王筱堂学习扬州评话《水浒》。10 岁，登台演出。说书吐字清楚，咬字讲韵，节奏张弛有致，圆口方口运用娴熟，为扬州评话王派水浒第四代传人。先后完成扬州评话王派水浒代表性书目《武松》《宋江》《石秀》《卢俊义》四十回共 400 多万字的整理、出版
	李信堂	男	1934	非物质文化遗产扬州评话项目国家级代表性传承人。扬州人。国家一级演员。从小随其父李洪章学艺，及长向王建章、王少堂学艺，为王派水浒传人之一。表演形神兼备，情意相贯，张弛有道。激昂之际，语如连珠，如挟雷裹电，石破天惊；抒情之时，娓娓而谈，似行云流水，耐人寻味。创演 30 多部中、长、短篇新书和《江心洲》等评话 5 篇
	惠兆龙	男	1945—2011	非物质文化遗产扬州评话项目国家级代表性传承人。扬州人。国家一级演员。启蒙于王少堂，后拜马派水浒传人马凤章、王派水浒传人张正卿为师。把中国革命历史题材尤其是《陈毅》系列搬上书坛，更新和丰富扬州评话书目。借鉴影视手法，一人多角，从“形似”到“神似”，形神兼备，语如金石，掷地有声，使三尺书台展现出绚丽壮观的历史画卷
	杨明坤	男	1950	非物质文化遗产扬州评话项目省级代表性传承人。扬州人。国家一级演员。拜浦氏扬州评话第八代传人余又春为师。说品甜粘、方圆口并用，能充分利用各地方言，各种特殊发音方法，区别刻画出各阶层人物形象，说表清晰，刚柔并济，说唱全能，表述语言流畅、贴近生活。演出书目有传统评话《清风闸》《皮五辣子》《济公传》《绿牡丹》等
	沈荫彭	女	1942	非物质文化遗产扬州评话项目省级代表性传承人。扬州人。国家三级演员。12 岁，师从吴寿彭学习扬州评话《三国》。所表演的“前三国”“中三国”“三把火”“三气周瑜”“后三国”等，广受各地听众欢迎。口风刚劲泼辣，动作潇洒自如，既有男子气度，又不失女性风韵，给人以清新的艺术美感
扬州清曲	聂　峰	男	1944—2010	非物质文化遗产扬州清曲项目省级代表性传承人。扬州人。专攻扬州清曲“阔口”演唱。善操四胡、二胡、檀板，尤其精于“敲瓦碟”“碰酒杯”，熟练掌握摇、碰、撞、击之技法。先后发表 20 多篇学术性理论文章，编写《扬州清曲研究资料汇编》一书
	陶梅芳	女	1948	非物质文化遗产扬州清曲项目省级代表性传承人。扬州人。师从扬州清曲大师王万青及清曲名家马福如、曹文玉等。善操琵琶、“敲瓦碟”。演出过《乌龙院》《小寡妇上坟》《黛玉悲秋》，单折唱段《青荷叶上》《清和天气》以及现代曲目《红灯记》等，唱集和唱段近百个
	厉智娟	女	1946	非物质文化遗产扬州清曲项目市级代表性传承人。扬州人。师从扬州清曲大师王万清及清曲名家马福如、曹文玉等。1962 年，开始从事清曲表演，同时进行扬州清曲琵琶演奏与研究。先后传承、指导扬州清曲学子十多人，并在扬州清曲传习所授课
	詹国章	男	1928	非物质文化遗产扬州清曲项目市级代表性传承人。扬州人。早年爱好扬州清曲，向陈桂卿、曹文玉、聂峰老师虚心讨教学习，熟练掌握清曲“窄口”的演唱技巧。退休后，倾心投入扬州清曲保护活动，并指导教授业余爱好者学习扬州清曲艺术
扬州弹词	李仁珍	女	1946	非物质文化遗产扬州弹词项目国家级代表性传承人。扬州人。擅长作曲、改编创作书目，一人多角，一专多能。代表作有弹词长篇《落金扇》《审刁案》《珍珠塔》《双珠凤》《玉蜻蜓》《张玉良传》等，中短篇《西厢记》等，清曲《运河联曲》《黛玉悲秋》等。获首届全国曲艺大赛表演一等奖、中国曲艺“牡丹奖”，创扬州弹词“李派”
	沈志凤	女	1947	非物质文化遗产扬州弹词项目省级代表性传承人。扬州人。国家一级演员。师从著名弹词表演家张慧祥、张慧侬学习《双金锭》《玉蜻蜓》，运用苏州弹词《啼笑因缘》的技巧，在道白的表现力和塑造人物方面取得较大突破，填补扬州弹词长期以来没有现代题材书目的空白
	徐桂清	女	1949	非物质文化遗产扬州弹词项目省级代表性传承人。扬州人。国家二级演员。师从著名弹词表演艺术家张慧依、张慧祥先生学习扬州弹词表演。唱腔圆润，吐字清晰，以曲传情，表演真挚，勇于创新，形成清脆委婉深情的演唱风格
	包　伟	女	1968	非物质文化遗产扬州弹词项目省级代表性传承人。扬州人。国家二级演员。掌握了扬州弹词的表演、唱腔以及弹伴技巧，表演真实、动情、感人，吐字清晰，说表流畅，书台形象端庄、秀美，弹唱亲切煽情，委婉动听。2010 年，获第六届中国曲艺牡丹奖表演奖

续表 38-2-6

项目	姓名	性别	出生年份	主要事迹
广陵琴派	刘 扬	男	1957	非物质文化遗产古琴艺术(广陵琴派)项目省级代表性传承人。扬州人。国家一级演员。9 岁起,跟外祖父刘少椿、母亲刘蓉珍及梅曰强学习古琴。古琴演奏风格跌宕多变,绮丽细腻,刚柔相济,音韵并茂。代表作品有《樵歌》《墨子悲丝》《梅花三弄》等 20 多个曲目
	马维衡	男	1964	非物质文化遗产古琴艺术(广陵琴派)项目省级代表性传承人。扬州人。师从广陵琴家胡兰、胡荫乾和广陵琴派古琴家林友仁习琴。演奏风格以厚重沉稳、跌宕大度、古拙雄浑、气韵饱满见长。代表作品有《平沙落雁》《山居吟》《忆故人》《神人畅》等曲目
	张 峰	男	1975	非物质文化遗产古琴艺术(广陵琴派)项目市级代表性传承人。扬州人。少年起习琴,博采众长、兼容并蓄,逐渐形成自己的风格。注重人文气息,以立体思维诠释传统古琴音乐作品,尝试与钢琴、小提琴、长笛等其他器种的合奏、协奏,广受好评
	曹 华	男	1963	非物质文化遗产古琴艺术(广陵琴派)项目市级代表性传承人。扬州人。工艺美术师、江苏省工艺美术大师。师从古琴艺术大师胡兰、梅曰强、龚一等学习各派技艺。继承广陵派刚柔相济、跌宕多变、音与韵并重、气势与细腻并存的技艺特征
扬州剪纸	张秀芳	女	1943	非物质文化遗产扬州剪纸项目国家级代表性传承人。扬州人。江苏省工艺美术大师。13 岁,随叔父张永寿学艺,既继承剪纸的传统特色,又在技巧上有所创新。其剪的花鸟鱼虫,线条婉转流畅,风格清新秀丽,构图新颖别致,繁中有简,虚中有实,静中有动,别具栩栩如生的妙趣。作品《琼花》《花鸟》等被省、市级博物馆收藏
	张慕莉	女	1960	非物质文化遗产扬州剪纸项目省级代表性传承人。扬州人。江苏省工艺美术名人、江苏省工艺美术大师。19 岁时,随父张永寿进入扬州工艺厂从事剪纸设计制作工作。讲究构图严谨,疏密相间,剪工细腻,形成自己的艺术风格,写实、变化、概括、夸张。所剪作品充分体现扬州剪纸的艺术魅力,得到中外爱好者的喜爱
	翁 文	女	1945	非物质文化遗产扬州剪纸项目市级代表性传承人。扬州人。扬州市工艺美术大师。师从张永寿学习剪纸。作品线条流畅婉转,风格清新秀丽,构图疏密相间,繁中有简,虚实清晰,静中有动,能够将一张白纸剪出阴阳两幅不同风格的作品
	熊崇荣	男	1944	非物质文化遗产扬州剪纸项目市级代表性传承人。扬州人。工艺美术师。在继承张永寿剪纸艺术风格的同时,博采众长,形成造型简练、线条流畅、构思巧妙、形态生动的刻纸艺术风格。多次参加全国剪纸展览并获奖
	庞建东	男	1960	非物质文化遗产扬州剪纸项目市级代表性传承人。扬州人。师从张永寿、蔡千音老师学习剪纸、创作,长期从事剪纸、创作。致力于扬州剪纸工艺的传承与创新。创新发明剪纸宫扇,获国家发明专利
雕版印刷	陈义时	男	1946	非物质文化遗产雕版印刷技艺项目国家级代表性传承人。扬州人。13 岁,随父陈正春学艺。功力深厚,真、草、隶、篆等各种字体雕刻自如,擅长宋体和楷体字的雕刻。雕刻的宋体雕版锋骨分明,字字如立板上,艺术风格自成一家。雕刻山水、人物图版造型准确、神态生动、线条流畅、秀劲圆润、飘逸有致、古趣盎然。代表作有《唐诗三百首》《毛泽东诗词七十六首》《老子》《论语》《周易》等
	芮名扬	男	1955	非物质文化遗产雕版印刷技艺项目省级代表性传承人。扬州人,新中国文艺界有突出贡献艺术家。从事专业写样工作,掌握雕版写样各种字体技法,真、草、篆、隶、行、老宋、仿宋、长宋、扁宋等皆能,中国历代雕版古籍字体风格皆知。他的个人事迹入编《中国人才辞典》《中国专家辞典》《共和国名人大典》《共和国功勋艺术家》等
	陆文彬	男	1955	非物质文化遗产雕版印刷技艺项目市级代表性传承人。扬州人。扬州市工艺美术大师。学习和研究雕版印刷史、目录学、版本学及相关雕版印刷技艺。设计的作品既有古风又很现代,比较容易让消费者和商家接受
	张永林	男	1966	非物质文化遗产雕版印刷技艺项目市级代表性传承人。扬州人。扬州市工艺美术大师。技术精湛、技术全面。雕刻方面,对宋体字的雕刻认识较深;印刷方面,技术掌握到位;装帧方面,能够掌握其中的技术要领
	步一棋	男	1960	非物质文化遗产雕版印刷技艺项目市级代表性传承人。扬州人。工艺美术大师。师从雕版印刷师郜明奎,学习木版印刷,全面掌握雕版印刷技艺的各项要求和标准,参与刷印《四明丛书》《楚辞集注》等几十种木版线装书

续表 38-2-6

项目	姓名	性别	出生年份	主要事迹
雕版印刷	侯桂林	男	1976	非物质文化遗产雕版印刷技艺项目市级代表性传承人。扬州人。师从杭集扬帮的姚永祥、郜明奎，曾与郜明奎一道制作松烟墨。印刷时，能准确掌握色元素，印位精确，调色柔和，能充分体现原作精神
	陈美琦	男	1976	非物质文化遗产雕版印刷技艺项目市级代表性传承人。扬州人。作为刻书界"扬帮"嫡系传人，得到父亲陈义时悉心指导，逐步形成字体清秀线条流畅的独特风格，技艺较为全面
	韦长芹	女	1965	非物质文化遗产雕版印刷技艺项目市级代表性传承人。扬州人。扬州市百名科技致富女能手。师从南京吴志明、广陵古籍刻印社林知明和林道纯，较全面继承了杭集扬邦的雕版印刷技艺
漆器髹饰	张　宇	男	1944	非物质文化遗产扬州漆器髹饰技艺项目国家级代表性传承人。扬州人。研究员级高级工艺美术师、中国工艺美术大师，享受国务院政府特殊津贴。将传统国画的构图布局和以白描为主的绘画技法，运用于漆器髹饰工艺品的画稿设计和漆画、漆艺创作中。代表作有平磨螺钿屏风《柳毅传书》、点螺圆盘《伎乐天》、彩漆平嵌地屏《春风十里》、点螺台屏《百蝶图》、红雕漆大对瓶《江天一览》等
	赵如柏	男	1939	非物质文化遗产扬州漆器髹饰技艺项目国家级代表性传承人。扬州人。研究员级高级工艺美术师、中国工艺美术大师，享受国务院政府特殊津贴。精心研究雕漆的各种技法，熟练运用浮雕、圆雕、透雕等手法，技艺娴熟，刀法圆润，藏峰不露，线条流畅。代表作品有地屏《春溪幽谷图》、漆砂砚《大涤草堂》、巨型漆砂砚《泰山览胜》、大地屏《江山神韵》、楠木雕嵌玉地屏《叠嶂行云》等
	张来喜	男	1961	非物质文化遗产扬州漆器髹饰技艺项目省级代表性传承人。扬州人。高级工艺美术师、江苏省工艺美术大师、江苏省有突出贡献中青年专家，享受国务院政府特殊津贴。熟练掌握高、中、低浮雕技法，应用自如、和谐统一，作品远近有序，层次分明，造型准确，结构严谨，精细浑厚，将传统技艺和当今艺术融为一体
	池家俊	男	1945	非物质文化遗产扬州漆器髹饰技艺项目省级代表性传承人。扬州人。高级工艺美术师、江苏省工艺美术大师、中国工艺美术大师，扬州市有突出贡献中青年专家。擅长花鸟稿件的设计和制作，作品形象生动，线条流畅，结构严谨，构图多变，能寓情于景，主题突出
	吕永林	男	1948	非物质文化遗产扬州漆器髹饰技艺项目省级代表性传承人。扬州人。研究员级高级工艺美术师、江苏省工艺美术大师。擅长文物复制和修复工作。漆画设计构图新颖秀美，气势磅礴，擅长融自然景观和人文景观于一体，具有时代感，蕴藏文化内涵
	赵义晨	男	1964	非物质文化遗产扬州漆器髹饰技艺项目市级代表性传承人。扬州人。扬州市工艺美术大师、江苏省工艺美术名人。能运用玉雕专业知识，对嵌玉产品采用平雕、浮雕、高浮雕、镂空雕的技法，做到层次分明，推拿合理，撞缝严密，栩栩如生，气势宏伟，层次清晰
	陶　健	男	1968	非物质文化遗产扬州漆器髹饰技艺项目市级代表性传承人。扬州人。先后在扬州漆器厂、张来喜大师工作室从事红雕漆工艺制作。在花卉制作中，花瓣飘逸完美，图案制作工整统一，绵纹整齐规矩，继承了传统技艺
玉雕	江春源	男	1947	非物质文化遗产扬州玉雕项目国家级代表性传承人。扬州人。研究员级高级工艺美术师、中国工艺美术大师，享受国务院政府特殊津贴。他博采众长，形成独到见解和创作理念。创作的玉雕花卉瓶、炉瓶等作品，美观大方，造型典雅，玲珑剔透，大小匀称。玉雕"大白菜"风雅神韵独特，被誉为"白菜王"。代表作品有白玉《螳螂白菜》《百花争艳》、岫玉《八骏图》、翡翠《四大名楼》等
	顾永骏	男	1942	非物质文化遗产扬州玉雕项目国家级代表性传承人。扬州人。研究员级高级工艺美术师、中国工艺美术大师，享受国务院政府特殊津贴。师从徐荣泉从事玉雕创作和设计。研究"山籽雕"的创作，保留玉料的天然外形，用圆雕、浮雕、镂空雕方式，雕刻出造型圆浑典雅的立体画面。代表作品有岫玉《傣族舞蹈》、白玉《仕女戏鹦鹉》、碧玉山籽雕《聚珍图》《潮音洞》等
	高毅进	男	1964	非物质文化遗产扬州玉雕项目省级代表性传承人。扬州人。高级工艺美术师、中国工艺美术大师、中国玉石雕刻大师，第十一届全国人大代表。对玉雕造型学的应用有独特见解和深刻领会，大胆构思，立意创新，把传统题材的构思、表现手法处理得传神入化。代表作品有青玉《百寿如意》、白玉《岁岁平安》、碧玉《犀牛》等

续表 38-2-6

项目	姓名	性别	出生年份	主要事迹
玉雕	薛春梅	女	1965	非物质文化遗产扬州玉雕项目省级代表性传承人。扬州人。高级工艺美术师、中国工艺美术大师、中国玉石雕刻大师，江苏省第十届政协委员。在题材、表现技法、创作意境等方面既继承传统，又善于创新，形成清新婉约、细腻隽秀的个人艺术风格。代表作品有白玉《观瀑图》《蝴蝶丛中》《百子瓶》《松阴观画》《曲水流觞》等
	沈建元	男	1956	非物质文化遗产扬州玉雕项目市级代表性传承人。扬州人。研究员级高级工艺美术师、江苏省工艺美术名人、江苏省工艺美术大师、中国玉石雕刻大师。能努力钻研原材料特点，把自己所学的中国画技法与玉雕设计融于一体，取得良好的艺术效果
	时庆梅	女	1969	非物质文化遗产扬州玉雕项目市级代表性传承人。扬州人。高级技师、江苏省工艺美术大师、扬州市有突出贡献中青年专家。能综合运用平雕、浮雕、高浮雕、镂空雕等技法进行制作，作品造型逼真、线条流畅，对作品的细节处理干净利落
	田　翔	男	1964	非物质文化遗产扬州玉雕项目市级代表性传承人。扬州人。高级技师、江苏省工艺美术大师。在玉雕人物、山籽雕创作和制作工艺方面，进行深入研究和探索，在产品整体造型、层次推拿和雕琢技法上形成自己的风格
	汪德海	男	1961	非物质文化遗产扬州玉雕项目市级代表性传承人。扬州人。师从玉雕大师顾永骏。作品求新求变，精益求精，获国家级各类大奖百十余项。为扬州商务高等职业学校宝玉石加工与鉴定专业客座教授
杖头木偶	殷大宁	男	1945	非物质文化遗产杖头木偶戏项目国家级代表性传承人。泰兴人。国家二级舞美设计师。善于运用各种材质的造型技巧，吸取各种风格元素，夸张与写实相结合，抽象、简练与趣味相结合，制作造型精美、操作灵活、风趣可爱的木偶。完成《小虎卖瓜》《看女儿》《三打白骨精》《嫦娥奔月》《琼花仙子》等剧目中的木偶造型设计
	华美霞	女	1947	非物质文化遗产杖头木偶戏项目国家级代表性传承人。泰兴人。国家一级演员。师从蔡艳秋学习木偶旦角操纵表演。独创"木偶耍枪、舞剑、兰花指反掌、揉手绢"及 20 余种轻、飘、柔、美的水袖动作，逐步形成刚柔相济、细腻传神的木偶操纵表演风格。塑造了阿庆嫂、李铁梅、小常宝、白骨精、铁扇公主、嫦娥等各具妙趣的艺术形象
	颜　育	女	1949	非物质文化遗产杖头木偶戏项目省级代表性传承人。泰兴人。国家一级演员。研练出"上袖""双反抛袖""反搭肘袖"等高难度动作，形成生动逼真的表演风格，被称之为"颜派水袖"。采用人偶同台的表演形式，塑造人偶互补、和谐整合的整体形象，使之具有全新的审美价值
	封保义	男	1951	非物质文化遗产杖头木偶戏项目省级代表性传承人。扬州人。国家一级舞美设计师。师从贾小奎、殷大宁等老前辈，学习木偶造型方法、安装结构设置等多项技艺，塑造的木偶戏形象个性鲜明，线条简晰，勾勒流畅，轮廓分明，操控灵活，变化莫测，偶味十足
盆景技艺	赵庆泉	男	1949	非物质文化遗产扬派盆景技艺项目国家级代表性传承人。扬州人。高级工程师、中国盆景艺术大师、国际盆景艺术大师。作品融"诗、书、画、技"于一体，在盆景界独树一帜。代表作品有《八骏图》《小桥流水人家》《垂钓图》《古木清池》等。出版《赵庆泉盆景艺术》《中国水旱盆景》等 13 部专著（其中 5 部系与他人合著）
	林凤书	男	1947	非物质文化遗产扬派盆景技艺项目省级代表性传承人。扬州人。中国盆景艺术大师。师法自然，不拘陈式，善于灵活运用各种棕法，采用更多的树种创作扬派盆景。擅长将平常的材料（树、石），加以巧妙构思，设计出新颖画面，作品犹如一幅幅平淡天真的宋元山水画
	万瑞铭	男	1944	非物质文化遗产扬派盆景技艺项目省级代表性传承人。扬州人。中国盆景艺术大师。生于盆景世家，十岁时随其父万觐棠学习扬派盆景技艺。养护、整理遗留的明、清扬派盆景，经验丰富，技艺高超。众多作品风格多变，树种多样，全方位展示出扬派盆景"工整平稳、层次分明"的艺术特色
	杜晓波	男	1959	非物质文化遗产扬派盆景技艺项目市级代表性传承人。扬州人。园林高级技师。跟随扬派盆景传人万觐棠学习扬派盆景剪扎技艺，擅长扬派盆景规划式造型技艺，作品融"诗、书、画、技"于一体，清新自然
	陆春富	男	1963	非物质文化遗产扬派盆景技艺项目市级代表性传承人。扬州人。高级技师。跟随扬派盆景传承人万觐棠学习扬派盆景剪扎技艺，擅长扬派盆景规则式造型技艺。盆景作品多次在国内外展出并获奖

续表 38-2-6

项目	姓名	性别	出生年份	主要事迹
富春茶点制作	徐永珍	女	1944	非物质文化遗产扬州富春茶点制作技艺项目国家级代表性传承人。扬州人。师从面点大师朱万宝，专攻面点制作。制作的面点，造型饱满，制作精细，馅心多样，风味绝美。讲究用酵，使酵面"手捺之不盈半寸，放松能挺然耸高"，松软柔韧，恰到好处。代表作品有翡翠烧卖、草原玉兔、三鲜雪梨、白兰花酥、荷花莲藕酥、小鸡归巢等多种糕点
	崔海龙	男	1953	非物质文化遗产扬州富春茶点制作技艺项目市级代表性传承人。扬州人。高级面点师、淮扬菜烹饪名师。师从著名面点大师董德安，掌握从面点制作到成型的所有工序，技艺全面。擅长制作翡翠烧卖、双麻酥饼等富春传统经典点心，还独创马齿苋包子、野山菌包子等品种
扬州刺绣	陆树娴	女	1924	非物质文化遗产扬州刺绣技艺项目省级代表性传承人。扬州人。扬州市工艺美术大师。潜心研究扬州写意绣，以针代笔，以线作墨，采用"施针""散套针""绞针""碎瓷针""梭子针"等多种针法，着力追求中国画的笔墨情趣，使"格调高雅、飘逸传神"的写意绣风格脱颖而出，于绣坛独树一帜。2010 年，被中国民间艺术家联合会授予第一届中国民间艺术最高奖"金龙奖"
	吴晓平	女	1953	非物质文化遗产扬州刺绣技艺项目省级代表性传承人。扬州人。高级工艺美术师、江苏省工艺美术大师、江苏省工艺美术名人。师从扬州著名刺绣大师陈淑仪。专攻国画题材，把"扬绣"讲究针法的运用与国画笔法相结合，以针代笔，以线代墨，再现原作笔墨神韵。作品清新古朴，灵秀传神，融画理与绣理为一炉，形成独特的艺术风格
	傅　燕	女	1959	非物质文化遗产扬州刺绣技艺项目市级代表性传承人。扬州人。工艺美术师、扬州市工艺美术大师。师从陈淑仪、陆树娴学习刺绣技艺。擅长绣制人物，精通山水、花鸟等写意绣，能根据不同风格的画稿准确绣出大师原作的笔墨精神和意境，配色准确，表现手法多样
	卫　芳	女	1961	非物质文化遗产扬州刺绣技艺项目市级代表性传承人。扬州人。扬州市工艺美术大师。师从陈淑仪、臧经国先生学习刺绣技艺及设计。继承传统刺绣技艺，针法疏密有致、疏而不散、密而不乱，能够表现出中国水墨画笔墨精神及意蕴
扬州通草花制作	戴春富	男	1940	非物质文化遗产扬州通草花制作技艺项目省级代表性传承人。扬州人。扬州市工艺美术大师。熟练掌握通草花制作技艺，利用"捏、捻、搓"制作出形状各异的花瓣和枝叶，花叶、茎纹均能完全靠手工成型。与钱宏才大师共同制作大量通草花作品，并独创"拉花"工艺美术作品，多次在国内外展出
	钱宏仁	男	1942	非物质文化遗产扬州通草花制作技艺项目省级代表性传承人。扬州人。扬州市工艺美术大师。出生于制花世家，深得父亲钱德云和长兄钱宏才真传，全面掌握通草花制作理论和技艺。"捏、捻、搓"的操作工序，被他运用得出神入化，制作花叶、茎纹均能完全靠手工成型，且栩栩如生
扬州灯彩	许福林	男	1954	非物质文化遗产扬州灯彩项目省级代表性传承人。扬州人。助理工艺美术师。学习灯彩扎制技艺，不仅继承前辈的传统特色，在制作技巧上也有创新和发展。扎灯技艺日臻成熟，作品构思奇特，活泼生动，栩栩如生。在造型、制作、风格上都有独到之处
扬派叠石	方　惠	男	1952	非物质文化遗产传统建筑营造技艺（扬派叠石）项目省级代表性传承人。扬州人。吸取南北各派的叠石技法，形成自己的叠石风格。叠石技法自然为上，师古不求形似，具有南秀北雄特色，擅作"贴壁假山"。叠石造型擅用条石，具有潇洒飘逸之美，其法被称为"方叠石法"
	孙玉根	男	1959	非物质文化遗产传统建筑营造技艺（扬派叠石）项目省级代表性传承人。扬州人。高级技工。擅长"折带皴""莲花皴""斧劈皴"。"折带皴"，仿造大自然千层石山结构；"莲花皴"，以天然洞穴的湖石结构形成自然山景溶洞构造；"斧劈皴"，以各种千层岩做成桂林山水式皴法，山石轮廓分明
	王庭枝	男	1964	非物质文化遗产传统建筑营造技艺（扬派叠石）项目省级代表性传承人。扬州人。扬州叠石名家王再云之孙、王氏叠石世家第七代传人。17 岁，跟随父亲王鹤兰学艺，掌握了王氏叠石的祖传技艺。24 岁时，带领施工队从事叠石工程。擅长用湖石叠成空、秀、瘦的效果
扬州牙刻	吴吉太	男	1951	非物质文化遗产扬州牙刻项目省级代表性传承人。扬州人。扬州市工艺美术大师。出生在牙刻世家，主攻牙刻、竹刻兼书法，深得其父吴南敏家传。刻字运刀爽利清晰，一气呵成，刻画浑厚苍健，秀媚清雅。作品形成独特风格，能在方寸之间刻几百字，山水、花鸟兼工

续表 38-2-6

项目	姓名	性别	出生年份	主要事迹
扬州装裱技艺	任芳贵	男	1930	非物质文化遗产扬州装裱技艺项目省级代表性传承人。扬州人。出生在裱画世家，16岁时，随其父任治国学习裱画技艺。精裱各类新旧字画，配色讲究，裱工精细，款式高档，整洁秀丽。尤其擅长装裱、整理古旧书画
	虞瑞华	男	1960	非物质文化遗产扬州装裱技艺项目市级代表性传承人。扬州人。师从著名装裱师刘道林和上海博物馆装裱修复师刘道民，继承“扬帮”装裱整洁秀丽之艺术风格，运用去污、揭褙、补残等技法，精心修补、装饰，使书画在墨迹、色调和艺术风格等方面恢复本来面貌
	佟　捷	男	1955	非物质文化遗产扬州装裱技艺项目市级代表性传承人。扬州人。师从著名装裱师刘道林，掌握和运用传统装裱技艺，尤其擅长对破旧字画的揭裱，能够修旧如新、平整如初。对刺绣作品、剪纸作品等都能装裱，并熟练掌握书画双面裱技艺
扬州绒花制作	杨家惠	女	1957	非物质文化遗产扬州绒花制作技艺项目省级代表性传承人。扬州人。创作海洋动物系列、卡通系列产品和立体花卉装饰品等。技艺手法细腻、精致，产品玲珑巧妙、秀雅，造型设计新颖，做工精巧，栩栩如生

第七节　广陵区“扬州三把刀”大师

1989～2011年广陵区“扬州三把刀”大师一览表

表 38-2-7

类别	姓名	性别	出生年份	主要事迹
烹饪	萧太山	男	1914	扬州人。特一级烹调师。14岁起，学厨，在芜湖、上海、南京等地拜师求艺，后成为扬州名厨范本善、马善章等的门生。擅长烹制淮扬官府盐商私家菜肴，烹制的菜肴原汁原味，注重火功，高雅精致。代表菜有“清汤鱼翅”“神仙焖鸭”“五味火锅”等
	杨玉林	男	1922	扬州人。淮扬菜烹饪大师、扬州荣誉特级烹调师。17岁，到扬州天凤园学厨，拜名厨丁万谷为师。1978年，调江苏省扬州商技校教烹饪。1985年，市总工会授予其德艺双馨的“维扬烹饪名师”称号。代表菜有“醋熘鳜鱼”“酥炸番茄”“爆双脆”等
	王仲海	男	1934	扬州人。特一级烹调师、淮扬菜烹饪大师。长期为外事工作服务，深得“其味无穷”好评。烹技娴熟，曾赴美、日献艺，好评如潮
	董德安	男	1936	扬州人。特一级面点师。13岁时，在扬州裕顺园饭店学徒，后拜扬州富春茶社名厨张广庆为师，学习面点制作技艺。1983年，获全国“最佳点心师”称号。擅长制作维扬细点。经他口述整理，出版《维扬风味面点500种》
	张玉琪	男	1938	扬州人。中国烹饪大师、淮扬菜烹饪大师、高级技师。省级非物质文化遗产扬州炒饭制作技艺项目市级传承人。师从丁万谷，技艺全面，尤擅冷盘和炉案。曾任富春茶社、扬州大酒店等多家名店厨师长。参加全国三届烹饪大赛，夺得金杯
	王立喜	男	1940	扬州人。中国烹饪大师、淮扬菜烹饪大师、高级技师。非物质文化遗产扬州三把刀·烹饪技艺项目市级代表性传承人。全国第三届烹饪大赛时任扬州队队长，为获得团体金杯作出贡献参加扬州市接待重要宾客及重要宴席设计，任制作总监
	居长龙	男	1940	扬州人。中国烹饪大师、世界中餐烹饪大师、淮扬菜烹饪大师、高级技师。非物质文化遗产扬州三把刀·烹饪技艺项目省级代表性传承人。烹技全面，善于创新。制作的菜肴清新雅丽，形成“居氏风格”。著有《中国淮扬菜—居长龙精品集》
	徐永珍	女	1944	扬州人。中国烹饪大师、淮扬菜烹饪大师、高级技师。非物质文化遗产富春茶点制作技艺项目国家级代表性传承人。第七届全国人大代表，曾获江苏省优秀女企业家、全国技术能手、全国三八红旗手、全国劳动模范等称号。主编《中国淮扬菜·面点与小吃》。1988年全国第二届烹饪大赛上，获面点个人金奖

续表 38-2-7

类别	姓名	性别	出生年份	主要事迹
烹饪	陈春松	男	1946	扬州人。中国烹饪大师、淮扬菜烹饪大师、高级技师。国家烹饪技术职称鉴定一级评委，非物质文化遗产扬州三把刀·烹饪技艺项目市级代表性传承人。烹技全面，善于创新。编著《淮扬新潮菜》《中国扬州菜》等书。参与“秋瑞宴”“满汉全席”“春晖宴”等设计。曾应邀赴美国及香港等地表演烹技，深受好评
	薛泉生	男	1946	扬州人。中国十佳烹饪大师之一，淮扬菜烹饪大师、高级技师。国家烹饪技术职称鉴定一级评委、中国烹饪国际评委。非物质文化遗产扬州三把刀·烹饪技艺项目省级代表性传承人。曾获全国第二届烹饪大赛三项全能金牌等。研制的“薛大师狮子头”推向工业化生产。创制“乾隆南巡宴”“春江花月宴”。其职业生涯所获285件奖牌证书被扬州档案馆收藏
	邵金海	男	1946	扬州人。淮扬菜烹饪大师、高级技师。多次担任接待中央首长主厨。技艺全面，积极创新，尤擅长火工菜，聘为兼职教授，为培养新人作出贡献
	陈恩德	男	1947	扬州人。中国烹饪大师、淮扬菜烹饪大师、高级技师。国家烹饪技术职称鉴定一级评委、省名厨专业委员会副主任。非物质文化遗产扬州三把刀·烹饪技艺项目省级代表性传承人。2002年随国务院总理朱镕基出访柬埔寨，参加11国首脑会议，专司餐饮服务。2005年获中国烹饪协会颁发的中国职业道德金厨奖
	郑连安	男	1947	扬州人。淮扬菜烹饪大师、特级面点师。代表面点作品有“翡翠烧卖”“鸽饺”“白菜饺”“三丁包”“千层油糕”“双麻酥饼”等。曾到欧、亚、非11个国家和地区考察和献艺。参与编写《扬州点心500例》
	周晓燕	男	1964	扬州人。中国烹饪大师、淮扬菜烹饪大师、高级技师。扬州大学旅游烹饪学院教授、博士生导师，国家烹饪技术职称鉴定一级评委、国际评委，省名厨专业委员会主任，非物质文化遗产扬州三把刀·烹饪技艺项目省级代表性传承人。主编《烹调工艺学》发表多篇论文。擅制冷菜拼盘，作品“荷塘月色”获亚洲餐饮大赛金奖和世界餐饮大赛特别金奖
	李顺才	男	1970	扬州人。江苏烹饪大师，淮扬菜烹饪名师。非物质文化遗产扬州食品雕刻项目市级代表性传承人。扬州市顺才食艺学校董事长、校长。曾在全国第三、四届烹饪大赛及国内许多美食交流、重大赛事中获得团体金奖和个人金牌
美发	高文国	男	1937	扬州人。1952年，师从彭玉林学艺。1987年起，在紫罗兰美发厅工作至今。1990年，被评为特二级美发师。2008年，被评为扬州美发大师。以男子剪发造型见长，操作精细，发式清净，造型发纹清晰有弹力。修面运刀细腻，轻柔到位
	仇玉泉	男	1939	扬州人。1954年，师从蔡万江学艺。1956年起，在紫罗兰美发厅工作至今。被评为首批江苏省特二级美发师。擅长女子剪发烫发，功底深厚。曾被已故著名导演陈逸飞聘为电影《理发师》主演陈坤的发型专职教练
	仇庆芳	男	1940	扬州人。江苏省劳动模范。1981年，被评为特二级美发师。2000年，被国家贸易局评为首批中国美发大师。2008年，被评为扬州美发大师
	潘继凌	男	1945	扬州人。高级美发技师。非物质文化遗产扬州理发技艺项目省级代表性传承人。国家级大赛评委，省美发美容鉴定中心专家组专家。享受江苏省有突出贡献高级技师津贴。2008年，被评为扬州美发大师
	周　平	男	1959	扬州人。1976年，师从仇玉泉学艺。2005年，被评为美发技师。2008年，被评为扬州美发大师。以女子剪发造型见长，操作精细，尤其在女子短发造型方面，修剪层次结构合理，造型时尚有动感
	赵　兵	男	1966	扬州人。高级美发技师。非物质文化遗产传扬州理发技艺项目省级代表性传承人。1988年，创办天姿美发厅，后发展为天姿美发美容管理有限公司，拥有17家连锁店。2007年，被评为全国商贸系统劳动模范。2008年，被评为扬州美发大师
	谢凤华	男	1966	扬州人。“扬州三把刀”项目市级代表性非物质文化遗产传承人。2005年，获扬州市美发大赛高级组第一名，获五一劳动奖章和扬州市技术能手称号。2008年，被评为扬州美发大师。2011年，被评为省劳动模范
	赵长明	男	1968	扬州人。非物质文化遗产“扬州三把刀”项目市级代表性非物质文化遗产传承人。2006年，获高级美发技师职称。2011年，被评为扬州美发大师

续表 38-2-7

类别	姓名	性别	出生年份	主要事迹
沐浴	崔同兴	男	1929	扬州人。著名修脚大师。在传承的基础上形成运刀柔、切线准、修得圆、铲得尽的技术流派。被省政府评为首批修脚技师
	朱庆华	男	1944	扬州人。修脚技师。手脚轻快，刀法精确到位，修得嫩圆，修治脚病清净。退休后帮助其女朱秀云开设朱庆华修脚室，传承扬州修脚技艺
	陆松林	男	1946	扬州人。修脚技师。国家职业技能鉴定考评员，非物质文化遗产"扬州三把刀"项目省级代表性传承人。扬州市有突出贡献技师。参与国内行业的技术交流和赛事考评，参与制定扬州市修脚服务标准
	朱才林	男	1956	扬州人。非物质文化遗产"扬州三把刀"项目省级代表性传承人。修脚技师鉴定评委，特一级修脚技师。15 岁，师从王大安，深得修脚绝技"反手刀打薄胼胝"。从业以来，修治各种疑难脚病上万例
	侯筱林	男	1962	扬州人。非物质文化遗产"扬州三把刀"项目市级代表性传承人。省第一批修脚技师。以锛刀、片刀见长，趾甲锛得平、修得圆、铲得净，拿嵌指一刀清。2002 年后，在全市修脚大赛中多次获一等奖
	王邦龙	男	1964	扬州人。高级修脚技师。非物质文化遗产"扬州三把刀"项目市级代表性传承人。1988 年起，从事修脚工作。修脚以"轻"为特色，下刀准、锛得平、修得嫩、铲得尽。曾受聘江苏扬州高等商务学校技师、国家职业技能鉴定高级考评员
	崔　琳	女	1967	扬州人。按摩技师。第一个将足部反射保健法引入扬州。按摩手法贯串一个"柔"字：运用握足扣指法、从轻渐重压刮法、拇指定点按压法、单食指钩法等
	霍保兰	女	1969	扬州人。按摩技师。2000 年，结业于中国足部反射区健康法研究会，并成为该会会员。对全息胚学说原理有深刻认识。通过对双脚皮肤色泽、弹性、血色、肉质准确地诊断病患，施以保健按摩。还创造性地将修脚与摩脚相结合，去除老茧、鸡眼、嵌趾，减轻病变，既外治，又内养，调节肌体
	周业红	女	1970	扬州人。非物质文化遗产"扬州三把刀"项目市级代表性传承人。省首批女修脚技师。省新长征突击手、扬州市劳动模范、省劳动模范、省学雷锋先进个人。个人开办修脚技艺培训班，获批"刮脚刀"专利。擅长挖鸡眼，拿嵌趾，患者赞其"工作平凡，技艺高超，行业娇女，勇夺锦标"
	陆　琴	女	1971	扬州人。非物质文化遗产"扬州三把刀"项目省级代表性传承人。省首批修脚技师，也是扬州第一代女修脚师。第十届、第十一届全国人大代表。先后获全国优秀服务员、省五一劳动奖章、新长征突击手称号。创办"陆琴脚艺工作中心"，在上海、北京、南京和全国大中城市开设连锁店 96 家
	邵靖宇	男	1975	扬州人。足底按摩师。2002 年，获得扬州市足底按摩比赛一等奖。足底按摩创造了"三法"，即指位准确法、指序明确法、指力正确法。这些手法，按摩力度适当，因人而异，轻重适宜，有效舒适，安全简便

第八节　扬州市广陵区体育人才

1989～2011年扬州市广陵区体育人才一览表

表38-2-8

类别	姓名	性别	出生年份	运动项目	获奖情况
教练员	徐维秋	女	1944	艺术体操	扬州人。80年代初，任扬州市儿童业余体校艺术体操教练员，利用汶河路体育馆比较简陋的设施，训练出一批优秀人才，其中有王岫云、钟莉、蔡颖颖等。1990年，调至广东工作
	汪宜顺	男	1943	跳水	扬州人。1986年，任扬州市儿童业余体校跳水教练。借广陵小学楠木厅挖坑，设计绷床和陆上跳板，进行陆上训练。1988～1995年，向省跳水队和国家队输送洪丹丹、石磊、张磊、顾静等10多名优秀跳水队员。1992年，获省业余体育训练先进工作者称号，1993年获全国群众体育先进工作者称号。1995年，调至无锡市体校
	吴晔	女	1968	艺术体操	扬州人。艺术体操高级教练。1990年始，任扬州市儿童业余体校艺术体操教练，培养、输送徐菁、李圆圆、邵媛、孙璇等一批优秀运动员。1996年，被国家体委评为全国体育训练先进工作者。1999年，破格晋升为高级教练，被评为省体育先进工作者(享受市劳模待遇)。2003年，任体校校长
	陈勃	男	1969	乒乓球	泰州人。2003年，被评为乒乓球高级教练。1996～2010年，连续被评为市优秀教练员。2001年、2002年，两次被评为省优秀教练员。向国家队、省优秀运动队输送林晨、余龙飞、刘斐、田琦等20多名乒乓球运动员。2006年，兼任省乒乓球协会科研委员会副主任，市乒乓球协会秘书长
	徐熠	男	1975	跳水	扬州人。1995年，担任扬州市儿童业余体校跳水教练。先后向省跳水队输送金丽丽、陈雨、吴宇清、王速、王韦洁等优秀运动员，其中金丽丽在全国青年跳水冠军赛中获得女子双人三米板冠军。2010年，被市政府和市体育局评为突出贡献教练员
	李圆圆	女	1982	艺术体操	扬州人。2004年，担任扬州市儿童业余体校艺术体操教练员。先后向省艺术体操队输送金珂冰、王若琦、姜斯玥，向省体校输送陈雨嫣、吴思嘉、孙佳阳、卢薏、张默、翟雨涵等运动员。2005～2007年，担任省艺术体操比赛裁判，2011年，担任全国少年艺术体操锦标赛辅助裁判
裁判员	陈勃	男	1969	乒乓球	泰州人。1997年，被国家体育总局批准为国家级乒乓球裁判。曾先后担任全国城市运动会乒乓球赛、全国乒乓球甲级联赛、全国乒乓球锦标赛、乒乓球男子世界杯赛、全国乒乓球锦标赛、全国运动会乒乓球赛和亚洲乒乓球锦标赛主裁
	徐熠	男	1975	跳水	扬州人。2009年，被国家体育总局批准为国家级跳水裁判。曾先后担任全国运动会跳水比赛、全国跳水锦标赛、全国跳水冠军赛和全国青年跳水冠军赛裁判
	周光耀	男	1961	网球	泰州人。任职于扬州技师学院。1990年，被国家体委批准为国家级网球裁判。曾先后担任北京亚运会网球比赛、温布尔顿网球公开赛、北京奥运会和残奥会网球比赛、广州亚运会网球比赛、中国网球公开赛和全国运动会网球比赛裁判
	李建勇	男	1961	羽毛球	南通人。任职于扬州市教育局。1994年，被国家体育总局批准为国家级羽毛球裁判。曾先后担任全国羽毛球锦标赛、厦门国际羽毛球比赛、全国运动会羽毛球比赛和全国城运会羽毛球比赛裁判

续表 38-2-8

类别	姓名	性别	出生年份	运动项目	获奖情况
运动员	赵 杰	男	1966	技 巧	扬州人。国际级运动健将。1984～1988年，共获全国比赛金牌15枚。1985年，第五届世界杯技巧比赛男子4人组冠军，1988年，比利时世界技巧锦标赛男子4人组全能和第一套两项冠军。1991年，任省技巧队教练。1997年，任省蹦床队教练。所带队员多次获得全国蹦床比赛冠军
	王岫云	女	1975	艺术体操	扬州人。1989年亚洲艺术体操锦标赛团体冠军。1993年第七届全国运动会艺术体操个人全能冠军。1994年全国艺术体操锦标赛A组个人全能冠军。第8届四大洲艺术体操锦标赛球赛、带操两项冠军
	钟 莉	女	1976	艺术体操	贵阳人。国际级运动健将。1989年，进入市儿童业余体校艺术体操队。1994年，全国艺术体操锦标赛A组集体全能冠军。1996年，第二十六届奥运会集体全能第5名。第一届亚洲体操（艺术体操）锦标赛球带操和五人圈操两项冠军。1997年，第八届全国运会集体冠军
	蔡颖颖	女	1978	艺术体操	扬州人。国际级运动健将。1994年，全国艺术体操锦标赛A组集体全能冠军。1996年，第二十六届奥运会集体全能第5名。第一届亚洲体操（艺术体操）锦标赛球带操和五人圈操两项冠军。1997年，第八届全国运会集体全能冠军
	张 蕾	女	1979	击 剑	扬州人。1999年，亚洲击剑锦标赛女子花剑个人冠军。2000年，第二十七届奥运会女子花剑团体第7名。2002年，第十四届亚运会女子花剑个人冠军、团体第二名。2005年，第十届全国运会女子花剑团体冠军
	许 冕	女	1987	跳 水	扬州人。国际级运动健将。2000年，全国跳水锦标赛女子团体、双人10米跳台两项第二名，个人10米跳台第三名。2001年，亚洲杯跳水比赛女子团体冠军、个人10米跳台第二名。第九届世界游泳锦标赛10米跳台个人冠军，第九届全国运会女子团体冠军
	徐 菁	女	1981	艺术体操	扬州人。国家级运动健将。1996年，第一届亚洲艺术体操锦标赛集体全能第二名、集体单项第一名。1997年，第八届全国运会艺术体操集体全能第一名
	李圆圆	女	1982	艺术体操	扬州人。国家级运动健将。1999年，全国艺术体操锦标赛个人团体第一名。2000年，全国艺术体操锦标赛团体总分第一名。2001年，第九届全国运动会艺术体操团体总分第一名
	邵 媛	女	1985	艺术体操	扬州人。国家级运动健将。2000年全国艺术体操锦标赛团体总分第一名。2001年第九届全国运动会艺术体操团体总分第一名、集体全能第二名
	孙 璇	女	1985	艺术体操	扬州市人。国家级运动健将。2000年，全国艺术体操锦标赛获团体总分第一名。2001年，第九届全国运动会艺术体操团体总分第一名、集体全能第二名
	肖一鸣	女	1988	艺术体操	扬州人。国际级运动健将。2003年，全国艺术体操锦标赛团体总分第一名、个人团体第一名。2004年，全国艺术体操锦标赛团体总分第一名、个人团体第一名。2005年，第十届全国运动会艺术体操团体总分第一名。2006年，第十五届多哈亚运会艺术体操个人全能第三名。2006年，第三届亚洲艺术体操锦标赛个人团体第三名
	程 博	女	1988	艺术体操	扬州人。国家级运动健将。2004年，全国艺术体操锦标赛团体总分第一名。2005年，第十届全国运动会艺术体操团体总分第一名
	俞静秋	女	1991	艺术体操	扬州人。2005年，第十届全国运动会艺术体操比赛团体总分第一名

续表 38-2-8

类别	姓名	性别	出生年份	运动项目	获奖情况
运动员	张　伟	女	1983	艺术体操	扬州人。2001 年，入选国家队。2001 年，第二十一届世界大学生运动会艺术体操比赛获集体全能第一名。同年，第九届全国运动会艺术体操集体全能第一名
	赵迟梅	女	1984	花样游泳	扬州人。国家级运动健将。2001 年，第九届全国运动会花样游泳集体亚军。2005 年，第十届全国运动会花样游泳集体冠军，记一等功。同年，获省五一劳动奖章，被评为省三八红旗手标兵、新长征突击手
	张灵枫	男	1981	跳水	扬州人。国家级运动健将。1987 年，扬州市技巧比赛第一名。1989 年，省跳水比赛全能第一名。1991 年，全国青少年跳水比赛跳板第二名、全能冠军。1997 年，全国冠军赛半板第二名、三米板第二名。1999 年，全国蹦床锦标赛获团体第一名。2000 年，全国蹦床锦标赛团体第一名。2001 年，全国第九届运动会蹦床团体第一名，被评为省新长征突击手，记二等功

附录

要　目

一、区划调整文件选录

关于调整市区部分行政区划的批复

扬府复〔2002〕1号

广陵区、郊区人民政府：

根据2001年12月26日省政府《关于同意调整扬州市市区部分行政区划的批复》（苏政复〔2001〕221号），现同意广陵区《关于调整广陵区行政区划的请示》（扬广府发〔2001〕159号）和郊区《关于调整郊区行政区划的请示》（扬郊政〔2001〕72号），具体批复如下：

一、同意将郊区汤汪乡划入广陵区管辖。

二、同意将广陵区东关街道办事处的花家巷、窦庄、马庄、工人第二新村、石狮子巷、便益门、高桥、老虎山、黄金坝9个居委会，汶河街道办事处的丰乐、梅岭、建隆巷、凤凰桥、安庄、友谊路、叶公桥、柳湖南苑、贾庄、念四桥、扬子江北路、王庄、瘦西湖、梅庄、新庄、西苑、秋南苑、春竹苑、夏荷苑、秋桂苑、冬梅苑、苏农、扬大师范学院、康乐新村、杨庄25个居委会，城南街道办事处的土坝、扬联、裴庄、水上第一、水上第二、曙光厂、工学院、供电局8个居委会划入郊区管辖。

区划调整后，广陵区行政区域39.44平方公里，人口26.56万人，辖东关、汶河、城南、广陵4个街道办事处和汤汪乡，共87个居委会、14个村委会。区政府驻地不变；郊区行政区域108.56平方公里，人口26.94万人，辖湾头、西湖2个镇和双桥、城北、平山3个乡，共47个居委会、32个村委会。区政府驻地不变。

……

特此批复。

扬州市人民政府

二〇〇二年一月十四日

关于明确市开发区和广陵区、郊区、邗江区行政管理区域的通知

扬府发〔2002〕7号

各县（市）区人民政府，市各委、办、局（公司），市各直属单位：

根据省政府《关于同意调整扬州市市区部分行政区划的批复》（苏政复〔2001〕221号）文件精神，结合我市实际情况，经研究，现明确扬州经济开发区和广陵区、郊区、邗江区行政管理区域如下：

……

二、将郊区湾头镇划归广陵区代管。

广陵区行政管理区域范围为：东部与江都市、邗江区杭集镇交界；北部与邗江区泰安镇毗邻；从红星岛北端的京杭大运河起，向南折西入古运河，沿古运河至黄金坝，转向南至天星桥，沿北护城河向西至二道河，折南沿二道河、安墩闸入古运河与郊区分界；沿古运河折东进入横沟河，南部以横沟河、大众河与扬州经济开发区代管的施桥镇、邗江区霍桥镇毗邻。其行政管理区域67平方公里，人口29.36万人。

……

特此通知。

扬州市人民政府
二〇〇二年一月十四日

关于同意将郊区湾头镇划归广陵区管辖的批复

扬府复〔2002〕43号

广陵区人民政府、郊区人民政府：

根据8月10日《省政府关于同意将扬州市郊区湾头镇划归扬州市广陵区管辖的批复》（苏政复〔2002〕89号），现同意广陵区政府《关于将郊区湾头镇划归我区管辖的请示》（扬广府发〔2002〕57号），郊区政府《关于同意将我区湾头镇整建制划归广陵区管辖的报告》（扬郊政〔2002〕128号），具体批复如下：

同意将郊区湾头镇划归广陵区管辖。湾头镇行政区域和镇政府驻地不变。

行政区划调整后，扬州市郊区行政区域面积81平方公里，人口19.74万人，辖梅岭、双桥2个街道办事处，西湖镇和城北、双桥、平山3个乡。扬州市广陵区行政区域面积67平方公里，人口29.31万人，辖文峰、东关、汶河、曲江4个街道办事处和湾头镇、汤汪乡。

此复。

扬州市人民政府
二〇〇二年十月二十二日

关于市区行政区划调整工作的实施意见（选录）

扬府发〔2008〕103号

仪征市、邗江区、广陵区、维扬区人民政府，市经济开发区管委会，市各有关单位：

根据省政府《关于调整扬州市部分行政区划的批复》（苏政复〔2008〕24号）精神，为认真组织实施好我市市区行政区划调整工作，确保人、财、物顺利交接，确保经济社会平稳过渡，现就市区行政区划调整工作，提出如下实施意见：

一、区划调整的内容

……

2. 将邗江区沙头镇的大众村、高桥村，中兴村的项一、项二组，霍桥社区迎春河以北区域划归广陵区汤汪乡管辖。

……

扬州市人民政府
二〇〇八年六月三日

关于调整部分行政区划的实施意见（节选）

扬发〔2011〕72 号

各县（市、区）委、人民政府，经济技术开发区、化工园区、新城西区、蜀冈－瘦西湖风景名胜区工委、管委会，市委各部委办，市各委办局（公司），市各人民团体，驻扬各单位：

为认真贯彻落实省政府《关于调整扬州市部分行政区划的通知》（苏政发〔2011〕159 号）精神，平稳顺利地做好调整部分行政区划工作，现提出如下实施意见。

……

三、关于调整部分行政区划的主要内容和相关问题

（一）调整部分行政区划的主要内容

……

2. 将邗江区的李典、头桥、沙头、杭集、泰安 5 个镇并入广陵区。

……

中共扬州市委
扬州市人民政府
二〇一一年十一月十二日

二、碑记遗存

广陵区是历史文化名城扬州的发祥地和核心区，历史悠久，文物古迹、风景名胜众多，文化底蕴丰厚，存留着许多历史遗迹，其中碑文是重要的历史遗迹之一。经初步调查，在广陵境域内有石刻古碑文数百块，大部分已由市博物馆搜集收藏入库，但仍遗存数十块碑文在宗教场所、祠堂、会馆、盐商住宅、名人宅第、园林等处。

（一）宗教碑记选

扬州宗教历史悠久，源远流长。扬州宗教文化积淀深厚，门类齐全。各具特色的宗教建筑包括其中的宗教碑记，是十分独特的一类艺术。不少碑文还记述寺庙道观兴建的原因、经过、规模和主事者的情况，对我们了解这些寺庙道观的历史非常有益。

文峰塔记

明·王世贞

有介胄之士曰杨天祥者，尝游江南大帅军中，具拳勇超出流辈远甚，恂恂而不能言者；至于负节概、信然诺，则儒生所不及也。余以唐叔达故知之。既乃得其本末，则少尝为僧少林寺，从师披度，命名镇存。托钵惟扬，至南关之外福国庵结夏，有感于阿育王事，发稀有想，拟创宝塔。今大中丞邵公时以御史按其地，闻而嘉之，给帖化募。惟扬故多名商估客，睹天祥距跃曲踊、伎击剑舞状若猿猱，鬼神而骇焉，争出其资，以佐木石砖甓之费，可三千金，不三载而塔成，御史榜之曰“文峰塔”，盖取于堪舆家言，为一方科甲助也。天祥后忽蓄发，仍故姓名，有妻子，尤不能忘情于兹塔，而再拜乞予记之。我居恒慨诸郡县吾夫子十亩之宫，往往残剥，旁风下雨，有司相顾束手而策无，所出计其资不过千金或半之耳，然不能从四民募一环石粟，其人过之漫然而不小

置念，岂因果之说胜而名教之用屈耶？天祥既用其说，以一念而成此胜果，不宜旋舍而从俗；既已从俗，必其心之悔之，不宜复以此塔求予记也。苟以予记成其名，则所谓不住色而行布施者，又何说耶？天祥于是乎两堕矣。夫是塔之费三千金，可以三十五学宫。然而未有能捐一环石粟，及塔成而借堪舆家言以为科甲助，然则为吾儒者亦两堕也。予不能辨第以语天祥，异日忏宿愆，而礼诵于兹塔之下，其去西方尚当不远也。塔既成，其檐角、宝瓶、木铃则。今住僧任之僧名亦镇存，固不偶也。

重修琼花观记

明·吴秀

维扬城东隅有蕃釐观，自琼花不黑坟而茂，雪蕊瑶丝，名嶙峋于木芝水碧，芳葳蕤于九衢四照，降玉女之□车，停炀帝之鸾跸，擅奇千祀，唐宋名公，篇咏淋漓，故遂称琼花观云。宫室闳丽，泱郁中嶟，然而台虽移蒂芝田，骚人墨客游者，未尝阒无人，余亦神游久矣。辛卯腊，莅任之朝，即以迎春抵其宫，登其台，见其为淋潦所啮，蠹蠓乘之，丹雘颓陁，剥蚀几至荡然。不意琼花名籍籍，竟至此也。然而未暇为土木工，朝夕拮据民瘼，凡五阅月。若治丝稍得理矣，即愀然动复古之思，太守治郡犹治家，其黔而状、黄而稚者，固即先人所贻之子若孙；其名迹胜概，亦先业也，保其子孙，而秦越其先业可矣，太守莅兹土，而忍琼花千百年名迹，一旦圮坏澌灭，是蘧庐其官舍，不若爱其家也。于是谋诸二三同志：户部伍君捐俸首倡，运同裴君继之，诸同寅各捐俸若干，诸州守县令佥以胜举，捐俸若干，至四民输资者，亦踵相接也。即鸠工庀材，民以说束，工以心竞，延袤逶迤，四壁辉煌，树以玉兰，依稀乎琼蕊之扶疏；仿佛乎天香之氤氲；倘余所题“清世界”非耶？昔宋欧阳永叔守扬州，作无双亭，宁好其僻？意在表名迹永永耳！余虽不敢比名迹于永叔，固亦家视其郡之义也，乃碑之以告来者。

吴秀识，松陵高朋举书。

西域先贤普哈丁墓碑记

先贤历史纪略：普哈丁者，天方之贤士，负有德望者也。相传为穆罕穆德圣人十六世裔孙，宋咸淳间来游扬州。其时绿杨城东有龙王庙，老僧华仙素擅法术，颇有名誉，见先贤欲一斗其伎俩，卒不能胜，乃折服而退。未几，先贤亦归西域。越三年，复东游至津沽，遂移舟南下，一夜即达广陵。抵岸，舟子呼客起，不应，视之，则已归顺矣。时德祐元年七月二十三日。事为郡守元公所闻，知为异人，乃建墓于兹土。国初，海贼入寇，兵至维扬，见此墓疑有宝石金玉等物，发之也，石甫启，火光忽冲出，烈烈熊熊，贼猝不及防，负伤者甚众，胆乃大丧，退数十里。守者见墓中并无骸骨，但有天经一卷及冠履扇杖而已。呜乎！以事略，目教门至宋已成江河日下之势，脱非我先贤留此显迹，觉世警愚，使后人得所观感，至今宗教更不堪设想矣。先贤乎！其殆为贵圣之代表，抑亦为吾教之干城也乎？

光绪三十四年六月初旬，教中一分子谨序并书。本寺以妈目等监刻。

保护普哈丁墓园围墙、对亭、水房、天方矩矱碑文

盖闻天方之教，诚信为高举意之。端究里为贵，我教中人凡有余力者，均以修理目寺至德为急务。

先贤普哈丁之墓年久失修，屋宇半多颓废，末等久拟重修，每以时势艰难，迄有志而未迨，今春以倾倒堪虞万难姑待，末等公同商酌，量力捐资，集有钱粮若干，谨将保护普哈坟墓围墙十余丈，暨对亭一座、水房三间、天方矩矱三间先行重建，焕然一新，非敢冀受先贤之喜亦聊以赏，末等夙愿云尔。

马行　山东　申江　姑苏

光绪二十六年七月　　众乡老公誌

金陵　京口　真州　广陵

保护扬州天主教堂碑记

钦差大臣前署办理通商事务武英殿大学士调补直隶总督一等毅勇侯曾，钦命兵部侍郎江苏巡部院丁，为

出示晓谕事。

查传教系条约所载，至入教与否，仍听个人之便，两不相强。合行出示晓谕，为此，示仰军民人等知悉。自示之后，务须恪守钦定条约，毋得滋扰教堂，借端生事，遇有来往洋人，亦不得肆行无礼，倘敢故违，定行查究，决不姑宽。凛之，特示。

同治七年九月二十七日右谕

注：曾，即曾国藩；丁，即丁日昌

（二）扬州会馆碑记

扬州地处江淮，为历史上著名的商业城市，清代又是盐业集散要地。随着盐业等商贸交易的频繁，外地商人在扬州日益增多，迫切需要进行信息传递、乡谊联络、业务往来、共同筹款、办理义举等，所以各种会馆即应运而生。广陵区现尚存部分会馆碑刻遗存。

重修浙绍会馆记

乾隆四十六年，岁在辛丑，浙东张公履丰移旧城之浙绍会馆，改建于小东门外达士巷，为越州君子客于扬者往来憩息之所，笃乡谊也。

东南都会越州为大，士大夫家习诗书，其迁业者隐于贾。扬地扼江淮之要，盐策殷富，百物所聚。而越人之客于扬，率托业于金银钱炭为多。于时民物繁阜，相见以信，而贸迁利饶，集其羡余，修葺房宇，故不伤财而事易举也。洎道光十一年辛卯春，廷罢巡盐御史厘盐弊，而淮南北多更旧章，因是越人之贾于扬者多半星散，而会馆亦因之浸坏矣。

功少弃学而贾，与越中诸君游习至其地，见屋壁之渐颓，因商之绍兴魏君辉远谋新之，犹张公志也。礼曰：“有其举之莫敢废传；曰民生在勤则不匮。”愿与同志者恒其业而无废其地，则所望于将来也。

道光十八年岁次戊戌五月朔日。

天长绍周氏岑建功识。

江都襄孚氏韩潮书

建立会馆碑记（岭南会馆）

会馆之立始于同治八年秋也。先是吾粤虽在禹贡扬州之域，《汉书南粤王传》称：“扬州之南越。”而扬州自有鹾务以来，未闻吾乡中有托业于淮南北者，其他贸迁而至者亦少。至同治三年兵燹后，大府重整鹾纲，广示招徕，乡人士始有挟资到淮身入鹾业者，阅时既久，接踵日众，而认“引”亦渐多。扬州为南北通都大邑，商贾辐辏，俗本繁华。其两淮之财富又著名甲于天下，腰缠骑鹤，古人久艳称之。故今吾乡之来游者，且安居而乐业焉。

因思日久人众，虽萃处一方，而声气无以联络，则于桑梓之谊恐转疏也。且鹾业关系至重，非寻常生业可比，虽有一定章程，而于常课之外，或有他项捐输，一奉大府文告，随时筹复，非齐集而共商之不可，因有设立会馆之议。适同乡中梁君启堂，先于扬郡新城仓巷，买有民房一所，共二十余间。爰商之鹾业诸君子。按“引”出捐，备价梁姓，即其地改为岭南会馆。其他业概不名一钱，询谋佥同。遂呈地方有司请示立案，刊立会馆章程，以垂久远，此会馆之立所由来也。然而规模虽定，制度未宏，且其中木朽垣颓，有岌岌不可终日之势。

公同筹议，复又按“引”集资，即旧存之屋宇而增捐之，如正殿向阳武帝神牌，规制宜宏敞也；门间卑狭，气局宜高阔也；祀神演剧，不可缺鼓吹之台也；岁时伏腊，不可无燕聚之堂也。于是鸠工庀材，不数月而告成，视向之湫隘者而轩敞，龌龊者而深雅，非徒侈轮奂之美也，亦求尽终始之心耳。是役也，经始于光绪九年正月念四日，落成于本年十二月十五日。其费白金玖千余两，均例得备书，勒于石右。文英、辉谋、宇文等，因承乏其事，爰述颠末而序记之如此。至他日若再扩而充之，以增美焉，则俟后之君子矣。

光绪拾年岁次甲申夏伍月　日刊

扬州岭南会馆章程

兹将同治九年公议章程八条胪列于左：

一、会馆创建伊始，需费不赀。拟按照奉定环运纲额花名，无论何岸，凡系本省籍贯办运者，每引捐银壹钱，办盐场者以一年出产为额，每引捐银壹分，只捐一次，以为建造房屋各项应用。已捐者不复再捐。嗣后如有新添场运者，仍照章捐收一次，归入会馆，以昭划一。

一、会馆（创）建必须筹划经费，以垂永远。原议运商无论何岸开纲办运，每引抽银壹分，场商每引抽银壹厘，以为年中各项需用。兹因经费不敷，复行公议，加倍抽捐。拟自辛未年起，运商每引抽银贰分，场商每引抽银贰厘，递年抽捐，按季核交。倘有租办运者，无论租出租入，仍照章抽捐，不得藉词推委。如有隐匿，一经查出，照章倍（罚），以杜取巧。

一、义地建造房屋一切费用，及递年春秋二（季）（经）费，拟于运商无论何岸开纲办运，每引抽足制钱捌文，场商每引抽足制钱捌毫，自己巳年起，递年（抽）捐以为经费。

一、会馆之设原为盐务公所起见，捐款悉从盐出，各行概未签题。其银钱出入及应行各事，每年轮派两家值管，以在扬长驻各商轮流更值，不得推委，亦不得恋管。

一、会馆用度浩繁，必须照章公捐方资支用。如有新添引票、新办场盐者，无论本帮及外帮附入，均随时报知值年存记，以便按季收捐，幸勿隐漏，致滋口实。

一、会馆每年正、五月各聚会一次，以叙乡情。但经费无多，来往官商及同乡窘乏者，概不酬应。

一、会馆为议事聚集之所，绅商过往原不妨偶驻行旅，但须报明值年方可搬进，如有眷口，不得借住。

一、会馆内器具什物逐件登记在簿。值年轮替时点交清楚，毋得稍有遗失，更不得外借与人。各家如有宴会等事，借用会馆则可，幸勿假借会物，祈共谅之。

值理：卢文英　何满昆　吴辉谟　郑沛霖　杨振良　丁勤贵　梁宇文　邓光裕　郑　齐　陈长仪
梁文俊　黄立纬　侯世泽　黄　培　李昆源　容如璧　梁文济

光绪拾年　岁次甲申夏伍月　日立

徽州恭善堂碑刻

窃职等籍隶徽州，客游治下，祗以全徽六县外游半事经营计，在邗江为客不知凡几，或因士宦而寄居，或以贸迁而至止，或孤踪而恐落寞，或只影而觅枝栖，设抱采薪之忧，能无断梗之虑。因邀集同乡集资，在治下缺口门城内流芳巷地方，契买民地一区，前经呈契投检在案。现在草创初就，以为同乡养病之区，旅榇停厝之所，若不禀请立案，不足以垂永远。环叩俯念阖郡义举，恩准立案，当原勒石碑垂不朽等情到县，据此，除批示外，给行出示勒石，为此，示仰徽州来扬士商、堂董等知悉。须知：尔等同乡远客，每虑无依，人地生疏，谁为逆旅？现经程编修等，概念乡情，举斯义举。禀明：在于扬城缺口门内流芳巷地方，集资购地，创造房屋，公建徽州恭善堂，以为同乡中客游小憩及无依者养痾停榇之所，洵属谊笃桑梓，敬恭乐善，顾名思义，用意尤深，殊堪嘉尚。自示以后，务各遵照，听由首事妥议堂规，规董兴办，而垂永久。倘有无知之徒，敢阻挠滋扰，以及藉端索诈等项情事，许该堂董指名禀县，以凭提讯究惩，决不宽贷，各宜凛遵毋违，切切特示。

光绪十一年四月

注：徽州恭善堂旧址，位于广陵路（旧称缺口街）小流芳巷4号对门。磨砖门楼，外观斑驳，进门中有天井，后进为面阔三间的正房，稳重坚实，尚保存古建筑的风韵。前屋室内东侧墙壁上，嵌“奉宪勒石”碑刻。该碑建于清光绪十一年（1855）四月，系扬州府江都县为保护堂址，对干扰肇事者的警告而建。

（三）刘凤诰《个园记》碑文

广陵甲第园林之盛，名冠东南。士大夫席其先泽，家治一区，四时花木容与，文讌周旋，莫不取适于其中。

仁宅礼门之道何坦乎，其无不自得也！

个园者，本寿芝园旧址，主人辟而新之。堂皇翼翼，曲廊邃宇，周以虚槛，敞以层楼。叠石为小山，通泉为平池。绿萝袅烟而依回，嘉树翳晴而蓊匌。闿爽深靓，各极其致。以其目营心构之所得，不出户而壶天自春，尘马皆息。于是娱情陔养，授经庭过，暇肃宾客，幽赏与共，雍雍蔼蔼，善气积而和风迎焉。

主人性爱竹。盖以竹本固，君子见其本，则思树德之先沃其根；竹心虚，君子观其心，则思应用之务宏其量。至夫体直而节贞，则立身砥行之攸系者，实大且远。岂独冬青夏彩，玉润碧鲜，著斯州筱荡之美云尔哉！

主人爱称曰：个园。

园之中，珍卉丛生，随候异色。物象意趣，远胜于子山所云"欹侧八九丈，从斜数十步，榆柳两三行，梨桃百余树"者。主人好其所好，乐其所乐，出其才华以与时济，顺其燕息以获身润，厚其基福以逮室家孙子之悠久咸宜。吾将为君咏，乐彼之园矣！

嘉庆戊寅中秋，刘凤诰记并书。

三、何氏家训

重视家教，是中华民族的优良传统。家训文化有着悠久的历史和丰富的遗存。要想"治国""平天下"，必须"修身""齐家"。扬州何园主人望江何氏十分重视对家族成员道德操守的自律教育。何园编印的《何氏家训》，分别从孝亲敬长、隆师亲友、鞠育教养、节义勤俭、读书写字、出处进退、待人接物、饮食服御、量度权衡、撑持门户、保岁身家等 11 个方面，详尽规范了家族成员的修身处世、待人接物之道，不失为一部循循善诱的家庭教科书，凸显着一个传统家族的文化渊源、道德理想与生存智慧。

一、孝敬亲长之规

孝顺父母、尊敬长上，乃百行之首、万善之源。人能尽得此道，天地鬼神相之，亲戚邻里重之。凡有父母兄长在前者，不可不及时勉旃。

今之人以能养为孝者何？盖缘不顾父母而私妻子、倒行逆施者众，彼善于此，故与之耳。殊不知孝之道，岂养之一事所能尽哉！要有深爱婉容而承颜顺志、尊敬谨畏而惟命是从，稍有斯须欺慢违忤，或伤教败礼、取辱贻忧，虽日用三牲之养，犹不为孝也。蓝田吕氏曰："孝莫大乎顺亲。"司马公曰："吾事亲无以逾于人，能不欺而已矣。其事君亦然。"

人家子弟，有父母兄长慈爱，又得教以诗书、授以生业，而能显亲扬名、以尽孝敬之道者，乃常分耳，乌足言？要在困苦艰难、流离颠沛之际，竭力尽心、周全委曲、消患弭变、特立独行，而不失其度者，方为孝敬。

二、隆师亲友之规

凡家素清约，自奉宜薄，然待师友则不当薄也。切不可因己无成而不教子，又不可以家事匮乏而不从师，务要益加勉励。则所闻者尧舜周孔之道，所见者忠信敬让之行，渐摩既久，身日进于仁义而不自知也。若为利欲所使，违弃师友，则与不善人处，所闻、所见无非欺诬诈伪、污漫邪淫之事，身日陷于刑戮而亦不自知也。言之痛心，各宜自省。

君子以文会友，以友辅仁，必须趋向正当、切磋琢磨有益于己者，始可日相亲与；若乃邪僻卑污与夫柔佞不情、拍肩执袂相诱为非者，慎勿与之交接。

学问之功，与贤于己者处，常自以为不足，则日益；与不如己者处，常自以为有余，则日损。故取友不可以不谨也。惟谦虚者能得之。

三、鞠育教养之规

古有胎教，凡妇人妊子，寝不侧，坐不边，立不跸，不食邪味，割不正不食，席不正不坐，目不视邪色，耳不听淫声。此道也，今之妇人乌得而知之？夫当预与之言。

凡产子，须是为母者自哺，不可委之乳母。吾尝见人家委乳母者，雇直服食稍不如愿，反令其子寒暖失时、饿饱无节，或跌扑惊伤隐蔽不言，致疾莫知所自。且乳母中端洁者寡，常生意外之虞，不可不谨。

女子初生，三朝、满月，慎勿置酒张筵，多害生命。惟斋沐更衣，具酒果，抱子告于祠堂。其世俗催生、送羹之礼糜费无益，概宜谢绝。

古礼名子不以日月，不以国，不以隐疾，不以山川，亦不可与古圣先贤同名。但只以名理学之字，使之顾名思义可也。外有数则，大意与温公家仪同。

四、节义勤俭之规

节义之人，乃天地正气所钟，光祖宗、荣亲族，莫大乎是。后世但有男子仗义而穷，妇人守节而苦，不能自存者，岂不为之虑而使之失所耶？合族俱当议处，资给以成其美，不得轻慢靳啬。

勤俭为成家之本，男妇各有所司。男子要以治生为急，于农商工贾之间务执一业，精其器具，薄其利心，为长久之计。逐日所用，亦宜节省，量入为出，以适其宜。慎勿侈靡骄奢，博奕饮酒，宴安懒惰。若人心一懒，百骸俱怠，日就荒淫，而万事废矣。妇人夙兴夜寐，黾勉同心，执麻枲、治丝茧，织纴组紃，以供衣服。不事浮华，惟甘雅洁。凡有重务，弟兄妯娌分任其劳，主妇日至厨房料理检点，但有童婢撒泼五谷秽污、作践暴殄天物者，量加惩戒。至晚扃锁门户，贮水徙薪，逐处照管，仍谕各房不许烘焙衣物。内外谨严，俱无怠忽。其上下衣食分给有等，男女多者传递惟均，不得各分彼此。嫁娶宾亲亦从简便。如此，则衣食常盈而先业不坠矣。

五、读书写字之规

子弟读书之成否，不必观其气质，亦不必观其才华，先要观其敬与不敬，则一生之事业概可见矣。凡开蒙之后，能渐渐收敛，一惟师教之是从、亲言之是听。敬重经书、爱惜纸笔，洁净几案、整肃身心，开卷如亲对圣贤，熟读精思、沈潜玩索，将书中义理反求就自家身上体认。眠存梦绎，念念不忘，如婴儿之恋慈母、饥渴之慕饮食，无一刻之敢离，无一时之或怠。但遇紧要词语，留意佩服，即思此一句可以用在某处，我当谨守力行；此一句正中我之病根，我当即为拔出，不使蔓延滋长。如此为学，虽愚必明。纵不能尽忠于朝廷，亦可以尽孝于父母；纵不能建功业于天下，亦可以自善乎一身。若乃不庄不敬，卤莽忽略，未学先能，未让先厌。或讲读之际目视他所、手弄他物、心想他事，于书读其前则污其后，读其后则毁其前。或自恃聪明，不肯用力；或专务外驰，不肯内究。如此为学，白首无成，虽成必败。居官则败国家之事，处己则无保身之谋。所以古之圣贤教人，先在洒扫应对时着力引诱提撕，拳拳以持敬为本。

读书以百遍为度，务要反复熟嚼，方使味出。使其言皆若出于吾之口，使其意皆若出于吾之心，融会贯通，然后为得。如未精熟，再加百遍可也，仍要时时温习。若功夫未到，先自背诵，含糊强记，终是认字不真、见理不透，徒敝精神，无益学问。

学问之功全在讲贯。而讲习之要，必须讲后自己细看，着意研穷，潜思默究；逐句紬绎，逐章理会；方才得其旨趣。略有疑惑，即为质问，不可草草揭过。俟一本通贯后，仍听先生摘其难者而讯问之；或不能答，即又思之；思之不通，然后复讲。真境一开，如得时雨之化，后来作文随意运用、信手发挥，自然成章，再无窒碍。若泛泛而讲、泛泛而听，原不留心佩记，徒费唇舌，不入肺腑。今日让过，明日忘之；此章未达，又讲别章；今年未明，复待来岁。虽讲至百年，诚何益也！

凡写字务要庄重端楷，有骨格、有锋芒、有棱角，不得潦草斜歪、微眇软弱。古人云：用笔在心正，则笔正矣。吾以为用笔固在心正，又在手活。手活，则笔势奇妙，如走龙蛇。不则若胶柱鼓瑟而剔画不开也。是以小儿初学字时，先要教其执笔圆活。如写小字，止令手指运笔，而手腕不可动也。若小时失教，大来难转者，令学草书，庶几可改。抄书认字真切，则无鲁鱼亥豕之弊，既要快速，又要不差，此乃日用常行第一急切之务。况考试之日，苟或字之不佳，涂注粗拙，纵是锦绣文章，亦不动观览矣。岂可谓字不关紧要而不习耶！

功名富贵固自读书中来，然必待天与之方可得，岂人力之所能为？苟人力可为，官将布满宇内矣。吾尝见人家子弟不读书则已，一读书就以富贵功名为急，百计营求，无所不至，求之愈急，其事愈坏。缘此而辱身破家者多矣。至于自己性分内有所当求者，反不能求，惜哉！吾人各要揣己力量，以安义命，不得越理妄求。今后可读书者，晓窗夜檠，优游涵养，以俟乎天，将功名富贵四字置诸度外，只将孝弟忠信四字时时存省。苟能表帅乡闾、教道子侄，有礼有恩、上下和睦，使强者不得肆、弱者得以伸，只此就是治道，何必入仕然后谓之能行！不能读书者，安心生理、顾管家事，能帮给束修薪火之资，使读书者得以专心向学，倘或成就得一个好人，不惟于合族有光，亦不负父母之心。只此就是孝义，何必读书然后谓之能知！

六、出处进退之规

人生天地间，智愚贤不肖，固有不齐。或出或处、或进或退，要当皆以古人为鉴，斯无咎矣。昔伊尹、傅说、吕望、孔明之处也，一耕于有莘之野，一佣于版筑之间，一垂钓渭滨，一高卧南阳。此四公者，不出则寥寥无闻；一出则立业建功，以安天下。向非天子梦卜，求而用之，终于农工渔隐之流而何尝汲汲自出？抑何尝以农工渔隐之事为鄙陋而不为也？今人知出而不知处，知进而不知退。凡读书不遂，即鄙农工商贾之事而不屑为，所以有济世之才而无资生之策者多矣。如张齐贤以布衣而条当世之务，艺祖留之以相太宗；范仲淹以秀才而怀天下之忧，君子称之为分内事。今初学之士就欲妄事希觊干求，岂二公之俦也耶！又留侯疏广功成身退、知止知足，成万世之美名，今之既明且哲以保其身者几人？吾人能知此四事，于所行所止之间审己量时、见机而作，则庶乎免夫失身之患。

七、待人接物之规

凡与宾客及尊长、卑幼、君子、小人相接，义节固有不同，咸不外乎敬而已矣。若待尊长必须言温而貌恭、情亲而意洽。尊长或不我爱，益加敬谨可也。待卑幼又在自敬。其身苟能尊严正大、肃矩整规，则为卑幼者修饬畏惧之不暇，孰得而上犯之耶？一或琐碎亵狎，便无忌惮矣。待君子之敬根于心。凡相见、往来、交际之礼，俱宜从厚，其敬始伸。若稍薄则为慢矣。待小人则不然，外若敬而内则疏、包容退让。宁受亏一分，使之自满自愧，于我亦无所损。若与之争兢校量，一旦弃绝，或发其隐私、斥其过恶，彼必终身怀忿，不至中伤而不止耳。此乃一生所验之良方，以为后人应世之药石。

凡客至，家长或宗子出迎。若系宗族姻党之尊者，子弟俱出，列班肃揖。如出外远回久不相见者，则拜或留饭，家长宗子奉陪。如系子弟中之旧师友、新姻眷，止是此子弟奉陪，其余不必见也。留饭之意，既得尽语又得尽欢，且能尽敬，况路遥者不使受馁而还。馔贵快便精洁，不贵多品，庶亲近教益常可往来；若一丰厚，后来难继也。

八、饮食服御之规

饮食服御，乃民生日用之不可缺者。近来侈僭无节，风俗日漓，盗起民穷，多出于此，岂草茅之说所能挽？故历采古先圣贤之言，为此标准，吾人当佩服，以成雅淡俭朴之风。

古人饮食，每种各出少许，置之豆间之地以祭先代，始为饮食之人，不忘本也。

为人子者，父母存，冠衣不纯素；孤子当室，冠衣不纯采。

唐太宗教太子曰：汝知稼穑之艰难，则常有斯饭矣。

朱子问曰：饮食之间，孰为天理？孰为人欲？曰：饮食者，天理也；要求美味，人欲也。

君子慎言语，节饮食，二者养德养身之切务。

有道之士粗裘索带而人不鄙之者，取其内而不取其外也。

司马温公曰：吾生平衣取蔽寒，食取充腹，亦不敢服垢敝以矫俗干名，但顺吾性而已矣。又曰：吾家待客会数而礼勤，物薄而情厚。

古人事亲，有以酒肉养志者，有以菽水承欢者，均不失其为孝。

茅容待客，以草蔬与之同饭，杀鸡为馔以供母。客知之，起拜而称贤。

范文正公虽贵，非宾客不重肉，妻子衣食仅能自充，而惟好施予。晏平仲敝车羸马，而惠及三族。

范益谦曰：凡吃饮食不可拣择去取。

汪信民曰：人常咬得菜根，则百事可作。朱子曰：今人不能咬菜根，而至于违其本心者众矣。可不戒哉！

张文节公为宰相，自奉甚约。或讥之。公叹曰：吾今日之俸，虽举家锦衣玉食何患不能？顾人之常情，由俭入奢易，由奢入俭难。吾今日之俸岂能常有？身岂能常存？一旦异于今日，家人习奢已久，不能顿俭，必至失所。岂若吾居位去位、身存身去如一日乎？

柳公绰凡遇饥岁，诸子皆蔬食，学业未成者不听食肉。弟见兄未尝不束带，夫人常衣绢素，不用绫罗锦绣。

每归觐不乘金碧舆，祇乘竹兜子。常命粉苦参、黄连、熊胆和丸赐诸子，每永夜习学含之，以资勤学。所以在公卿间最名有家法。

君子以礼义养心，则心宽体胖；若恣食肥甘，则神昏气溃。妇女以布衣御寒，则坚苦其志；以香熏罗绮，则淫荡其心。

九、量度权衡之规

人家之升斗尺秤，皆所以量多少、度长短、称物平施而权轻重者也。此固家常用物，实系乎人之一心。心正而公，则制之惟准、用之惟平，使贸易输敛之间两无亏累，即为天理矣。若以私刻存心，专图利己，买人之物则用大斗大秤，卖物与人则用小秤小斗，或借人米谷原以大斗量入而以小斗偿还，取息于人以小斗放出而以大斗收回，即此就为人欲。殊不知轻重大小之间所增几何？而所损大矣！盖幽暗之中鬼神在焉，人可欺而心不可欺，心可欺而天不可欺。吾人为学，欲辨理欲而下克己工夫者，先从此处用力，最为亲切。

十、撑持门户之规

大丈夫尚欲戮力王室，而自家门户岂可不为撑持而忍坐视其敝乎？盖人家之兴者岂得常兴？而废者亦岂常废？兴而不撑持，即废矣；废而能撑持，何患不兴乎！兴废固由于天，而撑持之力实在于人。能知得此意，克勤克俭，凡有废坠，一一修举。或遇户役世务之来，宗子总其大纲，支庶同心共济、协力帮扶以保宗祀，切不可推延畏缩、窃议旁观，以致唇亡齿寒、萎靡不振而反取人欺笑。虽然，此其大略也；若夫光显之，则在笃志诗与书矣。

十一、保守身家之规

保守身家之道无他焉，第一不可奸骗人家妻女；第二不可赌博宿娼；第三不可拖欠包揽、谋领侵欺钱粮；第四不可炼药烧丹、攘窃诓骗；第五不可强横健讼、斗狠逞凶及扛帮教唆、生事害人；第六不可交接无藉之徒，花哄游荡、不务本等生理及纵容尼姑卖婆于内室往来；第七不可傲人慢物、好胜夸能、逆理乱伦、骄奢淫佚；第八不可为贪心所使，专行峻险之途。吾子孙能依得此诫，每日战战兢兢，循规蹈矩而行，则上不玷祖宗、辱父母；下不累妻子、害亲朋；明无人非，幽无鬼责。一家安乐，为何如哉！

四、旧志序言

广陵志序

宋 郑兴裔

郡之有志，犹国之有史，所以察民风，验土俗，使前有所稽，后有所鉴，甚重典也。余奉简书，自庐移守兹土，表章先哲，利赖兆民，日求康治，而文献无徵，心窃悼焉。夫广陵名胜之区，淮南一大都会也，襟江带海，包络吴楚，通道瓯粤，鲍子所谓重江复关之隩，四会五达之庄，非其地欤。春秋时属吴，传曰吴城邗沟，以通江淮是也，秦并天下，属九江，汉属荆，寻属吴，景帝时名江都国，武帝更名广陵国，东汉为广陵郡，魏晋属徐州，宋曰南兖州，又为邗州，寻复为扬州，此沿革之大概也。唐曹宪始创扬州志，五代丧乱之余，残编断简，无复存者。我国家定鼎，以维扬为重镇，历今二百三十余年，休养生息，民臻富庶，而名邦掌故，终令沦亡，殊非守土牧民之责，爰命郑教授少魏，姚尉一谦辑之，为卷一十有二，书成请余识诸简端。余思先王之有天下也，砺山带河，画疆以理，金城汤池，度地而居，齐夸四至之履，易垂重门之文，明乎各有定守也。乃若任土作贡，厥赋恒殊三等，鱼盐蜃蛤，伯国用以富强，且江珍海错，地实生焉，践其土者，食其毛，宁敢忌享王之义乎。其或嵩岳降灵，勋名成於仕宦，山川毓秀，贤声著於乡邦，千秋之俎豆增光焉。若夫遇名山而歌咏，掷地金声，历馆阁而抒辞，光天藻彩，邹枚鲍庾之徒，赫赫在人耳目也。他如刲股砥纯孝之行，断指凛冰霜之节，可以立懦廉顽，风兹百世，旌庐表墓，又奚忝耶。至于隋陵盘冢，古迹相沿，琼观迷楼，胜地非昔，吊遗徽於寂寞之滨，扪碑碣於薜萝之内，虽微必录，无隐不宣，数百里封域中之事，群汇而笔之於书，则身虽不下堂阶，而广陵错壤，恍然在目，斯无负守土牧民之责乎。圣天子采风问俗，藉以当太史之陈，後之来守是邦者，亦庶乎其有所据依矣，是为序。

索　　引

说 明

1. 本志索引依照国家标准《索引编制规则(总则)》GB/22466-2008进行编制，由主题索引、人名索引、图照索引、表格索引四部分组成，全书自总述至附录所有内容，均可通过本索引进行检索。
2. 索引款目按汉语拼音音序排列。
3. 索引标目后的数字表示内容所在页码，加括号的页码为总述部分内容。
4. 索引标目下设置副标目的，采用分行缩格形式区分。

主题索引

A

B

C

D

E

F

G

H

K

L

M

N

P

Q

R

S

W

X

Y

Z

人名索引

B

C

D

E

F

G

H

J

K

L

T

W

X

Y

Z

图照索引

A

B

C

D

E

F

G

H

J

K

L

M

N

P

Q

R

S

T

W

X

Y

Z

表格索引

A

B

C

D

F

G

H

J

K

T

W

X

Y

Z

编 后 记

国有史，域有志。地方志是系统记述一地自然与社会情况，资政、存史、教化的文化工程。续修《广陵区志》是江苏省政府确定的全省地方志二轮修志规划成果之一。中共广陵区委、区人民政府十分重视，把地方志工作列为“古城为根、文化为魂”文化强区重要内容，推动开展修纂工作。区政府于2008年4月召开动员大会。2008年至2009年间，收集了部分资料，初撰了部分基层志稿。2010年至2011年间，由于区地方志办公室（以下简称区方志办）人员变动，这项工作停滞。2012年5月，省政府召开电视电话会议，督促推进全省修志进度。区委、区政府调整加强区方志办人员力量，重新搭建地方志工作团队。区方志办以续修区志为业务主线，积极组织开展工作。当年8月，续修《广陵区志》（上限1989年下限2011年）的篇目设计通过了扬州市地方志办公室（以下简称市方志办）评审。11月，区委、区政府召开全区大会，贯彻依法修志，落实承编责任制，强有力推进《广陵区志（1989～2011）》（以下简称新区志）修纂工作。至2014年12月，新区志初稿全部完成。2015年10月，志稿通过了初审、复审；12月，通过了市方志办终审；2016年8月，经市方志办验收合格，报江苏省地方志办公室（以下简称省方志办）审核备案。2017年12月，经区人民政府批准，方志出版社出版。广大地方志工作者在区委、区政府的正确领导下，在中国地方志指导小组及其办公室（以下简称中指组、中指办）和省、市方志办以及各地专家学者的悉心指导帮助下，在区各承编单位的密切协作合作下，在社会各界的关心支持下，克难求进，砥砺奋战，精益求精，用较短时间完成了浩繁的修纂任务，以热情心智打造了不愧于职责的区史著述，以默默奉献和辛勤劳作完成了光荣而艰巨的工作使命。

（一）

新区志修纂工作，在区委、区人大常委会、区政府、区政协及区地方志年鉴编纂委员会高度重视和领导下，坚持正确政治方向，坚持依法修志理念，顺利推进。2012年8月6日，市方志办和区政府召开续修《广陵区志》篇目评审会，确定了新区志上下限，确定了总体为38篇的篇目设置。11月13日，区委、区政府召开推进二轮修志工作动员大会，下发《广陵区推进二轮修志工作方案》《广陵区志（1989～2011）篇目大纲》。区委常委会、区人大常委会主任会议、区政府常务会议多次将地方志工作列入议题，区政协把新区志修纂列为提案，听取汇报、专题研究和视察。区政府保障地方志工作经费，将其纳入财政预算，历年政府工作报告均有地方志内容和工作要求，列入区经济社会发展规划。修纂进程中，孔令俊、陈锴竑、张长金等区委历任书记多次作出指示并亲自审看志稿，陈锴竑、陈曦、徐长金等区政府历任区长亲自担任区地方志年鉴编纂委员会主任。陈曦、赵长松、陶伯龙、王涛、胡明寿、孟亚东等区领导多次亲临区方志办视察指导工作，亲切慰问鼓励地方志工作者。

区政府分管领导与各承编部门签订新区志修纂承编责任书。全区83个承编部门协同配合，按计划推进修志工作。区方志办引入项目工程管理模式，首创挂图修志工作法，将2013年作为搜集资料的基础年，2014年为撰写初稿的攻坚年，2015年为总纂提升的会战年；2016年为审查验收的收官年，分为整理资料长编、撰写志稿、分纂总纂、评审验收等四个阶段。各承编单位近百人承担部门志主笔，400多人参与资料搜集。2013年，区方志办与相关单位对接、调研，沟通80多次，指导搜集资料和编写资料长编。在30多个重点和综合部门，召开50多场次编写工作业务协调会。举办承编单位修志主笔培训班，通过培训，提升各级修志主笔业务水平。承编部门也先后举办30多场培训，500多人次参加。为把握区情史实，3次组织编修人员参观考察村镇和企业。2014年，上半年基本完成资料长编稿编写任务，下半年着手撰写初稿。召开修纂转段会议，印发《关于抓紧做好广陵区志（1989～2011）志稿编纂工作意见》，对志稿撰写进度和质量、审查与验收、业务协作等，提出具体要求。4月，部门编写的资料长编陆续转入志稿试写。5月，对人物篇资料征集、编写作专题安排。5至6月，对承编部门开展督查，全区83个承编部门搜集资料2200多万字，图照530幅，编写资料长编稿1000多万字。2014年底，完成38篇分志稿，总字数300万字。

2015年初，在总结前段做法经验基础上，区方志办提出以“专业人才、专业眼光、专业智慧、专业经验”搞好新区志总纂攻坚工作。第一轮统稿，着重做好“抓差补齐”。3月17日，区方志办对总纂工作进一步落实，对篇目结构、资料内容、交叉重复、记述范围、篇幅体量、史料核实等问题，逐一研究明确。第二轮总纂统稿分三条线开展，一条线抓志稿主体，分组打磨志稿；一条线抓大事记编写；一条线抓图照摄制收集整理。至4月底，形成了要素基本齐全的新区志初稿。8月，进入第三轮统稿，压缩文字、解决交叉重复、核准数字、统一文风体例，并将新区志评审稿分送区四套班子领导和编委会成员及离退休老领导、各地地方志专家计110位审看把关。10月16日，区政府召开志稿初、复审会，志稿顺利通过区级评审。随后，总纂组汇总梳理评审意见，认真研究、修改到位，对纲目结构进行适当调整，对存于多篇中的环境保护内容进行集中，增设《环境保护》篇。将多篇中重复存在的古建筑内容合并，增设《历史建筑》篇。在部类上，按自然、城建与城管、经济、政治、文化、社会生活、人物七个部类排序。志稿主体部分由原39篇，删减、调整、合并为38篇。新区志总述、序文、大事记、随文图照、彩页、地图等也抓紧同步进行。12月15日，《广陵区志（1989～2011）》志稿通过市方志办终审。随后，总纂组根据终审会提出的意见，打磨文字、消除硬伤，进一步提升志稿质量。

2016年，围绕贯彻区委、区政府提出的高质量出版新区志的要求，1月8日，区方志办召开篇目调整研讨会，请省、市地方志专家把脉，对篇目进行完善提升，使志书结构更为合理，史实归属更为得当。同时，为拓展地方志服务经济社会发展的功能，在人物篇中增加广陵区在海内外中青年名家贤达的记述。5月底，志稿主体38篇又经两轮修改完善，完成了目录、凡例、大事记、总述、附录等志首、志尾编写工作。6月，《广陵区志（1989～2011）》上报验收。其间，区政府办公室召开区志验收把关审定工作协调会，要求各单位在政治思想、保密、军事、人物记述和数据方面把关，区委办、保密局、组织部、人武部、统计局、档案局等部门参加。8月30日，《广陵区志（1989～2011）》志稿顺利通过了扬州市地方志办公室组织的评审验收，区四套班子主要领导参加了验收活动。

验收后，区方志办遵循“五个必纠”，即史实有出入差错的，必须纠正；记述内容与现行方针政策不符或有偏差的，必须纠正；行文有悖志书相关规定的，必须纠正；正文与志首《凡例》规定相矛盾的，必须纠正；数据错误，有错别字或其他硬伤的，必须纠正，组织编纂人员对志稿进行过细的打磨修改、调整完善。2016年12月，经调研学习并报告区政府、区地方志年鉴编纂委员会同意，进入确定出版社和印刷招标阶段。区方志办严格按照规章制度办事，区档案局纪检组主持招标研究及发标、考察、开标、定标等全程活动，会同区财政局、区政府采购中心，于2017年1月完成了印刷招标。2017年以来，全体编纂人员全力投入新区志出版、印刷前各项工作，以夯实数据资料、核实人物史料，规范精炼文字、落实图照采编、突出时代特色和地方特色，最大程度减少差错率等为重点，从头到尾对志稿全面认真进行精雕细琢，精心打造精品志书工程，直至11月份报请区政府批准付印。

在抓好新区志修纂主线工作的同时，广陵区地方志其它方面工作也取得了长足发展。联合区关工委和街道、乡镇，开展地方志文化“进社区、进学校”活动；组建“老扬州话古城”志愿者服务队，参加扬州2500城庆活动；主动作为，联合区民政局，发扬先贤《广陵图经》修撰传统，担纲绘制广陵区全境地图和主城图，填补了1983年广陵建区以来没有正式出版地图的空白；组织编写“广陵风物录丛书”，一套五册分别为《水韵广陵》《清曲广陵》《民居广陵》《庭院广陵》《书香广陵》，成为建区以来首套系列地情书；服务特色小镇建设，《中国名镇志·扬州湾头镇志》入选中国名镇志文化工程第二批项目，湾头镇成为江苏省长江以北地区首个入选的名镇；在全国首倡建议中指办启动开展中国名街志文化工程，《中国名街志·扬州东关街志》编纂工作在全国先行先试；乡镇志、街道志乃至部分村志、社区志工作全面启动；地方志工作人才队伍基本稳定，培养了一批热爱地方志事业、熟悉广陵地情、具有一定文字能力的年轻力量；等等。

尤其是，通过修纂新区志，极大提升了社会对地方志工作的认知、理解和支持。续修区志工作得到社会各方面和各界人士的关心、支持。省内外很多老同志、专家学者为新区志提供资料，参与相关篇章的撰写、审稿、研讨等编纂活动。各承编部门和广大地方志工作者积极投入，尽心尽责，作出奉献。牵头单位积极承担起组织协调任务，实施统筹联络和审稿工作。区委办、区政府办、政法委、发改委、经信委、建设局等牵头单位做了大量协调沟通工作。老领导崔如松、王大庆等十分关注志稿修改，对史实和文字的修改提出很多宝贵意见。为确保志稿数据的准确性，区统计局组织班子，专人负责，对志稿有关统计数据进行全面的核对，并与总纂人员对接核实。他们的踊跃参与，为新区志修纂及地方志各项工作开展提供了有力保证。

（二）

回顾修志历程，我们有很多感悟。

第一，以追求精品良志为目标，开展修志工作。从资料搜集到编写长编，从对资料筛选、核实到写出初稿，每一步都对照精品良志的要求并贯穿于新区志修纂全过程。

第二，以高水平专家为依托，确保编修良志目标实现。区方志办人员经历由少到多再到精的过程。开始起步为 3 人，到搜集资料、编写长编阶段达近 20 人。进入总纂阶段，进一步充实专业力量。特聘二轮《扬州市志》吴家兴、谢连生两位副主编和市人大志、市农业志李济泰、袁汉根两位主编组成总纂班子，担当总纂统稿修改提升工作。特聘区老领导董德利、张祥生等为顾问，对了解区情变化、把握区情特色、提升志稿质量起到了关键作用。

第三，以强化区情特色为抓手，彰显广陵个性。新区志与首轮区志相比，在编纂内容与手法上，有不少创新。浓墨重彩记述了广陵人民在区委、区政府的坚强领导下，以改革开放为动力，三个文明一起抓，经济社会文化事业迅猛发展的巨大成就，全景反映广陵历史、广陵亮点、广陵力量、广陵辉煌和广陵发展。为较为完整体现历史变化，经请示区政府和市方志办同意，新区志记述下限从原来确定的 2005 年延伸到 2011 年，而且将大事记、彩页内容延至 2017 年 1 月。全志 38 篇 184 章 736 节，内容丰富，资料翔实，叙事细腻，有一定的存史和现实价值。为充分反映区情特色，升格设置有《运河淮河长江》《古城保护》《东关历史文化街区》《园林》《历史建筑》《扬州三把刀》《文博非遗》《名镇湾头》等特色篇，占全志篇幅的 21%。志首彩页重点反映文化古城与现代都市融合发展的主题，使新区志具有突出的个性色彩。

第四，以勤于学习虚心求教为要务，不断提高工作水平。先后编写学习资料 2 册，约 10 多万字，安排 20 多个专题学习讨论。重视向实际学习，组织修志人员到企业和乡村考察调研，重视向方志界同行和各方面专家学者学习，借智、借力，开拓视野。

第五，得益于区委、区政府和方志界各级领导、专家的关心指导。扬州市方志办柏桂林、姚震、刘扣林、王妮姗等领导、专家经常来到区方志办指导帮助，对进程各个阶段提出指导意见。省方志办陈华、吉祥等处长、专家多次参加新区志篇目审定、修改、优化、审稿和验收等工作，提出许多建设性意见。2015 年 5 月，省方志办蔡金良副主任亲临调研，对广陵区高度重视地方志工作、保障经费、人员精干以及所取得阶段成果等给予充分肯定。中指办领导十分关心广陵区地方志工作，中指组秘书长、中指办主任冀祥德作出批示，中指办副主任邱新立两次亲临广陵视察指导并为新区志作序。中指办刘永强、程方勇、陈旭等处长、专家多次前来指导并参加评审。各地地方志办领导、专家和各界学者，对广陵修志也十分关注，提出了许多宝贵经验和指导意见。扬州市暨广陵区民俗、水利、方言、古建、商贸、人物、老干部、摄影等方面专家曹永森、顾一平、徐鹏志、陈宜林、赵立昌、徐炳顺、李良虎、陈金龙、李斯尔、杨庚来、刘承松、田峥等，提供了宝贵资料和稿件。

在此，谨向关心、支持、帮助《广陵区志（1989 ～ 2011）》修纂工作的领导、专家、同志们，致以诚挚的感谢！

编纂社会主义新方志，是一项浩繁的社会工程。本次修志，尽管我们主观上力求做到全面、系统、准确，以期更好地发挥地方志资政、存史、教化功能作用，限于阅历学识和编纂能力，且搜集和核实资料的难度甚大，难免出现疏漏和谬误。敬请领导、专家和广大读者恕谅并赐教指正！

扬州市广陵区地方志年鉴编纂委员会办公室

扬州市广陵区地方志办公室

2017 年 11 月

主要参考书目

《扬州市志（1988 ～ 2005）》		方志出版社	2014 年
《广陵区志》		中华书局	1993 年
《扬州市郊区志》		方志出版社	1996 年
《邗江县志（1988 ～ 2000）》		方志出版社	2009 年
《扬州文化志》		江苏文艺出版社	1996 年
《扬州年鉴》		广陵书社	1991 年～ 2012 年
《广陵年鉴》		广陵书社	2005 年～ 2012 年
《广陵统计年鉴》			1990 年～ 2012 年
《邗江统计年鉴》			2001 年～ 2012 年
《郊区（维扬）统计年鉴》			2001 年～ 2003 年
《扬州通》		扬州市档案局（馆）	2010 年～ 2013 年
《情系运河　走进广陵》		扬州文化博览城建设领导小组办公室	2014 年
《扬州城老街巷》	王金祥著	广陵书社	2007 年
《饭羹斋文集》	吴献中著		2010 年
《扬州画舫录》	清·李斗著	江苏广陵古籍刻印社	1984 年
《扬州老字号》		江苏文史资料编辑部	2001 年
《扬州古港史》	吴家兴主编	人民交通出版社	1988 年
《扬州交通志》	吴家兴主编	人民交通出版社	1996 年
《宝岛扬州人》		扬州市档案局方志办	2010 年
《扬州宗教》		江苏文史资料编辑部	1998 年
《扬州历史文化丛书》		广陵书社	2005 年
《扬州水利史话》	李春国主编，徐炳顺、吴家兴统纂	广陵书社	2014 年
《皮五辣子》	杨明坤口述	江苏凤凰文艺出版社	2015 年
《扬州宗教名胜文化》	陈云观主编	广陵书社	2003 年
《扬州民俗》	钱传仓著	方志出版社	2003 年
《名城扬州纪略》	朱家寅编著	江苏文史资料编辑部	1998 年
《扬州市社科知识普及读本非遗篇》		扬州市哲学社会科学界联合会	2011 年
《扬州人（非物质文化遗产代表性传承人专辑）》		扬州市非物质文化遗产保护中心	2010 年
《树人堂下》		经济导报社出版	2007 年
《树人堂下（二）》		经济导报社出版	2012 年
《扬州首批非物质文化遗产概览》	陆苏华主编	广陵书社	2008 年
《扬州水道记》	清·刘文淇著	广陵书社	2013 年
《扬州运河》	徐炳顺著	广陵书社	2011 年
《开沙志》	王锡极、李蔚等纂	成文出版社	
《水韵广陵》	吴家兴编著	新广陵丛书（稿）	2017 年

律师声明

扬州市广陵区地方志年鉴编纂委员会办公室委托江苏华朋律师事务所指派陈红律师声明如下：

一、《扬州市广陵区志》（1989～2011）的版权归扬州市广陵区地方志年鉴编纂委员会合法所有，参与编纂的人员享有署名权，受《中华人民共和国著作权法》的保护。任何单位及个人在引用、复制、转载、摘编或以其它方式使用上述作品时，需征得本著作权人同意。

二、本志书是集编纂委员会成员、撰稿人员、编纂人员以及全体参与人员的集体成果。在几年的编纂过程中，编撰方已尽可能确认作品的来源或与原作者进行充分的沟通，以力求内容的准确、真实，充分保护原作者的合法权益。鉴于收集资料时间较长、牵涉人物和事项较多、内容纷繁芜杂，难以详考确认来源和原作者，在本志书中可能存在引用作品、标注有误或未标注等情形。如出现上述问题，由本律师代表著作权人处理。

特此声明！

（以下无正文）

江苏华朋律师事务所

陈红律师

2017年12月

前排左起：赵群、陈庆翔、胡明寿、董德利、刘春晓、徐长金、张长金、殷元松、赵长松、吉祥、柏桂林、张祥生、杨杏芝

前排左起：赵群、刘扬、王宇清、倪凌、柏桂林、赵长松、陈曦、宗金林、王涛、姚震、傅强、刘扣林、杨杏芝

市、区领导孔令俊、陈锴竑、张长金、陈曦、徐长金、赵长松、刘春晓、刁顺勤等关心指导地方志工作

2017年2月在北京向中国地方志指导小组办公室汇报工作

2012年8月篇目评审会

地方历史文化社区行

地方文化学者研讨区志《街道篇》志稿

专家学者研讨区志经济部类志稿

向新疆扬州籍老同志赠送《广陵区志》

向新疆方志界同行赠书

左起：张锦堂、徐晓洁、丁永荣、张祥生、孟亚东、董德利、孙双喜、杨杏芝、赵群